W9-DIT-653

RÖMISCHER KAISERKULT

Herausgegeben von

ANTONIE WLOSOK

1978

WISSENSCHAFTLICHE BUCHGESELLSCHAFT

DARMSTADT

CIP-Kurztitelaufnahme der Deutschen Bibliothek

Römischer Kaiserkult / hrsg. von Antonie Wlosok. — Darmstadt: Wissenschaftliche Buchgesellschaft, 1978.
(Wege der Forschung; Bd. 372)
ISBN 3-534-06078-4

NE: Wlosok, Antonie [Hrsg.]

Bestellnummer 6078-4

Satz: Maschinensetzerei Janß, Pfungstadt
Druck und Einband: Wissenschaftliche Buchgesellschaft, Darmstadt
Printed in Germany
Schrift: Linotype Garamond, 9/11

ISBN 3-534-06078-4

INHALT

Vorwort. Von Antonie Wlosok IX

Einführung. Von Antonie Wlosok 1

I. Allgemeines

Antikes Gottmenschentum (1926). Von Otto Weinreich . . 55

Die römische Kaiserapotheose (1929). Von Elias Bickermann 82

Zum antiken Herrscherkult (1931). Von Otto Immisch . . 122

Rezension von: Lily Ross Taylor, The Divinity of the Roman Emperor. 1931 (1933). Von Anton von Premerstein . . . 156

Einige Beobachtungen zum Herrscherkult, besonders in Rom (1935). Von Martin Percival Charlesworth 163

II. Alexander und die hellenistischen Könige

Alexander der Große und die absolute Monarchie (1905). Von Eduard Meyer 203

Zur Entstehung des hellenistischen Königskultes (1938). Von Ulrich Wilcken 218

Die „Göttlichkeit“ Alexanders (1950). Von J. P. V. D. Balsdon 254

Die Bedeutung des Herrscherkultes (1950). Von Martin P. Nilsson 291

Die Bedeutung des städtischen Kultes (1956). Von Christian Habicht 301

III. Caesar

Die göttlichen Ehren Caesars (1908). Von Alfred von Domaszewski 329

Divus Julius (1927). Von Lily Ross Taylor 333

Ehrenbeschlüsse für Caesar (im Jahre 45) (1921/1960). Von Matthias Gelzer 334

Zum Herrscherkult bei Julius Caesar (1953). Von Joseph Vogt 340

Rezension von: Gerhard Dobesch, Caesars Apotheose zu Lebzeiten und sein Ringen um den Königstitel, 1966 (1967). Von J. P. V. D. Balsdon 351

Rezension von: Gerhard Dobesch, Caesars Apotheose zu Lebzeiten und sein Ringen um den Königstitel, 1966 (1969). Von Hans Volkmann 361

Rezension von: Helga Gesche, Die Vergottung Caesars, 1968 (1970). Von J. P. V. D. Balsdon 364

Die Vergottung Caesars (Originalbeitrag 1974). Von Helga Gesche 368

IV. Augustus

Die Einrichtung des Herrscherkultes (1934). Von A. D. Nock . . . 377

Augustus und der Kaiserkult im Osten (1965). Von G. W. Bowersock 389

Die zwei Lorbeerbäume des Augustus (Originalbeitrag 1973). Von Andreas Alföldi 403

V. Nachaugusteische Zeit

Zum Kaiserkult in der griechischen Dichtung (1960). Von Ilona Opelt 425

Zur Begründung des Provinzialkultes in der Baetica (1964). Von Jürgen Deininger 441

Die Einrichtung des provinzialen Kaiserkults im römischen Mauretanien (1972). Von Duncan Fishwick 459

VI. Konstantin und das Ende des römischen Kaiserkultes

Konstantin der Große und der Kaiserkult (1956). Von Ioannis Karayannopulos 485

Die Konsekrationsmünzen Kaiser Konstantins und ihre religionspolitische Bedeutung (1958). Von Leo Koep . . . 509

Die Himmelfahrt des Iulianus Apostata (1962). Von Johannes Straub 528

Bibliographie 551

VORWORT

In dem vorliegenden Band konnte nur ein kleiner Ausschnitt der umfangreichen Forschung zum römischen Kaiserkult und dessen Vorläufern geboten werden. Die notwendige Begrenzung des Umfangs und das Fehlen geeigneter Aufsätze machten es zudem unmöglich, die einzelnen Phasen und Epochen gleichmäßig zu berücksichtigen, die ganze Vielfalt der Aspekte und Probleme auszubreiten sowie alle Forschungsrichtungen und -gebiete vorzuführen. Auf die Wiedergabe von Abbildungen mußte weitgehend verzichtet werden. Damit die Untersuchungen in Buchform nicht ganz außer acht bleiben, wurde in einigen Fällen die Möglichkeit wahrgenommen, sie durch Auszüge oder Rezensionen zu präsentieren. Durch den Wegfall mehrerer, ursprünglich für die Aufnahme vorgesehener Beiträge, die entweder der Streichung zum Opfer fielen (darunter vor allem der Aufsatz von C. J. Classen, Bibliographie Nr. 26) oder nicht zum Abdruck freigegeben wurden (wie der Aufsatz von Ch. Habicht, Bibl. Nr. 49), kamen Lücken in die Konzeption, die ich in der ausführlichen Einleitung überbrückt habe.

Beim Nachdruck der einzelnen Beiträge wurde die ursprüngliche Zitier- und Schreibweise zum Teil an die Konventionen der Reihe „Wege der Forschung“ angeglichen. Auf vollständige Vereinheitlichung ist jedoch verzichtet worden. Die in Bibliographie und Einführung bei Literaturangaben verwendeten Abkürzungen für Zeitschriften, Reihen und Sammelwerke, entsprechen, wo sie nicht aus sich selbst verständlich sind, der Année Philologique.

Die Konzeption dieses Bandes ergab sich mir im Winter 1972/73 während eines Forschungsaufenthaltes am Institute for Advanced Study in Princeton, für den ich Dank abzustatten habe. Vielfache Anregung und Belehrung verdanke ich dort geführten Gesprächen mit Andreas Alföldi und Christian Habicht. Zu danken habe ich auch Wolfgang Haase für die Vermittlung eines Korrekturabzuges des Beitrages von D. Fishwick für „Aufstieg und Niedergang der römischen Welt" (= ANRW) II 16 (Bibl. Nr. 38) und nicht zuletzt Frau Maria Giesche für die Unterstützung bei der Durchsicht der Übersetzungsmanuskripte und beim Lesen der Korrekturen.

Mainz, im Juni 1977 Antonie Wlosok

EINFÜHRUNG

Von Antonie Wlosok

Der römische Kaiserkult wurde kürzlich, im Rahmen der Entretiens sur le Culte des Souverains dans l'empire Romain in Vandœuvre, als eine Erfindung der modernen Forschung bezeichnet [1]. Seine Existenz wurde bestritten mit dem Hinweis darauf, daß es einen einheitlichen und universalen Kult des Kaisers schlechthin im Imperium Romanum nicht gegeben habe. Die Feststellung, daß es keinen reichseinheitlichen und allgemeinverbindlichen Kaiserkult gab und insofern auch ein offiziell zum Gott erhobener Kaiser, ein *Divus*, kein Reichsgott war, trifft zu, und dieser Umstand mag von den einzelnen Forschern nicht immer genügend beachtet worden sein. Aber es bleibt der Tatbestand, daß aus allen Teilen und Bereichen des Imperium Romanum eine mannigfaltige Fülle von Kulten der einzelnen Kaiser, angefangen mit Caesar und Augustus, bezeugt ist und daß es bis zu Konstantin wohl keinen römischen Kaiser gegeben hat, dem wenigstens auf provinzialer oder munizipaler Ebene nicht bereits zu Lebzeiten göttliche Verehrung in kultischen Formen zuteil geworden ist, auch wenn ihm die bald zur Regel gewordene *consecratio*, die kraft Senatsbeschlusses sakralrechtlich gültige, postume Erklärung zum römischen Staatsgott, versagt blieb, wie im Falle Domitians.

Im Titel dieses Bandes ist wie in der bisherigen Forschung unter Kaiserkult diese Vielfalt der Kulte und Erscheinungsformen religiöser Kaiserverehrung verstanden. Ihnen ist gemeinsam, daß — aus welchem Grunde auch immer — einem Menschen, zu Lebzeiten oder nach seinem Tode, wie einem Gotte oder als einem Gotte kultische Verehrung erwiesen wurde.

Die mit „Nr." angegebenen Zahlen beziehen sich auf die Bibliographie am Ende des Bandes.

[1] Von E. Bickerman Nr. 1 S. 9 u. 26 f.; vgl. dazu ebd. S. 27 f.

Insofern ist der Kaiserkult dem weitverbreiteten Phänomen des antiken Gottmenschentums zuzurechnen, das Otto Weinreich in dem unten abgedruckten Aufsatz in den Blick gerückt hat. Der Kaiserkult gehört, da es sich bei dem Verehrten stets um einen Menschen handelt, der im politischen Bereich mächtig und wirksam ist oder war, einer besonderen, nämlich politischen Ausprägung des Gottmenschentums an. Dieses 'politische Gottmenschentum' ist seinerseits kein einheitliches Phänomen. Es umfaßt, neben dem Kaiserkult und abgesehen von Sonderfällen wie Alexander dem Großen, so heterogene Erscheinungen wie die städtischen Kulte der Machthaber und die dynastischen Reichskulte der hellenistischen Könige, das sind insgesamt Kulte, deren Verschiedenartigkeit in der Forschung der letzten Jahrzehnte mit Nachdruck herausgestellt worden ist [2]. In der älteren Forschung wurden all diese Ausprägungen des Gottmenschentums im politischen Bereich gewöhnlich ohne Differenzierung pauschal als Herrscherkult bezeichnet und zumeist auch einseitig nach dem Muster eines Gottkönigtums in orientalischer oder hellenistischer Form, für das eine charismatische Herrscherauffassung konstitutiv ist, verstanden.

Eine Diskussion über Sinn und Berechtigung der Bezeichnung 'Herrscherkult' wurde in den dreißiger Jahren, hauptsächlich durch M. P. Charlesworth (unten S. 163 ff.), in Gang gesetzt. Den entscheidenden Anstoß gab seine wohlbegründete These, daß in der griechischen Tradition das maßgebliche Motiv der göttlichen Verehrung eines Menschen die Dankbarkeit gegenüber dem Wohltäter *(Euergetes, Benefactor)* oder Retter *(Soter, Saviour)* war.[3] Charlesworth hielt daher die Bezeichnung 'Wohltäterkult' *(benefactor cult)* für zutreffender als 'Herrscherkult' *(ruler cult)*. Wenn er trotzdem die eingebürgerte Bezeichnung beibehielt, so doch wohl deshalb, weil der neue Name ebenfalls einseitig ist, da er wichtige Umstände und Aspekte außer acht läßt, z. B. das Moment des politischen Charakters der Leistung. Und zudem birgt auch er die Möglichkeit des Mißverständnisses und falscher Assoziationen in sich.

[2] Vgl. Ch. Habicht Nr. 48 S. 201 u. ö., bes. den Auszug unten S. 301 ff.

[3] So gelegentlich auch schon A. D. Nock (unten S. 377), U. Wilcken (unten S. 229) u. a.

Ich meine daher, daß man bei sorgfältiger Differenzierung im einzelnen und im Bewußtsein der Problematik der Anwendung des Begriffes dem Vorschlag M. P. Nilssons (Gnomon 29, 1957, 214) folgen darf, „die städtischen Kulte der Machthaber, die Reichskulte der hellenistischen Könige und den Kult der römischen Kaiser unter dem gemeinsamen Namen des Herrscherkultes zusammenzufassen".

Daß der vorliegende Band anstelle des ursprünglich vorgeschlagenen Titels „Antiker Herrscherkult" den Titel „Römischer Kaiserkult" erhalten hat, hängt zwar auch mit der gegenwärtigen 'Verfemung' des Namens Herrscherkult zusammen, hat aber in erster Linie den sachlichen Grund, daß in ihm der römische Kaiserkult, der mit Caesar und Augustus beginnt, im Mittelpunkt steht, während die erwähnten früheren Erscheinungen des politischen Gottmenschentums als seine Vorläufer figurieren.

I

Das vorrömische Gottmenschentum politischer Ausprägung in der griechisch-hellenistischen Welt ist ein vielschichtiges Phänomen. Seine Anfänge liegen im griechischen Osten, bei den freien Griechenstädten, und reichen in die Zeit vor Alexander dem Großen zurück. Das älteste Beispiel göttlicher Verehrung eines lebenden Menschen durch eine griechische Stadt ist der am Ende des Peloponnesischen Krieges, wahrscheinlich noch im Jahre 404 v. Chr. auf Samos eingerichtete Kult des spartanischen Feldherrn Lysandros. Die Initiative kann, wie Ch. Habicht (Nr. 48 S. 3 ff.) dargelegt hat, nur von der durch Lysander zurückgerufenen Gruppe der politisch Verbannten ausgegangen sein; das Motiv für die Einrichtung des städtischen Kultes war somit Dankbarkeit für eine als Rettung oder Befreiung der Stadt ausgelegte politische Hilfeleistung.

Die göttliche Verehrung derart hilfreicher Machthaber durch griechische Städte blieb zunächst vereinzelt. Nach dem Tode Alexanders wurde sie dann immer häufiger und entwickelte sich rasch zu einer gängigen diplomatischen Praxis, hinter der verschiedene, meist ganz massive Interessen und politischer Kalkül standen. Die bei der häufigen Anwendung unvermeidliche Abnützung dieses äußersten Mittels der Ehrung eines Menschen förderte die Tendenz zur Steigerung und Überbietung im einzelnen sowohl hinsichtlich der Anzahl wie der Formen der angebotenen göttlichen Ehrungen.

Zu den Kultempfängern gehören nach Alexander hauptsächlich die hellenistischen Könige oder deren Vorläufer, vom Beginn des 2. vorchristlichen Jahrhunderts an zunehmend auch Feldherren und Statthalter der römischen Republik, als Vertreter der aufsteigenden neuen Großmacht; und schließlich sind es, nachdem Rom zur Weltherrschaft und monarchischen Regierungsform gelangt ist, nur noch die römischen Kaiser und ihre Angehörigen.

Ihrem Wesen nach sind diese städtischen Kulte freiwillig angebotene göttliche Ehren zum Dank für bestimmte Hilfeleistungen, deren Charakter in den meisten Fällen durch die in späteren Dokumenten oft formelhaft verbundenen Titel 'Wohltäter' (εὐεργέτης) und 'Retter' (σωτήρ) zum Ausdruck gebracht wurden[4]. Die Kulte galten im Prinzip also weder der Machtposition noch dem Herrschercharisma des Geehrten, waren daher auch weder Ausdruck einer Herrschaftsbeziehung, wie Ed. Meyer (unten S. 203 ff.) angenommen hatte, noch auch des Glaubens an eine göttliche Qualität oder Wesenheit des als Gott geehrten Menschen. Was diesen mit den Göttern verband, so daß er der gleichen Ehren würdig erschien, war die Ausübung der spezifisch göttlichen Funktion des Rettens und Helfens. Daher war die Stiftung des Kultes zunächst Ausdruck des Dankes (ohne theologische und staatsrechtliche Implikationen), mit der Zeit auch und schließlich sogar primär der Huldigung, und darin liegt auch, wie A. D. Nock (unten S. 377) vermerkt, Anerkennung der Macht, freilich einer Macht, von der man die Übernahme einer göttlichen Schutzfunktion erhoffte.

Als die Römer um 200 v. Chr. als Verbündete der Griechen gegen König Antiochos auf der politischen Bühne des östlichen Mittelmeerraumes erschienen, hatte sich dieses System der Danksagung und Huldigung mittels göttlicher Ehren längst eingespielt. Erster römischer Gottmensch, dem eine griechische Stadt einen ständigen

[4] Vgl. die von A. E. Raubitschek Nr. 76 zusammengestellten Inschriften von Basen für Caesarstatuen in griechischen Städten und die anhangsweise bei L. R. Taylor Nr. 91 abgedruckten epigraphischen Zeugnisse.

Kult mit Festtag, Opfer, Priester und Paian einrichtete[5], wurde der Sieger über Philipp V. und Befreier Griechenlands, Titus Quinctius Flamininus. Die aufgezählten göttlichen Ehren wurden ihm im Jahr 191 v. Chr. von der Stadt Chalkis zuerkannt, die besonderen Anlaß zur Dankbarkeit hatte[6]. Dem Kultlied zufolge, dessen Schluß Plutarch in seiner Titusvita (16 = Powell, Collect. Alex. 173) überliefert hat, wurde Titus als *Soter* gepriesen und zusammen mit der *Pistis (Fides)* der Römer und *Roma* selbst verehrt.

Roma ist hier bereits die θεὰ ῾Ρώμη, „die vergottete Verkörperung der Macht Roms“[7], die im Jahr 195 v. Chr. in Smyrna erstmals einen Kult und Tempel erhalten hatte. Auch für diese Kultstiftung lassen sich politische Motive aufzeigen, so daß sie als rein „politischer und diplomatischer Akt“ erklärt werden kann (Mellor a. O. 16). Ob man freilich dabei den numinosen Aspekt, den Macht in der Antike haben konnte, so gänzlich vernachlässigen darf, wie es in der modernen historischen Forschung häufig geschieht, scheint mir zweifelhaft.

In der Folgezeit begegnen in der griechischen Welt beide Formen der Huldigung vor Rom, göttliche Ehren römischer Imperienträger und die Kulte der Göttin Roma. Die Zeugnisse für die Romakulte hat kürzlich R. Mellor (Nr. 66) gesammelt und eingehend untersucht. Neuere Listen der göttlichen Ehrungen, die römische Feldherren und Statthalter, mit Ausnahme Caesars und M. Antonius', erhalten haben, geben C. J. Classen (Nr. 26 S. 337 f.) und G. Bowersock (unten S. 401 f.; das Wichtigste auch bei M. P. Nilsson unten S. 293 ff.).

Die Römern gewidmeten Kulte sind bedeutend seltener als die Romakulte. Nach Titus ist der persönliche Kult eines römischen Beamten erst wieder im Zusammenhang mit der Einrichtung der Provinz Asia um 129 v. Chr. in Pergamon bezeugt (für M'. Aquillius). Die kleinasiatischen Griechenstädte erscheinen auch weiterhin am häufigsten als Verleiher kultischer oder ‘gottgleicher’

[5] Festspiele waren von der Stadt Syrakus bereits 212 v. Chr. für M. Claudius Marcellus gestiftet worden.

[6] Näheres jetzt bei R. Mellor Nr. 66 S. 99 f.

[7] Mellor a. O. 195: “the deified embodiment of the power of Rome”.

Ehren. Im 1. Jahrhundert treten als Geehrte neben die Statthalter und andere Beamte öfter siegreiche Feldherren und außerordentliche Imperienträger wie Sulla und Pompeius. Doch bleiben die Ehrungen nach Form und Intention im Rahmen des bisher üblichen *Euergetes*-Kultes. Erst nach Caesars Sieg über Pompeius, und d. h. sobald im Osten ein Römer als Alleinherrscher gilt, zeichnen sich gewisse Veränderungen ab. In den Ehreninschriften taucht jetzt mehrfach die Bezeichnung θεὸς auf, so in der berühmten (unten S. 296 abgedruckten) Inschrift aus Ephesus (SIG³ 760)[8], der zufolge Caesar vom Landtag der Provinz Asia als θεὸς ἐπιφανής, d. h. machtvoll und hilfreich in Erscheinung tretender Gott und als 'Retter der Menschheit' gepriesen wird.

Diese Tendenz zur Vergottung des Machthabers setzt sich gegenüber Antonius verstärkt fort. Dieselbe Stadt Ephesus feierte ihn nach dem Sieg über die Caesarmörder bei Philippi als Epiphanie des Gottes Dionysos (Plutarch, Antonius 24) und stellte ihn damit eindeutig in die Nachfolge der hellenistischen Könige[9]. Antonius wiederum griff die politisch bedeutsame und traditionsbeladene Dionysosrolle auf und spielte sie zunächst zusammen mit seiner römischen Gemahlin Octavia sowohl in Kleinasien, wo er im Jahr 39 v. Chr. das Porträt beider auf den aus der Dionysostradition der Attaliden stammenden Münztypus der Cistophoren setzen ließ, als auch in Athen weiter, wo ihm als θεὸς νέος Διόνυσος die Panathenaeen umgewidmet wurden (IG II² 1043, 22 ff.). In dieser Stadt wurden er und Octavia auch wie ein hellenistisches Herrscherpaar als θεοὶ εὐεργέται kultisch verehrt[10]. All das bedeutet, daß inzwischen auch Vorbilder und Traditionen hellenistischer Königskulte wirksam geworden sind.

Daneben läuft die aufgezeigte Linie der Statthalterkulte einfach weiter. Bemerkenswert ist vor allem der für Ephesus bezeugte Kult des P. Servilius Isauricus, eines Prokonsuls, der sich durch für-

[8] Vgl. daneben bes. IG XII 5, 557 (Karthaia); mehr bei Taylor Nr. 91 S. 267 f.; Raubitschek Nr. 76.

[9] Näheres in dem Beitrag von Immisch, unten S. 131 ff.; dazu Mannsperger Nr. 64.

[10] Raubitschek Nr. 77.

sorgliche und noble Verwaltung der Provinz in den Jahren 46—44 wirklich als 'Soter und Euergetes' erwiesen und den Dank der Städte verdient hat. Sein Kult war in Ephesus dem bereits vorhandenen der Göttin Roma angeschlossen [11]. Mit dieser jüngsten Verbindung der Kulte des persönlichen Repräsentanten der römischen Staatsmacht und der Personifikation dieser Macht selbst war ein aktuelles und probates Modell bereitgestellt, auf das Caesar Augustus im Jahre 29 v. Chr. bei der Einrichtung des provinzialen Kaiserkultes zurückgreifen konnte.

II

Der bisher betrachtete Typ politischen Gottmenschentums, der städtische Kult eines Machthabers, beruht auf Vergöttlichung dank besonderer (politischer) Leistung oder, wie sich auch formulieren läßt, dank Ausübung der göttlichen Grundfunktion des Helfens und Rettens. Daneben entstanden im Laufe des 3. Jahrhunderts auch offizielle Reichskulte hellenistischer Könige und damit ein institutionalisierter Herrscherkult. Die Initiative ging in diesem Fall vom Herrscher aus, dem an sakraler Fundierung seiner Macht und Erhöhung seiner Herrscherstellung lag. Solche Reichskulte hat es, mit unterschiedlicher Organisation und Intensität, unter den Ptolemäern und den Seleukiden gegeben. Der ptolemäische Königskult ist besonders früh und reich bezeugt und daher in seiner Entstehung, Ausgestaltung im einzelnen und Entwicklung verhältnismäßig gut greifbar. In seiner voll entwickelten Form impliziert er die Apotheose, die Göttlichkeit des Königs zu Lebzeiten.

Die Frage, die die Forschung am heftigsten bewegt hat und noch bewegt, ist die Frage nach Ursprung und Bedeutung dieser Königskulte. Die Diskussion konzentrierte sich dabei sehr bald auf zwei miteinander verquickte Probleme:

1. auf die Ableitung des Gottkönigsgedankens, für dessen Herkunft zwei Möglichkeiten gesehen und zumeist alternativ gegenein-

[11] F. Münzer, Römische Adelsparteien und Adelsfamilien 1920, 356 f.; Mellor a. O. 58 und 218 (Nr. 128 und 129).

ander gestellt wurden, nämlich orientalische Vorstellungen und griechische Ideen, und

2. auf die Rolle Alexanders des Großen in diesem Zusammenhang. Dabei ging es sowohl um seinen persönlichen Anteil an der Ausbildung des Gottkönigsgedankens [12] wie um den Einfluß, den er als Vorbild auf die Entstehung der späteren Königskulte ausgeübt hat. Dahinter steht letztlich die Frage, ob und wieweit Alexander der Begründer des hellenistischen Herrscherkultes ist. Sie hängt aufs engste zusammen mit der Frage, ob Alexander für seine Person überhaupt Göttlichkeit beansprucht hat und weiterhin, ob er als Herrscher die Anerkennung seiner Göttlichkeit gefordert hat. Bei der Untersuchung der Frage der Vergöttlichung Alexanders [13] wurden vor allem drei Punkte erörtert und teilweise auch geklärt:

a) Der Besuch des Ammonsorakels in der Oase Siwa, bei dem Alexander, wie U. Wilcken richtiggestellt hat, nicht vom Orakel, sondern vom Oberpriester ägyptischer Sitte gemäß als 'Sohn des Gottes', d. i. des Zeus-Ammon, begrüßt wurde [14]. Verschieden geurteilt wird vor allem noch über Alexanders Motiv der Orakelbefragung sowie über den Inhalt seiner Frage und den der erteilten Antwort.

b) Die Proskynese in Baktra im Jahr 327 v. Chr., die in der älteren Forschung von namhaften Gelehrten [15] als kultischer Akt mißverstanden und daher fälschlicherweise als Anerkennung der Göttlichkeit Alexanders ausgelegt wurde, die dieser auch von den griechischen Untertanen habe fordern wollen. Inzwischen dürfte, nach lebhafter und lange anhaltender Auseinandersetzung, weitgehend Einigkeit darüber erzielt sein, daß die bei den Persern vor höhergestellten Personen allgemein übliche Proskynese keine religiöse Bedeutung hatte und daß es sich bei dem Vorfall auf dem Gelage

[12] Den Anteil Alexanders betonen z. B. Ed. Meyer, unten S. 203 ff.; F. Taeger Nr. 87 und 89.

[13] Vgl. den Literaturbericht von J. Seibert (Nr. 83 S. 192—211); danach bes. noch G. Dobesch, Alexander und der Korinthische Bund: Grazer Beiträge 3, 1975, 97—99 und 134—146.

[14] Näheres in dem Beitrag U. Wilckens, unten S. 219 ff.

[15] Z. B. Ed. Meyer, unten S. 214 und Taylor Nr. 91, bes. S. 256 ff.

in Baktra, wie Balsdon (unten S. 267 ff.) nach nochmaliger sorgfältiger Prüfung der Quellen dargelegt hat, um einen mißlungenen Versuch Alexanders handelte, den persischen Brauch auch bei den Griechen und Makedonen einzuführen, um das Zeremoniell zu vereinheitlichen.

c) Die Alexanderkulte in griechischen Städten Kleinasiens und des Mutterlandes, darunter vor allem in Athen. Die Kulte in den ionischen Städten [16] sind von denen des Mutterlandes zu trennen. Sie reichen wahrscheinlich in die Zeit des kleinasiatischen Feldzugs Alexanders (334/333) zurück und waren von den einzelnen Städten aus Dank und zur Huldigung an den Befreier von der persischen Herrschaft gestiftet. Demnach liegen sie ganz auf der bereits besprochenen Linie der *Euergetes*-Kulte.

Anders scheint es sich mit der göttlichen Verehrung Alexanders zu verhalten, über die im Winter 324/323 in Athen und Sparta heftige Beratungen geführt worden sind und die ihm im Frühjahr 323 in Babylon kurz vor seinem Tode durch eine Gesandtschaft aus Griechenland angetragen wurde. Entsprechende Kulte wurden offensichtlich in mehreren Städten Griechenlands, darunter in Athen, wirklich eingerichtet.

Es ist bis heute umstritten, ob die Initiative dafür bei den Städten lag [17] oder bei Alexander selbst. Und bei denen, die annehmen, daß Alexander die göttlichen Ehren gewünscht oder gar gefordert habe, gehen wiederum die Meinungen über seine Motive weit auseinander. Nach Eduard Meyer (unten S. 214 ff.) hat Alexander zielbewußt die absolute Monarchie angestrebt und wollte seiner Herrscherstellung durch die Erhebung zum Gott, die in staatsrechtlichem Sinn als Verleihung der gesetzgebenden Gewalt zu verstehen sei, eine rechtliche Basis geben. Die Anerkennung seiner Göttlichkeit bedeutet unter diesen Voraussetzungen die Anerkennung seiner absoluten Herrscherstellung, der Kult zu Lebzeiten hätte demnach staatsrechtliche Bedeutung und wäre wirklicher 'Herrscherkult'. Der

[16] Zeugnisse und Diskussion bei Habicht Nr. 48 S. 17—25 mit 245 f.

[17] So nach älteren Vorgängern jetzt besonders Balsdon, unten S. 283 ff., während E. Bickerman Nr. 16 die Existenz der Kulte überhaupt bezweifelt.

Herrscherkult wäre also eine Schöpfung Alexanders und ein integrierender Bestandteil der von diesem begründeten absoluten Monarchie.

Diese These Eduard Meyers hat nachhaltig gewirkt, zumal sie der bereits bestehenden falschen Vorstellung vom Herrscherkult nachträglich die wissenschaftliche Grundlage lieferte. Sie hat auch weitgehend die Auffassungen über die späteren städtischen Kulte der Nachfolger Alexanders bestimmt und schließlich auch die Beurteilung der Bestrebungen Caesars beeinflußt. Entgegengetreten sind ihr vor allem U. Wilcken (unten S. 228) und, nachdem W. W. Tarn erneut eine politische Motivation der Alexanderapotheose verfochten hatte, Balsdon (unten S. 287 ff.) und vor allem Habicht (Nr. 48 S. 28—36 mit 246—250 und unten S. 306 ff.).

Die äußerste Gegenposition bezieht Balsdon. Er vertritt die Auffassung, daß Alexander göttliche Verehrung nicht einmal gewünscht habe. In diesem Fall wäre die Frage nach seinem Anteil an der Ausbildung des hellenistischen Gottkönigtums überhaupt hinfällig. Wilcken und Habicht nehmen dagegen an, daß Alexander in Einklang mit zeitgenössischen griechischen Vorstellungen die Apotheose bzw. kultische Ehren als Anerkennung seiner hervorragenden Leistungen beansprucht habe, ohne einen politischen oder juristischen Zweck zu verfolgen. Die Zeugnisse scheinen tatsächlich für diese Auffassung zu sprechen (Habicht S. 35 f.). Demnach waren diese Alexanderkulte — ob sie nun freiwillig angeboten oder von Alexander inauguriert waren — Ausdruck der Anerkennung außergewöhnlicher Taten, nicht Ausdruck einer Herrschaftsbeziehung. Sie unterscheiden sich dadurch wesentlich von den späteren Reichskulten der Könige, gehen aber über die bisher üblichen *Euergetes*-Kulte hinaus, da ihnen nicht mehr die einmalige und besondere Hilfeleistung zugunsten der den Kult stiftenden Stadt zugrunde liegt.

Bei den Kulten der Diadochen dagegen ist dies wieder der Fall. Sie werden heute im allgemeinen richtig beurteilt, nicht als Herrscherkult in Nachfolge oder Nachahmung Alexanders (gegen diese Annahme bereits Wilcken unten S. 229), sondern als *Soter*-Kulte im oben bezeichneten Sinn. Nach Ausweis der zahlreichen Zeugnisse handelt es sich um freiwillig von den Städten angetragene göttliche

Ehren aus Dank für besondere Leistungen, die zumeist in der Befreiung und Errettung der Stadt von der 'Tyrannenherrschaft' des Gegners besteht. Bemerkenswert ist die besonders aus Athen für Antigonos und Demetrios zusammen sowie für Demetrios allein bezeugte Mannigfaltigkeit und mehrfache Steigerung der schließlich exzessive Formen annehmenden göttlichen Ehren. Demetrios wurde mindestens dem Wortlaut nach schließlich in allem Ernst als Gott gefeiert [18].

Am Anfang der hellenistischen Reichskulte steht die postmortale Vergottung Alexanders in Ägypten durch Ptolemaios I. Dieser stiftete nach 311 in Alexandrien einen Reichskult des Gottes 'Alexander', mit Tempel in der Stadt und eponymem Priestertum, nach dem im ganzen Reich datiert wurde. An diesen Kult wurde der spätere Königskult der Ptolemäer angeschlossen. Der Reichskult Alexanders bildet, wie Wilcken (unten S. 233 ff.) dargetan hat, die erste Stufe bei dessen Einführung. Als zweite Stufe folgte die Divinisierung des verstorbenen ersten Ptolemäers durch seinen Sohn und Nachfolger Ptolemaios II. Philadelphos. Ihm beigesellt wurde seine wenige Jahre später gestorbene Gemahlin Berenike. Das Herrscherpaar erhielt in eigenem Tempel einen spektakulär, mit Agon und Pompe, ausgestalteten Kult als θεοὶ Σωτῆρες. Wie Theokrits Enkomion auf Ptolemaios (id. 17, 16 ff.) zeigt, konnte man sich die Vergotteten in den Himmel versetzt unter den olympischen Göttern vorstellen.

Der letzte Schritt war die Erhebung des lebenden Herrscherpaares zu Göttern, den ebenfalls Ptolemaios II. vollzog. Er machte sich und seine Schwestergemahlin Arsinoe zu θεοὶ Ἀδελφοί. Die Durchführung des Kultes wurde dem Alexanderpriester übertragen. Über die Gründe für diese Maßnahme ist wiederum viel vermutet worden. Die Motive waren sicherlich komplex. Jedenfalls läßt sich, wie Nilsson (unten S. 297) zu Recht betont, bei einem Herrscher über Ägypten, der eine Geschwisterehe nach ägyptischem Muster eingegangen war, das Vorbild des Pharaonenkultes kaum ausschließen.

Die nachfolgenden Ptolemäer übernahmen die Institution der

[18] Einzelheiten bei Weinreich, unten S. 73 ff. und Habicht a. O. 44—55. Über Voraussetzungen und Motive dieser Apotheose und der des lebenden Herrschers überhaupt: W. Haase Nr. 47.

Vergottung des regierenden Herrscherpaares und bauten an ihrem Königskult in verschiedener Hinsicht weiter, was hier nicht mehr verfolgt werden kann [19]. Es seien nur einige Tatsachen und für die Gesamtentwicklung wichtige Tendenzen herausgestellt.

Dazu gehört einmal die Ausbildung fester Verbindungen des Königspaares zu einzelnen Göttern, vor allem zu Dionysos und Isis, die als Ahnen oder Erzeuger, persönliche Schutzgottheit, Vorbild oder Urbild fungieren und mit denen vielerlei Ansprüche abgedeckt werden konnten. Die Formen, in denen die besondere Verbindung zu einer Gottheit zum Ausdruck gebracht wurde, waren mannigfaltig: einfache genealogische Verknüpfung, gesteigerte persönliche Verehrung oder offizielle Förderung des Kultes der betreffenden Gottheit, demonstrative Imitation aufgrund von Taten, Leistungen oder Ausübung analoger Funktionen, die Annahme charakteristischer Epitheta des Gottes, die Beanspruchung gleicher Ehren, Rechte und Aufgaben oder der Teilhabe an seinem Kult, schließlich Assimilation verschiedener Abstufung und Art. (Vgl. auch Immisch unten S. 128.)

Daneben läßt sich ein stärkeres Hervortreten der Epiphanievorstellung beobachten und eine Tendenz zur Steigerung der Göttlichkeit bis hin zur Identifizierung mit einer Gottheit. Das erste äußert sich z. B. in Beinamen wie Epiphanes (Ptolemaios V., gest. 181/180) [20] und Neos Dionysos (Ptolemaios XII., gest. 51) [21], was im Sinne der Assimilation oder der Inkarnation verstanden werden konnte. Die Identifizierung ist z. B. vollzogen in Kulttiteln, in denen der Individualname weggelassen ist und nur der Gottesname erscheint (z. B. Kleopatra III. nur als Ἶσις μεγάλη μήτηρ θεῶν, OGIS 739, 8) [22]. Gegen Ende des 3. Jahrhunderts, spätestens unter Ptolemaios V., nimmt auch die Rezeption ägyptischer Elemente auffällig zu. Am deutlichsten ist sie in der im Jahr 196 in Memphis

[19] Siehe P. M. Fraser, Ptolemaic Alexandria, Oxford 1972, I 213—246 mit II 361 ff.; D. Burr Thompson, Ptolemaic Oinochoai and Portraits in Faience. Aspects of the Ruler Cult, Oxford 1973 (dazu E. Simon, GGA 227, 1975, 206—216).

[20] Vgl. A. D. Nock Nr. 72 S. 38—41.

[21] Dazu Nock a. O. 30—38.

[22] Vgl. Nilsson, Griechische Religion II² 164.

vollzogenen Königskrönung nach ägyptischem Ritus und in dem ägyptisierenden Text des dazugehörigen Priesterdekretes (Inschrift aus Rosette OGIS 90). In ihm wird die Göttlichkeit des Königs durch immer neue Wendungen und Formeln zum Ausdruck gebracht (z. B. 'lebendiges Abbild des Zeus', 'Sohn des Helios', 'ewig lebender Ptolemaios') und auch die Abkunft des Gottes von göttlichen Eltern emphatisch vermerkt[23].

Die Vorstellung des Gottkönigs erscheint hier in bezug auf die Ptolemäer voll ausgebildet. Etwa gleichzeitig tritt sie bei den Seleukiden (Antiochos IV. Epiphanes) hervor und wird dann mit typischen Übertreibungen von den hellenistischen Kleinkönigen, etwa in Bithynien und Kappadokien, aufgegriffen. Sie war also im Späthellenismus in der östlichen Welt weit verbreitet.

Es ist nun nicht überraschend, daß sich dieser Wandel in der Konzeption des Königs der beiden Großreiche auch in dem zeitgenössischen staatstheoretischen Schrifttum, insbesondere in den hellenistischen Schriften über das Königtum niedergeschlagen hat. Der ptolemäischen und seleukidischen Herrscherauffassung entspricht vor allem das in den neupythagoreischen Schriften des Ekphantos, Diotogenes und Sthenidas entworfene Herrscherbild[24]. Diese Schriften gehören, wie H. Thesleff[25] gegen L. Delatte[26] nachgewiesen hat, nicht in die spätere Kaiserzeit, sondern noch ins 3. vorchristliche Jahrhundert und enthalten ausgesprochen hellenistisches Gedankengut. Der König ist in ihnen, entgegen einer vom Gedanken der ἔνδοξος δουλεία ('ruhmvolle Knechtschaft')[27] bestimmten Auffassung in frühhellenistischen Fürstenspiegeln peri-

[23] εἰκόνος ζώσης τοῦ Διός, υἱοῦ τοῦ Ἡλίου, Πτολεμαίου αἰωνοβίου, S. 142 f.; ὑπάρχων θεὸς ἐκ θεοῦ καὶ θεᾶς . . ., S. 147. Vgl. H. Lietzmann Nr. 63 S. 32 f.

[24] Auszüge aus ihren Schriften περὶ βασιλείας bei Stob. IV S. 244 f. u. 263—279 Hense. Vgl. T. Adam Nr. 3 S. 12—17; ferner E. R. Goodenough Nr. 45.

[25] An Introduction to the Pythagorean Writings of the Hellenistic Period, Åbo 1961.

[26] Les traités de la royauté d'Ecphante, Diotogène et Sthénidas, Liège-Paris 1942.

[27] Zur Bedeutung dieses Ausspruchs des Antigonos Gonatas: H. Volk-

patetischer und stoischer Provenienz, „nicht eigentlich ein menschliches Wesen, das an die irdischen Bedingungen gebunden ist, sondern gilt als von oben herab gesandter Retter und Spiegelbild Gottes" (T. Adam a. O. 14).

Er unterscheidet sich von den übrigen Menschen durch eine qualitative Andersartigkeit, besitzt göttliche Natur in hohem Grad und hat in einzigartiger Weise am Göttlichen teil. Seine Herrschaft hat daher einen göttlichen Grund, ist ϑεῖα βασιλεία. Seine Stellung auf Erden entspricht der des höchsten Gottes im Universum. Er verkörpert selbst das Gesetz und wandelt auf Erden als Mensch gewordener Gott (Diotogenes bei Stob. IV S. 265, 11 f.: αὐτὸς ὢν νόμος ἔμψυχος, ϑεὸς ἀνϑρώποις παρεσχαμάτισται).[28] Zu seinen Qualitäten zählen Erhabenheit (σεμνότης) und Güte (χρηστότης), die sich den Menschen gegenüber im Helfen (βοήϑεια) und Wohltun (εὐεργεσία) äußert. An *arete* ist er vollkommen wie Gott. Seine Hauptfunktion besteht im σῴζειν[29]. In seinem Verhalten läßt sich dieser göttliche König somit als permanenter und universaler *Euergetes* und *Soter* verstehen, das ist als Heil- und Segensbringer für die Welt.

Die römischen Imperatoren und Machthaber der ausgehenden Republik wurden mit der späthellenistischen Gottkönigsvorstellung im Osten direkt und wiederholt konfrontiert. Das gilt ganz besonders für Pompeius, Caesar, Antonius und Octavian. Aber auch in die Hauptstadt Rom war sie in dieser Zeit schon eingedrungen, und zwar, wie M. Gelzer (unten S. 335 f.) betont, von unten her. Denn sie muß einem großen Teil der stadtrömischen Bevölkerung, die im Laufe des 1. Jahrhunderts ja einen starken und anhaltenden Zustrom aus der östlichen Reichshälfte erhielt, vertraut gewesen sein.

Der vorstehende Überblick über die Vorläufer des römischen Kaiserkultes in der griechisch-hellenistischen Welt sollte vor allem deutlich machen, wie komplex die Erscheinung des 'Herrscherkultes'

mann, Die Basileia als ἔνδοξος δουλεία: Historia 16, 1967, 155—161 (mit weiteren Literaturangaben).

[28] Vgl. G. J. D. Aalders, Nomos empsychos: Palingenesia 4, 1969, 315 bis 329.

[29] T. Adam a. O. 53 f.; W. Schubart Nr. 80 S. 13 f.

oder politischen Gottmenschentums im Späthellenismus bereits war. Nicht nur gibt es eine Vielfalt der Formen der Verehrung, unterschiedliche Grade der Vergöttlichung und mannigfaltige Weisen der Proklamation der Göttlichkeit. Auch Begründung und Auffassung der Kulte sind nicht einheitlich. Wie wir sahen, liegen zwei grundsätzlich verschiedene Konzeptionen vor:

1. Die *Euergetes/Soter*-Kulte, die auf freien Beschluß einzelner Städte zurückgehen. Sie werden mit bestimmten politischen Leistungen begründet, setzen eine Herrschaftsbeziehung weder voraus noch stellen sie sie her, und sie bewirken auch nicht eigentlich die Apotheose.

2. Die institutionalisierten Königskulte, die durch Verfügung des Herrschers eingerichtet wurden und, wenigstens bei den Ptolemäern und Seleukiden, göttliche Abkunft und Qualität des Königs und seiner Dynastie voraussetzen. Mit ihnen ist die Götttlichkeit zum „Charakteristikum der absoluten Monarchie" (Nilsson unten S. 297) geworden.

Beide Kulttypen existierten vom 3. Jahrhundert ab nebeneinander, und es ist anzunehmen, daß sie von der Bevölkerung nicht immer und überall scharf auseinandergehalten wurden, zumal wenn der Empfänger ein und derselbe König war. Überhaupt wird die breite Bevölkerung im allgemeinen dem sakralrechtlichen Aspekt eines Kultes gegenüber ziemlich gleichgültig gewesen sein, und daher sollte man auch stärker mit der Möglichkeit rechnen, daß die Auffassung des Kultes, insonderheit die Vorstellung von der Göttlichkeit der Verehrten und die persönliche Einstellung zu diesen, je nach Bevölkerungsschicht, Gegend oder Mentalität differierte.

Die Römer kamen bei und seit ihrem Eintritt in die östliche Welt mit beiden Arten der 'Vergottung' in Berührung. Sie selber konnten infolge der politischen Gegebenheiten überhaupt nur Kulte von seiten der Städte empfangen. Diese hatten, wie oben gezeigt wurde, zwei kombinierbare Formen der Huldigung vor Rom entwickelt, die Romakulte und die Feldherren- bzw. Statthalterkulte, die ihrem Charakter nach beide politisch motivierte *Euergetes*-Kulte waren. Doch wurde schon darauf hingewiesen, daß gegenüber dem Alleinherrscher Caesar die Vorstellung der Epiphanie und eines universalen Soters zur Anwendung kam und damit Aspekte des hellenistischen Gottkönigs oder Herrscherbildes auf ihn übertragen wurden. Für die Beurteilung der Anfänge des römischen Kaiserkultes maßgeblich ist nun die Frage, ob Caesar selbst die ihm von den Städten im Osten angetragene Göttlichkeit als ein Mittel zur Festigung seiner Macht und monarchischen Stellung auch im Westen des Reiches gegenüber den römischen Bürgern Italiens und der Hauptstadt verwenden wollte.

III

Die Vergottung eines Menschen zu Lebzeiten oder nach dem Tode war römischem Denken von Haus aus fremd. Bis an die Schwelle des 1. vorchristlichen Jahrhunderts ist für Rom kein Fall kultischer oder auch nur übermenschlicher Verehrung einer bedeutenden Persönlichkeit zu Lebzeiten sicher bezeugt. Das hat die Überprüfung der diesbezüglichen Nachrichten durch C. J. Classen (Nr. 26) ergeben. Auch einen Heroenkult, wie er bei den Griechen für außerordentliche Gestalten nach deren Tode verbreitet war, hat es in Rom ursprünglich nicht gegeben, weder im privaten noch im öffentlichen Bereich. Der Ahnenkult einer römischen Familie galt den Geistern der Verstorbenen, den *Di(vi) Parentum* oder *Manes,* als einem unbestimmten Kollektiv; der Ahnherr oder besonders berühmte Vorfahren waren daraus nicht als Individuen herausgehoben oder gar durch eine besondere Verehrung ausgezeichnet.

Entsprechend gab es in Rom mit großer Wahrscheinlichkeit in älterer Zeit weder einen offiziellen Kult des Stadtgründers Romulus noch des Stammvaters des Römervolkes oder anderer Archegeten [30]. Das älteste sichere Zeugnis für die Vergottung des Romulus ist literarischer Art (Ennius, ann. 110 ff. und 65 f. Vahlen[2] mit Ovid, met. 14, 812; vgl. Livius 1, 16) und von griechischen Vorstellungen beeinflußt. Die Apotheose ist wie in der vorangehenden hellenistischen Literatur als Entrückung oder Himmelfahrt gedacht.

[30] Zum Aeneaskult in Lavinium, der inschriftlich schon für die Wende vom 4. zum 3. Jahrhundert bezeugt ist: R. M. Ogilvie, A Commentary on Livy. Books 1—5, Oxford 1965, S. 41; K. Galinsky, Aeneas, Sicily and Rome, Princeton 1969, 149 ff., 158 ff.; P. Sommella, Heroon di Enea a Lavinium: RPAA 44, 1971/72, 47—74.

Über einen tatsächlichen Kult ist durch diese poetische Darstellung aber nichts ausgesagt. Und so gehen die Meinungen der Forscher über das Alter des Romuluskultes auch auseinander [31].

In die Götter der römischen Gemeinde eingereiht wurde Romulus spätestens durch die Gleichsetzung mit dem altrömischen Gott Quirinus. Aber auch deren Alter ist kontrovers. In der älteren Forschung hielt man sie überwiegend für 'alt' und glaubte, sie spätestens bei Ennius, ann. 117 zu finden [32]. Nachdem aber vor allem G. Wissowa [33] auf ihre späte Bezeugung verwiesen hatte und dann Ansätze gemacht worden waren, sie in die Zeit Caesars zu datieren [34], spitzte sich die Kontroverse auf die Alternative zu: vorcaesarisch [35] oder caesarianisch. Die späte Bezeugung durch Cicero in de re publica (2, 20) und de legibus (1, 3 und 2, 19) sprechen für die zweite Auffassung. Diese ist jetzt in den gleichzeitig erschienenen Aufsätzen von W. Burkert (Nr. 21) und C. J. Classen (Nr. 25) eingehend begründet worden. Beide führen die offizielle Gleichsetzung des vergöttlichten Romulus mit Quirinus auf die Initiative des *pontifex maximus* Caesar um 60 v. Chr. zurück, der demzufolge bereits früh ein persönliches Interesse daran gehabt hätte, auf römischem Boden ein ehrwürdiges Vorbild einer postmortalen Vergottung zu schaffen.

In Romulus-Quirinus, dem vergotteten Stadtgründer und Urkönig, besaßen die Römer nun jedenfalls ein eigenes Exemplum der postumen Apotheose aufgrund hoher staatsmännischer Verdienste. Diese ließen sich auf die Tätigkeit des Gründens und Erhaltens reduzieren und mit aktuellen Formeln und Titeln wie *conditor*, *conservator* und vor allem *parens patriae* erfassen, die in

[31] Vgl. bes. C. Koch, Religio 1960, 30—33; RE 24 (1963) 1318 ff. und C. J. Classen Nr. 25.

[32] So noch K. Latte, Römische Religion 113; F. Bömer, Ahnenkult und Ahnenglaube im alten Rom, 1943, 75 ff. u. a.

[33] Religion und Kultus der Römer ²1912, 155; vgl. Rosenberg, RE I A (1914), 1099.

[34] W. Weber, Princeps I, 1936, 90 u. Anm. 398; Kornemann, Gnomon 14, 1938, 496.

[35] So z. B.: C. Koch, Religio 33 ff.; Bömer, Kommentar zu Ovid, Fasten 2, 475 u. a.

der politischen Propaganda der Zeit eine große Rolle spielten[36]. Das Wichtigste an diesem Vorgang ist in unserem Zusammenhang die offizielle Rezeption des Gedankens, daß hervorragende menschliche Leistung (für den Staat) nach dem Tode durch die Apotheose, die Aufnahme in die göttliche Sphäre, belohnt wird. Er ist grundlegend für das Verständnis der offiziellen römischen Kaiserapotheose, deren auffälligstes Merkmal ja das von dem Griechen Appian (b. c. 2, 618) formulierte Paradox ist, daß die Römer ihrem Kaiser die Erhebung unter die Staatsgötter erst gewähren, wenn er tot und nicht mehr an der Macht ist. (Vgl. den Beitrag von E. Bickermann, unten S. 82).

Cicero hat den bezeichneten Gedanken zu etwa gleicher Zeit im Schlußmythos seiner staatstheoretischen Schrift, dem ›Somnium Scipionis‹, expliziert und auf den römischen Staatslenker angewandt. Die dort verkündete Lehre lautet: *omnibus qui patriam conservaverint adiuverint auxerint, certum esse in caelo definitum locum, ubi beati aevo sempiterno fruantur* (13) — „allen, die das Vaterland bewahrt, ihm geholfen, es gefördert haben, ist ein fester Platz im Himmel bestimmt, daß sie dort selig ein ewiges Leben genießen". Die wesentlichen Elemente der Konzeption sind: hervorragende Leistung für den Staat, vor allem in Ausübung der Rolle des Retters und Helfers, und postmortale Aufnahme in die göttliche Welt, die hier in der Sternenwelt lokalisiert ist.[37]

Insgesamt läßt sich also feststellen, daß in Rom um die Mitte des 1. vorchristlichen Jahrhunderts die postume Vergottung eines außerordentlich verdienten Staatsmannes theoretisch und praktisch vorbereitet und in die römische Vorstellungswelt eingebaut war. Durch Ciceros Ausführungen war sie gerade der gebildeten Oberschicht nahegebracht.

Anders steht es auch noch in dieser Zeit mit göttlichen Ehren für Lebende. Offizielle Beschlüsse göttlicher Ehren durch den Senat hat

[36] Dazu A. Alföldi Nr. 6.

[37] Vgl. D. Mannsperger Nr. 65 S. 927 ff., der an Hand der Münzprägung gezeigt hat, wie stark der von Cicero gestaltete „römische Mythos" auf „das ideologisch-mythische Selbstverständnis des römischen Kaisertums" eingewirkt hat.

es vor Caesars Sieg über Pompeius für einen Menschen in Rom, soviel wir wissen, nicht gegeben. Trotzdem ist es seit der Wende zum 1. Jahrhundert wiederholt zu kultischer Verehrung einzelner Persönlichkeiten gekommen.[38] Fast immer handelte es sich dabei um spontane Huldigungen und Dankesbekundungen der Bevölkerung, etwa gegenüber dem „Retter des Vaterlandes" wie im Falle des Marius oder gegenüber dem *Euergetes* wie im Falle des Marius Gratidianus[39].

Auch die Opfer für die toten Gracchen, von denen Plutarch (C. Gr. 18, unten S. 175) berichtet, wurden vom Volk spontan für seine Vorkämpfer und Wohltäter verrichtet.

Beim römischen Volk bestand in spätrepublikanischer Zeit somit durchaus ein Bedürfnis, seine besonderen Lieblinge und Wohltäter außergewöhnlich zu ehren und in die Nähe der Götter zu rücken. Auch waren, wie die Legendenbildung um den älteren Scipio Africanus zeigt, Volk und Soldaten empfänglich für den Glauben an eine besondere göttliche Protektion oder gar Sendung einzelner Großer. Diese wiederum waren oft, und zwar in steigendem Maße, daran interessiert, solchen Glauben zu erzeugen oder zu fördern und sich selbst in engem Kontakt zum Göttlichen darzustellen. Das berühmteste Beispiel ist Sulla und seine von ihm selbst propagierte Glückhaftigkeit, mit der sich auch der Anspruch auf eine Sonderstellung verbindet. Aber von Vergöttlichung kann auch hier keine Rede sein.

IV

Auf diesem Hintergrund müssen die Ereignisse um Caesar in Rom nach seinen Siegen über die Pompeianer gesehen werden. Den antiken Berichten zufolge beschlossen Senat und Volk von Rom in den Jahren 46 und 45 nach Caesars Siegen in Africa und Spanien für den Sieger eine Fülle z. T. ganz neuartiger und unerhörter Ehrungen und Vollmachten. Gegen Ende des Jahres 45 und Anfang

[38] Vgl. v. Premerstein und Charlesworth unten S. 158 u. 175 f.

[39] Näheres bei F. Taeger, Charisma II 41 ff. und C. J. Classen Nr. 26.

44 folgten in mehreren Schüben aus Anlaß oder unter dem Vorwand der Versöhnungspolitik des Diktators, der *Clementia Caesaris,* weitere Ehrenbeschlüsse für den faktischen Alleinherrscher. Die einzelnen Nachrichten sind den unten abgedruckten Auszügen aus dem Caesarbuch M. Gelzers zu entnehmen, der sie mit Belegstellen und Literaturverweisen besonders übersichtlich und vollständig darbietet. Für das Jahr 46 ist der Beitrag A. v. Domaszewskis heranzuziehen, in dem die wichtigsten Belegstellen, auch für die spätere Zeit, ausgeschrieben sind.

In dem folgenden kurzen Überblick halte ich mich im Interesse der Differenzierung der einzelnen Erscheinungen und Vorgänge an die von H. Gesche (unten S. 369) vorgeschlagene terminologische Unterscheidung von Vergöttlichung (= ἰσόθεοι τιμαί, „quasigöttlicher Rangerhöhung") und Vergottung (= sakralrechtlich verbindlicher Erhebung unter die Staatsgötter mit offizieller Kulteinsetzung). Ich bin jedoch der Meinung[40], daß dem sakralrechtlichen Aspekt nicht die ausschlaggebende Bedeutung zukommt, die ihm in der modernen historischen Forschung mit Vorliebe gegeben wird, sondern daß gerade die mannigfaltigen Vergöttlichungsmaßnahmen besondere Beachtung verdienen. Denn sie erscheinen (gedanklich und historisch) als Vorstufen der Vergottung und haben den Akt der Erhebung Caesars unter die Staatsgötter schrittweise vorbereitet. Außerdem ist ihnen am ehesten Aufschluß über die Konzeption und Begründung der angestrebten Apotheose zu entnehmen.

Die Tendenz, Caesar an die Götter heranzurücken und auf deren Ebene zu erheben, zeigt sich deutlich schon bei den Ehrenbeschlüssen des Jahres 46 nach dem Siege bei Thapsus. Wie immer man die Angaben Dios (43, 14, 6; hier S. 329) im einzelnen erklärt und die Ehrungen Caesars in Verbindung mit dem capitolinischen Iuppiter als Ganzes wertet — auch wenn man sie nicht (wie A. v. Domaszewski unten S. 329 u. a.) im Sinne einer Tempelgemeinschaft mit Iuppiter auslegt und die Idee des hellenistischen Kosmokrators[41] fernhält —, aus ihnen geht hervor, daß der 'Halbgott' Caesar auf der Weltkugel als Herr der Oikumene in nächste Nähe des höchsten

[40] Vgl. A. Alföldi, Phoenix 24, 1970, 167 f.

[41] Dazu D. Michel Nr. 68 S. 81 ff.; Goodenough Nr. 45 S. 75 ff.

Gottes und Herrschers des Himmels, des capitolinischen Iuppiter getreten war.[42]

Im folgenden Jahr, nach dem Sieg bei Munda, wurde Caesar durch Aufstellung einer Statue im Tempel des Quirinus(-Romulus) zu dessen 'Tempelgenossen' (σύνναος) erhoben, wie Cicero (Att. 12, 45, 3) den Vorgang kommentiert. Gleichzeitig wurde u. a. beschlossen, daß eine Caesarstatue aus Elfenbein bei der *pompa circensis* unter die Götterbilder eingereiht und ganz wie diese aufgeführt werde. Eine Apotheose im strikten Sinn, als Erhebung zum Gott und gar mit eigenem Kult, liegt auch in diesen Maßnahmen nicht vor. Sie sind daher zweifellos überbewertet, wenn man in ihnen die offizielle Einführung „des Herrscherkultes in Rom" erblickt (Gelzer unten S. 335). Aber der Fortschritt in der Vergöttlichung ist beträchtlich und die Auszeichnung Caesars für römische Verhältnisse unerhört. Außerdem wurde mit der — in ihrem Grad für uns nicht mehr eindeutig bestimmbaren — Annäherung an den vergotteten Stadtgründer Romulus-Quirinus ein Anspruch auf künftige Apotheose begründet. Die Tempelgemeinschaft mit Quirinus bedeutet daher in jedem Fall eine Anwartschaft auf Vergottung.

Am Ende der sich ständig steigernden Ehrungen stehen, wie heute weitgehend in der Forschung zugegeben wird, eindeutige Vergottungsbeschlüsse (Dio 44, 6, 4 mit Cicero, Phil. 2, 110). Aller Wahrscheinlichkeit nach wurden sie im Januar oder Anfang Februar 44 im Blick auf Caesars bevorstehenden Aufbruch zu dem geplanten Feldzug gegen die Parther gefaßt (s. Balsdon unten S. 356). Sie sahen für Caesar einen Kultnamen vor, einen als *flamen* eingestuften und bereits nominierten Priester und einen Tempel, der ihm, jedenfalls nach dem Zeugnis Dios, zusammen mit seiner *Clementia* geweiht werden sollte[43]. Zur Ausführung sind diese

[42] Weitreichende Deutungen geben: Taylor Nr. 91 S. 64 f.; Taeger, Charisma II 69 ff.; Dobesch Nr. 28 S. 39 ff.; D. Michel Nr. 68 S. 73 f., 86; St. Weinstock Nr. 97 S. 40 ff. mit A. Alföldi, Gnomon 47, 1975, 159 f.; G. Ch. Picard, RA 1973, 261—272. Zum Namen des 'Halbgottes' vgl. jetzt D. Fishwick, Historia 24, 1975, 624—628 (= Romulus).

[43] Diskussion des hier vorliegenden „Komplexes von Kultstätte, Kultname und Priester" zuletzt bei H. Gesche Nr. 41 S. 19—39; vgl. die Zusammenfassung unten S. 370 f.

Beschlüsse vor Caesars Ermordung offensichtlich nicht mehr gekommen. Antonius hatte, wie aus Cicero, Phil. 2, 110 hervorgeht, das Priesteramt für Caesar auch im Herbst 44 noch nicht angetreten. Ein Caesartempel ist in dieser Zeit ebenfalls nicht eingeweiht worden, und offenbar war zur Zeit seines Begräbnisses von offizieller Seite auch noch keine provisorische Kultstätte für den Gott Caesar eingerichtet worden.

In Zusammenhang mit den Bestattungszeremonien kam es dann nachweislich zur kultisch-göttlichen Verehrung Caesars von seiten des Volkes an einem eigens dafür errichteten Altar auf dem Forum, an der Stätte seiner Verbrennung [44]. (Die wichtigsten Zeugnisse: Dio 44, 51, 1; Appian b. c. 2, 616; Sueton 85.) Die Bevölkerung Roms war offensichtlich wenig bereit, die Vergöttlichung Caesars aufzugeben. Das Erscheinen eines Kometen während der von Octavian im Juli 44 zu Ehren seines Adoptivvaters veranstalteten Spiele *(Ludi Victoriae Caesaris)* wurde dann eine starke Stütze für den Glauben an die Apotheose Caesars. Denn ein großer Teil der Bevölkerung sah in der Kometenerscheinung ein Zeichen für die Aufnahme Caesars unter die Götter (Plin., nat. hist. 2, 93 f.; Sueton, Div. Iul. 88) [45].

Caesars Erbe Octavian machte sich diesen Vorfall zunutze, indem er den Volksglauben förderte, über dem Haupt der Caesarstatue im Tempel der *Venus Genetrix* einen goldenen Stern — fortan das *sidus Iulium* — anbringen ließ und daneben die offizielle Vergottung Caesars endgültig durchzusetzen suchte. Wann er dies effektiv erreicht hat, ist nicht sicher bezeugt und in der Forschung neuerdings wieder umstritten.[46] Gemeinhin galten die ersten Januartage des Jahres 42 als Datum der auf Betreiben der Triumvirn vollzogenen Konsekration Caesars durch Senats- und Volksbeschluß [47]. Danach wäre Caesar zu diesem Zeitpunkt erstmalig

[44] Vgl. zuletzt Weinstock Nr. 97 S. 364 ff. mit A. Alföldi, Gnomon 47, 1975, 175 f.

[45] Dazu K. Scott Nr. 81; F. Bömer Nr. 19; Weinstock Nr. 97 S. 370 bis 384.

[46] H. Gesche Nr. 41 S. 82—91 und Nr. 42 S. 171; vgl. A. Alföldi Nr. 9.

[47] Grundlage dieser Datierung: Mommsen, Staatsrecht II^3 755 f.; Wissowa, Religion und Kultus der Römer^2 342.

oder endgültig als *Divus Iulius* unter die Götter der römischen Gemeinde aufgenommen worden. Sein Tempel auf dem Forum wurde freilich erst im Jahr 29 v. Chr. geweiht. Bis dahin fand der julische Gott provisorische Unterkunft und Kultstätte in dem von ihm 46 gestifteten Tempel seiner göttlichen Stammutter, der *Venus Genetrix.* Mit der Dedizierung des eigenen Tempels fand die Geschichte der Vergottung Caesars ihren Abschluß.

Überblickt man ihren hier skizzierten Verlauf, so drängt sich vor allem die Frage auf, wie sich die zu Lebzeiten Caesars verabschiedeten Vergottungsbeschlüsse zu seiner postmortalen Konsekration verhalten. Handelt es sich bei dieser um die Realisierung oder Reaktivierung der früheren Beschlüsse oder um eine Modifizierung, möglicherweise in restriktiver Absicht, oder um einen völligen Neuansatz?

Die antiken Zeugnisse sind gerade in wichtigen Einzelheiten unklar oder widersprüchlich, unklar z. B. in den Angaben über den Wortlaut oder Sinn der Inschriften auf den Caesarstatuen im capitolinischen Iuppitertempel und im Quirinustempel, widersprüchlich in den Angaben über den Caesar zugedachten Kultnamen. Z. B. gibt Dio (44, 6, 4) als den für Caesar zu dessen Lebzeiten beschlossenen Kultnamen Δία Ἰούλιον an, d. i. *Iuppiter Iulius,* während der im postumen Caesarkult tatsächlich gebrauchte Kultname *Divus Iulius* lautet und Cicero im Herbst 44 (Phil. 2, 110), offensichtlich unter Anspielung auf den früheren Vergottungsbeschluß des Senates[48], ebenfalls diesen Namen nennt.

Diese Beschaffenheit der Quellen erschwert nicht nur die Beurteilung der einzelnen Beschlüsse, sondern auch der Bedeutung der Ehrungen insgesamt und ist geeignet, sowohl radikale Skepsis wie kühne Hypothesenbildung zu begünstigen. Die Meinungen der Forscher gehen daher auch bis heute in den zentralen Fragen weit auseinander.[49] Im Mittelpunkt der Kontroverse steht die religiöse und politische Bedeutung der beschlossenen Ehrungen. Die Hauptfrage

[48] Dazu Taylor, hier S. 333; ähnlich, aber mit anderen, geradezu entgegengesetzten Konsequenzen, H. Gesche, hier S. 370 f.

[49] Vgl. jetzt auch die Darstellung der Caesarforschung durch H. Gesche Nr. 42 bes. S. 162 ff.

ist, ob Caesar seine Vergöttlichung und schließlich Vergottung — sofern eine solche zugegeben wird — gewollt oder gar planmäßig darauf hingearbeitet hat und, falls dies zu bejahen ist, was er damit bezweckt hat. Sie hängt aufs engste mit der Frage nach seinen politischen Plänen und letzten Zielen zusammen. Hierbei ist wiederum die Frage zentral, ob er seiner Machtstellung, die infolge der ihm ebenfalls durch Ehrenbeschlüsse übertragenen Vollmachten einer de-facto-Monarchie gleichkam, auch eine entsprechende Form und Legitimation geben wollte. Mit anderen Worten: ob Caesar in Rom das Königtum einführen wollte.[50]

Als historische Muster standen ihm zwei Formen der Königsherrschaft zur Verfügung. Beide werden bis heute als mögliche Ziele Caesars diskutiert.

a) Das hellenistische Gottkönigtum. Dessen Hauptmerkmale sind *Rex*-Titel, Diadem und Vergottung zu Lebzeiten. Als historisches Vorbild konnte Alexander der Große dienen, und zwar in der legendären Ausgestaltung der späteren Zeit, in der er nicht nur auf Grund seiner Taten an seinen mythischen Ahnen Herakles angeglichen, sondern als göttlicher König den Göttern Dionysos und Helios, den Prototypen des kulturstiftenden Welteroberers und des Kosmokrators, gleichgestellt war[51]. Alexander-Imitation konnte somit Anspruch auf absolute Monarchie und Weltherrschaft bedeuten.

Der Hauptvertreter der These, daß Caesar zur Legitimation seiner usurpierten Macht ein Gottkönigtum dieser Art „als dauernde, rechtlich anerkannte Verfassung des römischen Reiches" begründen wollte, ist Eduard Meyer (Nr. 67). Er hat sie in Auseinandersetzung mit Theodor Mommsen[52] folgendermaßen formuliert: „Das König-

[50] Zur Behandlung dieser Frage in der Forschung Gesche a. O. 154 ff.

[51] Zur Rolle Alexanders als Urbild des hellenistischen Gottkönigs D. Michel Nr. 68.

[52] Römische Geschichte III^{6} 486 ff. Vgl. auch Römisches Staatsrecht II 2, 1887^{3}, 755: „Wie der Dictator Caesar ohne Zweifel beabsichtigt hat das Königthum, sei es unter der altgewohnten, sei es unter einer neu geprägten Benennung wiederherzustellen, so hat er sich auch schon bei Lebzeiten eine göttergleiche Verehrung zuerkennen lassen, indem er sich zwar keinen eigenen Tempel errichten, aber in sämmtlichen Tempeln Roms und des Reiches seine Bildsäule unter denen der Götter aufstellen und sich

tum, das er anstrebte, war nicht, wie Mommsen meint, das römische Wahlkönigtum, wie es die Stadtchronik gestaltet hatte, wenn er auch seine Statue neben die der Könige stellen ließ. Schärfer betonte er, mit Berufung auf seine Abstammung von Julus, dem Sohne des Aeneas, das im Nebel des Mythus schimmernde erbliche Königtum von Alba, dessen sei es schon von der Tradition gestaltete, sei es für diesen Zweck konstruierte Tracht er annahm, ein weites Purpurgewand und hohe rote Schuhe. Aber sein Reich umfaßte nicht einen kleinen Stadtbezirk, sondern die gesamte einheitliche Kulturwelt, und sein Vorgänger und Vorbild ist das Gottkönigtum der hellenistischen Weltmonarchie, wie es Alexander geschaffen hatte und wie es dann in dem asiatischen Großreich des Antigonos und der Seleukiden, und in anderer, noch schärfer ausgeprägter Gestalt im Lagidenreich voll ausgebildet war" (508 f.).

Diese Konzeption schließt die Erhebung des lebenden Caesar zum Staatsgott ein oder, in der Terminologie Ed. Meyers und seiner Anhänger, die Einführung des Herrscherkultes in Rom. Die oben aufgeworfene Frage, ob Caesar von der ihm im Osten angetragenen Göttlichkeit Gebrauch gemacht habe, wird von dieser Forschungsrichtung uneingeschränkt bejaht.

b) Das altrömische Königtum, hauptsächlich nach dem Vorbild und in der Nachfolge des Romulus. Als äußeres Abzeichen galten ein bestimmter Ornat, zu dem Ganzpurpurgewand und Goldkranz zählten, sowie ursprünglich der *Rex*-Titel. Dieser ließ sich unter Umständen aber auch vermeiden, da für das Bild des Romulus in seiner positiven Ausprägung nicht eigentlich die königliche Stellung, sondern die epochale historische Leistung konstitutiv war. Nur auf Grund dieses Leistungsaspektes war in spätrepublikanischer Zeit eine politische Romulus-Imitation [53] überhaupt möglich. Seit Ennius und vor allem bei Cicero [54] ist mit der Romulus-Gestalt die Vorstellung des *pater/parens patriae* verbunden, mit welcher der für

einen eigenen Flamen bestellen ließ. ... Offenbar aber hat die beabsichtigte ideale Rechtfertigung und sacrale Verklärung der Monarchie noch über das Grab hinaus nachgewirkt ..."

[53] Dazu A. Alföldi Nr. 6 S. 14 ff.; C. J. Classen Nr. 25.

[54] U. Knoche, Romulus als Urbild des Pater patriae bei Cicero: Altspr. Unterr. R. IX H. 1 1966, 34—50; vgl. A. Alföldi Nr. 6.

Römer immer suspekte *rex*-Aspekt überdeckt werden konnte, ohne daß die monarchische Komponente aufgegeben werden mußte. Caesar hatte den Titel *parens patriae* unter den Ehrungen der letzten Monate erhalten (unten S. 336). Der Titel erscheint auch als Münzlegende und wurde vom Volk bei der postumen kultischen Verehrung auf dem Forum aufgegriffen.[55]

Die Vergottung zu Lebzeiten war bei einem Königtum romuleischer Art strenggenommen ausgeschlossen, ein Umstand, der in der Forschung nicht immer genügend bedacht worden ist. Dagegen erschien die Divinisierung nach dem Tode durch das Vorbild verbürgt, sofern entsprechende Verdienste vorlagen. Diese waren Caesar wiederholt, zuletzt durch die Verleihung des *parens-patriae*-Titels bescheinigt worden.

Denkbar ist natürlich auch und von der Praxis her sogar wahrscheinlicher, daß Caesar, falls er überhaupt eine bestimmte Königs- oder Staatskonzeption im Sinn hatte, eine Mischform aus den beiden Typen anstrebte[56], etwa ein Gottkönigtum mit italisch-römischem Kolorit[57], oder aber ein Königtum ganz eigener Prägung[58]. Und schließlich bot sich unter den gegebenen Verhältnissen in Rom als naheliegende Möglichkeit eine an die alten nationalen Königstraditionen anknüpfende Monarchie an ohne *Rex*-Titel, aber möglicherweise mit antizipierter Apotheose auf der Grundlage vollbrachter Leistungen und der in den verliehenen Titeln wie *liberator*, *parens patriae* zum Ausdruck gebrachten Verdienste um den Staat.

Fakten sind, daß Caesar auf die Romulus-Imitation[59] und Quiri-

[55] Vgl. A. Alföldi a. O.; St. Weinstock Nr. 97 S. 200 ff.

[56] Vgl. K.-W. Welwei Nr. 99, der S. 68 die Alternative „Errichtung eines Königtums altrömischer Prägung oder Einführung hellenistischer Herrschaftsformen" als unzutreffend bezeichnet, da Caesar faktisch bereits verschiedene Komponenten kombiniert habe.

[57] Darauf läuft die von G. Dobesch Nr. 28 konstruierte Konzeption hinaus; vgl. unten S. 362.

[58] Das betont z. B. V. Ehrenberg Nr. 30.

[59] Dazu vor allem: A. Alföldi Nr. 6 S. 14 ff.; W. Burkert Nr. 21; C. J. Classen Nr. 25; Dobesch Nr. 28 S. 11 ff.; Welwei Nr. 99 bes. S. 59 ff.; St. Weinstock Nr. 97 S. 175 ff.

nus-Nähe besonderes Gewicht gelegt hat, die Alexander-Imitation[60] aber nicht unterlassen hat, daß er neben den göttlichen Ehren eine Reihe königlicher Ehrenrechte angenommen hat[61], die sich aber noch mehr der eindeutigen Beurteilung entziehen als die göttlichen Ehren; weiter, daß er in seinem Auftreten eine Neigung zu königlichem Gebaren altrömischen und altitalischen Stils zeigte, sich als Nachfahren der Könige von Alba wie der von Rom ausgab, andererseits enge Beziehungen zu der in Rom anwesenden ptolemäischen Königin Kleopatra[62] unterhielt, und schließlich, daß er das ihm vom Konsul und *lupercus* Antonius in der umstrittenen Luperkalienszene[63] am 15. Februar 44 im Namen des römischen Volkes, aber zu dessen Mißfallen angebotene Diadem, das Herrschaftszeichen der hellenistischen Könige, abgelehnt hat und dem *Iuppiter Capitolinus* als dem „König der Römer" überbringen ließ (Dio 44, 11, 3; Cicero, Phil. 2, 85 u. a.).

Die angegebenen Fakten weisen nicht eindeutig in diese oder jene Richtung. Dieser Umstand hat viele Forscher aus verschiedenen Lagern veranlaßt[64], Caesar einen selbst entworfenen und aus eigener Initiative verfolgten Plan abzusprechen und das Vorhandensein einer einheitlichen Konzeption hinter den einzelnen Maßnahmen überhaupt zu bestreiten. Beachtung verdient in diesem Zusammenhang der von A. Alföldi geäußerte Gedanke (zuletzt Gnom. 1975, 170. 178 f.), daß die treibende Kraft in diesem Prozeß die am hellenistischen Herrscherkult orientierte Schmeichelei des herabgekommenen Senates und die Erwartungen der mit fremden Elementen durchsetzten großstädtischen Bevölkerung waren, Caesar

[60] Zur Alexander-Imitation Caesars: A. Heuss, Antike und Abendland 4, 1954, 82; D. Michel Nr. 68 S. 67 ff.; vgl. O. Weippert Nr. 98 S. 105 ff.

[61] Einzelheiten bei Gelzer unten S. 337 f.; vgl. Weinstock Nr. 97 S. 270 ff.; A. Alföldi Nr. 11.

[62] Siehe zuletzt: H. Heinen, Historia 18, 1969, 181—203; J. Lindsay, Cleopatra, London 1970, bes. 73—88; Gesche Nr. 42 S. 133 ff.

[63] Dazu in letzter Zeit vor allem: K. Kraft Nr. 59; Dobesch Nr. 28 S. 104 ff.; Welwei Nr. 99; mehr bei Gesche Nr. 42 S. 158 ff.

[64] Z. B. A. Alföldi, Gnomon 1975, 170 und 178 f. gegen Weinstock Nr. 97; Balsdon (unten S. 351 ff.) gegen Dobesch Nr. 28.

somit gar keinen Plan hatte, sondern von den Verhältnissen gedrängt und durch Rücksichten bestimmt war.

Eins ist jedoch unverkennbar: der stete Ausbau der monarchischen Stellung mit zunehmender Erhöhung Caesars. Die gleichzeitigen göttlichen Ehren bewirkten eine zusätzliche Sakralisierung. Bei ihnen läßt sich deutlich eine ansteigende Linie beobachten, die stufenweise zur Vergottung hinführt: vom Halbgott (ἡμίθεος) dem capitolinischen Iuppiter gegenüber über den Tempelgenossen (σύνναος)[65] des Quirinus und Prozessionsgefährten der Götter bis zum *Divus*. Die Vergottung könnte daher als Kriterium für die von Caesar angestrebte Staatsform dienen. Dann ist die Fragestellung umzukehren: War die volle Vergottung des lebenden Caesar angestrebt?

An diesem Punkt, der Vergottung des Lebenden, hat die Forschung auch immer wieder angesetzt. Die Meinungen gehen ebenso auseinander wie in der Frage der Einführung des Königtums. Die skeptische Richtung, als deren Hauptvertreter Adcock (CAH IX S. 718 ff.) und auf deutscher Seite P. L. Strack (Nr. 85) und H. A. Andersen (Nr. 13) gelten, ist in diesem Band nochmals von Balsdon (in der Rezension Dobesch unten S. 357 ff.) dargelegt. Doch ist oft ausgeführt worden, daß die vorgetragenen Argumente nicht ausreichen, um die Zeugnisse über göttliche Ehren Caesars einschließlich der Vergottungsbeschlüsse aus den letzten Wochen seiner Regierung zu entkräften oder die dekretierten Ehren als unverbindliche, von Caesar abgelehnte oder nie verwirklichte Schmeicheleien, als bedeutungslose Äußerlichkeiten u. dgl. hinzustellen[66].

Die Hauptschwierigkeit hat einer Klärung des Sachverhaltes die oben dargelegte Differenz der Zeugnisse über die Vergottungsbeschlüsse Anfang 44, insbesondere in den Angaben über den Kultnamen, bereitet. Die Forscher, die an Dios Zeugnis festhalten[67],

[65] Zur richtigen Einstufung der Tempelgemeinschaft A. D. Nock Nr. 73.

[66] Vgl. hier den Beitrag von J. Vogt und darüber hinaus H. Gesche Nr. 42 S. 166 sowie die umfassenden Gegendarstellungen, z. B. durch Gelzer Nr. 40, Weinstock Nr. 97 und A. Alföldi Nr. 5, 9—11 u. ö.

[67] Z. B. A. v. Domaszewski unten S. 330 und G. Dobesch Nr. 28; vgl. dazu Volkmann unten S. 362 f. und Gesche S. 370.

haben im allgemeinen die Divinisierung Caesars zu Lebzeiten unter dem Namen *Iuppiter Iulius* angenommen.[68] Die postmortale Vergottung unter dem Namen *Divus Iulius* erscheint dann als ein davon verschiedener und eher restriktiver Akt. Es bleibt aber die mißliche Diskrepanz zwischen den Mitteilungen Dios und Ciceros und zudem die methodisch nicht zu rechtfertigende Abwertung gerade des zeitgenössischen Zeugnisses. Der Ausgleich ist denn auch längst gefunden durch die plausible, soweit ich sehe, von der Mehrzahl der Forscher heute akzeptierte Erklärung, daß Dios Angabe Δία eine Entstellung oder Umsetzung des lateinischen *Divus* ist.

Durch diese Lösung eröffnet sich nun die Möglichkeit, prae- und postmortale Vergottung Caesars enger zusammenzurücken und nicht als zeitlich und qualitativ verschiedene Ehrungen zu betrachten, sondern letztlich auf ein und denselben Ehrenbeschluß zurückzuführen. Unter der Voraussetzung, daß die Divinisierung für den lebenden Caesar vorgesehen war, müßte dann die postmortale Konsekration als die offizielle und vollgültige Verwirklichung der zu Lebzeiten Caesars nicht mehr zur Ausführung gekommenen Beschlüsse verstanden werden. Daß es sich um eine Reaktivierung eines schon bestehenden Kultes nach zeitweiliger Vernachlässigung, Unterdrückung oder Unterbrechung infolge der politischen Wirren nach Caesars Ermordung handelte, ist deshalb nicht wahrscheinlich oder gar ausgeschlossen, weil der Kult des Lebenden allem Anschein nach nicht mehr eingerichtet worden ist.

Nun ist neuerdings von H. Gesche (unten S. 371) noch eine andere, überraschende Möglichkeit in Betracht gezogen worden, nämlich daß in dem zu Lebzeiten Caesars verabschiedeten Vergottungsdekret von vornherein die postmortale Divinisierung gemeint war, eine Apotheose des Lebenden also gar nicht beabsichtigt und die Ausführung der Beschlüsse erst nach dem Tode Caesars vorgesehen war. Die offizielle Einrichtung des Kultes des *Divus Iulius* ist dann eine von Octavian gegen den anfänglichen Widerstand des designierten Priesters Antonius durchgesetzte Realisierung des frü-

[68] Eine abweichende Erklärung des Namens gibt Habicht Nr. 49 S. 52 f. („der julische Iuppiter", nach hellenistischem Muster wie der ‚seleukische Zeus').

heren Beschlusses. Der Sinn der Ehrung war nach der Meinung H. Gesches wie bei dem Muster Romulus die Anerkennung der Leistungen Caesars als *conservator rei publicae* und *parens patriae*.

Bei dieser Lösung kann das vermeintliche Gottkönigtum Caesars als erledigt gelten. Caesar steht als maßvoller und nüchterner Staatsmann da. Seine Vergottung ist vom Beigeschmack des Hellenistisch-Orientalischen befreit und bleibt im Rahmen römischer Vorstellungen und Denkvoraussetzungen. Sie unterscheidet sich nicht mehr prinzipiell von der an Augustus vollzogenen postumen Konsekration, dem Paradigma der römischen Kaiserapotheose, das nun durch Caesar gesetzt scheint, so daß der römische Kaiserkult in der für ihn charakteristischen Gestalt bereits mit Caesar beginnt und sich ohne Bruch fortsetzt.

In der Kritik ist diese bestechende Hypothese weitgehend auf Ablehnung gestoßen[69], selbst von seiten der gegen Königtum und Vergottung Caesars skeptisch eingestellten Schule (Balsdon unten S. 366). Der gewichtigste Einwand ist wohl der, daß im Text Dios und den anderen Zeugnissen in diesem Zusammenhang von einer vorausbeschlossenen postmortalen Divinisierung Caesars keine Rede ist. Dazu kommt, was besonders A. Alföldi (Phoenix 1970, 175) geltend macht, daß ein Ehrenbeschluß, der zur Voraussetzung hat, daß der zu Ehrende stirbt, befremdlich und ohne Beispiel ist.

In der letzten umfassenden Publikation zu dem Thema der Vergottung Caesars, in dem erst nach dem Tode des Verfassers 1971 erschienenen Buch ›Divus Julius‹ von Stefan Weinstock, wird Caesar als der eigentliche Begründer des römischen Kaiserreiches und Kaiserkultes dargestellt, *as the founder of the empire*, der eine Monarchie nach östlichem Vorbild mit Königstitel, Diadem und Divinisierung des Herrschers zu Lebzeiten plante und dafür ‘eine römische Version des Herrscherkultes’[70] entworfen hatte. Ihr Kern war die ganz unrömische Vorstellung eines göttlichen Herrschers, die in spezifischer Weise unter Rückgriff auf römische Anschauungen und Ehrennamen (wie *liberator, conditor, servator* und *parens patriae*)

[69] A. Alföldi, Phoenix 24, 1970, 166—176; G. Dobesch, AAHG 22, 1969, 196—198; ders. Nr. 28a S. 20—49.

[70] a Roman version of the ruler cult, S. 413; vgl. S. 3, 12 u. ö.

ausgebaut und mit Formen der Verehrung verbunden wurde, die wenigstens teilweise der römischen Religion entnommen oder in Abstimmung auf diese geschaffen waren, so daß mancher hellenistische Zug römisch verbrämt und dadurch akzeptabler erschien. An diese Konzeption des Herrscherkultes habe Augustus angeknüpft, zunächst Einzelzüge wie die öffentliche Geburtstagsfeier, den Kult des Genius, *vota pro salute* und dergleichen übernommen und nach längerem Zögern schließlich das Ganze auf sich selbst angewandt. Demzufolge hätte sich Augustus bei der Einführung und dem Ausbau des Kaiserkultes im Laufe der Zeit eher an Caesars Programm angenähert als sich von diesem entfernt.

Diese Annahme widerspricht nicht nur der in der Fachwelt herrschenden Meinung, daß Augustus sich nach anfänglichem Bekenntnis zu Caesar zunehmend von diesem distanziert habe — im Interesse einer republikanischen Ideologie oder der republikanischen Tarnung seiner Macht. Auch die Tatsachen und der durch sie bewirkte Augenschein stehen dagegen. Das ausschlaggebende Faktum ist, daß die offizielle Reihe der *Divi,* der nach ihrem Tode konsekrierten römischen Kaiser, nicht mit Caesar, dem ersten *Divus,* sondern mit Augustus beginnt, was auf eine politische Entscheidung des Augustus zurückgehen muß[71]. Insofern wurde Caesar offiziell aus dem römischen Kaiserkult ausgeklammert und dessen Anfang mit Augustus gesetzt.

Hier gilt es nun aber zu bedenken, daß öffentliche politische Distanzierung keineswegs bedeutet, daß Augustus nicht doch an Caesar angeknüpft, sich an ihm orientiert, ihn partiell nachgeahmt, Ideen und Einrichtungen von ihm übernommen hat. In welch weitem Umfang das geschehen ist, dürften die Darlegungen Weinstocks gezeigt haben, dem es nicht zuletzt auch darum ging, auf den Caesar gebührenden 'Anteil an der Entwicklung des Kaiserkultes' aufmerksam zu machen[72].

[71] Vgl. Habicht Nr. 49 S. 53 f.

[72] a. O. S. 413, 1; vgl. auch Habicht a. O. 52.

V

Die Situation der Forschung zum Kaiserkult unter Augustus und dessen Nachfolgern ist nicht so verworren wie im Falle Caesars. Dank der reichen, insbesondere epigraphischen und archäologischen Bezeugung konnten die Grundtatsachen mit verhältnismäßig großer Sicherheit ermittelt werden, so daß die Geschichte der Einführung und Ausbreitung der Kulte sowie deren Formen und Organisation im großen überschaubar sind. Eine Zusammenstellung der wichtigsten Fakten und Daten zum Kaiserkult unter Augustus enthält der unten abgedruckte Beitrag von A. D. Nock [73]. Er hat den Vorzug, daß die verschiedenen organisatorischen Ebenen und Sektoren des *Imperium Romanum,* auf denen es zu kultischen oder ähnlichen Akten der Verehrung des *princeps* gekommen war, gesondert betrachtet sind [74], nämlich die Hauptstadt Rom, die Armee, die Provinzen im Osten, im Westen, die Reichsstädte, die italischen Munizipien, schließlich Privatleute und abhängige Randstaaten.

Bei solcher Gliederung springt das auffälligste Merkmal der Augustusverehrung im *Imperium Romanum* sofort in die Augen: ihre planmäßige Uneinheitlichkeit. Form und Grad der Verehrung differieren in den einzelnen Bereichen beträchtlich. Aber es wird zugleich deutlich, daß hinter der Verschiedenheit ein System steht. Wie man heute klar sieht, war die Kaiserverehrung in den Provinzen und in der Hauptstadt Rom reglementiert und bei der Festsetzung der Kultformen auf die Mentalität der verschiedenen Kultträger und die diese bestimmenden Traditionen Rücksicht genommen. Die Reichsstädte hingegen waren ebenso wie Privat-

[73] Nützlich ist daneben immer noch die reich belegte chronologische Übersicht von H. Heinen Nr. 50 S. 139—177 und die Liste der bis etwa 1930 bekannten epigraphischen Zeugnisse, mit Ausnahme der stadtrömischen, bei L. R. Taylor Nr. 91 S. 270 ff. — Die Ausführungen Nocks über die Einführung des Kaiserkultes in den westlichen Provinzen sind heute teilweise überholt, s. unten S. 44 ff.

[74] Diese Betrachtungsweise hat dann vor allem Ch. Habicht (Nr. 49) in seiner für das Verständnis des römischen Kaiserkultes so förderlichen Darstellung der augusteischen Zeit in den Entretiens der Fondation Hardt 1973 wieder aufgenommen.

personen in der Einrichtung von Kulten völlig frei geblieben[75] und hatten von dieser Freiheit gegenüber dem Kaiser und den Angehörigen seines Hauses reichen Gebrauch gemacht. Im Gegensatz zu den standardisierten Formen des hauptstädtischen und provinzialen Kultes weisen die vielen aus dem städtischen und dem privaten Bereich bezeugten Kulte eine bunte Mannigfaltigkeit auf.

Angesichts dieses Tatbestandes stellt sich vor allem die Frage nach Charakter, Bedeutung und Zweck der einzelnen Kulte und der Augustus- oder Kaiserverehrung im allgemeinen. In der Forschung zum Kaiserkult hat sich daraus ein ganzes Bündel von Fragen ergeben: nach Motivation, Anlaß und Intention der einzelnen Kultstiftungen sowie den jeweiligen äußeren und inneren Voraussetzungen für die Entstehung eines Kultes, nach der Einstellung der Kultträger wie der Kultempfänger, nach den Gründen für die unterschiedliche Verteilung der Initiative bei der Einführung der Augustusverehrung auf den diversen Ebenen. Hieran schließt ein weiterer, besonders problematischer Fragenkomplex an, der es mit dem Vor- und Selbstverständnis der am Kaiserkult Beteiligten zu tun hat. In ihm geht es um Selbstverständnis und Selbstdarstellung des (jeweiligen) Kaisers sowie um das Verhältnis beider zueinander, um das Bild des Herrschers und damit den Erwartungshorizont in den einzelnen Bevölkerungsgruppen und schließlich um die Herkunft und Verbindlichkeit der ermittelten Vorstellungen. Dabei ist es immer als eine besondere Aufgabe betrachtet worden, die hellenistischen Elemente und Voraussetzungen von den römischen zu sondern, spezifisch römische Ausprägungen des Kaiserkultes zu erfassen und insgesamt den Anteil römischer Vorstellungen an ihm zu bestimmen.

Eine Art römisches Sonderforschungsthema ist die Kaiserkonsekration, die in der sakralrechtlich gültigen Feststellung der Aufnahme des Verstorbenen unter die römischen Götter besteht. Im einzelnen galt es daran zu klären, worauf sich der Konsekrationsbeschluß des Senates gründete, ob und wie die Apotheose des Verstorbenen in den voraufgehenden Bestattungsriten zum Ausdruck gebracht oder gar durch ein gesondertes Zeremoniell bewirkt wurde,

[75] Vgl. Habicht a. O. 45 ff.

wie die Aufnahme unter die Götter als solche gedacht war, z. B. als Himmelsflug der Seele oder als leibliche Entrückung wie in dem Präzedenzfall des Romulus und dessen mythischen und literarischen Vorbildern [76]. Diesen Problemen ist Ernst Bickermann in dem hier abgedruckten Aufsatz aus dem Jahr 1929 nachgegangen. Seine Ausführungen haben vor allem gezeigt, daß die Voraussetzung für den Konsekrationsbeschluß der Beweis der Entrückung *(translatio)* war, der anfänglich wie bei der Romulusapotheose (Cic., rep. 2, 20; Liv., 1, 16, 5 ff.) durch einen Zeugen [77] der Himmelfahrt geliefert wurde, und daß die Entrückung als leibliche Aufnahme in den Himmel, gewöhnlich in Form einer Himmelfahrt, vorgestellt war. Dagegen ist seine These der doppelten Bestattung allgemein abgelehnt [78] und im einzelnen widerlegt [79] worden.

In der Beurteilung des Kaiserkultes als Gesamterscheinung gehen die Meinungen heute noch weit auseinander. Häufig ist die Kontroverse zugespitzt auf die m. E. inadäquate Alternative, ob er auch als religiöses oder ausschließlich als politisches Phänomen einzustufen sei. In der gegenwärtigen Forschung herrscht die Tendenz vor, nur politische Bedeutung einschließlich ökonomischer und gesellschaftlicher Gesichtspunkte gelten zu lassen und religiöse Aspekte ganz auszuklammern. Diese einseitige Beurteilung hängt zweifellos mit der betonten Beschränkung auf die sakralrechtliche

[76] Vorbild waren griechische Entrückungssagen; das Material bei E. Rohde, Psyche II² 365—378; vgl. G. Strecker, RAC V (1962), 465 ff. Literarische Ausgestaltung der Römer-Apotheosen bei Ovid, met. 14, 581—608 (Aeneas); 14, 805—828 und fast. 2, 475—512 (Romulus); met. 15, 745—851 u. fast. 3, 699—704 (Caesar). Die älteste erhaltene, offizielle Darstellung einer Himmelfahrt (auf Quadriga) in Rom zeigt der Larenaltar im Vatikan; dazu zuletzt Alföldi unten S. 413 und Nr. 8 S. 30 f. sowie P. Zanker, RM 76, 1969, bes. 206 ff. (Deutung auf Caesar); vgl. Niebling Nr. 70 S. 312 ff. (Aeneas) u. Geyer Nr. 43 S. 15 f. (Romulus).

[77] Vgl. auch Geyer Nr. 43 und Habicht Nr. 49 S. 70 ff.

[78] Vertreten wurde sie neuerdings wieder von P. Gros (Rites funéraires et rites d'immortalité dans la liturgie de l'apothéose impériale, Paris 1965, S. 487 ff.; RHR 171, 1967, 117—120) und von Bickerman selbst (Nr. 17 S. 19 ff.).

[79] Vor allem von E. Hohl, Klio 31, 1938, 169—185.

Perspektive[80] und damit auf die offiziellen Kultäußerungen zusammen, während der 'ideologische Hintergrund' einschließlich der kaiserlichen Repräsentation und Propaganda sowie der Bereich des Glaubens und die dazugehörigen Vorstellungen eliminiert und die nichtoffiziellen Äußerungen der Kaiserverehrung beiseite geschoben werden.

In letzter Zeit sind gegen die ausschließlich politische Auffassung des römischen Kaiserkultes wiederholt Stimmen laut geworden. Als Gegenindizien wurden Zeugnisse persönlicher Kaiserfrömmigkeit, z. B. Kaisermysterien in Pergamon und Bithynien beigebracht[81], auf bestimmte göttliche Funktionen des Kaisers im täglichen Leben des Einzelnen hingewiesen[82], das Vorhandensein eines Glaubens an die Numinosität des Kaisers oder sein Charisma im Sinne supranaturaler Kräfte bei einem großen Teil der Reichsbevölkerung betont[83] und schließlich auf Anzeichen einer offiziellen Konzeption des Kaisers als *numen* aufmerksam gemacht[84].

Im folgenden seien die Hauptlinien der Entwicklung des Kaiserkultes in der frühen Prinzipatszeit, hauptsächlich unter Augustus, so wie sie sich nach dem heutigen Forschungsstand darstellen, nachgezeichnet.

In Rom ist die erste Phase der Entwicklung eingefaßt von der postmortalen Konsekration Caesars (± 42 v. Chr.) und der des Augustus (am 17. Sept. 14 n. Chr.) und verläuft vom DIVI FILIUS zum DIVUS AUGUSTUS, d. h. sie gipfelt in der postumen Erhebung zum Staatsgott mit offizieller Kulteinsetzung (analog dem Kult des *Divus Iulius* mit Tempel und *flamen*). Eine direkte offizielle Vergottung des Augustus zu Lebzeiten hat in Rom nicht stattgefunden. Es gab dort bis zu seiner Konsekration keinen direkten Kult seiner Person, kein offizielles persönliches Kultbild, keinen

[80] Programmatisch E. Bickerman Nr. 17, bes. S. 7.

[81] H. W. Pleket Nr. 75; vgl. P. Veyne Nr. 94, Nr. 95 bes. S. 266 ff. und Latomus 21, 1962, 71 ff.; E. Will Nr. 100; V. v. Gonzenbach Nr. 44; W. den Boer Nr. 1 S. 208 ff.

[82] F. Millar Nr. 1 S. 34 f.

[83] D. van Berchem ebd. 30 f.; J. Beaujeu ebd. 33.

[84] Vor allem von A. Alföldi Nr. 7 und unten S. 403 ff.

Tempel und keinen Priester für ihn. Die Ablehnung der Aufstellung seiner Statue als Kultbild in dem von Agrippa erbauten Tempel, dem Pantheon, ist für das Jahr 25 v. Chr. ausdrücklich bezeugt (Dio 53, 27, 2 f.). Diese Ablehnung blieb offenbar während seiner ganzen Regierungszeit für den stadtrömischen Bereich verbindlich.

Trotzdem hat Augustus die sakrale Erhöhung gesucht und sich in der Hauptstadt Rom indirekt kultische Verehrung erweisen lassen. Auch als *princeps* hat er die numinose Geltung seiner Majestät und Macht durchaus gefördert.

Bei dem jungen Caesar Octavian kam dieses Verlangen ganz unverhohlen zum Ausdruck. Er war von Anfang an darauf bedacht, sich als Erbe Caesars in enge Verbindung zu einzelnen Göttern oder den Göttern allgemein zu bringen. So förderte er zunächst den Glauben der Menge an die Apotheose des ermordeten Caesar, setzte dann die förmliche Konsekration seines Adoptivvaters durch. Daraufhin nannte er sich auf offiziellen Dokumenten *Divi filius*[85]. Er übernahm auch das von Caesar durch die Einrichtung des Kultes der *Venus Genetrix* als öffentliches Dogma proklamierte julische Familienmythologem der Venus-Abstammung[86]. Zugleich setzte er sich früh in ein Nahverhältnis zu Apoll[87], den er später konsequent als den himmlischen Schirmherrn seiner Politik und Herrschaft aufbaute. Spätestens nach seinem Sieg über Sextus Pompeius im Jahr 36[88] hat er die Bindung an Apollo politisch hervorgekehrt und fortan propagandistisch gegen das Dionysiertum des Antonius aus-

[85] Nach A. Alföldi Nr. 9 bereits auf Münzen des Jahres 43, nach anderen erst auf Münzen des Jahres 39/38; vgl. Gesche Nr. 41 S. 89—91 und Nr. 42 S. 171.

[86] C. Koch, RE VIII A (1955), 858 f. 864 ff.; vgl. dens., Religio 1960, 86—90; R. Schilling, La religion romaine de Vénus, Paris 1954, 301—342; A. Wlosok, Die Göttin Venus in Vergils Aeneis, Heidelberg 1967, 116 ff. u. ö.

[87] Darüber O. Immisch unten S. 141 ff.; zu ergänzen durch P. Lambrechts Nr. 61; J. Gagé, Apollon romain, Paris 1955, 479 ff.; E. Simon, Die Portlandvase 1957, 30—44; St. Weinstock Nr. 97 S. 14 f.; D. Mannsperger Nr. 64, bes. 391 ff.

[88] Aus dieser Zeit stammt das Gelübde für den Bau des palatinischen Apollotempels (Vell. 2, 31, 2).

gespielt.[89] Die ersten göttlichen Ehren erhielt er ebenfalls im Jahr 36 von den dankbaren italischen Munizipien: sie nahmen ihn in die Tempel ihrer Götter auf (Appian b. c. 5, 132, 546).

Nach seinem endgültigen Sieg über Antonius und Kleopatra, der ihn zum Alleinherrscher machte, wurden ihm auch vom römischen Senat göttliche oder göttergleiche Ehren zuerkannt. Im Jahr 30 wurde verfügt, daß sein Geburtstag als offizieller Festtag gefeiert werde (Dio 51, 19, 2), unter Darbringung von Opfern[90], und daß ihm bei allen Gastmählern, öffentlichen wie privaten, wie den Göttern ein Libationsopfer dargebracht werde (Dio 51, 19, 7). Ein Jahr später wurde die Aufnahme seines Namens in die Götteranrufung des Salierliedes beschlossen (Mon. Anc. 10). Im Januar 27 wurde ihm der sakrale Titel *Augustus* verliehen, der ihn aus dem Kreise der Menschen heraushob und an die Götter heranrückte. Gleichzeitig wurde ihm in der Kurie ein goldener Ehrenschild aufgestellt, und zu beiden Seiten seines Hauseingangs wurden zwei Lorbeerbäume und darüber der Eichenkranz der Bürgerrettung *(corona civica)* angebracht (Mon. Anc. 34, unten S. 403).

Die Götternähe des *princeps* wurde den Römern auf vielerlei Weise demonstriert, am augenfälligsten wohl durch die Nachbarschaft des im Oktober 28 v. Chr. auf dem Palatin neben dem kaiserlichen Palast eingeweihten prachtvollen Apollotempels. Die Konzeption des palatinischen Apoll geht aus dem durch die Beschreibung des Properz (II 31) bekannten Bildprogramm hervor, auf das sich auch die augusteischen Dichter, vor allem Vergil im Augustusteil seiner Schildbeschreibung (Aen. VIII 704 ff. und 720 ff.) und Properz in seiner späten Actiumelegie (IV 6) beziehen. Sie ist ganz auf die offizielle Deutung des Sieges von Actium als weltpolitischer Befreiungstat und Sicherung einer segensreichen

[89] Zur Beanspruchung der beiden Götter in dem Propagandakampf zwischen Antonius und Octavian: Immisch unten S. 131 ff.; L. R. Taylor Nr. 91 S. 100—141; I. Becher, Altertum 11, 1965, 40—47; Mannsperger Nr. 64.

[90] Einzelheiten, auch zur öffentlichen Geburtstagsfeier für Caesar und der Geschichte der Kaisergeburtstage, bei Weinstock Nr. 97 S. 206—212; vgl. Heinen Nr. 50 S. 145 f.; W. Schmidt Nr. 79 S. 53—78 (mit Einschluß der hellenistischen Herrschergeburtstage).

Friedensherrschaft abgestellt. Auf den Tempeltüren erscheint der Gott im Hinblick auf das Kampfgeschehen bei Actium als *Vindex*[91], das Kultbild im Inneren des Tempels, das die Art der Gegenwart des Gottes bezeichnet, zeigt ihn in Habitus und Aktion des Kitharoeden, als den Herrn einer befriedeten, musischen Welt[92]. Es liegt auf der Hand, wieviel Selbstdarstellung und politische Ideologie in dieser Apollokonzeption enthalten ist. Der augusteische Gott und der apollinische Herrscher sind in ihrem Wirken beinahe verschmolzen. Dabei partizipiert der menschliche Täter an Erhabenheit, Glanz und Macht des Gottes.

Wie A. Alföldi (unten S. 403 ff. und in der entsprechenden Buchveröffentlichung) gezeigt hat, dienten der sakralen Erhöhung des *princeps* in besonderer Weise die beiden ihm als Hoheitszeichen zuerkannten Lorbeerbäume am Eingang seines Palastes. Sie können kraft ihrer numinosen Bedeutung geradezu als 'Illustration des Augustus' verstanden werden, wurden auf verschiedenen offiziellen Denkmälern, darunter häufig auf Münzen, als Majestätssymbole verwendet und konnten sogar als Kultobjekte, dargestellt auf Altären oder Abbildungen solcher, erscheinen, auf denen sie das kaiserliche Numen oder den *Genius Augusti* repräsentierten.

Die kultische Verehrung des Augustus erfolgte in Rom nämlich auf dem Umwege über diese, den Gegebenheiten der römischen Religion angepaßten, vergöttlichten Potenzen des Herrschers[93], der in Analogie zum römischen Hausvater, dem *pater familias*, und zugleich zum Himmelsvater, dem *Iuppiter Optimus Maximus*, als Landesvater, als *Pater Patriae*[94] gesehen werden sollte. Ent-

[91] Wie Octavian auf den 28 v. Chr. in Asia geprägten *Vindex/Pax*-Cistophoren, die Mannsperger a. O. treffend auf das apollinische Programm Octavians bezogen hat, ohne freilich auch den *Vindex*-Aspekt des Gottes heranzuziehen.

[92] Näheres in meinem Buch: Die Göttin Venus in Vergils Aeneis, Heidelberg 1967, 134 ff.

[93] Daneben wurden demonstrative Kulte für personifizierte Aspekte der neuen Herrschaft des Augustus gestiftet, etwa für *Iustitia*, *Pax Augusta*, *Concordia Augusta* usw. Vgl. Herzog-Hauser Nr. 53 Sp. 827 f.; Latte, Römische Religion 300 f.

[94] Die offizielle Verleihung des Titels an Augustus erfolgte erst im

sprechend stand der *Genius Augusti* als Kultempfänger im Vordergrund.

Daneben trat später das kaiserliche Numen, dem Tiberius noch vor dem Tod des Augustus in Rom einen Altar geweiht hatte, der wahrscheinlich schon das Vorbild der 11 n. Chr. gelobten *Ara Numinis Augusti* der Stadt Narbo war[95]. Es ist, wie die von D. Fishwick (Nr. 35) angeführten[96] Inschriften, besonders CIL XI 3303 (= ILS 154) aus Forum Clodii, beweisen, vom *Genius Augusti* unterschieden worden und bedeutet diesem gegenüber einen weiteren Schritt zur Vergöttlichung[97]. Denn dadurch, daß dem Kaiser ein *numen,* das ist die spezifische Eigentümlichkeit einer römischen Gottheit[98], zugeschrieben wird, ist sein Wirken, sein Wille, seine Machtausübung als göttlich prädiziert und damit letztlich er selbst,

Jahr 2 v. Chr. (Mon. Anc. 35; H. Volkmann, Kommentar z. St.), die Vorstellung selbst war aber viel früher mit Augustus verbunden (vgl. Dio 55, 10, 10), liegt einer Reihe von Ehrungen und Auszeichnungen, wie der Verleihung der *corona civica,* zugrunde und gehört letztlich wohl zum Erbe Caesars. — Zur Geschichte und den einzelnen Aspekten der Vorstellung vor allem A. Alföldi Nr. 6, bes. S. 83 ff., 112 ff.; vgl. auch St. Weinstock Nr. 97 S. 200—227; P. Zanker, Forum Augustum. Das Bildprogramm, Tübingen 1968. — Zur Analogie Augustus/Iuppiter: Alföldi a. O. 122 ff.; L. R. Taylor Nr. 91 S. 226 f. (zur Gemma Augustea). Klassisch formuliert ist sie von Horaz c. 1, 12, 49 ff. und 3, 5, 1 ff. sowie von Ovid am Ende der Metamorphosen, met. 15, 858—860 *(. . . pater est et rector uterque).*

[95] Zur Datierung des stadtrömischen Altars zuletzt A. Alföldi, unten S. 416 ff. und Nr. 8 S. 42 ff.; vgl. D. M. Pippidi Nr. 74; Taylor Nr. 92.

[96] Gegen die verbreitete, gewöhnlich auf Horaz (c. 4, 5, 33 ff. und ep. 2, 1, 15 f.) gestützte und besonders von Taylor Nr. 91 S. 220. 227 u. ö. und Pippidi, REL 9, 1931, 83 ff. zusätzlich begründete Annahme der Identität von Genius und Numen.

[97] Fishwick Nr. 36 S. 191 nennt diesen Schritt: "a radical one, fundamental to the whole development of the 'emperor's divinity'."

[98] Belege bei F. Pfister, RE XVII 2 (1937), 1273 ff. Zur Bedeutung vor allem W. Pötscher, Numen: Gymn. 66, 1959, 353—374; A. Wlosok, Antike und Abendland 16, 1970, 39 ff.; D. Fishwick Nr. 35 S. 361 ff. und Nr. 36 S. 191. Treffend zum *numen Augusti* schon (1942) C. Koch, Religio 110 f.

wenn auch nur qua Amtsträger, als göttliche Macht eingestuft. In der römischen Staatsreligion ist der Kult des Numens einer menschlichen Person bisher ohne Parallele. Demgegenüber bleibt die Verehrung des *Genius* im Rahmen der üblichen Vorstellungen und entspricht zudem einer allgemeinen römischen Praxis.

Die Einführung eines offiziellen *Genius*kultes war durch die oben erwähnten Ehrenbeschlüsse des Jahres 30 v. Chr. vorbereitet. Sie mochte sich besonders nahelegen, nachdem Augustus im März 12 v. Chr. das Amt des *pontifex maximus* übernommen hatte und bei seinem Haus auf dem Palatin, das er als Wohnsitz beibehielt und teilweise für Staatsgut erklärte, einen neuen Vestatempel eingerichtet hatte, so daß seine häuslichen Götter (Vesta und Penaten) auch als die des Staates erschienen und er selbst als das Haupt der Staatsfamilie[99]. Möglicherweise war die Aufnahme des *Genius Augusti* in den Staatskult aber auch schon etwas früher dekretiert worden. Zu ihr gehörte die Einfügung des *Genius Augusti* in die amtliche Eidesformel zwischen *Iuppiter Optimus Maximus* und den Penaten.

Die Einrichtung des Kultes erfolgte jedenfalls im Zusammenhang der Neugliederung Roms in 14 Stadtregionen mit 265 Bezirken *(vici)*, die in den Jahren 12 bis 7 durchgeführt wurde. Dabei wurde der *Genius Augusti* in den gleichzeitig umorganisierten Kult der Compitallaren eingegliedert, derart, daß in jedem der 265 Bezirke jeweils zwei Laren, die nun als *Lares Augusti* galten, zusammen mit dem *Genius* des Herrschers eine gemeinsame Kultstätte erhielten. Mit der Kultpflege wurde die durch die Führung von Fasten geehrte Behörde der *magistri vici* betraut, die aus der anwohnenden Bevölkerung gewählt wurden und gewöhnlich den unteren Schichten, besonders den Freigelassenen angehörten[100]. Der Kult des kaiser-

[99] Vgl. Heinen Nr. 50 S. 161 und Wissowa, Religion und Kultus der Römer^2 76 f.

[100] Näheres bei G. Niebling Nr. 70 und in dem Beitrag A. Alföldis unten S. 403 ff. sowie Nr. 8 S. 18 ff.; vgl. auch Taylor Nr. 91 S. 181 ff.; F. Taeger, Charisma II 133 f.; F. Boemer, Untersuchungen über die Religion der Sklaven in Griechenland und Rom I (Abh. Mainz 1957, 7), 32—56.

lichen *Genius* war also über die ganze Hauptstadt verbreitet [101] und von der breiten Masse der Bevölkerung getragen, die dem Herrscher dadurch in besonderer Weise verbunden wurde. Die Bindung des Volkes an den *princeps* dürfte auch der Hauptzweck der Einführung des Kultes des *Genius Augusti* gewesen sein. Ein solcher Kult kam dem inzwischen bei großen Teilen der stadtrömischen Bevölkerung vorhandenen Bedürfnis nach religiöser Verehrung des Staatslenkers entgegen, war aber so weit an römische Verhältnisse angepaßt, daß ihm auch für genuin römisch Empfindende das Anstößige genommen war, nämlich der direkte Kult eines lebenden Menschen.

Der stadtrömische Kult des *Genius Augusti* hat in vielen Munizipien Italiens Nachahmung gefunden und insgesamt die Form der römisch-italischen Augustusverehrung geprägt, mag Augustus auf italischem Boden auch noch in anderen und direkten Formen verehrt worden sein [102]. Selbst auf die Augustuskulte in den peregrinen Städten, besonders des griechischen Ostens, hat dieser römische Kult eingewirkt. Wie Victorine v. Gonzenbach (Nr. 44) kürzlich nachgewiesen hat, erscheint der *Genius Augusti* hier jedoch häufig als *theos Sebastos*. Überhaupt ist in den griechischen Städten der Augustusname in seiner griechischen Form *Sebastos* mit oder ohne Zusatz von *theos* zu Lebzeiten des Herrschers oft als Kultname gebraucht worden, z. B. in Priestertiteln und in den von A. Benjamin und A. E. Raubitschek (Nr. 15) als Altardedikationen ausgewiesenen Augustusinschriften aus Athen sowie zahlreichen Altarinschriften aus anderen Städten Griechenlands und Kleinasiens [103].

Diese Direktheit der Augustusvergottung ist bezeichnend für das Niveau und die Freizügigkeit des munizipalen Kaiserkultes. Sie

[101] Ovid, fasti 5, 145 f.: *mille Lares Geniumque ducis, qui tradidit illos, / Urbs habet, et vici numina trina colunt.*

[102] Belege für die Verehrung des Augustus zu Lebzeiten in Italien bei Heinen Nr. 50 S. 175; Taylor Nr. 90 und Nr. 91 S. 214 ff., 277 ff.; dazu A. v. Premerstein, unten S. 161 und Habicht Nr. 49 S. 49 f. Vgl. unten Anm. 111.

[103] Vgl. G. Klaffenbach, Mus. Helv. 6, 1949, 222 f.; Habicht Nr. 49 S. 84 Anm. 1.

kann, zumal im Osten des Reiches, wo einzelne Griechenstädte sofort nach Octavians Siegen über Antonius mit seiner göttlichen Ehrung begannen [104], nicht überraschen. Denn sie entspricht der schon seit Jahrhunderten geübten Praxis der griechischen Städte, Machthabern und Wohltätern durch göttliche Ehren zu huldigen, wobei die Steigerung der Ehren im Laufe der Zeit nicht ausbleiben konnte. Bei Caesar und Antonius war man stellenweise bereits von der schlichten *Soter/Euergetes*-Linie abgewichen und nach ihren Siegen über ihre Gegner dazu übergegangen, sie als Erscheinungen eines Gottes und als universale Heilande zu proklamieren. Gegenüber Augustus, der einen solchen Gottmenschen überwunden hatte und sich bald als wirklicher *Soter* und Friedensbringer erwies, konnte die Huldigung, besonders von seiten solcher Städte, die sich vorher exponiert hatten, wie Ephesos, Pergamon, Athen und auch Mytilene, nicht dahinter zurückbleiben, ganz gleich, ob es sich um kühle Loyalitätsbekundung oder um echt empfundene Danksagung handelte.

Ein früher Markstein und zugleich Höhepunkt in der Geschichte der städtischen Augustuskulte ist das (nur sehr verstümmelt erhaltene) Ehrendekret der Stadt Mytilene (OGIS 456), das dem Augustus durch eine Gesandtschaft während seines Aufenthaltes in Tarraco im Jahr 26 v. Chr. überbracht wurde.[105] Es enthält ein ganzes Bündel göttlicher Ehren für Augustus, darunter einen Tempel, jährliche Opfer, daneben monatliche Opfer an seinem Geburtstag, die Zufügung seines Namens zu den Stadtgöttern in der Eidesformel der Richter.

Offenbar unter dem Eindruck dieses Ereignisses errichtete auch die Stadt Tarraco dem Augustus einen Altar [106] und stiftete damit wohl den ersten Augustuskult im Westen des Imperium Romanum. Er fand ein spätes Pendant in der 12/13 n. Chr. geweihten munizipalen *Ara Numinis Augusti* in Narbo Martius (CIL XII 4333 =

[104] Eines der ältesten, ungefähr datierbaren Dokumente, das möglicherweise schon aus dem Jahr 30 v. Chr. stammt, ist ein Altar auf der Insel Thera (IG XII 3, 469); s. Heinen Nr. 50 S. 147 und Benjamin/Raubitschek a. O. 71 f.

[105] Heinen a. O. 151; Taylor Nr. 91 S. 274.

[106] Vgl. R. Étienne Nr. 32 S. 367—378; D. Fishwick Nr. 38.

ILS 112)[107]. Dazwischen liegen zahllose weitgestreute und vielfältige Zeugnisse, die durch Neufunde ständig vermehrt werden. So ist z. B. erst in letzter Zeit die Dichte und Vielfalt des Augustuskultes in Athen zutage getreten.[108]

In den griechischen Ehreninschriften für Augustus erscheinen immer wieder die traditionellen Titel *Euergetes* und *Soter* (oder zuweilen *Ktistes*), sie sind jedoch sehr oft mit steigernden und universalistischen Zusätzen versehen (z. B. 'von Land und Meer' oder 'der ganzen Welt', 'aller Menschen' usw.) und in der Regel mit der Prädizierung des Augustus als *theos* verbunden.[109] Ein weiteres Merkmal der städtischen Augustuskulte im Osten mit Einschluß Ägyptens ist die enge, oft bis zur Identifizierung reichende Verbindung mit vorhandenen Göttern wie *Zeus Eleutherios, Patroos* oder *Olympios, Apollon Eleutherios* und anderen.[110] In allem äußert sich die oben schon hervorgehobene starke Tendenz und offensichtliche Bereitschaft der peregrinen Städte zur Vergöttlichung und Vergottung des Augustus, die gelegentlich auch in italischen Munizipien und im privaten Augustuskult auf italischem Boden[111] oder bei römischen Bürgern in fernen Provinzstädten hervortritt[112].

Das häufigste Motiv solcher Ehrungen ist, wie schon A. D. Nock und Charlesworth (unten S. 377 u. 163 ff.) betont haben, Dankbarkeit für empfangene Wohltaten oder erfahrene Rettung. Die diesbezüglichen Bekundungen sind im allgemeinen wohl mehr als bloße Konvention oder Adulation.

[107] Vgl. oben Anm. 95.

[108] Siehe Benjamin/Raubitschek Nr. 15; H. A. Thompson, Hesperia 35, 1966, 171—187, bes. 182; V. v. Gonzenbach Nr. 44.

[109] So in einer Inschrift aus Myra IGR III 719; vgl. IV 201 (Ilium); Inschr. Olympia 366 u. a. Vgl. Habicht Nr. 49 S. 85 ff.

[110] M. Grant Nr. 46 S. 356 ff.; Benjamin/Raubitschek a. O. 72 Anm. 29.

[111] Z. B. wurde in Neapel 2 v. Chr. ein großartiger penteterischer Agon eingesetzt, zu dem ein munizipaler Augustustempel gehörte (Taylor Nr. 91 S. 215); in Benevent hatte bereits 15 v. Chr. ein Privatmann (über ihn Heinen Nr. 50 S. 159) ein Caesareum gestiftet, CIL IX 1556. Mehr bei G. Herzog-Hauser Nr. 53 Sp. 828 f.

[112] Wie im Fall der Weihung DEO AUGUSTO römischer Geschäftsleute in Thinissut ILS 9495.

Bei privater Kultstiftung handelt es sich gewöhnlich um Abtragung einer persönlichen Dankesschuld für konkrete Hilfeleistung. Das klassische Beispiel hierfür ist der von Vergil um das Jahr 40 herum in der 1. Ekloge (6—8, unten S. 168) durch Erklärung zum Gott und Kultgelöbnis literarisch abgestattete Dank an den Retter in Rom (*hic illum uidi iuuenem, Meliboee, quotannis/bis senos cui nostra dies altaria fumant*, 42 f.). Diese Verse gelten gemeinhin als das älteste Zeugnis für eine Apotheose Octavians.

Von seiten der Städte wird als außerordentliche Leistung nachdrücklich Befreiung (vom Krieg) und Herstellung von Ordnung und Frieden gerühmt, und das entspricht der tatsächlichen Erleichterung, die Octavians Sieg der Welt nach jahrzehntelangen Kriegslasten und -wirren gebracht hat[113]. Wenn Augustus schließlich in den großen *Soter*inschriften aus Halikarnass (GIBM 894) und Priene (OGIS 458) als Weltheiland gepriesen wird, der die Menschheit durch dauernden Frieden, Recht und Wohlstand beglückt hat, so steht auch das in Einklang mit der allgemeinen Erfahrung jener Zeit, die die Konsolidierung einer Friedensherrschaft erleben durfte und diesen Vorgang nach dem Muster religiöser Heilsvorstellungen als gottgeschenkte Erlösung aus Not und Chaos begriffen hat. Augustus erschien weithin als der vom Himmel gesandte, lange ersehnte göttliche Retter, dem zu huldigen für viele ein Bedürfnis gewesen sein mochte[114].

Die gleiche Tendenz war zweifellos auch bei den Städten der Provinzen Asia und Bithynien vorhanden, deren Landtage im Winter 30/29 bei ihrem neuen Herrn Octavian um Genehmigung für die Einrichtung seines Kultes auf provinzialer Ebene ersuchten. Diesen, für die Entwicklung des Kaiserkultes in den Provinzen grundlegenden Vorgang hat zuletzt Ch. Habicht (Nr. 49 S. 55 ff.) eingehend erörtert und dabei überzeugend dargelegt, daß die Provinzvertretungen gegenüber dem Sieger über Antonius gar nicht

[113] Vgl. Habicht Nr. 49 S. 57 ff.

[114] Die Texte auch bei V. Ehrenberg/A. H. M. Jones, Documents illustrating the Reigns of Augustus and Tiberius, Oxford 1976² (Nr. 98 und 98 a); Teilübersetzung bei H. Lietzmann Nr. 63 S. 33 f. Zur Sotererwartung im republikanischen Rom: A. Alföldi, Redeunt Saturnia Regna I—V, in: RN 13, 1971; Chiron 2, 1972; 3, 1973; 5, 1975; 6, 1976.

hinter ihrem Angebot an Caesar nach Pharsalos und den göttlichen Ehren des Antonius zurückbleiben konnten, daß ihre Vorschläge also mindestens ebensoweit gegangen sein mußten und daß die tatsächliche Form, die der provinziale Kaiserkult damals erhielt und die zum Muster für die anderen Provinzen wurde, nur das Resultat einer restriktiven Regelung durch den Kaiser selbst sein kann. Dieser hat also dämpfend und regulierend eingegriffen.

Wenn er damals den Provinzialen seinen Kult (mit Tempel) nur in Verbindung mit dem der *dea Roma*[115] gestattete und für die in den Provinzen lebenden Römer die Kombination des Romakultes mit dem des *Divus Iulius* vorschrieb (Dio 51, 20, 6—9 mit Tacitus, ann. 4, 37, 3), so gab er deutlich zu erkennen, daß er an die Statthalterkulte anknüpfen und sich nicht als göttliches Wesen, sondern als — freilich alleinigen[116] — Repräsentanten der römischen Staatsgewalt verehrt wissen wollte. Diese Entscheidung ist ein Kompromiß zwischen Gewährung und Ablehnung, mit dem Octavian in kühl abwägender Überlegung auf die Erfordernisse der Situation einging. In dieser hatte er sowohl die Erwartungen der römischen Kreise wie der östlichen Reichsbevölkerung zu berücksichtigen. Von römischer Seite erwartete man, daß er sich von Antonius distanzierte, den er ja gerade wegen seines gottherrscherlichen Gebarens als entarteten Römer bekämpft und in seiner betont nationalrömischen Propaganda des Abfalls von römischer Sitte bezichtigt hatte.[117] Gegenüber den östlichen Untertanen wiederum

[115] Zur Vorgeschichte und historischen Rolle des Romakultes in der griechischen Welt: R. Mellor Nr. 66. Mellor sieht in den städtischen Kulten der Göttin Ῥώμη des 2. und 1. Jh. ein ‘demokratisches Äquivalent’ zu den Kulten der hellenistischen Könige. Die Göttin Rhome ist einerseits Nachfolgerin der hellenistischen Könige, andererseits Vorläuferin der römischen Kaiser und hat insofern eine historische Zwischenstellung und Mittlerrolle inne. — Zur Bedeutung der Verbindung von Rom und Kaiser: U. Knoche Nr. 55 und vor allem Mannsperger Nr. 65.

[116] Der Augustuskult entwickelte sich bald zu einem dynastischen, dem gegenüber göttliche Ehrungen für Statthalter in ihren Provinzen allmählich ganz aufhörten (Bowersock unten S. 397 f.).

[117] Nachhall dieser Propaganda bei Dio 50, 25 f. (unten S. 139); Horaz, epod. 9, 11 ff. und Properz III 11, 29 ff. und 39—50.

mußte er als überzeugender Souverän auftreten, und dazu gehörte inzwischen einfach der Kult seiner Person. Daß dieser mit dem der *Roma* verbunden wurde, war, wie kürzlich Mannsperger (Nr. 65) dargelegt hat, von grundlegender Bedeutung für die Entwicklung des allgemeinen Kaiserkultes und die Ausbildung der Kaiseridee. Die durch die Kultgemeinschaft demonstrierte Einheit von Kaiser und Rom wurde in der offiziellen Darstellung und Selbstpräsentation der Kaiser Ausgangspunkt für eine Verbindung und allmähliche Verschmelzung des Kaisertums mit der Romidee, an deren Ende das Einmünden der Romideologie in die Kaiserideologie steht.

Mit Blick auf die Geschichte des Kaiserkultes in den westlichen Provinzen muß betont werden, daß im Osten die Initiative zur Einführung des Kaiserkultes nicht von Rom ausging, sondern von seiten der Provinzen kam. Diese besaßen zum Teil in ihren Landtagen, den Koina, bereits überregionale Zusammenschlüsse und damit Organe, die die Ausführung des Kultes übernehmen konnten. Somit waren, wie G. Bowersock (unten S. 393) betont, neben anderen auch die organisatorischen Voraussetzungen für einen provinzialen Kult vorhanden.[118]

Anders sah es im Westen[119] des Reiches aus. Hier fehlten die entscheidenden Voraussetzungen für eine spontane Entstehung von Kaiserkulten. Deren Einführung bedurfte daher des Anstoßes von Rom und erfolgte, wie inzwischen aufgrund der intensiven neuen Forschungen auf epigraphischem und provinzialarchäologischem Sektor anerkannt ist, unter Augustus nur in neu erworbenen und noch wenig romanisierten Provinzen[120].

Sicher bezeugt sind im westlichen Imperium überhaupt nur zwei augusteische Provinzialkulte:

1. Für die *Tres Galliae* die reichdokumentierte *ara* ROMAE ET

[118] Zu Organisation und Verbreitung des provinzialen Kaiserkultes siehe jetzt J. Deininger Nr. 27 (reich an Belegen und Hinweisen auf die ältere Forschung); den ökonomischen und soziologischen Aspekt berührt auch G. Bowersock unten S. 389 ff.

[119] Neuere Gesamtdarstellungen des Kaiserkultes in den westlichen Provinzen: J. Deininger a. O. 99 ff. und D. Fishwick Nr. 38.

[120] Erkannt hatte das schon 1894 N. Krascheninnikoff Nr. 60 (vgl. unten S. 466).

AUGUSTI in Lugdunum[121], geweiht von Drusus am 1. August 12 v. Chr., nachdem Augustus das von Caesar eroberte Gallien geordnet und in drei Provinzen gegliedert hatte. Diese Kulteinsetzung gab das Muster für weitere Einrichtungen ab. Die Hauptmerkmale sind der Zentralaltar, die Verbindung des Kultes des lebenden Kaisers mit dem der *Roma*, die Schaffung eines Provinziallandtages und eines hohen Priesteramtes (mit dem Titel *sacerdos*), das gern mit romtreuen Angehörigen des einheimischen Adels besetzt wurde.

2. Die bei Tacitus (ann. 1, 57, 2) erwähnte *ara Ubiorum* in der Nähe des heutigen Köln, an der ein Sohn des Segestes als *sacerdos* amtierte. Eingerichtet wurde sie vor der Varuskatastrophe des Jahres 9 n. Chr. und war zweifellos analog der gallischen Institution als Kultzentrum für das römische Germanien gedacht. Etwas früher, etwa 2 v. Chr., hatte schon Domitius Ahenobarbus auf seinem Eroberungszug einen Augustusaltar an der Elbe errichtet (Dio 55, 10 a, 2)[122].

Der Zweck der Einrichtung dieser Kulte ist eindeutig: sie sollten allgemein der Romanisierung und Zivilisierung der Provinzen dienen und im besonderen die Loyalität gegenüber dem Kaiser und Rom festigen durch Herstellung persönlicher Bindungen des mit dem Priestertum und Landtagsvorsitz betrauten einheimischen Adels[123].

Die nächste Einrichtung eines dem lebenden *princeps* geltenden Provinzialkultes ist erst aus der Regierungszeit des Claudius für die neue Provinz Britannia nachweisbar. Auch hier begann der Kaiserkult wahrscheinlich nach dem augusteischen Muster mit

[121] Dargestellt auf Münzen aus Lugdunum, siehe Deininger a. O. 100 mit den Abbildungen bei Mannsperger Nr. 65, Tf. II 24 und Alföldi Nr. 8 Tf. V 1—3; vgl. die Beschreibung bei Strabon 4, 3, 2; Reste der Weihinschrift: CIL 13, 1664.

[122] Ein weiterer augusteischer Kaiserkult darf vielleicht in Noricum angenommen werden; jedenfalls sprechen Funde auf dem heutigen Magdalensberg dafür. Siehe Deininger a. O. 25 f. (vgl. 115); Fishwick Nr. 38 bei A. 30. Zu erwarten ist die Einrichtung auch in Illyricum bei dessen Teilung in Dalmatia und Pannonia 9 n. Chr.; hier fehlt bis jetzt aber jeglicher Beleg.

[123] Vgl. bes. Habicht Nr. 49 S. 67—69.

einem Altar *Romae et Augusti*. Der bezeugte Tempel aus Camulodunum (Tac., ann. 14, 31, 3 f.) wurde dann nach dem Tode des Kaisers zusätzlich dem Divus Claudius erbaut.[124] Tempel (mit *flamen*) für den verstorbenen, konsekrierten Kaiser hatte schon Tiberius auch in stärker romanisierten Provinzen auf deren Wunsch zugelassen. Unter ihm kam es zur Einsetzung provinzialer Kulte für den Divus Augustus in *Hispania citerior* (Tarraco, 15 n. Chr.; vgl. Tac., ann. 1, 78, 1) und wahrscheinlich in Lusitania[125]. Dagegen lehnte er 25 n. Chr. das Gesuch der Provinz Baetica um Genehmigung der Errichtung eines Provinzialtempels für ihn als den regierenden Kaiser und seine Mutter Livia ab (Tac., ann. 4, 37—38)[126].

Die offizielle Einsetzung des Kultes des lebenden *princeps* erfolgte in dieser und anderen romanisierten Provinzen wie der *Gallia Narbonensis*, *Africa Proconsularis*[127] und auch Mauretanien[128] erst unter Vespasian. Dessen maßgeblicher Anteil an der Entwicklung des Kaiserkultes in den Provinzen des Westens und darüber hinaus im ganzen Reich ist durch die historische Forschung der letzten Jahre immer deutlicher hervorgetreten. Ihm kann die generelle Einführung des Kaiserkultes in den Provinzen zugeschrieben werden. Außer den Neueinrichtungen geht, wie D. Fishwick (Nr. 37 S. 311 f., vgl. unten S. 477 f.) wahrscheinlich gemacht hat, auch eine Reorganisation schon bestehender Kulte, die der Vereinheitlichung und Vereinfachung dienen sollte, auf Vespasian zurück. Sie bestand in der Zusammenfassung des Kultes für *Roma* und den lebenden Augustus mit dem der *Divi*, für die ein gemeinsamer Priester mit dem Titel *flamen Augustorum* (oder ähnlich) bestellt

[124] D. Fishwick, Britannia 3, 1972, 164—181 und 4, 1973, 264 f.; Nr. 38 bei Anm. 82 (anders dagegen noch Nr. 33 S. 160 ff.).

[125] Näheres bei R. Étienne Nr. 32 S. 405 ff.; Deininger a. O. 121 ff.; Fishwick Nr. 37, bes. S. 307 f. und Nr. 38 bei Anm. 50 ff.; vgl. G. Alföldi Nr. 12 S. 17 u. ö.

[126] Dazu Deininger unten S. 441 ff.; vgl. Fishwick, Historia 19, 1970, 96—112; ebd. 20, 1971, 484—487.

[127] T. Kotula Nr. 58; Fishwick Nr. 34; Deininger a. O. 30 f. 107 ff.

[128] Dazu Fishwick unten S. 459 ff.; vgl. T. Kotula, Eos 63, 1975, 389 bis 407.

wurde. Auf diese Weise hat Vespasian den Kult der eigenen wenig vornehmen Familie an den der julisch-claudischen Dynastie, die als *domus divina*[129] immer mehr zum Träger von Segenskräften und Garanten der Sendung und Dauer Roms gemacht worden war, angeschlossen und damit wohl auch zur Legitimation seiner Herrschaft und der seines Hauses beitragen wollen.

Für die Entwicklung des Kaiserkultes und seiner Auffassung bedeutsam ist an diesen Maßnahmen vor allem, daß der Kult des einzelnen Kaisers zurücktritt zugunsten *der* Kaiser als Kollektiv und damit die Institution des Kaisertums als numinose Größe und Gegenstand kultischer Verehrung in den Vordergrund rückt. Die gleiche Tendenz zur Betonung des überpersönlichen Aspektes zeichnet sich in der Münzprägung der Flavier ab. An dieser hat D. Mannsperger in seiner erhellenden Untersuchung zur Selbstdarstellung des römischen Kaisertums als spezifisches Motiv den Gedanken der *Aeternitas* im Sinne „der kosmischen Dauer von Reich und Kaiser" herausgearbeitet (Nr. 65 S. 963 ff.). Die Entwicklung der augusteischen Ansätze zu einem allgemeinen Kaiserkult unter den Flaviern muß im Zusammenhang mit der Vespasian infolge der Krise des Prinzipats nach Neros Tod zugefallenen Aufgabe der Selbstbehauptung des Kaisertums als Staatsform gesehen werden. Der konsequente und systematische Ausbau des provinzialen Kaiserkultes gehört ganz wesentlich in diesen Prozeß der Konsolidierung des Kaisertums.

VI

Die weitere Entwicklung des römischen Kaiserkultes kann in diesem einführenden Überblick nicht verfolgt werden. Für zwei wichtige Teilbereiche, in denen sich die Gesamtentwicklung klar spiegelt, für die römische Reichsprägung und für die westlichen Provinzen bis zur severischen Zeit, liegen die schon mehrfach herangezogenen neuen Darstellungen von Mannsperger (Nr. 65) und

[129] M. Grant, Aspects of the Principate of Tiberius, New York 1950, 96 ff.; Taeger, Charisma II 249 f. (inschriftliche Belege); Mannsperger Nr. 65 S. 946 f., 949 ff.

Fishwick (Nr. 38) vor, auf die nachdrücklich verwiesen sei. In ihnen tritt die für das 3. Jahrhundert bezeichnende Neigung der Kaiser zu direkter Identifizierung[130] mit traditionellen Göttern und zur Betonung der eigenen Göttlichkeit bereits hervor. Mit ihr bahnt sich die am Ende des Jahrhunderts vollzogene Umwandlung des Prinzipates in eine absolute Monarchie mit göttlicher Erhöhung des Kaisers an, die durch ein entsprechendes Hofzeremoniell (z. B. Proskynese) sowie den Ornat (mit Diadem) und die Titulatur des Kaisers *(dominus et deus*[131], *aeternus*[132]*)* zum Ausdruck kommt.[133]

Die Haltung der einzelnen Kaiser zum Kaiserkult nach Augustus bis zu Domitian und Trajan ist in dem hier abgedruckten Beitrag von Charlesworth kurz charakterisiert (unten S. 180 ff.) Einige Ausblicke auf die spätere Zeit enthält der der Konsekration gewidmete Beitrag E. Bickermanns. In den Ausführungen I. Opelts zum Kaiserkult in der griechischen Dichtung stehen Marc Aurel und Caracalla im Mittelpunkt. Der Endphase mit den Schwerpunkten bei Konstantin und Julian ist dann wieder ein eigener Abschnitt eingeräumt. Die wichtigsten Fakten und Probleme können den ausgewählten Beiträgen entnommen werden, die zusammen ein genügend geschlossenes Bild vermitteln.

Die Hauptfrage ist ganz allgemein die, ob und wieweit sich Konstantin nach seiner entschiedenen Hinwendung zum Christentum, d. h. spätestens ab 324, persönlich und offiziell vom Kaiserkult, der inzwischen gegenüber dem lebenden Herrscher eine beträchtliche Steigerung erfahren hatte, distanziert hat. Im einzelnen geht es darum, ob er in seiner Selbstdarstellung darauf verzichtet hat, wie seine Vorgänger und Mitkaiser seine Göttlichkeit zu betonen, z. B. durch Identifizierung mit einzelnen Göttern, durch divinisierende Titel und dergleichen; weiter, ob er der im Laufe des 3. Jahrhunderts zur Geltung gebrachten und im Hofzeremoniell

[130] Fishwick Nr. 38.

[131] So erstmalig auf römischen Münzen Aurelian: Groag RE V 1405 f.; A. Alföldi Nr. 7 S. 210 ff.; vgl. Mommsen, Staatsrecht II³ 760.

[132] H. U. Instinsky Nr. 54.

[133] Zu dem ganzen Komplex vor allem A. Alföldi Nr. 7 bes. S. 213 ff.; vgl. W. Ensslin Nr. 31.

verankerten Konzeption des Herrschers als eines absoluten Herrn und göttlichen Monarchen in irgendeiner Weise entgegengetreten ist; und schließlich, ob er direkte oder indirekte Maßnahmen zum Abbau des Kaiserkultes getroffen oder gar diesbezügliche Verfügungen erlassen hat.

Diesen Fragenkomplex hat I. Karayannopulos in dem hier abgedruckten Beitrag weitgehend neu behandelt.[134] Das Ergebnis ist, daß sich Konstantin so, wie er sich in seiner ganzen Religionspolitik dieser Jahre eindeutig vom Heidentum weg zum Christentum hin bewegte, auch dem Kaiserkult gegenüber ablehnend verhalten hat. Die beiden vermeintlichen Indizien für eine 'Vergottung' des Kaisers zu Lebzeiten, die angebliche Darstellung als Gott *Helios* auf einer Statue in Konstantinopel und die Zustimmung zur Errichtung eines Tempels der *gens Flavia* in Hispellum in Umbrien zum Zwecke des Kaiserkultes, halten einer sorgfältigen Überprüfung nicht stand. Der Helioscharakter der Statue wurde, wie Karayannopulos überzeugend darlegt, irrtümlicherweise angenommen; am Tempel in Hispellum waren, wie inschriftlich bezeugt und seit langem bekannt ist, Kultakte ausdrücklich verboten. Von der Einrichtung eines Kaiserkultes im eigentlichen Sinn kann somit nicht mehr die Rede sein.[135]

Daß die christliche Linie nach dem Tode Konstantins trotz seiner förmlichen Konsekration fortgesetzt wurde, ist in der hier vorgelegten Untersuchung der Konsekrationsmünzen von L. Koep aufgezeigt. Auf diesen offiziellen Dokumenten ist der Vorgang der Konsekration in der bildlichen Darstellung völlig neutralisiert durch Weglassung aller spezifisch heidnischen Symbole wie Scheiterhaufen, Adlerflug und vor allem Tempel und Altar, den Zeichen der Apotheose. Beibehalten ist nur die Himmelfahrt, und die läßt sich eben auch christlich verstehen als Aufnahme zu Gott, wie es auf den Münzen durch die dem Aufsteigenden aus den Wolken entgegenkommende Hand auch verdeutlicht wird.

[134] Vgl. daneben K. Aland Nr. 4; ferner S. Calderone Nr. 22.

[135] Es ist daher inkonsequent, wie E. Kornemann Nr. 57 S. 137 f. von einer „neuen" und „letzten Gestalt des Kaiserkultes" zu sprechen. Das entscheidend Neue ist gerade die Entkultlichung der Ehrungen des Kaisers.

Die Kaiserapotheose wurde von der paganen Seite nicht widerstandslos aufgegeben. Der letzte römische Kaiser, der wahrscheinlich noch förmlich konsekriert, jedenfalls der Apotheose teilhaftig wurde und als *inter divos relatus* galt (Eutrop, brev. 10, 16, 2), war der Apostat und entschiedene Christusgegner Julian. Seine Divinisierung wurde geradezu zum Symbol des Widerstandes der römisch-heidnischen Opposition gegen den politischen Geltungsanspruch der im Staate zur Macht gelangten christlichen Kirche. Wie J. Straub im Schlußbeitrag dieses Bandes gezeigt hat, kam die römische Kaiserapotheose dadurch in die Rolle einer Konkurrentin der Himmelfahrt Christi. Das Resultat dieser Konkurrenz war der kirchliche Ausbau der Himmelfahrt Christi als des Manifestes der universalen Königsherrschaft des wahren, alleinigen und ewigen Imperators Christus.

Diese Antithese von Kaiserherrschaft und *imperium Christi*[136] hat ihre eigene, lange Vorgeschichte, die hier nicht verfolgt werden kann. Ihr 'Sitz im Leben' sind die Christenverfolgungen. In ihnen wurde die Konfrontation von Kaiser und Christus aktuell. Entgegen einer immer noch weitverbreiteten Ansicht[137] ging es dabei nicht eigentlich um den Kaiserkult. In den Verfolgungen hat der Kaiserkult als solcher keine besondere Rolle gespielt, sondern nur als Bestandteil der paganen Religion. Der Kaiser war bei dem von den Christen geforderten Opfer Objekt derselben Kultakte wie die anderen lokalen oder nationalen Götter. Das hat F. Millar (Nr. 69) kürzlich an Hand der Quellen sehr deutlich gemacht. Aber es ging, wie vor allem die Märtyrerakten und manche Apologeten zeigen, um die Anerkennung der Herrschaft des Kaisers und seiner selbst als der numinosen Verkörperung der im Sakralen begründeten römischen Staatsmacht, als eines universalen *imperator* und *dominus*.

[136] Vgl. L. Koep Nr. 56 (mit weiterführender Literatur).

[137] Vgl. L. Cerfaux/J. Tondriau Nr. 23; J. Beaujeu Nr. 14 (aber s. S. 136); für die ältere Forschung: E. Lohmeyer, Christuskult und Kaiserkult 1919.

I. ALLGEMEINES

Neue Jahrbücher für Wissenschaft und Jugendbildung 2 (1926), S. 633—651.

ANTIKES GOTTMENSCHENTUM

Von Otto Weinreich [1]

Ἀθάνατοι θνητοί, θνητοὶ ἀθάνατοι.
Heraklit.
Ἀθανατίζουσιν ἀρεταί.
Philon.

Wenn wir von *Gottmenschentum* reden, dann binden wir zwei Begriffe zusammen, zwischen denen ein weltweiter Abstand zu liegen scheint: Gott und Mensch. Je absoluter das Wesen Gottes, je hinfälliger das Wesen des Menschen empfunden wird, um so tiefer klafft die Kluft, desto größer ist die Spannung zwischen den beiden Polen. Das Goethesche 'Denn mit Göttern Soll sich nicht messen Irgend ein Mensch' entspricht auch dem antiken Empfinden, wie es einmal Catull ausspricht: *nec divis homines componier aequumst.* Und doch ist sich der antike Mensch auch wieder seiner Gottähnlichkeit mit Stolz und Scheu zugleich bewußt: *humanus animus cum alio nullo nisi cum ipso deo, si hoc fas est dictu, comparari potest,* und spielt der 'Göttervergleich' in jeglicher Art von Dichtung eine bedeutende Rolle. Dieselbe Religion, die dem zerknirschten Menschen den unüberwindlichen Abstand von Gott schmerzhaft fühlbar macht, sie hat auch immer und immer wieder Wege gefunden, ihn zu überwinden, ausgehend von dem, was Gott und Menschen gemeinsam ist. Gott hat, so lehrt die Bibel, den Menschen nach seinem Ebenbilde geschaffen, und der Mensch hat, das lehrt die Religionsgeschichte, die Götter nach seinem Bilde geformt. Wir Menschen, auch wenn wir alles Anthropomorphe noch sosehr ausschalten wollen in der Betrachtung Gottes, können von

[1] Da ich eine ausführliche Behandlung dieses Themas in Buchform vorbereite, wurde von der Beigabe von Literaturhinweisen abgesehen.

Gott und Göttlichem doch immer nur in Formen reden und denken, die vom Wesen des Menschen und menschlichen Verhältnissen her abgezogen sind. Religion ist Brückenbau über die Kluft zwischen Gott und Mensch, Weg-Weisung von Mensch zu Gott. Die antike *Sprache* überbrückt den Abgrund, indem sie Götter und Menschen zur Einheit der vernunftbegabten Wesen zusammenfaßt in jenen stereotypen Formeln der sog. ‘polaren Ausdrucksweise’ wie ἀθάνατοι θνητοί τε, θεοί τε καὶ ἀνέρες, ἀθάνατοί τε θεοὶ θνητοί τ’ ἄνθρωποι und ähnlichen Wendungen. Der *Mythos* überbrückt die Kluft, indem er Götter auf die Erde herabkommen und mit Menschenfrauen Götterkinder zeugen oder Menschen zu Heroen- und Götterwürde aufsteigen läßt; der *Kult,* indem er hervorragenden Sterblichen schon auf Erden göttliche Ehren erweist; die *Legende,* indem sie die großen Menschen zu Wundertätern und Heiligen macht; der *Rationalismus und Euhemerismus,* indem er die alten Götter als mächtige Könige der Vorzeit anspricht, die ob ihrer Taten deifiziert wurden. Die *Mystik* löst die Spannung zwischen Gott und Mensch, läßt die Distanz zwischen Subjekt und Objekt zu einem Nichts zusammenschrumpfen, indem der Mensch ‘entwerdet’ und sich mit Gott eint, oder Gott eingeht in den Menschen; einer kann nicht ohne den andern sein: ‘Ich weiß, daß ohne mich Gott nicht ein Nu kann leben, Werd ich zunicht, er muß vor Not den Geist aufgeben.’ Was die Mystik in mehr geistiger Weise vollbringt, erreicht die *Mysterienreligion* in der heiligen Handlung, im kultischen Dromenon. Der Mensch verleibt sich den Gott ein im sakramentalen Mahle; oder Gott und Mensch durchdringen sich in der geschlechtlichen Vereinigung, die sich dann zur unio mystica spiritualisiert; oder das heiligende Band der Gotteskindschaft verbindet beide; oder Gott wird im Menschen wiedergeboren; oder endlich der Mensch fährt zu Gott in den Himmel auf. Immer wieder findet der Mensch Wege zu Gott, erhebt sich zu ihm oder zieht ihn zu sich herab; in Opfer und Gebet, in schweigender Andacht und orgiastischem Ritual, in Ekstase und *ascensio in caelum* findet er Mittel, um gereinigt, geheiligt, über sich selbst hinaus gesteigert zu werden.

Aber nur von einigen dieser Formen soll hier die Rede sein. Wir wollen den Typus des ‘Gottmenschen’, des θεῖος ἄνθρωπος ins Auge fassen und einige seiner antiken Ausprägungen betrachten, um an ausgewählten Beispielen die Art und Reichweite dieses religionsgeschichtlichen Phänomens in der Antike zu erfassen.

Wenn die Götter die Menschen überragen durch gesteigerte Macht, höheres Wissen, unbegrenzteres Können, durch Beherrschung der Naturmächte, durch höhere Schönheit, Reinheit, Heiligkeit, Fülle des Wesens, dann ist es verständlich, wie sich immer wieder auf einer gewissen Entwicklungsstufe des religiösen Denkens der Glaube regen konnte, daß auch einzelne Menschen, weil sie durch gewisse, weit über das gewohnte Maß hinaus ihnen eignende Gaben und Fähigkeiten, Macht, Können, Wissen irgendwelcher Art, aber auch allein schon durch ungewöhnliche Schönheit des Leibes ihre Mitwelt überragten, daß, sage ich, diese bevorzugten Spieler auf der Weltbühne mehr gewesen seien als bloße Menschen: daß sie Übermenschen, antik gesprochen 'göttliche Menschen' θεῖοι oder ἔνθεοι oder ἱεροί ἄνθρωποι gewesen seien.

Ehe wir uns bestimmten Beispielen zuwenden, wird es gut sein, zunächst auf die primitivsten Grundlagen der ganzen Erscheinung einzugehen und die eben gebrauchten Ausdrücke 'Kraft, Wundermacht, Heiligkeit' u. dgl., mit denen wir unwillkürlich schon eine spezifisch religiöse oder ethische Wertsetzung verbinden, auf ihre ethisch nicht determinierte, magische Vorstufe zurückzuführen. Da stoßen wir auf einen Begriff, der in der heutigen Religionsphänomenologie und Religionsgeschichte eine große Rolle spielt: der Begriff der '*Macht*' schlechthin, ein Begriff, dessen ungeheure Rolle für den Werdegang des religiösen Glaubens die Ethnologen schon seit längerer Zeit erkannt haben, mit dem aber heutzutage auch schon vielfach die Erforscher der antiken Religion mit Fug und Recht arbeiten. Es ist der Begriff des *Mana*. So heißt bei den Melanesiern eine Kraft, die nicht materiell, aber auch nicht geistig (in unserem Sinne) vorgestellt wird. Es ist eine Macht, die in Dingen, Pflanzen, Tieren, Menschen wohnt und sie — nicht etwa in animistischem Sinne 'beseelt', sondern sozusagen mit einem Kraftstrom wie mit Elektrizität ladet, so daß die mit ihr erfüllten Objekte dann sowohl nützen wie schaden können. Menschen und Gegenstände mit Mana, sagen die Melanesier, sind 'heiß' — man kann sich also an ihnen, trivial gesprochen, 'die Finger verbrennen'. Man scheut das Mana und wünscht sich doch selbst in seinen Besitz, weil man dadurch irgendwie Überlegenheit bekommt. Das Mana macht seinen Träger 'tabu', also sowohl heilig wie gefürchtet. Was in Ozeanien das Mana, ist für die Siouxindianer das 'Wakanda'. Man kann das Pferd dort als 'Wakanda-Hund' bezeichnen, weil es so viel größer und mächtiger ist als der Hund. Bei den Irokesen entspricht der Begriff 'Orenda'; wer das größte Orenda hat, der ist Gott. Es ist durch neuere Untersuchungen festgestellt, daß auch die antiken Religionen in Worten wie δύναμις, ἀρετή, *virtus* und vielen andern einen gleich primitiven 'Machtbegriff' besessen haben. Jene durch Mana, Wakanda, Orenda oder Manitu bezeichneten Kräfte kann man sich aneignen, sie strahlen wie ein Fluidum von ihrem Besitzer aus, können auch auf andere übergeleitet, vererbt werden. Unter den Menschen sind es besonders die Häuptlinge und Medizinmänner, in höheren sozialen Formationen dann die Adligen und Priesterkönige, die solche Kräfte besitzen, und natürlich die Götter selbst.

An diese eben skizzierte, primitive dynamistische Denkweise müssen wir uns erinnern, wenn wir gewisse Züge in der Phänomenologie des antiken Gottmenschentums genauer verstehen wollen. Wir haben es zu tun vor allem mit dem gottähnlichen Weisen und Propheten einerseits und mit dem Gottkönigtum der Antike andrerseits.

Wir beginnen mit der homerischen Welt. Nun dürfen wir natürlich nicht erwarten, im Epos Homers noch vielfache Spuren des primitiven Häuptlings- oder Königsmanas vorzufinden. Die homerische Welt steht ja nicht auf der Entwicklungsstufe der Ozeanier oder Siouxindianer. Vielmehr hat die in den fortgeschritteneren geistig-religiösen Verhältnissen begründete poetische und anthropomorph-mythologische Umstilisierung, die das Epos darbietet, Allzuvieles verwischt, was wir als einstmals auch im alten Griechenland vorhandene, primitive Phänomene mehr ahnen als scharf erkennen und herausstellen können.

Die homerischen Könige und Adligen sind keine 'Gottmenschen', es sind heldenhafte Menschen, und wenn sie 'zeusentsprossen' oder 'zeusgenährt' heißen, so ist das fast mehr ornamental empfunden als wirklich genealogisch-mythologisch gemeint. Und wenn sie allenthalben mit Göttern verglichen werden, so wirkt das mehr als epischer Zierat. Und doch braucht man nur an den damaligen Orient zu denken, an das Gottkönigtum, die Priesterkönige und die königlichen Zauberer der vorderasiatischen Völker und Ägyptens, um zu erkennen, daß bei den Griechen nur abgeblaßt sein mag, was dort noch in voller Blüte stand und was vielleicht auch für diejenige Zeit des Griechentums, die dem entwickelten homerischen Epos vorausliegt, auch einmal vollere Geltung gehabt hat. An einer Stelle in der Odyssee, da schimmert das alte Königsmana noch erkennbar durch (XIX 109 ff.). Odysseus spricht hier in einem Gleichnis von eines

> wackeren Königs Ruhm, der göttlichen Sinnes
> Herrscht ob vielerlei Volks und weidlichen Kriegern und achtet
> Recht und Gerechtigkeit. Ihm trägt die lachende Scholle
> Weizen und Spelt, ihm brechen von Frucht die strotzenden Bäume,
> Wimmeln die Weiden von Vieh, das Meer bringt Fische; denn weislich
> Herrschet er stets und fromm: des haben die Völker den Segen.

Noch erkennbar, sagte ich, schimmere das Mana des Königs durch, das auf Mensch und Vieh und Erde und Meer segensreich einwirkt. Aber ein wesentlicher Unterschied liegt vor: dem *gerechten* König blüht solcher Segen! Wir leben im Reiche der Themis und der Dike; wie Götterlohn erscheinen diese Zustände des goldenen Zeitalters. Es ist schon eine Weiterbildung des primitiven Priesterkönigs, der Wetter machen und Vegetationszauber üben kann. Auch im Orient spielt schon das ethische Moment mit hinein, wenn Assurbanipal als Bringer der Segenszeit gefeiert wird im Briefe eines seiner Untertanen: 'Tage des Rechts, Jahre der Gerechtigkeit, reichliche Regengüsse, gewaltige Hochwasser, guter Kaufpreis, die Götter sind wohlgeneigt, Gottesfurcht ist viel vorhanden . . . die Greise hüpfen, die Frauen und die Mädchen heiraten und geben Knaben und Mädchen das Leben, das Werfen (der Muttertiere) verläuft richtig.' Um zu zeigen, wie ein derartiger Glaube einem weitverbreiteten, volkstümlichen Empfinden entstammt, hat man passend eine Stelle aus Ibsen verglichen, wo ein nordischer Bauer sagt, daß die Bäume zweimal im Jahre Frucht bringen und die Vögel jeden Sommer zweimal brüten, solange Haakon König ist.

Auch später noch, in historisch greifbareren Zeitläuften, als es die homerische Epoche ist, kommt, wie wir noch sehen werden, in der Antike immer wieder die Vorstellung zum Durchbruch, daß den Mächtigen auf dieser Erde, den Königen und den römischen Kaisern auch die Gewalt über die Kräfte der Natur zusteht; gottähnlich sind sie, Götter auf Erden, und darum vermögen sie, was die Götter können — und was die Gottmenschen im Reiche des Geistes, die Seher und Weisen vermochten.

Von diesen, den prophetischen Philosophen, soll nun die Rede sein. Aus dem hellen Lichte der aufgeklärten homerischen Welt gehen wir ein in das Zwielicht des 6. Jh., ins Zeitalter der griechischen Mystik, wie man es nicht mit Unrecht, wenn auch mit etwas bewußter Einseitigkeit charakterisiert hat. Vom Norden her aus Thrakien und vom Westen her aus Unteritalien brandet über die griechische Welt der mächtige Wellenschlag starker religiöser Strömungen: dionysische Orgiastik und orphische Mystik dringen ein, verbrüdern sich und herrschen weithin. Da erscheint uns der Weise zugleich als Schwarmgeist und Sühnepriester, Religionsstifter und Prophet, Zauberer und Scharlatan, fast mehr Schamanen und Medizinmännern gleichend als hellenischen φιλόσοφοι. Fromme oder tendenziöse Legende umnebelt die unplastischen Gestalten, und schier spukhaft treten uns aus halbmystischer Dämmerung die schwer faßbaren Schatten jener Wundermänner entgegen: eines Orpheus und Musaios, Abaris und Aristeas, Hermotimos, Epimenides, Pherekydes. Sie erscheinen als die Träger jener Mantik, Kathartik und Ekstatik, die wie ein Rausch auf die Menschen ihrer Zeit gewirkt haben muß. Mit den meisten von ihnen bringt die Überlieferung aber auch jenen Mann zusammen, von dem Cicero sagt, daß er als erster sich *philosophus* genannt habe: Pythagoras von Samos.

Auch wenn wir an der je jüngeren desto üppigeren Tradition noch so große Abstriche machen und uns nur auf das stützen, was die Überlieferung bis auf Aristoteles hin bietet, so bleibt doch ein Rest übrig, stark genug, um die Behauptung zu rechtfertigen, daß Pythagoras recht eigentlich als ein Prototyp des 'göttlichen Menschen' im Reiche des Geistes gelten darf. Er ist der ϑεῖος ἀνήϱ, der zwischen Gott und Mensch steht. Schon Aristoteles beruft sich auf eine in Pythagoreerkreisen gangbare Einteilung der vernunftbegabten Wesen: τὸ μέν ἐστι θεός, τὸ δ' ἄνθρωπος, τὸ δὲ οἷον Πυθαγόρας ('das eine ist Gott, das andere der Mensch, das dritte Gestalten wie Pythagoras'). Man sieht, wie die eingangs erwähnte Polarität Gott — Mensch überbrückt und ausgefüllt wird durch das nachgestellte Mittelglied Pythagoras. Man muß schon zu seinen Lebzeiten oder bald nach seinem Tod das Numinose in ihm so stark empfunden haben, daß man es auf die verschiedensten Arten begründete. Den einen galt er als Liebling Apolls, den andern als Sohn Apolls, wieder andern als Inkarnation des Apoll, als 'hyperboreischer Apollon'. Das ist die mythologisierende Auffassung. Sie spricht sich auch, verbunden mit der pythagoreischen Seelenwanderungslehre, darin aus, daß Pythagoras in einer seiner Präexistenzen Sohn des Hermes gewesen sein soll. Ein äußeres Zeichen seiner Göttlichkeit ist seine goldene Hüfte, die er den in Olympia versammelten Festbesuchern einmal gezeigt haben soll — genau wie im 2. Jh. n. Chr. jener sonderbare Heilige, Alexandros von Abonuteichos, der sich als spätere Inkarnation des Pythagoras fühlt, den Mysten des von ihm verkündeten Gottes Glykon beim Mysterienfestspiel seinen goldenen Schenkel enthüllte. Übernatürlich wie das Wissen sind auch die Taten des Pythagoras. Er prophezeit ein Erdbeben, nach drei Tagen tritt es ein. Er wird gleichzeitig in Kroton und Metapont gesehen: es ist das Legendenmotiv der 'Bilokation', das in der christlichen Heiligenlegende eine große Rolle spielt. Er als einziger vermag die Sphärenmusik zu vernehmen. Er fährt hinab in den Hades, wie die Heroen Herakles und Theseus, wie Christus in die Hölle fährt. Wie buddhistische und christliche Heilige, wie wiederum Orpheus, zähmt er wildes Getier durch Handauflegung oder bloßes Wort. Es ist nachweislich, daß von diesen Tierwundern, die schon zum ältesten Bestand der Überlieferung gehören, eine direkte Linie hineinführt in die christliche Heiligenbiographie. Athanasius, der bekannte Bischof von Alexandria, der Gegner des Arius, der im 4. nachchristlichen Jh. seine berühmte Lebensbeschreibung des hl. Antonius, des Begründers des Mönchtums, schrieb, hat dafür als literarisches Vorbild einen Βίος Πυθαγόρου benutzt, und zwar den gleichen, der den uns noch erhaltenen, ausführlichsten Pythagorasbiographien aus der Feder der Neuplatoniker Porphyrios und Iamblichos zugrunde liegt. So führt also von der Bärin des Pythagoras zu den Tierwundern des Antonius, der gezähmten Hyäne des hl. Makarius, dem Bären des Einsiedlers Florentius, den dieser zum Schafhirten bestellt, bis herab zu dem Wolf, den der heilige Franz von Assisi bekehrte, nicht nur ein motivgeschichtliches Band, sondern feste, literarhistorische Tradition. Am Vorbild der antiken Philosophen- und Gottmenschenbiographie hat sich die christliche Heiligenlegende geschult. Religiös erbauliche und zugleich romanhaft unterhaltende Tendenzen verfolgt diese wie jene. Und wie in den Evangelien und Heiligenleben die Heilungswunder natürlich nicht fehlen dürfen, so wird auch von Pythagoras berichtet, daß er Kranke geheilt hat an Leib und Seele. Kann man sich da noch wundern, daß man ihn unter die Götter rechnete und als ἀγαθόν τινα δαίμονα καὶ φιλάνθρωπον 'als einen guten und menschenfreundlichen Daimon' ehrte? Immer ist es den Alten als eine der vornehmsten Aufgaben der Götter erschienen, den Menschen zu helfen, sie zu schützen, sie zu retten. Wer das leistete, und war er auch ein Sterblicher, dem dankten sie dadurch, daß sie ihn unter die Götter einreihten.

Haben wir nun das Recht, all diese legendarischen Züge, die aus dem Weisen einen Thaumaturgen machen, die den Samier heroisieren und den Sohn eines Steinschneiders als Gott oder Daimon erscheinen lassen — haben wir das Recht, diese Züge einfach zu verwerfen als phantastische Ausgeburten mythenbildender Phantasie späterer Jahrhunderte? Das geht nicht an. Wie die Pythagoreer selbst zugleich 'Orden, Sekte, Zunft und Schule' waren, so müssen wir auch in ihrem verehrten Meister neben den rationalen, und vielleicht stärker als sie, diese irrationalen, mystischen Züge als wesenhaft und wirklich vorhanden gewesen anerkennen, auch wenn wir natürlich zugeben, daß sie nur eine Seite, nicht den vollen Umfang seines Wesens bezeichnen, in dem sich Wissenschaft und Kunst, Religion und Politik seltsam mischten.

Und bleibt auch bei Pythagoras wegen der besonderen Lage unserer Überlieferung noch ein Rest von Unklarheit, und können wir nicht sagen, wieweit er selbst den Anspruch erhob, als Gottmensch verehrt zu werden von den Anhängern seines Ordens, den er in Unteritalien gegründet hat, so fällt jede Unsicherheit fort, wenn wir vom südlichen Italien hinüber nach Sizilien blicken, von

Pythagoras zu seinem Bewunderer Empedokles fortschreiten, aus dem 6. ins 5. Jh. eintreten.

Für Empedokles von Agrigent liegen authentische Dokumente vor, die Reste seiner Dichtungen, in denen er auch von sich selbst spricht. Nicht nur im Lehrgedicht über die Natur der Dinge, sondern vor allem in den 'Katharmoi', den Sühneliedern. Folgendermaßen begannen sie:

Freunde, die ihr die Stadt, die große, bewohnet am gelben
Akragas, nahe der Burg, ihr Pfleger vortrefflicher Werke,
Port, ehrwürdiger Hort für die Fremden und bar aller Falschheit,
Seid mir gegrüßt! Unsterblicher Gott, nicht sterblicher Mensch mehr,
Wandle ich nun vor euch, von allen gebührend verehrt, die
Heiligen Binden im Haar, um das Haupt die blühenden Kränze.
Wenn ich, geleitet von Jüngern, die blühenden Städte betrete,
Männern und Frauen, so betet jedweder mich an! Ungezählte
Folgen mir nach, erkundend den Pfad, der zum Heile sie führe.
Sehersprüche begehren die einen, und andre, geplagt von
Allerlei Krankheit, wünschen gedeihliche Segen zu hören,
Weil sie schon lange die Qual der bohrenden Schmerzen erdulden.

Das ist der übermenschliche Prophet, der wie ein Gott geschmückt seine Jünger begrüßt, seiner Wundermacht gewiß, der sich als Heiland der armen Menschheit fühlt, ein 'Soter', wie man in hellenistischer Zeit gesagt haben würde. Auch in einem andern Fragment spricht er deutlich seine Überlegenheit über die Massen aus:

'Bin ich doch mehr als sie, die todumfangenen Menschen!'

Er gebietet der Natur, ja sogar dem Tode: er kann Gestorbene aus dem Hades zurückführen. Und was er selbst vermag, kann er andere lehren, sein Mana gewissermaßen vererben. Seinem Jünger Pausanias verheißt er folgendes — und das steht nicht im Sühnelied, sondern im Lehrgedicht Περὶ φύσεως, ein Beweis, wie falsch es ist, beide weit auseinanderrücken zu wollen:

Gifte so viele es gibt, um Krankheit und Alter zu bannen,
Wirst du erfahren (für dich ja allein vollend' ich dies alles).
Stillen auch wirst du des Sturms nie ermattende Kraft, wenn er [losbricht
Gegen die Erde und rings die Fluren brausend vernichtet,

Und hinwieder herbei wird rufen die Winde dein Wille!
Wandeln auch wirst du düsteren Regen in menschenerfreu'ndes
Trockenes Wetter und wirst hinwiederum Dürre des Sommers
Wandeln in baumernährende, himmelentströmende Fluten,
Wirst aus dem Hades gar rückführen entschwundenes Leben.

Was diese Selbstzeugnisse des prophetischen Dichters lehren, bestätigt die sonstige Überlieferung, die natürlich nicht lediglich aus ihnen herausgesponnen ist. Sein Schüler Gorgias hat mit angesehen, wie er zauberte. Die Macht über die Natur erwies Empedokles, indem er verderblichen Winden den Eintritt in seine Vaterstadt Agrigent verwehrte. Wie, darüber schwankt die Überlieferung. Er soll sie in Schläuchen eingefangen haben, also ganz wie Aeolus, und wir haben hier die mythologische Stilisierung des Wundermannes. Den Magier kennzeichnet die andere Tradition, der zufolge er Eselsfelle aufhängte, um die Nordwinde fernzuhalten. Diese Felle haben nämlich, wie es heißt, δύναμίν τινα ἀντιπαθῆ 'eine im Gegensinn wirkende Kraft'. Der Magier kennt das Mana dieses Substrates, δύναμις ist ja das griechische Äquivalent des melanesischen Wortes. Er kennt die okkulten Kräfte der Dinge, die durch Sympatheia oder Antipatheia mit dem Weltganzen in Wechselwirkung stehen. Er war ja selbst einmal, wie er sagt, in seinen Präexistenzen 'Knabe und Mädchen, und war schon Pflanze und Vogel und stummer Fisch in den Fluten des Meeres'. So nutzt er sein Wissen und Können zum Heile der Menschen. Drum nannten sie ihn Κωλυσανέμας und Ἀλεξανέμας 'Windeabwehrer' und stellten ihn damit an die Seite des Heros Heudanemos, des Zeus Εὐάνεμος, der Athena Anemotis. All das sind uns bekannte Formen von heroischen oder göttlichen 'Windeeinschläferern' und 'Gutwindespendern'.

Empedokles soll weiterhin die Selinuntier von Seuchen befreit haben, indem er Sumpfwasser durch eine Flußkorrektion beseitigte. Das ist nun freilich eine ganz rationelle Maßnahme. Aber, müssen wir hinzufügen: es ist doch zugleich eine Tat, die ihn zum Doppelgänger des Herakles machte, der das arkadische Sumpfland entwässerte, indem er die gewaltigen Katawothren grub, eine seiner vielen Leistungen zum Wohle der Menschen, die Herakles zur Heroisierung verhalfen! Und dem Heiland der Griechen κατ' ἐξοχήν, Asklepios, tritt Empedokles zur Seite, indem er eine Tote nach 30 Tagen zum Leben erweckte. Zugrunde liegen wird, darauf deutet die Überlieferung hin, die Wiederbelebung einer Scheintoten. Aber schon sehr bald nach Empedokles' Tode, bei einem Lieblingsschüler Platons, hat der Bericht über dies Ereignis schon völlig den Stil einer Wundererzählung angenommen. Totenerweckungen sind ja ein beliebtes Motiv in der antiken Aretalogie. Und wenn er schließlich einen Wütenden vom Totschlag abhielt durch Einwirkung von Musik, so möchten wir Empedokles darum als einen Vorläufer unserer heutigen Psychiater betrachten, die Irre und Manische so vielfach durch Musik besänftigen. Jedoch für das antike Empfinden der Mit- und Nachwelt trat er damit an die Seite des Orpheus und Arion, der mythenumwobenen Musiker, ja des Apollon selbst, dessen Leier und Gesang Wunder bewirkte.

Also wir sehen, wie überall auch da, wo rationale, psychophysische Experimente vorliegen mochten, eine Affinität bestand mit dem Mythischen; alle diese Leistungen waren doppelter Deutung und Stilisierung fähig. Auch hier war es der Glaube, der die Wunder schuf. Wer möchte sagen, Empedokles selbst sei frei gewesen von solchem Glauben an sich selbst? Er, der in seiner Philosophie dem Mythischen allenthalben Raum gewährt neben und zwischen dem Rationalen, der als Physiker die Elemente untersucht und sie doch von Νεῖκος und Φιλία, Streit und Liebe, geschaut in göttlicher Personifikation, als kinetischen Prinzipien bewegt sein läßt, der Naturforscher ist und seine Lehre als göttliche Offenbarung hinstellt, der eine ganz unanthropomorphe höchste Gottheit lehrt und sich doch selbst als Gott auf Erden fühlt? Der Mensch ist wie sein Werk: eine Summe von Gegensätzlichem. Alles wirkt und webt ineinander und gestaltet sich zu einem Organismus von faszinierendem Reiz. Wie hat sich Hölderlin, wie hat sich Nietzsche, der auch einen Empedokles dichtete, von dieser Gestalt und ihrem Werk angezogen gefühlt! Widerspruchsvoll wie der ganze Empedokles wirkt auch sein Ende. Der vielberufene Sprung in den Ätna zeigt das gleiche Doppelgesicht. Man konnte ihn betrachten als Umstilisierung eines historischen Ereignisses: daß etwa der Forscher, der Meteorologe, bei einem wissenschaftlichen Experiment oben den Tod fand. Man konnte ihn aber auch, und dies mit mehr Recht, ansprechen als die Parodie eines Mythologumenon: der Gottmensch

Empedokles ist nicht gestorben, sondern von den Göttern entrückt worden, vom Gipfel des Berges in der schützenden Wolke entrafft und in den Himmel aufgenommen worden, wieder wie Herakles, der aus dem Scheiterhaufen auf dem Gipfel des Öta zum Olymp erhöht wurde, um dort mit Hebe am Tische der Götter zu sitzen. Wenn eine Entrückungssage dem Ätnasprung zugrunde liegt, dann geht diese dem Geist des Dichterpropheten konform; sagt er doch einmal in den Sühneliedern:

> Schließlich werden die Weisen zu Sehern und Sängern und Ärzten,
> Oder sie walten als Fürsten im Kreis der irdischen Menschen,
> Und aus solchen erwachsen zu Göttern sie herrlich in Ehren,
> Teilen den Herd und den Tisch der andern Unsterblichen wieder,
> Frei und ledig von menschlichem Leid, unwandelbar ewig.

Welch seltsame Spannungen beobachten wir in der Erscheinung dieses Denkers! Soll man die Gegensätze mildern, indem man zwei Entwicklungsperioden scheidet, ihn vom Gelehrten sich zum Okkultisten wandeln läßt, oder umgekehrt einen Aufstieg aus der Sphäre des Mythischen ins freie Reich des Rationalen annimmt? Der Ausweg ist ungangbar. Nicht durch Auseinanderschneiden gelangen wir zu einem Verständnis, sondern durch Zusammenschauen! Der Agrigentiner ist keine antike Doppelherme mit zwei plastisch greifbaren, in sich selbständigen Profilen. Nicht ein Neben- und Nacheinander liegt vor, sondern ein Ineinander, eine *complexio* und *coincidentia oppositorum*.

Zur Gegensätzlichkeit im Wesen des Empedokles kommt hinzu seine Zwitterstellung zwischen den Zeiten. Er mutet an wie ein Schwarmgeist des griechischen Mittelalters, ein antiker Albertus Magnus, Paracelsus, Agrippa von Nettesheim, ein Doktor Faustus, und doch ist er Zeitgenosse des Perikles und Sophokles, nicht des Orpheus und Pythagoras, eine Generation älter als Sokrates, und kurz nach seinem Tode wird Platon geboren. Auf dem heißen Boden Siziliens gedieh eben, so sagt man, der Mystizismus üppiger als in Attika, wo die Sophrosyne waltete. Und doch fehlt es auch hier nicht an Erscheinungen, die uns zu denken geben. Ich meine weniger das Daimonion des Sokrates als die unverkennbare Neigung, bedeutende Männer ins Heroische oder Göttliche zu steigern.

Es ist freilich schwer zu sagen, wieweit hinter den uns meist nur durch Witze der Komiker bezeugten Gleichungen und Gleichnissen ein ernst zu nehmender Kern steckt. Perikles heißt immer wieder Zeus, er 'donnert und blitzt'; Stasis und Kronos sind die göttlichen Eltern des 'Κεφαληγερέτας' (so sagt der Kalauer mit Anspielung auf seinen Zwiebelkopf). Auch als Dionysos wird er bezeichnet. Seiner menschlichen Mutter kündete, wie im Alexanderroman, der Augustuslegende, der Apolloniosvita ein seltsamer Traum die Geburt eines Gewaltigen an. Neben ihm, dem 'Olympier', steht Aspasia als Hera oder Nemesis, als Omphale oder Deianira, und diese zwei letzten Namen setzen doch eine Gleichung Perikles—Herakles voraus. Auf eine mit Achill führt der Umstand, daß man seinen Musiklehrer Damon als 'den Chiron des Perikles' benannte. Wenn ferner Anaxagoras als Nus bezeichnet wurde, der Feigling Kallias mit Löwenfell und Keule als Herakles in die Schlacht zog, wenn Aristophanes oft genug die Apotheose des athenischen Spießbürgers in ganz rituellen Formen durchführt, dann ist es, auch wenn man noch soviel von all diesen Dingen aufs Konto übermütiger Komikerlaune setzen mag, schwer zu glauben, das fünfte Jahrhundert sei nicht auch schon in gewissem Sinne eine Vorbereitung des hellenistischen Gottmenschenglaubens gewesen. Diese scheinbare Kluft zwischen dem göttlichen Menschen des 6. und dem des 4. Jh. wäre dann — wenigstens phänomenologisch — überbrückt. An einem Beispiel sei der Kontakt erläutert: an den Dionysien des Jahres 414, also neun Jahre, bevor das doch schwer bewegliche Sparta für Lysander göttliche Ehren bewilligte; ein Säkulum, bevor der Befreier Athens, Demetrios Poliorketes, als Kataibates Ehren wie Zeus erhielt; vier Jahre, bevor Klearchos geboren wurde, der Schüler Platons, der dann als Tyrann von Heraklea den Blitzstrahl trug und einen seiner Söhne Keraunos nannte: in diesem Jahre 414, da hat schon das phantastischste aller Lustspiele des Aristophanes seinen Athener 'Treufreund' zu göttlicher Gloriole erhoben, den Tyrannen von Wolkenkuckucksheim zum Zeus auf Erden, zum Keraunios, zum Herrn über die Elemente, zum Gemahl der aus dem Himmel gekommenen Basileia gemacht, und zwar in Formen, die schon wesentliche Anschauungen der Herrscherapotheose vorwegnehmen. Vers für Vers fast ließe sich der Schluß der ›Vögel‹

durch das Material aus dem hellenistischen Gottkönigsglauben erläutern.[2]

Richtet man auf diese Zusammenhänge in gleicher Weise wie auf die ältere Philosophenaretalogie den Blick, dann wird auch die Tatsache einer attischen Platonlegende an Befremdlichem verlieren. Längst ehe die Neuplatoniker in ihm den 'Göttlichen' schlechthin sahen, bemächtigte sich der Mythos Platons, der Schöpfer so vieler Mythoi war. Freilich ward er nicht zum Thaumaturgen wie Pythagoras oder Empedokles — oder Sophokles, der auch, wie dieser, Winde gestillt haben soll —, sondern ehrfürchtiger Glaube machte ihn zum Heros und Gottessohn. Moderner Rationalismus sagt allenfalls, Platon war ein Geistes'heros'; wir denken uns nicht viel beim zweiten Bestandteil dieses Wortes, aber im Altertum gewann das ehrende Sprachbild anschauliche Fülle und religiöse Weihe, zeugte einen ἱερὸς λόγος.

Wir hören, Apoll habe sich Platons Mutter Periktione genaht, und deshalb habe ihr Gemahl Ariston sie bis zur Geburt Platons unberührt gelassen. Das berichtete nicht etwa ein beliebiger Spätling, sondern Speusippos, Platons eigener Neffe und Nachfolger in der Leitung der Akademie! Darob wird er auch von modernen Philologen heftig getadelt. Richtiger scheint es, dieser so früh schon einsetzenden Legendenbildung zu entnehmen, wie wichtig dem 4. Jh. der symbolhafte Wert solcher Vorstellungen war, und wie unwiderstehlich der Trieb wucherte, Heldenverehrung in mythische Formen zu kleiden. Die Akademie hat, aus dem gleichen Drange heraus, den Geburtstag Platons auf den 7. Thargelion verlegt, auf den Geburtstag Apollons, und das Doppelfest alljährlich begangen. Angesichts des durchgehenden phänomenologischen Parallelismus zwischen ϑεῖος ἄνϑρωπος im Reiche des Geistes und dem Gottkönig ist es nicht unwichtig, daß schon in der ersten Kaiserzeit die Legende auch Augustus zum Sohne Apolls machte. Es ist vielfach

[2] Der unten S. 74 besprochene Ithyphallos auf Demetrios kann schon als teilweiser Ersatz eines religionsgeschichtlichen Kommentars zum Epiphaniasfeste des Pisthetairos dienen. Nicht einmal der ἱερὸς γάμος fehlt in der Überlieferung: nur soll Demetrios der Athena die Lamia vorgezogen haben.

verblüffend, welche Ähnlichkeiten etwa zwischen Pythagoras—Alexander—Augustus—Apollonioslegende bestehen; eine Analyse dieser Gebilde und ihr Vergleich mit irgendeinem Heiligenleben ist recht instruktiv.

Empedokles hatte sich als unsterblichen Gott bezeichnet, Platon war zum Gottessohn geworden. Ein Landsmann des Empedokles, der syrakusanische Arzt Menekrates, der noch in die Lebenszeit des alten Platon hereinreicht, ging darüber hinaus: er fühlte sich, weil er Wunderheilungen vollbracht, als Zeus auf Erden, trug die Insignien des Zeus, nannte sich 'Menekrates-Zeus' und umgab sich mit einem Gefolge von Anhängern, die er als olympische Götter kostümierte. Philipp von Makedonien soll ihnen ein Theoxenion bereitet haben, das allerdings auf eine arge Verhöhnung des Arztes mit seinen 'neuen Göttern' hinauslief. Ihn erklärte man für verrückt. Und er tat doch nur, was nach einem zeitgenössischen Bericht Alexander der Große, Philipps Sohn, auch tat, der sogar die Kostüme verschiedener Götter, darunter auch das der persischen Artemis, getragen haben soll: Vorläufer Caligulas, der in sich ungefähr alle Götter und Halbgötter manifestiert glaubte, ein androgyner Pantheus!

Doch lenken wir von diesem flüchtigen Ausblick auf Phänomene, die einer genaueren Betrachtung bedürften, zurück zur Entwicklung des Gottmenschen im Reiche des Geistes. Diogenes, der populärste aller Kyniker, gilt dem Dichter Kerkidas (3. Jh.) als 'wirklicher διογενής', als 'Zeus-Sproß' (Ζανὸς γόνος) und als οὐράνιός τε κύων. Dieser scherzhafte Katasterismos ist seine Apotheose, und sie paßt nicht übel für den Mann, der sich mit Stolz als 'Kosmopoliten' bezeichnete. Manche Anekdoten berichten von Alexander d. Gr. und Diogenes. Eine ist uns wichtig wegen der oben hervorgehobenen Parallele Herrschergott und Gottmensch; diese stellt nämlich die Gleichung auf 'Alexander—Dionysos' und 'Diogenes—Sarapis'. Wenn in einer anderen Anekdote jener Bürger, der Diogenes als Sklaven und Erzieher seiner Söhne gekauft hatte, ihn rühmt, er sei als ein 'Agathos Daimon in sein Haus eingezogen', so fühlen wir uns einerseits an die oben schon erwähnte Bezeichnung des Pythagoras als eines ἀγαθὸς δαίμων καὶ φιλάνθρωπος erinnert, und andererseits müssen wir auch hier von der Philosophenlegende zum Herrscherkult ausblicken: Kaiser Nero erhält den Ehrennamen 'Agathos Daimon der Oikumene'.

Wie unwiderstehlich der Drang war, den Weisen in göttlichen Formen zu ehren, beweist nichts deutlicher als die Aufnahme solcher Formen durch den Garten Epikurs. In der Schule, die die alte Religion so entschieden bekämpfte, genoß das Schulhaupt selbst göttliche Ehren. Begeistert von einem Vortrage Epikurs fiel Kolotes, sein Jünger, ihm zu Füßen und betete ihn als Gott an. Die Schriften des Meisters erscheinen wie vom Himmel gefallene Bücher, also wie göttliche Offenbarungen. Schon zu Lebzeiten Epikurs beging man seinen Geburtstag alljährlich mit festlichem Opfer, und in seinem Testament ordnete Epikur für sich eine allmonatliche Erinnerungsfeier an. Wir kennen ja noch den Nachhall dieser überschwenglichen Apotheose in den enthusiastischen Versen Lucrezens, der wiederholt in hymnischen Formen Epikur — wie auch Empedokles — preist, ihn als Gott, als Heiland der Menschen hinstellt, der mehr geleistet hat als Ceres oder Bacchus, mehr auch als Herakles. Der bezwang wilde Tiere und Unholde und ward zum Heros; wieviel höher muß da Epikur, der Befreier des Geistes, gestellt werden:

Wer nun alle die Laster bezwungen und unsere Herzen
Nur mit dem Wort, nicht mit Waffengewalt von den Übeln befreit hat,
Ist nicht ein solcher Mensch in die Reihe der Götter zu stellen?

Mit Emphase versichert Lucrez, 'ein Gott, ja ein Gott' war dieser Weise.

Wir verstehen gerade die Antithese Herakles—Epikur als eine notwendige, wenn wir die ungeheure Bedeutung erwägen, die die 'Heraklesnachfolge', die *imitatio Herculis*, wie ich es nennen möchte, in der gesamten Antike gehabt hat. Und zwar wieder in den beiden uns wichtigen Bereichen. Krieger und Könige kleiden und fühlen sich als neue Heraklesinkarnationen, von Milon, dem Sieger in der Schlacht gegen Sybaris (510 v. Chr.) bis herab zu den *Iovii* und *Herculii* auf dem römischen Kaiserthron der Spätantike, von dem 'Pythagorasschüler' Zamolxis bis zu den sonderbaren Heraklesgestalten im Kynismus des 2. Jh. n. Chr. In dieser Zeit setzt Ephesos auf seine Münzen das Bild des Heraklit und gibt ihm die Keule des Herakles in die Hand, und in der gleichen Stadt soll andererseits ein Bild des Herakles Alexikakos gestanden haben, das die Züge des Apollonios von Tyana trug. Für die Stoa ist Herakles bekanntlich der Heilige κατ' ἐξοχήν. —

Man versteht nun, warum Lucrez, der Epikureer, seinen Schutzheiligen über Herakles hinaus steigert. Und damit auch sich selbst, als Jünger des Meisters, erhebt. Sein heißes Bemühen war es, die Welt von der Götterfurcht, von aller Superstition und Deisidämonie zu erlösen. Er triumphiert über den vernichteten Feind und nimmt selbst den freigewordenen Thron ein:

> So liegt denn wie zur Vergeltung die Religion uns zu Füßen,
> Völlig besiegt; doch uns, uns hebt der Triumph in den Himmel.

Die Dichtersprache hat es von jeher geliebt, Menschen mit Göttern zu vergleichen. Dem Volksglauben stand es von jeher fest, daß Götter in Menschengestalt herabkommen. Die Philosophie lehrte die Möglichkeit der Metempsychose eines Gottes oder Heros in einen Menschenleib. Vielerlei wirkt ineinander, um die Grenzen zwischen Gott und Mensch zu lockern. Wie stark noch in der Kaiserzeit lebendiger Volksglaube mit dem Erscheinen von Göttern in Menschengestalt rechnete, zeigen viele Indizien. Aber vielleicht keines so deutlich wie das 14. Kapitel der Apostelgeschichte. Paulus und Barnabas kommen nach Lystra, heilen einen Lahmen. Da rufen die Einwohner aus: 'Die Götter sind den Menschen gleich geworden und zu uns herabgestiegen!' Und sie nannten den Barnabas Zeus, den Paulus aber Hermes, weil er der Wortführer war (Hermes Logios). Und der Priester des Zeustempels vor der Stadt brachte Stiere und Kränze zur Vorhalle und schickte sich samt den Massen an zu opfern. Die Apostel haben alle Not, den Irrtum aufzuklären und sich der fehl angebrachten kultischen Ehrung zu entziehen. Man kann sich kein drastischeres und zugleich authentischeres Beispiel für die Kraft uralten Volksglaubens wünschen. Andererseits beweist gerade dieser Fall, wie unwiderstehlich der Trieb war, hervorragende Erscheinungen ob ihrer das natürliche Maß übersteigenden Fähigkeiten (Wunderkraft) als Götter auf Erden zu empfinden.

Waren doch zu dieser Zeit nicht nur die Männer des Geistes,

sondern auch die Großen dieser Welt, die hellenistischen Könige und römischen Kaiser, längst als Götter auf Erden, als Heilande, Wundertäter, die auch über die Naturkräfte Macht haben, anerkannt. Ein Diadochenfürst oder ein Kaiser kann als 'neuer Gott' bezeichnet werden: νέος Ἀπόλλων, νέος Διόνυσος usw., die Kaiserin als νέα Ἥρα, νέα Ἀφροδίτη usw. Das Königsmana der Frühzeit lebt wieder auf. Schon im 5. Jh. beobachten wir gleichsam das Präludium dafür. Als in der Schlacht von Aigospotamoi der spartanische Admiral Lysandros die bisher meerbeherrschende Flotte des Erbfeindes Athen vernichtend geschlagen hatte, da errichteten ihm die Spartaner 'wie einem Gotte' — ὡς θεῷ sagt Plutarch — Altäre und sangen ihm Päane — also Lieder, wie man sie bisher nur einem Gott gesungen hatte, und die Heraia, das Herafest auf Samos, wandelte man um in ein Lysanderfest, in Lysandreia. Das ist antike Heldenverehrung! Und sie gilt dem Lebenden, dessen Kraft sich so unwiderstehlich bewährt hatte und der darum der Retter seiner Heimat geworden war.

Das war das Vorspiel am Ende des 5. Jh. Im 4. Jh., als die griechischen Polisstaaten mehr und mehr zerbröckelten, alte Formen sich auflösten, neue Staatenbünde unbefriedigende Zwischenlösungen brachten, da ward die Sehnsucht nach dem großen Menschen, nach Führern des ganzen Volkes immer stärker, und viele schauten mit Neid und Hoffnungen auf die Großmacht im Norden, die Philipp von Makedonien sich zu schaffen wußte. Er, der Monarch, der sich selbst dem alten Zwölf-Götter-Kreise zugesellt hat, indem er bei der Prozession mit ihren Bildern das seine als das des 13. Gottes einhertragen ließ, der sich in Olympia einen Kultbau errichtet hatte, soll der Retter werden. Es ist die Zeit, in der Aristoteles nach dem Menschen rief, der 'wie ein Gott unter Menschen' allein herrsche und das Gesetz gebe. Sein Zögling Alexander der Große, dem die Athener ebenfalls die Würde eines 13. Gottes antrugen, der Sohn Philipps, soll das Werk des Vaters vollenden und den alten Erbfeind aller Griechen schlagen. Alexanders Züge in den fernsten Orient, Züge, wie sie einst die Götter Dionysos und Herakles unternommen, weiten die Welt, einen Ost und West, und nun erfolgt mit der sonstigen Orientalisierung des Westens auch jenes Einströmen der altorientalischen Gottkönigsidee, die sich mit der innergriechischen, schon immer vorhanden gewesenen Gottmenschen- und Heroenvorstellung verschmolz. Es entsteht das hellenistische Gottkönigtum. Alexander, der sich als Nachkomme des Herakles und des Achill in der Linie des Heroentums genealogisch legitimiert fühlt, erblickt gemäß der ägyptischen Sitte, die den Pharao Gott und Gottes Sohn sein läßt, in Zeus Ammon seinen Vater, und er verlangt auch von Griechen die orientalische Proskynese. Nach allen Seiten knüpft er an (vgl. auch S. 68 f.), und die beste Legitimation sind seine Taten, Taten wie sie nur Götter vor ihm vollbracht hatten. Man erzählte sich, einer seiner Bildhauer habe den Plan geäußert, man müsse das fast 2000 m hohe Athosgebirge umschaffen zu einem gigantischen Bildnis Alexanders, auf dessen Hand sich eine Stadt von 10000 Einwohnern ausbreiten solle. So spiegelt sich das übermenschliche Format Alexanders in einer wenn auch nicht wahren, aber symbolhaft erfundenen Anekdote. Man muß sich, um sie voll zu verstehen, der Gleichung von Mikrokosmos und Makrokosmos erinnern: kosmische Dimensionen nimmt im Zeitalter des kynischen Kosmopolitismus Alexanders Bild an. Erinnern wollen wir uns aber auch daran, daß der gewaltigste Gott des Hellenismus, Sarapis, sich kosmisches Ausmaß zuschrieb. Ich zitiere die Orakelverse, die der Gott, um eine Offenbarung seines Wesens gebeten, kundgab:

> 'Ich bin ein Gott von solcher Gestalt, wie jetzt ich sie künde:
> Himmelsgewölbe mein Haupt. Mein Leib ist das Meer. Und die Füße,
> Das ist der Erdball. Die Ohren, sie liegen droben im Äther.
> Und mein Aug' ist das Licht der weithinstrahlenden Sonne.'

Ist es nicht, als ob jenes Kolossalbild aus Sinope, das der erste Ptolemäer hatte holen und als Kultbild des von ihm verkündeten großen ökumenischen Gottes Sarapis in seiner Residenz Alexandria hatte aufstellen lassen — ist es nicht, als ob dieser alexandrinische Koloß, ein Werk des Bryaxis, hier gleichsam in den Kosmos projiziert erscheine?

So überschwenglich wie die aristophanische Komödie mit ihrer heiter oder boshaft spielenden Apotheose war, so maßlos sind die Athener zu Ende des 4. und zu Beginn des 3. Jh. ihrem Befreier Demetrios Poliorketes gegenüber. Die göttlichen und heroischen Ehren, die man auf ihn häufte, in ihrer religionsgeschichtlichen Bedeutung genauer zu betrachten, wäre fast eine Aufgabe für sich; übergehen müssen wir auch die Reaktion der besonneneren Gemüter, die an eine Nemesis für solche Hybris glaubte. Nur eines der vielen Zeugnisse über die göttlichen Ehren des Demetrios und seines Vaters Antigonos sei hier berücksichtigt, weil es mit seltener Deutlichkeit die psychologischen Motive aufdeckt, die zur Verehrung des lebenden Herrschers führten; es zeigt auch, mit welcher Leichtigkeit, mit welcher echt attischen Freude an der sinnfälligen Erscheinung des jungen, schönen Fürsten man dazu kommt, ihm den Weihrauch zu streuen, und wie geschickt man es verstand, das Neue mit dem Alten, Historie und Mythos zu verbinden.

Ich meine jenes epodische Liedchen im Metrum des 'Ithyphallos' — also schon das sakrale Versmaß macht Demetrios gleichsam zu einem Dionysos —, das überall in den Straßen Athens im Jahre 291 zum Lob des Demetrios und des Antigonos erklang. Der Anfang fehlt, er muß u. a. einen Vergleich des Demetrios mit Demeter enthalten haben. Der theophore Name forderte schon von selbst die Verknüpfung heraus; man erinnere sich an Heraklit—Herakles.

⏑ — ⏑ — ⏑ — ⏑ — ⏑ — ⏑ —
— ⏑ — ⏑ — ⏑

So wie die größten und die liebsten Götter sind
Sie der Stadt erschienen;
Denn hierher hat Demeter und Demetrios
Hergeführt der Kairos,
Sie kam, um Kores heilige Mysterien
Gnädig zu begehen,
Und *Er,* er ist, so heiter und so schön wie Gott,
Lächelnd hergekommen.
Ehrwürdig scheint er, rings im Kreis der Freunde all,
Er doch in der Mitten,
Und wie der Freunde Schar den hellen Sternen gleicht,
Gleichet er der Sonnen.
O sei gegrüßt, des größten Gotts Poseidon Sohn,
Sohn der Aphrodite!

'S gibt andre Götter, sind jedoch weit weg von uns,
Oder ohne Ohren,

'S gibt wohl auch keine, oder sorgen nicht für uns:
Dich sehn wir genwärtig!
Von Holz nicht, noch von Stein, leibhaftig ganz und wahr!
Beten darum also:
Zuvörderst schenke Frieden, Allerteuerster!
Bist ja Herr darüber.[3]

Ein ganzes Arsenal von religionsgeschichtlich wichtigen Motiven! 1. Die Parusie der neuen Götter (πάρεισιν ist technischer Ausdruck bei Epiphanien). 2. Das angleichende Namensspiel Demeter—Demetrios. Sie kam auf ihren Irrfahrten nach Eleusis, zum Heile Athens. Das ist die ehrende, mythische Illustration des zeitgeschichtlichen Ereignisses. 3. Der 'Kairos', die Glücksstunde. Sie schlug Athen damals wie heute. 4. Die Synkrisis der Mysterienbringerin mit dem Freiheitsbringer Demetrios. 5. Er hat die Charis eines Gottes — Schönheit und Lächeln sind typische Merkmale ungezählter Epiphanien von Göttern oder Engeln. 6. Der Gestirnvergleich. Demetrios, der jugendliche Fürst, unter seinen Freunden strahlend wie eine Sonne unter Sternen. Auch das unendlich häufiger Vergleich schon im alten Orient; in klassischer Zeit seltener, sehr beliebt in Hellenismus und Kaisertum. An den Kaisergott als *Sol*, an Christus als *Sol invictus* und *Sol iustitiae* braucht nur erinnert zu werden. Das geht durch bis zum rokokohaften Dekor des *Roi Soleil*. Wir wissen, daß Demetrios auch wie die mittelalterlichen Kaiser das sternen- und sonnenbestickte Herrscherornat trug, den 'Weltenmantel', und daß er auf dem Erdball sitzend dargestellt wurde. Auch er ist gleichsam ein 'Uranides' wie sein Zeitgenosse Alexarchos Helios, der Gründer von Uranopolis. 7. Die mythologisierende Legitimation: er ist des attischen Poseidon und der Aphrodite Sohn — man denke an das göttliche Elternpaar, das die altattische Komödie Perikles gab! 8. Er ist aber mehr als die alten Götter des Volksglaubens. Hier spricht der Skeptizismus des 4. Jh.: eine faule Sache mit den Olympiern! Wenn man sie braucht, sind sie fort — bei den Äthiopen

[3] Die Schlußverse übergehe ich hier, obwohl auch sie für die Beliebtheit mythischer Gleichungen aufschlußreich sind. Ihre Besprechung muß, wie die der gesamten göttlichen Ehren des Poliorketes, dem geplanten Buche oder einem besonderen Aufsatz vorbehalten bleiben.

oder sonstwo. Oder sie haben keine Ohren — sie sind nicht ἐπήκοοι. Oder es gibt gar keine, wie die Gottesleugner lehren, oder sie kümmern sich nicht um uns, wie Epikur lehrt. 9. Demetrios, der neue Gott, ist aber leibhaft gegenwärtig, ἐπιφανής. 10. Und 'wahr', ἀληθινός, ein Gott von Fleisch und Blut, mit Ohren, die hören, und Augen, die die Not sehen, mit Fäusten, die helfen können, nicht ein Xoanon aus Holz oder Stein. 11. Drum bete man zu ihm, denn er kann hören und erhören! 12. Und um was betet die in Kriegswirren müde Zeit als erstes? *Dona nobis pacem.* Er ist εἰρηνοποιός, wie wir hier mit einem Ehrentitel römischer Kaiser sagen dürfen, ein Wort, das ja auch im Neuen Testament wichtig ist: so heißen da die 'Söhne Gottes'. 13. Demetrios kann Frieden geben, denn er ist der 'Herr'. Herr über Krieg und Frieden, Leben und Tod. Κύριος steht im Text des Athenaios, das Wort, das im Laufe der Entwicklung Jesus Christos zum Kultgott Kyrios Christos hat werden lassen.

Wir blicken deutlich hinein in die psychische Struktur jener Religiosität der Massen, die von unten her die Ansprüche der Diadochen begünstigten und die Ehren von selbst anboten, die in solchem Ausmaße vielleicht nicht einmal von oben gefordert waren; Antigonos soll ja auch darüber gewitzelt haben.

Aber Demetrios ist nur einer von vielen! Massenhaft treten nun unter den Namen der hellenistischen Herrscher die religiös gefärbten, sinnträchtigen Cognomina auf. *Soter*, der Retter ('Heiland' färbt fast schon zu stark christlich). *Epiphanes*, der Erscheinende; an das Epiphaniasfest sei nur erinnert. *Eumenes,* der Gnädige, was die unterirdischen Götter, aber auch Zeus gern sein sollen. *Euergetes,* der Wohltäter, Theopator, der Gott zum Vater hat, Steigerung von *Eupator. Kallinikos,* alter Heraklesname, *Nikator, Nikephoros,* Sieger im politischen Sinn; aber man denkt auch an Σάραπις νικᾷ, Ἶσις νικᾷ τὰ πάντα, Ἰησοῦς Χριστὸς νικᾷ, an *Sol Invictus, Mithras* ἀνείκητος usw. Die Staaten der 'Siegerkönige' sind die Parallelerscheinungen zu den hellenistisch-orientalischen Religionsgemeinschaften, die in Mission und Propaganda sich ausbreiten; jede will siegen, ihre Anhänger sind Soldaten, sie sind alle eine *ecclesia militans.*

Wichtig ist vor allem natürlich *Soter.* Diese Herrscher sind, wie es Cicero einmal von den Göttern verlangt: Helfer, Retter, Bewahrer, in politischer Hinsicht und auch sonst; einzelne sogar im Sinn des Krankenheilers. Ganz klar äußert sich physisch das Königsmana, wenn der König durch Handauflegen oder Fußaufsetzen, durch seinen Speichel Heilwunder vollbringt: das tut Pyrrhos, Vespasian, Hadrian. Mehr noch: viel krasser als bei Homer äußert sich im Hellenismus das Königsmana: unter ihnen herrscht reichliches Gedeihen von Frieden, Reichtum, Gesundheit; goldenes Zeitalter bricht an! Man denke an die vierte Ecloge Virgils.

Könige und Kaiser gebieten geradezu, wie die philosophischen Thaumaturgen, Wind und Wellen. Dafür einige Beispiele. An Cäsarenwahnsinn scheint es zu grenzen, wenn König Antiochos Epiphanes in sich die Macht fühlt, den Meereswogen zu gebieten und den Bergen zu bestimmen, wie hoch sie sein sollten. Cicero rühmt einmal dem Pompeius nach — in rhetorisch fein abgestufter Steigerung —, 'daß seinem Willen stets nicht nur die Bürger zustimmten, die Bundesgenossen beitraten, die Feinde gehorchten, sondern auch Winde und Wetter willfuhren'. Nicht anders ist's bei Cäsar, der ja die hellenistische Gottkönigsverehrung bewußt in Rom nachbildete, und den die Griechenstädte schon als Sprößling des Ares und der Aphrodite, als *Theos Epiphanes*, als aller Menschen Heiland, als Soter der ganzen Welt gepriesen hatten, der als *deus invictus* verehrt wurde. Als er einst über Meer fuhr, erhob sich ein Sturm. Der Steuermann will umkehren, da zeigt sich Cäsar und spricht zu ihm: 'Sei getrost, denn du führest Cäsar.' Dieser Zug fehlt denn auch nicht in dem aretalogischen Enkomion des Juden Philon auf Augustus: 'Dies ist der Kaiser, der die allenthalben ausbrechenden Stürme besänftigt hat.' Es hat keinen Zweck, weitere Beispiele zu häufen, sie ließen sich über Domitian, den Statius als *Iuppiter Pluvius* feiert, durchverfolgen bis an die Schwelle des Mittelalters. Sie sind so typisch, daß eine antike rhetorisch-technische Schrift, die angibt, wie man einen Fürsten zu preisen hat, einmal sagen kann: 'Welch größere Bitte kann man an die Götter richten, als daß uns der König erhalten bliebe? (Man hat ja auch in der antiken Kirche für den Landesherrn gebetet!) Denn Regengüsse zur rechten Zeit, leichtes Dahingetragenwerden auf dem Meere, reicher Ertrag an Früchten, all das wird uns zum Segen durch die Gerechtigkeit des Königs!' Man erinnere sich der Homerverse vom Segensmana des gerechten Königs: die lebendige Religiosität des Hellenismus hat wieder Wirklichkeit werden lassen, was bei Homer selbst nur noch in einem Gleichnis verwertet ist. Der Ring hat sich geschlossen.

Wir haben nicht mehr Zeit, auch den anderen Ring zu schließen und den Typus des wundermächtigen Weisen, des Gottmenschen im Reiche des Geistes bis zu seinen spätantiken Ausprägungen zu verfolgen. Gerade die nachchristlichen Jahrhunderte liefern reichstes Material. Auch im Hinblick auf die eben berührte Beherrschung der Natur. Die Ehre, das Regenwunder im Markomannenkrieg herbeigeführt zu haben, wird bald dem Freunde Marc Aurels, dem Ägypter Arnuphis, bald dem Chaldäer Iulianos zugeschrieben. Doch verglichen mit Pythagoras oder Empedokles erhalten wir kaum prinzipiell Neues, nur eben unendlich gehäufte Beweise der übermenschlichen Fähigkeiten, und je trivialer die Lehre dieser späten Pythagorasjünger wird, desto üppiger heftet sich die fromme oder platte Legende an ihr Bild. Ich brauche nur zu erinnern an jene ausgedehnte Lebensbeschreibung, die Philostratos im Auftrage der Kaiserin Julia Domna rhetorisch stilisierte, als er das Leben des Apollonios von Tyana erzählte. Von der Geburt bis zum Lebensende, bis zur Entrückung des göttlichen Weisen in den Himmel, ist sein Dasein eine fortgesetzte Kette von Beweisen seiner Wunderkraft und überirdischen Weisheit. Alles so stark an die Evangelien erinnernd, daß man lange gemeint hat, Philostratos arbeite in Apollonios ein bewußtes Gegenbild gegen den Heiland des Neuen Testaments aus. Davon kann, wie heute alle zugeben, keine Rede sein. Auch bei solchen sonderbaren Heiligen und Propheten, wie die aus Lukians gehässigen Pamphleten zu fataler Berühmtheit gelangten Kleinasiaten Alexander von Abonuteichos und Peregrinus Proteus es sind, können wir uns nicht mehr aufhalten. Ebensowenig bei den Neuplatonikern verweilen, wo gewöhnlich der Lieblingsjünger und Schulnachfolger das Leben seines Herrn und Meisters erbaulich und schwärmerisch geschildert hat, alle Beweise zusammentragend, die den Charakter dieser Mystiker als θεῖοι ἄνθρωποι bestätigen können. Tonnenweise wird Weihrauch gestreut, und die rationalen Momente hellenisch-philosophischen

Geistes werden schier erstickt im Dunste des Mystischen, Okkulten, Theurgischen.

Endlich fehlen auch die Sühnepriester, Bußprediger, Gottessöhne oder Gottesgeister nicht, die dem alten Christentum eine so ärgerliche Konkurrenzerscheinung waren. Ein einziges Zeugnis sei dafür zum Schlusse noch angeführt, das wir dem Kirchenvater Origenes verdanken. Ich zitiere es, weil es gleichsam ein Generalregister liefert für die verschiedenen Typen der Legitimation eines ekstatischen Gottmenschen und Gottgesandten, und einige Züge bringt, die ich bisher nicht hervorgehoben habe, die aber z. B. in dem von mir nicht mehr eingehend behandelten Material tatsächlich auch vorkommen. Wir lesen da als Zitat aus der Schrift des Christenbestreiters Celsus:

> Viele namenlose Männer geraten in den Tempeln und außerhalb derselben in Bewegung, als ob sie weissagen wollten; einige berufen dazu auch Versammlungen ein und suchen Städte und Heerlager auf. Jeder von ihnen ist bereit und gewohnt zu sagen: 'Ich bin Gott' oder: 'Gottes Sohn' oder 'ein göttlicher Geist'. 'Ich bin gekommen! Denn schon geht die Welt unter, und ihr, o Menschen, seid verloren durch eure Sünden. Ich aber will retten! Und ihr werdet mich wiedersehen, zurückkehrend mit himmlischer Macht. Selig, wer mich jetzt verehrt! Alle andern aber, Städte und Länder, werde ich mit ewigem Feuer treffen, und Menschen, die ihre Sünden nicht kennen, werden vergebens bereuen und jammern. Die aber mir vertrauen, die werde ich behüten in Ewigkeit.'

Ich bin am Ende. Der Weg von Pythagoras und Empedokles bis zu diesen Gottessöhnen und schon ganz orientalisierten Bußpredigern war weit, und nirgends konnten wir erschöpfen, nur bescheidene Proben geben; hier sowohl, wie in dem Entwicklungsgang, der vom manabegabten Gottkönig der alten Zeit herabführt bis zum späten Kaiserkult. Der durchgehende Gedanke: wir sind da, um zu retten, zu helfen, zu schützen, zu lehren und zu bessern, Soteres zu sein, wurde trotzdem wohl deutlich. Ebenso wohl auch das andere: daß mit einer gewissen psychologischen und historischen Zwangsläufigkeit diese Führernaturen geistiger, politischer, religiöser Art bei der Denkweise der Alten, bei ihrem starken und lebendigen Sinn für alles Große in der Gloriole des Gottmenschentums erstrahlen mußten. Nicht Siegesalleen und Denkmäler, Ehrenbürgerschaft oder dergleichen genügt dem Empfinden der Mitmenschen zum Dank für diese helfende und rettende Macht: die Heroisierung, genealogische Deifikation, die Apotheose des lebenden Herrschers, das sind die Formen, in denen man sie würdig zu ehren glaubte. Wenn schon jeder Hans, der seine Grete andichtete, in ihr eine Aphrodite oder Charis sah; wenn ein plautinischer Sklave sagen kann *Davus sum, non Oedipus*; wenn ein gemeiner Protz wie Trimalchio seine Apotheose malen lassen kann, von Göttern in die Stadt geleitet wird, wo er den Grund zu seinem Schiebervermögen legte; wenn jeder beliebige Isismyste *ad instar solis* angebetet werden konnte — wieviel eher mußte wirkliche Größe übernatürliche Dimensionen annehmen!

Vom Frühgriechentum bis über die Zeitenwende hinweg in spätchristliche Zeit hat uns der Weg geführt, und doch haben wir von Einem nicht gesprochen, nur gelegentliche Seitenblicke zu diesem Einen getan. Vom Heiland des Christentums, der Gott und Mensch war, Gottes- und Menschensohn, vom Himmel kam, zur Hölle fuhr und wieder aufstieg zum Himmel, der zahllose Wunder gewirkt, Kranke geheilt, Tote erweckt, Wind und Wetter gestillt hat — von diesem Gottmenschen, dem König des Himmels und der Erde haben wir nicht gesprochen. Und doch, die Frage brennt uns allen im Herzen: Wie steht das Christusbild zu der antiken Welt? Was ist etwa antikes Erbe darin, was spontane Parallelerscheinung? Was Wahrheit, was Legende? Fragen, leichter gestellt als beantwortet. Je nach seiner Weltanschauung wird der eine so, der andere anders urteilen. Ich maße mir nicht an, die Aporie zu lösen, die in schärfster Zuspitzung so lautet: Hat das Christentum über die Antike gesiegt, weil es ihr in vielem so ähnlich war und es deshalb leichter hatte zu siegen, oder hat es sie letzten Endes doch durch das überwunden, was *nicht* antikes Erbgut in ihm ist? In letzterem Sinne entschied sich kürzlich in einer seiner letzten Arbeiten Karl Holl, dessen Name uns allen ehrwürdig bleiben wird. Mir kam es hier nur darauf an, das Problem als solches möglichst deutlich zu stellen [4] und dadurch zu zeigen, daß wir nicht weltfremde Wissen-

[4] Der Aufsatz war schon in Druck gegeben, als mir Schubarts Stellungnahme zu Holl bekannt wurde: Neue Jahrbücher für Wissenschaft und Jugendbildung 2 (1926), S. 518 ff.

schaft treiben, wenn wir in der klassischen Philologie uns mit diesen Dingen beschäftigen. Die Religion der Alten steht nicht minder im Brennpunkt der antiken Kultur wie ihre Kunst, Dichtung, Wissenschaft. Und wenn wir ihrer Erforschung uns widmen, dreschen wir nicht leeres Stroh, sind nicht Totengräber, sondern dienen zugleich uns und unserer eigenen Kultur, die gerade auch als christliche Kultur mit tausend Fäden unlöslich an jene geknüpft ist. Wollen wir sie zerreißen lassen und uns selbst entwurzeln? Wollen wir sie zerschneiden und uns selbst in unserem Werdegang und wesentlichen Teilen unserer Wesensart nicht mehr verstehen? Ich glaube, wir sind uns alle darin einig: nicht Abbau, sondern Ausbau und Aufbau ist es, was wir in Wissenschaft und Schule brauchen.

Archiv für Religionswissenschaft, Bd. 27 (1929), S. 1—31.

DIE RÖMISCHE KAISERAPOTHEOSE

Von Elias Bickermann

Das Problem

„Die Römer erweisen jedem Inhaber des Kaiseramtes, wenn er nicht gerade tyrannisch oder tadelnswert gewesen war, göttliche Ehren nach dem Tode; sie, die es nicht einmal ertragen, jene schon vorher bei Lebzeiten Könige zu nennen."

Mit diesen Worten formuliert Appian (B. C. II 148, 618) treffend die grundlegende Aporie des Kaiserkultus in der römischen Staatsreligion: simpler Magistrat solange er lebt, wird der Prinzeps nach dem Tode zum Gotte erhoben. Ein offenbar politisch bestimmter und bedingter Kult huldigt also dem machtlosen Schatten, verehrt aber nicht den Lebenden in seiner Machtfülle. Die *Aporie* besteht somit eigentlich aus zwei Problemen, einem negativen und einem positiven. Warum wehrte sich die römische Staatsreligion, während alle anderen der damaligen Welt darin wetteiferten, den jeweiligen Kaiser zu divinisieren? Warum vergötterte sie trotzdem bereitwilligst nicht nur den Monarchen selbst, sondern auch manche seiner Verwandten, sobald sie dahingegangen waren? [1]

1. Consecratio

Die Kaiservergötterung in Rom erfolgte jeweils durch einen besonderen, offiziell „Consecratio" genannten [2] Akt. Der Begriff,

[1] Das Material über den römischen Kaiserkult ist noch heute am besten bei E. Beurlier, Le culte impérial (1891) zu finden. Im allgemeinen vgl. den (oberflächlichen) Artikel der RE (IV. Suppl.-Band).

[2] Zuerst bezeugt im Jahre 42: Rostovtzeff, Tesserae urbis Romae (1903) 99 *consecratio Aug(u)stae. ob consecrationem divae Augustae* in Arval-

der an sich die rechts- und ritualmäßige Einreihung einer profanen Person oder Sache in die Kategorie des Heiligen bezeichnet [3], erwarb schon in ciceronischer Zeit die Bedeutung „Kulteinsetzung". [4] In der römischen Staatsreligion war aber der *Senat* von Rechts wegen für die Kulteinführungen zuständig. Ihm oblag also auch die Kaiserkonsekration, d. h. die Aufnahme des Betreffenden durch einen Beschluß in den Kreis von Staatsgöttern Roms. [5] *Divo Augusto honores caelestes a senatu decreti* lautet der entsprechende Vermerk im Festkalender. [6] Der Divinisierte galt seitdem, wie jede andere neuaufgenommene Gottheit, als richtiges Gotteswesen. Er erhielt einen neuen, den altrömischen, wie Diva Angerona, Diva Rumina, nachgebildeten Gottesnamen [7]: Divus Claudius, Divus Pertinax Pater usw. [8], ihm wurde nach üblichem Ritual gedient, Tier- und unblutiges Opfer dargebracht [9], von ihm Vorzeichen ein-

akten unter Claudius (CIL VI 2032). Unter Caesar und Augustus scheint der Terminus noch nicht im Gebrauche zu sein. Vgl. Dessau ILS 72; Fasti Amit. und Ant. zum 17. Sept. (CIL I p. 329), die beide wohl um das Jahr 20 (CIL I p. 207) redigiert sind.

[3] Wissowa RE 896.

[4] Vgl. ThLL s. v.

[5] Mommsen, Staatsrecht II 886, III 1049.

[6] Fasti Amiternini (CIL I p. 244).

[7] Lactant. div. inst. I 21, 22: *solent mortuis consecratis nomina immutari.* Es ist bemerkenswert, daß die munizipalen und provinzialen Kulte demgegenüber sowohl nach dem Tode (z. B. CIL XIII 1036) wie bei Lebzeiten des Kaisers seinen Namen als göttlichen verwenden; z. B. Feriale Cumanum (Dessau 108): *supplicatio Augusto;* Dessau 6481: *flamen Ti. Caesaris Augusti.* Viel seltener ist das vor- oder nachgesetzte *deus* (Tarracona: Eckhel I 57; *cives Romani qui Thynissis negotiantur:* A. Ep. 1912, 51). Vgl. in Pompeji *M. Holconio Celeri Augusti sacerdoti* und demselben *sacerdoti divi Augusti* (Dessau 6362 und 6362 a).

[8] Zur Bedeutung und Geschichte des Begriffes *divus* s. außer dem Artikel in ThLL Schwering, Indogerm. Forsch. 1914/15, 1 ff. 20 ff. Daß das Wort gerade in caesarischer Zeit keineswegs den Hinweis auf Halbgöttlichkeit oder dgl. enthielt, zeigen Varro und Ateius bei Serv. Aen. V 45.

[9] Prudent. c. Symmach. I 247: *Augustum coluit, vitulo placavit et agno.* Caligula Augustus einen Stier opfernd H. Cohen, Monnaies, Caligula, 9 = H. Mattingly and E. Sydenham, Roman imperial coinage I (1923),

geholt[10], Wunder erwartet.[11] Seine Priester standen nur den drei großen Flamines im Range nach. Er erschien mit einem Wort als „unsterblicher Gott".[12]

Der römische Senat erfand aber eine Gottheit bei seinen Kulteinführungen ebensowenig wie die römische Kurie einen Heiligen, wenn sie ihn in einem umständlichen Rechtsverfahren kanonisiert. In beiden Fällen wird vielmehr die an sich bestehende, nun aber geoffenbarte Macht legalisiert. *Tempestates populi romani ritibus consecrati sunt,* sagt einmal Cicero (de nat. deor. III 51). Das geschah erst im Jahre 259, obwohl die Römer die Seestürme auch vorher kannten, als die übermenschliche Macht sich eindringlich gezeigt hatte: *te quoque, Tempestas, meritam delubra fatemur, cum paene est Corsis obruta classis aquis* (Ovid, Fasti VI 193). Da derartige bestimmte Veranlassungen auch bei den Deifikationen kaiserlicher Tugenden stets vorlagen — so erhielt die Fecunditas einen Tempel, weil Poppaea glücklich entbunden war u. dgl.[13] —, müssen wir annehmen, daß irgendwelcher *spezifische Anlaß* auch bei der Caesarenvergötterung *sakralrechtlich* erforderlich war.

Diese Ursache konnte weder im Leben noch im Tode des Kaisers liegen. Denn die Quellen betonen, daß die *Konsekration* stets *postum* und die Vergötterung bei Lebzeiten religiös unzulässig war: *maledictum est ante apotheosin deum Caesarem nuncupare.*[14] Als

Taf. 7, 116. Mart. IX 1 *dum voce supplex dumque ture placabit matrona divae dulce Iuliae numen.* Tertull. ad nat. I 10: *regibus quidem etiam sacerdotia adscripta sunt sacrique apparatus, et tensae et currus et solisternia et lectisternia, laetitiae et ludi.* Im allgemeinen vgl. über den Dienst der *divi* Wissowa, Religion und Kultus der Römer (1912) 343 ff.

[10] Prudentius l. c. *responsa poposcit.* V. M. Aurelii 18, 7.

[11] Suet. Aug. 6.

[12] So in der offiziellen Eidesformel (Dessau ILS 190): *Iuppiter Optimus Maximus ac divus Augustus ceteri(que) omnes di immortales.*

[13] Vgl. Wissowa, Religion 328.

[14] Tertull. Apol. 34. Cod. Fuld. liest die Stelle: *male traditum ante apotheosin deum Caesarem nuncupare sci⟨t⟩o te isto nomine male velle et male abominari, ut vivente adhuc imperatore deum appelles quod nomen illi mortuo accedit.* Vgl. zur Stelle zuletzt G. Thörnell, Studia Tertullianea. IV 132 f. (Ups. 1926).

ein Schmeichler nach Aufdeckung der Pisonischen Verschwörung beantragt hatte, Nero *tamquam mortale fastigium egresso et venerationem hominum merito* zu divinisieren, lehnte das der Kaiser, der sich sonst so gern in seiner Göttlichkeit sonnte [15], als böses Vorzeichen seines Ausganges ab. *Nam deum honor principi non ante habetur, quam agere inter homines desierit* (Tacit. Ann. XV 74).

Der Prinzeps mußte also seine Göttlichkeit in Rom mit dem Tode erkaufen. Das Seltsame, das darin liegt, wurde von vielen betont. Die Christen höhnten: *invitis hic denique nomen adscribitur. Optant in homine perseverare, fieri se deos metuunt, etsi iam senes nolunt.* Caracalla stimmt bereitwilligst dem Vorschlag, den auf seine Anstiftung ermordeten Bruder zu konsekrieren zu: *sit divus, dum non sit vivus.* Und Vespasian, Freund des Positivisten Plinius, übertrifft alle Spötter mit seinem knappen Sterbewort: *vae, puto deus fio.*[16]

Aber auch die Sterbestunde führt den Caesar an sich noch nicht in selige Gefilde. Denn weder jeder Kaiser, im Unterschiede von so vielen primitiven, aber auch von den spartanischen [17] Königen, noch nur der Kaiser kam in den Himmel: schon Vespasian durfte seine als Privatperson verstorbene Tochter [18] nachträglich divinisieren.

Da die Kaiservergötterung also weder bei Lebzeiten noch von selbst mit dem Ableben eintrat, muß der *Anlaß* zur Konsekration der Caesaren noch später entstanden sein. Der Tod schließt in der Tat keineswegs das körperliche irdische Leben ganz ab, nicht das biologische Faktum, sondern der soziale Akt: die *Bestattung* trennt den Dahingegangenen von den Verbliebenen.[19] Es wird nun ausdrücklich versichert, daß die Konsekration stets erst nach dem

[15] Dio Cass. 61, 20.

[16] Minuc. Felix, Octav. 21; V. Getae 2 (daß Geta tatsächlich gar nicht vergöttert und die Anekdote einfach erfunden wurde, tut nichts zur Sache); Suet. Vesp. 33.

[17] Xen. Resp. Laced. 15, 9.

[18] Flavia Domitilla, vgl. Stein in RE VI 2732. Den Hinweis, daß die Konsekration schon von Vespasian (und nicht erst von Domitian) durchgeführt wurde, verdanke ich H. Dessau.

[19] Belege dafür sind wohl nicht erforderlich. Vgl. im allgemeinen Scheuer, Z. d. Savigny-Stiftung, german. Abt. 1915 und 1916 und als ein

Begräbnis erfolgte[20], und von Dio und Herodian bezeugt[21], daß die Bestattung gegebenenfalls die Zeremonie der Apotheose enthielt. Die Untersuchung des römischen Kaiserkultus hat somit bei diesem *ritus consecrationis*[22] einzusetzen.

2. *Ritus Consecrationis*

Jeder gewöhnliche Mensch wird nur einmal begraben, wie er nur einmal stirbt. Der in der Antoninenzeit konsekrierte römische Kaiser wurde aber *zweimal* auf dem Scheiterhaufen verbrannt, und zwar einmal *in corpore*, dann *in effigie*.

Der Augenzeuge Dio Cassius bezeugt diese seltsame Tatsache für Pertinax, der Zeitgenosse Herodian sowohl als allgemeine Regel wie speziell für Septimius Severus, die ›Historia Augusta‹ sowohl für diese beiden als für Caracalla.[23] Da aber in allen genannten

hübsches Beispiel dazu G. Legrain, Annales du Service des antiqu. de l'Egypte 1916, 167.

[20] V. Marci 18, 3: M. Aurelius wurde angeblich vergöttert, *priusquam funus conderetur ... quod nunquam antea factum fuerat neque postea.* Alle sonstigen Nachrichten bestätigen die hier erwähnte allgemeine Regel. Z. B. Tac. Ann. XIII 2: *censorium funus et mox consecratio (Claudii).* Drusilla starb am 11. Juni 38 (Fasti Ostiens. Not. Scavi 1917, 180), konsekriert im September (CIL VI 2028 e). Tertull. Apol. 10: *quos ante paucos dies luctu publico humatos mortuos sint confessi, in deos consecrent.*

[21] Dio 74, 5, 5: καὶ ὁ μὲν Περτίναξ οὕτως ἠθανατίσθη. Herod. IV 2, 11: καὶ ἐξ ἐκείνου μετὰ τῶν λοιπῶν θεῶν θρησκεύεται.

[22] Amm. Marc. XXIII 6, 4; vom ersten persischen König Arsaces: *astris ... ritus sui consecratione permixtus est omnium primus.*

[23] Dio Cass. 74, 2; Hesiod. IV 2, 1 f.: ἔθος γάρ ἐστι Ῥωμαίοις ... τὸ μὲν γὰρ σῶμα τοῦ τελευτήσαντος πολυτελεῖ κηδείᾳ καταθάπτουσιν ἀνθρώπων νόμῳ· κηροῦ δὲ πλασάμενοι εἰκόνα ... προτιθέασιν usw. V. Severi 7, 8: *funus deinde censorium Pertinacis imagine duxit eumque inter divos sacravit.* V. Severi 24, 1—2: die Urne mit Severus' Asche wurde aus Eboracum nach Rom gebracht (vgl. V. Severi 19, 4: *ipse a senatu agentibus liberis qui ei funus amplissimum exhibuerunt inter deos est relatus*). Für Caracalla seine Vita 9, 1: *publico funere elatus est.* Vgl. 9, 12; V. Macrini 5, 2; Dio 78, 9, 1: die Leiche wurde schon in Syrien verbrannt, die Reste

Fällen bekanntlich außergewöhnliche Todesumstände als Grund dafür angesehen werden könnten, ist es willkommen, daß die *doppelte Bestattung* auch für den im tiefsten Frieden, in der Nähe von Rom verschiedenen Kaiser Antoninus Pius beglaubigt wird. M. Aurelius und L. Verus verfuhren nämlich nach dessen Tode folgenderweise: *Hadriani autem sepulcro corpus patris intulerunt magnifico exequiarum officio. Mox iustitio secuto publice quoque funeris expeditus est ordo. Et laudavere uterque pro rostris patrem, flaminemque ei . . . et sodales . . ., creavere.*[24]

Vier Begriffe, vier nacheinander folgende Handlungen nennt der Biograph: *exequiae, iustitium, funus* und (durch die Priestereinsetzung ausgedrückt) *consecratio. Exequiae* und *funus* sind Synonyme für den Trauerzug, und zwar ist das *funus publicum* das auf öffentlichen Beschluß amtlich ausgeführte Leichenbegängnis. *Iustitium* ist endlich der übliche Terminus für die Landestrauer.[25]

Vergegenwärtigen wir uns nun den Gang der Handlung. Die Leiche des Kaisers wird zwar prunkhaft, aber nicht von Amts wegen verbrannt und die Überreste im Mausoleum beigesetzt. Im allgemeinen pflegt die öffentliche Trauer in diesem Augenblicke zu schließen, sie wird verhängt, *ex ea die qua eius decessus nuntiatus esset usque ad eam diem qua ossa relata atque condita iustaque eius*

wurden „im geheimen" im Mausoleum beigesetzt, und die Konsekration erfolgte erst nachträglich.

[24] V. M. Aurelii 7, 10—11. An die Fälschung ist hier nicht zu denken, weil 1. im vierten Jahrhundert der Kaiser beerdigt wurde, so daß der Redakteur der ›Historia Augusta‹ aus eigenem das Zeremoniell zu erfinden nicht imstande gewesen wäre; 2. der Terminus *funus* kommt nur bis auf die Biographien Caracallas und Macrinus' vor und bezeichnet stets das öffentliche Leichenbegängnis; der Fälscher unterschied selbst nicht, wie die durch die Apostrophierung Diokletians als Einschub erwiesene Stelle V. Getae 7 zeigt (*funus Getae . . . inlatus maiorum sepulcro hoc est Severi,* vgl. dazu O. Hirschfeld Kl. Schr. 467), das *funus* der Puppe von der Leichenbestattung. Jos. Schwendemann, Der historische Wert der Vita Marci (1923) 133 f. betrachtet die Stelle ohne Beweis als kontaminiert, die Nachricht der Vita findet aber durch die Münzen ihre volle Bestätigung, s. unten § 4.

[25] Mommsen RStR I 264, III 1180. Vollmer, *de funere publico,* Jhb. f. cl. Phil. Suppl. 19 (1893).

manibus perfecta essent.[26] Bei der Bestattung des Antoninus Pius wird aber alles dem üblichen Brauch entgegen ausgeführt. Das *iustitium* beginnt hier erst nach der Beerdigung, und der staatliche Leichenzug setzte sich in Bewegung, als die Leichenreste schon im Grabmal ruhten! Und zwar gilt dieses *funus publicum,* wie wir aus Dios und Herodians Berichten von den späteren Konsekrationen erfahren, der dem Verstorbenen nachgebildeten *Wachspuppe.*

Jene beiden sich einander ergänzenden Berichte zeigen, daß das Bestattungszeremonial in diesem Falle in allen Einzelheiten einem üblichen *funus publicum* entsprach.[27] Bis auf Ausbrüche des Schmerzes, Weheklagen u. dgl. — πάντες ἅμα ὠλοφυράμεθα καὶ πάντες ἐπιδακρύσαμεν erzählt der Teilnehmer Dio —, werden dabei auch die rituellen Handlungen der Bestattung ausgeführt. Das alles gilt aber nur dem Scheinbilde des schon Begrabenen. Dieses *Scheinbild* wird also als wirklicher Menschenkörper angesehen und behandelt.

Der Augenzeuge Dio erzählt, daß ein Sklave mit seinem Wedel Fliegen vom Gesicht der Wachspuppe des Pertinax abwehrte.[28] Septimius Severus gab ihr dann auf dem Scheiterhaufen den Abschiedskuß. Herodian fügt sogar hinzu, daß die Puppe des Septimius Severus sieben Tage vordem im Palaste als Kranker behandelt wurde, mit Ärztebesuchen, Gesundheitsbulletins und Todesfeststellung.[29]

[26] Dessau ILS 140, 21 ff. (für C. Caesar) mit Anm. 1: CIL IX 5290: *Romae iustitium indictum est donec ossa eius in mausoleum inferentur.* Andere Beispiele Vollmer a. a. O. 330, 4.

[27] Um Raum zu sparen, verzichte ich auf entsprechende Ausführung. Es genügt, Dios und Herodians Nachrichten mit Vollmer 337 ff. oder H. Blümner, Römische Privataltertümer (1911) 941 ff. zu vergleichen, die auch für das Zeremonial sonstige Belege anführen.

[28] Dio 74, 4, 3. Er deutet das als Zeichen, daß die Puppe den Schlafenden darstellte. Vielmehr ist es *cadaver ventilare* (Cod. Iust. 7, 6, 5). Vgl. Blümner a. a. O. 496, 8.

[29] Herod. IV 2, 5 ff. Da er außerdem berichtet, daß die Senatoren im Trauergewand um das Paradebett des „Kranken" saßen, würde daraus folgen, daß das *iustitium* im 3. Jahrhundert früher als im Falle des Antoninus Pius verhängt war. Es kann aber auch sein, daß Herodian Einzelheiten einfach vermengt und entstellt, was die Glaubwürdigkeit seines Berichtes im allgemeinen keineswegs vermindert. Die zeitgenössischen

An Deutlichkeit lassen all diese Nachrichten nichts zu wünschen übrig. Das *Wachsbild*, dem Toten „in allem ähnlich“ [30], mit seinen Kleidern umhüllt [31], auf seinem Paradebett liegend — das ist der Kaiser selbst, dessen Leben durch diese oder vielleicht noch weitere magische Handlungen in die Wachspuppe übergeführt ist. Die Parallelen für derartigen Bildzauber sind zahlreich und in der ganzen Welt zu treffen.[32] Hier genüge nur ein italisches Beispiel vom Jahre 136. Ein Vierteljahrhundert vor der Bestattung der Puppe des Antoninus Pius schreibt die ›Lex collegii cultorum Dianae et Antinoi‹ vor [33]: *quisquis ex hoc collegio servus defunctus fuerit et corpus eius a domino iniquo sepulturae datum non ... fuerit ..., ei funus imaginarium fiet.* Die Satzung gebraucht dabei denselben Ausdruck *funus imaginarium,* welchen die ›Historia Augusta‹, um die von Dio gesehene Bestattung des Pertinax-Wachsbildes zu bezeichnen, verwendet.[34]

Nach der ›lex collegii‹ wie in allen sonstigen Parallelen dient aber das Bild, um den fehlenden Körper zu vertreten; im Kaiserzeremoniell tritt es dagegen neben ihn, verdoppelt die Leiche und ersetzt sie nicht. Zwei weitere Umstände sind dabei für unsere Untersuchung maßgebend: einerseits galt die öffentliche Bestattung, das *funus publicum,* der Wachspuppe und nicht der Leiche, anderseits hing die Konsekration eben mit der Puppenverbrennung zusammen. Das bezeugen nicht nur Dio und Herodian [35], sondern auch der einzige Ritus, den die zweite Bestattung vom üblichen *funus publicum* voraus hatte: ein *Adler* flog vom Scheiterhaufen

Nachrichten vom preußischen Bestattungszeremonial des 18. Jahrhunderts sind ebenso undurchsichtig und widersprechend. Vgl. unten den Exkursus.

[30] Herod. IV 2, 2: εἰκόνα πάντα ὁμοίαν τῷ τετελευκότι.

[31] Dio 74, 4, 3: σκευῇ ἐπινικίῳ.

[32] J. G. Frazer, Spirits of the corn II 94 ff. E. S. Hartland in Hastings Enc. of Relig. IV 428. Seler Ges. Abhandl. II 679. B. Schmidt ARW 1926, 304. Die Bestattung des Scheinbildes anstatt und neben der Leiche, um die Dämonen zu täuschen (J. G. Frazer 98 ff.), steht auf einem anderen Blatte.

[33] Dessau ILS 7212 c. II 4 ff.

[34] V. Pertinacis 15, 1: *funus imaginarium ei et censorium ductum est;* vgl. Serv. Aen. VI 325: *imaginaria sepultura.*

[35] Dio 74, 2; Herod. IV 2.

empor. Das Bild des Adlers ist aber das übliche Sinnzeichen der Konsekration auf den Münzen des zweiten Jahrhunderts. Herodian sagt, der Adler sollte dabei, „wie die Römer glauben", die Seele des Kaisers gen Himmel tragen, das könnte aber ebensogut oder noch besser bei der Verbrennung der Leiche stattfinden. Es ist vielmehr klar, daß die Verdoppelung nur dann irgendeinen Sinn hatte, wenn der Kaiser erst bei der zweiten Bestattung, und zwar auf eine neue Weise, von den Menschen schied. Da aber alle Riten und Handlungen (vom Adlerflug abgesehen) auch bei der Wiederholung mit dem üblichen Ritual identisch sind, so kann der Unterschied nur im Objekt der Zeremonien liegen. Es müßte also gerade die Wachspuppe und nicht der Körper vertilgt werden. In diesem Falle besteht aber die Differenz vom ritualistischen Standpunkte aus darin, daß das Wachsbild im Feuer völlig zerschmilzt, so daß hier keine sterblichen Überreste verbleiben. Sakralrechtlich ausgedrückt: nach der Leichenverbrennung war das *ossilegium* pflichtmäßig, nach der Puppenvertilgung fiel es aus.

Die doppelte Verbrennung ist literarisch für die Jahre 161, 193, 211 und 217 bezeugt. Sonst werden in den Schriftquellen nur noch die Trauerfeierlichkeiten für *Augustus* beschrieben.[36] Sie wurden aber für Claudius genau nachgeahmt, und wenn wir Suetons Bemerkung über Claudius: *funeratus est sollemni principum pompa* wörtlich nehmen dürfen, blieben sie überhaupt für die spätere Zeit maßgebend. In diesem Zeremoniell fehlt aber der Brauch der doppelten Bestattung. *Funus publicum* gilt hier vielmehr für die *Leiche* selbst.[37] Das Wachsbild erscheint auch hier, es wird auf der Bahre getragen, innerhalb welcher der Körper ruht, wie man es sonst in Rom und anderswo machte, um der Verwesung vorzubeugen.[38] Verbrannt

[36] Dio 56, 31, 34, 42. Suet. Aug. 100. Tac. Ann. I 10.

[37] Vgl. auch Fasti Ostienses (Not. Scavi 1917, 180) vom Jahre 37, die alle Etappen der Bestattung des Tiberius aufzählen: *IIII K(alendas) Apr. corpus in urbe(m) perlatum per mili(tes) III Non(as) Apr. f(une)re p(ublico) e(latus) e (st).*

[38] Tac. Ann. III 5, 2: *illa veterum instituta: propositam toro effigiem.* Vgl. im allgemeinen Benndorf, Antike Gesichtsmasken, Denkschr. Wien Ak. 28 (1878) 65 ff. E. H. Swift, Amer. J. Archeol. 1923, 291 ff. Bei Augustus' Bestattung folgten im Zuge noch zwei seiner Statuen, darunter eine goldene

wurde natürlich nur der Körper. Dio erwähnt in seiner Beschreibung von Augustus' Bestattung auch den Adlerflug.[39]

Ein solches öffentliches Leichenbegängnis wurde jedenfalls nicht nur den Konsekrierten zuteil. Agrippa und Tiberius wurden genau nach demselben Zeremoniell wie Augustus bestattet[40], erreichten aber die Göttlichkeit nicht.[41] Die Deifikation des Augustus oder des Claudius konnte also nicht durch die Art ihrer Bestattung begründet sein. Vielmehr tritt im ersten Jahrhundert ein anderer selt-

(Dio 56, 34, 1). Beim Leichenbegängnis Cäsars wurde auf dem Grab seine Wachsfigur aufgestellt und an ihr 23 Dolchstöße nachgebildet (Appian BC II 147). Vgl. wie bei den Obsequien des Herzogs von Guise sein Wachsbild dreifach aufgestellt wurde (Schlosser, Jhb. Kaiserl. Kunstsamml. 29, 196).

[39] Die bildlichen Darstellungen der Apotheose aus der früheren Kaiserzeit scheinen aber den Adler in dieser Bedeutung nicht zu kennen. Vgl. insbesondere den Pariser Kameo vom Jahre 17 (Bernoulli Röm. Ikonographie II 1, Taf. 30): Marcellus schwebt auf einem Flügelroß, das vatikanische Relief um das Jahr 13 (Miss Arth. Strong, Apotheosis and After life 1915, Taf. 7), wo Cäsar in Quadriga auffährt und der Adler nur zur Raumfüllung dient. Vielmehr figuriert der Adler damals eher als Machtsymbol (Gemma Augustea, bei Bernoulli II 1, Taf. 29; Wiener Bronze bei A. Schlachter, Der Globus [1927] Taf. 1, 14). Das erste sicher datierbare Denkmal der Kaiserapotheose, wo der Adler figuriert, ist das Relief des Titusbogens (S. Reinach, Repertoire de reliefs I 276, 1). Die zeitliche Ansetzung der Kameen von Nancy, Trier, Berlin und der sogenannten des Germanicus (A. Furtwängler, Antike Gemmen III 324 und 327) bleibt leider unsicher. Ich glaube deswegen auch nicht, daß der Adler auf dem Globus, der auf einem späteren As des Tiberius (Brit. Mus. Cat. I p. CXXXII), also viele Jahre nach der Konsekration des Augustus, erscheint (Coh. Aug. 247; BMC. T. 26, 5; M. Bernhart, Handb. d. Münzkunde T. 51, 1. Obv.: *Divus Augustus Pater,* Kopf des Augustus im Strahlenkranz r.), die Himmelfahrt des Augustus oder dgl. symbolisieren soll. Er wird vielmehr auch hier wie unter den Flaviern (vgl. Mattingly-Sydenham II Index s. v. Eagle) oder wie die Victoria auf anderen Stücken derselben Reihe (Cohen 242) schlechterdings die Macht versinnbildlichen.

[40] Dio 54, 28, 5; 58, 25, 5.

[41] Der seltsame Gedanke von H. Mattingly, Roman coins (1928) 149, daß die Münze des Lentulus vom Jahre 12 (BMC I 124 T. 4, 14) *a sort of unofficial consecration of Agrippa* darstelle, verdient keine Widerlegung.

samer Ritus zwischen der Verbrennung und Konsekration ein, der für Augustus, Drusilla und Claudius direkt überliefert ist[42]: ein *Zeuge* schwur, mit eigenen Augen den Flug des Verbrannten vom Scheiterhaufen gen Himmel beobachtet zu haben. Und das war nicht ein zufälliger Einfall der Schmeichelei, sondern fester Usus[43]: καί τι γὰρ τοὺς ἀποθνήσκοντας παρ' ὑμῖν αὐτοκράτορας, οὓς ἀεὶ ἀποθανατίζεσθαι ἀξιοῦντες καὶ ὀμνύντα τινὰ προάγοντες ἑωρακέναι ἐκ τῆς πυρᾶς ἀνερχόμενον εἰς τὸν οὐρανὸν τὸν κατακαέντα Καίσαρα;

3. *Die Himmelfahrt*

Als Iustin der Märtyrer auf diese Weise Antoninus Pius die Auferstehung und Himmelfahrt Christi verdeutlichen wollte, war der von ihm genannte Brauch schon tot: Sueton, sein älterer Zeitgenosse und ebenso Dio Cassius ein Jahrhundert später erwähnen den Ritus nur als eine Kuriosität der versunkenen Zeit.[44] Wie verhält sich also dieser alte Brauch zum neuen der Puppenverbrennung? Liegt hier eine nur äußerliche Veränderung oder vielmehr wesenhafte Umgestaltung des Ritus oder gar des Sinnes der kaiserlichen Apotheose vor? Die Schriftquellen versagen, erst das Bildmaterial, d. h. vor allem die Konsekrationsmünzen[45] ermöglichen die Frage zu beantworten.

Diese *Prägungen* zerfallen nach ihren Typen in zwei Gruppen. Eine, die ältere, die mit dem *sidus Iulium* beginnt, bringt Symbole und Bilder der schon *erfolgten* Deifikation: Tempel, Altar, Kultbild des neuen Divus mit entsprechender Legende versehen. So etwa

[42] Dio 56, 46, 2. Sueton, Aug. 100: *nec defuit vir praetorius, qui se effigiem cremati euntem in coelum vidisse iuraret.* Dio 59, 11, 4: Livius Geminus hat beschworen, von Drusilla ἔς τε τὸν οὐρανὸν αὐτὴν ἀναβαίνουσαν καὶ τοῖς θεοῖς συγγινομένην ἑορακέναι. Senec. Apocol. 1 und dazu O. Weinreich, Senecas Apocolocyntosis (1923) 27.

[43] Vgl. Iustin, Apol. I 21, 3. Weinreich ARW 1915, 36 ff.

[44] Vgl. oben die vorletzte Anmerkung.

[45] Vgl. Eckhel, Doctrina nummorum VIII 465. M. Bernhart, Mitteil. d. Vorderasiat. Ges. XXXIII 152 ff. M. Bernhart: Handb. z. Münzkunde d. Kaiserzeit (1926).

das Bronzemedaillon für Pertinax[46]: Obv. *Divus Pertinax Pater,* sein Brustbild im Paludamentum r. Rev. *Aeternitas.* Sein Gottesbild auf einer von vier Elefanten gezogenen Thensa. Die andere Gruppe stellt dagegen gerade die Auffahrt zur *Aeternitas,* das *Werden* der neuen Gottheit dar: den Scheiterhaufen, den Adler usw. Und dieser Sinn der Symbole wird durch die Aufschrift *Consecratio* betont.

Zum ersten Male erscheinen Prägungen dieser Gruppe im Jahre 119 bei der Apotheose von Hadrians Schwiegermutter Matidia.[47] Eine Münzenreihe brachte damals (mit geringen Abweichungen) folgenden Stempel.[48] Obv. *Diva Augusta Matidia.* Brustbild mit Diadem r. Rs. *Consecratio.* Adler auf dem Szepter. Wenn der Adler, der sich, wie wir uns erinnern, aus dem Gipfel des Scheiterhaufens emporschwang, hier mit der *Consecratio* in Verbindung gebracht wird, so zeigt es, daß der frühere Brauch, zwischen beiden Vorgängen noch den schwörenden Zeugen einzuschieben, unbekannt ist und dann das Schwergewicht der Apotheose jetzt auf der Verbrennung liegt.

[46] F. Gnecchi, I medaglioni romani Taf. 91, 10.

[47] Die Legende *consecratio* und das Adlerbild erscheinen auch auf den Konsekrationsmünzen der Traiansschwester Marciana, die zwischen den Jahren 112—114 vergöttert wurde. Da noch Traians Konsekrationsmünzen vom J. 117 weder das Bild noch das Wort kennen, müssen wir zwei Gruppen Marciana-Prägungen unterscheiden, wogegen, wie ich mich an Originalen im Berliner Kabinett überzeugen durfte, numismatische Bedenken nicht bestehen. Zur ersten, traianischen Gruppe werden gehören Coh. 12 und 13 (Bernhart, Handb. T. 54, 2 u. 7) *Diva Augusta Marciana, « son buste diadémé à droite »* R: *Ex Senatus Consulto. « Marciana ou Vesta tenant une patera et un sceptre assise sur un chair trainé par deux éléphants à gauche, montés chacun par un cornac ».* Coh. 10 (Bernhart T. 8, 6; 51, 7) mit etwas anderem Obversstempel und dem Adler und der Umschrift *consecratio* (Gold und Silber) stammt dagegen schon aus den Prägungen Hadrians zu Ehren seiner Verwandten (vgl. zu diesen seinen Münzen H. Mattingly JRS XV 221 ff.). — Zum Adlerbild auf der Münze Cohen Aug. 247 s. ob. S. 8 Anm. 2.

[48] Cohen II 102. Ihr Tempel ist auf einem Wiener Bronzemedaillon abgebildet. Cohen Hadr. 550, W. Kubitschek, Römische Medaillons in Wien (1909) 1.

Der Terminus *Consecratio* kommt hier auf den Münzen zum ersten Male vor, gleichzeitig verändert sich sein Sinn in amtlicher Sprache. Die Arvalakten[49] verzeichnen unter dem 23. Dezember 119: gespendet *in consecrationem Matidiae Aug. unguenti pondo II* und *turis pondo L.* Die Konsekration als Rechtsakt bedarf aber weder des Balsams noch des Salbens. Als ca. 90 Jahre vordem die Arvalbrüder *ob consecrationem divae Augustae* opferten, gedachten sie des Tags des Senatsbeschlusses.[50] Wenn sie nun den für den Scheiterhaufen bestimmten Weihrauch *in consecrationem* verbuchen, so beweist es wieder, daß die Apotheose jetzt unmittelbar mit der Verbrennung zusammenhängt und daß die Bezeugung der Himmelfahrt ausbleibt.

Die *Himmelfahrt* des Divinisierten wurde aber dessen ungeachtet auf den Münzen anschaulich dargestellt. Seit Hadrians Konsekration im Jahre 139 gehört sie ebensogut wie der Rogus zum eisernen Bestand des Typenschatzes der zweiten Münzengruppe. In Quadriga oder Biga oder auf dem Adler oder Greif, sogar auf einem dafür so ungeeigneten Vehikel wie dem Pfau sehen wir die neuen Götter den Himmel ersteigen.[51]

Die reichen Festprägungen der Antonine und Severe, die unter derselben Aufschrift *Consecratio* den Scheiterhaufen und den Himmelflug zur Darstellung bringen, zeigen damit, daß die alte Vorstellung vom Wesen der Kaiserapotheose einerseits und der neue Ritus andererseits die ganze Epoche hindurch in Kraft und Geltung verblieben. Zwei Prägungen sind dabei besonders lehrreich: die Konsekrationsmünzen des Septimius Severus und die des Antoninus Pius.

Auf den ersten sehen wir nämlich neben dem vom Adler emporgetragenen Kaiser (Cohen 83) einen prachtvollen vierstöckigen Rogus (Cohen 90), der genau dem von Herodian beschriebenen und für die Wachspuppe bestimmten Gerüste entspricht. Somit erhält

[49] CIL VI 2080, 6 f.

[50] CIL VI 2032, 15. Vgl. Marquardt-Wissowa, Römische Staatsverwaltung III 276.

[51] Vgl. die Tafeln bei M. Bernhart, Handbuch z. Münzkunde d. Kaiserzeit (1926). Den Ursprung dieser Symbole deckt F. Cumont, Études syriennes (1917), 35 ff. auf.

Herodians wichtige Mitteilung, daß die Himmelfahrt sowie die Konsekration mit der Puppenverbrennung verbunden waren, dokumentarische Bestätigung. Auf dieselbe Weise beglaubigt die Bildüberlieferung über *Antoninus'* Konsekration die bezügliche Nachricht seiner Biographie, wie wir [52] sie verstanden haben.

Seine Söhne hatten *divo Pio* eine Säule errichtet, auf der die Statue des neuen Gottes mit dem Szepter und der Weltkugel in den Händen stand.[53] Die Basisreliefs [54] stellten dagegen den Aufstieg des Kaisers zur Divinität dar. Auf dem Hauptbild trug der geflügelte Aion [55] ihn mit seiner gleichfalls vergötterten Gemahlin zur Ewigkeit empor, zwei Adler wiesen ihnen den Weg. Der personifizierte Campus Martis, der sowie auf dem Relief wie auf einer Konsekrationsmünze [56], die gleichfalls den Himmelflug des Pius darstellte, zum Erhöhten emporblickt, das Bild der *decursio* (militärische Parade um den Rogus), das die Nebenseiten der Basis ausfüllt, und endlich der Rogus selbst auf einigen anderen Festmünzen der Apotheose [57] zeigen, daß das Aufsteigen des Kaisers vom Scheiterhaufen ausging. Und zwar von dem des Puppenbildes. Denn das Marsfeld als Verbrennungsort und die *decursio* gehören zum *funus publicum* [58], das in diesem Falle aber der Wachspuppe galt.[59] Die Konfrontierung der Inschriften der Säule und des Grabes des Pius [60] bestätigt schlagend diesen aus dem literarischen und monumentalen Material gewonnenen Schluß. Die erste lautete: *Divo*

[52] Die Deutung verdanken wir Salmasius, z. St. Unsere Handbücher haben aber von dieser vor drei Jahrhunderten gemachten Entdeckung der doppelten Bestattung der Kaiser offenbar noch keine Kunde erhalten.

[53] Cohen, Antoninus Pius 353 (Bernhart T. 55, 2).

[54] W. Amelung, Skulpturen d. Vatikanischen Museums (1903) I 883 ff., Taf. 116—118.

[55] Deubner, Röm. Mitt. 1912, 1 ff.

[56] Cohen 153, Gnecchi, I medaglioni romani T. 43, 5.

[57] Cohen 163 ff.

[58] Die decursio wurde aber schon bei der Leichenverbrennung des S. Severus in Eboracum ausgeführt Dio 76. 15, 3; vgl. Sueton, Claud. 1.

[59] Die Leiche des Pius wurde wohl noch in Lorium verbrannt. G. Lacour-Gayet, Antonin le Pieux (1888) 438.

[60] Dessau ILS 346 und 347.

Antonino Aug. Pio Antoninus Augustus et Verus Augustus filii. Auf dem Grabstein stand: *Imp. Caesari Tito Aelio Hadriano Antonino Aug. Pio Pontifici max. tribunic. pot. XXIIII, imp. II, cos. IIII p. p.* Die Grabschrift zählte also alle Titel der irdischen Majestät des Mannes, dessen sterbliche Überreste unter ihr ruhten, auf, nannte aber die Göttlichkeit nicht. Die dem Gotte gewidmeten und sein Werden darstellenden Bilder der Konsekrationsdenkmäler können also sich nicht auf die Verbrennung der Leiche beziehen, sondern müssen auf eine andere, spätere, die der Wachspuppe, verweisen.

Die Konsekrationsbilder des 2. und 3. Jahrhunderts veranschaulichen also, daß der Ritus der doppelten Verbrennung, der die Bezeugung abgelöst hat, sich auch auf die Himmelfahrt bezieht. Wie verhalten sich also alle drei Erscheinungen untereinander?

Die spärlichen Äußerungen der Alten klingen verschieden. Die philosophisch Gesinnten deuteten den Vorgang als Seelenaufstieg[61], die Liebhaber der Astrologie als Rückkehr des „Astralleibes".[62] Da theologische Dogmen dem römischen Kult ganz fremd waren, blieb es natürlich jedem überlassen, nach eigenem Gutdünken sakrale Handlungen zu deuten. Die Himmelfahrt des Pius ist z. B. in gleichzeitigen offiziellen Darstellungen auf vierfache Weise aufgefaßt: als Flug auf dem Adler, in Quadriga und als Emporschweben auf den Flügeln des Genius und des Aion.[63] Den *sakralen* Sinn der Apotheose kann man vielmehr nur aus ihren Riten erschließen. Sie widerlegen die im Altertum und jetzt beliebte Deutung als Seelenerhöhung, die schwerlich der Bezeugung und gewiß nicht der Puppenverbrennung bedarf. Das eigentliche Wesen des Aktes deckt vielmehr Dio Cassius auf, wenn er den Senator, der die Auffahrt des Augustus beschworen hat, dem Proculus, der Romulus' Ent-

[61] Dio 56, 42; Herod. IV 2, 11, Vell. Pat. II 123, Tac. Ann. I 43.

[62] Germanicus, Aratea 558 ff.: *hic (Capricornus) Auguste tuum genitale corpore numen attonitas inter gentes patriamqua paventem in coelum tulit et maternis reddidit astris.* Manilius IV 57, Augustus *caelo genitus caeloque receptus.*

[63] Cohen 153, Antoninussäule, das Tempelrelief von Thugga. Auf ihren Konsekrationsmünzen bedient sich Faustina zum Aufstieg des Adlers, Genius, der Viktoria, Quadriga und Biga.

rückung sah, gleichstellt.[64] Die leibliche *Entrückung* ist tatsächlich Sinn und Zweck der römischen Konsekration, wie ihre nur unter dieser Voraussetzung verständlichen Riten beweisen.

4. *Die Deutung der Konsekrationsriten*

Die Entrückung ist die Befreiung vom Tode.[65] Ohne „dem Tode und dem Schicksal" verfallen zu sein, wird der Held durch Gottesgnade plötzlich und unmittelbar entrafft und leiblich ins Gottesreich versetzt: *creditum est vivum eum caelo assumptum.* Auf diese Weise unsterblich geworden, wird er seither mit den Unsterblichen verehrt: „'Αστακίδην τὸν Κρῆτα τὸν αἰπόλον ἥρπασε Νύμφη ἐξ ὄρεος, καὶ νῦν ἱερὸς 'Αστακίδης" (Callim. Ep. 24).

Die Entrückung ist somit ein *Wunder*, bedarf folglich der Beglaubigung, ohne welche ein Wunder nur Blendwerk oder Lügenmär ist.[66] Während aber diese Beglaubigung im allgemeinen entweder durch Beobachtung des Mirakels selbst (z. B. man sah die mitkämpfenden Dioscuren im latinischen Krieg) oder durch Feststellung der eingetretenen Veränderung (der Kranke ist nach der Inkubation genesen) erfolgt, ist das letzte Verfahren für die Entrückung in der Regel undurchführbar. Denn es liegt gerade im Wesen dieses Wunders, daß der Entraffte sich außerhalb der

[64] Cumont (S. 10 Anm. 4) hat den Nachweis erbracht, daß die Symbole der Kaiserapotheose aus dem Orient stammen und dort auf den Seelenaufstieg gedeutet wurden. Das Bild ist aber an sich stumm und vieldeutig. Der Adler kann z. B. auch die Auferstehung symbolisieren (Dussaud, Syria VI, 203) und versinnbildlichte ursprünglich in Babylonien gerade die Entrückung.

[65] Grundlegend für die Vorstellung und ihre Geschichte ist E. Rohde, Psyche. Vgl. außerdem F. Pfister, D. Reliquienkult im Altertum II (1912) 480 ff., Scheftelowitz ARW 19, 216; Jac. Grimm, Deutsche Mythologie Kap. 32; Wilh. Wundt, Völkerpsychologie II 3, 213 f., 575 f.; Bickermann, Z. f. Neutest. Wiss. 1924, 281 ff. S. Schebelev im Recueil Kondakov Prague 1926 (russisch).

[66] Vgl. über diesen Beglaubigungsapparat O. Weinreich, Senecas Apocolocyntosis (1923) 19 ff.

menschlichen Wahrnehmung befinden muß, so daß von seiner Gegenwart vielleicht ein Gott, wie etwa Apollo von Traian,[67] künden, nicht aber ein Sterblicher zeugen kann.

Die wunderbare Versetzung ins Jenseits hat aber als ihr unumgängliches diesseitiges Korrelativ das *Verschwinden* des Entrückten zur Folge. Und so wirkte der logischerweise falsche Schluß in diesem Vorstellungskreis überzeugend und bindend: das Nichtvorhandensein hier beweist das Sein dort, der auf unerklärbare Weise Verschwundene ist entrückt: *Romulus ... cum non comparuisset deorum in numero conlocatus putaretur* (Cic. de Rep. II 10, 17).

Die Riten der kaiserlichen Apotheose entsprechen nun genau diesen beiden üblichen *Beglaubigungsarten der Entrückung.* Im 1. Jahrhundert bezeugt man die Himmelfahrt selbst, das Wunder im Werden. *Qui Drusillam euntem in coelum vidit* gehört zu derselben Reihe wie Proculus, der Sklave des Empedokles, der Schüler des Lügenpropheten Peregrinus, wie Ascanius oder Pisistratos aus Orchomenes, welcher behauptete, ἑωρακέναι τὸν πατέρα μεθ' ὁρμῆς εἰς τὸ Πισατὸν ὄρος φέρεσθαι, μείζονα μορφὴν ἀνθρώπου κεκτημένον.[68] Sie alle sind Kronzeugen des von ihnen mit eigenen Augen gesehenen Mirakels.

Das Wunder blieb im 2. Jahrhundert dasselbe wie im 1., zu seiner Beglaubigung begnügt man sich jetzt aber mit dem Ausbleiben der sterblichen Überreste des Verewigten. Es war nämlich für die Entrückungsvorstellung unerheblich, ob die Entraffung aus der Mitte der Lebenden oder vom Scheiterhaufen, wie es dem Herakles selbst geschah, oder gar aus dem Grabe erfolgte. Erforderlich war nur das Verschwinden des Körpers. Da die Christen Neros Grab nicht kannten (das befand sich bekanntlich nicht im kaiserlichen Mausoleum, sondern im Familienbegräbnis), schlossen sie daraus auf seine Entrückung: *unde illum quidam deliri credunt esse translatum ac vivum reservatum.*[69] Und die Gebildeten, die es nicht

[67] Wilcken, Chrest. d. Papyruskunde 491. Vgl. zum folgenden Z. f. Neutest. Wiss. 1924, 284 ff.

[68] Rohde II 173, 3. Ps. Aurel. Vict., Origo gent. rom. 14, 4; Plut. Parall. 32.

[69] Lactant. de mort. pers. 2.

über sich zu bringen vermochten, an das Wunder zu glauben, waren trotzdem fest überzeugt, daß dessen Imitation, d. h. die geschickte Beseitigung der Leiche genüge, um in den Ruf des Entrückten zu kommen und deswegen Gottesehren zu empfangen: *deus immortalis haberi dum cupit Empedocles, ardentem frigidus Aetnam insiluit.*[70]

Das bei der kaiserlichen Puppenverbrennung eintretende Fehlen der sterblichen Überreste würde somit als Entrückungsbeweis völlig ausreichen. Zwei Parallelen, eine gelehrte und antike, die andere aus dem Mittelalter, aber volkstümliche, mögen als Illustration dienen. Herakles' Freunde, erzählt Diodor (4, 38, 5), ἐλθόντες ἐπὶ τὴν ὀστολογίαν καὶ μηδὲν ὅλως ὀστοῦν εὑρόντες, ὑπέλαβον τὸν Ἡρακλέα ... ἐξ ἀνθρώπων εἰς θεοὺς μετεστάσθαι.

Im Jahre 1285 wurde in Wetzlar der falsche Friedrich II. verbrannt. Während die einen, berichtet die deutsche Chronik, ihn für einen „Nekromanten" hielten, „die andren sprachen, sie funden in dem fewr nicht seins gepeines und chem her von Gotes chraft, das kaiser friedrich lebte und soll die phaffen vertreiben". Oder, wie der lateinische Annalist es ausdrückt: *et quia de ossibus eius nullum remanserat vestigium plures ipsius verterunt facta in dubium. Filii autem ipsum pronuntiabant veridicum de proximo superventurum et totum clerum deleturum.*[71]

Die Vertilgung des abgeschiedenen Körpers bis zu dem Grade, daß keine Gebeine in der Asche verbleiben und das *ossilegium* ausfallen muß, ist der Zweck des Konsekrationsritus des 2. und 3. Jahrhunderts. Das Verschwinden sollte dabei offenbar nicht oder nicht nur plump vorgemacht, sondern magisch bewirkt werden. Das Leben des Verstorbenen wurde in sein Wachsbild übergeführt, der Körper somit wiederhergestellt und dann unter Beobachtung aller Funeralriten wieder aufgelöst. Da er diesmal aber keine Knochen in der Asche ließ und lassen konnte, wurde die Entrückung vollzogen. So galt in Rom der Totgeglaubte, wenn für ihn die Bestattungs-

[70] Hor. Ep. II 2, 465. Vgl. Greg. v. Nazianz, P. G. 35, 681; Rohde, Psyche II 174 und 375, 1.

[71] MGH Deutsche Chroniken VI. Österr. Chron. B. IV § 318. Thomas Ebendorffer. Chron. Austr. L. V. (H. Pez, Script. rer. austr. II 747 B).

zeremonien ausgeführt waren, auch nach seiner Rückkehr als Toter, und erst die Nachahmung der Neugeburt konnte ihn in den Kreis der Lebenden wieder einführen.[72]

Die zweite Verbrennung bei der kaiserlichen Apotheose ist also als *Bildzauber* zu verstehen: erst stellt man den Verstorbenen, dann sein Verschwinden dar und erwirkt dadurch *per analogiam* die effektive Entrückung. Das Bild wird zur Wirklichkeit: *sciendum in sacris simulata pro veris accipi* (Serv. Aen. 2, 116).[73]

5. Die Wandlung der Riten

Über die Art, wie der sakrale Grund für die Konsekration im 2./3. Jahrhundert festgestellt wurde, wissen wir nichts Näheres. Zuerst geschah das aber in Form der *Prodigien*meldung. Derjenige, der den Himmelsflug vom Scheiterhaufen wahrgenommen zu haben behauptete, wurde dem Senat vorgeführt und bekräftigte seine Nachricht unter Eid: *in senatu iuravit se Drusillam vidisse caelum ascendentem.*[74] Das gemeldete Mirakel erforderte wie jedes *prodigium* seine *procuratio,* die diesmal auf die für derartige Wunder passendste Art erfolgte: *vidit et obstipuit, quique aethera carpere possent, credidit esse deos* (Ovid, Met. VIII 219).

Wie bei jeder Prodigienmeldung durfte aber der Senat dem *auctor*[75] seinen Glauben versagen. So geschah es wohl nach dem

[72] Plut. Quaest. rom. 5.

[73] Als Augustus einmal mit dem Neptun unzufrieden war *proximo sollemni pompae simulacrum dei detraxerit* Suet. Aug. 16. Zur Rolle des Zaubers im Staatsleben der Antoninenzeit vgl. z. B. V. Heliog 9, 1: *dictum est a quibusdam per Chaldeos et magos Antoninum Marcum id egisse, ut Marcomanni populi Romani semper devoti essent atque amici, idque factum carminibus et consecratione.*

[74] Senec. Apoc. 2. Der Schwur wird übrigens im allgemeinen für die Prodigienmeldungen wohl nicht bezeugt.

[75] Dieser für das Prodigienwesen spezifische Terminus bei Seneca a. a. O. Z. B. Liv. XXII 1, 14: *his sic ut erant nuntiata expositis auctoribusque in curiam introductis consul de religione patres consuluit.* Vgl. im allgemeinen Mommsen RStR III 1059 ff.

Tode des Tiberius. Am 3. April 37 fand in Rom das *funus publicum* statt.[76] Es scheint, daß das Mirakel des Himmelsfluges dabei wieder beobachtet war. Seneca erwähnt nämlich in seiner Satire den Kurator *viae Appiae, qua scis et divum Augustum et Tiberium Caesarem ad deos isse.*[77] Der Senat vertagte aber seine Entscheidung über die von Caligula beantragte Deifikation, und die Frage wurde nicht mehr aufgerollt.[78] Auch nach Hadrians Tode zögerte der Senat einige Monate lang, die Vergöttlichung auszusprechen.[79] Sein Verhalten war natürlich in diesen Fällen politisch bedingt, die Handhabe dazu gab ihm aber das sakrale Verfahren bei der Konsekration.

Unsere Konstruktion dieses Verfahrens findet erwünschte Bestätigung durch zwei fingierte Berichte der Kaiserzeit, die natürlich das Echte nachzuahmen suchten, über die Divinisation des Romulus und des Christus. Der erste lautet (Aurel. Vict. de vir. illustr. 2, 13): *Iulius Proculus . . . in contionem processit et iure iurando firmavit Romulum a se in colle Quirinali visum augustiore forma, cum ad deos adiret . . . huius auctoritati creditum est.* Orosius erzählt andererseits (7, 4, 5): *Postquam passus est Dominus Christus . . . atque a mortuis resurrexit . . . Pilatus . . . rettulit . . . de passione et resurrectione . . . et de eo . . . quod deus crederetur. Tiberius cum suffragio magni favore rettulit ad senatum, ut Christus deus habeatur. Senatus . . . consecrationem Christi recusavit.*

Wie lange die Bezeugung der Himmelfahrt erforderlich war, weiß ich nicht zu sagen. Die letzte Erwähnung betrifft Claudius'

[76] Fasti Ostiens. (Not. Scavi 1917, 180).

[77] Senec. Apoc. 1, 2. Diese Interpretation erklärt die Stelle, zu der Bücheler (in Symbola . . . in honorem F. Ritschl 1864—67, Kl. Schr. I, 448) in seinem Kommentar tadelnd bemerken muß: „der Ausdruck . . . paßt strenggenommen nicht auf Tiberius."

[78] Dio 59, 3, 7. Aus Dio scheint zu folgen, daß Caligula noch von Misenum die Deifikation beantragt hatte, das würde aber sonstigem Brauche widersprechen, und die Schriftsteller, sogar Tacitus, sind in solchen Dingen ziemlich sorglos (vgl. z. B. Tac. XIII 2 mit XII 69 über die Reihenfolge mit Trauerfeierlichkeiten für Claudius).

[79] Dio Cass. 70, 1; Vita Hadr. 27, 2. Anfang 139 war die Konsekration noch nicht erfolgt: Dessau ILS 323.

Apotheose. Das spätere Verfahren bleibt völlig dunkel bis zur Matidia-Apotheose im Jahre 119, als die Ära der doppelten Bestattung scheinbar unvermittelt beginnt. Wenn aber nicht alles trügt, sind wir noch imstande zu verfolgen, wie der neue Ritus zwei Jahre vordem durch besondere Umstände gefordert und eingeführt wurde.

Traian starb am 10. August 117 in Selinus.[80] Seine Leiche wurde noch daselbst oder in Seleucia Pieria, also auf dem peregrinischen Boden, wo nach dem römischen Sakralrecht das Prodigium keine Geltung besaß, verbrannt. Hadrian, dessen Adoption zweifelhaft und Stellung unsicher war, wollte aber dem Vater alle Ehren verschaffen, darunter die Divinität und den ihm schon verliehenen parthischen Triumph. Und so zog in Rom anstelle des toten und verbrannten Kaisers seine Puppe im Triumphzuge ein. Vita Hadriani 6, 3: *(triumphum) recusavit ipse atque imaginem Traiani curru triumphali vexit.* Aur. Vict. Epit. 13, 11: *exusti corporis cineres relati Romam humatique . . . et imago . . . sicut triumphales solent in urbem invecta, senatu praetereunte et exercitu.* Von Bestandteilen des späteren Ritus haben wir also hier schon die private Leichenbestattung und das Scheinbild, das den Toten ersetzt und feierlich eingeholt wird. Es fehlt noch dessen Verbrennung im Zusammenhange mit der Apotheose. Traians *Konsekrationsmünzen* aus dem Jahre 117 ergänzen aber in dieser Hinsicht die Mitteilung der Biographen.

Sie zerfallen nach ihrer Umschrift in zwei Gruppen. Die erste[81] nennt den Verewigten fälschlicherweise *Divus Traianus Pater (Augustus).* Sie wird also noch vor der offiziellen Vergöttlichung in deren Erwartung, wie es auch sonst vorkam[82], geprägt sein. In der Tat führt Hadrian auf diesen Münzen den gleichfalls falschen Titel: *Imp. Caes. Traian. Hadrian. Opt. Aug. G(erman) D(acic) Par(thicus),* der im allgemeinen seinen ältesten Prägungen[83] eigen ist,

[80] Vgl. zum folgenden Wilh. Weber, Unters. z. Gesch. Hadrians (1907) 60 ff.

[81] Cohen, Plotina et Traian 2, Hadr. et Traian 1—3.

[82] Mattingly JRS X 37.

[83] Group I bei H. Mattingly and E. A. Sydenham, Roman imperial coinage (1926) II.

die die Namen Traians ohne weiteres auf seinen Nachfolger übertragen.

Diese Münzenreihe nennt aber im allgemeinen auch den Titel *P. P.*, welchen der Senat Hadrian auf die Mitteilung von seiner Ausrufung zum Kaiser zulegte. Die Konsekrationsmünzen nehmen also in dieser Reihe den ersten Platz ein, sie gehören der Zeit zwischen dem Eintreffen der Nachrichten vom Tode des alten und Ausrufung des neuen Herrschers, d. h. Ende August 117, an.[84]

Der richtige Gottesname Traians lautete vielmehr *Divus Traianus Parthicus Aug. Pater,* der uns auf seinen anderen Konsekrationsmünzen entgegentritt.[85] Wie dieser Titel und der Aureus Cohen 585: *Triumphus Parthicus,* Traians Scheinbild auf dem Triumphwagen, zeigen, liegen sowohl diese Prägungen wie die Konsekration selbst zeitlich erst nach dem Triumph. Daß die Verbrennung der Puppe dabei auch stattgefunden hat, beweisen zwei andere Aurei derselben Prägung[86], welche auf dem Revers ohne jede Aufschrift den Phönix in Strahlenkrone abbilden, das Symbol der aus den Flammen des Scheiterhaufens entstehenden göttlichen Ewigkeit, das hier zum ersten Male auf den römischen Münzen erscheint. Alle Bestandteile des zweiten Ritus sind somit für Traians Konsekration erwiesen. Seither blieb die Sitte bestehen, auf dem Gipfel des Rogus den Triumphwagen mit dem Bilde des Konsekrierenden aufzustellen.[87]

Der, wenn ich recht sehe, auf diese Weise eingeführte Ritus blieb längere Zeit in Geltung. Ausdrücklich wird er zum letzten Male bei Caracallas Apotheose erwähnt. Herodians Nachricht über die Ver-

[84] Daß Hadrian als Nachfolger schon vorher feststand, d. h. daß seine Adoption vor dem Tode Traians in Rom notifiziert wurde, zeigt die goldene Hadrians Caesars-Münze, Cohen, Traian et Hadr. 5, und dazu Regling, Z. f. Numism. (1925), 310, 1.

[85] Cohen, Traian 585, 658, 659, Plotina et Traian 1, Hadr. et Traian 4 (für deren Zugehörigkeit zur Gruppe vgl. W. Weber a. a. O. 64), Hadrian 552.

[86] Cohen 658, 659.

[87] Dio 74, 5, 3. Auf den Münzdarstellungen seit dem ersten Vorkommen des Rogus unter Ant. Pius.

göttlichung der Iulia Maesa, mit ihren Münzen zusammengestellt [88], macht seinen Gebrauch auch im Jahre 223 wahrscheinlich. Für die folgenden hundert Jahre versagen die Schriftquellen in dieser Hinsicht vollkommen. Auf den Münzen wird die Himmelfahrt zuletzt unter Valerian *(divus Valerianus Caesar, diva Mariniana)* dargestellt.[89] Die Legende *consecratio* und der Rogus kommen zuletzt bei der Apotheose des Konstantinus Chlorus im Jahre 306 vor. Auch die zeitgenössischen Rhetoren sprechen noch vom „Übergange in den Himmel“ [90], verstehen aber darunter sicher die seelische Unsterblichkeit. Denn wie stark diese Zeit den Sinn der Apotheose verlernt hat, zeigen die Konsekrationsmünzen der Jahre 309 bis 314 (Romulus, Maxentius, Licinius, die sog. „Ahnenmünzen“ Konstantins [91] vom Jahre 314), die anstatt der bisher fortgeschleppten alten Formeln neue, zeitgemäßere bringen. Diese lauten: *Memoriae aeternae, Memoriae Divi Maximiani, Requies optimorum meritorum* usw. Die Gottheit ist aber selbst ewig und braucht kein ewiges Andenken. Und so stand die Memorialformel einst auf den Erinnerungsmünzen der *nicht*konsekrierten Mitglieder des Kaiserhauses, jetzt wird sie für die Vergötterten verwendet. Es ist dabei bemerkenswert, daß die neue Aufschrift nicht nur von dem dem Christentum zuneigenden Konstantin, sondern ebensogut von seinen heidnischen Gegnern geprägt wird.[92] So gemeinsam waren auch in dieser Hinsicht die religiösen Grundvorstellungen der unversöhnlichen Feinde. Das Orakel von Julians Immortalität und Eusebius' Worte von der seelischen Unsterblichkeit Konstantins

[88] Herod. VI 1, 4: ἔτυχέ τε βασιλικῶν τιμῶν, καὶ ὡς νομίζουσι Ῥωμαῖοι, ἐξεθειάσθη.

[89] Cohen V p. 516 und 341.

[90] Constantius *receptus est consensu caelitum Iove ipso dextram porrigente* Paneg. Lat. VI (VII) 7, 3 vom Jahre 310, vgl. 8, 2; 14, 3.

[91] J. Maurice, Numismatique constantinienne I (1908) 211 ff.

[92] Z. B. Cohen 395: *Divo Maximiano,* Rev.: *Mem. div. Maximiani* geprägt in Thessalonike im Jahre 311 (Maurice II 427), also unter Licinius. Ebenso Daza für Galerius (Cohen 7, Maurice III 101, Tafel IV 9) und alle Konsekrationsmünzen des Romulus. Die Bilder sind dabei der Tempel und der Adler.

sprechen tatsächlich ein und dieselbe Sprache.[93] Damit wird aber, wie gerade jene Münzformeln zeigen, das Einzigartige der kaiserlichen Unsterblichkeit verwischt. Der *divus* wird einem jeden tugendhaften Toten gleich. Und so zelebriert Julian, als er auf seinem syrischen Feldzuge den *tumulus Gordiani* erreicht, *pro ingenita pietate consecrato principi* die Totenopfer, die Parentalia.[94]

Der Beiname *divus* und wohl auch die Konsekrationsbeschlüsse des Senats blieben bekanntlich noch unter den christlichen Kaisern bestehen, aber nur als eine leere Formalität. Denn die Bestattungsart hat sich grundsätzlich verändert. Die Inhumatio tritt an Stelle der Incineratio. Die einbalsamierte Leiche wurde jetzt im kaiserlichen Ornat der Adoration im Palaste aufgestellt, dann durch die Stadt feierlich getragen und in der Apostelkirche beigesetzt.[95] Das Wachsbild hat dabei keinen Platz und wird in Eusebius' ausführlicher Beschreibung von Konstantins Trauerfeierlichkeiten[96] nicht erwähnt. Die für diese Feierlichkeiten geprägten Münzen stellen, ohne das Wort *consecratio* zu gebrauchen, zum letzten Male das Bild der Entrückung dar. Die (Gottes)hand wird von oben Konstantin entgegengestreckt, der in einem Viergespann aufwärts fährt.[97] Es ist der letzte Survival der alten Vorstellung. Auch in dieser Hinsicht[98] stellt der *divus Constantinus* den Abschluß der

[93] Euseb, V. Const. IV 64, Eunap. fr. 26 M. (vgl. dazu F. Cumont, Études syriennes 105).

[94] Amm. Marc. XXIII 5, 7—8. Vgl. die vom zeitgenössischen Redakteur der Historia Aug. erdichtete Grabschrift *divo Gordiano* (V. Gordian. 34).

[95] Corippus de laude Iustini I 226 ff., III 1 ff. Theoph. contin. p. 353, 467, 473. Bonn. Const. Porph. Cerem. I 650, p. 275 Bonn. Das Ritual wird noch heute bei der Bestattung der hohen Würdenträger der griechischen Kirche ausgeübt: Schlosser, Jhb. d. Kunstsammlungen d. Kaiserhauses 29 (1910) 187.

[96] Euseb, V. Const. IV 66.

[97] Cohen 317. 360, Maurice I 262. T. 18, 19 u. ö. Der Himmelsflug wird zuletzt auf den Konsekrationsmünzen des Valerianus Caesar Coh. 5; Webb (Mattingly-Sydenham Bd. V 1) Taf. 4, 66 und des Valerianus I († 257): Webb, Valerian. 4 dargestellt.

[98] Vgl. O. Weinreich RGVV XVI 1, 3 ff.

römischen Kaiserreligion dar. Seitdem ist jeder christliche Kaiser eo ipso im Westen wie im Osten schon bei Lebzeiten Gottes Abbild auf der Erde und dessen Mitregent im Himmel mit dem Ableben.

6. Die Lösung der Aporie

Die appianische Aporie findet also ihre Lösung im Entrückungsbegriff. Der Kaiser wurde vergöttlicht, *weil*, und darum erst, *nachdem* er entrafft war. Vorher bestand dazu weder Anlaß noch Neigung: da die Entrückung zugleich das Ausscheiden aus der irdischen Welt ist, hütete man sich, sie durch un- und vorzeitige Adulation herbeizulocken. Die römische Staatsreligion näherte sich also der Vergöttlichung bei Lebzeiten soweit wie möglich, sie verehrte den „Genius" des Princeps, deifizierte personifizierte Tugenden des Kaisers, etwa Tiberius' oder Caligulas Milde[99], den letzten Schritt wagte aber weder die überschwengliche Schmeichelei, noch auch ein auf seine Göttlichkeit erpichter Kaiser zu machen. Als die Juden Caligula auseinandergesetzt hatten, wie eifrig sie für ihn zu opfern pflegten, erwiderte er schroff: τεθύκατε, ἄλλ' ἑτέρῳ . . . τί οὖν ὄφελος; οὐ γὰρ ἐμοὶ τεθύκατε (Philo, ad Gai. 357); aber auch diesem Halbverrückten, der für sich die private Verehrung auch in Rom erzwang, war es nicht eingefallen, seine Kollegen aus der römischen priesterlichen Arvalbrüderschaft zu zwingen, offiziell an ihn und nicht für ihn zu beten. *Mavult enim vivere quam deus fieri.*[100]

So stand der Prinzeps unermeßlich hoch über allen Römern, kam aber dadurch nicht näher an die römischen Götter heran. Die private Devotion sagt: *nulla mihi mentio principis nisi inter numina fuit.*[101] Der Staatskult zeichnet den Prinzeps dagegen in bemerkenswertem Gegensatz zu jedem antiken König und christlichen Monarchen in sakraler Hinsicht nicht aus. Das Priestertum erlangt er auf dem üblichen Wege, das oberste Pontifikat war mit der Thronbesteigung bis in die Mitte des dritten Jahrhunderts weder

[99] Tac. Ann. IV 74, Dio 59, 16, 10. Vgl. Mommsen, Ges. Schr. IV 352.
[100] Tertull. ad nat. 1, 17.
[101] Tac. Ann. XVI 31.

rechtlich noch faktisch verknüpft.[102] Während der Triumphator einen göttlichen Ornat trägt, während ein Götterliebling wie Scipio mit dem Juppiter vertraulich verkehrt[103], tritt der Prinzeps als solcher in keine besonderen und näheren Beziehungen zu den Staatsgöttern. Als Caligula derartiges vornimmt, etwa seine Tochter Juppiter vorstellt und Minerva zur Pflege übergibt, als eineinhalb Jahrhundert später Commodus sich als Herkules gebärdet, so wird das als simpler Wahnsinn betrachtet und ausgelacht.[104] Das Gottesgnadentum fehlt dem offiziellen Prinzipat.

Gewiß, es fehlt nicht an Zeichen der Gegentendenz. Augustus, dessen Name ihn schon auf der Erde heiligte, wohnte auf dem Palatin zwischen dem Apollo und der Vesta.[105] Dem Kaiser wurde das Feuer als Symbol der Ewigkeit vorangetragen.[106] Die Kaiserbilder auf den Münzen haben manchmal göttliche Attribute: Agrippina im Ährenkranz der Ceres usw.[107] Auf der Rückseite eines Prägestempels (Aurei und Denaren) neronischer Zeit sehen wir den Kaiser und seine Gemahlin im Strahlenkranz, mit Paterae in der Hand. *Augustus Augusta* lautet die Legende für diese gottesgleichen Figuren.[108] Demselben Nero errichtet der Senat sein Standbild, *pari magnitudine ac Martis Ultoris eodem in templo* (Tac. Ann. XIII 8). Viel bezeichnender als diese und ähnliche Ausnahmen ist aber der tägliche Usus. So wird z. B. des Kaisers Kopf auf Münzen seit Nero sowohl im Lorbeerkranz wie in der Strahlenkrone dargestellt. Das letztere, eigentlich göttliches Sinnzeichen, kommt aber bis auf Caracalla in der Regel nur auf Billonprägun-

[102] Mommsen RStR II 1107.

[103] Gellius I 6, 1.

[104] Suet. Calig. 25, 4; Vita Commodi 8, 1: *senatu semet inridente;* Dio 72, 21, 2.

[105] Vgl. Wissowa, Religion 77. Es ist aber bezeichnend, daß die späteren Kaiser anderswo ihre Paläste bauten, ohne sich zu bemühen, Nachbarn der Götter zu sein. Zum Namen „Augustus“ Dessau, Gesch. d. Kaiserz. I 35 ff.

[106] Vgl. dazu zuletzt W. Otto im 'Επιτύμβιον für H. Swoboda (1927).

[107] Eckhel, Doctr. numm. VIII 364 ff. Mattingly JRS. XIII 106.

[108] Cohen 42, Mattingly-Sydenham I T. 9, 147. Weitere Beispiele: Caligulas Schwester als Göttin (Coh. Cal. 4, Matt.-Syd. T. 7, 115); Antonia als Constantia (Coh., Antonia 1, Matt.-Syd. T. 5, 95) usw.

gen, und seit diesem Kaiser, gleichfalls wie die Mondsichel unter dem Bildnis der Kaiserin, nur auf bestimmter Münzsorte („Antoniani“) vor.[109] So wenig empfindet und betont man offiziell die Göttlichkeit des römischen Herrschers. Wie wenig ist das alles — trotz Vespasians Heilungswundern — im Vergleich mit den Mirakeln der französischen oder englischen Könige[110] oder schon mit der Würde der Kaiser in der zweiten Hälfte des dritten Jahrhunderts, als verschiedene Götter auf den Münzen als *comites Augusti* figurieren[111], oder mit der *super fata*[112] erhabenen Majestät des christlichen Herrschers. Wenn die postume Göttlichkeit drei Jahrhunderte lang nicht vermochte, den noch auf der Erde Wandelnden zu heiligen, so liegt der Grund dafür gewiß nicht nur in der Auffassung des Prinzipats als Magistratur, sondern vor allem in der Abhängigkeit der Divinität von der Entraffung. Der christliche Kaiser wird dagegen bei seiner Thronbesteigung mit einem Male zum *dominus noster* wie zum *praesens et corporalis deus.*[113]

Die Entrückungsvorstellung bedingt anderseits die Form der postumen Vergötterung des Kaisers, die religiös sich grundsätzlich vom hellenistischen Königskult unterscheidet.

So herzlich wenig wir von gottesdienstlichen Handlungen der griechischen Herrscherreligion wissen, steht aber das fest, daß der postume Kult hier das Grabmal als Zentrum hatte. Alexanders σῆμα in Alexandria ist Heiligtum, und darin wird dem Alexander geopfert.[114] Ein Tempel war auch die Totengruft der Lagiden.[115] Als Antiochus I. die sterblichen Überreste des Seleukos erhielt, bestattete er sie in Seleukia und errichtete darüber den Tempel.[116]

[109] Vgl. M. Bernhart, Handb. d. Münzkunde d. Kaiserzeit I (1926) 21 u. 23. Eckhel VI 270; Beurlier, Culte impérial 49, 2.

[110] Vgl. Marc. Bloch, Les rois thaumaturges (1925).

[111] Seeck RE IV 629. Vereinzelt schon unter Commodus: Cohen 186.

[112] Amm. Marc. XIX 12, 16.

[113] Vegetius 2, 5: *imperator cum Augusti nomen accepit, tamquam praesenti et corporali deo fidelis est praestanda devotio* und dazu Mommsen, Strafrecht 583, 5.

[114] Diod. XVIII 28, 4, vgl. Suet. Aug. 18. Iul. Val. 3, 57.

[115] W. Otto, Priester in Ägypten I (1903) 139 u. 160.

[116] Appian. Syr. 63. Vgl. Appian. Syr. 64 (Lysimachus) und Iustin. 36,

Nach dem Tode des Aratos holten die Sykionier aus Delphi Orakel, um ihn als „Stadtgründer und Retter" zu verehren. Alsbald verwandelte sich die Trauer in Feier, weiß bekleidet und bekränzt bringen die Bürger seine Leiche in die Stadt und begründen den Kult.[117] Megalopolis verleiht Philopoimen *honores divini*. Man setzt also seine Leiche auf der Agora bei und knüpft daran seinen Kult.[118]

Auch die ganze römische Totenreligion haftet am Grabe, an Leichenresten.[119] Wenn der Sohn die Gebeine des Vaters in der Asche wiederfindet, erklärt er, jener sei zum Gotte geworden.[120] Statius, der Vergil religiös verehrte, *monumentum eius adire ut templum solebat*.[121] Dementsprechend ehrt der Manenkult den Todestag, *semper acerbum, semper honoratum*.[122] Aber auch die griechische Herrscherreligion heiligt dieses Datum der Wiedervereinigung mit der Ewigkeit; von Alexander wird berichtet: *obitus tamen eius diem etiam nunc Alexandrini sacratissimum habent*.[123]

Vergleichen wir nun den Kaiserkult, die Religion der Entrükkung, die man heute aus der hellenistischen Herrscher-[124] oder auch

22: *Syrii sepulcrum Atharhates, uxoris eius (sc. regis Damasci), pro templo coluere.*

[117] Plut. Arat. 53.

[118] Liv. XXXIX 50. Dittenberger, Sylloge inscr. graec. 624.

[119] G. Boissier, La religion romaine I, 116: *« le tombeau est un autel. »*

[120] Plut. Quaest. rom. 14.

[121] Plin. Ep. III 7, 8. Vgl. Stat. Silv. IV 4, 54.

[122] Verg. Aen. V 45; vgl. Dessau ILS 140 I 32 und 34 (für C. Caesar).

[123] Iul. Val. 3, 98. Es ist bezeichnend, daß man neuerdings erfolglos versucht hat (Miss Taylor Class. Phil. 1927, 165), diese hellenistischen Zeugnisse wegzuinterpretieren, weil sie dem römischen Kaiserkult widersprechen. Vgl. noch Firmic. Matern. de errore rel. 6, 4: Iuppiter, der König von Kreta, betrauert seinen Sohn Liber: *pro tumulo exstruit templum ... Cretenses ... festos funeris dies statuerunt.*

[124] Communis opinio. Z. B. E. Beurlier, Culte impérial (1891), 4; O. Hirschfeld, Kl. Schr. 471; Friedländer, Sittengesch. III 149; Kornemann, Klio (1901) 97; Wissowa, Religion 79. Etwas abweichend Arth. Strong, Apotheosis and after life (1915) 62. Dagegen treffend Elter, Donarem pateras, Bonn. Univ. Progr. z. 3. August 1907, 40, 42.

römischen Manenverehrung[125] abzuleiten pflegt. Zu Ehren des *divus* werden sein Geburts- und Konsekrationstag gefeiert, wie man den Tag vermerkt als Romulus *non apparuit*[126], aber nicht sein Sterbedatum, das für den Entrafften nicht existiert. Die Fasti notieren am 20. August: *inferiae,* das ist Todesopfer für Augustus' adoptierten Sohn L. Caesar. Am Tage vordem werden keine gottesdienstlichen Handlungen vermerkt: es ist nur *dies tristissimus,* das Todesdatum Augustus' selbst.[127]

Die römische Religion scheidet demgemäß haarscharf zwischen dem verewigten *divus* und dem toten Kaiser, dessen Leichenreste im Mausoleum beigesetzt sind. Während die Erinnerungsprägungen für die nicht apotheosierten Kaiser den vollen Titel *Imp. Caes. Aug. P. M.* usw. nennen[128], führen die Divi auf ihren Münzen nur den sakralen Namen. Die Grabsteine der kaiserlichen Mausoleen[129] erwähnen nie die Gotteswürde des Konsekrierten[130], die Denk-

[125] G. Boissier, Religion romaine I 115 f. Deubner in A. Bertholets Lehrbuch d. Religionsgesch. 471. Dagegen treffend Elter a. a. O. 40, 49; Jacobsen, Les Mânes (1924) II 188.

[126] V. Commodi 2, 2.

[127] CIL I p. 247 (Fasti Antiates).

[128] Mattingly JRS XV 211. Die Ausnahmen machen nur die irregulären Prägungen des Bürgerkrieges des Jahres 68, die bisweilen Augustus' Kopf mit der Legende *Caesar divi f.* u. dgl. abbilden (H. Mattingly, Brit. Mus. Cat. I CXCVII).

[129] Der einzige Unterschied ist der, daß die Grabsteine der Konsekrierten im Dativ und nicht im Nominativ redigiert werden (vgl. O. Hirschfeld, Kl. Schr. 467). Vgl. Dessau ILS 322, 346, 369, 401 mit 350—352, 383—385. Daraus folgt, daß L. Aelius Caesar *ib.* 329, dessen Geburtstag außerdem im Kalender des Philocalus noch im Jahre 354 als Feiertag verzeichnet wurde (CIL I 1, 301), tatsächlich apotheosiert wurde (vgl. Mommsen dazu 302 f.) (fehlt in der Liste der *divi* bei Beurlier 325 ff. Die Divinisation nicht erwähnt auch in PIR *Ceionii* 503). Anderseits zeigen diese Inschriften, daß die Inschrift Dess. 349, wo Faustina auf dem Grabstein *diva* heißt, welcher nur durch Cod. Einsidl. bekannt ist, vom mittelalterlichen Schreiber aus seiner Vorlage (vgl. J. B. Rossi, Inscr. urbis Romae II 1, 14 u. 29) falsch abgeschrieben wurde. — H. Dessau, mit dem ich die Frage besprechen durfte, lehnte diese beiden Schlußfolgerungen ab.

[130] Mommsen, Ges. Schr. IV 504: Ausnahmen, wie Traian, Faustina

mäler der *divi* verschmähen ihrerseits die irdischen Dignitäten zu nennen. Im grundsätzlichen Unterschied vom griechischen Herrscherkult bleibt darum das Grab und der Tempel getrennt. Traians Aschenurne wurde auf seinem Forum beigesetzt, aber nicht im *templum divi Traiani,* sondern in seiner Columna, die dem lebenden Dakersieger errichtet wurde, verborgen.[131] Der tote Kaiser ruht in seinem Grabmal, der ewige Divus, d. h. derselbe Kaiser, entrückt und verwandelt, lebt in seinem Tempel.[132] Diese beinahe unnatürliche Scheidung, die in der doppelten Bestattung ihren letzten Ausdruck findet, erklärt sich nur durch die Entrückungsidee. Hippolytos wurde in Troizen beigesetzt. Die Einwohner, diese vom Touristenbetrieb lebenden Graeculi der Kaiserzeit, zeigten aber das Grab nicht und wollten von ihm nichts wissen, weil, wie Pausanias[133] sagt, sie selbst an seine Entraffung in den Himmel glaubten. Denn das Grab und die Entrückung schließen einander aus.

7. Die Entstehung der Aporie

Als Nero den Antrag, *divo Neroni* einen Tempel zu bauen, als böses Omen ablehnen zu müssen glaubte, handelte er schon im Banne der Entrückungsvorstellung. Der Antrag selbst wie des Commodus Versuch, als *Hercules Romanus* zu gelten, sowie vor allem der bei Lebzeiten eingesetzte staatliche Kultus des *divus Iulius* zeigen aber, daß auch in Rom zur Herrschervergötterung an sich andere Wege

entstehen dadurch, daß die irdischen Titel erst nach der Konsekration dem *divus* beigelegt werden.

[131] Ps. Aurel. Vict. Epit. de Caes. 12, 11, O. Hirschfeld, Kl. Schr. 465.

[132] Macht der Consecrations-Aureus des Vespasianus (Cohen 148, Mattigly-Sydenham, Titus 62 T. 3, 53) eine Ausnahme? Hier wird auf dem Revers eine Urne auf einem Cippus, der von zwei Lorbeerzweigen flankiert ist, dargestellt (Legende: *Ex SC.*). Ist die Vase als Graburne zu deuten?

[133] Paus. II 32, 1: ἀποθανεῖν δὲ αὐτὸν οὐκ ἐθέλουσιν ... οὐ δὲ τὸν τάφον ἀποφαίνουσιν εἰδότες, τὸν δὲ ἐν οὐρανῷ καλούμενον ἡνίοχον, τοῦτον εἶναι νομίζουσι ἐκεῖνον Ἱππόλυτον. Vgl. Pfister, Der Reliquienkult II 482.

führen konnten als der der Entrückung. Wenn nur dieser eingeschlagen wurde, so lag das wohl, wie ich glaube — die Antwort wird in derartigen Fragen unvermeidlich subjektiv ausfallen —, in der Eigenart der römischen Religion begründet.

Die Menschenvergötterung, mag sie in jedem einzelnen Falle verschiedentlich begründet sein, ruht religiös betrachtet entweder auf der Vorstellung der Erhebung zur Gottheit, die meistens erst mit dem Tode und als Folge der Gottessohnschaft eintritt, oder, wie es im Hellenismus die Regel war, auf der Idee, daß der Gott die Menschengestalt annimmt: *filius Maiae, patiens vocari Caesaris ultor.*

Das horazische Wort drückte aber für Rom nur die Überzeugung der privaten Devotion aus, die der Staatsreligion fremd bleibt. Streng ritualistisch, scharf zwischen dem *ius humanum* und dem *ius divinum* scheidend, kennt sie keinen anderen Verkehr zwischen Göttern und Menschen als in den festen Formen von *sacra, auspicia* und *prodigia.*[134] Die Partherin Musa[135] oder Augustus im Orient konnten als göttliche Epiphanien erscheinen, aber nicht Augustus in Rom. Es ist charakteristisch, daß ein derartiger Versuch, den er im Anfange seiner Laufbahn unternommen hatte, nicht etwa als Überhebung, sondern einfach als gottloser Mummenschanz verstanden wurde: *impia dum Phoebi Caesar mendacia ludit, dum nova divorum coenat adulteria* — beginnen die auf diesen Fall verfaßten Spottverse.[136]

Die Göttlichkeit eines Lebenden ist aber schwerlich in einer anderen als der Epiphanie-Form faßbar und kultisch verwertbar. Sonst straft jede menschliche Schwäche, jeder Mückenstich, eine Wunde, wie es Alexander erfahren mußte[137], die Prätention Lüge.

[134] Cic. de nat. deor. III 2, 5 *cumque omnia populi Romani religio in sacra et auspicia divisa sit, tertium adiunctum sit, siquid praedictionis causa ex portentis et monstris sibyllae interpretes haruspicesve monuerunt.*

[135] Vgl. Zahn in *Anatolian studies* presented W. M. Ramsay (1923).

[136] Suet. Aug. 70. Zur Datierung (im Jahre 40) Heinen, Klio 1911, 140, 3; vgl. Serv. Ecl. 4, 10.

[137] Seneca Suas. I 5: Alexander, *cum se deum vellet videri et vulneratus esset, viso sanguine eius philosophus mirari se dixerat, quod non esset* ἰχώρ, οἷός περ τε ῥέει μακάρεσσι θεοῖσιν. Vgl. Aristobul fr. 47 Jacoby.

Alle, die auf dem Caesarenthron sich für Götter ausgaben, traten somit als θεοὶ ἐπιφανεῖς auf: *tu modo mutata seu Iuppiter ipse figura, Caesar, ades seu quis superum sub imagine falsa mortalique lates — es enim deus* (Calpurn. Ecl. 4, 142). Nero war Apollo[138], Drusilla war für Caligula Panthea[139], er selbst trat als Iuppiter auf, Domitian glich dem Iuppiter[140], Commodus wollte Herkules sein[141], Aurelian erschien seinen Getreuen als *deus et dominus natus*[142], Hadrian nennt sich der olympische Zeus.[143] Es ist aber für den Konservatismus des römischen Staatskultus charakteristisch, daß alle diese Versuche, auch der eindringlichste des Commodus in den drei letzten Wochen des Jahres 191 und seines Lebens, die Gleichstellung des Kaisers mit einem bestimmten Gott durchzusetzen, in Rom keinen Boden gefunden hatten: dafür hatte die römische Religion einfach keinen Raum.[144]

Und so mußte man C. Iulius Caesar, nach einigem Tasten in der Richtung der Epiphanie[145], als eine eigene Gottheit, genannt *divus Iulius,* anerkennen.[146] Es ist aber klar, daß, was bei einer wirklich

[138] Dio 61, 20, 5.

[139] Dio 59, 11, 3; Suet. Calig. 22, Claud. 9. Dessau, Gesch. d. Kaiserzeit II 1, 129 f.

[140] Plin. Paneg. 52.

[141] Heer, Philolog. Suppl. IX (1904) 130 ff. Rostovtzeff JRS. XIII 91 ff.

[142] Zu diesen Münzen, die nur in Serdica geprägt wurden, und ihrer Bedeutung Kubitschek, Numism. Z. 1915, 170 ff.

[143] Wilh. Weber, Unters. z. Gesch. Hadrians (1907) 208.

[144] Auch Commodus war als staatlicher Gott noch nicht anerkannt. Seine Konsekration erfolgte erst durch S. Severus, V. Commod. 17, 11: *Severus ... inter deos rettulit flamine addito quem ipse vivus sibi paraverat* zeigt das klar. Der offizielle Beiname des Commodus *Romanus Hercules* (Dio 82, 15, 5; Dessau ILS 400), den er für seine Taten im Amphitheater bei Lanuvium erhalten hat (Vita 8, 5), ist als Siegesname, wie Britannicus, zu werten, wie es der Biograph auch richtig tut (P. Riewald *de imperatorum cum dis comparatione* Diss. phil. Halens. XX 284).

[145] Caesars Statuen *iuxta simulacra* des Quirinus und Juppiter. Vgl. Heinen, Klio 1911, 131.

[146] Dessau, Gesch. d. Kaiserzeit I 355, 2 weist nach, daß die Vergötterung unter diesem Namen schon bei Lebzeiten erfolgte und daß Dios

divinen Natur wie Caesar noch erträglich wäre, weder der Gesinnung noch der Stellung in der Republik seines Nachfolgers entsprach.[147] Octavian wurde nicht zum Gotte, sondern nur zum „Augustus" — *ut scilicet iam tum dum colit terras ipso nomine et titulo consecraretur*[148] —, Tiberius stand der Selbstvergötterung völlig ablehnend gegenüber.[149] Diese ersten dreiviertel Jahrhunderte des Prinzipats schufen also für die folgenden Generationen die maßgebende Tradition, den Lebenden nicht zu vergöttlichen.

Im römischen Kultsystem gab es aber an sich keinen Platz auch für die postume Erhebung zur Göttlichkeit: die Scheidewand zwischen den Himmlischen und Irdischen war unübersteigbar. Noch im Jahre 73 v. Chr. weigerten sich die Staatspächter, die den Tempeln der „unsterblichen Götter" zustehenden Privilegien auch dem oropischen Amphiaraos zuzubilligen. *Nostri quidem publicani, cum essent agri in Boeotia deorum immortalium excepti lege censoria, negabant immortales esse ullos, qui aliquando homines fuissent.*[150] Cicero, der das berichtet, lehnt aus demselben Grund den Kult des ermordeten Caesar ab (I Phil. 6, 13): *an me censetis PC., quod vos inviti secuti estis, decreturum fuisse, ut parentalia cum supplicationibus miscerentur? ut inexpiabiles religiones in rem publicam inducerentur? ut decernerentur supplicationes mortuo?* Es genügt, damit das inschriftlich erhaltene (Dittenb. Syll. 624) Gesetz von Megalopolis über die Divinisation des toten Philopoimen zu vergleichen, um zu fassen, wie weit voneinander der römische und der hellenistische Gedanke auf diesem Gebiete abwichen.

Auf Umwegen hatte aber die römische Religion doch einige Sterbliche als Götter anerkannt. Als die Römer von ihren italischen Nachbarn und Rivalen Kulte eines Herkules oder Castor übernahmen, wußten sie weder noch kümmerten sie sich um die

(44, 6, 4) Nachricht vom Kultnamen *Juppiter Julius* auf Verwechslung beruht.

[147] Vgl. Mommsen, RStR II 757.

[148] Florus II 34, 66.

[149] Über die Rolle des Tiberius in der Geschichte des Kaiserkultus Mommsen, Ges. Schr. IV 269.

[150] Dittenberger, Syllog. 747, Cic. nat. deor. III 49.

griechischen Mythologumena über diese Gestalten. Noch in ciceronischer Zeit nennt der Pontifex Maximus Scaevola, Schüler des Panaitios, selbst als Beispiel für die umstürzlerischen philosophischen Auffassungen die Behauptung von der Menschlichkeit jener Helden: *haec, inquit, non esse deos Herculem, Aesculapium, Castorem, Pollucem. Proditur enim ab doctis quod homines fuerint et humana conditione defecerint.*[151] Die griechische Bildung machte aber die verpönte Ansicht zum Allgemeingut der Römer. Cicero selbst, der sich im allgemeinen hütet, der Volksversammlung andere als konventionelle Religionslehren vorzutragen[152], sagt unbedenklich in der Sestiana (68, 143): *Herculis illius sanctissimi corpore ambusto vitam eius et virtutem immortalitas excepisse dicitur.*

Im 1. Jahrhundert v. Chr. verbreitete sich anderseits, unter dem Einfluß griechischer Vorstellungen, die Identifikation bestimmter Götter mit erhobenen Helden der Vorzeit: Romulus = Quirinus; Aeneas = Indiges Pater; Latinus = Iuppiter Latiaris[153]. Die ennianische Erhöhung des Romulus in den Himmel wurde dadurch aus poetischer Fiktion zum sakralen Faktum.

Allen diesen Helden, von Herkules bis Romulus, war es aber gemeinsam, daß sie, obwohl Menschen, auf übermenschliche Weise entrafft und eben darum zu Göttern wurden. Das Elogium des augusteischen Forums[154] sagt z. B. von Aeneas: *in bello Laurenti gesto non comparuit. Appelatusque est Indiges Pater et in deorum numerum relatus.*

Damit öffnete sich der Weg zur Apotheose, und zwar der einzige, wie Ciceros Beispiel zeigt. Denn der Philosoph, der sonst die Entrückungsvorstellung verwarf[155], vermochte anders als in dieser Form die, wenn auch private, Konsekration seiner Tochter Tullia weder sich noch anderen faßbar zu machen: *Fanum fieri volo, neque hoc mihi erui potest,* schreibt er an Atticus am 3. Mai 45, *sepulcri*

[151] Aug. civ. Dei IV 27.

[152] G. Boissier, Religion romaine I 54. Vgl. Liv. 36, 30, 3: *ibi mortale corpus eius dei sit crematum.*

[153] Vgl. Preller, Römisch. Mythol. I 94.

[154] CIL I 1, p. 189.

[155] Cic. de rep. III 28, 40 *neque enim natura pateretur, ut id quod esset e terra nisi in terra maneret.*

similitudinem effugere non tam propter poenam legis (sc. *sumptuariae*) *studeo quam ut quam maxime adsequar* ἀποθέωσιν.[156] Der der Entrückung eigene Gegensatz zwischen dem Grab und der Göttlichkeit kommt also schon in diesem ersten Versuche der Konsekration in Rom zum Vorschein.

Augustus schließt sich absichtlich und folgerichtig an Romulus an [157], sein Weg in den Himmel ist derselbe, wie der des Romulus oder Herkules und der Dioscuren, *quos inter Augustus recumbens purpureo bibet ore nectar.* Während der Gedanke des persönlichen Fortlebens nach dem Tode dem augusteischen Zeitalter noch ziemlich fern und vor allem nur in unbestimmten Umrissen vorlag, wurde das zukünftige Los des Augustus, die durch Entraffung begründete Ewigkeit, den Zeitgenossen klar erkennbar: *tu letum optasti . . . sed tibi debetur coelum, te fulmine pollens accipiet cupidi regia magna Iovis.*[158]

8. Politik und Religion

Der Kaiserkult war die Religion der politischen Übermacht. Dieses sein Wesen tritt in den Provinzen besonders klar hervor, wo die Roma und der Senat neben dem Monarchen verehrt wurde [159] und die Priester nicht nach dem Namen des Kaisers, sondern

[156] ad Attic. 12, 36. Vgl. ad Att. 12, 18, 19; 41; 43; 15, 15, 3; 12, 37, 4 und dazu Elter a. a. O.40, 5.

[157] Vgl. dazu zuletzt Kenneth Scott, Trans. Amer. phil. ass. 1925.

[158] Consol. ad Liviam 219 f. (Augustus wünschte sich bekanntlich [Suet. Claud. 1] in der Lobrede für Drusus einen Heldentod.) Vgl. noch z. B. Dess. 137. Ovid, Ex Pont. IV 9, 128. Es ist bezeichnend, daß man sogar Caesars Tod als Entrückung aufzufassen versuchte. Ovid, Fast. III 701: Vesta spricht: *ipsa virum rapui, simulacra nuda reliqui, quae cecidit ferro Caesaris umbra fuit.* Suet. Iulius 88 (vom *sidus Iulium*): *creditum est animam esse Caesaris in coelum recepti.* Augustus selbst (bei Plin. h. n. II 25) drückt sich anders aus: *eo sidere significari vulgus credidit Caesaris animam inter deorum immortalium numina receptam.*

[159] Z. B. IGR IV 1195: Αὐτοκράτορι Νέρουᾳ . . . καὶ συνκλήτῳ καὶ τῇ Ῥωμαίων ἡγεμονίᾳ ὁ Θυατειρηνῶν δῆμος . . . καθιέρωσεν. Noch unter Alex. Severus, als die Bedeutung des Senats zeitweilig erstarkt, verehrt

schlechterdings als *sacerdos Augusti* oder gar ἱερεὺς τοῦ αὐτοκρά-τορος bezeichnet zu werden pflegten.[160] Im allgemeinen wurde also nicht die Persönlichkeit, sondern die in ihr verkörperte übermenschliche Gewalt divinisiert. Und es ist in der Tat für die polytheistische Auffassung nur natürlich und allerorts verbreitet, daß auch die politische Macht, wenn sie wie die Naturkraft unheimlich und absolut auftritt, sie, die das Schicksal des Einzelnen wie des Gemeinwesens lenkt und webt[161], vergöttlicht wird: *per illum se vivere, per illum navigare, libertate atque fortunis per illum frui,* rufen alexandrinische Schiffsleute Augustus zu (Sueton. Aug. 98).[162]

Die Kaiserreligion war darum auch in Rom in dem Augenblicke gegeben, als auch der Römer einen Herrn auf dem Nacken hatte, als die Zuschauer im Theater beim Worte eines Schauspielers *o dominum aequum et bonum* Augustus zujubelten.[163] Sie kam, wie auch unsere im allgemeinen caesarenfeindliche Überlieferung hervorhebt[164], vom Volke aus, wurde mehr von unten gefordert als von oben gefördert. Vergils erste Ecloge erklärt also ihren Sinn und Ursprung, macht verständlich, warum *cives Romani qui Thynissis negotiantur Augusto deo* weihten[165], viel natürlicher als moderne Versuche, sie, und nicht nur manche ihrer Symbole, aus dem hellenistischen Herrscherkult „herzuleiten": ebensogut könnte man den Napoleonkult aus Byzanz erklären wollen.

man in Hermupolis Magna neben dem Kaiser und Mammea den „heiligen Senat" (P. Bad 89).

[160] Vgl. Geiger, de sacerdotibus augustorum, Diss. phil. Halens XXIII 15 ff. Er weist dabei nach, daß unter der Samtherrschaft der Priester *sacerdos Augustorum* hieß. Daß manche Kaiser an verschiedenen Orten daneben eigene Priester besaßen, versteht sich von selbst.

[161] Vgl. Sen. de clem. I 1, 2: *egone ex omnibus mortalibus placui electus sum, qui in terris deorum vice fungerer? ego vitae necisque gentibus arbiter* etc.

[162] Wilamowitz hat das schön und treffend ausgeführt: „der Kaiser war Gott, weil er Kaiser war . . ., seine Person war der Träger der Allmacht des Reiches" usw. (Reden u. Vorträge [3][1913] 191).

[163] Suet. Aug. 53.

[164] Dessau, Gesch. d. Kaiserzeit I 354.

[165] An. Ep. 1912, 51.

Als Tityrus, der gewohnt ist, dem unsichtbaren Hüter seiner Herde Silvan zu opfern, plötzlich durch ein Wort aus der allgemeinen Katastrophe errettet wird, wie kann er den Retter anders als Gott preisen? *Deus nobis haec otia fecit.*

Für die Verbreitung und Fortpflanzung des Kaiserkultus, für die uns oft sonderbar anmutende allgemeine Bereitwilligkeit dazu, für jenes widerwärtige *ruere in servitium,* das einen Plinius nötigt, einen Traian als *Aeternitas* anzureden, war aber in erster Linie noch der Umstand maßgebend, der auch sonst [166] die Schicksale des Kaiserreiches bestimmend formierte: das Fehlen der Außenwelt. Man lebte in einer Welt, die mehr Götter als Menschen zählte [167], aber nur einen und unbeschränkten Herrscher der gesamten Oikumene besaß. Der *Custos totius imperii Romani totiusque orbis terrarum praeses* [168] mußte dadurch so hoch über den Menschen stehend erscheinen, daß er an die Himmlischen heranreichte. Und es ist wohl kein Zufall, daß die erste göttergleiche Ehre [169] Caesars in Rom ihn auf der Erdkugel ruhend darstellte, also genau wie eine Generation vordem die Roma, den Fuß auf den Globus setzend, auf Münzen erscheint.[170] Auch Caesars Sohn wurden die ersten übermenschlichen Huldigungen in Rom nur nach Actium, als er gleichfalls zum Weltherrscher wurde, dargebracht.[171] Die Erdkugel ist seitdem ständiges Abzeichen der Macht des Kaisers auf den Bildern und Münzen.[172] Lucan sprach also mit tiefem Recht von der Schlacht bei Pharsalos, die die Weltherrschaft des Einen begründet

[166] Das hat Dessau, a. a. O. II 1, 299 mit Recht hervorgehoben.

[167] Plin. h. n. II 7, 16; Petron. 4.

[168] Dess. ILS. 140, 9 f.

[169] Dio Cass. 43, 14, 6.

[170] Cat. Brit. Mus. I 3358 f. T. 43, 5.

[171] Vgl. Heinen, Klio 1911, 143.

[172] Das Material bei A. Schlachter, Der Globus (Stoicheia VIII 1927) 64 ff., der aber seltsamerweise das Symbol als Welt- und nicht Erdkugel verstehen will. Was schon dadurch ausgeschlossen wird, daß auch einige Provinzen und die Tellus mit dem Abzeichen erscheinen. Vgl. insbes. Traiansmünze Coh. 642: der Senat übergibt den Globus dem Kaiser. Auch die paar literarischen Zeugnisse (Amm. Marc. 21, 14, 1; 25, 10, 2, Suidas. s. v. Iustinian) deuten das Bild als Erdball.

hat: *cladis tamen huius habemus vindictam quantam terris dare numina fas est: bella pares superis facient civilia divos* (7, 455).

Der politisch bedingte Trieb zur Divinisation des Herrschers, in dem Adulation und Devotion untrennbar miteinander vermengt waren, mußte in der römischen Staatsreligion, wie dargelegt ist, die Form des Entrückungsglaubens erhalten. Die Konsekration erfolgte also nur postum und war somit für den Prinzipat als Institution beinahe entbehrlich. Denn die postume Deification des Herrschers kann für einen legitimistischen Staat, wie etwa Japan, wichtig sein, wo die Gewalt durch göttliche Abstammung ihres Inhabers sanktioniert wird. Die Idee der Legitimität liegt aber dem Prinzipat überhaupt fern [173], insbesondere die der religiösen Sanktion. Nicht als *divi filius*, sondern *consensu universorum* begründete Augustus seine Stellung im Staat und die *lex regia* beruft sich auf den Tiberius Caesar ebensogut als auf den *divus Augustus*, um die Gewalt Vespasians zu bestimmen.[174] Wie wenig endlich die Autorität des Kaisers psychologisch von der Göttlichkeit seiner Vorgänger abhing, zeigt drastisch die Art, wie ein Konsul und *flamen divi Titi* [175] selbst in einer offiziellen Rede unter Traian von den früheren Konsekrationen sprechen durfte, nur um die neueste in günstigeres Licht zu setzen: *dicavit caelo Tiberius Augustum sed ut maiestati crimen induceret, Claudium Nero, sed ut irrideret, Vespasianum Titus, Domitianus Titum, sed ille ut dei filius, hic ut frater videretur.* Auch Traian ist keineswegs als *divi Nervae filius* zur Herrschaft berechtigt, sondern eben als Traian, als Persönlichkeit; *castus et sanctus dis simillimus princeps.* Nervas Göttlichkeit ist umgekehrt eher ein Abglanz von Traians Herrlichkeit: *una eademque certissima divinitatis fides est bonus successor.*[176]

Der Widerspruch zwischen der auf die Verehrung des Lebenden eingestellten Kaiserreligion, wie sie sich auch in Rom in privater Devotion üppig entfaltete, und der postumen Vergöttlichung im römischen Staatskult führte aber dazu, daß die römische Konse-

[173] Mommsen RStR II 758 f.

[174] Monum. Anc. c. 34. Dess. ILS 244.

[175] CIL V 5667.

[176] Plin. Paneg. 11 und schon Prop. IV 6, 60: *divus Iulius* spricht nach Actium: *sum deus: est nostri sanguinis ista fides.*

kration als der letzte und höchste Lohn für die Taten des Princeps aufgefaßt wurde. Wie jene mythischen entrückten Helden *post ingentia facta deorum in templa recepti,* mußte auch der Caesar seine Vergöttlichung verdienen: *meruit inter divos referri,* so notiert noch Eutropius in seinem Abriß die Konsekrationen.[177] Die kultisch bedingte Umbildung des ursprünglich politischen Triebes wurde somit ethisch verstanden. Ob man dabei an die tatsächliche Entrückung des Helden glauben wollte, war gleichgültig[178], entschieden war, daß diese Ethisierung einerseits auch die Gebildeten mit dem Kaiserkult versöhnte, andererseits den Princeps band und zwang. Als Augustus einmal dem Tiberius seine durch Freigebigkeit entstandenen Geldverluste nennt, fügt er hinzu (Suet. Aug. 71): *sed hoc malo. Benignitas enim mea me ad coelestem gloriam efferet.* Wenn ein Tiberius von vornherein den Gedanken an die Divinisation ablehnte, wurde das also *ut animi degeneris* bewertet. *Optumos quippe mortalium altissima cupere; sic Herculem et Liberum apud Graecos, Quirinum apud nos deum numero additos: melius Augustus qui speraverit. Cetera principibus statim adesse: unum insatiabiliter paratum, prosperam sui memoriam: nam contemptu famae contemni virtutes.*

Die letzten Sätze in dieser für das Verständnis der Kaiserreligion ungemein bedeutenden Auslassung des Tacitus (Ann. IV 38) zeigen aber schon eine andere und letzte Umdeutung der postumen Konsekration. Diesmal wieder ins Politische. Der senatorische Kreis faßte die vom Senat auszusprechende Deifikation als eine Art von Totengericht auf.[179] Eben darum empfand er, der sonst weder mit Schmeicheleien noch mit den nichtamtlichen göttergleichen Ehren sparte, als die letzte und unerträglichste Herausforderung die Versuche einiger Kaiser, ihre offizielle Anerkennung als römische Götter schon bei Lebzeiten durchzusetzen. Der jüngere Plinius, der ohne weiteres die bithynischen Christen, die Provinzialen, den Kaiserstatuen zu opfern nötigt, der gern an die freiwillige Stiftung des

[177] Eutrop. IX 4; IX 15; X 7.

[178] Vgl. Aurel. Vict., Caes. 33, 30 *principes atque optimi mortalium vitae decore ... coelum adeunt, seu fama hominum dei celebrantur modo.*

[179] Mommsen RStR II 818.

Traiansbildes auf dem Kapitol erinnert, entrüstet sich über Domitians Versuche, den Römern seine Verehrung aufzuzwingen. Und so wurde das Recht des Senats, nur nach eigener Wahl die überschwänglichste Adulation zu verleihen: einen Sterblichen den Unsterblichen einzureihen, zur letzten römischen Freiheit.

Zusammenfassung

Die sakrale Voraussetzung der Kaiserapotheose war das Wunder der Entrückung. Dieses wurde im 1. Jh. durch Zeugen verbürgt, seit Traians Konsekration magisch bewirkt. Die Vergöttlichung des Kaisers erfolgte in der römischen Staatsreligion deswegen nur postum, was an sich dem Wesen des Kaiserkultus, dieser Vergöttlichung der übermenschlichen politischen Macht, widerspricht. Die Entrückung als Prämisse der Vergöttlichung wurde durch die Eigenart der römischen Religion gefordert, führte aber ihrerseits zur Ethisierung der Konsekrations-Vorstellungen. Die Eigenart der römischen Konsekration macht ihre Ableitung aus der hellenistischen Apotheose unmöglich.

Aus: Das Erbe der Alten, 2. Reihe, Heft XX: Aus Roms Zeitwende, Leipzig: Dieterich'sche Verlagsbuchhandlung 1931, S. 1—36.

ZUM ANTIKEN HERRSCHERKULT

Von Otto Immisch

Über den antiken Herrscherkult begegnet man gelegentlich Vorstellungen, die mindestens allzu summarisch sind. Es soll sich etwa um ein Teilstück handeln aus dem mit dem Hellenismus einsetzenden Vorgang des Überflutens der griechisch-römischen Welt durch den Geist des Orients, und entsprechend solch einheitlichem Herleiten wird dann der ganze in Wirklichkeit sehr komplexe Sachverhalt als etwas auch dem Wesen nach Einheitliches betrachtet. Und doch ist bei diesem Gegenstand die isolierende Analyse viel nötiger als die vorgreifliche Zusammenschau. Z. B. hat sich kürzlich in einer trefflichen Untersuchung von Bickermann ergeben, die Konsekration verstorbener Kaiser ist etwas spezifisch Römisches, nicht vom Hellenismus her zu erklären (Arch. f. Religionswiss. XXVII 1929, 1 ff.). [In diesem Band S. 82 ff.] Ich möchte jetzt meinerseits gleichfalls einen Sonderfall vornehmen, die politische religiöse Propaganda, womit die zwei Gegner Marc Anton und Octavian ihren Herrschaftsansprüchen die religiöse Weihe zu geben suchten. Obschon da auf der einen Seite die hellenistische Tradition ausschlaggebend im Spiel ist, so erweist sich doch das Ganze dermaßen als zeitlich-aktuell in den Zielen und in einem solchen Grade individuell und einmalig hinsichtlich des persönlichen Anteils der beiden Römer, daß ich glaube, gerade an diesem Beispiel kann man gut sehen, wie falsch das Verallgemeinern in diesen Dingen ist.

I

Zweckmäßigerweise sollen vorher ein paar Hauptpunkte aus den Grundvoraussetzungen besprochen werden, um zu rechtfertigen, weshalb wir, das Orientalische so ziemlich draußen lassend, uns wesentlich auf der innergriechischen Linie bewegen werden. Schon die Chronologie ist hier entscheidend. Der früheste uns bekannte Fall griechischer Menschenvergötterung liegt mehrere Generationen vor Alexander und dem Hellenismus. Er betrifft den Bezwinger Athens, den Spartiaten Lysander. Der Historiker Duris sagt ausdrücklich (76, 71 Jac.): „Lysander war der *erste* Grieche, dem die Städte wie einem Gott Altäre errichteten und Opfer darbrachten. Auf ihn zuerst wurden Päane gesungen." Er teilt den Anfang eines solchen religiösen Liedes mit und bemerkt noch über die eigene Heimat Samos, sie habe ihr altes Hera-Fest umbenannt, Λυσάνδρεια. Keinerlei orientalische Herrschermystik ist da im Spiel. Was Lysander so hoch emporträgt, ist sein selbstherrliches Heraustreten aus den Bindungen der Polis, die erfolggekrönte Willensstärke der überlegenen Einzelpersönlichkeit. Eine Ehrung ähnlicher Art, diesmal noch dazu im orientfernen griechischen Westen, erhielt im Jahr 356 von den dankbaren Syrakusiern ihr Befreier Dion. Die Volksversammlung wählt ihn zum στρατηγὸς αὐτοκράτωρ und beschließt für ihn schon bei Lebzeiten τιμὰς ἡρωικάς (Diodor XVI 20, 6). Zwanzig Jahre später, nach Chaironeia, verwirklicht König Philipp einen gleichartigen Anspruch für sich und seine Familie schon von sich aus durch Errichtung des Philippeion in Olympia mit den entsprechenden Statuen (Paus. V 20, 10). Kurz vor seiner Ermordung war im Theater sein Bild als σύνθρονος der zwölf Olympier im Prunkaufzug erschienen (Diodor XVI 92, 5).

Um diese und die vielen sich anreihenden Fälle zu verstehen, muß man folgendes beachten. In der polytheistischen Religion der Griechen, welche die irdische Ahnenwelt ihrer Heldensage mit den Olympiern genealogisch verknüpft, sind die Grenzen zwischen Gott und Mensch von Haus aus fließend. Wo wir sagen würden „Übermensch", stellt sich wie von selbst ein „Halbgott". ἡμίθεοι für die Heroen kennt schon die Ilias. Menschen von ausgezeichneter oder von beunruhigender Eigenart sind, je nachdem, θεῖοι oder δαιμόνιοι. Das gilt weiterhin auch für Geisteshelden und Denker. Aristoteles las unter den definitorischen Einteilungsformeln der Pythagoreer eine Dreigliederung des ζῷον λογικόν (Fr. 192 Rose min.): τὸ μέν ἐστι θεός, τὸ δὲ ἄνθρωπος, τὸ δὲ οἷον Πυθαγόρας. Empedokles sagt bekanntlich sogar von sich selbst: ἐγὼ δ' ὑμῖν θεὸς ἄμβροτος, οὐκέτι ϑνητός (Fr. 112, 11 D.). Doch auch tief unterhalb so erhabener Sphäre, in den Niederungen der Alltagssprache, begegnen wir zu allen Zeiten Ausdrücken verehrender Dankbarkeit, die für unser Gefühl fremdartig gesteigert sind: σύ μοι Ζεὺς ἥκεις begrüßen die biederen Wächter den Rhesos (355, vgl. 385); *o mi Juppiter terrestris* schmeichelt ein Parasit (Plaut. Pers. 99); doch auch Cicero braucht Wendungen wie *Lentulus nostrae vitae parens salus deus.* Wir müssen uns ferner erinnern, daß unter den Olympiern eine Gruppe ist, die durch Kampf und Verdienst aus dem Menschentum emporstieg: Dionysos, die Dioskuren, Herakles, denen sich alsdann Romulus-Quirinus anreiht. Als etwa um 300 Euhemeros in seinem Aufklärungsroman einen großen Teil der Götter für dankbar erhöhte Herrscher und Kulturschöpfer der Vorzeit erklärte, war aufsehenerregend wohl mehr noch als der Grundgedanke (der sogenannte Euhemerismus) seine romanhaft phantastische Einkleidung. Die vielberufene griechische Diesseitigkeit und Innerweltlichkeit beläßt eben auch die religiösen Empfindungen und Vorstellungen in ausgesprochener Immanenz, das Göttliche in menschlicher Nähe, wie das ja auch Kunst und Dichtung in ihren anthropomorphen Gestalten zum Ausdruck bringen. Ἀϑάνατοι ϑνητοί, ϑνητοὶ ἀϑάνατοι lesen wir bei Heraklit (Fr. 62). Im gleichen Zeitalter dichtet der fromme Pindar: ἓν ἀνδρῶν ἓν ϑεῶν γένος. ἐκ μιᾶς δὲ πνέομεν ματρὸς ἀμφότεροι (Nem. 6, 1) und lange vor beiden Hesiod: ὡς ὁμόϑεν γεγάασι ϑεοὶ ϑνητοί τ' ἄνϑρωποι (Op. 108). Diese vertrauliche Verbundenheit kann zu uns fast unbegreiflichen Respektlosigkeiten führen. Schon bei Homer haben wir „Götterburlesken". Bei Theognis verwandeln sich mehr als einmal die Probleme der sogenannten Theodizee in recht dreiste Vorwürfe gegen Zeus wegen der Verteilung von Glück und Unglück an die Guten und Bösen: „Wie soll das gerecht sein, König der Unsterblichen" (743 ff.) und: „Lieber Zeus, ich muß mich über Dich wundern" (373 ff.). Vor allem denken wir an die Komödie, etwa an die ›Frösche‹, wie da Dionysos, der Herr des Kults, von dem das Spiel ein Teil ist, auf offener Szene vor Angst in die Hosen macht. Andrerseits ist allerdings aus den gleichen Voraussetzungen jene unwiederholbare Freiheit der menschlichen Aktivität (der materiellen wie der geistigen) von der Last der Minderwertigkeitsgefühle und der Demut hervorgegangen, die am schönsten vielleicht in der aristotelischen Ethik sichtbar wird, wenn sie das Hinausstreben über die Sterblichkeitsschranken legitimiert und geradezu zur Pflicht macht: ἀθανατίζειν χρὴ ἐφ' ὅσον ἐνδέχεται. Dieser Ausspruch nähert uns denn auch am meisten jener Empfindungsweise, in der die uns jetzt beschäftigende griechische Menschenvergötterung entspringt. Insonderheit an die Monarchenapotheose führt uns derselbe Aristoteles heran, wenn er vom berufenen Selbstherrscher sagt: εἰκὸς ὥσπερ θεὸν εἶναι ἐν ἀνθρώποις τὸν τοιοῦτον (Pol. III 1284 a 11). Freilich gilt ihm das nur für eine ideale Situation. Es ist aber begreiflich, daß die monarchischen Folgezeiten das Ideal zu realisieren unternahmen, sei es nun, daß Untertanenhuldigung dem Fürsten die Ehre entgegentrug, sei es, daß umgekehrt er sie forderte. Hierbei konnte man allerdings, wie seit Alexander oft, in den fremdstämmigen hellenistischen Territorien ein politisch beabsichtigtes Anknüpfen an einheimische Traditionen mitwirken. Aber das bleibt, so wichtig es jeweils an sich sein mochte, aufs innere Wesen der Gesamterscheinung von der Griechenwelt her gesehen, doch nur das Accedens. Die letzten Voraussetzungen sind innergriechisch.

Jeden Zweifel daran beseitigt die Tatsache, daß eben um die Wende zum Hellenismus in Hellas, und zwar in einem besonders auffälligen Beispiel wiederum gerade im Westen, die Selbstvergötterung sogar von Privatpersonen vorkam. Zu König Philipps Zeiten beschäftigten sich Literaten und Komödiendichter mehrfach mit solchen Begebnissen. Am markantesten ist die Figur des syrakusanischen Arztes Menekrates. Ihm hatten seine Kurerfolge so den Kopf verdreht, daß er geradezu als Zeus öffentlich auftrat, selber entsprechend kostümiert und um sich ein passend ausstaffiertes Gefolge. Er schrieb hochtrabende Briefe an die damaligen Potentaten, u. a. an Philipp: Μενεκράτης Ζεὺς Φιλίππῳ χαίρειν. σὺ μὲν Μακεδονίας βασιλεύεις, ἐγὼ δὲ ἰατρικῆς usw. Philipp besaß Humor genug für die lakonische Antwort: Φίλιππος Μενεκράτει — ὑγιαίνειν (Ath. VII, 289 a ff.). Man kann es nicht genug betonen, solche und ähnliche Vorkommnisse sind nicht erfundene Späße, sie sind historische Wirklichkeit und gehören in eine Zeit, wo von Überflutung durch Orientalismus keine Rede sein kann.

Noch *ein* Dokument, kaum ein halbes Jahrhundert jünger, sei vorgelegt. Es ist religionsgeschichtlich von großer Wichtigkeit, weil es — in fast erschütternder Weise — dartut, wie völlig eine Religiosität der Immanenz sich schließlich verflüchtigt in bloße Symbolik. Es handelt sich um das Festlied, womit (im Jahr 290) die Athener den von ihnen überschwenglich vergötterten Demetrios Poliorketes begrüßt haben, Verse, die uns wiederum Duris von Samos erhalten hat (76, 13 Jac.). Wir wollen dabei nicht vergessen, es ist Athen, wo das gesungen wurde, die Metropole der griechischen Intellektuellen; gerade in diesen Jahren blüht da die aller religiöser Heteronomie besonders feindliche und extrem diesseitige Schule Epikurs, deren Gedanken deutlich mitklingen. Um den Anfang zu verstehen, muß man noch wissen, daß Demetrios auf seinen Wunsch durch ein ritualwidriges Schnellverfahren eleusinischer Myste geworden war und nun gleichsam zusammen mit der eleusinischen Demeter einzog zur Feier der städtischen Mysterien.

Wie doch die größten Götter auch am freundlichsten
Unsrer Stadt sich nahen!
Es führt zu uns Demeter und Demetrios
Jetzt die gute Stunde.
Sie kommt, der Kore heilige Mysterien
Bei uns zu begehen;
Und *Er* ist, heiter wie's dem Gotte ziemt und schön,
Lächelnd mitgekommen.
Nun feiert und nun strahlet, Freunde all im Kreis:
Er ist in der Mitte,
Von Sternen gleichsam sei er liebevoll umringt;
Er ist unsre Sonne.
O sei gegrüßt, des mächtigen Poseidon Sohn
Und der Aphrodite!
Die andern Götter wohnen gar entfernt von uns;
Sind wohl ohne Ohren,
Vielleicht auch nicht vorhanden, oder achtlos doch:
Du bist gegenwärtig,
Nicht steinern und nicht hölzern, bist leibhaftig da!
Hör zu Dir uns beten:
Schaff erstlich Frieden uns, o Teuerster,
Du hast's in den Händen — —

und nun kommen Einzelheiten aus der damaligen politischen Situation: den Aitoler vor allem, Schädling für ganz Hellas, soll Demetrios vernichten. — Wer sich die Gesinnung verdeutlicht, die aus diesem Dokument redet, und deren Vorhandensein nicht etwa deshalb bedeutungslos scheinen darf, weil derartige Verirrungen ebenso flüchtig vergehen, wie sie auftauchen, und weil beim Einsetzen der Gegenwelle auch Hohn und Abscheu darüber ins Spiel treten, ein haltloses Hin und Her, das bei neuem Umschlag der Situation sofort die Verirrung erneuern kann — wer das erkannt hat, dem dürfte auch klar sein: wenn nun in den hellenistischen Zeiten die Apotheosen aller Art sich häufen, so bedarf es nicht der Erklärung durch den Orientalismus. Die Sache gehört zu den nicht wegzuleugnenden Schattenseiten, die naturgemäß und unvermeidlich jenem wunderbaren Wesen anhaften, das wir die griechische Immanenz nennen. Griechisches allzu Griechisches!

Aus solcher religiösen Verarmung, die bei einem Spiel mit symbolischen Formen angelangt ist, erklärt sich nun auch eine wichtige Eigenschaft der hier betrachteten Erscheinung: die Mannigfaltigkeit dieser inhaltlich unerquicklichen Formen und ihre beständige Verschiebbarkeit. Demetrios hieß soeben Sohn des Poseidon und war ja auch wirklich ein rechter Seeheld — nach mehr als zwei Jahrhunderten noch hat ihm S. Pompeius als *Dux Neptunius,* wie ihn Horaz nennt (epod. 9, 7), die Rolle erfolgreich nachgespielt, mit allem Zubehör, so daß man im römischen Zirkus eine demonstrative Gunstbezeugung für ihn einfach durch den besonderen Applaus ausdrücken konnte, den man in der πομπή der Götterbilder dem ἄγαλμα Ποσειδῶνος widmete (Dion XLVIII 32, 5) —: dieselben Athener indessen bei anderen Gelegenheiten nennen denselben Demetrios auch θεὸς σωτήρ oder Demetrios Καταιβάτης, was bei ihnen sonst ein Beiname des Zeus ist. Dann wieder bringen sie ihn mit Dionysos zusammen und nennen ihre Dionysien Demetrien. Als Dionysos ein Bruder der Burggöttin, erhält er deren Opisthodom als Wohnung und entweiht ihn mit schwelgerischen Orgien. Und selbst seine Maitressen noch erhalten Altäre und Apotheosen: Λαμία Ἀφροδίτη usw. Diese Fülle nun und diese Wandelbarkeit bleibt für das Gesamt-Phänomen charakteristisch und macht sein Wesen so unendlich komplex und beweglich, alle folgenden Jahrhunderte hindurch bis zum Ende der Antike, bis kurz vor dem Sieg des Christentums, wo Diokletian und Maximian zwei Dynastien gründen und dabei mit deren amtlicher Titulatur als *Jovii* und *Herculei* noch ein letztes Mal die heidnisch-sakrale Menschenerhöhung in Erscheinung treten lassen. Bei den Byzantinern bleibt davon nur eine Metapher zurück (oder ist es Nachhall jener Stelle bei Aristoteles?), der *Vergleich* mit Gott. Ihre Versklappermühle sagt: θεὸς γὰρ ἄλλος ἐπὶ γῆς ὁ βασιλεὺς ὑπάρχει. Schon Justinian erklärt die eigene Majestätsperson für eine gottgesendete Lex animata (νόμος ἔμψυχος), Novell. 105. Solcher Nachklang aus der Antike war dann wohl stark genug, um auch im Westen mitzuwirken an jener Umdeutung der christlichen Devotionsformel „von Gottes Gnaden", wodurch sie aus einem Ausdruck der Demut (*nur* von Gottes Gnaden) zu einem solchen des stolzen Bewußtseins wurde, bevorzugt und auserwählt zu sein. Vgl. zuletzt Willy Staerk, Zur Geschichte des Gottesgnadentums, Festschrift für W. Judeich (Weimar 1929) 160 ff.

Innerhalb dieser langen Entwicklung sind nun, wie schon bemerkt, die verschiedensten Formen und Möglichkeiten gegeben. Der Fürst kann rein passiv Gegenstand huldigender Apotheose werden, er kann die Vergötterung aber auch aktiv von sich aus bewirken. Diese selbst zeigt in beiden Fällen eine ganze Stufenleiter von Varianten: bloßer Vergleich mit Gott, oder einer Einzelgottheit, oder der Sonderform einer solchen, wie etwa Zeus Ἐλευθέριος oder Apollon Πατρῷος, Venus Genetrix usw., ferner genealogische Verknüpfung, insonderheit Gottessohnschaft, die Ehre der Tempelgemeinschaft, auch als Altar- oder Throngemeinschaft, oder aber die wirkliche Hypostase, also Antonius einfach Διόνυσος, die letztere auch in der Sonderform der Epiphanie, des Neuerscheinens des Gottes in der Herrschergestalt. So ist die Kaiserin Livia ἡ ἐπιφανεστάτη θεὰ Τύχη im lakonischen Gytheion. Die ganze große Gruppe der mit νέος verbundenen Götternamen gehört hierher: νέος Διόνυσος, νέα Ἀφροδίτη usw. Es können zu den Namen sichtbare Ehren und Kultformen hinzutreten: Statuen, Tempel, Altäre, Opfer, bestellte Priesterämter, Aufnahme in die Eidesformel (ὀμνύω βασιλέα Πτολεμαῖον, *jurandasque tuum per numen ponimus aras*, Horaz Ep. II 1, 16), die sakrale Huldigung durch Feste, die den gefeierten Namen bekommen, oder aber durch Feiertags- und Monatsnamen im Kalender, durch Neubenennung von Bürgerschaftsgruppen oder

Körperschaften, etwa eine neue φυλὴ Δημητριάς oder, genau diesem Vorbild entsprechend, eine neue *tribus Julia,* auch Verleihung einer besonderen sakralen Titulatur, wie der Name *Augustus* eine solche bedeutet — alles dieses wiederum in den beiden Hauptformen: manchmal entgegengebracht, manchmal gefordert, wobei auch das Publikationsmittel der Münzprägung beachtet sein will. Die Huldigungen im ersten Fall können rein privater Natur sein. Das liegt vor, wenn Vergil in der ersten Ekloge seinen Beschützer Octavian *Deus* nennt und ihm Altar und Opfer gelobt, was keineswegs nur als poetische Figur zu verstehen ist. Wir werden einer gleichartigen Huldigung an Antonius noch begegnen, allerdings im Orient, aber Analoga gibt es auch in Pompeji und andern italienischen Städten (Herzog-Hauser, RE Suppl. IV 830, 20 ff.). Die Apotheose kann ferner ausgehen von Korporationen, von Gemeinden, von Provinzen, sie kann auch Reichsangelegenheit sein. Es kann sich um transitorische, aber auch um Dauerformen handeln. Wohl jeder wird mit Erstaunen hören, daß der im Jahr 196 v. Chr. dem Griechenbefreier Flamininus in griechischen Ortschaften gestiftete Soter-Kult nicht nur zu Tiberius' Zeiten in Gytheion weiterbesteht, sondern (was Kornemann, Neue Dokumente zum lakonischen Kaiserkult, Breslau 1929, 21 übersehen hat) selbst noch in Plutarchs Tagen wird in Chalkis ein Tituspriester bestellt und am Titusfest ein besonderer Titus-Päan gesungen (vit. Flam. 17). Schließlich, unendlich wechselvoll ist auch das Verhalten der Vergöttlichten selbst. Sie können geschmackvoll reserviert sein, wie Scipio, Flaminin, Sulla, Caesar, Augustus und besonders betont Tiberius, der in seinem 1928 bekanntgewordenen Reskript an Gytheion die dort beschlossenen Kultehren für den Divus Augustus genehmigt, für die Kaiserin-Mutter die Genehmigung in deren Ermessen stellt, für sich selbst aber, seiner auch sonst uns bekannten Haltung gemäß, ablehnt: αὐτὸς δὲ ἀρκοῦμαι ταῖς μετριωτέραις τε ⟨τιμαῖς⟩ καὶ ἀνθρωπείοις. Von Augustus ist allgemein bekannt seine sorgsame Unterscheidung in diesen Fragen zwischen dem stadtrömischen, dem sonstigen italischen Gebiet und dem Ausland, besonders im Osten. Es gibt aber auch Träger der Vergottung, die mit Leidenschaft ein unerträgliches Theater spielen und wirklich, we jener Zeus-Menekrates, öffentlich im Kostüm ihre Rolle agieren. So Antonius, so später der Romanus Hercules Commodus, am weitesten gehend der wahnwitzige Caligula, der sich in allen nur erdenklichen Chargen sehen ließ, verrückterweise auch in weiblichen, als Hera, Artemis, Aphrodite. Er hielt sich eben für eine Inkarnation des gesamten Pantheons, weshalb er denn auch seiner Schwester und Hauptgeliebten Drusilla nach ihrem Ableben neben übermäßigen Konsekrationsehren als besonderes Prädikat den sakralen Namen Pantheia verlieh (Dion LIX 11, 39). Wie schwere Erschütterungen seine brutalen Vergottungsansprüche im Orient hervorriefen, wo sie dem Antisemitismus den Vorwand zu Pogroms gegen das der Apotheose naturgemäß widerstrebende Judentum lieferten, lernt man aus des Alexandriners Philon zwei politischen Schriften, wo natürlich die Ungeheuerlichkeiten des Kaisers mit den brennenden Farben des jüdischen Ressentiments ausgemalt sind, doch lesen wir alles für die kultische Angelegenheit selbst Wesentliche ebenso bei Sueton und Dion.

Wenden wir uns nun unserm besonderen Thema zu, so geschieht es mit dem Bewußtsein, daß vorher eigentlich, was aber Gegenstand einer eigenen Untersuchung sein müßte, noch ein zweites vorbereitendes Kapitel zu erledigen wäre, die von uns schon einmal gestreifte Apotheose des Demetrios. Mit Recht hat sie die Aufmerksamkeit der neueren Forschung auf sich gelenkt (Scott, The Deification of Dem. Pol., Am. Journ. Phil. XIX 1929, 222 ff.). Dieser geniale Märchenprinz aus dem Antigonidenhause, der zuerst unter den Diadochen, zusammen mit seinem Vater, den Königstitel zu tragen wagte, der ferner — wir denken an seinen berühmten Sternenmantel[1], den keiner nach ihm zu tragen wagte, und an das

[1] Gegen Eisler (Weltenmantel und Himmelszelt, 2 Bde., München 1910) ist zu bemerken: *Alexanders* Mantel, das von den Rhodiern ihm verehrte Epiporpoma (Plut. 32), war kein Ornat, sondern eine Chlamys: ἐχρῆτο πρὸς τοὺς ἀγῶνας, wie es die Bilder zeigen. Nichts von einer kosmischen Darstellung darauf, wie auf dem Bamberger Mantel. Was aber den römischen Kaiserornat angeht, so steht der in völlig andrer Tradition. Es ist das Triumphalgewand, die ἐσθὴς νικητηρία; das Recht sie dauernd zu tragen erhielt Augustus im Jahre 25 (Dion LIII 26, 5). Und zwar war es die nach Appian (Pun. 66) von jeher übliche πορφύρα mit eingestickten goldenen Sternen. Ein Sternenmuster ist noch längst kein kosmisches Symbol. Wie unendlich oft zeigen es die Vasenbilder.

athenische Bild, wo er dargestellt war ὀχούμενος ἐπὶ τῆς οἰκουμένης — den Weltherrschaftsgedanken für seine Person entschieden wieder aufnahm, er hat, wie die nähere Betrachtung zeigen würde, noch in viel späteren Zeiten in den Angelegenheiten sakraler Propaganda eine paradigmatische Bedeutung gehabt, und zwar nicht allein nur für S. Pompeius und Antonius, doch allerdings ganz besonders für Antonius. Es ist nicht Willkür und Zufall, wenn gerade er in Plutarchs Parallelbiographien mit Antonius zu einem Paar vereinigt wird. Vor allem der dionysische Lebensstil (ὁ ζῆλος τοῦ κατὰ Διόνυσον βίου), bei Demetrios schon von der hellenistischen Geschichtsschreibung betont (Diodor XX 92), ist das sichtbarste Gemeinsame (Plutarch Dem. 2, Ant. 60): das ganze Leben wie ein Rausch, genial verschwenderisch und unbeherrscht in Leistung wie Genuß, ganz eigentlich dionysisch in Zecherlust und Schwelgerei, nicht ohne die eindrucksvollen Züge ritterlicher Romantik, der Freude am Phantastischen und einer erotischen Galanterie, die sich ebensosehr und gleichzeitig fürstlichen Frauengestalten zuwendet wie den gerade in Flor und Mode stehenden großen Courtisanen. Begreiflich, daß manches Motiv auch aus der persönlichen Lebensgestaltung des Demetrios bei Antonius wiederkehrt. Bei Augustus ist nur *ein*mal, in seinen jugendlichen Anfängen, wie wir sehen werden, ähnliches festzustellen; dann nie mehr. Im Gegenteil, seine Haltung zielt bewußt darauf ab, wirkungsvoll ein Gegenbild zu diesem Dionysiertum in die Welt zu stellen. Oft übersehen, wird gerade diese seine Tendenz neuerdings, besonders von angelsächsischen Gelehrten[2], mit Recht beachtet und herausgearbeitet, wobei man geradezu von Counterpropaganda redet.

II

Antonius hat ostentativ die Rolle des νέος Διόνυσος erst von einem bestimmten Zeitpunkt ab übernommen. Zuerst begnügte er

[2] H. J. Rose, The departure of Dionysos, Ann. of Arch. and Anthrop. XI 1924, 25 ff., mir nur bekannt aus Nock, Journ. of hell. Stud. XLVIII 1928, 21 ff. (33). Ferner Scott, Class. Philol. XXIV 1929, 133 ff. Vorher

sich, wie Caesar und Octavian als Aeneaden sich genealogisch an Venus und Mars anschlossen, so seinerseits als Heraklide aufzutreten. Von einem Heraklessohn Anton wollten die Antonier abstammen (Appian II 16. 19). Plutarch sagt, auch in der Art sich zu tragen, betonte er solche Herkunft: hochgegürtet, ein mächtiges Schwert umgehängt, im groben Kriegsmantel. Züge des Heraklestyps fanden die Künstler auch in seinem Gesicht (4). Gemäß der Vertauschbarkeit der Götterposen griff er auch später, als er schon längst der νέος Διόνυσος war, gelegentlich auf sein Heraklidentum zurück, wenn ihm etwa vorgeworfen wurde, daß er so viele Bastarde in die Welt setze (Plut. 36. 60). Noch nicht als dionysisch kann es gelten, wie Riewald[3] bemerkt hat, wenn er, zu Caesars Lebzeiten und in Rom (49 und die folgenden Jahre), in der Öffentlichkeit bisweilen auf einem Wagen mit Löwengespann erschien, an seiner Seite eine damals viel umworbene Bühnen-Diva, worüber u. a. Cicero sich skandalisiert hat (ad Att. X 13, 1; Phil. II 58 nebst Plin. NH VIII 55). Falsch allerdings ist Riewalds Argument, er hätte, wenn der Aufzug dionysisch gemeint war, Tiger nehmen müssen. Lebendige Tiger bekamen die Römer nachweislich zuerst im Jahre 20 v. Chr. zu sehen (Dion LIV 9, 8). Es genügt aber vollkommen, in der Sache einfach eine der vielen Proben von des Antonius Exzentrizität zu sehen. Mit dieser Neigung, die gerade auch für das hier von uns behandelte Gebiet wichtig ist, muß man bei ihm dauernd rechnen. Wir denken daran, daß er später in Alexandria mit Kleopatra zusammen geradezu was man einen „Excentric-Club“ nennen könnte, gegründet hat, dessen Mitglieder οἱ ἀμιμητόβιοι hießen (Plut. 28). Wir haben (um einen Augenblick bei dieser sittengeschichtlichen Merkwürdigkeit zu verweilen) sogar die Inschrift eines Verehrers, die dem Antonius in solcher Eigenschaft gilt und die uns interessant ist auch als Dokument für jene Art von Privatkulten, die wir aus Vergils erster Ekloge kennenlernten: Ἀντώνιον μέγαν ἀμίμητον τὸν ἑαυτοῦ θεὸν καὶ εὐεργέτην κτλ. (Dit-

Jeanmaire, La politique religieuse d'Antoine et de Cléopatre, Rev. arch. XIX 1924, 241 ff.

[3] De imperatorum Rom. cum certis dis et comparatione et aequatione, Diss. phil. Hal. XX 3, 1912, 320.

tenberger, Syll. Or. 195). Kurz vor seinem Selbstmord, nachdem der entscheidend Geschlagene eine Zeitlang in einer Art Einsiedelei, seinem Timoneum, weltabgeschieden den berühmten Misanthropen Timon gemimt hatte (Plut. 69—71), erneuerte er mit einem seiner unvermittelten Stimmungswechsel das wahnsinnige Schwelgerleben der „Unnachahmlichen“. Doch nannten sie sich jetzt, exzentrisch und spleenig noch mit dem Tode spielend, οἱ συναποθανούμενοι, also nunmehr ein „Selbstmörder-Klub“. Wenn man solche Exzentrizität, die Antonius sein ganzes Leben hindurch begleitet hat, in Rechnung stellt, so wird man Riewald trotz seines Fehlarguments mit den Tigern recht geben und auch die berühmte Löwenkutsche auf dieses Konto setzen und nicht ein bewußt und berechnet als solches zur Schau gestelltes dionysisches Emblem darin erkennen wollen.

Festzustellen ist ferner, daß in jener frühen Zeit von einem Einfluß der Kleopatra noch keine Rede sein kann, später seiner Partnerin im Dionysos-Spiel und vielleicht die eigentliche Urheberin des Gedankens, damit Ernst zu machen. Allerdings lebte sie seit Sommer 47 ununterbrochen in Rom, bis kurz nach den auch für sie schicksalsvollen Märziden 44. Doch eine Verbindung mit Antonius, auf den freilich schon im Jahr 55 bei einer Anwesenheit in Ägypten die damals Vierzehnjährige Eindruck gemacht haben soll (Appian V 8), verbot sich damals von selbst durch die Rücksicht auf den Plan Caesars, mit der Trägerin der Legitimität im wichtigsten Machtbereich des Ostens sich ehelich zu verbinden, ein Plan beiläufig, der mit zu den Gründen für die zunehmende Mißstimmung gegen Caesar gehörte, den indessen später Antonius wiederaufgenommen hat mit allem, was dazugehörte und was, so scheint es, ernstlich auf das Verlegen des Schwerpunkts der neuen Universalmonarchie in den Osten hinauslief[4]. Indessen, all dies gehört

[4] Nicol. Damasc. 90, 130 p. 404, 16 ff. Jac.; Suet. Caes. 79; die Erklärer zu Hor. carm. III 1, 58 ff. — Vielleicht ist sogar das Dionysos-Programm des Antonius und der Kleopatra schon Caesars Plänen nicht fremd gewesen. Wenigstens hat dieser sich für den hellenistischen Dionysoskult interessiert und ihn in Rom eingeführt. Ob dabei an den von Martial I 70, 9 genannten Tempel auf der Velia zu denken ist (Wissowa[2] 303), steht dahin. Die Nachricht selbst tritt innerhalb jener Exegese von Vergils 5. Ekloge

begreiflicherweise erst zu dem Antonius nach Caesars Fall. Wir wüßten vermutlich Genaueres über das zeitliche Hervortreten der einzelnen Momente, hätten sich die literarischen Erzeugnisse erhalten, durch die während der 30er Jahre die Fehde zwischen Octavian und Antonius wiederholt auch einen publizistischen Ausdruck fand. Daß dabei auch das dionysische Wesen reichlich verhöhnt und angegriffen wurde, verrät uns der merkwürdig offenherzige Titel einer Apologie, die Antonius noch ganz zuletzt veröffentlicht hat, *exiguo tempore ante proelium Actiacum* (Plin. NH XIV 147): *de ebrietate sua,* richtig im Zusammenhang mit dem propagandistischen Dionysiertum beurteilt von Scott (Class. Philol. XXIV 1929, 133 ff.), welcher politische Grundton natürlich gar nicht ausschloß, daß auch ernsthafte Literatur περὶ μέθης mit ihrer Topik dazu herhalten mußte und daß gegen das wassertrinkende Philisterium ähnlich gespottet wurde, wie nachmals von Horaz (Ep. I 19, 1 ff.). Aber desselben Horaz Triumphlied *nunc est bibendum* kennt die andere Tonart. Er nennt freilich nur Kleopatra, weil ja offiziell der Krieg nur gegen sie geführt wurde, doch ist es darum nicht minder bezeichnend, daß er die dämonische Frau im Rausche handeln läßt, nicht nur *ebria* ist sie, sondern geradezu *lymphata Mareotico.*

Fragen wir einmal zunächst vor dem Versuch, den Zeitpunkt ihrer Aufnahme zu bestimmen, nach dem Sinn der Dionysos-Rolle. In Betracht kommt natürlich allein die jüngere Form des Kults,

auf, die in der Daphnisgestalt des Dichters Julius Caesar erblickte und dem entsprechend auch V. 29 interpretierte: *Daphnis et Armenias curru subiungere tigris Instituit, Daphnis thiasos inducere Bacchi Et foliis lentas intexere mollibus hastas.* Gewiß ist, daß mit solcher Allegorie in einer schwebend-andeutenden Weise, ohne pedantisch durchgehende Anpassung der manchmal notorisch widerstrebenden Einzelheiten, wirklich zu rechnen ist. Weil nun gerade die Einsicht in die geschichtlichen Widersprüche den antiken Berichterstattern über die Hypothese gar nicht fehlt, so fällt es ins Gewicht, wenn V. 29 die sonst nicht weiter konfrontierbare Notiz über Caesar mit dem zuversichtlichen *constat* auftritt: *hoc aperte ad Caesarem pertinet, quem constat primum sacra Liberi Patris transtulisse Romam* (doch wohl erst nach der Rückkehr aus dem Orient und dann also in der Zeit, wo Kleopatra in Rom lebte). Vgl. Cumont an der alsbald zu nennenden Stelle, S. 196 f.

die ihm in der hellenistischen Zeit zu neuer Expansion verhalf, wovon das berühmte Senatusconsultum de Bacchanalibus (186) ein einzelnes wichtiges Zeugnis darstellt. Es handelt sich bei dieser vorwiegend asiatisch-ägyptischen, reichlich in orientalischen Synkretismen verhafteten Heilsreligion um ein Stück Religionsgeschichte, das als Ganzes einer Sonderdarstellung bedarf, wie sie unlängst auch v. Wilamowitz forderte anläßlich seiner Deutung der in diesen Zusammenhang hineingehörenden neuen Wandbilder von Ostia (Stud. Ital. NS VII 1929, 89 ff.). Vorderhand orientieren etwa: Guil. Quandt, De Baccho ab Alexandri aetate in Asia Minore culto, Diss. Philol. Hal. XXI 2 (1913) und der Anhang in Fr. Cumonts Orient. Religionen im röm. Kaiserreich ([3]Lpz. 1931) 192 ff.; auch Delatte und Josserand über die Basilica bei Porta Maggiore, in den Serta Leodiensia (Lüttich 1930) 109 ff., sowie Hubaux, ebd. 187 ff.

Was die Beziehungen von Herrschern zu diesem Dionysos angeht, so ist es vielleicht ein Versehen, wenn in der Kaiserzeit Herodian (I 3, 4) bereits Antigonos, des Demetrios Vater, förmlich in der Rolle des Dionysos auftreten läßt. Sicher ist, daß die Attaliden besondere Verehrer eines Διόνυσος καθηγεμών waren, vermutlich mit genealogischer Begründung. Die klassischen Vertreter des Kultus, auf seinen Mythos und seine Symbolik von entscheidendem Einfluß, sind aber, wie insbesondere Nock gezeigt hat (oben S. 131 Anm. 2), die Ptolemaeer gewesen. Schon unter dem zweiten fand jene große Prozession in Alexandria statt, von der wir eine kunst- wie religionsgeschichtlich gleich wichtige Beschreibung besitzen; da hatte Dionysos bezeichnenderweise nicht nur das zahlreichste Gefolge, sondern in der Rangordnung den Vortritt selbst vor Zeus (Ath. V 202 a). Ein Hauptpatron des Kults ist alsdann der vierte Lagide, Philopator (221—204), der sich einem neueren Papyrusfund zufolge sogar für die zugehörige Ritualienliteratur und das Dogma interessierte[5]. Er führt auch amtlich den Titel νέος Διόνυσος (Clemens, Protr. 4, 54). Sein Kult ist mit Mysterien verbunden; ὦ τελεταὶ τοῦ νέου Διονύσου singt sein Hofpoet Euphron (nicht: Euphorion;

[5] Reitzenstein, Arch. f. Religionswiss. XIX 1916/19, 191; Texte auch in Schuberts Einf. in die Papyruskunde 352.

vgl. Skutsch, RE VI 1178). Die gleiche Titulatur hatte nach Ausweis von Inschriften und Papyri gegen Ende der Lagidenzeit Ptolemaeus XI Auletes, und das ist der Vater der berühmten Kleopatra, so daß wir unsern Antonius sozusagen in eine ägyptische Familientradition eintreten sehen. Und zwar in eine ihm wirklich ganz kongeniale; denn auch Auletes war ein solcher Zecher, Schwelger und Schwärmer wie er selbst (vgl. Lukian, calumn. 16). Indessen das Motiv die Rolle aufzunehmen war denn doch ein tieferes. Die Symbolik des hellenistischen Dionysos ist ausgezeichnet durch bestimmte Elemente, die gerade im Ptolemaeerreich in den Mythos hineinverwoben wurden, indem einerseits Züge der Alexanderlegende, vor allem die Episode von Nysa und der bakchantische Festzug beim Heimmarsch aus Indien, die Alexandergestalt ins Dionysische umgedichtet zeigten, andererseits die Sage vom Indienzug des Dionysos auf den Gott Einzelheiten aus dem Bilde des strahlenden Makedoniers übertrug. Durch solches Verschmelzen von Mythus und Geschichte wird der Gott eine Verkörperung des siegreichen hellenistischen Welteroberers, Städtegründers, Ausbreiters und Schützers der griechischen Zivilisation in ihrer damaligen werbekräftigen und universalistischen Gestalt. Hier liegt, wie man leicht sieht, die politische Verwertbarkeit dieser religiösen Konzeption. Wie gut möglich es war, sie propagandistisch auszunützen, hatte sich in der Generation vor Antonius schon einmal erwiesen bei Mithridates dem Großen. Auch der hat den Namen Dionysos wie einen Titel geführt (Clemens a. a. O.). Der Erfolg zeigte sich bei seinem antirömischen Hauptschlag, der Vesper von Ephesos, in der nationalen Begeisterung aller Griechen: *Dominum patrem conservatorem Asiae, Euhium Nysium Bacchum Liberum nominabant* (Cicero, pro Flacco 60). Das war etwas wie „hellenischer Freiheitsheld und Befreier, Gründer eines Groß-Imperiums auf griechischem Grunde". Solches konnte damals eine herrscherliche Epiphanie des Dionysos bedeuten, und dies sind die Voraussetzungen, aus denen heraus man auch Antonius verstehen muß.

Dabei ist diese Rolle von ihm nicht eigentlich aufgegriffen worden; sie fiel ihm von selber zu. Und zwar am richtigen Ort dafür, in der Levante, als er sich nach der Schlacht von Philippi (42) vereinbarungsgemäß dorthin begab zur Beschaffung der großen Geldmittel, die für die Belohnung der Truppen benötigt wurden. Plutarch schildert ausführlich, wie ihn die asiatischen Griechen mit den nun schon traditionellen Vergöttlichungshuldigungen überschütteten (24). Da entfaltete sich jenes rauschend bewegte Leben, wie es dieser genußfrohen Natur willkommen war. Er zog von Fest zu Fest, umworben von Königen und Königinnen, im eigenen Hofhalt die berühmtesten Musiker und Tänzer der Zeit, wie er auch später als Neos Dionysos Wert darauf legte, daß sein Hofhalt Mittelpunkt der Dionysischen Techniten aus aller Welt wurde und er selbst ihr Schutzherr; vgl. Plut. 56 f. über das Weltmusikfest in Samos im Jahre 32. Waren doch auch nach Ausweis der Inschriften die Techniten besonders eifrige Werber für den asiatischen Dionysos (vgl. Quandt 160). Ganz Asien, sagte Plutarch, war erfüllt von Opferduft; Päane erklangen allerorten und nicht minder die jubelnden Naturlaute dionysischer Ekstase. Den Einzug in Ephesos geleitete eine regelrechte Prozession in den echtesten Formen eines Bacchanals, wie wir solche Καταγώγια des Gottes in diesen Gegenden auch sonst kennen (Quandt 170 f. Schon Maass in seinem Orpheus, S. 56, hat des Antonius „Einholung" damit zusammengebracht). In Ephesos geschah es denn auch, daß er wirklich *ausgerufen* ward als Dionysos, mit den Zunamen Χαριδότης und Μειλίχιος. Das ist nun aber der Zeitpunkt, wo Kleopatra auf das wirkungsvollste eingreift. Vorgeladen, um sich zu verantworten wegen ihrer bis zur Entscheidung von Philippi abwartend undurchsichtigen Haltung, unternimmt sie jenen berühmten Theatercoup, den Besuch bei Antonius in Tarsos auf einer Prunkgaleere mit all der phantastischen Üppigkeit, die Zeitgenossen im Stil von Rubens oder Makart geschildert haben (Sokrates, Ath. IV 174 e). Ein mythologischer Apparat von unsinniger Pracht. Die Devise aber lautete: ὡς ἡ Ἀφροδίτη κωμάζοι πρὸς τὸν Διόνυσον, und zwar mit dem der Zeit wie dem Ort und dem Empfinden des levantinischen Griechentums vorzüglich angepaßten Zusatz: ἐπ' ἀγαθῷ τῆς Ἀσίας (Plut. 26). An eine Reihe verschwenderischster Festtage schloß sich gleichartig ein ganzer Winter an (41/40), da der Ritter Antonius in Alexandria, wie man im Mittelalter gesagt hätte, „sich verlag". Gebärde und Pose des Dionysos, als Symbol für ein hellenistisches Herrschafts- und Zivilisationsideal, das bleibt von nun an die sakrale

Propagandaform, durch die man bestrebt ist, das Wesen des zu gründenden neuen Reiches sichtbar zu machen. Es ist wie ein Bekenntnis der Vertreter- und Führergestalt. Auch von einem Programm darf man sprechen, doch in echt antiker Weise ist das kein Schriftstück und keine in Worten gestaltete Formel, es ist sozusagen ein visuelles Programm. Es ist bekannt, wie namentlich die antike Münzprägung ähnlicher Mittel sich bediente und dadurch namentlich für die neueste Forschung zu einer reichen Quelle für die Erkenntnis gewisser geistiger Elemente im historischen Geschehen geworden ist, nämlich der propagierten Programme, Tendenzen, politischen Leitideen und kulturellen Ziele der Herrscherpolitik.

Äußerlich betrachtet folgte dem ägyptischen Winter zunächst eine fast vierjährige Trennung von Kleopatra. Im Jahr 40 mit Octavians Schwester vermählt, geht Antonius von neuem in den Osten, der ihm nunmehr kraft des brundisinischen Friedens als sein Reichsanteil zugefallen war, und verlebt den Winter 39/38 in Athen. Gerade von diesem Zeitpunkt an tritt er aus der mehr passiven dezidiert in die aktive Rolle über: καὶ ἔκτοτε ἐκέλευσεν ἑαυτὸν Διόνυσον ἀνακηρύττεσθαι κατὰ τὰς πόλεις ἁπάσας (Sokrates, Ath. IV 148 c. Dion sagt wohl genauer νέος Διόνυσος, entsprechend der ptolemaeischen Titulatur, XLVIII 39, 2). Trotz Mitanwesenheit seiner edlen Frau wiederholt er damals in Athen die dionysische Liederlichkeit des Demetrios. Hierher gehört die öfter, am hübschesten vom Rhetor Cestius Pius (in Senecas Suas. 1, 6) erzählte Geschichte von der Strafe für eine unwürdige Schmeichelei der damaligen Athener. Sie bieten dem neuen Gott die Burggöttin als Gemahlin an. Er sagt zu, verlangt nun aber auch eine Aussteuer von 1000 Talenten. Nutzlos der Einwand, seine Mutter Semele sei doch vom Vater Zeus ehedem auch ohne Mitgift genommen worden. Sie mußten zahlen, und Antonius machte sich auch aus den bissigen Versen nichts, die hierauf erschienen, z. T. angeheftet an die Bildsäulen des neuen Gottes. (Beiläufig: auch in Ägypten regte sich später die Opposition und äußerte sich in Karikaturen des Götterpaars Antonius-Kleopatra; vgl. Nock, a. a. O. S. 33, Anm. 61.) Im Winter 37/36 läßt Antonius Kleopatra nach Syrien kommen und wird durch Verheiratung mit ihr ägyptischer Prinzgemahl, eine klare Aufnahme des erwähnten Planes von Caesar, auch diesmal ohne sofortige Scheidung von der legitimen römischen Gattin. Dazu kam es erst 32, und es bedeutete den definitiven Bruch mit Octavian. Das berühmte Paar selber orientalisiert sich nunmehr auch in seiner Götterrolle, den Ägyptern zuliebe: Osiris-Dionysos und Nea-Isis oder Selene-Isis (auf Münzen doch auch 'Αφροδίτη); vgl. Dion L 5, 3 und 25, 3; Velleius II 80, 4. Solche Barbarisierung wurde natürlich für die Gegenseite ein Gegenstand schwerer Vorwürfe. Besonders spüren wir das in der für unseren Zusammenhang überhaupt lehrreichen Rede, die Dion den Octavian vor der Entscheidungsschlacht halten läßt (L 25), in deren Gedanken und Schlagworten mittelbar oder unmittelbar gewiß die Pamphlets aus jener schon erwähnten literarischen Fehde der beiden Streiter nachklingen. „Antonius" (so heißt es da), „zweimal Konsul, oftmals Imperator, nun Triumvir, dem so viele Städte und Armeen anvertraut sind, der hat sich jetzt von der Vätersitte der Lebensführung völlig losgesagt. Aller Fremdländerei huldigt er und barbarischem Wesen, will nichts mehr wissen von uns und von der Vorfahren Gesetzen und Göttern. Jenes Weib betet er an, als Isis oder Selene, nennt seine Kinder von ihr Helios und Selene, zuletzt sich selber Osiris und Dionysos und gebärdet sich nach solcher Erhöhung, als sei er der Herr der gesamten Erde und des gesamten Meeres, und so verschenkt er nach Belieben ganze Inseln und auch schon Festlandsgebiete" (an die ägyptische Krone). Im letzten Teil dieser Vorwürfe sieht man besonders deutlich, wie die Dionysos-Symbolik die Idee der Universalherrschaft einschließt: Antonius tritt auf, καθάπερ πάσης τῆς γῆς, πάσης δὲ τῆς θαλάσσης κυριεύων. So fügte er denn auch dem ptolemaeischen Symbol für Wohlstand und Segensfülle, dem Doppel-Füllhorn mit dem Merkurstab, bezeichnenderweise den Globus hinzu; vgl. Alföldi, Herm. LXV 1930, 379. In dionysischer Erhöhung sah man auch seine Gestalt zu Alexandria in der Öffentlichkeit: auf einem Wagen, *redimitus hedera coronaque velatus aurea, thyrsum tenens,* nach Velleius. Kleopatra stiftete dem vergöttlichten Prinzgemahl jenen gewaltigen Tempel, der freilich später, bei der Katastrophe noch unvollendet, als Σεβαστεῖον, d. h. als Augusteum, fertiggebaut werden sollte, wie desgleichen die soeben erwähnten Münzembleme später im Westen der Symbolik des *augusteischen* Friedensglücks zu dienen bestimmt waren; so auf dem

Altar von Bologna (Lehmann-Hartleben, Röm. Mittlg. XLII 1927, 163 ff.) und in einer Variante auf dem Karthagischen Altar der gens Augusta.

Den Ausklang dieses dionysischen Traumes gibt eine in ihrer Art poetische, von Plutarch (75) erzählte Legende. Für eine solche möchte ich nämlich den Bericht halten, wie es erfreulicherweise neuerdings auch Scott tut (Class. Phil. XXIV 1929, 135 f.), während Rose meinte — vielleicht ist das bezeichnend für die englische Auffassung von der Legitimität böswilliger Fiktionen zum Schaden des Kriegsfeindes —, es handle sich hier um ein literarisches Erzeugnis aus Octavians Propagandabüro, dann wohl dazu bestimmt, das Dionysiertum des Gefallenen völlig auszulöschen. Die Geschichte lautet: In der Nacht vor Antonius' Selbstmord hörte man plötzlich mitten im lastenden Schweigen der angstbeklommenen Hauptstadt Geisterstimmen, Musik, dionysische Rufe und den Takt von Tanzsprüngen unsichtbarer Satyrn. Der Gespensterzug verließ dann durch ein bestimmtes Stadttor Alexandria, dasjenige Tor, durch das man zum Feindeslager gelangte. Es war (so schließt Plutarch), als ob der Gott Antonius verließe, und zwar *der* Gott[6], dessen Wesen er allezeit am meisten sich angeglichen hatte, äußerlich wie innerlich (ᾧ μάλιστα συνεξομοιῶν καὶ συνοικειῶν ἑαυτὸν διετέλεσεν).

[6] Shakespeare hat sich die stimmungsvolle Episode nicht entgehen lassen, aber den Gott anders gedeutet: *'tis, the god Hercules whom Antony lov'd now leaves him,* eine Deutung, die Hirzel, Plutarch 141, seltsamerweise für die richtige hält. Der vom Dichter benutzte Plutarchübersetzer North ist an dessen Fehlinterpretation unschuldig, wie Zielinski festgestellt hat, Philol. LXIV (1905), 25. Daß man die im Zusammenhang des gesamten Dionysiertums des Antonius auftretenden Geister als ursprünglich römisch gedachten Chorus persönlicher „Genien“ zu deuten hätte, scheint mir sehr unwahrscheinlich (so kürzlich Kurt Sauer, Unters. zur Darstellung des Todes in der gr.-röm. Geschichtsschreibung, Diss. Frankf. 61). Angeregt hat die Szene noch in unserer Zeit den (allerdings gerade in Alexandria heimischen) Dichter Kavaphis (in K. Dieterichs Neugriech. Lyrikern, Lpz. 1928, S. 73).

III

Und nun gegen Antonius-Dionysos der apollinische Octavian! Da herrscht, dem eignen und dem Wesen des erwählten Gottes entsprechend, überall der diametrale Gegensatz: alles ist klar, beherrscht, die verkörperte Sophrosyne. Gegen den romantischen Überschwang der höchst rationale und dabei doch nicht schwunglose Geist des klassizistischen Empire. Ethos gegen Pathos. Nietzsche hätte darauf hinweisen können, daß seine so erfolgreich gewordene Antithese „Dionysisch und Apollinisch" vor fast zwei Jahrtausenden schon einmal unter eben dieser Namenssymbolik verkörpert war in zwei weltgeschichtlichen Gestalten, deren Bedeutung freilich die Bezirke des Künstlerischen weit überschreitet, aber in gewisser Hinsicht sie doch auch einschließt. Um vom Klassizismus in Kunst und Poesie der Augusteer zu schweigen, es ist nicht ganz gleichgültig, was wir vom Redestil der beiden Antagonisten erfahren. Antonius, offenbar in der Hauptsache ein Vertreter des hellenistischen Barockstils der sogenannten Asianer, bewegte sich in dessen pathetischen und unruhigen Formen, breit, figurenreich und zugleich nervös, voller Aufdringlichkeiten, *quae mirentur potius homines quam intellegant*, wie der Gegner höhnte (Sueton 86, 2). Dieser war seinerseits *munditiarum patris sui in sermonibus sectator* (Gellius X 24, 2), Vertreter der knappen und sachlichen Schlichtheit der neuen Attiker, einer präzisen Eleganz, die das rechte Organ darstellt für einen ausgesprochenen, dabei aber keineswegs kalten und erkältenden Intellektualismus. Es ist immer der gleiche Gegensatz, sichtbar und anschaulich zutage tretend in einer mythologischen Symbolik. Geistesgeschichtlich betrachtet ist eine solche Leistung der in religiöser Hinsicht längst entleerten Formen eine bedeutsame Sache. Für den Philosophen nur noch Begriffsverkörperungen seiner Theologia naturalis, für Dichter und Künstler das anmutige Ausdrucksmittel ihrer Theologia theatrica, vermögen diese mythischen Gestalten gleichwohl in der dritten der von einem hellenistischen Denker unterschiedenen Theologien, in der Theologia civilis, noch immer eminent wichtige, praktisch politische Funktionen auszuüben, wie in andrer Hinsicht, so auch in der jetzt von uns betrachteten Verwendungsart. Man kann das hier in Frage

Kommende so formulieren: es handelt sich um ein bewährtes Mittel der Politik, etwas auszudrücken, es sichtbar und hierdurch zugleich wirksam werden zu lassen, was wir *die politischen Imponderabilien* nennen würden. Dies ist das Entscheidende, nicht das Streben nach einer Heiligung der eigenen Gewalt, obgleich im Verlauf der Zeit eben dies Ergebnis sich wirklich mit einstellt, die geheiligte Person der Majestät: *divina tua mens et numen, imperator Caesar,* das ist nicht Floskel der Hofpoeten, so wendet sich an den Kaiser der höchst prosaische Techniker Vitruv.

Wie richtig, unter solchem Gesichtspunkt betrachtet, nicht nur in der Negation gegen Antonius, sondern weiterhin auch als ein positives Moment [7], das Bekenntnis Octavians zu Apollon gewesen ist, beweist allein schon ein äußerer Erfolg innerhalb dieser Symbolik selber. Auf Grund eines reichen Materials literarischer, epigraphischer, numismatischer, kunstarchäologischer Art konnte Riewald (320) feststellen: während im Hellenismus eine lange Reihe fürstlicher Dionyse erscheint, begegnet in all der Vielgestaltigkeit des Pantheons der römischen Kaiserapotheose kein einziger Dionysos oder Bacchus mehr. Octavians Gott hat tatsächlich gesiegt. Was nun den Sinn dieser Wahl angeht, so sieht man leicht: daß kein römisch-italisches Numen, sondern eben Apollon gewählt ward, das machte diese Politik auch für die griechische Welt verständlich

[7] Mit Wärme und Nachdruck hat die positive Seite Rostovtzeff betont, sowohl in dem schönen Aufsatz in den Röm. Mittlg. XXXVIII/IX 1923/24, 281 ff. wie in seiner „Gesellschaft und Wirtschaft im röm. Kaiserreich" (Lpz. 1931) I, 59; 253 ff., indem er sich gegen die Deutung als bloße Propaganda wendet, eine Deutung, die dem *Gesamtumfang* der Sache sicherlich ebensowenig gerecht wird, wie wenn Cumont a. a. O. 35 erklärt: „Von diesem Augenblick an datiert in Europa der Bund zwischen Thron und Altar." Am richtigsten urteilte wohl R. Heinze in dem der Religion gewidmeten Abschnitt seiner ›Augusteischen Kultur‹ (Lpz. 1930): Es ist eine *Verbindung* von Staatsraison und stoisch zugleich und vaterländisch gerichteter Religiosität, in der spezifisch römischen Form der Pietas. Der von der anderen Seite so stark betonten Counterpropaganda wird man aber zugestehen müssen, daß sie der von späteren Ausgestaltungen wohl zu unterscheidende *Ausgangspunkt* mindestens des augusteischen *Apolliniertums* gewesen ist.

zugleich und versöhnend; es sicherte ihren Universalismus. Wie aber die augusteische Klassik über den Hellenismus hinaus, ohne doch dessen Leistung zu verleugnen, Anschluß sucht an die Größe des vorhellenistischen Griechentums, so bedeutet auch Apollo gegenüber dem zum typischen Vertreter eben des Hellenismus gewordenen Dionysos die gleiche geistige Orientierung. Das stimmte auch zusammen mit der früh erkennbaren und immer deutlicher sich ausprägenden Abwendung von der verhängnisvollen Gleichgültigkeit der caesarisch-antonischen Politik gegen die altrömische Tradition und Geschichte. Symbolisierte Apollon das altgriechische Wesen, den altgriechischen Sinn für heilige Bindung, geordnete Dauer und gleichsam Statik, so vertrat er auch passend das *moribus antiquis stat res Romana virisque*, jenen Geist, der verantwortungsvoll der vaterländischen Geschichte treu bleiben wollte und abhold war der entpflichteten Willkür eines dynamisch bewegten Neuerungswillens. Ebenso als Hüter aller Klarheit und Gedankenstrenge war für die Disciplina Romana der altgriechische Apollon der richtige Gott und nicht der hellenistische Schwärmer Dionysos, obwohl ihn Caesar, der Anwärter hellenistischer Herrscherideale, nach Rom versetzt hatte.

Auch wenn wir den Blick auf die Stadt Rom für sich allein lenken, erwies sich Apollon als eine glückliche Wahl. Wie stark auch der Wille zur Kontinuität war, um eine Neubildung des Staats handelte es sich nun doch. Ohne zu verletzen, konnte gerade mit Apollons Patronat dies Neue gebührend betont werden. Denn eindrucksvoll mußte der kaiserliche Hausgott schon deshalb hervortreten, weil vor dem weißen Marmorbau des palatinischen Tempels, den Augustus mit dem eigenen Wohnungspalast verbunden in unerhörter Pracht errichtete, Apollon in Rom kein besonders bedeutsames Numen gewesen war. Es gab zu Rom vorher nur einen einzigen Apollontempel, und zwar einen gewiß etwas altertümlichen, unscheinbaren, weil schon in frührepublikanischer Zeit gebaut (vgl. Altheim, Griech. Götter im alten Rom, Gießen 1930, 163). Dazu war dieser Apollon, zu dem auch die *ludi Apollinares* gehörten, in seiner Funktion ganz eng begrenzt, nichts als ein die Pestilenz abwehrender Heilgott, geradezu Apollo Medicus, Patron der kommunalen Hygiene, also von sich ganz fernstehend aller für den Staatsgedanken als solchen wertvollen Symbolik [8], es sei denn mittelbar durch seine Priester, insofern diese Mitglieder jener Kultbehörde waren, der u. a. Einsicht und Deutung der Sibyllenorakel oblag. Wieviel dagegen der neue im Jahr 28 dedizierte palatinische Apollon in diesem Sinne bedeutete, darüber ist man sich längst klar. Ich erinnere nur an zwei Tatsachen. Horazens Ode zum Säkularfest des Jahres 17 bringt nichts Geringeres klar zum Ausdruck, als daß jener Apollon und nicht mehr Juppiter Capitolinus der eigentliche Repräsentant von Rom ist (in dessen Gewahrsam nun auch die heiligen Schicksalsbücher überführt worden sind). Die Dreigliedrigkeit des Liedes bedeutet, daß die jugendliche Prozession vom Palatin ausgeht und nach einem Verweilen auf dem Kapitol ebendahin zurückkehrt. So feiern Eingang und Schluß Apollon und seine Schwester Diana. Aber auch das nur vier kurze Strophen umfassende Mittelstück, das nun wirklich auf dem Kapitol gesungen wurde, gilt nicht etwa im besonderen dem Juppiter. Vielmehr geht der Gesang hier auf die römische Gründungslegende ein, und die Aeneadenschöpfung zu betreuen wird nicht Juppiter, sondern namenlos die Gesamtheit der Götter angefleht. Dabei muß noch bedacht werden: jene Legende lenkt stillschweigend die Gedanken hin auf das Aeneadenhaus der Julier, und die damals so demonstrativ gepflegte Tradition von der trojanischen Abkunft der Römer und ihres Herrscherhauses deutet insofern wieder auf Apollon hin, als der in der Ilias den Trojanern beisteht und somit naturgemäß auch den Trojaabkömmlingen in Rom. — Eine noch deutlichere sakrale Geste erfolgte 5 Jahre später, als Augustus den Großpontifikat übernahm. Statt die alte Regia als die herkömmliche Amtswohnung zu beziehen, überwies er diese den Vestalinnen und

[8] Nach den Arvalakten war der Stiftungstag der 23. September (Wissowa [2] 295). Da des Augustus' Geburtstag und das Zusammenfallen der Tage schwerlich nur Zufall ist, so liegt wohl auch hier, diesmal nur ohne ein literarisches Zeugnis für die Sache, eine der Huldigungen vor, zu denen man den Festkalender benutzte. Für den Einfall, der Stiftungstag sei der alte geblieben und habe schon die Wahl Apollons durch Augustus beeinflußt, bietet die Tradition nicht den geringsten Anhalt. Ein derartiges Motiv hätte aber sicherlich in der so reichhaltigen Tradition seinen Ausdruck gefunden.

erklärte dafür einen Teil seines Palatiums als Staatseigentum, worin er alsbald eine aedicula und ara der Vesta einrichtete, der alten Herrin des Staatsherdes. Das hieß, wie wohl allgemein anerkannt ist, in Verbindung mit dem Kult des palatinischen Apollon nichts Geringeres, als daß von nun an wirklich der sakrale Mittelpunkt des neuen Staates von Haus und Person des Princeps untrennbar ist. Augustus berief später auch den Senat manchmal in den Bibliotheks-saal seines palatinischen Tempels (Sueton 29). —

Doch nun das wichtigste: all diese bedeutenden Maßnahmen werden vollzogen, im stärksten Gegensatz zur Imponderabilien-politik des Antonius, ohne auch nur den leisesten Ansatz zu einer persönlichen Apollon-Apotheose. Nur auf griechischem Boden, z. B. in Korinth und Megara, finden wir unter den zahlreichen Vergötterungen des Augustus, die er da draußen in dieser längst an solche Formen gewöhnten Welt in bestimmten Grenzen duldete, auch einmal einen Apollon-Augustus. Dabei kommt es in Megara zum Apollon, und zwar zum Apollon Museios wohl nur deshalb, weil dort gerade das Musenheiligtum dazu ausgewählt war, die Kaiserbilder darin aufzustellen (Riewald a. a. O. 296). Wenn Dion in der intimen, angeblich im Jahr 29 gehaltenen Staatsratsrede des Maecenas den Prinzeps warnen läßt vor Apotheosen (LII 35, 5 f.), so muß man sagen, der Ermahnte hatte gerade diese Warnung wohl am wenigsten nötig. Insonderheit der apollinische Gedanke, das wußte er (oder vielmehr, wie wir gleich sehen werden: er hat das schon früh gelernt), war gerade mit dem Besten, was er an Wert-vorstellungen beisteuern konnte zu den Leitideen der Staatserneue-rung, unverträglich mit den anmaßenden Gesten und Posen der Selbstvergötterung. Höchste Dignitas ist freilich auch des Augustus Ideal, doch ebensosehr Sanitas, Sophrosyne: keinerlei Hybris und Willkür. Dies hat ihn zweifellos nicht allein nur von der *Apollon*-Apotheose zurückgehalten, was ausgesprochen werden muß, weil man lange Zeit an einen auch im römischen Nahgebiet verehrten *Mercurius*-Augustus geglaubt hat. Teils hat man es wegen der ho-razischen Worte *filius Maiae patiens vocari,* in der im Winter 28/27 verfaßten Augustus-Ode (I 2, 43), teils wegen einiger Inschriften. In Wahrheit sind diese mißdeutet; nur draußen in der Levante, auf der Insel Kos, begegnet einmal wirklich auf einer solchen ein

Augustus-Mercurius, eins der mehrfachen Zeugnisse der Anerkennung, welche die Handelswelt dem neuen Friedensregiment zollte. Wie tief herunter das greift, zeigt gerade die koische Inschrift. Da ist es die Körperschaft der *scrutarei* (γρυτοπῶλαι), also der Althändler, die das Bedürfnis hat, den Soter als göttlichen Handelsschutzherrn zu verehren. Dagegen Horazens Worte, die übrigens nur von einer *möglichen* Erscheinungsform reden, geben einen persönlichen Gedanken des Dichters wieder, dem Mercur eine Lieblingsgestalt ist, vielleicht vom Vaterhause her (vgl. Oxé, Wiener Stud. XLVIII 1930, 51 ff.), wie er denn sich selbst zu den *viri Mercuriales* rechnete (c. II 17, 29) und seine Rettung bei Philippi Mercur verdanken will (c. II 7, 13), dem er ja auch in seiner Liedersammlung einen besonderen kleinen Hymnus gewidmet hat (I 10). Schon Heinze im Kommentar (zu I 2, 43) hat in dieser Weise die falschen Schlüsse auf einen wirklichen Augustus-Mercurius zurückgewiesen, und unlängst hat eine Sonderuntersuchung von Scott (Herm. LXIII 1928, 15 ff.) das negative Ergebnis nur bestätigen können, besonders auch hinsichtlich der angeblich das Gegenteil beweisenden Inschriften [9].

Nachgehen müssen wir nun aber unserer Andeutung, auch Augustus habe die sichere Haltung seiner reifen Jahre sich erst erwerben müssen. Es ist wirklich so, in der Frühzeit seines Auftretens hat er neben andern Streichen gelegentlich auch einmal auf dem jetzt von uns behandelten Gebiete von jugendlicher Hybris sich verführen lassen, wobei man immer an sein damaliges Alter denken muß, an jenes einprägsame *annos undeviginti natus* am Eingang seines Tatenberichts. Wenig später, im Jahre 40, also

[9] Daran ändert es auch nichts, wenn irgendwo Privatleute (nur solche!) dem gleichen Gefühl wie die Koische Gilde auch einmal bildnerischen Ausdruck geben; so schon in der allerersten Zeit des Prinzipats der provinziale Verfertiger einer Genfer Silberschale, indem er zwischen die apollinischen Reliefs, die das Mittelbild des Octavius Caesar (sic!) umkränzen, einmal einen Mercur einschiebt (Rostovtzeff an der oben Anm. 7 genannten Stelle), und noch dreister, wenn man so sagen darf, der Verfertiger des S. 140 erwähnten Bologneser Altars, der seiner zum Opfer heraneilenden und unmißverständlich mit dem Geldbeutel ausgestatteten Mercuriusgestalt geradezu die Gesichtszüge des Augustus gegeben hat.

gerade zu der Zeit, wo Antonius in der östlichen Welt als Dionysos gefeiert worden war und vermutlich die Anzeichen schon da waren, daß er mit der Rolle ernst machen würde, hat er auch seinerseits einmal Göttlichkeit posiert, doch wohl in Konkurrenz mit dem neuen Schwager und dessen damals auch in andrer Hinsicht von ihm nachgeahmten freien Lebensstil, vielleicht auch wirklich selbst etwas berauscht von dem seit einiger Zeit angenommenen Titel *Divi Filius*, der doch eben nichts Geringeres ist als ϑεοῦ υἱός. Um etwa die gleiche Zeit huldigt ihm auch der dankbare Vergil als seinem *Deus*. Auch die von Dion XLVIII 34, 3 berichtete Feier der ersten Bartabnahme im Folgejahr (39) als ἑορτὴ δημοτελὴς gehört zu diesen Eskapaden des Jugendlichen. Im Jahre 40 also[10] veranstaltete er die berüchtigte, von Sueton (70) geschilderte *cena* δωδεκάϑεος, eine ihm später von Antonius höhnisch vorgerückte, aber auch sofort nach der Veranstaltung selbst von einem Anonymus an irgendeinem stadtrömischen Pasquino in bittersten Versen angeprangerte Schwelgerei zu zwölfen, die höchst frivole Kopie eines Kultaktes der Staatsreligion, des sogenannten Lectisternium, und noch dazu jener selten gefeierten heiligsten Form, wo die Götterbewirtung einer Mehrzahl von Göttern gilt. Wir denken gerade wegen der Zwölferzahl an das Zwölfgöttermahl, das nach Livius XXII 10, 9 in der Zeit der hannibalischen Not von den decemviri sacrorum veranstaltet wurde, sechs pulvinaria mit den gleichen Götterpaaren, die auch das frevle Maskenbankett des jugendlichen Caesar vereinigt haben wird; er selbst — und dies ist nun doch wichtig — schon damals für seine Person in der Rolle Apollons (*impia dum Phoebi Caesar mendacia ludit* sagt das Spottepigramm). Die Bürgerschaft nannte ihn aber damals, wegen der Verschwendung im Hungerjahr, Apollo Tortor, den Schinder, mit Rücksicht auf die vom Forum her allen wohlbekannte Silengestalt, die man für einen Marsyas hielt. Es kam, freilich auch im Zusammen-

[10] Vgl. Hubert Heinen, Zur Begründung des römischen Kaiserkultes, Klio XI 1911, 140 (Liv. Per. 127 und Vell. II 77 über die damalige *gravitas annonae*, die sicher identisch ist mit jener *summa in civitate penuria ac fames*, die nach Sueton 70 die Entrüstung in der Stadt Rom über das Bankett steigerte; vgl. auch Dion XLVIII 31; Appian V 67 f.)

hang mit dem Mißvergnügen über die allgemeine Politik der Triumvirn, deren Zwist mit S. Pompeius die Wirtschaftsnot besonders erschwerte, zu Brutalitäten der Gasse, gegen beide persönlich gerichtet (Dion XLVIII 31, 5 f.). Antonius mußte Militär einsetzen und den bedrängten Schwager heraushauen, worauf das Volk mißvergnügt Ruhe hielt, ὁ δὲ λιμὸς ἤκμαζε (Appian V 68). Die *cena* δωδεκάθεος ist indessen in der Tat Octavians einziger Fehlgriff geblieben in der religiösen Propaganda, ist vermutlich nicht einmal wirklich als solche zu zählen, auch nicht so sehr für ein Übermenschenbewußtsein des *Divi Filius,* wie einfach für Übermut zu nehmen, ein frivoles und keckes Paroli gegen den dionysisch prunkenden Rivalen und Schwager. Jedenfalls ist nie wieder ein ähnlicher Schritt erfolgt. Insonderheit das (bedeutsamerweise doch schon damals erkennbare) Sonderverhältnis zu Apollon bleibt dauernd bewahrt von solchen Menschlichkeiten. Unter den sakralen Huldigungen in Rom selbst, zu deren Annahme der Erfolgreiche sich entschloß, ist auch später keine, die auf einen Apollon-Augustus hindeutete, es sei denn die vermutlich einem Eingriff in den Festkalender verdankte an sich harmlose Vereinigung des alten Apollontags mit dem Geburtstag des Apollon besonders ergebenen Kaisers (vgl. S. 144, Anm. 8). Auch in der Münzprägung nichts dergleichen. *Schirmherr* ist Apollon dem Prinzeps, apollinisch ist sein *Ideal,* nicht aber soll es die eigene *Person* sein. Jenes συνεξομοιοῦσθαι τῷ θεῷ, das Plutarch bei Antonius feststellt, findet bei Augustus niemals statt, nur das rein innerliche und geistige συνοικειοῦσθαι, das indessen die Selbstdarstellung vermeidet.

Für die Motive solchen Apolliniertums ist nun trotzdem jene Jugendtorheit Octavians insofern wichtig, als sie (zusammen mit einer gleich zu erwähnenden zweiten Tatsache) die Wahl gerade Apollons als besonderen Schutzherrn chronologisch so weit zurückdatiert[11], daß bei dieser Wahl die bewußte Reaktion gegen Anto-

[11] Noch höher hinauf würde die Verwendung der Nachricht führen, daß bei Philippi die Losung der Triumvirn „Apollon“ lautete, worauf Weber Wert legt, Der Prophet und sein Gott (Lpzg. 1925), 80. Doch abgesehen davon, daß nach Val. Max. I 5, 7 die Losung nicht von Octavian allein ausgeht *(qui deus Philippensi acie a Caesare et Antonio signo datus),* in der Parallelüberlieferung bei Plutarch (Brut. 24) ist es umgekehrt *Brutus,*

nius' Dionysiertum als zunächst ausschlaggebend in Rechnung zu stellen, also fürs erste „Counterpropaganda", wie die Engländer sagen, anzunehmen ist. Das zu betonen ist wesentlich, weil eine andre Meinung sehr naheliegt: das Apollon-Bekenntnis des Kaisers habe mit der Reaktion gegen Antonius' dionysisches Wesen überhaupt nichts zu schaffen, und zwar deshalb nicht, weil es erst in der Zeit nach Aktium in Erscheinung getreten sei, wohin ja chronologisch die bedeutsamsten, von uns schon erwähnten Äußerungen des Bekenntnisses allerdings gehören. Indessen, so merkwürdig er ist und so gut man begreift, daß er der Welt wie ein wirkliches Wunder erschien, ein absonderlicher *Glückszufall* ist es eben doch gewesen, der die Entscheidungsschlacht des Apollonbekenners ausgerechnet im Nahbereich eines alten Apollonheiligtums stattfinden ließ. Selbstverständlich ist sofort auch das, und sehr wirkungsvoll, in die Propaganda eingestellt worden. Der Kaiser hat aus Anlaß der Neugründung Nikopolis das aktische Heiligtum erneuert und ebenso die zugehörigen aktischen Spiele, und Vergil hat im 3. Buch seines Epos eben diesen Vorgang mythologisch zurückgespiegelt in die Aeneaslegende, das Schicksalhafte des Orts und das Gottgewollte der Entscheidung gerade an dieser Stelle in dichterischer Weise beleuchtend. Die augusteischen Dichter, Horaz, Properz und wieder Vergil (im Aeneas-Schild), ebenso die Bildner des plastischen Schmuckes am palatinischen Tempel können die göttliche Hilfe Apollons nicht genug betonen, des erlauchten Schirmherrn der echten römischen Führergestalt gegenüber den Fratzen von Kleopatras ägyptischen Götzen. Das alles bot die Gunst jenes glücklichen Zufalls dar, ungesucht und doch hochwillkommen. Aber man würde irren, wollte man eben hier den Ausgangspunkt suchen von Octavians Bekenntnis zu Apollon. Insofern ist uns sein Apollon-Spielen bei der *cena* δωδεκάθεος chronologisch sehr wichtig, und dazu tritt, wie schon angedeutet, ein zweites Indicium: die Baugeschichte des palatinischen Tempels selber. Im Jahr 28 geweiht, ist der große und anspruchsvolle Bau natürlich lange vorher schon in Arbeit

der *seinen* Truppen diese Losung gibt. Bei Appian IV 134 fehlt dieser Zug ganz; er erwähnt nur das Omen von Brutus' unabsichtlichem Zitat des Patroklosworts II 849: ἀλλά με Μοῖρ' ὀλοὴ καὶ Λητοῦς ἔκτανεν υἱός.

gewesen. Die Hauptsache aber ist, wir kennen den Zeitpunkt des Baugelübdes. Das war *lange vor Aktium,* im Jahr 36, aus Anlaß des Seesieges über S. Pompeius (Vell. II 81, 3; Dion XLIX 15, 5). Und zwar tritt schon damals die spätere sakrale Politik insofern klar hervor, als der Tempel, ebenso wie nachmals derjenige des Mars Ultor auf dem Augustusforum, *in privato solo* errichtet wurde; der Baugrund mußte erst in öffentliches Eigentum überführt und in sakralrechtlicher Form konsekriert werden, wie sich das später genauso bei der erwähnten Einbeziehung der Vesta in den Bereich des Herrschersitzes wiederholt hat (vgl. die Erklärer zum Mon. Ancyr. 19 u. 21). Die Wahl des Apollon und ebenso die Motive für die Wahl sind mithin *schon in dem Jahrzehnt vor Aktium* deutlich, d. h. doch eben während der Rivalität mit dem dionysischen Antonius. Es ist dann aber wirklich die natürlichste Erklärung, in diesem Widerspiel auch den ersten Ursprung der Wahlentscheidung zu suchen, zumal das in keiner Weise bedeutet, man müsse nun auch *alle,* insonderheit auch die *späteren* Auswirkungen dieser religiösen Haltung mit diesem Ursprung aus vorübergehender Zeitlage erklären. Es ist merkwürdig, wie wenig bei uns auch von führenden Männern der Forschung die so naheliegende Herleitung aus der Antithese der Imponderabilienpolitik, die Wendung des großen Intellektuellen und Statikers gegen den dynamisch bewegten Romantiker, beachtet worden ist. Es erklärt sich dies wohl aus einem erstaunlich zäh haftenden Irrtum, demzufolge der octavianische Apollonkult einen völlig andern und keineswegs ideellen, übrigens aber sehr greifbaren Zufallsanlaß gehabt haben soll[12]. Nämlich er wäre einfach gentilizisch gewesen, ein Erbteil der Julier, wobei man indessen sonderbarerweise sich nie die Frage vorgelegt zu haben scheint, weshalb wohl von diesem julischen Kult beim Divus Julius selber nie auch nur das geringste zu bemerken ist. Die zwei Zeugnisse aber, auf welche die herrschende Meinung sich gründet, zerfallen bei einiger Prüfung beide in nichts. Erstens, sagt man, jener

[12] Ganz außer Betracht bleibt der jedes Zeugnisses entbehrende Einfall von Eugenie Strong, Art in ancient Rome I (Lond. 1929) 142: Augustus sei in irgendwelche (den neupythagoreischen ähnliche?) Mysterien eingeweiht gewesen, in denen Apollon eine Vorzugsstellung gehabt hätte.

alte stadtrömische Apollontempel wurde nach Livius im Jahre 431 gerade von einem *Julier* als Konsul eingeweiht. Gewiß, doch Livius fügt hinzu, jener Konsul tat dies *absente collega, sine sorte,* und der heimkehrende Amtsgenosse, ein Quinctier, beschwerte sich hierüber beim Senat (IV 39). Um eine gentilizische Angelegenheit der Julier kann es sich also beim Bau des Tempels unmöglich gehandelt haben, wie denn auch 2 Jahre vorher (IV 25) die entsprechende Verpflichtung dazu durch ein Gelöbnis nicht als das Votum eines Juliers berichtet wird, sondern im Zusammenhang andrer Maßnahmen der berufenen Behörde zur Abwehr der Pestilenz. Zweitens: durch einen Stein aus Bovillae (CIL XIV 2387) kennen wir *genteiles Juliei* als Verehrer des italischen Gottes Ve⟨d⟩iovis, von welchem wegen des Kultbildes in dem einen seiner zwei Tempel (Wissowa[2] 237) Gellius V 12, 12 allerdings sagt: *eum deum plerumque Apollinem esse dixerunt.* Aber doch nicht mehr als *plerumque*! Wie denn andere die Vorsilbe *ve* als deminutiv nahmen und an einen kleinen Jovis dachten, während der Überblick über das ganze Material zeigt, daß es sich vielmehr um einen „Gegen-Jovis", d. h. um einen Unterweltsgott gehandelt hat und daß auch jene Tempelstatue den Apollon, wenn diesen überhaupt, jedenfalls mit den tödlichen Pfeilen darstellte, also wahrlich nicht als Heilsbringer. Wie hätte Octavian auf den Gedanken verfallen können, zumal auch der Divus Julius diesen Kult seiner Gentilen offenbar in gar keiner Weise politisch demonstrativ behandelt hat, ausgerechnet diesen chthonischen Gott zum symbolischen Vertreter der eigenen Erneuerungs- und Heilsideale sich auszusuchen? Wie auch hätte sich mit dem oekumenischen Universalismus solcher Politik die Wahl eines nicht einmal in Italien weitverbreiteten, durchaus regionalen Numen vereinigt? Nein, mit Octavians Apollon hat dieser Sippenkult nichts zu schaffen, steht doch nicht einmal fest, ob die Julier für die Deutung „Apollon" überhaupt eingetreten sind oder eine andere Auffassung vorzogen.

Diese modernen Erklärungsversuche für das Bekenntnis des Kaisers zu Apollon sind wirklich kaum besser begründet, wie eine gelegentliche Schnurre römischer Antiquare, wonach die Sache zwar nichts mit dem Juliernamen, dafür aber mit dem Beinamen Caesar zu tun hätte, den manche etymologisch mit *caedere* zusammenbrachten, scil. *uterum matris* (woher der Kaiserschnitt *sectio Caesarea*). Von einer solchen Geburt, wie sie außer dem *primus Caesarum* u. a. auch Scipio Africanus zugeschrieben wurde, glaubte man: *auspicatius gignuntur* (Plin. NH VII 47), ein Glaube, der auch bei Vergil begegnet, und zwar so, daß der *exsectus* gerade dem *Apollon* heilig war (*sacer Phoebo*, von einem Kampfgegner des Aeneas, X 315). Die Vergilerklärung (zu I 286 statt des Ahnherrn den Divus Julius selber als *caeso matris ventre natus* einführend) leitet daraus nun wirklich einen Gentilkult des Apollon her: *Caesarum familia ideo sacra retinebat Apollinis, quia, qui primus de eorum familia fuit, exsecto matris ventre natus est, unde etiam Caesar dictus est.* Indessen, weder bei Caesar tritt ein solcher Kult zutage, noch wäre es verständlich, wenn Octavians Wahl gerade durch den Caesarennamen veranlaßt worden wäre, den er selber doch nur adoptionsmäßig trug, während das *auspicatius* und der Schutz Apollons verständlicherweise erst mit der Wirklichkeit einer eigenen derartigen Geburt gegeben sein konnte. Von andern Äußerungen der römischen Antiquare und Grammatiker über Octavians Sonderverhältnis zu Apollon kommt noch in Betracht die Notiz bei ps. Acro zu Horaz ep. I 3, 17: *Caesar in bibliotheca* (sc. *Palatina*) *statuam sibi posuerat habitu ac statu Apollinis.* Nach allem, was wir von Augustus' Haltung wissen, ist es eine ganz unmögliche Auffassung der faselnden Horazscholiasten, der Kaiser selbst bei Lebzeiten habe eine solche Darstellung veranlaßt. Wenn wir nun gar bei dem Vers von Vergils messianischer Ekloge *casta fave Lucina, tuus iam regnat Apollo* hören: *quidam Octaviam sororem Augusti significari adfirmant* (sc. *per Lucinam*) *ipsumque Augustum Apollinem*, so bedarf es nur kurzen Nachdenkens, um diese Interpretation (die, ernstgenommen, unendlich folgenreich sein müßte) auszuschließen — schon an *regnat* muß sie scheitern —; bemerkenswert ist an ihr aber doch, daß der Interpret dieses im Winter 41/40 verfaßten Gedichts die Deutung Octavian-Apollo überhaupt für jenen Zeitpunkt als möglich annimmt (freilich wird auch da von einer Augustusstatue *cum Apollinis cunctis insignibus* phantasiert). Da ist Grund sich zu erinnern, daß bald nach jenem Winter, im Jahr 40, der jugendliche Triumvir wirklich bei der *cena* δωδεκάθεος als Apollon aufgetreten ist. Gerade 41 war es ja, wo die rauschende Dionysiade des Antonius ihren Anfang nahm; die Betonung des entgegengesetzten Symbols mag demnach wirklich eben damals auch bei Octavian begonnen haben, die verfehlte Pose des Lectisterniums braucht nicht ihre erste Erscheinungsform dargestellt zu haben. Vermutlich geht das Gerede von Apollonstatuen des Augustus auf den wirklichen Fall einer solchen zurück, den wir annehmen dürfen für den stadtrömischen Augustustempel des Tiberius, im Jahr 34 vollendet, doch erst unter Caligula dediziert (die Erkl. zu Tacitus, Ann. VI 45). Rostovtzeff dürfte recht gehabt haben mit seiner Ansicht, an dem auf unserer Bildtafel wiedergegebenen karthagischen Privataltar für die Gens Augusta (gefunden 1916) gehe der Bildschmuck auf denjenigen des tiberianischen Tempels zurück (über das Schwanken der Rostovtzeffschen Ansicht vgl. auch Sieveking, Gnomon VII 1931, 20 f.). Es ist alsdann in der Tat höchst wahrscheinlich, daß die Apollongestalt des Altars, im Lorbeerkranz thronend, als ihr Gesicht noch unzerstört war, die Züge des Augustus getragen hat. An den Thron gelehnt ist eine Leier: wie schön ist auch diese musische Symbolik für das Zeitalter der augusteischen Klassik!

Wenn also schon unter dem Nachfolger die Gleichsetzung des Kaisers mit seinem Gotte auch in Rom und von Reichs wegen vollzogen war, so geschah das vermutlich nicht ohne Wechselwirkung mit einer bestimmten *Legende.* Mit ihr wollen wir abschließen, ebenso wie bei Antonius mit solch einem *mythischen* Ausklang zu schließen war.

Trotz aller Zurückhaltung des Kaisers ist es allmählich doch dazu gekommen, in seiner geheiligten Person einen leibhaftigen Sohn des von ihm so hochverehrten Gottes zu erblicken: Apollon hätte in Gestalt einer Schlange während einer Tempelinkubation der Mutter beigewohnt. Man sieht sofort, das ist nur eine Neuauflage der berühmten Alexanderlegende, und nicht einmal die erste in Rom; denn schon beim älteren Scipio hatte man ähnlich fabuliert. Die Frage kann nur sein: trat dergleichen schon zu des Kaisers Lebzeiten hervor und verhielt sich der Prinzeps in solchem Fall so, wie einst Scipio, der es für politisch klug erachtete, dazu weder ja noch nein zu sagen (Livius XXVI 19)? Beides kann verneint werden. Unser ältester Zeuge Sueton (94) entnimmt derartige intime Einzelheiten der pietätvollen Gedenkschrift, die ein zu des Kaisers persönlicher Umgebung gehöriger Freigelassener namens Marathus nach dem Tod seines Herrn veröffentlichte. Darin hat nun wirklich auch manches von Zeichen und Wundern [13] gestanden, womit die Sage die Epiphanie auch dieses säkularen Menschen ausgeschmückt hat (wobei indessen der religionsgeschichtliche Forscher gut tut sich zu erinnern, daß daneben auch höchst undichterische und nicht sowohl von Ehrfurcht als von Topik geleitete Kräfte mit im Spiel sind, indem es nämlich den gewiß zahlreichen Verfassern von Enkomien schon auf der Schulbank eingedrillt wurde: ἐρεῖς δέ τινα καὶ ἃ περὶ τὴν γένεσιν συνέπεσεν ἄξια θαύματος, οἷον ἐξ ὀνειράτων ἢ συμβόλων ἤ τινων τοιούτων Hermog. progymn. 15, 19 Rabe). Neben solchen geheimnisvollen Zeichen und bedeutsamen Ereignissen hat nun aber die Geschichte von Apolls Vaterschaft bei Marathus bestimmt noch nicht gestanden; denn eben sie fügt Sueton seinem Exzerpt aus Marathus von sich aus hinzu, aus einer andern von ihm namentlich zitierten Quelle: *in Asclepiadis Mendetis Theologumenon libris lego.* Es ist ein obskurer griechischer Theosoph, sonst ganz unbekannt, und sollte er, was unwahrscheinlich genug ist, wirklich schon zu Lebzeiten des Augustus sein Mythologem riskiert haben, so sicherlich ohne erkennbare Wirkung ins Weite, vielmehr unter Ausschluß der irgendwie in Betracht kommenden Öffentlichkeit. Aber es kam die Zeit, wo gläubiger Widerhall sich einstellte. Bei Dion (XLV 1), in der wundersüchtigen Epoche der Severer, ist die Erzählung schon dahin ausgestaltet, daß Caesar selber sich von der göttlichen Abkunft des Großneffen überzeugen ließ und eben

[13] Man hat angenommen, dergleichen wäre auch in der Autobiographie des Kaisers zu lesen gewesen. Denn dahin stellte man (auch Henrica Malcovati, Caesaris Augusti operum fragmenta, Turin 1928, No. 165) die Angabe Tertullians (de anima 46) über Cicero, der schon während der frühesten Kinderzeit des ihm unbekannten Knaben in diesem den künftigen Augustus und Beendiger der Bürgerkriege in einer Traumerscheinung gesehen hätte. Hierbei werden die abschließenden Worte *in vitae illius commentariis conditum est* auf das Werk des Kaisers bezogen. Mir ist nicht zweifelhaft, daß mit *illius* vielmehr *Ciceronis* gemeint, daß also Tiros Biographie zitiert wird; vgl. Ed. Schwartz, Herm. XXXIII 1898, 209 Anm.

aus diesem Grund den Apollonsprößling adoptiert und zum Herrschaftserben bestimmt hätte.

Wie immer in solchen Fällen ist auch in diesem nicht eigentlich wichtig, *was* die Legende und *wie* sie es erzählt, sondern daß sie da ist und Bestand hat. So angesehen, ist sie ein greifbares Zeugnis dafür, daß Apollon seinen Schützling *nicht* verlassen hat, wie Dionysos zuletzt den seinigen. Die von Augustus anfangs nur im Widerspiel der Ideensymbolik und wohl halb spielerisch aufgegriffene Leitidee, weiterhin von ihm immer klarer und bewundernswert zielbewußt festgehalten und weithin sichtbar gestaltet, jedoch allezeit entsprechend dem mit ihr selbst gegebenen Ideal der Sophrosyne ohne jede Phantastik und persönliche Apollonpose — diese Leitidee hat eine siegreiche Werbekraft entfaltet und zweifellos mit beigetragen zu einem menschenbeglückenden und menschenversöhnenden Glauben an die apollinische Wesensart zugleich und Weihe der neuen Staatsform. Im höheren Sinn war es zuletzt doch richtig, auch von des Kaisers Person zu sagen: *iam regnat Apollo!*

Philologische Wochenschrift. 53 (1933), Sp. 1114—1120).

REZENSION VON: LILY ROSS TAYLOR, THE DIVINITY OF THE ROMAN EMPEROR. 1931

Von ANTON VON PREMERSTEIN

Die Verfasserin, Professor am Bryn Mawr College (Pennsylvanien), die sich durch eine Reihe von Untersuchungen aus dem Gebiet der antiken Religion, vor allem des Herrscherkults, und durch Mitarbeit an den lateinischen Inschriften von Korinth einen Namen unter den Fachgenossen gemacht hat, bietet hier eine willkommene, zusammenfassende Darstellung zwar nicht der Gesamtentwicklung des römischen Kaiserkults, wie der etwas weitgefaßte Titel vermuten ließe, wohl aber der auf hellenistische Vorstufen und gewisse auch schon im republikanischen Rom vorhandene Vorstellungen zurückgehenden Grundlagen und Anfänge der religiöspolitischen Verehrung des Führers und Herrschers und deren Ausgestaltung zu festen und für die Zukunft vorbildlichen Formen unter Cäsar und Augustus. Besondere Aufmerksamkeit widmet Miß T. neben den literarischen und epigraphischen Quellen den Zeugnissen der plastischen Bildwerke und der Münzen, von denen die wichtigsten in sicherer Auswahl und gelungener Wiedergabe dem Text eingefügt sind.

Im ersten Kapitel (S. 1—34) wird „die Göttlichkeit der Könige im hellenistischen Osten“ behandelt; die Verf. begnügt sich hier nicht damit, die schon im Griechentum des 5. und 4. Jh. v. Chr. vorhandenen Ansätze zur kultischen Verehrung überragender politischer Führer und siegreicher Feldherren nach ihrem Tod und bald auch schon zu Lebzeiten aufzuzeigen, sondern geht auch ausführlich auf das Gottkönigtum des Orients, vor allem Ägyptens und Persiens, ein, aus dessen Verschmelzung mit jenen nationalhellenischen Vorstellungen unter dem gewaltigen Eindruck der großen Persönlichkeit und der zielbewußten Religionspolitik Alexanders nach ihrer Ansicht der hellenistische Herrscherkult hervorging. Großen Nachdruck legt sie dabei auf die persische Vorstellung von der *fravashi* und der *hvarenô*, die als von Ahuramazda ausgehende, dem König innewohnende Schutz- und Glückgeister gedacht wurden, und nimmt an, daß diese noch in dem Kult Alexanders und seiner Nachfolger, und zwar in der Verehrung des königlichen Daimon oder Agathos Daimon wirksam und für uns noch faßbar sei; ja, sie glaubt darin eine ganz frühe Vorstufe der Verehrung des Genius des lebenden Kaisers in Rom und Italien zu erkennen, die demnach auf durch den Hellenismus vermittelte persische Einflüsse zurückgehen würde. In zwei Anhängen ihres Buches (S. 247—266) nimmt sie zu den Einwänden Stellung, die gegen diese von ihr schon 1927 vorgetragene Annahme von W. Tarn (Journ. of Hell. Studies XLVIII 1928, 206 ff.) [1] erhoben worden sind. Ohne hier näher auf diese Streitfrage eingehen zu können, möchte ich nur feststellen, daß die von der Verf. ins Treffen geführten und scharfsinnig verwerteten Zeugnisse — umstritten und zweideutig, wie sie sind — keinesfalls zum Beweis einer so weitgehenden Einwirkung der *fravashi*-Vorstellung auch nur im hellenistischen Bereich ausreichen und daß der erst seit etwa 12 v. Chr. sicher nachweisbare öffentliche Kult des kaiserlichen Genius zusammen mit den Lares Augusti eine geschickt gewählte nationalrömische Form der Herrscherverehrung darstellt, die an den in jedem römischen Haus heimischen Kult des Genius des Hausvaters und der Laren anknüpft (vgl. 184 ff.; 246) und in dieser Anlehnung ausreichende Erklärung findet.

Das zweite Kapitel ist überschrieben: "The divinity of man and king in republican Rome" (S. 35—57). Es erörtert im Anschluß an das Vorhergehende zunächst die gottähnlichen Ehrungen römischer Feldherren und Statthalter im hellenistischen Bereich, wie sie zuerst dem siegreichen M. Claudius Marcellus (212 v. Chr.) auf Sizilien und dem T. Quinctius Flamininus in Griechenland zuteil wurden, und weist dann eine Reihe religiöser oder religiös gefärbter Tatsachen nach, die in Rom selbst den Boden für den Herrscherkult

[1] Neuerdings auch von A. D. Nock in seiner gehaltvollen Besprechung des vorliegenden Werks, Gnomon VIII (1932) 513 ff.

vorbereiten halfen, unter anderem der uralte Kult der zu den Göttern aufgenommenen Heroen Hercules und Castor, die Vergottung des Stadtgründers und ersten Königs Romulus, die juppiterähnliche Maske des triumphierenden Imperators (s. dazu jetzt auch A. Bruhl, Les influences hellénistiques dans le triomphe romain, Mél. d'arch. et d'histoire XLVI 1929, 77 ff.), ferner die noch nicht offiziellen Ehren, die seitens der hauptstädtischen Bevölkerung den gracchischen Brüdern nach ihrem Tode, dem C. Marius nach seinen Siegen über die Kimbern als dem „dritten Gründer" Roms und einem Namensgenossen, dem Prätor Marius Gratidianus (86 v. Chr.), noch zu Lebzeiten als Dank für Schutz und Wohltaten entgegengebracht wurden. Wenn freilich Miß T. in den beiden letztgenannten Fällen im Sinne ihrer soeben gekennzeichneten Theorie nicht an einen den Personen, sondern ihrem Genius gewidmeten Kult denkt, bietet die spärliche Überlieferung keine ausreichende Handhabe dazu. Auch die göttergleichen Ehrungen beim Gastmahl, die Metellus Pius (cos. 80 v. Chr.) als Statthalter des jenseitigen Spaniens von seinem Gefolge sich erweisen ließ, gehören in diesen Zusammenhang (S. 56; s. dazu noch C. Cichorius, Röm. Studien 1922, 230). Neben den genannten Erscheinungen, die nach der m. E. zutreffenden Ansicht der Verf. unter starkem griechischen Einfluß stehen, wird auch der Anteil der griechischen Philosophie, vor allem der epikureischen und stoischen Richtung, an dieser Entwicklung hervorgehoben.

Im dritten Abschnitt (S. 58—77) stellt Miß T. „Julius Cäsars Versuch, eine göttliche Monarchie zu begründen", dar und sucht nachzuweisen, daß der große Diktator für diesen Zweck vor allem planmäßig die Einrichtung eines geordneten Staatskultus seiner Person nach hellenistischem, besonders ägyptischem Vorbild angestrebt habe. Inwieweit letztere Behauptung das Richtige trifft, ist bei der kurzen Dauer der Alleinherrschaft Cäsars und bei dem Umstand, daß die für ihn beschlossenen, meist sehr überschwenglichen Kultehren im wesentlichen auf die Hauptstadt beschränkt blieben, schwer auszumachen, wie denn überhaupt die gegenwärtig fast allgemeingültige Ansicht, daß Cäsar auch in Rom und Italien als hellenistischer Gottkönig herrschen wollte, m. E. einer gründlichen Nachprüfung auf Grund erneuter, vertiefter und eindringlicher Quellenanalyse bedarf. Auf jeden Fall bleibt die wohlgeordnete und sorgfältige Darlegung der Einzeltatsachen in stetem Zusammenhang mit den hier besonders ins Gewicht fallenden Vorgängen der großen Politik durch die Verf. auch hier von großem Wert. Das gleiche gilt von dem vierten Kapitel (S. 78—99), welches „die Aufnahme des Divus Iulius in den Staatskult" und deren politisch stark bewegte Vorgeschichte vor Augen führt.

Einen zu breiten Raum nimmt die an sich gerechtfertigte Darstellung der politischen Ereignisse in dem sehr ausführlichen fünften Kapitel (S. 100—141) ein, das bezeichnenderweise „Der Kampf um Cäsars Macht" überschrieben ist, und zwar in solchem Maße, daß der eigentliche Gegenstand, der von M. Antonius erhobene Anspruch, in den Formen des hellenistischen Königskultes als der „neue Dionysios" verehrt zu werden, und die etwas zurückhaltendere, bald in römisch-nationale Bahnen einlenkende religiöse Politik seines Gegenspielers Oktavian, in deren Mittelpunkt von Anfang an Apollo steht — der Gott, der ihm bei Actium den Sieg verlieh —, einigermaßen in den Hintergrund gedrängt erscheint. Die enge Verflechtung der religiösen Tatsachen mit den politischen Vorgängen hätte viel knapper geschildert werden können. Ungleich schärfer und unter Verzicht auf minder wichtige Einzelheiten der allgemeingeschichtlichen Umrahmung sind die in dieser Entwicklung hervortretenden großen Gegensätze in der fast gleichzeitig erschienenen ausgezeichneten Abhandlung von O. Immisch erfaßt und gezeichnet: „Zum antiken Herrscherkult", in der Sammelschrift: Aus Roms Zeitwende (Das Erbe der Alten, II. Reihe, XX, 1931, 1 ff.) [In diesem Band S. 122 ff.], die in vortrefflicher Weise die verschiedenen Möglichkeiten und Formen des Herrscherkults auseinandersetzt (besonders 9 ff.) und in großer, übersichtlicher Linienführung — wie wir sie bei Miß T. in diesem und in anderen Abschnitten zuweilen vermissen — die eifrige Propaganda darstellt, durch die die beiden Gegner ihren Herrschaftsansprüchen auch die religiöse Anerkennung und Weihe zu gewinnen suchten. In einem trefflichen Aufsatz des um die antike Religionsgeschichte verdienten amerikanischen Forschers Kenneth Scott (Class. Philol. XIV 1929, 133 ff.) wird die persönliche Stellungnahme Oktavians gegen den dionysischen Mummenschanz des M. Antonius in einer der zwischen den Rivalen seit 33 v. Chr. ausgetauschten Schmähschriften sehr gut herausgearbeitet und damit auch zugleich der Grund dargelegt, weshalb die Nachfolger des Augustus es ablehnten, sich im griechischen Osten als Neos Dionysos feiern zu lassen.

Der im Vorangehenden gebotenen Grundlegung folgt nun in einer Reihe von Kapiteln (VI—X, S. 142—246) die Entwicklung und Ausgestaltung des Kaiserkults unter Augustus von dem aktischen Sieg bis zu seinem Tode im Jahre 14 n. Chr.; die politisch und religiös überragende Stellung des jungen Cäsar als Sohn des Divus Iulius, die Bildung eines staatlichen Kultes für den durch den religiös gefärbten Augustusnamen über alle Mitbürger hoch emporgehobenen Princeps, wobei auch dem im Jahre 12 v. Chr. ihm übertragenen Oberpontifikat und dem im Jahre 2. v. Chr. angenommenen Ehrennamen *pater patriae* große Bedeutung zukommt, und dessen jeweils den besonderen örtlichen Verhältnissen und Bedürfnissen angepaßte Organisation in Rom, Italien und den Provinzen, die Konsekration des Augustus nach dem Tode und die Geschichte seines Kults in der Folgezeit. Mit großer Sachkunde und Gründlichkeit sind alle Einzeltatsachen gesammelt und gar manche davon durch feinsinnige Erläuterung in ein neues Licht gerückt. Neben den Längsschnitten der zeitlich aufeinanderfolgenden Tatsachen, welche Miß T. im allgemeinen gibt, hätte der Leser allerdings an geeigneten Stellen noch mehr Querschnitte gewünscht, welche einerseits die Anteilnahme der großen Masse der Bevölkerung an der Bildung und Ausbreitung der Augustus-Verehrung und deren Pflege im privaten Kult, das Verhalten der höheren Klassen und der Literatur, andererseits die verschiedenen, bald an den hellenistischen Königskult, bald wieder mehr an römisch-nationale Vorstellungen und Einrichtungen anknüpfenden Formen jenes Kults, ihre Sonderart und ihre gegenseitige Durchdringung nicht bloß in verstreuten Einzelangaben, sondern in größeren Zusammenhängen klarlegen sollten.

Auf den Versuch, den Kult des Genius des lebenden Kaisers oder, wie es auch zuweilen heißt, des *numen Augusti,* aus persischen Vorstellungen abzuleiten, wurde bereits oben (S. 157) hingewiesen. Im Zusammenhang damit steht die von Miß T. bereits in einer früheren Abhandlung (Transactions of the Amer. Philol. Association LI 1920, 116 ff.) ausgesprochene und jetzt wiederaufgenommene Behauptung (S. 215 ff.), daß auch in einer Reihe von italischen Gemeinden, denen Augustus als Koloniegründer oder Wohltäter nahestand, in welchen *flamines (sacerdotes) Augusti,* Tempel, Opfer und andere Kulthandlungen „für den Cäsar" oder „für Augustus" bezeugt werden, diese Einrichtungen nicht dem Augustus als gottähnlicher Persönlichkeit, wie man nach der Ausdrucksweise der Quellen zunächst annehmen muß, sondern vielmehr seinem Genius gegolten hätten. Indessen scheint mir — wie hier nur kurz angedeutet werden kann — eine genauere Betrachtung der Zeugnisse, u. a. auch des Verzeichnisses der Kaiserfeste von Cumae (sog. Feriale Cumanum, CIL I^2 p. 229; X 8375; Dessau I n. 108; dazu Mommsen, Ges. Schriften IV 259 ff.) auf zwei zeitliche Abschnitte hinzuweisen: in dem früheren, der mit seinem Anfang in das Triumvirat zurückreicht (vgl. Appian b. c. V 132) und noch die allererste Zeit des Prinzipats umfaßt, ließ Oktavian-Augustus in den italischen Städten Ehrenbeschlüsse zu, die seinen persönlichen Kult als *deus praesens* festlegten; in dem folgenden Zeitraum blieben diese älteren Einrichtungen, wie vor allem das Verzeichnis von Cumae zeigt, zwar unangetastet aufrecht, dagegen wurden neue Kulte, Festtage und Weihungen zu Ehren des Princeps oder der Mitglieder seines Hauses nicht mehr dem persönlichen Kaisergott, sondern seinem Genius oder Numen oder den dem Kaiserhaus nahestehenden Gottheiten dargebracht, eine Regelung, die sicherlich von Augustus selbst ausging und in den Gedanken der *res publica restituta* ihre letzte tiefere Begründung findet.

Aus der Fülle der Einzelheiten kann ich nur noch weniges herausgreifen. Für die Umnennung des Monats Sextilis zu August hätte die Verf. (S. 160; 194) sicherlich nicht zwei Etappen angenommen — einen Beschluß des Senats und der Plebs im Jahre 27 v. Chr., den Augustus zunächst praktisch nicht annahm, und eine endliche Durchführung im Jahre 8 v. Chr., wenn ihr die Ausführungen von C. Cichorius, Röm. Studien (1922) 285 f. gegenwärtig gewesen wären; hier wird überzeugend nachgewiesen, daß der für die Datierung jener Beschlüsse bestimmende Volkstribunat des Sex. Pacuvius nicht ins Jahr 27, sondern ins Jahr 8 v. Chr. gehört. — Aufgefallen ist mir ferner, daß die neuerdings von A. D. Nock in verschiedenen seiner trefflichen Untersuchungen behandelte Bedeutung der Beinamen *Augustus* und *Augusta,* die schon unter dem ersten Princeps einer Reihe von Gottheiten beigelegt wurde, zwar gelegentlich gestreift (S. 221; 225; 245), jedoch nirgends eingehender gewürdigt wird. Ganz vermisse ich eine Stellungnahme zu der schon unter Augustus beginnenden Verehrung des Kaiserbildes in den Lagerheiligtümern und an den Feldzeichen des Heeres.

Von den Anhängen wurde der erste „Die Verehrung des Perserkönigs“ schon oben (S. 157) erwähnt; mit ihm hängt der zweite eng zusammen, der die in neuerer Zeit viel erörterte Frage „Alexander und die Proskynesis“ behandelt (darüber jetzt auch lehrreich U. Wilcken, Alexander der Große 1931, S. 157 f.; vgl. 309). Von besonderem Wert ist der dritte Anhang (S. 267—283), der die inschriftlichen Zeugnisse über die göttlichen Ehren, die Cäsar, M. Antonius, Augustus und die Mitglieder seines Hauses zu Lebzeiten empfingen, fast lückenlos zusammengestellt und den bedeutenden Zuwachs an Material seit der für ihre Zeit sehr nützlichen einschlägigen Sammlung von H. Heinen (Klio XI 1911, 129 ff.) veranschaulicht.

Abschließend sei nochmals hervorgehoben, daß trotz mancher unerfüllten Wünsche und des da und dort sich regenden Widerspruchs das vorliegende Werk mit der Fülle neuen, z. T. nur wenig bekannten Materials und mit seiner vorbildlich klaren, die Probleme überall fördernden Darstellung hohes Lob verdient und als ein wesentlicher Fortschritt gewertet werden muß.

Martin Percival Charlesworth, Some Observations on Ruler-Cult, especially in Rome. Harvard Theological Review 28 (1935), pp. 5—44. Auszüge pp. 8—16; pp. 20—42. Aus dem Englischen übersetzt von Florens Felten.

EINIGE BEOBACHTUNGEN ZUM HERRSCHERKULT, BESONDERS IN ROM

Von Martin Percival Charlesworth

I

Dankbarkeit gegenüber Wohltätern

An den Anfang möchte ich drei Textstellen setzen. Die erste stammt von Homer, die zweite von Aristoteles und die dritte vom älteren Plinius; so weit sie zeitlich auch voneinander getrennt sind, so scheinen sie mir doch bestimmte gemeinsame Grundzüge aufzuweisen, die die ganze Antike hindurch gleichgeblieben sind. Wenn wir dann das einschlägige Material, das Griechenland betrifft, einigermaßen vollständig vorlegen, so werden wir feststellen, daß die betreffende Gefühlsbekundung sich eher mit dem Ausdruck Wohltäterkult statt Herrscherkult bezeichnen läßt, da der Herrscherkult nur Teil dieses größeren Ganzen ist. Die Texte also lauten:

1. Ναυσικάα, θύγατερ μεγαλήτορος Ἀλκινόοιο,
   οὕτω νῦν Ζεὺς θείη, ἐρίγδουπος πόσις Ἥρης,
   οἴκαδε τ' ἐλθέμεναι καὶ νόστιμον ἦμαρ ἰδέσθαι·
   τῷ κέν τοι καὶ κεῖθι θεῷ ὣς εὐχετοῴμην
   αἰεὶ ἤματα πάντα· σὺ γάρ μ' ἐβιώσαο, κούρη

   Odyssee VIII, 464 ff.

2. τιμὴ δ' ἐστὶ μὲν σημεῖον εὐεργετικῆς δόξης, τιμῶνται δὲ δικαίως μὲν καὶ μάλιστα οἱ εὐεργετηκότες .... μέρη δὲ τιμῆς θυσίαι, μνῆμαι ἐν μέτροις καὶ ἄνευ μέτρων, γέρα, τεμένη, προεδρίαι, τάφοι, εἰκόνες, τροφαὶ δημόσιαι, τὰ βαρβαρικά, οἷον προσκυνήσεις καὶ ἐκστάσεις, δῶρα τὰ παρ' ἑκάστοις τίμια.

   Aristoteles, Rhetorik I, 5, 9.

3. Deus est mortali iuvare mortalem, et haec ad aeternam gloriam via. hac proceres iere Romani, hac nunc caelesti passu cum liberis suis vadit maxumus omnis aevi rector Vespasianus Augustus fessis rebus subveniens. hic est vetustissimus referendi bene merentibus gratiam mos, ut talis numinibus adscribant.

Plinius, Hist. Nat. II, 18—19.

Zuallererst muß hier klargemacht werden, daß in Griechenland schon von frühester Zeit an das Empfinden herrschte, daß einer Person, die einen gerettet oder einem in mißlichen Umständen geholfen hatte, aus Dankbarkeit die höchsten Ehren zu erweisen seien — Ehren, wie man sie sonst den Göttern erweisen würde. Beginnen wir mit dem Urvater Homer: in dem ersten Zitat hören wir, wie Odysseus gelobt, er wolle, wenn er heil nach Hause komme, Nausikaa in Gebeten verehren wie eine Göttin — und warum das? σὺ γάρ μ' ἐβιώσαο, κούρη. Um es in schlichter Prosa zu sagen, er will sie wie eine Göttin ehren, weil sie ihm das Leben gerettet und das Überleben gesichert hat und weil sie seine Wohltäterin wurde. Niemand tadelt Odysseus für diese Worte, niemand erblickt darin etwas Anstößiges oder Ungewöhnliches; es ist ganz natürlich.

Zweitens muß klargemacht werden, daß für einen Griechen Opfer, Altäre, heilige Bezirke usw. ganz geläufige Mittel sind, um damit Dankbarkeit für Wohltaten auszudrücken und dem Wohltäter Ehren zu erweisen.*[7] Das bezeugt Aristoteles ganz eindeutig;

* Um dem Leser einen Vergleich mit dem Original zu erleichtern, wurde die Zählung der Anmerkungen ohne Abweichung übernommen. Es fehlen also die Ziffern aus den nicht abgedruckten Abschnitten.

[7] Ich will hier das griechische Sprichwort οὐδεὶς εὐεργέτῃ βοῦν ἔθυσεν ἀλλ' ἢ Πυρρίας nicht zitieren, das bei Plutarch, Quaest. Graec. 34 (s. die Ausgabe von Halliday S. 148 f.) erklärt wird. Wir erfahren dort, daß Pyrrhias in einer Anwandlung von Güte einen alten Mann von Piraten losgekauft hat. Nachdem die Piraten abgezogen sind, enthüllt ihm der alte Mann, daß einige Krüge, die mit Pech gefüllt zu sein scheinen, in Wirklichkeit Gold enthalten; auf diese Weise wurde Pyrrhias reich und opferte, neben anderen Ehren, die er dem alten Mann erwies, ihm auch einen Ochsen. So bemerkenswert diese Handlung ist, die Pyrrhias angeblich vollzog, so liegt doch das Besondere, wie mir scheint, eher in der Kostspieligkeit und der Übertriebenheit des geopferten Gegenstandes,

an der oben zitierten Stelle bezeichnet er nur zwei Ehrenbezeigungen als ungriechisch — den Kniefall und das Aus-dem-Weg-Treten vor einem Sterblichen —, alle übrigen sind ganz gebräuchlich und griechisch. Es ist also nur natürlich, wenn eine Kolonie den toten Gründer, dem sie soviel verdankt, dadurch ehrte, daß sie ihn auf der Agora begrub und ihn als Heros mit Opfern und Altar verehrte. (Im Rahmen dieses Aufsatzes ist es nicht notwendig, auf den Unterschied zwischen *heros* und *theos* einzugehen; beide wurden kultisch verehrt.) Deswegen sagt Pindar von Battos —

> ἔνθα πρυμνοῖς αγορᾶς ἔπι δίχα κεῖται θανών.
> μάκαρ μὲν ἀνδρῶν μετα
> ἔναιεν, ἥρως δ' ἔπειτα λαοσεβής.
>
> Pindar, Pyth. V, 93 ff.

Ähnlich merkt Herodot bei seinem Bericht über die heroischen Ehren, die die Chersones dem älteren Miltiades erweist (VI, 38), einfach an ὡς νόμος οἰκιστῇ.

Von hier aus bedeutete es für eine Stadt einen naheliegenden und einleuchtenden Schritt, gleiche Ehren einem Mann zuzubilligen, der zwar nicht ihr Gründer, aber doch ihr Wohltäter war, indem er sie aus Gefahr errettet oder ihr die Freiheit zurückgegeben hatte. Das berühmteste Beispiel hierfür liefert Amphipolis: Brasidas hatte es von der athenischen Herrschaft befreit, und deswegen begruben ihn die Bürger öffentlich „dort, wo heute die Agora ist", umfriedeten diese Gedächtnisstätte und ... ὡς ἥρωί τε ἐντέμνουσι καὶ τιμὰς δεδώκασιν ἀγῶνας καὶ ἐτησίους θυσίας, καὶ τὴν ἀποικίαν ὡς οἰκιστῇ προσέθεσαν .... νομίσαντες τὸν μὲν Βρασίδαν σωτῆρά τε

nicht sosehr aber im Vollzug einer Kulthandlung zu Ehren eines lebenden Wohltäters. Wo ein einfaches Trankopfer oder irgend etwas Billiges genügt hätte, da läßt es sich Pyrrhias tatsächlich einen ganzen Ochsen kosten. Griechenland konnte sich keine kostspieligen Opfer leisten: vergleiche Plutarchs rührende Schilderung von der Gedächtnisfeier der Plataeer zu Ehren derer, die bei Plataeae für die Freiheit Griechenlands gefallen waren (Plutarch, Arist. 21). Die Kosten sollten nicht hoch sein — ein schwarzer Stier, Öl, Wein, Weihrauch, Milch und Girlanden —, die Ehre jedoch groß und allgemein.

σφῶν γεγενῆσθαι κτλ (Thukydides V, 11). Die Handlungsweise ist ganz üblich und urgriechisch, und dasselbe gilt für den Anlaß: man erblickte in Brasidas den Retter.[8]

Nicht einmal 50 Jahre später belohnte eine andere Stadt einen ihrer eigenen Bürger mit ebendenselben Ehrungen: Euphron von Sikyon war in Theben von politischen Gegnern ermordet worden; seine Mitbürger — ὡς ἄνδρα ἀγαθὸν κομισάμεναι ἔθαψάν τε ἐν τῇ ἀγορᾷ καὶ ὡς ἀρχηγέτην τῆς πόλεως σέβονται (Xenophon, Hell. VII, 3, 12). Das war eine ganz angemessene und gewohnte Art und Weise, seine Dankbarkeit auszudrücken, denn, wie Xenophon gelassen bemerkt, οὕτως, ὡς ἔοικεν, οἱ πλεῖστοι ὁρίζονται τοὺς εὐεργέτας ἑαυτῶν ἄνδρας ἀγαθοὺς εἶναι. Das erklärt auch die Handlungsweise der Achäer, die im 3. Jahrhundert durch Dekret ihrem Vorkämpfer Philopoimen ein Grab auf der Agora und τιμαὶ ἰσόθεοι zuerkannten (Dittenberger, Sylloge³, 624; vgl. Diodor XXIX, 18 und Livius XXXIX, 50). Immer wieder handelt es sich um eine ganz korrekte Handlungsweise, die besonders nach Augenblicken starker Anspannung höchste Dankbarkeit und das Gefühl des Verpflichtetseins ausdrückt.

Bevor wir dieses Thema fallenlassen, möchten wir noch darauf hinweisen, daß in späteren Zeiten diese Ehrung immer billiger zu haben war, so daß jeder prominentere Wohltäter nach seinem Tode zu der schmeichelhaften Weihung eines Heiligtums und von Opfern kommen konnte. So erfahren wir, daß um das Jahr 176/175 die Mitglieder einer Vereinigung für einen Wohltäter namens Dionysios, der sehr großzügig gewesen war, beschließen, . . .

> ὅπως ἀφηρωισθεῖ Διονύσιος καὶ ἀνατεθεῖ ἐν τῶι
> ἱερῶι παρὰ τὸν θεόν, ... ἵνα ὑπάρχει κάλλιστον
> ὑπόμνημα αὐτοῦ εἰς τὸν ἅπαντα χρόνον
>
> Dittenberger, ib. 1101.

Theophanes von Mytilene, der die Taten des Pompeius beschrieben hatte, leistete seiner Heimatstadt solche Dienste, daß er zum Gott erhoben und sogar mit Zeus Eleutherios gleichgestellt wurde,

[8] Aus denselben Gründen begruben die Syrakusaner ihren Befreier Timoleon auf der Agora; Plutarch, Timol. 39.

da er, wie eine Inschrift berichtet [9], „der Retter und Wohltäter und der zweite Gründer seines Landes“ gewesen sei. Tacitus, der dies zufällig erwähnt (Ann. VI, 18), sagt nur ... *quodque defuncto Theophani caelestis honores Graeca adulatio tribuerat*; es ist lediglich ein Beispiel für *Graeca adulatio* — übertriebene Schmeichelei —, und sonst nichts. Dion von Prusa schließlich kann seinen eigenen Mitbürgern erklären, er habe schon viele Ehrungen von ihnen empfangen; bei der Aufzählung erwähnt er — ein Kultbild und ein Heiligtum, die seiner Mutter errichtet wurden (XLIV, 3).[10]

Wenn dies die geläufige griechische Einstellung gegenüber toten Wohltätern war, so ist es verständlich, daß Städte und Völker, die schwere und qualvolle Krisenzeiten hinter sich hatten, einem Wohltäter und Befreier wohl auch schon zu dessen Lebzeiten die Ehrungen zugestehen mochten, die ihm ja sicher gewesen wären, wäre er im Augenblick der Vollendung gestorben. Diese Überlegung mag uns dazu bewegen, dem Bericht des Plutarch über Lysander in seinen Grundzügen Glauben zu schenken [11]: er sei der erste Mensch gewesen, dem griechische Städte wie einem Gott Altäre errichtet und Opfer dargebracht hätten, und er sei auch der erste gewesen, dem Päane gesungen wurden. Schließlich hatte er das, was Brasidas für eine Stadt getan hatte, für Hunderte von Städten geleistet — er hatte sie vom athenischen Joch befreit, und er hatte Macht besessen wie noch nie ein Mensch zuvor.[12] Außerdem taten die Bürger von Thasos nur wenige Jahre später genau das gleiche für Agesilaos. „Da sie der Meinung waren, sie hätten von ihm große Wohltaten erhalten“, so berichtet Plutarch [13], „ehrten sie ihn mit Tempeln und Vergöttlichung [ἀποϑεώσεσι] und schickten ihm deswegen eine Gesandtschaft“ ... und nun folgt die berühmte

[9] IGRR IV, 55 b; vgl. eine Münze aus Mytilene mit der Legende ΘΕΟΦΑΝΗΣ ΘΕΟΣ, Head, Historia Numorum [2] S. 563.

[10] Wir wissen, daß im Jahre 100/99 in Athen ein allgemeines Opfer für alle Wohltäter stattfand; s. Nock, Harv. Stud. Class. Phil. XLI, 1930, 53.

[11] Plutarch, Lys. 18, 4.

[12] Zur Bedeutung des Satzes „die Samier gelobten, ihre Heraia Lysandreia zu nennen“ s. Nock, Harv. Stud. Class. Phil. XLI, 1930, 60.

[13] Plutarch, Apophth. Lacon. Agesilai Magni 25.

Antwort des Agesilaos: „Macht euch erst selbst zu Göttern, dann will ich euch glauben, daß ihr mich dazu machen könnt." Zu diesen beiden Fällen kommt noch ein dritter, der — auch wenn wir mit Diodor erst eine sehr viel spätere Quelle für ihn besitzen — doch um die Mitte des 4. Jahrhunderts anzusetzen ist. Dion hatte das unterdrückte Volk von Syrakus von der Tyrannis befreit; das Volk reagierte in einem Ausbruch der Dankbarkeit .... στρατηγὸν ἐχειροτόνησεν αὐτοκράτορα τόν Δίωνα καὶ τιμὰς ἀπένειμεν ἡρωικάς [eine lehrreiche Mischung von Ehrungen] .... οἱ δὲ Συρακόσιοι πανδήμοις ἐπαίνοις καὶ ἀποδοχαῖς μεγάλαις ἐτίμων τὸν εὐεργέτην ὡς μόνον σωτῆρα γεγονότα τῆς πατρίδος (Diodor XVI, 20, 6). Die Begründung ist wie erwartet.

Um kurz abzuschweifen — wenn die Dankbarkeit von Städten und Völkern sich so ausdrücken kann, dann kann das natürlich auch die von Einzelpersonen, anfangs im Wort, dann in der Tat. So entsteht eine metaphorische Ausdrucksweise, in der man von jemandem, der einem große Hilfe geleistet hat oder auf den man seine Hoffnung setzt, als von einem „Gott für mich" sprechen kann — eine Art privater Vergöttlichung, wie Nock gezeigt hat.[14] Um nur lateinische Beispiele zu zitieren: O *mi Juppiter terrestris*, ruft Saturio den Mann an, von dem er Speisung erwartet; Cicero zeigt seine Dankbarkeit gegenüber Lentulus, indem er ihn *parens ac deus nostrae vitae fortunae memoriae nominis* nennt, und Vergil kann von Octavian, durch den er seinen Hof zurückerhalten hat, erklären ...

deus nobis haec otia fecit.
namque erit ille mihi semper deus, illius aram
saepe tener nostris ab ovilibus imbuet agnus.[15]

In der Kaiserzeit konnten solche Formulierungen und Gefühle dann in die Tat umgesetzt werden — in private Akte der Verehrung einer bewunderten Person. Dieser Art war die Bewunderung, die Silius Italicus für Vergil an den Tag legte, ... *cuius natalem reli-*

[14] Nock, Journ. Hell. Stud. XLVIII, 1928, 31, woraus auch die ersten drei Beispiele zitiert sind.

[15] Plautus, Persa 99; Cicero, cum Senat. grat. egit 8; Vergil, Eklogen I 7—9.

giosius quam suum celebrabat, Neapoli maxime, ubi monumentum eius adire ut templum solebat.[15a] Man konnte seinem *deus* aber auch dadurch Ehre erweisen, daß man sein Bildnis unter die Familienlaren aufnahm. So kennen wir — auf niedriger Ebene — das Beispiel des schlauen L. Vitellius, der den mächtigen Freigelassenen des Claudius soviel zu verdanken hatte und ihnen dafür wieder schmeicheln mußte, deswegen — *Narcissi quoque et Pallantis imagines aureas inter Lares coluit* (Suet. Vitellius 2, 5); ein anderes Beispiel — nun auf höherer Ebene — bietet Marc Aurel, der *tantum honoris magistris suis detulit ut imagines eorum aureas in larario haberet* (SHA, M. Ant. Phil. 3, 5); am bemerkenswertesten aber ist der Fall des Alexander Severus, von dem es heißt, er habe in seinem Lararium *inter alios* auch Bildnisse des Apollonius von Tyana, Christus, Abraham und Orpheus aufgestellt (SHA, Alex. Sev. 29, 2). Bei solchen Bräuchen darf es angesichts der üblichen Sprachentwicklung nicht wundernehmen, daß heidnische Schriftsteller den Ausdruck θεός oder *deus* recht freizügig verwenden konnten; so lesen wir etwa bei Cicero, *equidem te cum in dicendo semper putavi deum, tum vero* . . . oder *audiamus Platonem loquentem quasi deum quendam philosophorum.* Etwas überrascht allerdings sind wir, wenn wir hören, wie der jüdische Philosoph Philo behauptet, Moses sei ὅλου τοῦ ἔθνους θεὸς καὶ βασιλεύς gewesen.[16] Wenn schon ein Jude den Ausdruck θεός so übertragen verwenden konnte, um wieviel leichter konnte es dann ein Heide.

Um jedoch nach Griechenland und zu seiner Behandlung von Wohltätern zurückzukehren: nach den oben zitierten Beispielen

[15a] Plinius, Epist. III 7, 8. Eine interessante Parallele im Ausdruck aus moderner Zeit stammt von Charles Lamb in bezug auf den toten Coleridge: "He was my fifty years old friend without a dissension. Never saw I his likeness nor probably the world can see again. What was his mansion is consecrated to me a chapel." — „Er war fünfzig Jahre lang mein Freund, ohne daß es je zu einem Zwist gekommen wäre. Nie habe ich etwas ähnliches gesehen wie ihn, noch wird die Welt wohl je wieder etwas ähnliches sehen. Das, was früher sein Haus war, das gilt mir heilig als Kapelle."

[16] Cicero, de oratore I 106 und vgl. II 179; de natura deorum II 32; Philo, de vita Moysis I 158.

können wir nun verstehen, daß der Durchschnittsgrieche bei Alexanders Forderung, die griechischen Städte sollten ihn als Gott anerkennen, vom Gefühl, von der Tradition und der Erfahrung aus Jahrhunderten her bereitwillig genug anerkannte, daß diese Forderung begründet sei. Alexander hatte Taten vollbracht, wie sie kein Sterblicher vor ihm je vollbracht hatte: er hatte Griechenland von seinem jahrhundertealten Feind Persien befreit; er hatte die Welt erobert. Es war noch keine 20 Jahre her, daß Isokrates seinem Vater Philipp geschrieben hatte, er werde dann den Gipfel des Ruhmes erreicht haben, „wenn du die Barbaren (mit Ausnahme derer, die für dich kämpfen) gezwungen hast, den Griechen als Sklaven zu dienen, und wenn du den König, der jetzt der Große heißt, dazu gebracht haben wirst, zu tun, was immer du ihm befiehlst. Denn darüber hinaus gibt es nichts mehr, außer ein Gott zu werden" — οὐδὲν γὰρ ἔσται λοιπὸν ἔτι πλὴν θεὸν γενέσθαι. Isokrates bezieht sich hier auf ein altes griechisches Thema, das wir bei Pindar antreffen, wenn dieser betet, dem Psaumis von Camarina möge all jenes Glück beschieden sein, das ein Sterblicher erleben kann, daß er jedoch — μὴ ματεύσῃ θεὸς γενέσθαι.[17] Dennoch waren seine Worte merkwürdig prophetisch: Alexander hatte noch mehr geleistet als sein Vater, und nun sollte er in der Tat zum θεός werden.

Es ist hier nicht notwendig, auf die Vergöttlichung Alexanders und seiner Nachfolger und ihre Bedeutung einzugehen; darüber haben eingehend Ferguson, Tarn und Wilcken gehandelt. Es war eine politische Maßnahme, und ich möchte hier nur betonen, daß die traditionelle griechische Gesinnung und die Art, wie sie sich Ausdruck verschaffte, dafür den Boden vorbereitet hatte. Einige wenige mochten protestieren; den meisten bereitete es keinerlei Schwierigkeiten. In diesem Zusammenhang müssen wir auch unterscheiden zwischen der Verehrung, die Alexander beanspruchte, um seine Position zu rechtfertigen, der Verehrung, die ihm Alexandria als seinem Gründer darbrachte, und der Verehrung, die er durch den offiziellen Kult in den Städten genoß.[18] Ganz anderer Art war

[17] Isocrates, Epist. ad Philippum 5; Pindar, Olymp. V, 24.

[18] Tarn, Hellenistic Civilization, 2. Aufl., 46—47.

da der spontane Ausbruch der Begeisterung, mit dem die Athener ihren Befreier Demetrios Poliorketes empfingen, und ganz zu Recht hat Scott auf die große Bedeutung dieser Tatsache hingewiesen.[19] Hier dämpft der fromme Plutarch spürbar den Ton, und in der Tat kann er uns versichern, daß deutliche Anzeichen für göttliches Mißfallen nicht ausblieben (Plutarch, Dem. 12).

Was nun die Einstellung angeht, mit der man eine solche Vergöttlichung im 3. Jahrhundert betrachtete, so hat da Edson mit Livius XXXII, 25 eine lehrreiche Stelle angeführt:[20] Philokles, der Gesandte Philipps V., kam nach Argos (das dem Philipp durch Gesetz göttliche Ehren zugestanden hatte), in der Hoffnung, die Stadt für seinen Herrn zu gewinnen; die Volksmeinung dazu wurde durch einen merkwürdigen Vorfall offenbar. Lassen wir Livius erzählen: *cuius nomen* [Philipps] *post pactam cum Romanis societatem quia praeco non adiecit, fremitus primo multitudinis ortus, deinde clamor subicientium Philippi nomen iubentiumque legitimum honorem usurpare, donec cum ingenti adsensu nomen recitatum est.* Hier spielt nichts „Religiöses" in unserem Sinne des Wortes mit: es handelt sich um eine politische Einstellung, die göttlichen Ehren für Philipp sind ein *legitimus honor*, ein Zeichen der Dankbarkeit für geleistete Dienste, das die Stadt gesetzmäßig festgelegt hatte.

Hier muß nun allerdings angemerkt werden, daß, wenn es auch gegen Ende des 4. Jahrhunderts kaum jemand für verwerflich gehalten hätte, einem Menschen göttliche Ehren zuzubilligen, die Sache doch ganz anders lag, wenn ein Mensch sich selbst mit einem bestimmten Gott identifizierte. Hier beginnt in der Tat der Wahnsinn. Eine ausführliche und glänzende Studie über diese Art der Geisteskrankheit hat kürzlich Weinreich mit ›Menekrates, Zeus und Salmoneus‹ geliefert; dennoch möchte ich vorschlagen, den tatsächlichen Beweis für die Gottlosigkeit und den Wahnsinn des Syrakusaner Arztes Menekrates nicht so sehr darin zu erblicken, daß er sich selbst *theos* nannte, sondern vielmehr darin, daß er sich mit einem bestimmten Gott, mit Zeus nämlich, und seine Anhänger mit

[19] K. Scott, Am. Journ. Phil. XLIX, 1928, 137—166 und 217—239.
[20] C. F. Edson, Harv. Theol. Rev. XXVI, 1933, 324—325.

Apollon und Herakles identifizierte; und das war ganz offenbar „Vorspiegelung falscher Tatsachen". Eben darin bestand auch die Sünde des sagenhaften Salmoneus: er wurde nicht dafür bestraft, daß er sich selbst *theos* nannte, sondern dafür, daß er Zeus nachahmte (oder sich vielleicht sogar mit ihm identifizierte).[21] So äußerte sich auch die Gottlosigkeit des Kaisers Gaius: er identifizierte sich anfangs mit den vergöttlichten Heroen wie Hercules und später sogar mit Mercur und Apollon selbst.[22] Aber sogar der Wahnsinn des Gaius kannte noch Grenzen; trotz der Schmeichelreden seiner Höflinge, die bereit waren, ihn als Juppiter Latiaris zu grüßen,[23] identifizierte er sich doch nie ausdrücklich mit dem obersten Gotte Roms — mit Juppiter auf dem Capitol. Er begnügte sich damit, ihn wie einen Ebenbürtigen zu behandeln und ihn „Bruder" zu nennen.[24] (Wir müssen hier allerdings anmerken, daß sowohl Sueton wie auch Dio Cassius behaupten, er habe sich mit Juppiter gleichgesetzt,[25] daß ich hier jedoch die Version des Josephus vorziehe, die mir näher an der Wahrheit zu bleiben und weniger verfälscht zu sein scheint als die späteren Berichte.)[26] Ich bin — um noch einmal zusammenzufassen — der Meinung, daß die wahre Gottlosigkeit nicht darin bestand, daß man sich selbst *theos* oder *deus* nannte, sondern vielmehr in der tatsächlichen *Identifikation*

[21] Bei Homer ist Salmoneus schuldlos. Den frühesten Hinweis auf seine Gottlosigkeit finde ich im Äolus des Euripides (Nauck, Fragmenta 14). Andere Berichte sind viel späteren Datums, und ich frage mich, ob man dem sagenhaften König nicht vieles angehängt hat, was von historischen Herrschern her kam. Möglicherweise bezieht sich eine Stelle bei Rhianus, bei Stob. III 4, 33 S. 227 Hense (zitiert von Nock, Sallustius. S. lxxxix, Anm. 210) auf etwas derartiges; vgl. O. Weinreich, Hermes LXVII, 1932, 359—363.

[22] Philo, Legatio 78 ff. und 93 ff.

[23] Suet., Calig. 22, 2.

[24] Josephus, Ant. Jud. XIX, 4: ἀδελφὸν ἐτόλμησε προσαγορεύειν τὸν Δία; vgl. ebd. 11.

[25] Z. B. Suet., Calig. 22 und Dio LIX, 28, 8.

[26] Meine Gründe dafür, die Überlieferung des Josephus als die glaubwürdigere zu betrachten, habe ich in Camb. Hist. Journ. IV, 1933, 105 dargelegt.

mit einem Gott. Man mochte sich in aller Frömmigkeit und Überzeugung als Werkzeug oder williger Mitarbeiter eines Gottes fühlen; so findet Pythons Bescheidenheit die volle Billigung Plutarchs — ταῦτα θεός τις ἔπραξεν, ἡμεῖς δὲ τὰς χεῖρας ἐχρήσαμεν[27]. Hieraus spricht eine ganz ähnliche Geisteshaltung wie die Oliver Cromwells, wenn er von sich behauptet, er sei "but a pipe for God to play on". Ganz anders hätte es ausgesehen, hätte sich Python mit Ares oder Cromwell mit Gott indentifiziert!

[Kapitel II *Proskynesis* wird hier nicht abgedruckt*]

III

Griechen und Römer

Es hat sich also bisher gezeigt, daß die Haltung der Griechen zur Vergöttlichung sich durchaus mit den überkommenen Gefühlsregungen vereinbaren ließ, zumal in Augenblicken starker Gemütsbewegung, wenn Rettung aus großer Not erfolgt war. Mit fortschreitender Zeit war diese Ehrung natürlich immer billiger zu haben, sie blieb aber doch ihrem Wesen nach Dank für geleistete Dienste. Als nun Rom — eine Stadt, deren Name schon „Kraft“ besagt — auf den Plan trat, bereit, den Griechen gegen ihre Unterdrücker zu helfen, da war es gar nicht anders denkbar, als daß es für den berühmten Akt, mit dem es den Griechen die Freiheit wieder schenkte, gemäß den althergebrachten Regeln geehrt wurde. Smyrna brüstete sich, es habe bereits im Jahre 195 der Roma einen Tempel geweiht, und Rhodos errichtete eine Kolossalstatue des Populus Romanus im Tempel der heimischen Athena Polias.[45] Der nächste Schritt aber führte dahin, die Dankbarkeit, die man einer

[27] Plutarch, de laude ipsius 11 (S. 542 E).

* [Anmerkungen 28—44 beziehen sich auf Kap. II, das hier nicht abgedruckt ist.]

[45] Tacitus, Ann. IV, 56; Polybius XXXI, Frag. 16, 4.

entfernten Macht schuldete, mit der zu verbinden, die man gegenüber deren leibhaftig anwesendem und beliebtem Vertreter Quinctius Flamininus empfand; so kam es dazu, daß man Altäre für Roma und Titus errichtete und ihnen zu Ehren Hymnen verfaßte. Die Gabe des Flamininus zeugte von großer Gesinnung, und so war auch seine Ehrung von langer Dauer; wir wissen heute (durch die von Kougéas veröffentlichte Gytheion-Inschrift), daß er noch 200 Jahre später unter der Regierung des Tiberius einen Priester besaß.[46] Wurde diese Ehre in der Folgezeit auch vielen verliehen, die sie sich durch Wohltaten verdient hatten — Ephesos besaß beispielsweise einen Altar für Roma und Servilius Isauricus, den Bezwinger der isaurischen Mordbrenner[47] —, so wurde sie doch mit fortschreitender Zeit immer unwürdigeren Empfängern oder einfach Gouverneuren, die das Volk nicht unterdrückten, verliehen. Ciceros Verwaltung von Kilikien kann tatsächlich als gerecht und gütig bezeichnet werden — er verhielt sich eben so, wie sich ein anständiger Verwaltungsbeamter verhalten sollte —, doch machte seine Handlungsweise auf die Provinzialen einen solchen Eindruck, daß sie den zwar erfreuten, aber doch verlegenen Prokonsul mit Angeboten von Tempel- und Statuenweihungen nur so überschütteten. Wieder einmal handelte es sich um Dankbarkeit für erwiesene Wohltaten: man achte darauf, was Cicero sagt, als er sich vor Atticus brüstet — *ob haec beneficia, quibus illi obstupescunt, nullos honores mihi nisi verborum decerni sino, statuas, fana,* τέθριππα *prohibeo* (Cicero, ad Att. V 21, 7). Hier gab es einen Präzedenzfall, auf den Augustus zurückgreifen konnte, als er sich entscheiden mußte, wie seine Position in den Provinzen, die daran gewöhnt waren, ihre Herrscher zu „verehren", sein sollte. Der Präzedenzfall besagte, daß die Verehrung der ewig währenden Macht Roms[48] mit einem menschlichen Repräsentanten gekoppelt werden konnte.

[46] Plutarch, Titus 16; leichter zugänglich ist die Edition des Textes bei E. Kornemann, Neue Dokumente zum lakonischen Kaiserkult, Breslau 1929.

[47] Siehe Jahreshefte XVIII, 1915, Beiblatt 281 ff.; vgl. Forschungen in Ephesos III, 1933, 149 Nr. 66.

[48] Zur Konzeption der ewig währenden Macht Roms s. Melinnos „Ode an Roma", wie sie bei Stobaeus, Anthol. (Wachsmuth-Hense) III, 7, 12

IV

Rom bis zur Zeit des Augustus

Wenn wir uns der römischen Geschichte zuwenden, stoßen wir dort auf eine religiöse Tradition, die sich von der Griechenlands tiefgreifend unterscheidet. Obwohl die Toten, die *Di Manes*, in ihrer Gesamtheit verehrt wurden, so gab es doch in der Frühzeit nichts, das sich mit dem griechischen Heroenkult vergleichen ließe. Dennoch lagen in der römischen Vorstellung vom *numen* als einer Macht, die sich bei bestimmten Gelegenheiten auf bestimmte Art und Weise manifestierte, Möglichkeiten zu interessanter Entwicklung. Wenn sich das *numen* in einer geheimnisvollen und prophetischen Warnung wie der des Aius Locutius vor dem bevorstehenden Einfall der Gallier manifestieren konnte, warum soll es sich dann nicht auch in einem Menschen manifestieren können? Allerdings würde das einen Menschen noch nicht zum Gott erheben, sondern nur besagen, daß ein Sterblicher zum Mittelsmann des göttlichen Willens erwählt wurde — und darin liegt wohl ein bezeichnender Unterschied. Andererseits macht es den Eindruck, als habe sich in Rom nach 150 v. Chr., nachdem man lange Zeit fremde Einflüsse aufgenommen hatte, eine Stimmung ausgebreitet, die die römische Bevölkerung geneigt machte, Rettern oder Helfern in Augenblicken der Begeisterung oder der Krise Ehren darzubringen, wie man sie sonst den Göttern darbringen würde. Das erste gut belegte Beispiel dafür ist das der Gracchen; das Volk, so sagt Plutarch, T. et C. Gracchi, 39 (18), zeigte seine Sehnsucht nach ihnen: εἰκόνας τε γὰρ αὐτῶν ἀναδείξαντες ἐν φανέρῳ προὐτίθεντο, καὶ τοὺς τόπους ἐν οἷς ἐφονεύθησαν ἀφιερώσαντες ἀπήρχοντο μὲν ὧν ὧραι φέρουσι πάντων, ἔθυον δὲ καὶ καθ' ἡμέραν πολλοὶ καὶ προσέπιπτον, ὥσπερ θεῶν ἱεροῖς ἐπιφοιτῶντες. Ebenso bekannt und lehrreich ist ein zweites Beispiel: nachdem Marius mit seinem Sieg über die Cimbern und Teutonen Rom aus höchster Gefahr errettet hatte,

zitiert wird; zu ihrer Datierung in republikanische Zeit s. die Bemerkungen von Wilamowitz in seiner Ausgabe der Persae des Timotheus S. 71 Anm. 1.

begrüßte ihn das Volk als den dritten Gründer Roms, ... εὐθυμούμενοί τε μετὰ παίδων καὶ γυναικῶν ἕκαστοι κατ' οἶκον ἅμα τοῖς θεοῖς καὶ Μαρίῳ δείπνου καὶ λοιβῆς ἀπήρχοντο (Plutarch, Marius 27, 9). Beide Beispiele stammen jedoch von Plutarch, und man könnte vielleicht einwenden, sein Bericht sei von dem, was sich zwischen 100 v. Chr. und seiner eigenen Zeit abgespielt habe, nicht ganz frei; um so bedeutsamer ist deswegen ein drittes Beispiel, und das nicht nur, weil es Cicero überliefert, sondern auch wegen der vergleichsweise geringen Bedeutung des Helden, von dem die Rede ist. Im Jahre 86 v. Chr. gab der Praetor Marius Gratidianus einen Erlaß heraus, der vom Volk begrüßt wurde. Wir wollen Cicero selbst das Ergebnis berichten lassen: *et ea res, si quaeris, ei magno honori fuit. omnibus vicis statuae, ad eas tus, cerei. quid multa? nemo unquam multitudini fuit carior* (Cicero, de officiis III 20, 80). Diese Kundgebungen — Statuen, vor denen Kerzen und Weihrauch brennen — sind ein Zeichen hoher Ehre, der Volksgunst. Sonst nichts. Cicero läßt kein Wort der Empörung oder des Spottes fallen, er ruft nicht „*o tempora, o mores*"; es handelt sich schlichtweg um ein ungewöhnliches Zeichen der Ehrung durch die *plebs*. In einem anderen Fall allerdings, nämlich bei dem Bericht Sallusts darüber, wie Metellus Pius für einen Sieg mit Weihrauch *(inter alia)* begrüßt wurde, können wir in der Tat einen Unterton der Empörung feststellen, doch hier handelt es sich um die Empörung des kritischen Sallust über die Extravaganz und den Luxus anderer, nicht über Gottlosigkeit.[49] Diese Spenden für Marius oder Marius Gratidianus sind nichts anderes als die Vorläufer jener Libationen, die die dankbaren Seeleute Alexandrias im Jahre 14 n. Chr. auf Augustus ausbrachten und jener *eximiae laudes*; *per illum se vivere, per illum navigare, libertate atque fortunis per illum frui* (Suet., Aug. 98, 2). Hier kann von Vergöttlichung nicht die Rede sein; Augustus empfing nur begeisterte Huldigungen.

Soviel zur Begeisterung des Volkes; wir wollen nun betrachten, wie es einem hochkultivierten Mann ergeht, dem nach einer tiefen

[49] Sallust nach Macrobius, Sat. III 13, 8. Es ist zu bemerken, daß Valerius Maximus IX 1, 5 dies unter Beispielen für „luxuria et libido" bringt.

Erschütterung seine innersten Gefühle durchbrechen. Es ist bekannt, daß Cicero nach dem Tod seiner geliebten Tochter Tullia eine Weile von der Idee besessen war, ihr ein Heiligtum zu errichten (Cicero, ad Att. XII 18, 1; 19, 1; 12, 1; 36, 1 etc.). Welche Empfindungen und welcher Glaube auch im einzelnen diese Sehnsucht erweckt haben mögen — zwei Punkte sollten betont werden: erstens, das Heiligtum soll eine Ehrenbezeigung für eine tote Frau bedeuten, es soll öffentlich zugänglich, an hervorragender Stelle gelegen und stark besucht sein.[50] Und zweitens ist Cicero sich selbst mit Unbehagen dessen bewußt, daß diese heiße Sehnsucht nach dem Heiligtum ein Symptom für sein verlorenes Gleichgewicht ist; er fühlt sich deswegen leicht beschämt, bittet aber Atticus, Nachsicht mit ihm zu haben. Als dann der Schmerz nachließ, wurde der Plan, ein Heiligtum zu errichten, offenbar aufgegeben. Diese Art und Weise, einen Sterblichen zu ehren, entsprach in der Tat dem, was das 18. Jh. „Enthusiasmus" genannt hätte; in Zeiten, wo er sich selbst in der Gewalt hatte, hätte Cicero selbst diesen Plan abgelehnt, weniger intellektuelle Geister allerdings hatten ohne Zweifel nichts dagegen einzuwenden.

Das Zeitalter Ciceros tritt uns demnach in einer hochintellektuellen Oberschicht und in einem weniger gebildeten, stärker „enthusiastischen" Volk entgegen. In der Oberschicht jedoch war dank der Beeinflussung durch griechisches Denken und den Euhemerismus die Vorstellung, ein Mensch könne auf Grund überragender Wohltaten zum Gott erhoben werden, längst zum Allgemeinplatz geworden. So kann Cicero (de nat. deor. II 61) nicht nur sagen *suscepit autem vita hominum consuetudoque communis, ut beneficiis excellentes viros in caelum fama ac voluntate tollerent* — wobei er unter seinen Beispielen Hercules, Aesculapius und Romulus aufführt —, sondern er kann auch für seine Neuordnung des Staates folgende Regelung festlegen (de legibus II 19): *divos et eos, qui caelestes semper habiti, colunto, et ollos, quos endo caelo merita locaverunt.*[51] Auf diese Weise konnte es die altgewohnten

[50] Cicero, ad Att. XII 12. Das *fanum* könnte in Arpinum sein, *sed vereor ne minorem* τιμὴν *habere videatur* ἐκτοπισμός.

[51] Die Fassung Urlichs „bonos leto datos divos habento" in de legibus

Götter geben und zusätzlich noch jene, die durch ihre Wohltaten der Menschheit gegenüber zur Gottheit erhoben wurden; und hier muß erwähnt werden, daß Philodem offensichtlich zwischen diesen beiden Gruppen unterscheidet, wenn er erklärt, daß die älteren Götter in weitaus höherem Maße der Verehrung würdig seien.[52] Doch während sich normalerweise die Menschen durchaus die Vorstellung zu eigen machen konnten, daß bestimmte Sterbliche zu den Göttern erhoben worden seien, so wußten es doch die römischen Steuereintreiber besser. Waren Amphiaraos und Trophonios wirklich Götter? *nostri quidem publicani, cum essent agri in Boeotia deorum immortalium excepti lege censoria, negabant immortales esse ullos, qui aliquando homines fuissent* (Cicero, de nat. deor. III 19, 49). Auf den ersten Blick scheint das nicht mehr zu sein als die altbekannte Diskrepanz zwischen klingender Münze und frommer Begeisterung, aber es könnte doch sein, daß manche Römer diesen Einwand als durchaus stichhaltig empfanden. Allerdings muß gerechterweise berichtet werden, daß die *publicani* in diesem Fall den kürzeren zogen.[53]

Um das Jahr 45 oder 44 also war das Volk Roms offensichtlich durchaus bereit, Julius Caesar, gleichgültig ob als Lebendem oder als Totem, göttliche Ehren und Vergöttlichung zuzugestehen; die Nobilität allerdings war da sicherlich anderer Meinung. Zu diesem Thema der Vergöttlichung Caesars gibt es zahlreiche verschiedene Meinungen: der Leser mag sich da an die Kapitel 3 und 4 in Miß Taylors Buch The Divinity of the Roman Emperor, an die Kapitel von F. E. Adcock in der Cambridge Ancient History, Band IX, bes. 718—735 und an J. Carcopinos Points de vue sur l'imperialisme romain, 118—123 halten. Dort wird das Material vorgelegt und diskutiert. Die bemerkenswertesten Nachrichten stammen dabei von Dio Cassius, der teilweise bei Sueton Bestätigung findet, und bei der Interpretation der Behauptungen des Dio, der zweieinhalb Jahrhunderte nach der Ermordung Caesars schrieb, scheint mir Pro-

II, 22 ist keine ganz unanfechtbare Verbesserung; s. die Anmerkung z. St. in Vahlens Ausgabe.

[52] Siehe R. Philippson, Rhein. Mus. LXXXIII, 1934, 172—3.

[53] Siehe Dittenberger, Sylloge³, 747, SC de Amphiarai Oropii agris.

fessor Adcocks Skepsis durchaus gerechtfertigt. Liest man Plutarch, Caesar 67, in Verbindung mit Sueton, Divus Julius 88 — und beide Autoren haben vor Dio geschrieben —, so kann man sich kaum des Eindruckes erwehren, daß die Vergöttlichung Caesars endgültig erst nach dessen Tod beschlossen wurde.[54] Ich gebe hier beide Stellen wieder:

Plutarch: ἡ δὲ σύγκλητος ἀμνηστίας τινὰς καὶ συμβάσεις πράττουσα πᾶσι Καίσαρα μὲν ὡς θεὸν τιμᾶν ἐψηφίσατο καὶ κινεῖν μηδὲ τὸ μικρότατον ὧν ἐκεῖνος ἄρχων ἐβούλευσε κτλ.

Suetonius: Periit sexto et quinquagesimo aetatis anno atque in deorum numerum relatus est, non ore modo decernentium, sed et persuasione volgi. siquidem ludis, quos primos consecratos ei heres Augustus edebat, stella crinita per septem continuos dies fulsit exoriens circa undecimam horam, creditumque est animam esse Caesaris in caelum recepti, etc.

Aber das ganze Thema ist überaus schwierig: angenommen, Caesar wurde bereits zu seinen Lebzeiten zum Gott erhoben, oder die Vergöttlichung fand kurz nach seinem Tode statt, warum war es dann notwendig, das Ganze im Jahre 42 v. Chr. noch einmal zu wiederholen? Denn so wird im allgemeinen Dio XLVII 18 und 19 in Verbindung mit Dessau, ILS 72, 73 und 73a interpretiert. Wir kennen Ciceros spöttische Bemerkungen in der zweiten Philippischen Rede 110; was genau aber bedeuten die Skrupel, die er in der ersten Philippischen Rede 13 äußert, in bezug auf die Zeit, zu der sie ausgedrückt werden?[55] Doch was immer sich als die Wahrheit herausstellen wird,[56] wenn diese sich tatsächlich noch jemals ergründen läßt, das Volk glaubte jedenfalls bereitwillig, als der „Komet des Caesar" erschien, daß sein toter Wohltäter in den Himmel aufgestiegen sei, und der junge Erbe Caesars war schlau

[54] Miss Taylor, a. a. O. 79, Anm. 1 weist in ihrer gewohnten Ehrlichkeit auf die Stelle bei Plutarch hin, übergeht diese dann aber einfach.

[55] „adduci tamen non possem ut quemquam mortuum coniungerem cum deorum immortalium religione; ut, cuius sepulcrum usquam extet ubi parentetur, ei publice supplicetur".

[56] Es ist zu bemerken, daß keinerlei Anzeichen für irgendwelche Einrichtungen zum Kult des Julius in den von ihm gegründeten Kolonien festzustellen sind.

genug, sich diesen Glauben zunutze zu machen. Etwa neun Jahre später, als Octavian Rom und Italien von der Furcht vor den Piraten befreit und das Ende des Bürgerkrieges verkündet hatte, αὐτὸν αἱ πόλεις τοῖς σφετέροις θεοῖς συνίδρυον, wie Appian berichtet (Bell. Civ. V, 132, 546). Dabei wird es sich um eine Art *synnaosis* (wenn ich dieses Wort prägen darf) gehandelt haben; dies und die Ehrungen, die ihm nach der Schlacht von Actium zugestanden wurden, verlangten nun unbedingt genaue Überlegung, wie seine Stellung weiterhin aussehen sollte.

V

Augustus und seine Nachfolger

Um die Stellung des Augustus hinreichend darzulegen, brauchte man viel Raum, und kurze Verallgemeinerungen sind bekanntlich gefährlich; dennoch müssen wir hier einige Verallgemeinerungen versuchen, um dem Ziel dieser Untersuchung näherzukommen. Zuallererst muß man sich klarmachen, daß die Stellung des Augustus an verschiedenen Orten verschiedenartig war; bei seinen Amtsgeschäften in dem ungeheuren Reich ging er von dem vernünftigen Grundsatz aus, daß die Bevölkerung eines jeden Landes ihn so betrachten solle, wie sie zuvor ihre Herrscher betrachtet hatte. In Ägypten war er für den eingeborenen Ägypter der Nachfolger der Pharaonen und Ptolemäer und als solcher in Bezeichnung und Darstellung Gott. Im hellenisierten Osten konnten zwar im Ausland lebende römische Bürger auch weiterhin den Divus Julius als Gott verehren, wie sie es sich in Italien angewöhnt hatten, die Provinzialen allerdings hatten sich an den bereits eingeführten Brauch zu halten, Roma in Verbindung mit ihrem irdischen Vertreter zu verehren. In Zukunft sollten Roma und Augustus zusammen verehrt werden, und Augustus war nicht bereit, die Verehrung seiner Person allein offiziell zu erlauben, auch wenn ihn viele verehrten, ohne ihn um Erlaubnis zu fragen. Das Motiv aber blieb durchweg das gewohnte: Dankbarkeit für unsagbare Wohltaten, die man dem Mann verdankte, der als „gemeinsames Glück für die ganze Menschheit“ geboren war und der alle früheren und alle zukünftigen

Wohltäter übertroffen hatte.[57] Deshalb erklärt Mytilene, sollte „irgend etwas Ehrenvolleres als alle diese Verfügungen in Zukunft gefunden werden, so wird der Eifer und die Frömmigkeit unserer Stadt es an nichts fehlen lassen, was ihn noch mehr zum Gott erheben kann".[58] Besonders aber taten sich in dieser Richtung die abhängigen Könige hervor; so errichtete Herodes in Paneas Statuen der Roma und des Augustus in einem prächtigen Tempel, und Iuba weiht in Iol seinem Lehnsherrn einen Hain. Ohne Zahl waren auch die Weihungen, die aus Freude über die Sicherheit des Friedens durch Körperschaften oder Privatpersonen in den Provinzen erfolgen.

In Italien jedoch widersprach die Tradition der Aristokraten der wirklichen Verehrung eines lebenden Herrschers, und auch hier wieder respektierte Augustus die Tradition.[59] Obwohl manche mit Vitruv übereinstimmen und in ihrem Herrscher *divina mens et numen*[60] erkennen mochten, obwohl viele ihm als Gott privat Altäre aufstellten,

nil oriturum alias nil ortum tale fatentes

und obwohl manche Dichter ihre Möglichkeiten der Übertreibung an ihm erschöpfen mochten, so ließ Augustus doch die Silberstatuen, die Bewunderer ihm zu Ehren hatten aufstellen lassen, einschmelzen und an deren Stelle Goldstatuen für seinen Beschützer Apollon aufstellen. Selbstverständlich gab es Neuerungen, die sich in feinen Nuancen und Akzentverschiebungen äußerten — diese Phänomene behandelt Miß Taylor in ihrem obengenannten Buch und Professor Nock im X. Band der Cambridge Ancient History [In diesem Band S. 377 ff.] —, aber man trifft doch im großen und ganzen das Richtige, wenn man sagt, daß Augustus zu Lebzeiten — mochte er den Göttern auch noch so nahe sein und noch so offensichtlich in ihrer Gunst stehen — in Rom offiziell nicht zum Gott erhoben wurde;

[57] Dittenberger, OGIS 458.

[58] Dittenberger, a. a. O. 456.

[59] Immisch hat, einer Anregung K. Scotts folgend, in „Aus Roms Zeitwende" 13—36 klar gezeigt, wieviel in der Politik des Augustus einen bewußten Gegensatz zur Dionysos-Identifikation des Antonius darstellte. [In diesem Band S. 131 ff.]

[60] Vitruv I 1.

erst nachdem er die Erde verlassen hatte, wurde er vom Senat offiziell als Divus Augustus kanonisiert. Die größte Neuerung erfolgte in den westlichen Provinzen, wo Augustus langsam den Kult des Herrschers und der Roma einführte — etwas, das bis dahin dort unbekannt gewesen war; dabei handelte es sich jedoch um eine politische und nicht um eine religiöse Schöpfung, um ein Mittel, die Bande der Loyalität fester zu knüpfen.

So schuf Augustus das Modell, das auch für die nachfolgenden Herrscher beispielhaft bleiben sollte. In den Provinzen durfte der lebende Herrscher offiziell verehrt werden, sobald er in Kultgemeinschaft mit Roma auftrat; allerdings brauchte auch gegen Handlungen, die ohne offizielle Genehmigung dem Enthusiasmus von Privatpersonen entsprangen, nichts unternommen zu werden. In Italien konnte die Göttlichkeit erst nach dem Tode verliehen werden. Tiberius hatte in den ersten Jahren seiner Regierungszeit Gelegenheit, seinen Standpunkt klar darzulegen: die Stadt Gytheion in Lakonien schlug offenbar vor, ihm göttliche Ehren zu gewähren (in welcher Form ist unbekannt), und sandte deswegen eine Gesandtschaft nach Rom, um seine Genehmigung einzuholen. Aber während Tiberius anerkannte, daß der Divus Augustus auf Grund seiner Wohltaten, die er der ganzen Welt erwiesen habe, solcher Ehren durchaus würdig sei, wies er sie doch für sich selbst zurück. Man hat ihm Unbestimmtheit vorgeworfen, aber für einen Griechen müssen seine Worte ganz klar verständlich gewesen sein — er wünschte keine τιμαὶ ἰσόθεοι. Man könnte in der Tat vermuten, daß es für eine solche Ablehnung so etwas wie eine offizielle Formel gab, denn Germanicus weist in ganz ähnlicher Weise ἰσόθεοι ἐκφωνήσεις von sich, und der Kaiser Claudius, der sich so viele Ehren, die ihm die Alexandriner antrugen, gefallen ließ, setzte doch eine Grenze, als es um Tempel und Priester ging, mit der Erklärung: οὔτε φορτικὸς τοῖς κατ' ἐμαυτὸν ἀνθρώποις βουλόμενος εἶναι, τὰ ἱερὰ δὲ καὶ τὰ τοιαῦτα μόνοις τοῖς θεοῖς ἐξαίρετα ὑπὸ τοῦ παντὸς αἰῶνος ἀποδεδόσθαι κρίνων (Bell, Jews and Christians in Egypt, S. 24 Zeile 48—51). Doch während Tiberius die Verehrung seiner Person allein untersagte,[61] so erteilte er doch seine Genehmi-

[61] Ebenso wie die seiner Mutter und seiner Person. Deswegen wies er

gung, als im Jahre 23 die Städte Asiens aus Dankbarkeit für die Bestrafung habgieriger Beamter ihm, seiner Mutter Livia und dem Senat einen Tempel weihen wollten, da die Verehrung seiner Person mit der des Senats verbunden war.[62]

Unter der Regierung des Gaius wurde dann die Politik des Augustus vollständig umgedreht. Die Ereignisse sind bekannt genug, es genügt, wenn wir hier seine Selbsterhebung zum Gott mit Tempeln und Opfern, seine Forderung, die Menschen sollten bei seinem Genius schwören, und die Einführung der Proskynesis als Hofsitte hervorheben, da wir auf all dies noch einmal zu sprechen kommen werden (S. 187 ff.). Claudius verkündete verständigerweise wieder die Rückkehr zum Modell des Augustus; er untersagte Opfer für ihn selbst und die Proskynesis (Dio LX 5, 4). So aufrichtig diese Ablehnung auch gemeint war, die Gegenströmung war zu stark; daher konnte es zu jener lächerlichen Auswirkung kommen, daß der Gouverneur von Ägypten Claudius in der Vorrede zu eben dem Brief als Gott bezeichnet, in dem der Kaiser diese Auszeichnung ablehnt. Gleichzeitig zögerten die Höflinge in Rom nicht, zumindest in ihren schriftlichen Erzeugnissen ihrem Herrn göttliche Beinamen zu geben.[63] Die plumpen Schmeicheleien Lucans und Senecas Nero gegenüber, die Speichelleckerei des Senats, der dafür stimmte, eine Statue Neros im Tempel des Mars Ultor aufzustellen, und der laute Beifall der Senatoren, die Nero bei seiner Rückkehr aus Griechenland als „Nero-Hercules", „Nero-Apollo" begrüßten — um hier nur ein paar Beispiele zu zitieren —, rückten die Vergöttlichung immer näher.[64] Doch trotz seiner angeblichen Bemühungen, die Taten des Hercules und Apollo nachzuahmen

eine Petition, die in diesem Sinne aus Spanien an ihn gerichtet war, zurück: Tacitus, Ann. IV 37 u. 38.

[62] Eine Bronzemünze aus Smyrna zeigt auf der Vorderseite die einander zugewandten Büsten der Livia und „des Senats" und auf der Rückseite Tiberius, wie er in seinem neuen Tempel steht; Brit. Mus. Cat. Ionia S. 268, Nr. 266. Dem Senat ist auf Münzen aus Asien gelegentlich das Epitheton θεός beigegeben.

[63] Siehe M. P. Charlesworth, Class. Rev. XXXIX, 1925, 113 ff.

[64] Tacitus, Ann. XIII 8 (s. dazu Nock, Harv. Stud. Class. Phil. XLI, 1930, S. 31); Dio LXIII, 20, 5.

(Suet., Nero 53), wurde Nero nie offiziell in Rom zur Gottheit ernannt, vielmehr wies er im Jahre 67 den unheilvollen Vorschlag zurück, der die Errichtung eines Tempels für Divus Nero vorsah.[65] Vespasian und Titus kehrten zur gewohnten Bahn zurück und wurden dafür mit der Aufnahme unter die Divi belohnt. Domitian wiederum brach aus dieser Bahn aus und erntete so den Haß und die Schmähungen derer, die ihn überlebten (S. 187). Die folgenden „guten" Herrscher hielten sich an die gewohnte Regel. Über die Antoninen will ich nicht hinausgehen.

Was bedeutete nun diese Vergöttlichung, zumal in den Augen der römischen Bürger? Sicher ist, daß Augustus auf seine Umwelt ungeheuren Eindruck gemacht hatte: seine Erhebung zum Divus Augustus entsprach dem weitverbreiteten Gefühl, daß hier, in diesen Leistungen und Wohltaten, ein göttliches Wesen zu erkennen sei. *Haec* (Milde), sagt Seneca, *hodieque praestat illi famam, quae vix vivis principibus servit. deum esse non tamquam iussi credimus.*[66] Sowohl zu seinen Lebzeiten wie nach seinem Tode pflegten die Leute inoffiziell bei seiner Göttlichkeit zu schwören,[67] und jahrelang wurde ein feierlicher Eid abgelegt, daß seine *acta* erhalten bleiben sollten.[68] Obwohl Tiberius es im Jahr 16 ablehnte, einige Worte, die Appuleia Varilla angeblich gegen ihn geäußert haben sollte, als Hochverrat aufzufassen, so forderte er doch, sie solle verurteilt werden, *si qua de Augusto inreligiose dixisset.*[69] Es war nur selbstverständlich, daß die Statue des Augustus dem Asyl und Schutz gewähren konnte, der bei ihr Zuflucht suchte,[70] und das Ansehen, das die Herkunft vom Divus Augustus gewährleistete, verlieh den Mitgliedern seiner Familie ihren Herrschaftsanspruch[71]

[65] Tacitus, Ann. XV 74. Man wird an Caracallas grausigen Scherz über den Mord an seinem Bruder erinnert — „sit divus dum non sit vivus".

[66] Seneca, de clementia I 10, 2.

[67] Horaz, Epist. II 1, 16; Tacitus, Ann. I 73.

[68] So leistete Claudius im Jahre 42 diesen Eid selbst und nahm ihn dem Senat ab, s. Dio, LX 10, 4.

[69] Tacitus, Ann. II 50.

[70] Ebd. III 36; IV 66, 67.

[71] J. Gagé, Divus Augustus, Rev. Arch. XXXIV, 1931, 11 und S. Eitrem, Zur Apotheose, V. Das Herrscherblut und die domus Augusta, Symbol.

und umgab sie mit der Würde, die die Zugehörigkeit zu einer *domus divina* mit sich brachte.[72] Die Leute glaubten, seine Herrschaft sei durch eine ganze Reihe von Zeichen und Wundern angekündigt worden; die Einwohner von Velitrae zeigten den Ort, von dem sie (ganz zu Unrecht) behaupteten, er sei sein Geburtsort gewesen, und Sueton berichtet, daß jeder, der diesen Ort ohne die geziemenden Vorbereitungen und die nötige Verehrung betrete, von Schauer und Furcht gepackt werde (Suet., Aug. 6 und 94, 1). So strahlend und überwältigend aber auch immer die Gestalt des Augustus im Geiste der Menschen lebte, so stellte sie doch nie die Oberhoheit des Juppiter in Frage; vielmehr wurden für den treuen Bürger die beiden gemeinsam zum ersten und höchsten Gegenstand der Verehrung. Als im Jahre 37 der Gouverneur von Lusitanien der Bevölkerung von Aritium den Treueid auf Gaius abnahm, da bestimmten sie für sich selbst als Strafe — *si sciens fallo fefellerove, tum me liberosque meos Juppiter Optimus Maximus ac Divus Augustus ceterique omnes di immortales expertem Patria incolumitate fortunisque omnibus faxint* (Dessau, ILS 190); und ähnliches hören wir von der Bevölkerung von Assos, die ihren Treueid auf Gaius zwar bei Zeus, Augustus und ihrer eigenen Parthenos beschwor, die aber für Juppiter Capitolinus opferte (Ditt. Syll.[3] 797).

Doch obwohl offiziell zu Lebzeiten der Kaiser als sterblich zu gelten hatte, läßt sich doch eine zunehmende Erhöhung seiner Position feststellen, die von verschiedenen Seiten her ihren Ausgang nahm. Nehmen wir eine Gruppe von Menschen, die Armee: es kann kaum ein Zweifel daran bestehen, daß jede Legion neben ihrem Adler und ihren Standarten (den *signa et bellorum deos*) auch ein Bildnis ihres Kaisers und möglicherweise auch Bildnisse all derer,

Osloenses XI, 1932, 22. Man beachte auch, wie in der Apocolocynthosis (9, 5) der burleske Antrag auf Vergöttlichung des Claudius beginnt: *Cum Divus Claudius et Divum Augustum sanguine contingat, nec minus Divam Augustam, quam ipse deam esse iussit . . .*

[72] Die *domus divina* wird von Phaedrus V 7, 38 und in zwei (möglicherweise auch drei) Inschriften, die noch in vorflavische Zeit zu datieren sind, erwähnt: CIL XIII, 4645; A. B. West, Corinth VIII, Nr. 68; CIL VII, 11.

die beim Kaiser in Gunst standen oder mit ihm verbunden waren, besaß.[73] Bei großen Paraden und militärischen Ereignissen wurde das Porträt des regierenden Kaisers zusammen mit den Bildnissen der Götter (und damit auch der Divi) aufgestellt, und vor diesem Porträt pflegten ausländische Prinzen zum Zeichen der Unterwerfung ihre Huldigungen darzubringen.[74] Sehen wir von der Armee ab, so waren auch viele Bürger gewohnt, ein Bildnis des Augustus in ihrem Lararium zu beherbergen, wo es täglich Verehrung genoß. Ovid berichtet, daß er im abgelegenen Tomis Silberbildnisse des Divus Julius, des Augustus und der Livia besaß, die ihm ein Freund geschickt hatte;[75] da es sich nun um Ovid handelt, wenden seine Kritiker ein, dies könne nur als schmeichlerische Gesinnung angesehen werden. Zweifellos spielt da ein Element der Berechnung mit, aber weitaus wichtiger ist doch die Tatsache, daß für einen Römer in der Fremde diese Bildnisse das sichtbare Symbol für Rom und für seine Bürgerschaft darstellten; sie bedeuteten Rom für ihn,

hunc ego cum spectem videor mihi cernere Romam,

und Ovid bewahrte auf diese Weise unter den getischen Horden seine Selbstachtung. Schließlich ist festzustellen, daß die Anwendung schmeichlerischer und halbgöttlicher Epitheta für den Kaiser und seinen Kreis stetig und unaufhaltsam zunahm. Valerius Maximus pries in der Widmung seines Werkes die *caelestis providentia* des Tiberius; während jedoch dieser Kaiser Schmeichelei mit ätzender Ironie zurückwies, konnte unter der Regierung des Claudius und des Nero die gesamte ekelhafte Sprache der Hofschmeichelei verwendet werden. Unter Vespasian wurde sie dann zeitweilig eingeschränkt, doch unter Domitian kam sie wieder zu voller Blüte: nicht nur ein Hofdichter wie Statius kann *ad nauseam* von Domi-

[73] Dies scheint mir die einleuchtendste Interpretation von Tacitus Ann. IV 2, 4 und Suet. Tib. 48, 2 zu sein.

[74] Obwohl Prinzen so handeln mochten, war dies bestimmt nicht beim Großkönig der Parther der Fall: die Geschichte, daß Artabanus sich vor dem Bildnis des Gaius zu Boden warf, ist sicherlich, wie Täubler gezeigt hat (Die Parthernachrichten bei Josephus, 55—6), eine Erfindung des L. Vitellius, mit der er dem zornigen Gaius schmeicheln wollte.

[75] Ovid, ex Ponto II 8.

tians heiliger Gestalt, seinen göttlichen Füßen und seinen himmlischen Augen sprechen, selbst ein aufrechter Mann wie Quintilian muß sich demütigen.[76]

Ich bin der Meinung, daß sich während seiner Regierungszeit das Aufkommen eines neuen Brauches feststellen läßt. Um das Jahr 111 wurden in Bithynien einige römische Bürger und Provinzialen vor Plinius gebracht, da sie beschuldigt wurden, sie seien Christen; sie rechtfertigten sich jedoch dadurch, *cum praeeunte me deos appellarent et imagini tuae, quam propter hoc iusseram cum simulacris numinum adferri, ture ac vino supplicarent* (Plinius, Epist. X 96).[77] In seiner Antwort an Plinius billigt Trajan dieses Vorgehen. Diese berühmten Briefe waren natürlich immer wieder Gegenstand der Untersuchung für alle die, denen es um die Ursprünge des Christentums geht; uns berührt hier die Frage, wie gerade unter der Herrschaft des Optimus Princeps die Handlung, vor den Statuen des Kaisers und der Götter Opfer darzubringen, zum Prüfstein für religiöse Gleichgesinntheit und Loyalität hatte werden können. Und die Antwort darauf scheint mir zu lauten, daß es sich um ein Erbe von Domitian handelt.

VI

Der Genius des Domitian und das zweite Jahrhundert

Dieser Punkt ist es wert, daß wir näher auf ihn eingehen. Obwohl wir vielleicht gelegentlich die Voreingenommenheit unserer Quellen gegenüber Domitian in Rechnung ziehen müssen, so gehen doch einige Tatsachen klar aus ihnen hervor. Domitian lag die Aufrechterhaltung der Staatsreligion und insbesondere der capitolinischen Trias sehr am Herzen: dafür zeugen die Einführung des

[76] Zu Statius s. K. Scott, Statius' adulation of Domitian, Am. J. Phil. LIV, 1933, 247; eine ausführliche Untersuchung von F. Sauter, Der römische Kaiserkult bei Martial und Statius, ist eben erschienen (Juli 1934). Zu Quintilian s. Inst. Orat. III 7, 9.

[77] Dieser Satz bringt ein gutes Beispiel für *simulacrum* = ἄγαλμα (Kultbild) und *imago* = εἰκών (Statue, die nicht unbedingt für den Kult bestimmt ist).

Agon Capitolinus durch ihn, seine Verehrung für Minerva und die Legenden auf seinen Münzen.[78] Gleichzeitig aber läßt er die Entschlossenheit erkennen, seine eigene Position emporzuheben, sich als *dominus* und *deus* anerkennen zu lassen (wir werden gleich darauf zurückkommen), absoluter Herrscher zu sein. Die ersten Schritte dazu unternahm er bereits zu Beginn seiner Regierungszeit. Während Gemeinden ihre Eide früher bei Juppiter, dem Divus Augustus und „den anderen Göttern" geschworen hatten, mußten in den neuen Munizipien Salpensa und Malaca die Beamten bei Juppiter, Divus Augustus und den anderen Divi, dann aber, noch vor den *dei Penates,* beim Genius des Domitian schwören (Dessau, ILS 6088 und 6089). « Ce qui est nouveau », schrieb Abbé Beurlier erklärend dazu, « c'est l'invocation du génie dans un serment public, au même titre que Jupiter », und seit diese Worte niedergeschrieben wurden, hat ein neuer Fund einen noch eindeutigeren Beweis geliefert. Im Jahre 94 schwört ein Soldat in Ägypten bei einer feierlichen Erklärung einen Eid nur bei Juppiter Optimus Maximus und beim *Genius sacratissimi imperatoris Domitiani* (ILS 9059). Weiterhin läßt sich einer Stelle im Panegyricus des Plinius (52, 6, 7) entnehmen, daß die Leute, die dem Kaiser Dank abstatten oder ihm schmeicheln wollten, freiwillig damit begonnen hatten, seinem Genius Opfer darzubringen. Die erhöhte Stellung des Domitian war offenkundig; er bewegte sich tatsächlich auf der Bahn, die bereits Gaius eingeschlagen hatte, allerdings ohne dessen Übertreibungen und mit wesentlich größerer Zielstrebigkeit. Gewiß traf seine Politik auf Widerstand, doch den vernichtete er erbarmungslos; und so scheint nach dem Tod des Agricola im Herbst des Jahres 93 eine Phase zu beginnen, die durch Verfolgungen charakterisiert wird. Bezeichnenderweise berichtet Dio gerade aus diesen Jahren von einer Reihe von Fällen, wo Leute wegen *atheotes* verurteilt wurden; ebenso bezeichnend ist es, daß der Fall des Juventius

[78] Zu den Münzen s. Mattingly-Sydenham, The Roman Imperial Coinage, II, 1926, 149—213. Zu Minerva als seiner Schutzgöttin s. Suet., Domit. 15, 3; eine merkwürdige Reminiszenz an diese Tatsache begegnet in der Erzählung von dem Tarentiner Beamten, der angeklagt wurde, weil er den Kaiser bei öffentlichen Gelübden nicht „Sohn der Minerva" nannte, Philostrat., Apoll. VII, 24.

Celsus, der wie Vitellius der Verurteilung nur dadurch entging, daß er sich erniedrigte und Domitian als Gott bezeichnete, gerade in diese Periode gehört. Darüber hinaus konnte der Vorwurf der *atheotes* ohne weiteres gegen Juden und Christen erhoben werden, und in der Tat lassen sowohl die jüdischen wie auch die christlichen Quellen eine Tradition der Angst und Verfolgung erkennen. Um uns zuerst dem Judentum zuzuwenden: wir hören, daß Flavius Clemens und Domitilla den jüdischen Glauben angenommen hatten und dafür bestraft wurden; weiterhin, daß der Senat einen Erlaß herausgab, der allen Juden vorschrieb, binnen 36 Tagen die Grenzen des Reiches zu verlassen; weiterhin, daß der berühmte Rabbi Gamaliel II. (zusammen mit drei Helfern) im Jahre 95 n. Chr. eine eilige Winterreise nach Rom unternahm (wahrscheinlich um dort für die jüdische Sache einzutreten und Verfolgungen abzuwenden); und weiterhin, daß ein einflußreicher Senator und Verwandter des Kaisers (Clemens?), der den Juden gewogen war, zum Tode verurteilt wurde und daß seine Frau dann den Rabbis zeigte, daß er beschnitten gewesen war.[79] Was die Christen betrifft, so zitiert Eusebius einen Gewährsmann dafür, daß viele Christen — darunter auch Domitilla — im Jahre 95 den Märtyrertod erlitten.[80] All diese Tatsachen bringen mich zu der Hypothese, daß Domitian gegen Ende seiner Regierungszeit mit dem freiwilligen Kult seiner Verehrer nicht mehr zufrieden war, sondern in dem Bestreben, gleichzeitig den Staatskult wie auch seine eigene Göttlichkeit zu propagieren, das Verfahren nahelegte,[81] daß alle jene, die der Untreue oder der Vernachlässigung der Staatsreligion angeklagt wurden, sich leicht dadurch rechtfertigen konnten, daß sie vor seiner Statue wie auch vor denen des Juppiter und der anderen Götter

[79] Zu diesen Überlieferungen s. Graetz, Geschichte der Juden, 2. Aufl. IV, 1886, 117—122 und Anm. 12, und The Jewish Encyclopaedia, s. v. Gamaliel II; zahlreiche Hinweise auf diese Reise nach Rom finden sich in der Mishnah, vgl. z. B. die Übersetzung von Danby, S. 81, 115 und 126.

[80] Euseb. Chron. Hieron. z. Jahr Abr. 2114.

[81] Ich sage „nahelegte“, da ein Kaiser in einer Antwort auf eine offizielle Anfrage eine Verfahrensweise, die er billigte, andeuten konnte, ohne sie direkt zu befehlen, . . . δοκοῦσί μοι καλῶς καὶ προσηκόντως ποιήσειν, wie Augustus in seinem ersten Kyrene-Edikt sagt.

Trankopfer und Weihrauch darbrachten. Wenn dies der Fall war, dann handelte es sich dabei nicht nur um eine bedeutsame Neuerung, um eine entscheidende Prüfung, sondern auch um eine Prüfung, die, obwohl sie dem Hirn eines Tyrannen entsprungen war, dennoch von dessen Nachfolgern weitergeführt wurde. Wir möchten darauf hinweisen, daß diese Hypothese eine Reihe von Dingen erklären würde, die sonst ziemlich rätselhaft bleiben. Wenn Domitian den Anspruch aufbrachte, daß Eide nicht nur bei den Divi, sondern auch bei seinem Genius abgelegt werden sollten, dann wird es verständlich, wieso im Jahre 108 unter Trajan in Ägypten ein Eid bei den Divi, der Tyche des Trajan und dann erst bei den einheimischen Göttern geleistet werden konnte; eine solche Formel wird nun verständlich, während sie sonst für Wilcken „ein Unikum" bleibt.[82] Wir können nun auch verstehen, warum Epiktet während der Regierungszeit desselben Herrschers über die Bürger von Nikopolis lacht, weil diese bei Caesars Tyche schwören (Epiktet IV, 1, 12). Und letztlich: wenn diese Prüfung, die im Kultakt vor dem Bildnis des lebenden Kaisers bestand, bereits von Domitian eingeführt worden war, dann wird verständlich, wie Plinius, der doch nie an einem Verhör von Christen teilgenommen hatte, so schnell auf eine Verfahrensweise kam, die dem Fall angemessen war.

Und dies wäre auch nicht die einzige Neuerung gewesen, die sein Nachfolger beibehalten hätte; wir wissen von einer weiteren, die uns ebenso überraschend kommt. Bekanntlich wird überliefert, daß Domitian sich gerne für seine Person der Wendung *dominus et deus noster* bediente und daß er mündlich wie schriftlich ständig so angeredet wurde.[83] Dies scheint nun in der Tat bei Inschriften kaum Spuren hinterlassen zu haben; daß im griechischen Osten oder in abgelegenen asiatischen Dörfern der Kaiser als θεός bezeichnet werden konnte, oder daß ein Freigelassener oder ein Sklave ihn *dominus* nennen konnte, braucht uns kaum zu über-

[82] Oxyrhynchus Pap. III, 483, mit dem Kommentar von Wilcken, Chrestomathie 144. Dieser Brauch wird erst nach Hadrian üblich.

[83] Suet., Domit. 13, 2; Dio LXVII, 5. Wieder spiegelt Philostrat (Apoll. VIII, 4) die Tradition wider: als Apollonius vor Gericht steht, fordert sein Ankläger ihn auf, den „Gott der ganzen Menschheit" anzublicken.

raschen.[84] Doch bereits im Jahre 89 erwähnt Martial ein *edictum domini deique nostri*, und das Auftreten derartiger Schmeichelreden bei Quintilian sowie die spöttischen Bemerkungen des jüngeren Plinius und später des Dio Chrysostomus lassen keine Zweifel daran, daß Domitian in der zweiten Hälfte seiner Regierungszeit auf eine Weise angesprochen wurde, die seine Göttlichkeit und seine Herrschaft über die Bürger erkennen ließ.[85] Und obwohl nach der Ermordung des Domitian die Vorsicht dazu riet, das Beiwort *deus* fallenzulassen, so behielt man doch den *dominus* bei: wir bemerken nicht ganz ohne Ironie, wie ebenderselbe Plinius, der so sehr gegen die überheblichen Titel des Domitian protestiert hatte, ganz gewohnheitsmäßig das *dominus* als Form der Anrede in seinen Briefen an Trajan verwendet.[86] Dies Epitheton blieb bestehen, und wir finden den Titel *dominus* oder *dominus noster* (worauf Perret hingewiesen hat) in offizieller Verwendung für Hadrian auf mehreren Inschriften.[87] Mit diesen beiden Dingen also — der Loyalitätsprobe durch Trankopfer und Weihrauch vor dem Bildnis des lebenden Kaisers sowie der Einführung der Benennung *dominus* als offiziellem Titel — inaugurierte Domitian offenbar Verfahrensweisen, die von Dauer sein sollten. Wir müssen kurz danach fragen, welche Wirkung dieser Kaiserkult auf die Gemüter der Bewohner des Reiches hatte — und zwar sowohl auf die der ungebildeten Leute wie auch auf die der Intellektuellen. Die Antwort kann hier nur ganz flüchtig skizziert werden, doch scheinen gewisse Gesichtspunkte deutlich hervorzutreten.

Um mit den einfachen Leuten zu beginnen: in Augenblicken der Massenbegeisterung und bei großen Gelegenheiten konnten in ihrem

[84] IGRR I, 862; Ditt. Syll.³ 822; Suppl. Epig. Graec. VI, 46. Dessau, ILS 3346 *pro salute optimi principis et domini* scheint von einem Freigelassenen und CIL VI, 23454 von einem Sklaven zu stammen.

[85] Martial V 8, 4; VII 34, 8; VIII 2, 6 und X 72, 3; Quintilian, Inst. Orat. IV, praef. und X 1, 91; Plinius, Paneg. 2 und 52; Dio Chrys. XLV 1. Vgl. F. Sauter, a. a. O. 31—40.

[86] Plinius, Epist. X, passim; vgl. Frontos Brief an Marc Aurel.

[87] Perret, La titulature impériale d'Hadrien, 76—92. Eine ähnliche Anerkennung als „Herr“ geht selbst aus der Formel „Hadrianus noster“ hervor.

Denken die Divi unmittelbar neben Juppiter stehen; dennoch sah man in ihnen nicht sosehr Mächte, an die man sich in Gebeten um Segen wenden würde, sondern vielmehr Wohltäter, die für einst geleistete Dienste Ehrenbezeigungen verdienten. (In moderner und leicht irreführender Analogie gesehen, ähnelten sie den "Founders and Benefactors" eines englischen College, denen zu Ehren jedes Jahr ein College-Gedächtnis-Gottesdienst abgehalten wird.) So gesehen waren die Divi — οἱ ἐν θεοῖς αὐτοκράτορες, wie sie in einer griechischen Inschrift bezeichnet werden (IG XII 1, 786) — Götter, denn ihr *numen* wirkte noch im Geist der Menschen.[88] Wir haben gesehen, wie stark und anhaltend der Eindruck gewesen war, den der Divus Augustus auf die Gemüter der Menschen gemacht hatte, und selbst im 4. Jh. gab es noch Familien, die das Bildnis des Marc Aurel unter ihren *penates* aufgestellt hatten (SHA, M. Ant. Phil. 18, 6). Schwieriger ist es, die Einstellung gegenüber einem lebenden Herrscher zu definieren; sie ist je nach Gegend ganz unterschiedlich. Er war vom Himmel gesandt, wenn er ein guter Herrscher war, und Spender von Reichtum und Eintracht, *circumferens terrarum orbi praesentia sua pacis suae bona*, der überall den „Frieden Caesars" verbreitete. Die Wunder, die Vespasian zu Beginn seiner Regierungszeit in Alexandria oder die der sterbende Hadrian vollbrachten, kennzeichneten diese als eine Art θεῖος ἀνήρ, einen Vermittler zwischen Göttern und Menschen[89], und obwohl die göttlichen und halbgöttlichen Beiworte und Titel ungehindert zunahmen, dürfen wir das doch nicht überbewerten. Ein einschlägiges Beispiel dürfen wir hier natürlich nicht übergehen. Es stammt aus den Metamorphosen des Apuleius, III 29. Der unglückliche Lucius in seiner Eselsgestalt ist vom Gewicht seiner Bürde und durch die steilen Wege völlig erschöpft; *sed mihi sero quidem, serio tamen subvenit ad auxilium civile decurrere et interposito venerabili principis nomine tot aerumnis me liberare.* Beim Durchqueren eines Dorfes also *inter ipsas turbelas Graecorum genuino sermone nomen augustum Cae-*

[88] "But his soul is marching on."

[89] Tacitus, Hist. IV 81 4; vgl. auch die Liste der Vorzeichen bei Sueton, die seine Regierung ankündigten, Suet. Vesp. 5; SHA, Hadrian 25, 1—4. Vgl. O. Weinreich, Antikes Gottmenschentum, Neue Jahrbücher II, 1926, 633 ff. [In diesem Band S. 55 ff.]

saris invocare temptavi; et O quidem tantum disertum ac validum clamitavi, reliquum autem Caesaris nomen enuntiare non potui. Die Bemühung war ein Fehlschlag. *Sed tandem mihi inopinatam salutem Iuppiter ille*[90] *tribuit,* und wie er diese Rettung sandte, erzählt Lucius anschließend. Die ganze Passage ist überaus interessant und gibt mir einige Rätsel auf. Handelt es sich um die fromme Anrufung einer fernen Gottheit, *Iuppiter ille,* die erhören und helfen kann? Oder handelt es sich nicht eher um die Anrufung der irdischen Macht des Kaisers, des *auxilium civile*? Man bedenke, daß Lucius abwartet, bis man in ein Dorf gelangt, wo sein Ruf gehört werden kann; auf der anderen Seite wird sein unausgesprochenes Gebet erhört, denn der Herrscher sendet ihm *inopinata salus.* Ich kann diese Passage nicht erklären, habe aber doch das Gefühl, daß es sich bei allem, trotz der religiösen Sprache, um eine Anrufung des *auxilium* des Kaisers als eines irdischen Herrschers handelt.[91] Auf jeden Fall bleibt Apuleius eine Ausnahme, und für die große Masse gilt, daß die Kaiserverehrung nicht eine geistliche, sondern eine politische Angelegenheit bedeutete.

In gleicher Weise haben wir jedoch auch die Reaktion der Gebildeteren auf die Herrscherverehrung ins Auge zu fassen.[92] Nehmen wir beispielshalber den älteren Plinius. Er hatte als verständiger und aufgeklärter Mann die Ausschreitungen des Gaius und Nero mit angesehen und sie verurteilt, die Herrschaft des Claudius aber hieß er gut. Er hatte die Schrecken des Bürgerkrieges vom Jahre 69 miterlebt und hieß nun Vespasian willkommen, *fessis rebus subveniens.*[93] Denn für ihn gilt *deus est mortali iuvare mortalem* — ein großartiger Satz; und dadurch, daß sie das baufällige Gebäude des

[90] Daß „Iuppiter ille" hier den Kaiser bedeutet, hat D. S. Robertson, Proc. Camb. Phil. Soc. 1926, 22 gezeigt.

[91] So ruft nach Epiktet (III, 23, 55) jemand, dem Unrecht geschieht, ὦ Καῖσαρ, ἐν τῇ σῇ εἰρήνῃ οἷα πάσχω und stürzt zum Prokonsul. Der Lukianische „Lucius sive Asinus" bietet hier keine Hilfe: Lucius versucht einfach „O Caesar" zu rufen, bringt aber nur das „O" heraus.

[92] Viel Material hierzu hat K. Scott in zwei Arbeiten zusammengestellt: Plutarch and the Ruler Cult, Trans. Am. Phil. Soc. LX, 1929, 117 ff. und The elder and younger Pliny on Emperor Worship, ebd. LXIII, 156 ff.

[93] Es ist auffällig, daß der jüngere Plinius für die Adoption Trajans

Reiches stützten, allein durch ihre Dienste gegenüber der Menschheit erringen Vespasian und seine Söhne den Weg zum Himmel. Die älteste Art und Weise, Wohltätern Dank abzustatten, ist, wie er erklärt, sie unter die Götter aufzunehmen: doch im Augenblick — das sei wohlbemerkt — gehören Vespasian und seine Familie nicht zu den Göttern, auch wenn sie den höchsten Punkt erreicht haben, den Sterbliche je erreichen können — *excelsissimum humani generis fastigium.*[94]

Es ist nicht ganz gerecht, wenn wir uns danach dem jüngeren Plinius zuwenden; denn dessen Panegyricus (von dem, nebenbei gesagt, eine ausführlich kommentierte Ausgabe höchst notwendig wäre) kommt mir sehr angestrengt und rhetorisch vor, und in seiner Begeisterung ist Plinius imstande, über Trajan Dinge zu sagen, die selbst dem nach Schmeichelei hungrigen Domitian zuviel gewesen wären. Aber trotz allem zeigt auch der Panegyricus, wenn wir ihn wohlwollend lesen, wie echt und wie überwältigend die Zuneigung und die Freude waren, die Trajan erweckt hatte; wenn sich Plinius in seiner Erleichterung auf so übertriebene Art und Weise Luft macht, wie tief muß dann die Demütigung und Furcht unter Domitian gesessen haben. Doch obwohl er seinen Panegyricus mit einem Vergleich zwischen Domitian, als Tyrannen und Gott, und Trajan, als erstem Bürger und Mensch beginnt, wird dies Thema bald fallengelassen. Immer wieder wird aber im Verlauf des Werkes als Grundeinstellung des Plinius deutlich, daß die Vergöttlichung ein Mittel ist, seinen Dank für Wohltaten auszudrücken; der Leser vergleiche die Kapitel 11, 1; 35, 4 und 52, 1 und er wird feststellen, wie sehr dieser Gedanke vorherrscht. Doch die Begeisterung macht sich in Übertreibungen Luft, die uns für den Sprecher erröten lassen — ein Beispiel soll genügen: Trajans Liebe zu seinem Volk ist so groß, daß wir nur hoffen können, daß die Götter uns ebenso lieben wie er, *civitas religionibus dedita . . . nihil felicitati suae putat adstrui posse, nisi ut di Caesarem imitentur.*[95]

fast dieselbe Formulierung verwendet: *unicum auxilium fessis rebus,* Paneg. 8, 3.

[94] Plinius, Nat. Hist. Praef. 11.

[95] Plinius, Paneg. 74, 5.

Wir wollen es damit genug sein lassen und uns Plutarch, einem tieferen und besorgteren Denker, zuwenden. Es ist ganz offenkundig, daß ihm unwohl ist und daß er sich langsam von dem traditionellen Polytheismus fortbewegt in Richtung auf die Anerkennung eines einzigen höchsten Gottes, dem eine Unzahl geringerer Diener und Erscheinungsformen angehören. So kann er wie ein frommer Jude sagen, jeder Mensch, der behauptet, Gott zu sein oder der Gott nachahmt, ist wahnsinnig — „νεμεσᾷ γὰρ ὁ θεὸς τοῖς ἀπομιμουμένοις βροντὰς καὶ κεραυνοὺς καὶ ἀκτινοβολίας" (ad princ. ineruditum 3, p. 780 F). Einen Menschen zu Lebzeiten zum Gott zu erheben ist nicht nur an sich gottlos, es zerstört auch den Charakter des Betreffenden und wirft ihn aus seiner Bahn, wie es bei Demetrius, Antonius und Nero der Fall gewesen war.[96] Nebenbei möchten wir bemerken, daß zu Beginn Plutarch und Plinius der Ältere in ihrem Haß gegen Nero ein Herz und eine Seele sind, daß sich Plutarch aber schließlich erweichen läßt. So treffen wir in ›de sera numinis vindicta‹ 32, p. 567 F auf die Seele Neros, wie sie schwere Martern durchzustehen hat — sie wird mit glühenden Nägeln durchbohrt und festgenagelt —, bis zum Schluß eine große Stimme die Freilassung verfügt, und zwar warum? ὅτι τῶν ὑπηκόων τὸ βέλτιστον καὶ θεοφιλέστατον γένος ἠλευθέρωσε, [τὴν Ἑλλάδα].[97] Dem Kaiser, der Griechenland befreit hatte, konnte viel verziehen werden; diese Überlegung ist es vielleicht, die seinen Angriffen gegen Nero die Schärfe nimmt. Den Exzessen der selbstherrlichen Kaiser setzt Plutarch — ebenso wie Musonius, Dio Chrysostomus und andere Philosophen — das Bild des idealen Herrschers entgegen, des Dieners der Götter auf Erden, der Mühsal und Schwierigkeiten freudig willkommen heißt, sich seiner Sterblichkeit bewußt ist und der der Menschheit Gerechtigkeit, Eintracht und Frieden bringt.[98] Erst durch langwierige Verfahren und ausführliche Reinigung kann

[96] Die Belege hierfür bei Scott a. a. O.

[97] Dieses Zitat verdanke ich Mr. F. H. Sandbach.

[98] Die Pflichten eines Königs sind kurz bei Plutarch, Numa 6 und ausführlicher in verschiedenen Traktaten dargelegt. Für Dio Chrysostomus s. V. Valdenberg, La théorie monarchique de Dion Chrysostome, Rev. Études grecques XL, 1927, 142 ff. Beide Autoren variieren hier jahrhundertealte Themen.

sich die Seele eines solchen Mannes über verschiedene Stufen hinweg zum Rang eines Gottes erheben.[99] Dies ist ein Protest gegen die römische Einstellung.

Nachdem Plutarch diesen Ton einmal angeschlagen hatte, fand er reiches Echo. Bei Lukian macht sich Momus über die Zuschreibung göttlicher Ehren an tote Athleten lustig und spottet über die Wunderkuren, die sie vollbringen: es haben sich viele unwürdige und barbarische Götter in den Olymp eingeschlichen.[100] Pausanias ist empört über die Verflachung des Begriffes des Göttlichen, wie sie die leichtfertige Verleihung der Göttlichkeit an tote Athleten mit sich bringt.[101] Dieses unbehagliche Schuldgefühl äußert sich schließlich noch einmal im sterbenden Heidentum des vierten Jahrhunderts. Sallustius, der Autor eines Handbuches ›Über die Götter und den Kosmos‹, der zu einer Zeit schrieb, als die Menschen eine Glaubenswelt verloren hatten und sich nun einer neuen zuwandten, erinnert seine Leser daran, daß der Unglaube an sich eine gottgesandte Strafe sein könnte: „Es ist vernünftig, daß die, die von den Göttern wußten und sie verachteten, in einem anderen Leben dieses Wissens beraubt werden sollen und daß die Gerechtigkeit bewirkt, daß die, die ihre eigenen Könige als Götter verehrten, aus dem Umkreis der wahren Götter verbannt werden." [102]

Die einzige Nation, die sich hartnäckig gegen jede Vergöttlichung von Menschen wehrte — die der Juden — soll zum Schluß noch kurz betrachtet werden. In der ›Legatio ad Gaium‹ versichert Philo immer wieder, daß es Sünde sei, den Menschen mit Gott gleichzusetzen, und er billigt einzig und allein dem wahren Gott den Anspruch auf Verehrung durch die Menschen zu. Sein weltlicherer Kollege Josephus beteuert ähnliches: ich möchte sogar annehmen — und dabei folge ich dem Hinweis von S. J. Case,[103] daß Josephus gegen Ende der Regierungszeit des Domitian eine neue Verfolgungswelle voraussah —, daß die ausführliche und düstere Schil-

[99] Plutarch, Rom. 28.

[100] Lucian, deorum concilium 12, 14.

[101] Pausanias VIII 2, 4; vgl. auch Galens Bemerkung, Protrept. IX 22.

[102] Sallustius (ed. Nock) XVIII, S. 34—5.

[103] S. J. Case, Josephus' anticipation of a Domitianic persecution, Journ. Bibl. Lit. XLIV, 1925, 10 ff.

derung von der Ermordung des Gaius im Buch XIX der Antiquitates nicht nur durch die Absicht zu erklären ist, zu zeigen, welch schrecklichen Tod Gott über den verhängen kann, der sein Volk verfolgt; sie enthält auch eine Warnung für jene, die Schmeichlern gestatten, sie zu Göttern zu erheben oder die sich selbst zu Göttern erklären. Das ist auch der Sinn des kurzen, aber eindringlichen Berichtes über den Tod des Agrippa (XIX, 343—350), und beide Beispiele werden wohl im Hinblick auf Domitian erzählt. Die jüdische Volkslegende verfährt hart mit dem Verfolger Gaius [104] und noch härter mit dem Erzfeind Titus, der den Tempel zerstört hatte. Auch er war so frevlerisch, sich als Gott zu bezeichnen, und deswegen sandte der wahre Gott winzige Lebewesen gegen ihn aus, die ihm den Verstand aussaugten und ihn zum Wahnsinn trieben. Schriften wie die ›Aboda Zara‹ (auf jüdischer Seite) [105] und Tertullians ›de Idolatria‹ (auf christlicher Seite) sind Zeugen für die Schwierigkeiten, die für diese Monotheisten im täglichen Leben unter Heiden entstanden, und nicht die geringste dieser Schwierigkeiten erwuchs aus der Verehrung der Kaiser.[106]

[104] Siehe z. B. I. Lévi, Rev. d. Études juives XCI, 1931, 134 ff.

[105] Siehe die Übersetzungen von H. Danby [Oxford 1933] oder W. A. L. Elmslie [Cambridge 1911].

[106] Wir brauchen hier keine Stellen aus dem Neuen Testament zu zitieren, um die feindliche Einstellung der Christen zum Herrscherkult zu belegen oder die Schwierigkeiten zu zeigen, die ihnen auf Grund dieser feindlichen Einstellung im täglichen Leben begegneten. Eine interessante Analogie findet sich vielleicht in den Schwierigkeiten, mit denen sich christliche Konvertiten in Japan konfrontiert sehen; s. dazu den Aufsatz von A. Pieters, Internat. Rev. of Missions 9, 1920, 340 ff. In Japan kann offenbar wie in der antiken Welt jedermann privat eine bewunderte Persönlichkeit verehren: man vergleiche den (vermutlich) privaten Kult, von dem J. B. S. Haldane, The Inequality of Man, 179, berichtet: „Robert Koch, der Entdecker der Tuberkulose- und Cholerabazillen, wird zumindest in einem japanischen Laboratorium als Gott verehrt." Die Erklärung dafür ist vielleicht die, die der Gouverneur einer Stadt einem katholischen Prälaten gab: „Obwohl das Wort 'Kami' weiterhin im nationalen Kult verwendet wird, bedeutet es doch in keiner Weise ein übernatürliches Wesen, wie Sie es auffassen. Es bezeichnet nur bedeutende Männer, Wohltäter ihres Landes. Folglich können alle Japaner, welcher Religion auch

Aber trotz der Gewissensregungen Plutarchs und trotz der hartnäckigen Eigenständigkeit der Juden und Christen hatten doch die Mitglieder der römischen Gesellschaft, die ihre Gefühle ausdrücken konnten — die Gebildeten also — mit Beginn des 2. Jh.s eine durchaus konsequente und vernünftige Einstellung zum Herrscherkult gewonnen. Zuallererst läßt sich größere Zuversicht feststellen: im Rückblick auf das vergangene Jahrhundert mußten sich die Menschen vorkommen wie Aeneas, als Venus ihm den Schleier von den Augen nahm —

apparent dirae facies inimicaque Troiae
numina magna deum —

sie hatten gespürt, wie der Zorn der Götter über dem römischen Staat lastete, und Tacitus sollte dieses Gefühl in seinen ›Annalen‹ am eindringlichsten wiedergeben.[107] Mit Nervas Ankunft begannen die Götter, Rom wohlwollender zu betrachten — *tandem exorata numina.* Sicherlich war die Adoption Trajans ihrer Voraussicht — *providentia* — zuzuschreiben, die durch ihren Diener und Vermittler Nerva verwirklicht wurde; das war ihr großer und geheimer Plan — *ingens illud arcanum* —, den Nerva in die Tat umgesetzt hatte.[108] So versteht Plinius die Vorgänge: mehr als 100 Jahre später bemerkt Herodian, daß „die Römer gewohnt sind, die Kaiser zu Göttern zu erheben, die bei ihrem Tode einen Sohn hinterließen, der ihre Nachfolge antreten konnte" (IV 2, 1). In dieser Feststellung liegt ein guter Teil Wahrheit: fast alle die Kaiser, die zum Gott ernannt wurden, hinterließen entweder einen leiblichen oder einen adoptierten Sohn oder zumindest einen sicheren Nachfolger; bei Caligula, Nero, Otho, Vitellius und Domitian war das mit Sicherheit nicht der Fall. Als die Fratres Arvales für die Adoption des Piso Licinianus durch Galba Opfer darbrachten, wurde

immer sie angehören, sie verehren, ohne damit ihrem Gewissen Gewalt anzutun" (Pieters a. a. O. 349).

[107] Tacitus, Ann. IV 1 und XV 16: *ira illa numinum in res Romanas fuit.*

[108] Dieser Satz wiederholt nur folgende Stellen des Panegyricus: 5, 8, 2, 10, 3 (vgl. 56, 3), 23, 5.

auch *Providentia* erwähnt (Acta Fratr. Arval. CIL, VI, 2051). Ist der Schluß zu kühn, wenn wir in der Legende PROVIDENTIA, die so oft (in Begleitung des Globus, der Macht über die Erde bedeutet) auf Münzen von Vespasian bis Marc Aurel auftritt, hin und wieder einen Bezug auf die göttliche Voraussicht erkennen, die einen Kaiser dazu bewog, einen Erben festzusetzen und die Nachfolge zu sichern, wodurch er vermeiden konnte, Rom in einen Bürgerkrieg zu stürzen? [109]

Zu Lebzeiten also ist der Kaiser das Werkzeug Gottes auf Erden, ein Mensch, der den höchsten Gipfel erklommen hat, den ein Mensch erreichen kann, aber er ist kein Gott und ist sich dieser Tatsache bewußt (wenn er klug ist). Wenn er der Menschheit gute Dienste leistet — und wenn er außerdem einen guten Nachfolger hinterläßt [110] —, so geben ihm seine Verdienste ein Recht darauf, durch Eintragung [111] in die Reihe der Götter, denen die Verehrung des Staates gilt, erhoben zu werden (der jüngere Plinius verwendet dafür das Wort honestari). Um es scherzhaft auszudrücken: die Divi werden in einen himmlischen Super-Senat um ihrer Verdienste willen aufgenommen, in dem Juppiter und die älteren Götter die ursprünglichen Mitglieder sind, während die Divi durch den Senat in Rom hinzugewählt werden. Zwei Jahrhunderte hindurch ändert sich an dieser Grundvorstellung nur wenig: *dis te minorem quod geris imperas* ist immer noch das Motto. *Sic fit*, sagt Plinius zu Trajan (Paneg. 52, 2), *ut tibi di summum inter homines fastigium servent, cum deorum ipse non adoptes.* Auf dem Trajansbogen in Benevent streckt Juppiter dem herantretenden Kaiser den Donnerkeil entgegen, um zu zeigen, daß er ihm das Recht gegeben hat, auf

[109] Siehe Mattingly-Sydenham, Rom. Imp. Coinage II 128, 229, 415 und 418; III 110, 114, 215, 218, 253 und 278/9. Eine Untersuchung der Münztypen dieser Zeit in Verbindung mit einigen der Ideen, die Plinius im Panegyricus ausdrückt, wäre interessant.

[110] *certissima divinitatis fides est bonus successor;* Paneg. 11, 3, vgl. auch die oben zitierte Passage aus Herodian.

[111] *illum ego lucidas / inire sedes, ducere nectaris / sucos et adscribi quietis / ordinibus patiar deorum,* Horaz, c. III 3, 33 ff.; *hic est vetustissimus referendi bene merentibus gratiam mos, ut talis numinibus adscribant,* Plinius, Nat. Hist. II 19.

Erden zu regieren.[112] Selbst unter Domitian läßt Statius die Sibylle bei ihrer Prophezeiung (Silvae IV, 3, 128 ff.)

fortfahren

en! hic est deus
hunc iubet beatis
pro se Iuppiter imperare terris.

Juppiter bleibt immer noch der Höchste.

[112] E. Strong, La Scultura Romana, II, 194.

II. ALEXANDER UND DIE HELLENISTISCHEN KÖNIGE

Aus: Eduard Meyer, Kleine Schriften, Bd. 1, 2. Aufl. Halle/Saale: Verlag Max Niemeyer 1924, S. 265—314. Auszüge S. 284—291; 293—297; 312—314. 1. Aufl. 1910.
(Nach einem Manuskript aus dem Jahre 1905.)

ALEXANDER DER GROSSE UND DIE ABSOLUTE MONARCHIE

Von Eduard Meyer

Von den Asiaten waren Schwierigkeiten nicht zu befürchten. Anders stand es mit den Makedonen und Hellenen. Um sie seinem Weltreiche einverleiben zu können, bedurfte Alexander einer ganz neuen Grundlage, die ihm andere Rechte bot als das Herkommen und die Verträge, auf denen seine Stellung bisher beruhte. Diese zu gewinnen, hat er von Ägypten aus den Zug nach dem Ammonion unternommen.

Über die Motive des Zuges nach dem Ammonion sind die verschiedensten Hypothesen aufgestellt worden. Manche glauben, es genüge, die Tatsache des Zuges in die Wüste zu erwähnen und halten eine Laune, ein Bedürfnis, die gefeierte Stätte kennenzulernen, für ein ausreichendes Motiv, als ob es gar nichts weiter zu besagen habe, wenn ein Welteroberer mitten in seinem Kriegszuge einen Abstecher in die Einöde macht, der ihn, vom Niltal ab gerechnet, etwa noch einmal so weit von seinem Ziel abführte, als wenn Napoleon auf seinem Zuge nach Moskau einen Abstecher nach Kiew gemacht hätte. Weit verbreitet ist gegenwärtig die Meinung, Alexander habe dadurch auf die Asiaten oder speziell die Ägypter wirken wollen — als ob das Ammonion von Siwa irgendwo im Orient auch nur das geringste Ansehen genossen hätte und als ob Alexander nicht in einem jeden ägyptischen Tempel als Sohn der in diesem wohnenden Gottheit begrüßt worden wäre. Wenn er weiter nichts wollte, konnte er sich Zeit und Mühe sparen. Der Zug nach dem Ammonion ist vielmehr ausschließlich auf die griechische Welt berechnet. Hier war die Orakelstätte und ihr Gott zuerst durch Kyrene bekanntgeworden und hatte seit dem sechsten Jahrhundert ein stets steigendes Ansehen gewonnen [1], je mehr die

[1] Speziell hat bekanntlich Pindar zur Verbreitung desselben beigetragen.

heimischen Orakel, teils durch ihre Verquickung mit den politischen Gegensätzen, teils durch die wachsende Aufklärung an Kredit verloren. Schon Aristophanes stellt das Ammonorakel mit Delphi und Dodona auf gleiche Linie (›Vögel‹ 619. 712). Dann hat bekanntlich Lysander seine Umsturzpläne mit Hilfe des Ammonions durchzusetzen gesucht. Als im Jahre 346 Delphi in die Gewalt Philipps kam, hat Athen sich mit Vorliebe an den Wüstengott gewandt und zu dem Zweck ein eigenes Staatsschiff, „das des Ammon", gehalten, welches die Gesandten nach Afrika führte (Arist. pol. Ath. 61, 7).

Alexander hat den Zug zum Ammon absichtlich mit dem Schleier des Geheimnisvollen umgeben. Was der Gott ihm offenbart habe, schrieb er seiner Mutter, wolle er keinem Menschen anvertrauen als ihr allein, wenn er heimgekehrt sei (Plut. Al. 27). Wir besitzen noch die Darstellung, die Kallisthenes, der offiziöse Historiograph des Königs, gegeben hat, und die alle Späteren mit geringen Modifikationen wiederholen. Zwei Raben weisen dem König den Weg durch die Wüste, die Götter senden einen Regenguß, als das Heer fast verschmachtet war. Alexander ist allein in das Heiligtum gegangen, und was der Gott ihm gesagt hat, hat kein Mensch erfahren; nur das haben alle gehört, daß der erste Prophet des Gottes ihn als Sohn des Zeus (d. h. des Ammon) begrüßt hat [2]. Und alsbald trafen Gesandte aus Milet ein mit der Botschaft, das Apolloorakel der Branchiden in Didyma, das seit der Plünderung durch Xerxes erloschen war, sei wieder aufgelebt und habe gleichfalls Alexanders Geburt von Zeus und seine weiteren Siege verkündet, und ebenso die Sibylle von Erythrä. Seitdem verbreitet sich in der Welt das Gerücht, daß Alexander nicht der Sohn Philipps sei, sondern Olympias ihn von Ammon empfangen habe, der in Gestalt einer Schlange ihr genaht sei. Sowenig Alexander selbst an seinen

[2] Das ist selbstverständlich richtig; so redete jeder ägyptische Priester den König an. Das Bedeutsame ist eben, daß dieser Vorgang nicht von Heliopolis oder Memphis oder Sais erzählt wird, obwohl er sich dort, wenn Alexander in den Tempel ging, genau ebenso abgespielt hat, sondern nur vom Ammonion, weil dies allein für die Griechen Bedeutung hatte, nicht jene Kultusstätten.

göttlichen Ursprung geglaubt hat, gefördert hat er die Verbreitung des Glaubens auf jede Weise. Die Erzeugung durch einen Gott ist aber nur die Vorstufe für seine eigene Erhebung zum Gott.

Es ist eine weitverbreitete Meinung, daß der Glaube an die Göttlichkeit des Königtums orientalischen Ursprungs sei. Aber den Tatsachen entspricht das durchaus nicht. Einzig in Ägypten ist der König die Inkarnation einer Gottheit; dagegen ist es keinem der großen asiatischen Herrscher und am wenigsten den persischen Königen eingefallen, göttliche Ehren für sich in Anspruch zu nehmen [3]. Die Griechen behaupteten das freilich gelegentlich; denn die knechtische Art, in der der Orientale den Höherstehenden und vor allem den König begrüßt, indem er sich auf den Boden wirft und den Staub küßt, war nach ihrem Empfinden einem Menschen gegenüber unzulässig, nur vor dem Gotte erlaubt. Aber damit geben sie eben nur ihre eigene Anschauung wieder, nicht die orientalische. Die Erhebung des absoluten Herrschers zum Gotte ist vielmehr auf griechischem Boden erwachsen. Äußerlich ist sie dadurch ermöglicht, daß für die griechischen Anschauungen die Grenze zwischen Göttern und Menschen immer fließend gewesen ist. Halbgöttliche Wesen, Göttersöhne und Heroen kannte nicht nur die Urzeit, sondern ihre Zahl mehrte sich noch fortwährend im hellen Licht der Geschichte. Wer ein neues hellenisches Gemeinwesen geschaffen und seine Ordnungen begründet hatte, erhielt auch jetzt noch heroische Ehren [4]; ebenso lebte Sophokles im Kult als Heros Dexion fort,

[3] Nur in Babylonien ist die Erhebung des Königs zum Gott aufgekommen, als Sargon von Akkad um 2500 v. Chr. das semitische „Reich der vier Weltteile" gründete. Auch hier steht sie in engster Verbindung mit dem Anspruch auf Weltherrschaft. Sargons Nachfolger haben mit dem Titel „König der vier Weltteile" auch die Göttlichkeit ein halbes Jahrtausend lang beibehalten; aber seit Chammurabi wird sie wieder aufgegeben und ist später nie wieder aufgelebt. Vgl. GdA. I, 2, 2. Aufl. § 402. 414. 443. 447.

[4] Das gilt nicht nur von den Oekisten der Kolonien, sondern ebenso z. B. von dem 366 von den Thebanern getöteten Euphron, dem Begründer der Demokratie in Sikyon, der in seiner Heimat heroische Ehren erhielt, wie ein Oekist (Xen. Hell. VII 3, 12). Das gleiche gilt von Timoleon in Syrakus.

weil er dem Gott Asklepios in Athen eine Stätte bereitet hatte. Aber auch in den Kreis der olympischen Götter gab es einen Weg; ihn hatten ehemals Herakles, Dionysos, die Dioskuren und so manche andere gefunden. Nach der Anschauung der Aufklärung waren sie sterbliche Menschen gewesen, die um ihrer Taten willen von der dankbaren Nachwelt als Götter verehrt wurden. Was sie erreicht hatten, schien auch den gewaltigen Persönlichkeiten nicht unerreichbar, welche die Gegenwart erzeugte. So ist zuerst Lysander, als er im Vollbesitz der Macht die Griechenwelt neu ordnete, von den Aristokraten der ionischen Welt, denen er Heimat, Besitz und Herrschaft wiedergegeben hatte, als Gott verehrt worden. Vor allem auf Samos hat man ihm Altäre errichtet, ein Gottesfest gestiftet und Päane gedichtet, und in dem großen Weihgeschenk, das aus der Siegesbeute nach Delphi gestiftet wurde, steht seine Statue im Kreise der olympischen Götter, von Poseidon bekränzt. Als Philipp die Suprematie in Griechenland gewonnen hatte, ließ er bei der Hochzeitsfeier seiner Tochter, bei der ihn der Dolch des Mörders traf, den Bildern der zwölf Götter sein eigenes beifügen. Auch Klearchos, der Tyrann von Heraklea (363—352 v. Chr.), ein Schüler des Isokrates, forderte von seinen Untertanen göttliche Ehren.

Aber auch die politische Theorie, sosehr sie die Gewaltmenschen und ihr Treiben als unsittlich verwarf, führte zu ähnlichen Gedanken. Das republikanische Ideal, wie es am konsequentesten die radikale Demokratie in Athen verwirklicht hat, proklamierte die Herrschaft der bestehenden Gesetze und die unbedingte Unterordnung eines jeden unter dieselben. Die Theorie konnte das nicht annehmen und die Gesetze sowenig ungeprüft als gegeben und bindend anerkennen wie irgendeine andere menschliche Vorstellung: die höchste Leistung des wahren Staatsmanns ist ja gerade die Gesetzgebung. Sokrates will durch seine philosophisch-ethische Unterweisung die bisher von ihren Trieben beherrschten Bürger zu wahren Staatsmännern, „zu königlichen Männern" erziehen. Nur wer die richtige intellektuelle Erkenntnis besitzt, die zugleich immer die wahre menschliche Einsicht und das richtige sittliche Handeln in sich beschließt, ist berechtigt zur politischen Tätigkeit, d. h. zum Regiment über andere. Plato zieht daraus die Konsequenz, daß der vollendete Staatsmann, der wahre Weise, über den Gesetzen steht und frei, lediglich der eigenen Erkenntnis folgend, im Staate schalten muß; um seine richtige Erkenntnis, sein Wissen, durchsetzen zu können, bedarf er der unumschränkten Macht, und so können die Verhältnisse nicht eher besser werden und der Idealstaat in Erscheinung treten, „als bis entweder die wahren Philosophen die Staatsämter erhalten oder aber einer der Machthaber in den Städten (ein Tyrann) zum Philosophen wird". Als er dann vor die praktische Aufgabe gestellt war, die Tyrannis des jüngeren Dionysios in einen Idealstaat umzuwandeln und erkannte, daß dieser nicht der Mann war zu einem solchen idealen Regenten und daß der Idealstaat „überhaupt nur für Götter und Götterkinder sei", gelangte er zu der Idee des Gesetzesstaates, als das den irdischen Verhältnissen entsprechenden Abbildes der Idee, des Staats, in dem der Regent den von einem philosophischen Gesetzgeber (d. i. Plato selbst) gegebenen Gesetzen untergeordnet ist; oder modern ausgedrückt, an Stelle des Ideals des aufgeklärten Despotismus, das nun einmal nicht verwirklicht werden kann, trat die diesem nächststehende Staatsform, die konstitutionelle Monarchie. Von der wahren Aristokratie, d. h. der Herrschaft einer größeren Zahl von ἄριστοι ἄνδρες, unterscheidet sie sich nur dadurch, daß in ihr ein einziger Regent ist; wesentlich geringwertiger ist die gesetzmäßige d. h. gemäßigte Demokratie, bei der der Kreis der Berechtigten viel weiter gezogen ist. Aber so hoch diese Staatsformen über den auf Willkür und falschem Wahn beruhenden Staatsformen der Gewaltstaaten (Tyrannis, Oligarchie, radikale Demokratie) stehn, ebenso hoch steht über ihnen der beste Staat schlechthin, der des Gängelbandes der Gesetze nicht bedarf und in dem die wahrhaft idealen Menschen sich nur von ihrer Einsicht leiten lassen: denn wer die Wahrheit, die Idee, erkannt hat, kann auch im Handeln und Wollen gar nicht anders, als ihr folgen. Daher schalten in diesem Staat die wahren Weisen schrankenlos über alle andern, wie der wahre Arzt, der über den Vorschriften seiner Kunst steht und, wenn es sein muß, unbedenklich schneidet und brennt, wo er erkennt, daß das heilsam und geboten ist. Nach diesen Grundsätzen ist Dion in Syrakus verfahren, und Plato hat ihm durchaus zugestimmt: die Gegner freilich schalten ihn einen Tyrannen und haben ihn ermordet. Auch

Aristoteles[5] vertritt dieselben Gedanken. „Wenn", so sagt er in der Politik, „in einem Staat ein Mann alle andern so sehr an Tugend überragt, daß die Tugend und die politische Leistungsfähigkeit aller andern zusammengenommen mit der seinigen nicht verglichen werden kann, so kann die republikanische Ordnung des Ämterwechsels und der Unterordnung unter die Gesetze für ihn nicht bestehen, sondern es bleibt nur ihm zu gehorchen und ihn zum Herren zu machen nicht in konstitutionell beschränkter Ordnung, sondern schlechthin." „Ein solcher Mann ist wie ein Gott unter den Menschen, ... gegen ihn gibt es kein Gesetz, denn er selbst ist das Gesetz." „Ihn der Herrschaft eines andern zu unterstellen wäre so absurd wie das gleiche von Zeus zu verlangen; so bleibt nichts, als daß ihm alle bereitwillig gehorchen, so daß solche Leute lebenslängliche Könige in ihrem Staate sind." Das ist das „Allkönigtum" (παμβασιλεία), das Aristoteles als eine berechtigte Verfassungsform von allen andern Arten des beschränkten Königtums unterscheidet. Auch Isokrates äußert sich Philipp gegenüber nicht anders: das Verhalten der Götter gegen die Menschen, die Taten des Heroen stellt er ihm als Vorbilder hin. „Wegen ihres Feldzugs gegen Troja", schreibt er 346 in einer an Philipp gerichteten Broschüre, „gelten die damaligen Helden als Halbgötter, du selbst hast sie in Wirklichkeit durch deine Taten schon weitaus übertroffen, und ich will dies Thema

[5] Bekanntlich hat Aristoteles seinen Freund und Beschützer, den Tyrannen Hermias von Atarneus, als er durch Verrat in persische Gefangenschaft geraten und hingerichtet war, gefeiert als einen Mann, der um der Tugend willen in den Tod gegangen ist und unsterblich im Liede fortlebt wie Herakles und die Söhne der Leda. Das Gedicht ist zwar kein Päan, wie die Gegner behaupteten, wie man ihn dem Apollo sang, aber ein Skolion wie das auf Harmodios und Aristogeiton, die zu Heroen erhobenen Befreier Athens. Auch dem Plato hat Aristoteles einen Altar errichtet (vgl. Wilamowitz, Aristoteles und Athen II, 412 ff.). Möglich werden solche Anschauungen, weil er so wenig wie alle Aufgeklärten und Gebildeten an die Götter und Heroen der Volksreligion glaubt, der Kultus also die äußere Form für die tiefsten Empfindungen der Verehrung und Hingebung an eine ideale Persönlichkeit geworden ist. In niedriger denkenden Kreisen und im Staatsleben schlägt das dann sofort in ordinäre Schmeichelei um.

nur deshalb nicht weiter ausführen, weil manche (d. i. niedrige Schmeichler) von ihm einen unpassenden Gebrauch machen und weil ich die, welche dem Volksglauben als Halbgötter gelten, durch einen Vergleich mit jetzt lebenden Menschen nicht um ihr Ansehen bringen will." Und noch deutlicher wenige Tage nach der Schlacht bei Chäronea, als er dem Hader der Griechen ein Ende gemacht und die ersehnte Einigung erzwungen hat: „Wenn du jetzt noch die Barbaren zu Heloten der Hellenen machst und den Mann, den man jetzt Großkönig nennt, zwingst, deinen Befehlen zu gehorchen, dann bleibt dir nichts mehr übrig, als Gott zu werden."

Wie man sieht, vollzieht sich diese Entwicklung durchaus auf dem Boden der griechischen Anschauungen, ohne jeden fremden Einfluß. Herbeigeführt ist sie dadurch, daß die alten Staatsformen der Reihe nach versagen, und weder nach außen noch nach innen die wahren Aufgaben des Staats erfüllen können, während ihre Gebrechen offenkundig zutage treten. Über ihnen erhebt sich immer bedeutsamer die Einzelpersönlichkeit, welche emanzipiert von allen Fesseln überkommener Anschauungen frei mit den Dingen und Verhältnissen schaltet, Menschen und Staat und Recht nur als Mittel benutzt, um ihre eigenen Zwecke zu erreichen und sich im Kampf mit den Rivalen zu behaupten: an die Stelle der Geschichte der Staaten und Bürgerschaften tritt die Geschichte einzelner mächtiger Persönlichkeiten, des Alkibiades, des Lysander, des Agesilaos, des Dionysios, des Epaminondas, schließlich die Philipps und Alexanders. Hier, im praktischen Leben, kommt es freilich nicht auf die Höhe philosophischer und sittlicher Erkenntnis an, welche Plato und Aristoteles als Maßstab anlegen, sondern auf den Besitz und die Benutzung realer Macht. Ob diese niedrigen oder idealen Zielen dienstbar gemacht wird, ist hier gleichgültig: sobald eine solche Macht in einer Hand konzentriert ist, übt sie eine gewaltige Wirkung aus, wie sie in der Gegenwart keine andere staatliche Organisation mehr zu erreichen vermag. So ist für die praktische Politik die machtvolle Betätigung der Einzelpersönlichkeit und damit die Monarchie das Ideal geworden, und die Theorie erkennt diese Entwicklung an und sucht sie theoretisch zu erfassen und zu begründen, wenn sie sich gleichfalls der monarchischen Staatsform zuwendet. [...]

[. . .] Aber diese Monarchie ist nicht etwa das alte patriarchalische Königtum der Urzeit, wie es sich bei zurückgebliebenen Völkern (so in Makedonien) noch in die Gegenwart hinein erhalten hat, und ebensowenig die aus ihr entwickelte Despotie des Orients; sondern sie will und soll eine durchaus moderne Staatsgestaltung sein, in der sich die Bedürfnisse einer auf die Höhe gelangten Kultur verwirklichen. Eben darin liegt die tiefste Wurzel und die Berechtigung der Göttlichkeit, die ihrem Träger zugesprochen wird: sie ist die Lösung eines auf keinem anderen Wege lösbaren Problems. Die Entwicklung des Staats hat von der patriarchalischen Staatsordnung zum Rechtsstaat geführt; und die gewaltige Errungenschaft, die damit gewonnen ist, soll durch die neue Monarchie nicht aufgehoben, sondern gesteigert werden. Die Allmacht des Herrschers soll die Freiheit des Bürgers und sein Recht — politisch wie privatrechtlich — nicht beseitigen, nicht einmal beschränken, sondern dauernd sicherstellen; sie soll ebensowenig die freie Bewegung der Einzelgemeinde, ihre Autonomie, ihr eigenes Recht, ihre Selbstverwaltung unterdrücken, sondern nur ihren Mißbrauch hindern und sie gegen Mißbrauch sicherstellen; sie soll zugleich, im Rahmen eines umfassenden Staats, die Kräfte dieser Einzelgemeinden dem größeren Ganzen unterordnen und dienstbar machen. Eben darin besteht ja ihre bedeutsamste Leistung, daß sie die innere und äußere Einheit eines größeren Gebiets zu schaffen vermag, die in der griechischen Welt wenigstens von den republikanischen Gemeinwesen ohne Gewaltherrschaft, ohne „Tyrannis" eines Stadtstaats über zahlreiche andere, wie sie Athen und Sparta geübt hatten, nicht zu erreichen war. Aber diese Stellung eines Menschen, und mag er noch so hervorragend sein, widerspricht dem Begriff der Freiheit des einzelnen und der Selbständigkeit der Stadtgemeinde: sie kann mit dieser nur ausgesöhnt werden, die moderne absolute Monarchie kann nur dann ein Rechtsstaat sein, in dem, wie in der athenischen Demokratie, nicht die Willkür, sondern das Gesetz herrscht, wenn der König mehr ist als ein Mensch, wenn er zum Gott erhoben wird. Der Gottheit gehorcht ein jeder, ihr Wille, den sie durch Orakel verkündet, ist unverbrüchliches Gesetz: der König, der das Recht nicht nur schirmt, sondern in vielen Fällen erst schafft, neue Gemeinwesen gründet, andere umwandelt, der in das bestehende Recht eingreifen muß, um es mit den höheren Zwecken des Reichs in Einklang zu bringen, steht über den Menschen und Staaten als Gott; nur dadurch, daß er als solcher anerkannt wird, läßt sich der Gehorsam erreichen und begründen, den er fordern muß, und hören seine Willenserklärungen auf Willkür zu sein und werden rechtliche und rechtschaffende Akte.

In der Tat ist die Erhebung des absoluten Monarchen zum Gott nichts andres als die Verleihung der gesetzgebenden Gewalt an den Herrscher in einer Form, die sich mit den bestehenden rechtlichen Anschauungen verträgt. Eben darum kehrt diese Gestaltung überall wieder, wo eine moderne Kultur entsteht und die älteren Staatsformen ihre Aufgaben nicht mehr erfüllen können: wie in den hellenistischen Reichen so in Rom am Abschluß der Revolutionszeit, zuerst, die Zukunft antizipierend, bei Cäsar, und dann in der aus dem Principat erwachsenden absoluten Monarchie. Hier tritt ihr Charakter mit besonderer Deutlichkeit hervor: daß Augustus und seine Nachfolger die von Cäsar geforderte Göttlichkeit ablehnen, ist nur ein anderer Ausdruck dafür, daß der Princeps keine gesetzgebende Gewalt hat, daß er Beamter und nicht König ist; nach dem Tode dagegen geht er zu den Göttern ein, und seine *acta* erhalten dauernd, über die Zeit seines Amtes hinaus, Gesetzeskraft. Diejenigen Kaiser, welche die monarchische Gewalt erstreben und die Dyarchie des Principats verwerfen, wie Caligula und vor allem Domitian, fordern auch die göttlichen Ehren, die Anerkennung als *dominus* und *deus*. Das Christentum hat daran kaum etwas geändert; wenn der christliche Kaiser nicht mehr direkt Gott sein kann, so ist er doch heilig, göttlich, ewig, und die Form der dem Gott gebührenden fußfälligen Verehrung bleibt bestehen. Als dann die ständische Monarchie des dualistischen Staats des Mittelalters unhaltbar wird, tritt an ihre Stelle die moderne absolute Monarchie von Gottes Gnaden, in der, ganz wie bei Alexander und Cäsar und Diocletian, der Herrscher durch eine weite Kluft von allen übrigen Menschen getrennt ist und unmittelbar unter der Leitung und Inspiration der Gottheit steht: das ist die Einkleidung und die die Untertanen bindende Motivierung dafür, daß sein Wille Gesetz ist. Und auch hier erscheint als selbstverständliche Voraussetzung, daß dieser Menschenwille der richtige und mit dem Staatswillen identisch ist: ‹ l'état c'est moi › ist nur eine andere Formulierung für die Konsequenz, die z. B. die Stoiker wenigstens zeitweilig aus der alten Forderung, daß nur der Weise König sein darf, gezogen haben: dann ist eben auch der faktische König der wahre Weise.

Zum ersten Male geschichtlich in Erscheinung getreten ist die moderne absolute Monarchie im Reiche Alexanders des Großen. Dem siegreichen Makedonenkönige die Stellung des aristotelischen „Allkönigs" zu bewilligen waren gerade seine griechischen Anhänger sehr bereit, solange sie in ihm den Erfüller der hellenischen Ideale sahen. So hat Kallisthenes ihn gefeiert: „Das Meer wich vor ihm zurück", schrieb er von seinem Durchmarsch am Klimaxfelsen in Lykien, „als empfinde und erkenne selbst das Element den Herrscher und wolle, indem es sich krümme, ihn anbeten (die Proskynesis vollziehen)." Wir haben schon gesehen, daß gerade Kallisthenes die Erzählung von seiner Zeugung durch Ammon verbreitet und durch weitere Ausschmückungen beglaubigt hat; und vor der Entscheidungsschlacht bei Arbela läßt er Alexander den Sieg für die *griechische* Sache erflehen, „so wahr er wirklich von Zeus gezeugt sei" (Plut. Al. 33).

Alexander hat diese Anschauungen ins Leben gerufen und gefördert. Aber er dachte sie in sehr anderem Sinne zu verwerten, als Kallisthenes und die Idealisten dachten: sie sollten die theoretische Grundlage bilden, auf der die Weltmonarchie des absoluten Herrschers sich aufrichtet; durch sie wollte er, wo immer es erforderlich war, die Ordnungen beiseite schieben, welche bisher seinen Willen banden, sowohl die des makedonischen Stammkönigtums, das an die Zustimmung des in der Heeresversammlung zum Ausdruck kommenden Volkswillens gebunden war, wie die der griechischen Stadtverfassungen und des hellenischen Bundes, der sie garantierte. Der neue Weltbeherrscher emanzipiert sich, indem er zum Gottessohn und selbst zum Gott wird, von den rechtlichen Schranken, durch die der Volkskönig und der Bundespräsident gefesselt gewesen war.

Und hier sind es nun allerdings orientalische Formen und Anschauungen, die sich darbieten und von Alexander ergriffen werden. Durch den Zug nach dem Ammonion wird die Idee des ägyptischen Königtums, nach der der Pharao von der Gottheit im Mutterleibe gezeugt und daher selbst ein Gott ist, auf den Weltherrscher übertragen und damit in die griechische Kulturwelt eingeführt. Wenig später tritt dann die Annahme des persischen Hofzeremoniells hinzu, die Annahme der prunkvollen Königstracht und die Forderung der Begrüßung des Herrschers durch einen Fußfall, die Proskynesis.

Man hat gemeint, das sei für Alexander nur der selbstverständliche Ausdruck für die Tatsache gewesen, daß er jetzt durch die Entscheidung der Schlachten der Herr des Perserreichs und der legitime Nachfolger des Darius geworden war. Das ist auch nicht unrichtig; aber der Sinn der Maßregel und die weltgeschichtliche Bedeutung des Vorgangs und der daraus erwachsenen Konflikte ist keineswegs damit erschöpft, daß man sie als eine an sich harmlose Konzession an die Anschauungen der orientalischen Untertanen betrachtet. Das wesentliche ist ja gerade, daß Alexander die Proskynesis ebenso von den Makedonen und Griechen gefordert hat. Gerade in diesem Punkte aber stoßen die Anschauungen der Orientalen und der Europäer aufs schroffste und in typischer Weise aneinander: es ist ein Gegensatz, der über alle Unterschiede der Rassen und des Volkstums hinweggeht — wie er ursprünglich entstanden ist, vermögen wir nicht zu erkennen — und den gesamten Verlauf der kulturellen und politischen Entwicklung dieser Gebiete beherrscht. Für den Orientalen — sei er Semit, Ägypter, Indogermane, Chinese oder sonst einem anderen Volke angehörig — ist es selbstverständlich, daß er sich im Verkehr mit andern zu demütigen hat, daß er sich als deren Knecht, ihn als seinen Herrn bezeichnet, daß er sich nicht nur vor dem König, sondern vor jedem Höherstehenden in den Staub wirft; das stolze Selbstgefühl, das auch ihn beseelen kann, wird dadurch nicht beeinträchtigt. Dem Europäer dagegen bedeutet ein solches Verhalten die Vernichtung der eigenen Persönlichkeit: nie wird der freie Mann sich Sklave eines andern nennen, vielmehr von sich selbst immer in hohen Tönen, mit starkem Selbstbewußtsein reden — daher die ganz gewöhnliche Selbstbezeichnung durch den Plural „Wir“ —, während auch für den, der sozial und politisch hoch über ihm steht, die einfache Anrede mit „Du“ genügt. Der Fußfall vollends und das Küssen des Staubes gebührt nur dem Gott, der eben dadurch als der Herr seines Verehrers anerkannt wird, demgegenüber dieser keinen eigenen Willen haben kann. Gerade bei den Griechen, in der Freiheit der Republiken, hat sich diese Empfindung aufs stärkste ausgebildet: in den Erzählungen von den spartanischen Herolden Sperchies und Bulis, die dem Perserkönig, dem sie selbst sich zur Hinrichtung ausgeliefert haben, die Proskynesis verweigern — „denn es sei bei ihnen nicht Sitte, vor einem Menschen den Staub zu küssen, noch seien sie dazu gekommen" läßt Herodot sie sagen —, von Themistokles, der sie leistet, von Konon, der um ihretwillen eine Audienz vermeidet, so wertvoll sie für ihn gewesen wäre, haben sie typischen Ausdruck gefunden.

Indem Alexander die Proskynesis fordert, tritt er dieser Empfindung aufs schroffste entgegen; oder vielmehr, er fordert damit die Anerkennung, daß er offiziell, in seiner Eigenschaft als König — sein privates Verhalten wird dadurch nicht berührt — nicht mehr ein Mensch ist, sondern ein Gott. Nicht nach orientalischen, wohl aber nach griechischen Begriffen erhält in ihr die neue absolute Monarchie ihren charakteristischsten Ausdruck und tritt in schroffen, voll bewußten Gegensatz zu den bisher in der Griechenwelt vorhandenen Ideen. Durch sie wird proklamiert, daß vor ihr alle Untertanen gleich stehen, und darum steht sie in engster Verbindung mit der inneren Umwandlung der Reichsorganisation und geht parallel mit dem Aufgeben der bisherigen makedonisch-griechischen Basis und der Heranziehung der Perser zu gleichberechtigter Stellung mit ihren Besiegern. [...]

[...] Nach seiner Rückkehr aus Indien, im Jahre 324, tat Alexander den letzten Schritt: er stellte an die Griechenstädte die Forderung, ihn unter die Götter ihrer Gemeinwesen aufzunehmen [6]. Dem Gebote zu widersprechen konnte niemand wagen; alle Städte

[6] Dem König-Gott entspricht es, daß er seinen Freund Hephästion nach dessen Tode durch ein Orakel des Ammon zum Heros erheben ließ. Im Grunde ist das nichts anderes, als was Aristoteles in seinem Gedicht auf Hermias für diesen getan hat, nur aus der privaten Sphäre in die des Herrschers versetzt.

beeilten sich, seinen Wunsch zu erfüllen, auch Athen, auf Antrag des Demosthenes und Demades [7], und selbst Sparta, das seit der Niederlage des Agis bei Megalopolis in den hellenischen Bund hatte eintreten müssen. Im Frühjahr 323, kurz vor Alexanders Tode, kamen die Gesandtschaften nach Babylon, die ihm die Dekrete

[7] Hogarth, The deification of Alexander the Great, in der English Historical Review III, 1887, 317 ff. hat nachzuweisen gesucht, daß Alexander selbst niemals seine Erhebung zum Gott erstrebt habe; die Zuerkennung göttlicher Ehren durch die Griechen sei "a spontaneous outburst of adulation from various cities" gewesen. Seltsamerweise haben diese Ausführungen vielfache Zustimmung gefunden, so bei Niese und bei Kornemann (Zur Geschichte der antiken Herrscherkulte, in der Klio I, 1901, wo überhaupt alle diese Fragen und Alexander selbst ganz falsch beurteilt sind). Mit Recht hat dagegen z. B. Kärst an der entgegengesetzten, früher von Droysen vertretenen Auffassung festgehalten. Hogarth muß nicht nur alle erhaltenen Zeugnisse entkräften oder umdeuten, sondern uns glauben machen, daß auch Demosthenes (der anfänglich gegen die von Demades befürwortete Maßregel opponiert hatte: „man solle keine anderen Götter anerkennen als die überlieferten") zu den Schmeichlern Alexanders gehörte, wenn er den Athenern riet, „den König als Sohn des Zeus oder meinetwegen des Poseidon anzuerkennen, wenn er wolle", und „der Demos dürfe dem Alexander die Ehren im Himmel nicht streitig machen" (Hyperides c. Demosth. p. XXXI [p. 19 Blass [3]]. Dinarch c. Demosth. 94) — zugleich ein authentischer Beweis, daß Alexander selbst die Anerkennung als Gott gefordert hat. Die [von ihm später aufgegebene] Opposition des Demosthenes und anderer Redner, διότι ταῖς Ἀλεξάνδρου τιμαῖς ταῖς ἰσοθέοις ἀντέλεγον, rühmt Timäos (Polyb. XII, 12 b, 2), als Gegenbild zu den Schmeicheleien des Kallisthenes; Demades' Eintreten dafür erwähnen Val. Max. VII, 2, ext. 13 *(nolentibus Atheniensibus divinos honores Alexandro decernere 'videte' inquit 'ne dum caelum custoditis, terram amittatis')* und Athen. VI, 251 b; dagegen sind Lykurgos (vit. X orat. p. 842 d) und Pytheas (Plut. apophth. p. 187 = praec. reip. ger. 8, 9) aufgetreten. Die bekannte Antwort der Spartaner setzt gleichfalls die Forderung der Ehren durch Alexander voraus: Δᾶμις πρὸς τὰ ἐπισταλέντα παρὰ τοῦ Ἀλεξάνδρου θεὸν εἶναι ψηφίσασθαι 'συγχωροῦμεν' φησί ''Ἀλεξάνδρῳ, ἐὰν θέλῃ, θεὸς καλεῖσθαι' Plut. apophth. Lac. 219 e; gleichartig Aelian var. hist. II, 19, wo gleichfalls ausdrücklich gesagt wird, daß Alexander ἐπέστειλε τοῖς Ἕλλησι θεὸν αὐτόν ψηφίσασθαι. [Keinen Wert hat das Witzwort des Diogenes bei Diog. Laert. VI, 63.] — Hogarth hält

überbrachten, nicht mehr πρέσβεις, wie man sie an den irdischen König schickt, sondern bekränzte θεωροί, die zum Gotte ziehen[8].

Durch diese Aufnahme unter die Staatsgötter waren die griechischen Republiken zwar nicht dem makedonischen Königreich, wohl aber der Weltmonarchie einverleibt[9]: was Alexander befahl, war fortan auch für sie Gesetz, nicht weil er König, sondern weil er Gott war. Daß Alexander die Maßregel in diesem Sinne verstand, hatte er bereits bewiesen, indem er gleichzeitig bei den Olympien des Jahres 324 die Anordnung treffen ließ, alle Verbannten — und deren gab es in der Griechenwelt viele Myriaden — sollten in ihre Heimat wiederaufgenommen werden. Das widersprach den Grundordnungen des von Philipp begründeten hellenischen Bundes: aber nur so konnte die Quelle unendlichen Haders in Griechenland verstopft und dem Lande dauernder Friede und Wohlstand gesichert werden. Nur indem Griechenland in die Weltmonarchie einverleibt wurde, konnte es ihrer Segnungen teilhaftig werden. Über den Republiken und ihren Gesetzen erhob sich der Wille des Herrschers; die Form aber, in der allein sein Gebot bindend und unverbrüchlich werden konnte, war, daß er über allen Menschen stand, weil er sich, wie Aristoteles es formuliert hat, an Tugend und politischer Leistungsfähigkeit über sie alle zusammengenommen

auch die Proskynesis für eine ganz harmlose Spielerei "by which nothing was intended except the assimilation of the habits of the two peoples before the king"! Ebenso gleichgültig ist nach ihm die Frage, weshalb Alexander nach dem Ammonion gezogen sei: "we need not ask what brought Alexander to Ammon." Ähnlich hat Niese diese Dinge behandelt. Aber die historischen Probleme werden dadurch nicht aus der Welt geschafft, daß man die Augen vor ihnen verschließt.

[8] Arrian VII, 23, 2 καὶ πρεσβεῖαι δὲ ἐν τούτῳ ἐκ τῆς Ἑλλάδος ἧκον, καὶ τούτων οἱ πρέσβεις αὐτοί τε ἐστεφανωμένοι Ἀλεξάνδρῳ προσῆλθον καὶ ἐστεφάνουν αὐτὸν στεφάνοις χρυσοῖς, ὡς θεωροὶ δῆθεν ἐς τιμὴν θεοῦ ἀφιγμένοι.

[9] Es ist dieselbe Gestaltung, welche Cäsar durchzuführen beabsichtigte, wenn er sich zum König über die Provinzen proklamieren lassen wollte, während Rom (d. i. Italien) zwar formell Republik blieb, aber seinen Geboten dadurch untergeordnet war, daß er unter die Götter des römischen Staats aufgenommen war.

so weit erhebt, daß er nicht unter dem Gesetze stehen kann, sondern selbst das Gesetz ist.

Das ist die Genesis der absoluten Monarchie des vollentwickelten, über die Stadtstaaten und das begrenzte Stammkönigtum weit hinausschreitenden Kulturstaats; sie hängt in ihrem Ursprung mit der Idee der Weltmonarchie aufs engste zusammen. Die Göttlichkeit des Herrschers gehört zu ihrem Wesen; sie ist trotz aller Reaktionsversuche bestehengeblieben und wiedergekehrt, wo immer die geschichtliche Entwicklung innerhalb der Kulturwelt des Altertums und der Neuzeit zu dieser Staatsgestaltung geführt hat.

Die Weltmonarchie Alexanders dagegen ist nicht zur Perfektion gelangt, sowenig wie die Cäsars. In beiden Fällen hat der Tod des Mannes, der allein sie hätte durchführen können, die ungeheuersten, weltgeschichtlichen Folgen gehabt. Das Endergebnis ist in beiden Fällen gewesen, daß der Versuch, die gesamte bekannte Kulturwelt, die „Oikumene", zu einer Einheit zusammenzufassen, aufgegeben werden mußte. Durch die weitere Entwicklung ist dann die Grenze, die Darius dem Alexander geboten hatte, die Euphratlinie, schließlich doch die Grenze des Hellenismus und der abendländischen Kultur geworden, bis auch sie durch die ansteigende orientalische Reaktion, die im Islâm ihren letzten Ausdruck fand, überflutet worden ist.

Sitzungsberichte der Preußischen Akademie der Wissenschaften, Jahrgang 1938, Philosophisch-historische Klasse, Berlin 1938, S. 298—321.

ZUR ENTSTEHUNG DES HELLENISTISCHEN KÖNIGSKULTES

Von Ulrich Wilcken

Die Ansichten über dies Thema gehen immer noch stark auseinander, besonders bezüglich der Frage, woher die Idee der hellenistischen Apotheose der Herrscher stammt. Die einen leiten sie vom Orient ab, wobei gewöhnlich an Vorderasien, im besonderen an das Achämenidenreich gedacht wird, die andern führen sie auf Gedanken der griechischen Religion dieser Zeiten zurück. Aber auch manche anderen Fragen spezieller Art sind strittig, was bei dem mangelhaften Quellenmaterial auch kein Wunder ist. Ich möchte heute versuchen, nur in großen Zügen darzustellen, wie sich diese Idee der Apotheose von Herrschern von Alexander an durch die Diadochenzeit hindurch bis zu den Formen entwickelt hat, die sie dann bei den Ptolemäern und Seleukiden angenommen hat.

I. Alexander der Große

Bei ihm kann man noch nicht von einer einheitlichen Apotheosierung sprechen, sondern es treten bei seinen Lebzeiten nacheinander drei völlig verschiedene Formen auf: 1. die Erhebung zum Gott als König von Ägypten, 2. die Verkündung als Sohn des Ammon in der Oase Siwa und 3. die auf sein Verlangen erfolgte Vergottung in den Griechenstädten [1].

[1] Ich übergehe Alexanders (übrigens bald wieder aufgegebenen) Versuch, die Proskynese für die Makedonen und Griechen einzuführen, weil dieser m. E. mit der Apotheose nichts zu tun hat. Vgl. meinen ›Alexander der Große‹ (1931) S. 157 ff.

1. Die ägyptische Apotheose (332)

Als Alexander 332 in Ägypten einrückte, wurde er vom ägyptischen Volk als Retter von der Perserherrschaft begrüßt und von der Priesterschaft als König von Ober- und Unterägypten anerkannt. Es war für sie selbstverständlich, daß er zugleich die sakralen Ehren des Pharao erhielt, der als Inkarnation des höchsten Gottes verehrt wurde. So wurde ihm auch jene fünfstellige, schon seit dem Mittleren Reich bestehende Königstitulatur übertragen, nach der er z. B. der alte Gott *Horos* war, und andrerseits auch der *Sohn des Rē*, was nach ägyptischer Auffassung bedeutete, daß er in mystischer Weise vom Rē mit der Königinmutter gezeugt sei.

Da ich hier schon 1928 etwas eingehender über diese ägyptische Apotheose Alexanders gehandelt habe [2], will ich heute nur hervorheben, daß sie lediglich für die Ägypter galt, nicht auch für die Makedonen und Griechen. Sie ist lokal durchaus begrenzt auf Ägypten, und es liegt keine Spur davon vor, daß Alexander sie jemals außerhalb berücksichtigt hätte. Daraus erklärt sich wohl, daß kein griechischer und kein lateinischer Autor sie jemals erwähnt hat. Hätten wir nicht ein paar hieroglyphische Inschriften mit seinem Namen, so wüßten auch wir nichts davon.

2. Die Verkündung als Ammonssohn (331)

Dies Thema ist besonders lebhaft umstritten. Ich selbst habe hier schon zweimal darüber vorgetragen, 1928 und wiederum 1930, wo ich gegen Berve und Pasquali Stellung nahm [3]. Kürzlich sind meine

[2] Sitz. (durchweg = Sitzungsber. d. Preuß. Akad. d. W.) 1928 XXX 577 f. Zu der dort angegebenen Literatur füge ich noch hinzu die sehr instruktiven Ausführungen von Alan H. Gardiner, Egyptian Grammar, Oxf. 1927 S. 71 ff. (The Titulary and other Designations of the King). Vgl. jetzt auch Hermann Kees, Kulturgeschichte des Alten Orients, I Ägypten (Handb. d. Altertumswiss. hrsg. v. Walter Otto), C. H. Beck 1933 S. 172 ff.

[3] Vgl. Sitz. 1928 XXX (Alexanders Zug in die Oase Siwa) und 1930 X (Alexanders Zug zum Ammon. Ein Epilog). Hiernach meine Darstellungen in der ›Griechischen Geschichte im Rahmen der Altertumsgeschichte‹ 3. Aufl.

Ansichten von neuem bestritten worden, aber ohne daß ich irgendwie überzeugt worden wäre[4]. Da mich eine eingehende Widerlegung von meinem heutigen Thema weit abführen würde, will ich mich darauf beschränken, in den Anmerkungen meine Ablehnung kurz zu begründen und will auch aus dem Gesamtkomplex nur die zwei Punkte herausgreifen, die für meine heutige Fragestellung von Bedeutung sind[5].

Unbestrittene Tatsache ist, daß Alexander Anfang 331 von der Gründung Alexandriens aus in die Oase Siwa gezogen ist, um das in der Griechenwelt seit langem als untrüglich verehrte Orakel des Ammon zu befragen. Der Dissens beginnt bei der Frage, aus welchem Motiv Alexander diesen überraschenden Zug unternommen hat. Kallisthenes, unsere älteste und beste Quelle, die aber leider nur in einem kurzen Exzerpt bei Strabo vorliegt, hat als Grund seinen Ehrgeiz gegenüber dem Perseus und dem Herakles angegeben, die auch zu diesem Orakel gezogen seien. Bei den engen Beziehungen Alexanders zu seinen mythischen Ahnen klingt das sehr glaubwürdig, und er mag das als offizielle Parole an seine Begleitung, zu der auch Kallisthenes gehörte, ausgegeben haben. Seinen tiefsten, wahren Grund aber hat er für sich behalten, wie er ja auch nachher die Antwort des Orakels auf diese Frage geheimgehalten hat, weshalb dies Motiv auch nicht bei Kallisthenes steht und stehen konnte[6]. Das wird sein religiöses Bedürfnis gewesen

Oldenbourg 1931 S. 177 f. und in ›Alexander der Große‹ (Das wissenschaftliche Weltbild, hrsg. v. P. Hinneberg), Quelle und Meyer 1931 S. 111 ff.

[4] Vgl. Hermann Strasburger, Ptolemaios und Alexander, Dieterich 1934 (zustimmend Ernst Kornemann, Die Alexandergeschichte des Königs Ptolemaios I. von Ägypten, Teubner 1935 S. 125 f.) und Erwin Mederer, Die Alexanderlegenden bei den ältesten Alexanderhistorikern (Würzburger Studien zur Altertumswissenschaft 8. Heft), Kohlhammer 1936, S. 37 ff.

[5] Gerade für diese zwei Fragen erfreute ich mich soeben der wertvollen Zustimmung von Otto Kern, Die Religion der Griechen III, 1938 S. 54. Seine Setzung der Begrüßung *hinter* das Orakel ist nach brieflicher Mitteilung nur ein Versehen.

[6] Anders als in Sitz. 1928, 589 A. 1 möchte ich jetzt vielmehr annehmen, daß Justins Tradition *consulturus et de eventu futurorum* nicht von Klitarch aus Kallisthenes entnommen ist, sondern von Klitarch selbständig

sein, vor dem bevorstehenden Entscheidungskampf mit Darius das Orakel über seine Zukunft zu befragen. Entschieden abzulehnen ist dagegen die erst nach Alexanders Tode von Klitarch (gegen 310) verbreitete Version, daß er in die Oase gezogen sei, um sich vom Orakel seine göttliche Abkunft bestätigen zu lassen [7]. Das ist nach

hinzugefügt ist. Es gehörte nicht viel Phantasie dazu, an der Klitarch ja auch keinen Mangel hatte (vgl. das danebenstehende *et de origine sua*), denn für jeden Griechen, der über einen Orakelbesuch nachdachte, war die Annahme, daß er der Erkundung der Zukunft gedient habe, das Nächstliegende. Das Besondere ist nur, daß Klitarch in diesem Falle den Nagel auf den Kopf getroffen hat. Übernommen hat es nur Justin (XI 11, 2). Vielleicht war es den anderen Exzerptoren (wie auch Aristobul, s. unten) nicht interessant genug, weil zu natürlich.

[7] Für diese von mir in Sitz. 1928 S. 588 auf Klitarch zurückgeführte Geschichtsfälschung sind jetzt wieder Strasburger und Mederer als die wahre Tradition eingetreten. Beide gehen von Arrian III 3, 2 aus: καί τι καὶ αὐτὸς τῆς γενέσεως τῆς ἑαυτοῦ ἐς Ἄμμωνα ἀνέφερε, καθάπερ οἱ μῦθοι τὴν Ἡρακλέους τε καὶ Περσέως ἐς Δία. καὶ οὖν παρ' Ἄμμωνα ταύτῃ τῇ γνώμῃ ἐστέλλετο, ὡς καὶ τὰ αὑτοῦ ἀτρεκέστερον εἰσόμενος ἢ φήσων γε ἐγνωκέναι.

Strasburger S. 29 ff. sucht im Gegensatz zu der herrschenden, auf Eduard Schwartz zurückgehenden Annahme, daß dies auf Aristobul zurückzuführen sei, zu zeigen, daß vielmehr Ptolemaios zugrunde liege, und hält danach diese Version für die historisch richtige. Ich kann der Zurückführung auf Ptolemaios nicht zustimmen, und zwar wegen der Schlußworte ἢ φήσων γε ἐγνωκέναι, mit denen dem Alexander die Absicht zugeschrieben wird, daß, wenn er nichts vom Orakel über seine göttliche Abkunft hören würde, er doch wenigstens (γε) behaupten wollte, sie (vom Gott) in Erfahrung gebracht zu haben. [Der unglückliche, von Mederer S. 52 vorgeschlagene Rettungsversuch Alexanders mutet dem Autor zu, eine spätere Situation (er meint Arr. III 4, 5 ὡς ἔλεγεν) *schon in der Aufzählung der Motive vorweggenommen zu haben*!]. Nach allem, was wir über das pietätvolle Verhältnis des Ptolemaios zu Alexander wissen, und was gerade Strasburger in seiner im übrigen sehr verdienstvollen Arbeit herausgestellt hat, kann Ptolemaios unmöglich die Absicht eines solchen eventuellen *Betruges* dem Alexander zugeschrieben haben. Vergeblich hat sich Strasburger S. 60 f. bemüht, dies doch glaubhaft zu machen. Gewiß hat der Verfasser, wer es auch sei, dieser Version nicht den Vorzug geben wollen, aber es bleibt doch bestehen, daß er dem Alexander diesen demselben Rezept gearbeitet, nach dem Klitarch auch gefabelt hat, daß Alexander nach Gordion gezogen sei, um jenen mit einer Prophezeiung verknüpften heiligen Wagen des Gordios zu sehen, während er tatsächlich erst in Gordion davon gehört hat (vgl. Sitz. 1928, S. 587 A. 4). Post hoc, ergo propter hoc!

Ferner besteht ein Dissens betreffs der Frage, ob das *Orakel* den Alexander zum Sohn des Ammon erklärt hat, oder ob er vom Oberpriester bei seiner Ankunft als Sohn des Gottes begrüßt worden ist. Ich halte nach wie vor die letztere Ansicht für die richtige [8].

eventuellen Betrug *zugetraut* hat, und damit scheidet Ptolemaios aus, und es fällt der aus ihm gezogene Schluß auf den historischen Wert dieses Paragraphen fort. Ich kann hiernach nur bei meinen Ausführungen in Sitz. l. c. bleiben. — Mederer, der, wie auch ich, die Arrianstelle auf Aristobul zurückführt, zieht S. 43 (vgl. auch S. 60) daraus, daß Klitarch die Erklärung zum Gottessohn als eine Begrüßung und nicht als Orakelantwort darstellt, den Schluß, daß das von Arrian gegebene Motiv (die Frage nach der göttlichen Abkunft) nicht aus Klitarch stammen könne. Dieser Schluß ist hinfällig, denn er hat übersehen, daß die Klitarcheer Curtius und Justin dies Motiv bringen, *wiewohl* sie die Begrüßung erzählen. Das schließt sich also gar nicht aus. Merkwürdig ist, daß Mederer sich dann damit beruhigt, daß dies Motiv aus Aristobul, „also aus guter Quelle" stamme. Ob Aristobul gut oder schlecht ist, entscheidet doch erst die Frage, woher er die Nachricht hat. Die Antwort kann nach den Klitarcheern nur lauten: aus Klitarch, wie ich in Sitz. l. c. gezeigt habe. Auf Klitarch geht ebenso bei Arr. III 4, 5 die Nachricht Aristobuls zurück, daß Alexander auf demselben Wege (über Paraitonion) zurückgekehrt sei. Auch hier ist Aristobul einer Geschichtsfälschung des Klitarch zum Opfer gefallen, der als Alexandriner ein Interesse daran hatte, daß Alexander schon Gottessohn war, als er seine Vaterstadt gründete, und daher die Gründung Alexandriens hinter den Oasenzug gestellt hat.

[8] Mederer S. 53 ff. tritt wieder für die alte, von mir in Sitz. 1928 und 1930 zurückgewiesene Ansicht ein, daß die Gottessohnschaft dem Alexander durch die von ihm allein gehörte Orakelantwort verliehen sei, während ich ll. cc. zu zeigen suchte, daß sie ihm vielmehr in einer Begrüßung durch den Oberpriester in Gegenwart seiner Begleitung verkündet sei, wie es Kallisthenes und danach Klitarch erzählt haben. Sachlich spricht gegen Mederers Annahme schon die Tatsache, daß die Gottessohnschaft sofort in der Griechenwelt bekannt wurde, eben weil sie öffentlich ver-

Wenn nun der Oberpriester den neuen Pharao als Sohn seines Gottes begrüßte, so entspricht das bekanntlich einer ägyptischen Sitte. Insofern entspringt die Gottessohnschaft, die Alexander hier

kündet war, während Alexander die Orakelantwort vor seiner Umgebung und auch später geheimgehalten hat (Arrian III 4, 5, Plut. Alex. 27 μαντείας ἀπορρήτους). *Danach kann also die Orakelantwort nicht die Gottessohnschaft betroffen haben.* Von den irrigen Argumenten, mit denen Mederer die Begrüßung zu beseitigen sucht, will ich hier nur seine Deutung des Kallisthenesfragments (14a) hervorheben, mit der er wieder zu älteren Irrtümern zurückkehrt. Nachdem Kallisthenes den in Siwa üblichen Orakelritus geschildert hat, wonach die Orakelantwort οὐ διὰ λόγων, wie in Delphi und bei den Branchiden, sondern νεύμασι καὶ συμβόλοις gegeben wurde, die vom Propheten gedeutet wurden, folgen die Worte: τοῦτο μέντοι ῥητῶς εἰπεῖν τὸν ἄνθρωπον πρὸς τὸν βασιλέα, ὅτι εἴη Διὸς υἱός. Ich kann auch heute daraus nur folgern, was ich in Sitz. 1928 S. 585 gesagt habe: „Das μέντοι zeigt, daß das ῥητῶς im Gegensatz steht zu jenem οὐ διὰ λόγων des Orakels. Kallisthenes hat also scharf hervorgehoben, daß die Begrüßung als Zeussohn nicht nach dem Ritus des Orakels (νεύμασι καὶ συμβόλοις), sondern in mündlicher Aussprache erfolgt ist. Daraus folgt also, daß nach Kallisthenes jene Begrüßung kein Orakel gewesen ist." Mederer dagegen erneuert die schon in Sitz. 1930 S. 173 ff. von mir zurückgewiesene Deutung, daß für Alexander eine *Ausnahme* gemacht sei, indem nicht jener Ritus ausgeübt, sondern die Orakelantwort ihm mündlich gegeben sei. Weder sonst noch hier findet sich die geringste Andeutung für die wunderliche Annahme, daß ausgerechnet für den einzigartigen Besuch des Pharao der altehrwürdige Ritus, den wir schon für die Wende des 2./1. Jahrtausends für die Ammonsorakel des oberägyptischen Theben kennen, nicht befolgt worden sei! Wenn an unserer Stelle wirklich an eine Ausnahme gedacht wäre, so würde nicht τοῦτο μέντοι, sondern etwa τότε δὲ o. ä. gesagt sein, wie ich schon in Sitz. 1930 S. 175 bemerkt habe. In dem stark betonten τοῦτο μέντοι liegt m. E., *daß Alexander auch noch anderes als die Gottessohnschaft in Siwa erfahren hat, nämlich die Antwort auf eine Orakelfrage, und diese ist ihm nach dem alten Ritus beantwortet worden, wie Diod. 17, 51, 2 ausdrücklich sagt* (vgl. dazu Sitz. 1930 S. 174). Hiernach ist klar, daß die Klitarcheer, die die Begrüßung deutlich als solche charakterisieren, auf Kallisthenes zurückgehen. Auf den schon bekannten nickenden Priester (statt des nickenden Gottes wie in Theben) und andere Irrtümer Mederers will ich hier nicht eingehen.

erhielt, durchaus der *ägyptischen* Religion, genauso wie seine Apotheose als Pharao. Aber da dieser Ammon den Griechen seit langem als Zeus galt, und Alexander und seine Begleitung, die die Begrüßung mitangehört hatte, in ihr daher eine Erhebung zum Sohn des Zeus sahen, wurde diese Gottessohnschaft dadurch in die *griechische* Religion übergeführt. In dieser Umdeutung ging die Kunde hiervon dann auch sofort in die griechische Welt, und bald kam die Nachricht, daß das wiedererwachte Orakel von Didyma den Alexander als Zeussohn bestätigt habe, ebenso auch die Sibylle von Erythrae. Auf Alexander hat diese Erhebung zum Zeussohn einen tiefen Eindruck gemacht. Beruhte sie auch nicht auf einem Orakelspruch, so hat er doch in dieser Begrüßung, die durch den Oberpriester an heiliger Stätte und im Namen des Gottes erfolgte, eine Offenbarung des Gottes gesehen, die er gläubig hinnahm als eine Bestätigung für den besonderen göttlichen Schutz, unter dem er sich schon lange fühlte, und als Ausdruck für die göttliche Kraft, die er nach griechischer Denkweise (s. unten) auf Grund seiner außerordentlichen Taten in sich fühlen konnte (Sitz. 1928, S. 598). Diese Idee der Zeussohnschaft hat ihn bis an sein Ende begleitet, wie er ja zuletzt noch bestimmt hat, daß er bei seinem Vater Ammon in der Oase bestattet werden wolle. Aber er hat nie daran gedacht, etwa einen Kult für den Zeussohn einzuführen oder auch nur eine offizielle Anerkennung zu verlangen. Es war und blieb sein persönliches Erlebnis. Verbreitet hat sich diese Vorstellung auch nur in *griechischen* Kreisen [9], nicht in asiatischen [10], aber auch nicht in makedonischen Kreisen, aus denen vielmehr gelegentlich kritische Stimmen laut wurden (wie Kleitos und die Meuterer von Opis), wie ja auch später der hellenistische Königskult in Makedonien keine Stätte gefunden hat [11]. Bezeichnend scheint mir, daß

[9] Vgl. Sitz. 1928 S. 600 A, 5 gegen übertriebene Vorstellungen von der Ausbreitung dieser Idee.

[10] Für die Wirkung auf Ägypten vgl. Sitz. 1928 S. 578 A, 1.

[11] Vgl. meine Griech. Geschichte [3] 196. Auf den andersartigen Charakter der makedonischen Monarchie führt es auch Arthur D. Nock zurück in seiner wichtigen Abhandlung Σύνναος ϑεός (Harvard Stud. in class. Phil. XLI 1930) S. 61. Unrichtig war mein Hinweis in Grundz. d. Pap. S. 98 (1912) auf die Entfernung vom Orient.

Alexander das von Kallisthenes (Plut. Alex. 33) überlieferte Gebet an die Götter vor der Schlacht von Gaugamela, in dem er auf seine Zeussohnschaft hinwies[12], „vor den Thessalern und den andern Hellenen" gesprochen hat, nicht vor seinen Makedonen (vgl. Sitz. 1928, S. 600 f.).

3. Die Apotheose in den Griechenstädten (324)

Als Alexander 324 nach seiner Rückkehr aus Indien in Susa weilte, hat er in einem Erlaß an die Griechenstädte[13] in einer uns leider unbekannten Form den Wunsch oder das Verlangen — jedenfalls nicht den Befehl — ausgesprochen, daß sie ihn unter ihre Gemeindegötter aufnehmen möchten[14]. In ihren Volksversammlungen, aus deren Diskussionen (in Athen und Sparta) uns einzelne Aussprüche pro und contra erhalten sind, haben dann die Städte in ψηφίσματα die Apotheosierung Alexanders, jede in ihrer Weise, beschlossen, und im nächsten Frühling (323), kurz vor dem Tode des Königs, erschienen ihre Gesandten vor ihm in Babylon, um ihm zu huldigen, bekränzt wie θεωροί, die zu einem Gotte kommen (Arrian VII 23, 2).

Hier erhebt sich nun die große Streitfrage, ob Alexanders Wunsch von orientalischen Vorbildern beeinflußt war, wie bis heute

[12] Εἴπερ ὄντως Διόθεν ἐστὶ γεγονώς, ἀμῦναι καὶ συνεπιρρῶσαι τοὺς Ἕλληνας.

[13] Ich habe früher hier von den Griechenstädten des korinthischen Bundes gesprochen (z. B. Alexander der Große S. 196) und glaubte, damit auch die kleinasiatischen Griechenstädte einzuschließen, weil ich damals annahm, daß Alexander sie in den korinthischen Bund aufgenommen habe (Sitz. 1922 XVI S. 106 ff.). Inzwischen habe ich mich aber durch neuere Arbeiten überzeugen lassen, daß diese Annahme irrig war, zuletzt durch Victor Ehrenberg, Alexander and the Greeks, Oxf. 1938 S. 2 ff. Übrigens bedarf die Frage, ob Alexander seine Forderung auch an die kleinasiatischen Griechenstädte gerichtet hat, noch weiterer Untersuchung.

[14] Daß diese Anregung wirklich von Alexander ausgegangen ist, was Hogarth u. a. bezweifelt hatten, hat schon Eduard Meyer (Kleine Schriften I 330) erwiesen.

manche glauben, oder aus griechischen Ideen abzuleiten ist. Die erstere Ansicht [15] scheitert schon daran, daß es in dem damaligen Orient, in dem Alexander lebte, gar kein Gottkönigtum gegeben hat. Zwar hatte sich im 3. Jahrtausend in Babylonien, nachdem durch den großen Sargon der Weltherrschaftsgedanke entstanden war, eine göttliche Verehrung des Herrschers eingestellt, wie bald nach ihm Naramsin als „Gott von Akkad" verehrt wurde, und diese Königsapotheose wurde dann durch mehrere Dynastien hindurch beibehalten bis auf Hammurapi; aber nach diesem scheint sie als allgemeine Erscheinung allmählich aufgegeben zu sein, wenn auch vereinzelt noch bei Kassiten und Altassyrern sich das Gottesdeterminativ vor Königsnamen findet [16]. Entscheidend für unsere Frage ist aber, daß diese altorientalische Vorstellung auf die Achämeniden sicher *nicht* übergegangen ist. Trotz aller modernen Bemühungen, eine göttliche Verehrung der Perserkönige nachzuweisen [17], hat man doch keinen Beleg dafür beibringen können, daß ein Perserkönig Gott gewesen wäre. Ihre Inschriften zeigen, daß sie bevorzugte Schützlinge des Ahuramazda, aber nicht selbst Götter waren. Wenn Aischylos in den ›Persern‹ von Xerxes als Gott spricht, so beruhte das nur auf der griechischen Mißdeutung der orientalischen Sitte der Proskynese. Zu Alexanders Zeit war also der

[15] Neuerdings vertreten von Calvin W. McEwan, The oriental origin of the Hellenistic Kingship (The Orient. Instit. of the University of Chicago, Studies in Ancient Oriental Civilization Nr. 13), Chicago 1934. Dort findet man auch einen guten Überblick über die modernen Ansichten, auch über die dem Verfasser entgegenstehenden.

[16] Vgl. Bruno Meissner, Babylonien und Assyrien, Heidelb. I (1920), S. 45 f., II (1925), S. 491.

[17] Ich nenne hier nur die lehrreiche Arbeit von Lily Ross Taylor, The divinity of the Roman emperor (Philol. Monographs publ. by the American Phil. Association Nr. I), 1931 (vgl. A. v. Premerstein, Phil. Wochensch. 1933, Nr. 40 S. 1114 ff.). [In diesem Band S. 156 ff.] Gegen ihre Annahme eines persischen Königskultes vgl. W. W. Tarn, J. Hell. Stud. 48, 1928, 206 ff., und Nocks Besprechung ihres Buches im Gnomon VIII 513 ff. (vgl. Nock, Σύνναος θεός S. 61: *As for Persia, there kings were not gods*). Gegen Tarn wendet sich die Verfasserin im Appendix I S. 247 ff. Übrigens sagt die Verfasserin selbst auf S. 3 über den Perserkönig: *The king was in the position of a saint rather than of a god.*

Gedanke der Königsapotheose dem asiatischen Orient durchaus fremd, und so kann er nicht von dort entlehnt worden sein, wie ich schon in meinem Alexanderbuch S. 197 geschlossen habe [18]. Ich füge hier noch folgendes Argument hinzu. Wenn die Achämeniden, als deren Rechtsnachfolger sich Alexander betrachtete, Götter gewesen wären, so hätte er die Apotheose doch selbstverständlich vor allem von den Persern verlangen müssen. Das hat er aber *nicht* getan, sosehr er sonst auch auf ihre Sitten eingegangen ist, sondern er hat die Apotheose *ausschließlich* von den Griechenstädten verlangt, übrigens auch nicht von den Makedonen.

Daß vielmehr nach Ausscheidung des Orients die zweite Alternative die richtige ist, daß diese Apotheose auf *griechische* Ideen jener Zeit zurückzuführen ist, ist von Eduard Meyer (Kl. Schrift. I 304 ff.) [in diesem Band S. 203 ff.] und anderen Forschern überzeugend nachgewiesen worden. Ich will hier nicht auf die wenigen Vorgänger Alexanders eingehen, die man von *Lysander* an, der nach dem Siege von Aigospotamoi von den dankbaren Ioniern und besonders den Samiern als erster bei Lebzeiten göttliche Ehren empfangen hat, oft zusammengestellt und besprochen hat [19]. Der Grundgedanke ist der, daß man in dieser jüngeren Zeit der Zersetzung der alten Religion gelegentlich nicht nur Toten wie früher, sondern auch lebenden Menschen göttliche Ehren erwiesen hat, *wenn sie ganz Außerordentliches geleistet hatten*. So bleibt nur die Frage, welche Umstände den Alexander auf den Gedanken gebracht haben mögen, gerade jetzt in Susa die Forderung der Apo-

[18] Daß sein ägyptischer Pharaonenkult ihn nicht hierbei beeinflußt hat, braucht nach obigem (S. 219) wohl nicht versichert zu werden, ist wohl auch von niemand behauptet worden.

[19] Vgl. z. B. Jul. Kärst, Studien z. Entw. u. theor. Begr. d. Monarchie i. Alt. (1898) S. 41 ff.; E. Kornemann, Klio I S. 52 ff.; Ed. Meyer, Kleine Schriften I 305 ff.; Wilcken, Alexander der Große S. 197 f.; B. S. Ferguson, Camb. Anc. Hist. VII 13 f.; Otto Kern, Die Religion d. Griech. II 301 f., III 111 ff. — Wilamowitz, Der Glaube der Hellenen II 267, hat in bezug auf unsern Fall gesagt, daß Alexander sich schließlich als Gott verehren lassen wollte, sei „höchst folgenreich geworden, weil es mit der alten hellenischen Anschauung vereinbar war: der κρείττων ward zum Gotte".

theose an die Griechen zu stellen. Er war soeben aus Indien zurückgekehrt als Herr Asiens bis an die Grenzen der Erde, wie man meinte, und hatte so ein Weltreich geschaffen, wie es auch im Orient noch nie bestanden hatte. Jetzt war er in Susa, wie ich im vorigen Jahre hier zu zeigen suchte [20], aufs lebhafteste mit dem Plan beschäftigt, auch noch die Mittelmeerländer bis zu den Säulen des Herakles hin zu unterwerfen, um die ganze Oikumene zu *einem* Reich zusammenzuschließen. Übermenschlich war es, was er schon geleistet hatte und was er noch plante. So waren nach jener griechischen Anschauung von ihm die Voraussetzungen zu einer Apotheosierung so stark, wie noch von keinem andern vor ihm gegeben. Dies stolze Bewußtsein, diese Vorbedingung durch seine Weltherrschaft aufs höchste erfüllt zu haben, mag ihn, der in religiöser Hinsicht durchaus ein Grieche war, nun in Susa bewogen haben, den Griechenstädten nahezulegen, jene Konsequenz zu ziehen, was ihm um so natürlicher erschienen sein mag, als er sich seit dem Besuch in der Ammonsoase ja schon als Zeussohn fühlte. So ist dieser Akt für Alexander durchaus als ein religiöser zu betrachten, nicht als ein politischer, wie man gemeint hat, durch den er größere Rechte gegenüber den Griechenstädten und eine gesetzgebende Gewalt hätte bekommen wollen [21]. Tatsächlich hat seine Apotheosierung auch gar nicht diese Wirkung gehabt. Haben doch die Athener, wiewohl sie ihn damals als Gott anerkannten, seinem Erlaß über die Rückkehr der Verbannten den Gehorsam verweigert und waren zum gewaltsamen Widerstand bereit. Daß auch für die Griechenstädte der Wunsch Alexanders, unter ihre Götter aufgenommen zu werden, vorwiegend eine religiöse, nicht eine hochpolitische Frage war, geht doch wohl daraus hervor, wie ich in meinem Alexanderbuch S. 199 bemerkt habe, daß selbst ein Freiheitskämpfer wie Demosthenes nach anfänglichem Widerspruch *dafür* gesprochen hat.

[20] Sitz. 1937 XXIV: Die letzten Pläne Alexanders des Großen.

[21] So Ed. Meyer, Kl. Schrift. I 302, 312 ff. (vgl. auch Wilamowitz, Glaube d. Hell. II 264). Hiergegen jetzt Alfred Heuss, Stadt und Herrscher des Hellenismus in ihren staats- und völkerrechtlichen Beziehungen, Klio, Beiheft 39, N. F. Heft 26 (1937) S. 188 ff.

Daß die sämtlichen Griechenstädte den Wunsch Alexanders erfüllt haben, ist gewiß noch kein schlüssiger Beweis dafür, daß diese Apotheosierung auf einer griechischen Idee und nicht auf orientalischen Vorbildern beruhte, denn man könnte vielleicht einwenden, daß eine Weigerung in der damaligen politischen Lage ihnen nicht möglich gewesen wäre. Aber Beweiskraft hat nach meiner Ansicht die Tatsache, daß in der nun folgenden Zeit es durch Generationen hindurch üblich wurde, daß Griechenstädte von sich aus *freiwillig* Herrscher zu Göttern erhoben. Das wäre doch wohl unverständlich, wenn erst Alexander ihnen diesen Gedanken als einen fremden aus dem Orient zugeführt hätte.

Zum Schluß sei noch zusammenfassend hervorgehoben, daß Alexander im Gegensatz zu dem späteren hellenistischen Königskult nie daran gedacht hat, einen *Reichskult* für seine Person einzuführen. Die Gottessohnschaft vom Zeus blieb sein eigenstes Erlebnis, ohne jeden offiziellen Kult, und die von ihm verlangte Apotheose war, wie gesagt, auf die Griechenstädte beschränkt. Endlich ist im Gegensatz zum späteren hellenistischen Königskult noch zu betonen, daß diese griechische Apotheose nicht etwa seiner amtlichen Stellung als ἡγεμών oder βασιλεύς galt, sondern seiner *Persönlichkeit, die Übermenschliches geleistet hatte* und daher nach damaliger griechischer Auffassung die Erhebung zum Gott rechtfertigte. So ist Alexander nur ein Vorläufer des hellenistischen Königskults gewesen.

II. Die Diadochenzeit

Das Beispiel, das Alexander mit der Forderung der Apotheose gegeben hatte, ist von der ersten Generation nach seinem Tode nicht nachgeahmt worden. Diese Männer, die noch seine Kampfgenossen gewesen waren, haben nicht daran gedacht, göttliche Ehren für sich zu verlangen. Sie standen wohl noch zu sehr unter dem Eindruck seiner einzigartigen Überlegenheit. Dagegen haben in dieser Periode mehrfach Griechenstädte, wie eben bemerkt, *freiwillig* Machthabern göttliche Ehren erwiesen, und zwar solchen, die ihnen Rettung oder Freiheit gebracht oder sonstige Wohltaten erwiesen hatten. Diese Apotheose sollte also den Dank hierfür ausdrücken und zugleich wohl auch dem politischen Zweck dienen, für die Zukunft sich die Gunst der betreffenden Machthaber zu sichern. Im Grunde waren es also dieselben Motive, die schon zu den göttlichen Ehren des Lysander geführt hatten. Um nur ein paar Beispiele zu nennen, so haben die Skepsier im Jahre 311 dem Antigonos Monophthalmos göttliche Ehren erwiesen zum Dank für seine Verdienste um den Frieden der Hellenen; so haben im Jahre 307 die Athener den Antigonos und seinen Sohn Demetrios zu θεοὶ Σωτῆρες erhoben und sonstige göttliche Ehren auf sie gehäuft, weil Demetrios sie von der Herrschaft des Kassander befreit hatte, und so haben die Rhodier im Jahre 304 dem Ptolemaios I. zum Dank für seine Hilfe in ihrem Kampf gegen Demetrios nach Befragung des Ammonsorakels göttliche Ehren erwiesen und haben ihn als Σωτήρ gefeiert.

Auf die sehr verschiedenen Formen und Einzelheiten dieser Kulte gehe ich hier nicht ein [22]. Dagegen lege ich Wert darauf zu betonen, daß die Ehrungen auch dieser Zeit noch nicht dem Amt oder der Rangstellung galten, die diese Männer einnahmen, sondern ganz wie bei Alexander den Persönlichkeiten und ihren Taten. Die ersten beiden hier namhaft gemachten Beispiele von 311 und 307 fallen in die Zeit, wo Antigonos und Demetrios noch gar nicht den Königstitel führten, der erst 306 von ihnen angenommen wurde. Aber auch dann blieb der Sinn der Apotheose in dieser Diadochenzeit derselbe: sie blieb eine persönliche Ehrung von Machthabern, die in keinem Herrschaftsverhältnis zu den ehrenden Städten standen, sondern *auswärtig*e Herrscher waren, wie Antigonos für Athen und Ptolemaios für die freien Rhodier. Das ist ein wichtiger Unterschied von der Apotheose der Ptolemäer und Seleukiden in der nächsten Periode, wie sich sogleich ergeben wird. Es empfiehlt sich daher vielleicht, den Ausdruck *hellenistischer Herrscherkult,* den man heute für die gesamte hellenistische Zeit anzuwenden pflegt,

[22] Für die religiösen Vorstellungen dieser Zeit ist von hervorragendem Interesse der Hymnos, den die Athener im Jahre 291 dem Demetrios zu Ehren gesungen haben (Athenae. VI 253 d f.). Vgl. Victor Ehrenberg, Die Antike VII (1931), 279 ff. und jetzt Otto Kern, Die Religion d. Griech. III S. 114 ff.

lieber auf die Diadochenzeit zu beschränken und die Erscheinungen der nächsten Periode unter dem Begriff des *hellenistischen Königskultes* zusammenzufassen, um damit wenigstens anzudeuten, daß dieser Kult (in der Regel) dem König des eigenen Landes galt.

Da heute nur die Apotheose mein Thema ist, will ich nur nebenbei darauf hinweisen, daß in dieser hellenistischen Zeit, wo so viele neue griechische Städte gegründet wurden, oft Veranlassung war, nach alter griechischer Sitte den Stadtgründern, sei es bei Lebzeiten oder, wie meist, nach dem Tode, heroische Ehren zu erweisen. Gelegentlich sind aber auch göttliche oder göttergleiche Ehren an Stadtgründer verliehen worden, wie es z. B. bei Demetrios schon bei Lebzeiten in Sikyon geschehen ist (a. 303) nach seiner Neugründung der Stadt, die nun nach ihm Demetrias hieß (Diod. 20, 102, 2/3).

Als Beispiel eines Gründerkults will ich hier nur einen Fall erwähnen, auf den ich auch im nächsten Abschnitt noch zurückzukommen habe, das ist die Verehrung *Alexanders als Stadtgründer* im ägyptischen Alexandrien. Ob er dort schon bei Lebzeiten einen Gründerkult bekommen hat, was denkbar wäre, da ja 8 Jahre zwischen der Gründung und seinem Tode liegen, oder nach seinem Tode, darüber wissen wir nichts. Jedenfalls war dieser Kult wie auch sonst überall ein *städtischer* Kult, der von der neuen Gemeinde beschlossen und eingeführt sein muß. Als dann die Gebeine Alexanders, die von Ptolemaios I. vorläufig nach Memphis gebracht waren, von Philadelphos nach Alexandrien übergeführt waren, ist dieser Ktisteskult in dem inzwischen vollendeten, wohl schon vom Lagiden begonnenen prächtigen Grabbau, dem berühmten Sema, im Königsviertel ausgeübt worden [23]. Ob Alexander hier als Heros oder als Gott verehrt worden ist, darüber haben wir keine Nachricht, denn die θυσίαι ἡρωικαί bei Diod. 18, 28, 4, die man hierauf

[23] Ebendort befanden sich dann auch die Gräber der Ptolemäer, wohl in enger Nachbarschaft mit dem Grabe Alexanders, worin ihre tiefe Verehrung für ihn zum Ausdruck kommt, vielleicht auch die unten S. 237 erwähnte Vorstellung, daß sie ebenso wie er Herakliden, also mit ihm verwandt seien.

zu beziehen pflegt, gehören m. E. nicht hierher[24] und sprechen daher nicht dagegen, daß er hier als Gott-Ktistes verehrt worden ist.

Einen eigenartigen Titel führt Alexander in einer neuerdings bekanntgewordenen Inschrift aus hadrianischer Zeit[25]: (ἱερεὺς) Ἀλεξάνδρου κτίστου τῆς πόλεως καὶ τῶν ἡλεικειῶν. Dieser merkwürdige Zusatz καὶ τῶν ἡλεικειῶν bezeichnet ihn als den Gründer der „Altersklassen", die bei den Epheben eine Rolle spielten. Hiernach wurde also schon dem Alexander die Gründung des Gymna-

[24] Diese heroischen Ehren sind m. E. vielmehr die Totenopfer, die Ptolemaios im Jahre 321 nach der Überführung der Leiche nach Memphis ihr dargebracht hat, denn es heißt nachher, daß wegen dieser Ehrungen ihm Menschen und Götter gedankt hätten: die Menschen, indem viele in Alexandrien zusammengeströmt seien und ihm Kriegsdienste angeboten hätten, καίπερ τῆς βασιλικῆς δυνάμεως μελλούσης πολεμεῖν πρὸς Πτολεμαῖον. Das kann doch nur auf den bevorstehenden Kampf mit Perdikkas gehen, der 321 mit dem königlichen Heere einrückte (c. 29, 1). Also sind diese heroischen Totenopfer und Agone jedenfalls Ehrungen, die schon vor diesem Kampf stattgefunden haben. Freilich kann dann nicht richtig sein, was man aus dem Diodortext § 4 jetzt herauslesen muß, daß Ptolemaios schon vorher in Alexandrien ein des Ruhmes Alexanders würdiges τέμενος hergestellt und die Leiche darin bestattet habe (κηδεύσας). Ich vermute, daß sich dies vielmehr auf die provisorische Bestattung in Memphis bezieht und daß dort jene Totenfeier stattgefunden hat. Darin bestärkt mich die Bemerkung von Felix Jacoby (FGH II D S. 545), daß dies Kapitel Diodors eine Verkürzung aus Hieronymus sei und daß deshalb die ursprüngliche Beisetzung in Memphis fehle. Ich glaube, wir können den Gedankengang des vollständigen Hieronymus noch rekonstruieren, wenn wir zwischen § 3 und 4 Diodors die durch die Verkürzung entstandene Lücke ansetzen und annehmen, daß dort Hieronymus die Ankunft des Ptolemaios mit der Leiche in Memphis und seine Absicht, sie vorläufig dort zu bestatten, erzählt hat. Sollte freilich mit dem τέμενος in 4 nicht das provisorische Grab in Memphis, sondern das Sema in Alexandrien gemeint sein, so würde ich die Lücke vor ἐν ᾧ κηδεύσας ansetzen. Jedenfalls ergibt sich hiernach, daß diese heroischen Ehren nichts mit der Frage zu tun haben, ob Alexander im städtischen Gründerkult Gott oder Heros gewesen ist.

[25] Publiziert von G. Plaumann, Arch. f. Papyrusf. VI 85 (vollständiger Text bei P. M. Meyer, Raccolta Lumbroso 223 ff. = Bilabel, Sammelbuch 6611).

siums in Alexandrien und der Ephebie zugeschrieben. Daß Alexander bei der Gründung dieser Griechenstadt zugleich ein Gymnasium vorgesehen hat, ist durchaus glaublich, ja, fast selbstverständlich, denn das Gymnasium war das Kennzeichen aller dieser neuen Griechenstädte und die Grundlage ihrer griechischen Kultur im Gegensatz zum Orient. Die Epheben aber waren bekanntlich nach Jahrgängen geordnet, die hier ἡλικίαι genannt werden, und nach anderen Texten in αἱρέσεις genannte Abteilungen zerfielen. Es scheint bisher nicht bemerkt zu sein, daß auch Ps. Kallisthenes, der ja über alexandrinische Angelegenheiten sehr gut Bescheid weiß, den Alexander als Gründer des alexandrinischen Gymnasiums und seiner Ephebie kennt[26], so daß man in der Inschrift geradezu eine Bestätigung für seinen Grundgedanken finden kann, so romanhaft auch die Darstellung ist. Ich halte es nicht für ausgeschlossen, daß dieser Titel κτίστης τῆς πόλεως καὶ τῶν ἡλικιῶν, wiewohl er erst aus hadrianischer Zeit überliefert ist, wirklich der ursprüngliche Titel des Stadtgründers Alexander von vornherein gewesen ist.[27]

III. Der Königskult der Ptolemäer

Bei den Ptolemäern haben wir streng zu scheiden zwischen dem *ägyptischen* und dem *hellenistischen* Königskult, was nicht immer genügend beachtet ist. Sobald Ptolemaios, der Sohn des Lagos, der seit Alexanders Tode Satrap Ägyptens gewesen war, im Jahre 305,

[26] In dem merkwürdigen Erlaß an die Perser bei Ps. Kallisthenes II 21, 15 (ed. Kroll) sagt Alexander, und zwar in bezug auf Alexandrien, wie der Zusammenhang zeigt: τὸ δὲ γυμνάσιον γενέσθω ἐν ἐπισήμῳ τόπῳ ὡς ἐν Πέλλῃ τῇ πόλει· τὰς δὲ αἱρέσεις ἐγὼ αὐτὸς ποιήσομαι, ἄχρι περίειμι. Die αἱρέσεις sind hier nicht als Wahlen (Ausfeld) oder dilectus (Kroll) zu fassen, sondern das sind die uns auch sonst unter diesem Namen bekannten Abteilungen der Jahrgänge der Epheben, der ἡλικίαι der Inschrift (vgl. Preisigke, Fachwörter).

[27] Die auffallende Nennung der ἡλικίαι neben der πόλις erinnert uns daran, daß in Alexandrien der Jugenddienst als Ephebe die Voraussetzung für die Erlangung des Bürgerrechts war (vgl. Bells Brief des Kaisers Claudius).

dem Beispiel des Antigonos folgend, den Königstitel angenommen hatte, war es für die ägyptische Priesterschaft selbstverständlich, daß sie ihn ebenso wie vorher den Alexander (S. 219) und inzwischen auch den Philippos Arrhidaios und den jungen Alexander II. konsekrierten und ihm die dem Pharao zukommenden göttlichen Ehren erwiesen. So wurde auch ihm jetzt jene uralte fünfstellige Königstitulatur übertragen, auf die ich schon für Alexander hinwies, und so war nun auch er für die Ägypter der Gott „Horos" und der „Sohn des Rē". Dieser ägyptische Königskult, der, wie ich betone, nur für die ägyptischen Untertanen galt, nicht auch für die Makedonen und Griechen, ist dann auch auf die sämtlichen Nachfolger bis zur letzten Kleopatra übergegangen, um dann auch auf Octavian und die römischen Kaiser bis ans 4. Jahrhundert heran übertragen zu werden[28]. Erst das Christentum hat dem ein Ende gemacht.

Neben dieser ägyptischen Apotheose entwickelte sich nun als etwas völlig Andersartiges der *hellenistische Königskult* der Ptolemäer, aber erst unter dem zweiten König dieses Namens, dem (erst seit dem 2. Jahrhundert v. Chr. so genannten)[29] Philadelphos. Ptolemaios I. gehörte noch zu jener Generation von Mitkämpfern Alexanders, die noch nicht daran gedacht haben, göttliche Ehren für sich zu beanspruchen. Daß er von den Rhodiern (304), wie ich erwähnte, göttliche Verehrung als Soter und ebenso später (um 287) als Soter Ptolemaios „göttergleiche Ehren" (ἰσόθεοι τιμαί) vom Nesiotenbund erhielt, entsprach, wie wir sahen, den griechischen Anschauungen der Diadochenzeit, insofern dies auf den freiwilligen Beschluß dieser auswärtigen Griechen zurückging. Ebenso entsprach es der griechischen Sitte, daß er von der einzigen Griechenstadt, die er in Ägypten gegründet hat, Ptolemais in Oberägypten, als κτίστης zum ϑεὸς Σωτήρ erhoben wurde, wie Plaumann wahrscheinlich gemacht hat[30]. Leider wissen wir nicht, in welchem Jahr das

[28] Das jüngste Beispiel ist m. W. jetzt die Buchis-Stele Nr. 19, die das 12. Jahr des Diokletian nennt. Vgl. The Bucheum (41. Memoire of the Egypt Exploration Society 1934), III Taf. 46.

[29] Vgl. meine Ausführungen in GGA 1895 Nr. 2 S. 163 f.

[30] Gerhard Plaumann, Ptolemais in Oberägypten (Leipz. Hist. Abhandl. XVIII), Quelle und Meyer 1910 S. 50 ff. Derselbe, Hermes 46,

geschah. Dieser städtische Kult hat sich trotz der späteren Einführung des staatlichen Königskults in Ptolemais durch Philopator bis in die Römerzeit hinein erhalten.

Wenn der Lagide auch nicht daran gedacht hat, seine eigene Apotheose in Ägypten einzuführen, so hat er doch einen neuen griechischen Kult geschaffen, der von großer Bedeutung werden sollte, das ist der Kult des *Gottes Alexander* in Alexandrien. Erst die Papyri haben uns gelehrt, daß ein solcher Kult, dessen jährlich wechselnder Priester für das ganze Reich eponym war, von Ptolemaios geschaffen ist, und zwar erst nach 311. Schon dies spricht dafür, daß wir diesen Kult trennen müssen von dem vorhin besprochenen Ktisteskult Alexanders, denn es ist schwer glaublich, daß die alexandrinische Stadtgemeinde mit der den Griechen so naheliegenden Einführung des Gründerkultes bis nach 311 gewartet hätte. Aber auch andere Argumente sprechen für die Trennung, für die Plaumann zuerst eingetreten ist[31] im Gegensatz zu der bis dahin herrschenden Ansicht, daß beide Kulte zusammenfielen. So spricht für die Trennung auch, daß der eponyme Kult im Gegensatz zu dem städtischen Gründerkult ein *Staatskult* war, der offenbar auf Verordnung des Ptolemaios für die gesamte Bevölkerung galt, für die Ägypter nicht weniger als die Makedonen und Griechen, denn auch die demotischen Urkunden datieren ebenso wie die griechischen nach diesem eponymen Alexanderpriester. Ja, dieser Staatskult galt sogar für die jeweiligen auswärtigen Besitzungen der Ptolemäer, denn wir haben durch die Zenonkorrespondenz aus Philadelphos' Zeit einen griechischen Vertrag kennengelernt, der in Palästina, in Birta im Ammoniterlande, aufgesetzt, nach diesem eponymen Alexanderpriester datiert ist (Cair. Zen. I 59003). Dieser Kult war also ein *Reichskult*. Alexanders Name, stets ohne ϑεός, war hier selbst zum Gottesnamen geworden wie bei den Olympiern[32]. Der großen Bedeutung seines Priesters, dessen Abzeichen

296 ff. Vgl. Blumenthal, Archiv für Papyrusforsch. V 323 ff. Wilcken, Grundzüge der Papyruskunde S. 98, 119.

[31] Plaumann, Arch. f. Papyrusf. VI 77 ff. Vgl. jetzt auch Cornelia Elizabeth Visser, Götter und Kulte im ptolemäischen Alexandrien (Academisch Proefschrift), Amsterdam 1938 S. 8 f.

[32] Vgl. Wilcken, GGA 1895, Nr. 2 S. 141 A. 1.

der goldene Kranz auf dem Haupt und das purpurne Amtskleid waren, entspricht es, daß nur die vornehmste Aristokratie von Alexandrien für diesen Posten in Betracht kam, ja, anfangs sogar ein Bruder des Königs (Menelaos) unter ihnen begegnet, später auch sogar Könige. Für die Selbständigkeit dieses Kultes spricht aber auch, daß dieser Gott Alexander *seinen eigenen Tempel* in der Stadt gehabt hat[33], also verschieden war von dem Alexander, der im Sema als Stadtgründer verehrt wurde. Das alles spricht also deutlich dafür, daß der Lagide einen Reichskult des Alexander eingeführt hat.

Seine Motive und seine Zwecke können wir nur erraten. Gewiß kam dafür auch seine besondere Verehrung für Alexander in Betracht, die ihn auch zu seinem literarischen Werk getrieben hat. Gewiß wirkten auch machtpolitische Motive mit: er wollte wohl seinem Reich damit einen für die ganze Welt verehrungswürdigen religiösen Mittelpunkt geben und den Ruhm Alexandriens erhöhen. Aber vielleicht kam noch ein anderes, ein spezielleres Moment dafür in Betracht. Bekanntlich gehörte Ptolemaios durch seine Mutter Arsinoë, die Urenkelin Amyntas' I., zu einer Seitenlinie des Argeadenhauses (nach Satyros)[34]. Aber speziell dem Alexander wurde er durch einen anderen Stammbaum nähergerückt, den Theokrit später (a. 271/0, s. unten) vor dem Hofe vorgetragen hat (XVII 26/7), wonach Alexander und der Lagide über einen gemeinsamen

[33] Vgl. Ps. Kallisthenes II 21, 18 f. (ed. Kroll). Es ist das Verdienst von Lily Ross Taylor, diese wichtige Nachricht in die Debatte gezogen zu haben in ihrem Aufsatz The cult of Alexander at Alexandria (Class. Philology XXII Nr. 2, 1927 S. 162 ff.). Zu diesem Tempel gehört nach Ps. Kall. der (eponyme) Priester, der den goldenen Kranz und das Purpurkleid trägt, also der unseres Reichsgottes. Dieser Tempel wird hier anläßlich der Geburtstagsfeier Alexanders genannt. Dagegen sein Todestag (vgl. Jul. Valerius III 60) wurde natürlich beim Sema gefeiert. Auch hierin tritt uns deutlich die Verschiedenheit des Reichsgottes vom Stadtgründer entgegen.

[34] Vgl. hierzu jetzt Charles F. Edson Jr., The Antigonides, Herakles and Beroea (Harvard Stud. in Class. Phil. XLV 1934) 222 A. 3, 224 A. 2. Gut ist auch seine Ablehnung der Legende, daß Ptolemaios ein Bastard des Philipp sei, als einer absurden Geschichte.

πρόγονος hinaus (den „kräftigen Herakliden“ = Karanos?) in letzter Instanz beide auf Herakles als Ahnherrn zurückgeführt wurden[35]. Ich weiß nicht, ob dieser Stammbaum schon damals, als Ptolemaios den Alexanderkult gründete — ich vermute, erst nachdem er König geworden war —, konstruiert war, möchte es aber einmal annehmen. Da nun seine Rivalen, Antigonos und Seleukos, nach neueren Forschungen[36] eben damals mit dem Anspruch auftraten, gleichfalls als Argeaden oder Herakliden zu gelten, so könnte Ptolemaios wohl durch die Gründung des Alexanderkultes in Alexandrien auch dies bezweckt haben, im Wettstreit mit seinen Rivalen seine verwandtschaftlichen Beziehungen zu den Argeaden und im besonderen zu Alexander vor aller Welt zu dokumentieren. Doch das ist nur eine Hypothese mit manchem Wenn und Aber, die ich immerhin zur Diskussion stellen möchte.

Erst sein Sohn Philadelphos war es dann, der den *hellenistischen Königskult der Ptolemäer* begründet hat. Zunächst waren es nur *Verstorbene*, die zu Göttern erhoben wurden. Es begann damit, daß Ptolemaios I., sobald er 283 starb, von seinem Sohne konsekriert wurde und einen eigenen Tempel von ihm erhielt (Theokr. XVII 123). Der Gottesname, unter dem er auf Verordnung seines Sohnes verehrt werden sollte, ϑεὸς Σωτήρ, schloß sich an den Ehrenbeinamen Σωτήρ an, den der Lagide schon bei Lebzeiten in der Griechenwelt erhalten hatte (s. S. 230)[37]. Es blieb dies das Vorbild für alle späteren Konsekrationen der Ptolemäer, daß nicht, wie beim Reichsgott Alexander, ihr Name zum Gottesnamen erhoben wurde, sondern daß sie (nach Wilamowitz’ Terminologie) das Prädikat ϑεός mit einem Kultbeinamen erhielten. Damit ist ihre Menschlichkeit nicht ganz verdeckt. Nach einer feinen Beobachtung von Wilhelm Schubart[38] hat man zu diesen Gottkönigen auch nicht gebetet.

[35] Vgl. Wilamowitz, Die Textgeschichte der griech. Bukoliker S. 153, Hell. Dichtung I 132.

[36] Vgl. Charles F. Edson Jr., l. c. S. 213 ff. und M. Rostowzew, JHS LV 1935, S. 56 ff.

[37] Auch die Stadt Ptolemais in Oberägypten hatte ihren Stadtgründer, gewiß schon bei Lebzeiten, ϑεὸς Σωτήρ genannt (s. S. 234).

[38] Wilhelm Schubart, Die religiöse Haltung des frühen Hellenismus

Wie Philadelphos auch sonst den Kult für seinen Vater verordnet hat (Theokr. l. c.), so hat er auch im Jahr 279/8 zu seinen Ehren ein großes penteterisches Fest mit einem ἀγὼν ἰσολύμπιος γυμνικὸς καὶ μουσικὸς καὶ ἱππικός gestiftet, wie wir aus der Inschrift von Nikuria (Syll. I³ 390) gelernt haben, nach der er damals den Nesiotenbund „und die andern Hellenen" zur Teilnahme an diesem Fest eingeladen hat. Diese anderwärts Πτολεμαῖα genannten Feste sollten also Alexandrien in den Mittelpunkt dieser panhellenischen Feiern rücken. Mit welcher verschwenderischen Pracht unter dem reichen Philadelphos diese Feste gefeiert wurden, zeigt uns die berühmte Schilderung des Kallixeinos von einer solchen πομπή (Athenae. V 196 ff.)[39]. Während sie früher auf das zweite Fest von 275/4 bezogen wurde, hat Walter Otto wahrscheinlich gemacht, daß hier vielmehr das dritte Fest von 271/0 beschrieben wird, das nach der siegreichen Beendigung des ersten Syrischen Krieges gefeiert wurde[40]. Schon vor längerer Zeit habe ich kurz die Vermutung ausgesprochen, die ich erst hier jetzt begründen will, daß auch Theokrits' Ἐγκώμιον εἰς Πτολεμαῖον gleichfalls für die Ptolemaia von 271/0 gedichtet ist[41].

(Der Alte Orient 35 Heft 2), 1937 S. 18. Vgl. Otto Kern, Gnomon XIV 11 (1938) S. 614 f.

[39] Die Ausführungen von Cornelia Elizabeth Visser (Götter und Kulte im ptolemäischen Alexandrien. Amsterdam 1938. S. 12), die die Ptolemaia, die sie richtig für das Fest der Inschrift von Nikuria hält, von der Penteteris des Kallixeinos trennen will, haben mich nicht überzeugen können.

[40] Walter Otto, Beiträge zur Seleukidengeschichte des 3. Jahrhunderts v. Chr. (Abh. Bayer. Akad. d. W., Philos.-phil. u. hist. Kl. XXXIV 1. Abhandlung), 1928 S. 6 ff. Die Einwendungen von W. W. Tarn hiergegen, der das Fest 279/8 setzen will (JHS 1933, 59 f.), haben mich nicht überzeugt.

[41] Im Archiv f. Papyrusf. VI 390 A. 1 (1920) behielt ich mir vor, an anderem Orte zu begründen, weshalb ich vermute, daß Theokrit sein XVII. Gedicht für die Ptolemaia von 271/0 gedichtet hat. Diese Vermutung hat inzwischen Zustimmung und Unterstützung durch Walter Otto l. c. S. 8 gefunden. Ich hatte damals nur hinzugefügt: „Erst so erklärt sich die ausführliche Behandlung der θεοὶ Σωτῆρες (Z. 13—52 und 121—127)." Da das Gedicht ein Enkomion auf Philadelphos ist, war es mir aufgefallen, daß unmittelbar nach dem Proömium von Z. 13 an in so

Damals war es aber nicht mehr nur der θεὸς Σωτήρ, dem das Fest galt, denn Berenike, die Witwe des Lagiden, war gleichfalls, als sie bald nach 279 starb, apotheosiert worden, und Vater und Mutter waren von Philadelphos als θεοὶ Σωτῆρες im Kult vereint worden. Daß von da an beide zusammen unter diesem Namen bei dem penteterischen Fest gefeiert wurden, zeigen sowohl Kallixeinos

breiter Darstellung der Preis der Eltern und ihre Vergottung an die Spitze gestellt ist und daß nachher von Z. 121 an Philadelphos vor allem deswegen gerühmt wird, weil er seinen Eltern als ἀρωγοί (Z. 125 = Σωτῆρες) einen prächtigen Kult geschaffen habe. Zumal das Gedicht in so vielem an die homerischen Hymnen erinnert und daher auch zum Vortrag an einer Festfeier bestimmt sein mochte, kam mir der Gedanke, daß eine derartige Ehrung der θεοὶ Σωτῆρες, wenn auch in Form einer Lobrede (ἐγκώμιον) auf den regierenden König, dem Sinn und Zweck des Ptolemaiafestes sehr wohl entsprochen haben könne. Denn daß bei diesem Fest nicht nur den toten Soteres, sondern auch dem König, vor dem die Feier stattfand, gehuldigt wurde, ist nur zu begreiflich. Eine Bestätigung dafür fand ich in dem oben zitierten Dekret der Nesioten (Syll. I³ 390), in dem sie, abgesehen von dem Opfer für Ptolemaios I. in Z. 42 ff. beschließen, auch den Philadelphos χρυ[σῶι] στεφάνωι ἀριστεί[ωι ἀπὸ] στα[τήρ]ωγ χ[ι]λίων zu ehren, und so sollten denn ihre θεωροί, die sie zu den Ptolemaia nach Alexandrien schicken wollten, nicht nur dem Soter opfern, sondern auch dem Philadelphos diesen Goldkranz überreichen, was sich gewiß nicht ohne feierliche Reden abgespielt hat. [A. Heuss, Stadt und Herrscher S. 165 hat die Inschrift irrig interpretiert, wenn er aus Z. 55 herausliest, daß die Theoren „Opfer zu bringen und den Kranz an Ptolemaios Soter abzugeben haben". Da steht ganz deutlich, daß das Opfer für Πτολεμαῖος Σωτήρ bestimmt ist und der Kranz für den βασιλεύς, d. h. für Philadelphos (wie in Z. 7 und 17). Das ἀποδώσουσι weist doch auch deutlich genug auf den lebenden König hin.] So war also auch Philadelphos bei diesem Fest ein Gegenstand der Ehrung, ja wohl der gegebene Mittelpunkt der Feier. Inzwischen habe ich eine weitere Bestätigung gefunden in einer von Martin Schede herausgegebenen samischen Inschrift (Athen. Mitt. 44, 1919, Nr. 13), in der es sich u. a. um die Beschickung des Ptolemaiafestes unter Euergetes I. (wohl a. 243/2) handelt. Da soll es nicht fehlen, wie es in Z. 33 f. heißt, an τῶν προεψηφισμένων τιμίων τῶι βασιλεῖ καὶ τῆι βασιλίσσηι (Euergetes und Berenike) καὶ τοῖς γονεῦσιν (d. s. die θεοὶ ᾿Αδελφοὶ) καὶ προγόνοις (d. s. die θεοὶ Σωτῆρες) αὐτῶν. Hier stehen die regierenden Könige sogar an der Spitze, wie Theokrit[42]. Das Fest behielt aber seinen einmal eingeführten Namen „Ptolemaia".

Noch einmal wurde von Philadelphos eine verstorbene Königin zur Göttin erhoben[43]. Das war Arsinoë II., seine leibliche Schwester und Gattin, jene hochbedeutende Frau, die schon bei Lebzeiten, nach der Geschwisterhochzeit[44], den Ehrenbeinamen Φιλάδελφος (d. h. die ihren Bruder liebt) erhalten hatte. Als sie am 9. Juli 270 starb[45], wurde sie apotheosiert und erhielt einen Kult als Ἀρσινόη θεὰ Φιλάδελφος (oder kurz θεὰ Φιλάδελφος), wobei ihr früherer Ehrenbeiname zum Kultbeinamen gemacht wurde, ähnlich wie vorher beim Lagiden. Ihre Kanephore in Alexandrien, die bisher erst

und die θεοὶ Σωτῆρες, denen das Fest geweiht war, stehen am Ende. Jene früheren ψηφίσματα aber hatten στέφανοι festgesetzt, die die θεωροί, offenbar wieder wie im Nesiotendekret, dem Königspaar (daher im Plural) überreichen sollten, und ferner θυσίαι, die sie den θεοὶ Σωτῆρες (und gewiß auch den θεοὶ Ἀδελφοί) ausrichten sollten. Bemerkenswert ist, daß sowohl in Z. 29 wie in 31 die στέφανοι vor dem θυσίαι genannt werden! So scheint bei den Griechen im Laufe der Zeit die Huldigung vor dem regierenden König allmählich mehr in den Vordergrund gerückt zu sein. Hiernach ist es mir trotz der Bedenken von Wilamowitz (Bukoliker S. 153, Hell. Dicht. II S. 130) sehr wahrscheinlich, daß Theokrits Gedicht, das die θεοὶ Σωτῆρες innerhalb eines Enkomion auf Philadelphos feiert, für ein Ptolemaiafest geeignet und bestimmt war. Ist das aber richtig, so kann es wegen der Schilderungen der kriegerischen Erfolge und des glücklichen Friedens nicht in 275/4, sondern nur in 271/0 gesetzt werden, wo, wie Otto l. c. gezeigt hat, die Ptolemaia sich in ein glänzendes Siegesfest umgewandelt hatten. Bei einem Siegesfest aber lag es nahe, wie Otto bemerkt, vor allem den Herrscher zu feiern. So mag eben dieser Charakter des damaligen Festes dem Theokrit die Form eines ἐγκώμιον auf Philadelphos, statt eines Hymnos auf die θεοὶ Σωτῆρες, noch besonders nahegelegt haben.

[42] Athenae. V 197 d: ἡ τοῖς τῶν βασιλέων γονεῦσι κτλ. Theokr. XVII 13—52, 121 ff.

[43] Zur Apotheose der Schwester Philotera vgl. Rud. Pfeiffer, Kallimachosstudien (1922) S. 14 f.

[44] Vgl. Archiv f. Papyrusf. III 318 f. Bestätigt durch Ditt. Or. Gr. II 725.

[45] Zum Datum vgl. Rud. Pfeiffer, Kallimachosstudien (1922) S. 8.

etwas später bezeugt ist, war ebenso für das ganze Reich eponym wie der Alexanderpriester, neben dem sie zur Datierung der Urkunden diente.

Den Gedanken, diese Verstorbenen zu Göttern zu erheben, hat Philadelphos jedenfalls der *griechischen* Religion entnommen, wenn er auch der ägyptischen Religion nicht fremd war. Ägyptische Einflüsse sind von der Entstehung des hellenistischen Ptolemäerkultes überhaupt fernzuhalten. Jener Gedanke war im Grunde nur eine Steigerung der älteren Heroisierung der Toten, die wahrscheinlich auch schon für den im Sema verehrten Alexander anzunehmen ist (s. S. 231)[46]. Die Hofdichter Theokrit und Kallimachos haben uns zur Erklärung dieser drei Apotheosen den *Mythos*[47] *von der Entrückung durch Götter* erzählt, eine Vorstellung, die bei den Griechen schon seit alters verbreitet war, wie Erwin Rohde in seiner „Psyche" dargelegt hat. So ist nach Theokrit (XVII) der Lagide vom Vater Zeus zum Olymp erhoben worden, wo er nun zwischen Alexander und Herakles thront (16 ff.), und Berenike ist nach ihm, als sie sich schon dem Acheron näherte, von Aphrodite in ihren (alexandrinischen) Tempel entrückt worden (48 ἁρπάξασα)[48], wodurch sie hier nun σύνναος der Göttin geworden ist. Kallimachos aber hat in seiner „Arsinoë", wie wir erst kürzlich durch die Διηγήσεις (10, 10) erfahren haben, erzählt, daß Arsinoë von den Dioskuren entrückt sei (ἀνηρπάσθαι). Der Grundgedanke dieser Mythen ist wohl der, daß die eigentliche Vergottung der Toten — z. B. die ἐκθέωσις 'Αρσινόης, wie es in den Διηγήσεις heißt — von den Göttern vollzogen war, während die Kulte dann vom König eingeführt waren. So preist Theokrit nachher in anderem Zusammenhange den Philadelphos, weil er seinen Eltern als ἀρωγοί (d. h. Σωτῆρες) Tempel und goldelfenbeinerne Statuen errichtet habe (121 ff.). Zumal wenn Theokrit

[46] Auch Alexander hatte schon die Vergottung seines verstorbenen Freundes Hephaistion gewünscht, erhielt freilich vom Ammonsorakel nur die Erlaubnis zu seiner Heroisierung (Arrian VII 14, 7; 23, 6).

[47] Theokrit XV 107: ἀνθρώπων ὡς μῦθος.

[48] Mit dieser Version steht es nicht im Widerspruch, wenn Theokrit XV 106 ff. von der Aphrodite sagt, sie habe Berenike unsterblich gemacht, indem sie ihr Ambrosia in die Brust geträufelt habe. Das ist vielmehr mit der anderen Erzählung zu verbinden.

(nach meiner Auffassung, S. 238) sein Gedicht vor dem Königspaar und dem Hofe beim penteterischen Agon vorgetragen hat, so ist es selbstverständlich, daß diese mythische Zurückführung der Apotheose auf die Götter nicht irgendwie eine Herabminderung der Tat des Königs bedeuten sollte. Liegt nicht vielmehr gar eine höchste Schmeichelei darin vor, daß für den König hier die Götter eintreten und daß, was der König, wie alle wußten, angeordnet hatte, hier als Götterwerk hingestellt wird? Denn daß Philadelphos in irgendeiner Form, über die wir nichts wissen, die Apotheose dieser drei Verstorbenen verkündet und angeordnet hat, das scheint mir nicht zweifelhaft zu sein[49]. Fest steht, daß dieser neue Götterkult vom König als *Staatskult* eingesetzt worden ist. Dadurch unterscheidet sich der *hellenistische Ptolemäerkult,* der hiermit beginnt, von allen hellenistischen Herrscherkulten, die ich für Alexander und die Diadochen zu erwähnen hatte, mit Ausnahme des vom Lagiden gegründeten Alexanderkultes in Alexandrien. Typisch ist auch schon für diese Anfänge des hellenistischen Ptolemäerkults, daß er für *alle* Untertanen galt, für die Ägypter[50] nicht minder als für die Make-

[49] Anders urteilte ich in meinem Alexanderbuch S. 311 (zu S. 255), wo ich schon dies Problem behandelt habe, aber den mythischen Charakter dieser Erzählungen nicht genügend erkannt hatte. Vgl. übrigens Schol. zu Theokr. XVII 16: καθὸ ἐξεθεώθη ὑπὸ τοῦ υἱοῦ.

[50] Sehr anschaulich lehrt die Einführung dieser Kulte in den ägyptischen Kult, um nur ein Beispiel zu nennen, die unschätzbare Mendesstele (Kurt Sethe, Hierogl. Urkunden der griech.-röm. Zeit I 1904). Nachdem der Tod der Arsinoë im Pachon des 15. Jahres (Juli 270) erzählt ist, heißt es in Abschnitt 9, II 41: „Es befahl Seine Majestät, ihr Bild aufzustellen in allen Tempeln, was den Priestern sehr angenehm war" (vgl. Ad. Erman, Die ägypt. Religion[2] S. 228), und ihr in Mendes in Prozession geführtes Bild erhielt den Namen: „Die vom Widder Geliebte, die Göttin, die ihren Bruder liebt, Arsinoë" (Erman l. c. läßt die „Göttin" aus). Das ist die Übersetzung des griechischen Kultnamens: ϑεὰ Φιλάδελφος Ἀρσινόη. Von besonderem Interesse ist für uns, daß hier Philadelphos als Pharao *durch königlichen Befehl* diesen Kult in den ägyptischen Kult einführt. So wird auch dem Priesterbeschluß in Kanopos betreffs Verehrung des Euergetes in allen ägyptischen Tempeln (Ditt. Or. Gr. I 56, 22 ff.) ein Befehl des Königs vorangegangen sein. Vgl. unten S. 246. Über andere

donen und Griechen, wie auch schon jener alexandrinische Alexanderkult.

Diese Apotheose der Verstorbenen war nur das Vorspiel zu der Vollendung des hellenistischen Königskultes, die in der *Apotheose der Lebenden* ihren Ausdruck fand. Diesen entscheidenden Schritt tat Philadelphos, indem er für sich selbst, also durch Selbstvergottung, und seine Schwester Arsinoë einen gemeinsamen Kult als θεοὶ Ἀδελφοί schuf[51]. Diese Selbstvergottung wird man als Ausfluß seines Absolutismus aufzufassen haben. Wilamowitz hat einmal gesagt (Staat und Gesellschaft der Griechen, 2. Aufl. S. 157): „Die Göttlichkeit des Herrschers war eine unausbleibliche Folge davon, daß die absolute Herrschaft, die nur dem Ausnahmemenschen zukommt, zur Institution geworden war." So galt denn auch dieser Königskult nicht mehr, wie in der Diadochenzeit, der Persönlichkeit, sondern dem König als solchem.

Die früheste Erwähnung dieses Kultes der θεοὶ Ἀδελφοί bietet zur Zeit der Pap. Hibeh 99 vom 15. Jahr des Philadelphos (= 271/0) vom 20. Daisios. Für das Problem, ob Arsinoë als Lebende oder als Tote in diesen Kult aufgenommen ist, kommt alles darauf an, ob dieser makedonische Monat Daisios damals im ägyptischen Kalender vor oder hinter den Pachon dieses Jahres gefallen ist, in dem die Königin nach der Mendesstele gestorben ist. Nach Edgars außerordentlich verdienstvollen Arbeiten über den makedonischen und ägyptischen Kalender dieser Zeit wäre die erstere Alternative die richtige, Arsinoë also als Lebende in diesen Kult aufgenommen, während wir früher mit der Toten hierfür gerechnet haben, und so wird heute auch immer mehr dies Ergebnis als sicher angenommen[52]. Immerhin wäre eine Entscheidung durch ein makedonisch-ägypti-

Verbindungen der Arsinoë mit ägyptischen Kulten vgl. z. B. meinen Arsinoë-Artikel in RE. II 1284 f. Seitdem ist manches dazugekommen.

[51] Wilamowitz hat mehrfach statt dessen von θεοὶ Φιλάδελφοι gesprochen (Hell. Dicht. I 29 f. 193; Glaube d. Hell. II 268 [S. 552 korrig. vom Herausgeber], wo er darin die Absicht der Legitimierung der Geschwisterehe sieht), aber θεοὶ Φιλάδελφοι hat es nie gegeben, wie seit langem bekannt ist.

[52] Vgl. z. B. Nock, Σύνναος θεός S. 5. Als unklar behandelte die Frage trotz Edgar auch Pfeiffer, Kallimachosstudien S. 9.

sches Doppeldatum für 271/0 sehr erwünscht, *denn ein solches fehlt bisher,* so daß obiges Ergebnis auf Berechnungen beruht. Wie dem auch sei — ich möchte diese Frage bisher noch nicht als definitiv erledigt betrachten[53] —, jedenfalls hat Philadelphos durch den Kult der θεοὶ Ἀδελφοί den hellenistischen Ptolemäerkult vollendet und hat ihm die Form gegeben, die dann bis zum Ende der Dynastie maßgebend geblieben ist. So folgen den θεοὶ Ἀδελφοί die θεοὶ Εὐεργέται, θεοὶ Φιλοπάτορες, θεοὶ Ἐπιφανεῖς usw.[54]

Dieser Kult war ein *Staatskult,* der ebenso wie die Kulte jener Verstorbenen für alle Untertanen galt, einschließlich der Ägypter. Wichtig ist, daß diese θεοὶ Ἀδελφοί, was oft übersehen wird, in Alexandrien ihren selbständigen Kult in einem *eigenen Tempel* gehabt haben, den Herondas I 30 unter den Sehenswürdigkeiten der Haupstadt erwähnt (θεῶν Ἀδελφῶν τέμενος).

Für die Propagierung des neuen Kultes im Reich hat Philadelphos dadurch gesorgt, daß er verordnete, daß diese θεοὶ Ἀδελφοί als σύνναοι zum mindesten den Hauptgöttern hinzugefügt würden. Von ägyptischen Tempeln kennen wir bisher den des Ἀμονρασονθήρ von Theben, des Chnum von Elephantine und der Isis von Philae als solche, in denen die θεοὶ Ἀδελφοί und ihre Nachfolger als σύνναοι verehrt wurden[55]. Trotzdem betrachteten die Ägypter sie als

[53] Konnte denn Kallimachos nach ihrem Tode die ἐκθέωσις Ἀρσινόης durch Entrückung (s. oben S. 241) darstellen, wenn sie schon bei Lebzeiten eine Göttin gewesen wäre? — Daß Theokrits XVII. Gedicht, das ich oben S. 238 ins Jahr 271/0 setzte, von den θεοὶ Ἀδελφοί noch nichts weiß, schließt zwar das frühere Datum nicht aus, verengert aber den dafür zur Verfügung stehenden Zeitraum. Damit ist z. B. ausgeschlossen, daß der Kult schon 272 geschaffen wäre. Jenes Ptolemaiafest, auf das ich das Gedicht Theokrits bezog, fand nach Kallixeinos mitten im Winter (271/0) statt.

[54] Es ist noch eine dunkle, nicht unwichtige Frage, die ich jetzt aber nicht verfolgt habe, wann und aus welchen Anlässen der Königskult der Nachfolger des Philadelphos eingeführt worden ist. Es geschieht durchaus nicht etwa sogleich beim Regierungsantritt, sondern bei den verschiedenen Königen in sehr verschiedenen späteren Jahren. Vgl. die Zusammenstellung bei Nock, Σύνναος θεός S. 9.

[55] Vgl. Wilcken, Grundz. d. Pap. S. 107.

fremde, nichtägyptische Götter, wie z. B. in dem Eid eines Ägypters aus der Zeit Euergetes' I. Isis und Sarapis „und die anderen ἐγχώριοι θεοί" den Königsgöttern gegenübergestellt werden[56]. Von griechischen Tempeln[57] wissen wir bisher nur von *einem,* daß er die θεοὶ 'Αδελφοί als σύνναοι aufgenommen hat: das ist der vom Lagiden gestiftete Tempel des Reichsgottes Alexander in Alexandrien. Hierdurch wurde der neue Königskult am wirkungsvollsten propagiert, denn danach hieß der eponyme Alexanderpriester, nach dem die Akten im ganzen Reich, von Beamten wie von Privaten, zu datieren waren, nunmehr ἱερεὺς 'Αλεξάνδρου καὶ θεῶν 'Αδελφῶν[58].

Bisher haben wir noch keine überzeugende Erklärung für die auffallende Tatsache, daß Philadelphos nicht auch die θεοὶ Σωτῆρες, die er doch sonst so sehr geehrt hat, an den Alexanderkult angeschlossen hat[59]. Das hat erst Ptolemaios IV. Philopator nachgeholt. Auch den ägyptischen Göttern hat Philadelphos die θεοὶ Σωτῆρες nicht als σύνναοι angefügt, auf die auch die Reform des Philopator sich nicht bezogen hat, so daß sie dort überhaupt nie erscheinen. Dieser Ausschluß der θεοὶ Σωτῆρες vom Alexanderkult und auch den anderen Kulten bleibt uns noch ein Rätsel. Jedenfalls zeigt er, daß Philadelphos durch die Angliederung der θεοὶ 'Αδελφοί an den Alexanderkult nicht etwa einen Kult der Dynastie schaffen wollte, wie ich gelegentlich gelesen zu haben glaube, *denn dann hätten die* θεοὶ Σωτῆρες *unmöglich fehlen können*[60]. Man hat diese Angliederung der θεοὶ 'Αδελφοί überhaupt oft zu sehr isoliert betrachtet, ohne jene ägyptischen Parallelen zu beachten und auch ohne zu

[56] P. Gradenwitz 4 = Preisigke, Sammelbuch I 5680.

[57] Über griechische Tempel in den Gauen wissen wir äußerst wenig. Vgl. Walter Otto, Priester und Tempel I 7 ff.

[58] So schon sogleich nach der Schaffung des Königskultes in P. Hibeh 99 (271/0).

[59] Dagegen im Königseid erscheinen die θεοὶ Σωτῆρες auch schon unter Philadelphos. Vgl. Hibeh 38, 13. Cair. Zenon II 59289, 5; auch im demostischen Eid. Vgl. jetzt W. Erichsen, Äg. Z. 74 (1938) S. 141.

[60] Dieser Ausschluß der Soteres ist um so merkwürdiger, als doch der Lagide sowohl in dem Festzuge bei Kallixeinos (Athenae. V 201 d) wie auch im Festgedicht des Theokrit (XVII 18) in unmittelbarer persönlicher Verbindung mit Alexander auftritt.

bedenken, daß der Hauptkult der θεοὶ Ἀδελφοί doch in jenem alexandrinischen Tempel, der ihnen als Göttern geweiht war, stattgefunden haben muß und nicht im Alexandertempel, in dem sie nur σύνναοι waren. So bleibt hier noch manche Frage unbeantwortet.

Endlich will ich zusammenfassend noch einmal betonen, daß dieser hellenistische Königskult der Ptolemäer, wie ihn Philadelphos begründet hat[61], nach seinem Ursprung und Wesen durch und durch griechisch ist und scharf zu scheiden ist von ihrem ägyptischen Pharaonenkult. Für den griechischen Charakter sprechen u. a. auch die Kultbeinamen der Ptolemäer, wie Σωτῆρες, Εὐεργέται, Ἐπιφανεῖς, die alle der griechischen Religion entnommen sind. Grundverkehrt war die Annahme, daß die *ägyptischen* Priester diese Beinamen gegeben oder gar die Vergottung der Lebenden besorgt hätten[62]. Das beruhte z. T. auf einem Mißverständnis des Dekrets von Kanopos (Ditt. Or. Gr. 56), das vielmehr den vom König bereits geschaffenen Kult der θεοὶ Εὐεργέται deutlich voraussetzt. Gerade dies Dekret zeigt uns, wie stark die von Philadelphos begonnene Einfügung der vergotteten Ptolemäer in den ägyptischen Kult auf den letzteren gewirkt hat. Besonders klar tritt uns dies auch darin entgegen, daß zu der fünfstelligen hieroglyphischen Königstitular jetzt an sechster Stelle noch eine ägyptische Übersetzung des betreffenden griechischen Gottesnamens hinzutrat! In Tausenden von Jahren war ähnliches noch nie vorgekommen. So kann man für diese Zeit eher von einer teilweisen Hellenisierung des ägyptischen Königskultes als von einer Ägyptisierung des hellenistischen sprechen.

IV. Der Königskult der Seleukiden

Der Königskult im Seleukidenreich hat sich wesentlich anders entwickelt als im Ptolemäerreich. Der Grund dafür liegt in der

[61] Auf private Kultstiftungen, wie die des Admirals Kallikrates, gehe ich heute nicht ein.

[62] Vgl. z. B. v. Prott, Rh. Mus. N. F. LIII S. 466, Kornemann Klio I, S. 82, Wilamowitz, Reden und Vorträge[4] (1925) S. 211.

völlig verschiedenen Struktur der beiden Reiche. Das der Ptolemäer, in dem es im wesentlichen nur *ein* Fremdvolk, die Ägypter, gab, zeigt in seiner Verwaltung eine straffe Zentralisation, während das weiträumige Seleukidenreich, das die verschiedensten Völker und Religionen umfaßte, kein zentralistischer Einheitsstaat, sondern mehr eine Vereinigung sehr verschiedenartiger Satrapien war, die durch die Person des Königs zusammengehalten wurde. Von besonderer Bedeutung ist für unser Thema, daß den zwei Neugründungen in Ägypten, Alexandrien und Ptolemais, im Seleukidenreich, abgesehen von den alten Griechenstädten, eine Fülle von makedonisch-griechischen Neusiedlungen gegenüberstand, die zum größten Teil von den beiden ersten Seleukiden gegründet waren. Innerhalb des Seleukidenreiches ist nun grundlegend der Unterschied der *städtischen* Königskulte der Griechenstädte und des offiziellen, vom König eingeführten *Staatskultes*. Während früher beide meist promiscue behandelt wurden, ist der Gegensatz der beiden Arten zuerst wohl von Bouché-Leclerq erkannt worden [63], aber erst kürzlich von E. Bikermann in seinem grundlegenden Werk ›Institutions des Séleucides‹ [64] klargelegt und in seine Konsequenzen verfolgt worden. Im Hinblick auf diese wertvolle Arbeit will ich mich hier auf eine kurze Skizze der Grundzüge beschränken.

1. Die städtischen Königskulte

Wie Bikermann auf Grund der Autoren, Inschriften und Münzen ausführlich dargelegt hat, haben die autonomen Griechenstädte des Reiches ganz aus eigenem, jede für sich, ihren Königskult geschaffen und ausgestattet, meist mit jährlich wechselnden eponymen Priestern, die natürlich nur für die betreffende Stadt galten. Sie haben auch nach eigenem Ermessen, jede für sich, die Kultnamen der vergotteten Könige gewählt, wodurch sich die schon immer

[63] Histoire des Séleucides (1913) S. 470 ff.

[64] Haut-Commissariat de la République Française en Syrie et au Liban. Service des Antiquités. Bibliothèque archéol. et historique, Tome XXVI, Paris 1938, S. 236 ff.

beobachteten scheinbaren Widersprüche oder Varianten in unserer Traditon erklären. Man kann wohl sagen, daß fast alles, was wir aus den Quellen über den Seleukidenkult erfahren, sich auf diese städtischen Kulte bezieht. Für alle Einzelheiten verweise ich heute der Kürze wegen auf das reiche Material bei Bikermann.

Im Hinblick auf die oben behandelten Probleme füge ich hinzu, daß diese städtischen Kulte des Seleukidenreiches im wesentlichen den städtischen Herrscherkulten der Diadochenzeit entsprechen und deren Fortsetzung bilden, insofern diese, wie wir sahen, auf Grund rein griechischer religiöser Anschauungen und zu politischen Zwekken *freiwillig* den Machthabern entgegengebracht wurden. Wohl hat es im Seleukidenreich, wie ich bemerkte, sehr verschiedenartige Völker mit den verschiedensten Religionen gegeben, aber daß diese hellenistischen Seleukidenkulte der Griechenstädte irgendwie von orientalischen Religionen beeinflußt wären, ist nicht erkennbar und ist auch wohl kaum behauptet worden. Aber auf einen wichtigen Unterschied von den Kulten der Diadochenzeit wies ich schon hin: damals galten sie *auswärtigen* Herrschern als Persönlichkeiten, jetzt aber dem *eigenen König als solchem*. Trotzdem waren diese städtischen Kulte der Seleukiden nicht etwa vom König gefordert. Gewiß wird die politische Lage oft von Einfluß auf den Entschluß zur göttlichen Verehrung gewesen sein, aber ebenso wie in der Diadochenzeit beruhten diese Ehrungen durchaus auf dem freiwilligen Beschluß der Gemeinden, für die ebenso wie früher der Zweck, die Gunst und den Schutz des Königs sich dadurch zu sichern, oft das politische Motiv gewesen sein wird.

2. Der staatliche Königskult

Seleukos I., der Begründer des Reiches und der Dynastie, der noch zu den Kampfgenossen Alexanders gehörte, hat ebenso wie Ptolemaios I. nicht an göttliche Ehren für seine Person gedacht. Aber als seine Leiche um 280 in Seleukeia bestattet war, hat sein Sohn Antiochos I. neben seinem Grabe einen Tempel (νεώς) und ein τέμενος geweiht, das — vielleicht erst später — Νικατόρειον genannt wurde[65]. So war der Anfang insofern ähnlich wie in Ägypten, als dort auch erst in der zweiten Generation mit dem Kult des toten Ptolemaios I. als θεὸς Σωτήρ die hellenistische Königsapotheose begann, und zwar etwas früher (im Jahre 283).

Im übrigen sind wir bisher für den staatlichen Seleukidenkult leider auf eine einzige Inschrift aus dem Ende des III. Jahrhunderts angewiesen, die freilich von ungewöhnlicher Bedeutung ist. Das ist die seit 1885, wo sie von Holleaux und Paris zuerst herausgegeben wurde, unendlich oft behandelte Inschrift von Durdurkar (Ditt. Or. Gr. 224), die jetzt nur in der Neupublikation von C. Bradford Welles zu benutzen ist, der sie in seinem ausgezeichneten Werk ›Royal Correspondence in the Hellenistic Period‹ (1934) als Nr. 36 mit wichtigen neuen Lesungen und Ergänzungen vorgelegt hat. Es ist ein in Briefform gegebener Erlaß (πρόσταγμα, 37, 2), den Antiochos III.[66] an Anaximbrotos, den Satrapen von Karien, im Frühling 204 geschrieben hat. Da der König, wie er schreibt, die Ehren seiner Gemahlin Laodike vermehren will, sollen, wie im ganzen Königreich Oberpriester (ἀρχιερεῖς) für seinen eigenen Kult ernannt werden, so auch für die Königin an denselben Orten Oberpriesterinnen eingesetzt werden, die goldene Kränze mit dem Bild der Königin tragen und in den Vertragsurkunden hinter den Oberpriestern seiner Vorfahren und seiner selbst hinzugeschrieben werden sollen[67]. Da nun für die dem Anaximbrotos unterstehenden Orte (d. h. für seine Satrapie)[68] eine gewisse Berenike ernannt worden ist, befiehlt er ihm, gemäß diesem Erlaß alles Nötige zu tun usw.

[65] Appian, Syr. 63/4. Bikermann S. 254 übersetzt ἐπικλήζεται nicht richtig mit *appela* (scil. Antiochos I.).

[66] Früher wurde die Inschrift meist auf Antiochos II. bezogen. Die Entzifferung der Jahreszahl (in 37, 11) wird einer nochmaligen Revision des Steines durch Holleaux verdankt.

[67] Welles 36, 10 ff.: κρ]ίνομεν δὲ καθάπερ [ἡμ]ῶν [ἀπο]δείκ[ν]υν[ται κ]ατὰ τὴν βασιλεί[αν ἀ]ρ[χ]ιερεῖς, καὶ ταύτης καθίστασθαι [ἐν] τοῖς αὐτοῖς τόποις ἀρχιερείας, αἳ φο[ρή]σουσιν στεφάνους χρυσοῦς ἔχοντας (15) [εἰκόνας αὐ]τῆς, ἐπιγραφήσονται δὲ καὶ ἐν [τοῖς] συναλλάγμασι μετὰ τοὺς τῶν [προγόν]ων καὶ ἡμῶν ἀρχιερεῖς.

[68] Vgl. 37, 4: [ἀ]ρχιερέων τῶν ἐν τῆι σατραπείαι.

Die Königin Laodike soll hiernach also in jeder Satrapie des Reiches eine eponyme Oberpriesterin bekommen. Es versteht sich von selbst, daß die Ernennung einer Oberpriesterin die Apotheose der Königin und die Einrichtung ihres Kultes voraussetzt. Ebenso selbstverständlich scheint es mir, daß dies durch den König geschehen ist, wie ja auch die Ernennung der Berenike vom König vollzogen ist, wiewohl das nicht ausdrücklich gesagt ist (ἀποδέδεικται)[69]. In dem Erlaß ist eben nur das Notwendigste gesagt, was speziell den Satrapen angeht.

Viel wichtiger ist uns, was der König über seinen und seiner Vorfahren[70] Oberpriester aussagt. Danach gab es damals in jeder Satrapie einen solchen eponymen Oberpriester, und zwar nur *einen*, zugleich für den Lebenden und die Toten[71]. Damit gewinnen wir zum erstenmal für das Seleukidenreich einen vom König geschaffenen offiziellen dynastischen *Staatskult*, dessen Oberpriester vom König ernannt werden. Ebenso wie beim ptolemäischen Königskult wird seine Begründung auf den Absolutismus der Regierung zurückzuführen sein. Dieser Kult ist an sich ein *Reichskult*, der einheitlich das ganze Reich umfaßt (κατὰ τὴν βασιλείαν), aber praktisch war die Ausübung des Kultes hier dezentralisiert, da er in jeder Satrapie ein eigenes Zentrum unter einem Oberpriester hatte. Es braucht kaum gesagt zu werden, daß dieser Staatskult nicht das geringste mit den städtischen Königskulten des Reiches zu tun hat, die nur

[69] Ebenso ernennt der König den ἀρχιερεύς des Apollon und der Artemis in Daphne (a. 189). Welles, 44, 28: ἀποδεδείχαμεν.

[70] Welles' Ergänzung [προγόν]ων statt [τε θε]ῶν (Holleaux) ist zweifellos vorzuziehen, zumal [τε θε]ῶν, wie er feststellt, für die Lücke zu kurz ist. Schon dies ist entscheidend. Bikermann S. 248 A. 1 bevorzugt mit Unrecht [τε θε]ῶν.

[71] Die Annahme von Bikermann S. 247 (vgl. auch Welles S. 159), daß einer für die toten Könige und einer für den lebenden gewesen sei, kann nicht richtig sein, denn dann hätte der Name der Oberpriesterin doch nur hinter dem zweiten, dem Oberpriester des Königs, stehen können (also μετὰ τοὺς ἡμῶν), die Erwähnung der πρόγονοι wäre hier aber zum mindesten überflüssig, wenn nicht unlogisch. Gerade die Verbindung in unserm Text von τοὺς τῶν προγόνων mit καὶ ἡμῶν (nicht καὶ τοὺς ἡμῶν!) macht es zweifellos, daß hier nur von *einem* Oberpriester die Rede ist.

für die einzelne Stadt gelten. Daß letztere in keiner Weise Rücksicht auf den Staatskult nahmen, zeigt zum Überfluß die Tatsache, auf die Bikermann S. 247 hinweist, daß die Laodike unserer Inschrift in keinem der uns bekannten Stadtkulte Aufnahme gefunden hat. Wenn die städtischen Kulte nach alter griechischer Weise ἱερεῖς haben, der Staatskult dagegen ἀρχιερεῖς [72], so folgt aus dem letzteren Titel keinesfalls, daß diese etwa eine Kontrolle über jene ἱερεῖς der Städte ausgeübt hätten, wie schon Bikermann S. 247 mit Recht bemerkt hat. Das entspricht auch dem rechtlichen Verhältnis der autonomen Städte gegenüber dem Satrapen, zu dessen Kompetenz sie nicht gehörten [73]. Die beiden Kulte stehen durchaus selbständig nebeneinander, und erst beide zusammen betrachtet ergeben uns ein Bild von der Ausbreitung des hellenistischen Königskultes im Seleukidenreich.

Wichtig ist die Frage, ob erst Antiochos III. diesen offiziellen Königskult geschaffen hat [74]. Bikermann S. 254 und 256 scheint dieser Annahme zuzuneigen. Welles S. 159 schließt aus dem Präsens [ἀπο]δείκ[ν]υν[ται], dessen Lesung wir ihm verdanken (früher ergänzte man καθεστήκασιν), in Verbindung mit dem vorhergehenden, gleichfalls von ihm gelesenen [ἡμ]ῶν, daß *a special cult of*

[72] Dieser Titel ist auffallend. Er ist zwar den Griechen in der Literatur nicht unbekannt, aber in ihren Tempeln kennen sie m. W. nur ἱερεῖς (so auch in Ägypten im Gegensatz zum ägyptischen Kult). Es gab im Seleukidenreich wohl manche einheimischen Kulte, die ἀρχιερεῖς hatten (z. B. in Jerusalem). Es wäre denkbar, daß man diese als Vorbilder benutzt hätte, um die Superiorität des Staatskultes gegenüber den städtischen Kulten im Oberpriestertitel auszudrücken, oder auch um diese fremden Kulte titular nicht vornehmer als den Staatskult erscheinen zu lassen.

[73] Vgl. Heuss, Stadt u. Herrsch. S. 175 ff., 190. Vgl. auch meine Griech. Gesch.[3] S. 198.

[74] Ob der Oberpriestertitel des Πτολεμαῖος θρασέα στραταγὸς καὶ ἀρχιερεὺς Συρίας Κοίλας καὶ Φοινίκας (Ditt. Or. Gr. I 230) sich auf diesen Königskult bezieht, ist umstritten. Dittenberger und Bikermann S. 248 bejahen es, Welles S. 159 A. 7 verneint es. Ich habe diese Inschrift ins Jahr 218 v. Chr. gesetzt (RE. I 2461), ebenso auch Radet und Paris, denen Dittenberger zustimmt. Weshalb sie Bikermann l. c. jetzt zwischen 197 und 188 setzt, ist mir nicht bekannt.

the King erst eben geschaffen sei[75], und so will er in diesem Sinne das Präsens übersetzen: *are now being appointet.* Wenn ich ihn recht verstehe, meint er also, daß vorher der Kult des Königs mit dem seiner Vorfahren verbunden gewesen sei. Er stützt sich für seine Hypothese, wie er seinen Vorschlag ausdrücklich bezeichnet, auf die Tatsache, daß in Antiocheia in Persis (Ditt. Or. Gr. 233) im Jahre 206/5 der Kult des Königs mit dem seiner Vorfahren verbunden war, während sie in Seleukeia in Pieria (Ditt. Or. Gr. 245) getrennt waren. Folglich sei zwischen den beiden Texten eine Änderung in dieser Institution eingeführt, und dafür sei die Rückkehr Antiochos' III. aus dem Osten der Anlaß gewesen. Zu seinem größeren Ruhme sei nun der Spezialkult für ihn eingeführt. Diese Hypothese bricht aber schon dadurch zusammen, daß die beiden angeführten Beispiele sich auf den *städtischen* Kult beziehen, der mit dem offiziellen Königskult unseres Textes nicht das mindeste zu tun hat. Ferner darf aus dem ἡμῶν vor ἀποδείκνυνται nicht geschlossen werden, daß hier von einem Spezialkult für den König die Rede ist, denn nur deshalb ist hier der König allein, ohne die Vorfahren genannt, weil begreiflicherweise die Königin nur in Parallele zum König, nicht auch zu den Vorfahren gestellt werden soll. Es gab damals also nur den vereinigten Kult der Vorfahren und des Königs, und die Datierung der Vertragsurkunden nach deren eponymen Oberpriestern war bereits im ganzen Reich in Übung, denn der Text besagt, daß der Name der Oberpriesterinnen der Königin zu den Namen der Oberpriester der Vorfahren und des Königs *hinzu*geschrieben werden soll[76]. Doch wie ist nun das Präsens ἀποδείκνυνται zu fassen, von dem Welles ausging? Auf den ersten Blick liegt es vielleicht nahe, statt des Präsens vielmehr ein Präteritum zu erwarten, wie z. B. Bikermann S. 247 übersetzt hat: *comme sont nommés nos grands-prêtres,* was aber nicht dasteht. Mir

[75] Auch Bikermann S. 248 hält diesen Zeitansatz Welles' für „möglich".

[76] Ich möchte dies ἐπι in ἐπιγραφήσονται stark betonen und ganz wörtlich wie oben deuten. Bikermann S. 247 übersetzt es nicht genau genug mit *inscrites* und auch nicht Welles S. 158 mit *mentioned.* Sein Hinweis S. 160 auf Arrian VII 23, 7 für einen ähnlichen Gebrauch von ἐπιγράφειν trifft nicht zu, denn dort steht ἐγγράφεσθαι.

scheint, daß das Präsens zu der Annahme nötigt, daß diese eponymen Oberpriester ebenso wie die eponymen Priester der städtischen Königskulte jährlich oder doch jedenfalls periodisch wechselten[77]. Dann besagt das Präsens einfach die Wiederholung der Handlung des ἀποδεικνύναι in der Gegenwart.

Mir ist es a priori mehr als unwahrscheinlich, daß dieser Königskult erst von Antiochos III. eingeführt sein sollte, denn dann hätte es fast das ganze 3. Jahrhundert hindurch im Seleukidenreich noch keinen offiziellen Königskult gegeben, während die Ptolemäer schon seit Philadelphos einen solchen gehabt hätten. Das zu glauben, erschwert die bekannte Rivalität der beiden Dynastien. Darum ist es viel wahrscheinlicher, daß schon einer der ersten Seleukiden diesen offiziellen Königskult geschaffen hat, der dann immer auf den Nachfolger überging, wobei die verstorbenen Könige als πρόγονοι im Kult beibehalten wurden. Am ehesten wird man an Antiochos I., den Zeitgenossen des Philadelphos, als Stifter denken, der, wie wir schon S. 248 sahen, seinem Vater Seleukos I. einen göttlichen Totenkult gestiftet hat. An Antiochos I. hat übrigens auch schon Kornemann, Klio I S. 80, z. T. aus anderen Überlegungen, gedacht. Neue Vermutungen über dies Problem hat kürzlich auch Rostovtzeff vorgetragen (JHS LV 1935, S. 65), der die Gründung dieses Kultes auch in den Anfang der Dynastie setzt, dann aber mit Änderungen durch Antiochos III. rechnet. Hoffen wir, daß neues Material uns größere Klarheit bringt.

Zum Schluß will ich nur noch bemerken, daß, wenn die Seleukiden in jeder Satrapie ein Zentrum ihres Königskultes hatten, sie damit auf einem andern Wege etwa dasselbe erreicht haben wie die Ptolemäer dadurch, daß sie ihre θεοὶ Ἀδελφοί usw. als σύνναοι dem Alexander und den Gaugöttern Ägyptens zugesellten. Ein jeder hat damit auf seine Weise seinen Kult in seinem Reiche propagiert.

[77] Bikermann S. 247 und Welles S. 184 nehmen Lebenslänglichkeit des Oberpriesteramtes an, aber ohne es zu begründen. — Daraus, daß nach Welles Nr. 44 (= Ditt. Or. Gr. 244) ein ἀρχιερεύς des Apollon und der Artemis und der anderen Tempel in Daphne auf Lebenszeit angestellt wird, darf natürlich kein Rückschluß auf die ἀρχιερεῖς des Königs und seiner Vorfahren gezogen werden.

J. P. V. D. Balsdon, The "Divinity" of Alexander. Historia 1 (1950), S. 363—388. Aus dem Englischen übersetzt von Ellen Karge.

DIE „GÖTTLICHKEIT" ALEXANDERS[1]

Von J. P. V. D. Balsdon

Dieser Aufsatz untersucht drei Fragen nach der „Göttlichkeit" Alexanders: erstens, ob er zu dem Gedanken, Göttlichkeit zu beanspruchen, durch die Lektüre des Isokrates und durch das von Aristoteles Gehörte angeregt wurde; zweitens, wie wichtig und bezeichnend Alexanders erfolgloser Versuch war, Proskynese unter den Griechen und Makedonen seines Hofes in Baktra einzuführen; und drittens, ob es ganz sicher ist, daß Alexander selbst 324 v. Chr. von Susa Anweisungen an die griechischen Städte sandte, ihm göttliche Ehren zu erweisen.

I. Der Einfluß des Isokrates und Aristoteles

In einem Brief an Philipp, der als Nummer drei in der Kollektion der Briefe des Isokrates erhalten ist, schrieb Isokrates, daß, wenn Philipp Persien eroberte, er nur noch ein Gott werden könne. Aristoteles behauptet bei seiner Erörterung der Monarchie im dritten Buch der ›Politika‹, daß der wahre König (der *pambasileus*) berechtigterweise als ein „Gott unter Menschen" angesehen werden müßte und daß es für andere ebenso unangemessen wäre, über ihn zu herrschen, wie für Menschen der Anspruch, über Zeus zu herrschen.

Nun muß jeder angesehene Historiker Alexanders sich not-

[1] Einige meiner Freunde einschließlich meiner Kollegen Mr. A. Andrewes und Mr. C. Hignett haben diesen Aufsatz in Maschinenschrift gelesen. Ihre Bemerkungen und Korrekturen haben zur Verbesserung beigetragen, und ich danke ihnen sehr herzlich. Ein Auszug des Aufsatzes wurde am 2. Nov. 1950 vor dem Zweigverband der Classical Association in Oxford vorgetragen.

wendig fragen: Was hat Alexander, falls er beanspruchte, ein Gott zu sein, auf den Gedanken gebracht? Die Antwort liegt, so glaubt Dr. Tarn, in jenen Behauptungen des Isokrates und Aristoteles [2]. Alexander hatte Isokrates' ›Philippus‹ gelesen; so muß er die Äußerung des Isokrates gekannt haben; und was Aristoteles' Behauptungen anbetrifft, so hat Alexander im Alter von 13 Jahren Aristoteles als Hauslehrer gehabt, während er jedoch wahrscheinlich niemals die ›Politika‹ las. Politik ist von vorrangiger Bedeutung für junge Prinzen, und ein Hauslehrer des Sohnes des Königs von Makedonien konnte unmöglich gerade das Thema Monarchie übergangen haben. Deshalb muß Alexander mit jenen Ansichten des Aristoteles, die wir heute in den ›Politika‹ lesen können, vertraut gewesen sein. So folgerte Tarn.

Es ist auf den ersten Blick eine sehr ansprechende Vermutung, aber bevor wir sie akzeptieren, müssen wir uns die Gründe, auf denen sie ruht, genauer ansehen. Die Fragen, die wir stellen müssen, sind zahlreich. Erstens: war der Gedanke, Alexander zu Lebzeiten göttliche Ehren zu erweisen, etwas völlig Neues im politischen Leben der Griechen? Gab es irgendwelche Präzedenzfälle? Zweitens: stand die praktische Ausführung nicht hinter den Worten zurück und, wenn es noch nie oder fast noch nie vorgekommen war, einem Menschen zu Lebzeiten tatsächlich einen Kult einzurichten, galt dasselbe auch für übertriebene Schmeichelei durch Worte? War es beispiellos, wirklich ungewöhnlich, von einem Menschen zu Lebzeiten als von „einem Gott unter Menschen" zu sprechen? Drittens: wie verhält sich in dem besonderen Fall des Isokrates der dritte Brief zu dem ›Philippus‹? Ist es ein echter Brief des Isokrates, und gibt es überhaupt einen Anhaltspunkt zu glauben, daß Alexander ihn las? Letztlich: welche allgemeine Erörterung über Monarchie finden wir im dritten Buch der ›Politika‹ des Aristoteles, in dem die zwei Bemerkungen stehen, die Tarn aufgriff? Bedeuten sie in ihrem Zusammenhang dasselbe, was sie außerhalb des Zusammenhangs zu behaupten scheinen?

Erstens also: welche Präzedenzfälle gab es in Griechenland für eine Vergöttlichung eines Lebenden? Empedokles behauptet im

[2] Alexander the Great (Cambridge 1948), II, 365—369.

5. Jahrhundert auf Sizilien in einem Fragment der ›Katharmoi‹[3], daß er wie ein Gott verehrt wurde (Θεὸς ἄμβροτος οὔκετι θνητός ... σεβίζομαι), aber dies ist nur die undeutliche und farbige Sprache eines Dichters und zudem eines merkwürdigen Dichters. Dann gibt es am Ende des 5. Jahrhunderts die Geschichten über den Kult des Lysander in Ionien, besonders auf der Insel Samos. Aber diese sind zur Hauptsache von keiner besseren Quelle als Duris von Samos verbürgt, der sehr wohl einige hellenistische Bräuche seiner eigenen Zeit, dem frühen 3. Jahrhundert v. Chr., in die Vergangenheit zurückversetzt haben mag.[4] Dieses wie auch jenes Problem, das durch die Geschichten von einem Kult des Klearchos, des Tyrannen von Heraklea in Pontos, eine Generation vor Alexander aufgeworfen wurde, erfordert eine gesonderte Untersuchung.[5] Ihre Bedeutung für unseren jetzigen Zweck könnte nur in der Tatsache liegen, wenn es eine war, daß so etwas schon in der Welt der Griechen vorgekommen war, zugestandenermaßen jedoch auf einem viel beschränkteren Schauplatz und ohne viel Staub aufzuwirbeln: also, warum sollte es sich nicht auf dem viel größeren Schauplatz, auf dem Alexander auftrat, wieder ereignen? Dagegen müssen wir die Tatsache halten, daß nichts dieser Art, soweit wir wissen, sich bis jetzt auf dem griechischen Festland zugetragen hatte. Ein Kult hätte natürlich einige oder alle der folgenden Ehrenbezeigungen in sich geschlossen: die Weihung eines Tempels, eine Kultstatue und ein Temenos zu Ehren eines Menschen; Opfer, die ihm zu Lebzeiten dargebracht, Spiele, die ihm zu Ehren veranstaltet und nach ihm benannt wurden, und einen Paian, in dem der noch Lebende namentlich unter den Göttern genannt wurde.[5a]

Solche Ehren waren eigentlich noch Göttern und Helden vor-

[3] Fr. d. Vorsokr.[5] 31 B, 112, 4 ff.

[4] Jacoby, FGH, II A 76, F. 71 und 26 (aus Plutarch, Lysander 18 und Athenaios XV, 52, p. 696 E). Vgl. Plutarch, Mor. 210 D und für das Ganze Fr. Taeger, Hermes, LXXII (1937), 358, n. 4.

[5] Isokrates, ep. 7, 12 f.; Justin XVI, 5, 8—12; Memnon, bei Phot., Bibl. 224 (FGH, III A, 434); Suidas, s. v.

[5a] Kallisthenes, bei Arrian, Anabasis IV, 11, 2 erklärt genau die formalen Unterschiede zwischen einem Kult für Götter und Ehren für verdiente Männer.

behalten. Unter den Helden war Herakles der Bemerkenswerteste, und er hatte die „Krone seines Heldentums" nicht durch Geburt, nämlich, daß er Zeus zum Vater hatte, sondern durch seine guten Taten als Mensch, δι' ἀρετήν erworben. Andere waren ihm in den Fußtapfen gefolgt, Städtegründer, Tyrannenmörder, Wohltäter, wie zum Beispiel Brasidas nach seinem Tod in Amphipolis. Posthume „Heroisierung" war immer und weiterhin die verdiente Belohnung für überragende ἀρετή: καθάπερ φασίν, ἐξ ἀνθρώπων γίνονται θεοὶ δι' ἀρετῆς ὑπερβολήν.[6]

Menschen zu Lebzeiten Götter zu nennen, ohne ihnen mit einem Kult zu huldigen, war etwas ganz anderes. Der Brauch, einen Befreier als σωτήρ anzureden, wurde im späten 5. und 4. Jahrhundert immer häufiger. Ihn göttlich, einen Helden oder Gott zu nennen, scheint schon lange als Ausdruck von Bewunderung oder Schmeichelei zulässig gewesen zu sein. Aristoteles erzählt uns, daß die Spartaner einen Mann, den sie besonders bewunderten, σεῖος — d. h. θεῖος — ἀνήρ[7] nannten, und wie Aristoteles selbst ausführt, geht solch eine sprachliche Übertreibung auf Homer zurück. Priamos behauptet von Hektor, daß der nicht „der Sohn eines Sterblichen, sondern eines Gottes zu sein scheine"[8]. Wir begegnen an dieser Stelle tatsächlich zum ersten Male dem Ausdruck „ein Gott unter Menschen" als sprachlicher Formulierung übertriebenen Lobes. Er kommt bei Theognis[9] und in der Komödie des 4. Jahrhunderts vor: in Antiphanes' ›Tritagonistes‹ wird Philoxenos als „Gott unter Menschen" beschrieben.[10] Isokrates nennt ihn in seinem ›Euagoras‹ eine normale dichterische Übertreibung[11], und nach einer Erzählung bei Plutarch (einer Erzählung jedoch, deren Wahrheitsgehalt zugestandenermaßen zweifelhaft ist) trieb Alexander selbst den Ausdruck ein Stadium voran, als er sich auf dem Fest, als Kleitos

[6] Aristoteles, NE VII, 1, 2 — 1145 a, 22 f.

[7] Aristoteles, NE VII, 1, 3 — 1145 a, 27 ff.

[8] Ilias XXIV, 258.

[9] 339.

[10] fr. 209.

[11] IX, 72, „εἴ τινες τῶν ποιητῶν περί τινος τῶν προγεγενημένων ὑπερβολαῖς κέχρηνται, λέγοντες ὡς ἦν θεὸς ἐν ἀνθρώποις."

ihn so schwer beleidigte, an zwei Griechen mit der Bemerkung wandte: „Habt ihr nicht den Eindruck, daß Griechen unter Makedonen wie Halbgötter unter Tieren sind?“ [12]

In Anbetracht dieser Tatsache kann man sich nur schwer vorstellen, daß Aristoteles' Feststellung, ein König wäre „wie ein Gott unter Menschen“, falls er sie jemals machte, als er den jungen Alexander unterrichtete, diesen später auf den Gedanken gebracht haben soll, Göttlichkeit zu beanspruchen.[13]

Wie steht es dann — unser dritter Punkt — mit der Bemerkung im dritten Brief des Isokrates an Philipp, daß er, wenn er Persien eroberte, nur noch ein Gott werden könne?

Um dies zu verstehen, müssen wir auf den ›Philippus‹, der bald nach dem Frieden des Philokrates 346 v. Chr. beendet war, zurückgreifen. Er stellte ein zweifaches Programm auf: Philipp wurde dringend aufgefordert, ein vereinigtes Griechenland zu schaffen und dann gegen Persien zu Felde zu ziehen. Außer der Wahl Philipps als des Adressaten der Aufforderung (zu dem Zeitpunkt die einzig mögliche Wahl) gab es in beiden Teilen des Programmes nichts, was in Isokrates' Gedankenwelt auffallend neu war. Waren Vereinigung in der Heimat und ein Feldzug im fernen Land nicht die beherrschenden Themen des 34 Jahre vorher verfaßten ›Panegyricus‹? Ὁμόνοια beherrscht das erste,[14] δόξα das zweite Thema.[15] Große Schwierigkeiten waren nicht zu befürchten, und großer Ruhm erwartete den Sieger. Philipp solle sich von denen begeistern lassen, „die durch die Invasion nach Asien berühmt geworden waren

[12] Plutarch, Alexander 51, 4.

[13] Auch gibt es keinen Grund, mit Tarn (a. a. O. II, 368) die Verwendung des Ausdrucks θεὸς ἐν ἀνθρώποις bei Diotogenes in seinem περὶ βασιλείας (Stobaeus IV, 7, 61 p. 265, Hense) als unverkennbaren Verweis auf die Aristotelesstelle anzusehen.

[14] Es war sicher zu einem Bündnis der griechischen Staaten, nicht zu einem „Nationalgriechenland“, zu dem Isokrates aufrief. Das Wort ὁμόνοια (oder ὁμονοεῖν) kommt im ›Philippus‹, 40; 83; 141 vor.

[15] Philippus 114; 118; 119; 135 (δόξα); 116 (εὐδοκιμούσας); 120 (ποίαν τινὰ χρὴ προσδοκᾶν περὶ σοῦ γνώμην ἅπαντας ἕξειν); 123 (εὐδοκιμήσεις); 134 (δόξα und εὐ[δοξί]αν, ist sicher eine bessere Lesart als εὐ[λογί]αν).

καὶ δόξαντας ἡμιθέους εἶναι“;[16] Isokrates hielte sich nur davon zurück, ihn mit den großen Gestalten der Vergangenheit zu vergleichen, weil er durch den Vergleich τοὺς ἡμιθέους εἶναι νομιζομένους nicht herabsetzen wolle;[17] und am Ende[18] wurde Philipp aufgefordert, sich an Herakles und Theseus zu erinnern, die gegen Troja zogen, und, obgleich ihre Welt kleiner war als seine, ἀλλ᾽ ὅμως ἰσόθεον καὶ παρὰ πᾶσιν ὀνομαστὴν τὴν αὑτῶν δόξαν κατέλιπον. In Herakles' Fall beruhte die Vergöttlichung auf seiner ἀρετή, die er zu Lebzeiten zeigte: aber hier[19] wie an allen anderen Stellen,[20] an denen Isokrates die Vergöttlichung des Herakles erwähnt, ist seine Ansicht unmißverständlich, daß Herakles nach seinem Tod, nicht zu Lebzeiten, ein Gott wurde.[21] Eine andere Auffassung wäre auch in Anbetracht der Todesart des Herakles schwer vertretbar.

In der Kollektion der Briefe des Isokrates gibt es nun zwei (Nr. 2 und 3), die an Philipp gerichtet sind, und der zweite dieser Briefe, Nr. 3, aus der Zeit kurz nach der Schlacht von Chaironeia weist darauf hin, daß das ungefähr 8 Jahre vorher im ›Philippus‹ skizzierte Programm notwendiger denn je und jetzt freilich auch leichter sei, da Philipp nun in einer Lage sei, in Griechenland mit Gewalt statt mit Überredungskunst ὁμόνοια zu erzwingen. Der Brief gibt zweimal fast wörtlich Sätze wieder, die schon im ›Philippus‹[22] ge-

[16] Philippus 137.

[17] Philippus 143.

[18] Philippus 145.

[19] Philippus 132, „ὅν ὁ γεννήσας διὰ τὴν ἀρετὴν εἰς θεοὺς ἀνήγαγε.“ Vgl. Aristoteles, NE VII, 1, „εἰ, καθάπερ φασίν, ἐξ ἀνθρώπων γένονται θεοὶ δι᾽ ἀρετῆς ὑπερβολήν.“

[20] X (Helena), 17; VI (Archidamos), 17. Vgl. IX (Euagoras) 70, „εἴ τινες τῶν προγεγενημένων δι᾽ ἀρετὴν ἀθάνατοι γεγόνασιν.“ Vgl. Kallisthenes' Behauptung bei Arrian, Anabasis IV, 11, 7, daß Herakles' Göttlichkeit aus der Zeit datiert, als er nach seinem Tod in Delphi in den Kanon der Götter aufgenommen wurde.

[21] Z. B. VI (Archidamos), 17, „μετήλλαξε τὸν βίον, θεὸς ἐκ θνητοῦ γενόμενος.“

[22] Vgl. ep. 3, 2 (συνεβούλευον . . . εἰσακολουθήσειν) und Phil. 30 (Φημὶ γὰρ . . . ποιήσεις), auch ep. 3, 5 (ταῦτα δὲ . . . ὑπαρξάσης) und Phil. 115 (ῥᾷον γὰρ . . . προελθεῖν).

standen hatten; und abgesehen von Bemerkungen (Absatz 3 und 4) wie a), daß Leute fragten, ob Isokrates oder Philipp zuerst auf den Gedanken gekommen wären, Persien zu erobern, und b), daß Isokrates bedauert, daß sein Alter ihn daran hindere, seine Botschaft Philipp persönlich abzuliefern, ist der Inhalt tatsächlich ein Auszug des umfangreicheren Werkes: Griechenland, besonders Sparta, Argos, Theben und Athen, müssen sich versöhnen in ὁμόνοια (ep. 3, 2; ›Philippus‹ 30—45); die Staaten Griechenlands haben wirklich keine andere Alternative, als Philipps Politik zu befolgen (ep. 3, 2; ›Philippus‹ 46—72); einige Untertanen des Dareios werden sich Philipp anschließen (ep. 3, 5; ›Philippus‹ 101—104); die Eroberung Persiens bringt keine so großen Schwierigkeiten wie jene, die Philipp schon überwunden hat, mit sich (ep. 3, 5; ›Philippus‹ 115). Dann folgt in dem Brief[22a] die bemerkenswerte Behauptung: οὐδὲν γὰρ ἔσται λοιπὸν ἔτι πλὴν θεὸν γένεσθαι.

Wir dürfen Tarn nicht folgen und behaupten, daß Alexander, weil er Isokrates' ›Philippus‹ gelesen hatte — die Tatsache ist alles andere als sicher[23] —, „notgedrungen diese Bemerkung, daß Philipp nach seiner Eroberung Persiens nur noch ein Gott werden könne", gekannt hat, denn die Behauptung kommt im ›Philippus‹ gar nicht vor. Sie kommt nur in einem Brief an Philipp vor, und dazu in einem Brief, der, wie Wilamowitz gezeigt hat, vielleicht überhaupt kein echter Brief des Isokrates ist, sondern eine Fälschung, die nach seinem Tode im Interesse der Makedonen in Umlauf gesetzt wurde, nämlich als Gegenpropaganda zu dem Märchen, das von den Demokraten verbreitet wurde, daß Isokrates am Ende seines Le-

[22a] Der Satz erscheint in den Handschriften an dieser Stelle. Ich sehe keinen Grund, ihn mit dem vorhergehenden Satz auszutauschen, eine Korrektur, die zuerst Dobree machte (in der Teubner-Ausgabe von Benseler-Blass, 1889) und die seither allgemein von den Herausgebern des Isokrates aufgenommen ist.

[23] Tarn, a. a. O. (Anm. 2) II, 365 f., der Benno von Hagen, Isokrates und Alexander, Philologus, LXVII (1908), 113—133 und U. Wilcken, Sitzb. Berl. (ph.-hist. Kl.), 1928, 578, Anm. 3 zitiert. Der einzige Beweis aber ist, daß Alexander in Asien gewisse Dinge, wie die Ansiedlung heimatloser Söldner in den Städten, wofür Isokrates eingetreten war, erledigte.

bens nach Chaironeia verbittert sei und nicht mehr an Philipp geglaubt hätte.[24]

Man kann natürlich nichts sicher behaupten, da alte Menschen von 98 Jahren sehr Seltsames anstellen können. Es gibt aber einen Anhaltspunkt, den Wilamowitz nicht bemerkte und der jemandes Zweifel an der Echtheit des Briefes untermauern mag. Absatz 2 und 5 des Briefes fassen, wie dargelegt, in der richtigen Reihenfolge den Inhalt des ›Philippus‹ zusammen, an zwei Stellen durch Sätze, die fast wörtlich dem ›Philippus‹ entnommen sind. Die Zusammenfassung führt uns zum Ende des Absatzes 115 des ›Philippus‹, und darauf folgt die Schlußfolgerung des Werkes von noch einmal 40 Absätzen. In dem Brief verbleibt (abgesehen von den Schlußbemerkungen über Isokrates' Glück, den endgültigen Triumph der Herrschaft des Philipp über Griechenland noch zu erleben) ein Satz, nämlich der, der zur Debatte steht: οὐδὲν γὰρ ἔσται λοιπὸν ἔτι πλὴν θεὸν γένεσθαι.

Sicherlich sollten wir prüfen, wie sich dieser Satz zum Schlußteil des ›Philippus‹ verhält, und da stellen wir fest, daß er die Zusammenfassung der Rede inhaltsgetreu abschließt. Das Ende des ›Philippus‹ steht nämlich ganz unter dem Leitgedanken der δόξα, besonders der ἰσόθεος δόξα, die Menschen in vergangener Zeit, besonders Herakles und Theseus, aufgrund ihrer Eroberungen im Osten erwarben. Wie sie wird auch Philipp göttliche Ehren erhalten, aber auch wie sie erst nach seinem Tode. Wenn man den Satz also als

[24] Benno von Hagens Argumente für die Echtheit des Briefes (a. a. O. 118—124) scheinen mir nicht die starken Beweisgründe, die Wilamowitz, Aristoteles und Athen (Berlin 1893), II, 395—7 fand, zu erschüttern. Vgl. bzgl. weiterer Zweifel an der Echtheit V. Ehrenberg, Alexander and the Greeks (Oxford 1938), 90, Anm. 2 und A. Momigliano, Filippo il Macedone (Firenze 1934), 192. Der Brief wurde ohne positive Beweisgründe als echt genommen von E. Meyer, Sitzb. Berl. (ph.-hist. Kl.), 1909, 766, Anm. 1 und Kleine Schriften (Halle 1910), 308 und von K. J. Beloch, Gr. Geschichte², III, 1, 577, Anm. 1. Seine Echtheit wurde verteidigt von P. Wendland, Nachr. Gött. Gesellschaft d. Wissenschaften (ph.-hist. Kl.), 1910, 177—182, der schrieb, „Ob ein Fälscher solche echt isokratische Feinheiten getroffen hätte, scheint mir sehr zweifelhaft“, und von G. Mathieu, Philippe et lettres à Philippe (Paris 1924), 46—50.

Zusammenfassung des Schlußteils des ›Philippus‹ betrachtet, überrascht er in dem Brief nicht halb sosehr, als wie wenn man ihn isoliert betrachtet.[24a] Vielleicht verlor der alte Mann hier seine Behutsamkeit und bediente sich absichtlich eines überschwenglicheren Ausdrucks als im ›Philippus‹. Ebenso verlor er ja auch seine Geduld mit den Persern und drängte Philipp (Absatz 5 des Briefes), „sie zu Heloten der Griechen zu machen“, während er sich im ›Philippus‹ (Absatz 154) noch dafür ausgesprochen hatte, daß sie von ihm Ἑλληνικὴ ἐπιμέλεια erhalten sollten. Andererseits sind dies vielleicht zwei Stellen, an denen der Fälscher, der sonst so sorgfältig ist, sich verraten hat.

Die richtige Schlußfolgerung, wie es scheint, wäre dann, daß es, ob mit oder ohne Fälschung, überhaupt keinen Anhaltspunkt gibt zu glauben, Alexander habe den Brief gelesen. Falls er den ›Philippus‹ selbst las, fand er sicher nichts darin, das ihn aufforderte, Göttlichkeit zu seinen Lebzeiten zu beanspruchen.

Niemand hat jemals behauptet, daß es leicht ist, Aristoteles' Gedankengang im dritten Buch der ›Politika‹, in dem er Monarchie erörtert, zu folgen.[25] Er prüft die verschiedenen Grundlagen (III, 13 — 1283 a, 23 ff.), auf denen ein unberechtigter Herrschaftsanspruch verschiedener Gruppen der Gemeinschaft beruhen mag: Reichtum (Oligarchie); Abstammung, *arete* (Aristokratie); Macht (Demokratie). Wenn nun Reichtum, Abstammung oder Macht der Grund des Herrschaftsanspruches sind, was geschieht dann mit einem Mann, der an Reichtum, Herkunft oder Macht, wie auch immer der Fall liegen mag, nicht seinesgleichen hat? Sollte er deshalb die absolute Macht erhalten (III,13,7 f. — 1283 b, 15 ff.)?

[24a] Obgleich er auch für sich betrachtet nicht so überraschen mag, wie Tarn und andere uns glauben machen wollen. Fr. Taegers Interpretation a. a. O. 355—57, der Pindar, Pyth. III, 59—62, Isthm. VI (V), 12—14, VII, 43 f., Cicero, Tusc. Disp. I, 111 — wozu man auch noch Pindar, Pyth. X, 22—27 hinzufügen könnte — zum Vergleich heranzieht, daß es ein gnomischer Ausdruck war, der bedeutet „dann wirst du alles Menschenmögliche vollbracht haben“, spricht mich sehr an und ist mit meiner eigenen oben erwähnten Ansicht sehr wohl vereinbar.

[25] Er schrieb auch eine Monographie περὶ βασιλείας, von der wir nur den Titel kennen (Diogenes Laertios V, 22, Nr. 18).

Gewiß nicht, ist es doch die raison d'être einer Vorrichtung wie des Scherbengerichtes, den gefährlichen Aufstieg eines solchen Individuums in der Gesellschaft zu verhindern (III,13,15 ff. — 1284 a, 17 ff.). Auch wurden gewöhnlich nicht nur beim Verfall von Staatsverfassungen, sondern sogar „im vollkommenen Staat" [26] rechtmäßige Maßnahmen ergriffen, um den Aufstieg zur Macht eines Individuums von ganz besonderer Stärke, Reichtum oder Popularität zu verhindern (III,13,24 — 1284 b, 25 ff.). Wie stand es aber mit einem Mann von unübertrefflicher *arete*, dem anderen möglichen Grund eines Herrschaftsanspruches, einem „wahren Gott unter Menschen" [27] (III,13,13 — 1284 a, 3 ff.), dessen Zeitgenossen mit genausowenig Berechtigung beanspruchen konnten, über ihn zu herrschen, wie ein Mensch über Zeus (III,13,25 — 1284 b, 30 f.), einem Mann, der sich nicht unter das Gesetz stellen ließ, weil er das Gesetz selbst ist (III,13,14 — 1284 a, 13 f.)? Da gab es nur eine Antwort. Das Scherbengericht und ähnliche Einrichtungen waren nicht für einen solchen Mann gedacht. Nein, er mußte zum König gemacht werden (III,12,24 f. — 1284 b, 25 ff.; vgl. III,17,8 — 1288 a, 28 ff.).

Nachdem Aristoteles dann die vier Typen der Monarchie, die man tatsächlich in der historischen Vergangenheit oder in der Gegenwart findet, genau bestimmt hat (die Monarchie Spartas, eine lebenslängliche Militärregierung [28] [III,14,3 ff. — 1285 a, 2 ff.]; die erbliche Tyrannenmonarchie, wie man sie in der Welt der Barbaren fand [III,14,6 ff. — 1285 a, 16 ff.]; die Diktatur der *aisumnetes* [III,14,8—11 — 1285 a, 30 ff.]; die primitive Königsherrschaft des Heldenzeitalters [III,14,11—13 — 1285 b, 3 ff.]), wendet er sich der Betrachtung der *pambasileia* zu (III,14,15 — 1285 b, 29). Der weitere Verlauf der Erörterung macht deutlich, daß vollkommene Monarchie, „die erste und göttlichste Verfassung" [29] ein notwendiger logischer Begriff sein mag, aber in der Wirklichkeit (in der Aristoteles nur vier Beispiele von Monarchie hat finden können und

[26] ἐπὶ τῆς ἀρίστης πολιτείας.

[27] Zu diesem Ausdruck vgl. oben S. 257.

[28] στρατηγία διὰ βίου.

[29] IV, 2, 2 — 1289 a, 40.

keine davon der *pambasileia* vergleichbar) nicht existieren kann. Eine Regierung nach dem besten Gesetz und unter dem besten Herrscher sind nicht das gleiche; denn der Monarch unterliegt immer auch der Gefahr menschlicher Gebrechlichkeit und Schwäche[30] (III,15, bes. Absatz 5 und 8 f. — 1286 a, 16 ff. und 30 ff.). Man kommt nicht darum herum, daß zwei gute Männer besser sind als einer (III,16,10 — 1287 b, 12); daß das Urteil einer begrenzten Anzahl guter Männer besser als das Urteil eines einzigen ist und daß tatsächlich Aristokratie eine bessere Staatsform als Monarchie ist (III,15,10 — 1288 b, 3 ff.). Auch steht es außer Zweifel, hätten wir nur von Aristoteles eine entsprechende Erörterung der Aristokratie in den ›Politika‹, daß diese Schlußfolgerung hinreichend deutlich gemacht wäre.[31] Nur unter einer Bedingung also, und diese ist mehr in Gedanken als in der Realität zu verwirklichen,[32] ist Monarchie angebracht: dann nämlich, wenn die *arete* des Königs oder seiner Familie so eminent ist, daß sie die *arete* aller anderen Bürger zusammen in den Schatten stellt.[33]

[30] Aristoteles' Behauptung hier ist eine so allgemeingültige Binsenwahrheit, daß wir nicht mit Tarn a. a. O. II, 367 f. zu glauben brauchen, daß wir hier eine „offensichtliche Anspielung auf das schlimmste Beispiel verlorener Selbstbeherrschung in der Welt, in der Aristoteles lebte, haben, Alexanders Ermordung des Kleitus". Schließlich war ja auch Alexanders Vater, den Aristoteles persönlich gekannt hatte, kein Vorbild von Selbstbeherrschung gewesen.

[31] Vgl. V. Ehrenberg, a. a. O. 76 und H. v. Arnim, Sitzungsberichte Wien, CC (1924), 68 ff. für die Ansicht, daß Aristoteles Aristokratie zwar behandelte, aber daß dieser Teil des Textes der ›Politika‹ (der direkt an 1283 b, 9 anschloß) verlorengegangen ist.

[32] Vgl. VII, 13, 2. — 1332 b, 16 ff. „Wenn einige Menschen andere in demselben Maße überträfen wie Götter und Helden gewöhnliche Menschen ... Aber, da dies unerreichbar ist." Buch VII gehört nach Jaegers Analyse zu der späteren, Buch III zu der früheren Version der ›Politika‹. Aber auch in Buch III steht kaum etwas, wie ich vorher erwähnt habe, das zeigt, daß Aristoteles παμβασιλεία für realisierbar hielt.

[33] III, 17, 2 und 5—7 — 1288 a, 1 ff., 15 ff., ὥσθ' ὑπερέχειν τὴν ἐκείνου (sc. ἀρετήν) τῆς τῶν ἄλλων πάντων. Woran könnte man dieses Vorbild erkennen, fragt man sich, und wie könnte er überhaupt König werden? Aristoteles sah die Schwierigkeit (V, 1, 6 — 1301 a, 39). Die Be-

Dies ist der Inhalt der ›Politika‹ des Aristoteles, und ob Alexander die ›Politika‹ insgesamt oder auch nur einen Teil davon las oder nicht, können wir nicht feststellen. Wir wissen nur, daß Aristoteles Alexander als einen Jungen, vom 13. Lebensjahr an, unterrichtete, aber wir wissen überhaupt nicht, was er ihn lehrte. Wir wissen nicht, wieviel der junge Alexander von den Lehren des Aristoteles zu der Zeit verstand, wieviel er mißverstand und an wieviel er sich — ob genau oder nicht — hinterher erinnerte. Aber aus der Bemerkung ὥσπερ γὰρ θεὸν ἐν ἀνθρώποις εἰκὸς εἶναι τὸν τοιοῦτον[34], die einmal im Zusammenhang mit Aristoteles' Erörterung der Monarchie in den ›Politika‹ erscheint, zu folgern, daß der junge Alexander sich durch die Erinnerung an Aristoteles' Unterricht später dazu aufgefordert fühlte, göttliche Ehren zu beanspruchen, ist eine Kühnheit, durch die die Zurückhaltenden unter uns sich wahrscheinlich nicht angesprochen fühlen.

Bezüglich Tarns Bemerkung[35]: „Ich möchte betonen, daß sowohl Isokrates als auch Aristoteles von Politik und nur von Politik sprachen; in beiden Fällen ist Vergöttlichung nur das Ende einer Kette politischer Ereignisse oder Ideen“, kann man sich, glaube ich, die Möglichkeit, Herakles in seinen Fußtapfen himmelwärts zu folgen, als „das Ende einer Kette politischer Ereignisse oder Ideen“ vorstellen, aber dasselbe gilt nicht für Aristoteles. Wenn Aristoteles sagte, daß ein *pambasileus* — nicht genaugenommen „ein Gott unter Menschen“, sondern — „*wie* ein Gott unter Menschen“ sei, beschrieb er einfach nur die quasi metaphysische Rangstufe eines mit menschlichen Begriffen nicht mehr faßbaren Vorbildes.[36] Wie er später im 5. Buch sagt: „Es gibt jetzt keine Königreiche mehr; Monarchien, wo sie bestehen, sind Tyrannenherrschaften ... In unserer eigenen Zeit stehen sich Menschen eher gleich und keiner ist

dingungen, die in V, 10, 3 — 1310 b, 9 ff. gefordert werden (eine ganze Reihe hervorragender Männer), passen nicht ganz zu der Einmaligkeit des Königs.

[34] III, 13, 13 — 1284 a, 11.

[35] A. a. O. II, 366.

[36] „Ein Supermann“, Ehrenberg, a. a. O. 74. Ich stimme den meisten Ansichten Ehrenbergs darüber zu.

so sehr anderen überlegen, um die Größe und Würde des Amtes entsprechend zu repräsentieren.“ [37]

II. Ammon

Alle modernen Historiker Alexanders stimmen darin überein, daß drei Episoden von zentraler Bedeutung für die Erörterung seines Anspruchs — oder vermuteten Anspruchs — auf Göttlichkeit sind: sein Empfang bei Ammon im Winter 332/1 v. Chr., die sogenannte Zeremonie der Proskynese in Baktra im Frühjahr 327 v. Chr. und die vermutete Anweisung an die Staaten Griechenlands, die 324 v. Chr. von Susa gesandt wurde. Die erste davon möchte ich nicht untersuchen und begnüge mich damit, die Schlußfolgerung, in der Tarn [38] und Wilcken [39] im wesentlichen übereinstimmen, zu akzeptieren, daß nämlich Alexander zum Ammonion ging, um über die Zukunft Befragungen anzustellen und nicht mit der Absicht, das Ausmaß und die Eigenart seiner eigenen Göttlichkeit zu erforschen, zweitens, daß der Priester ihn als „Sohn des Ammon“ begrüßte (was er als anerkannter, vielleicht sogar gekrönter König [40] von Ägypten ja auch war) und drittens, daß die Enthüllungen, die ihm gemacht wurden, als er alleine im Heiligtum empfangen wurde, bis ans Ende seines Lebens ein streng gehütetes Geheimnis blieben, das er nie jemandem überhaupt preisgab. Ich

[37] V, 10, 37 — 1313 a, 3 ff. Vgl. VII, 14, 2 — 1332 b, 16 ff. Ἀρετή allein, wie sie Thukydides VI, 54, 5 von den Peisistratiden ausgesagt hatte, genügte nicht; für einen *pambasileus* bedurfte es überragender *arete*, ὑπερβολὴ ἀρετῆς.

[38] A. a. O. I, 42 ff.; II, 347—359.

[39] U. Wilcken, Sitzb. Berl. (ph.-hist. Kl.), 1928, 576—603 (auch 1930, 159; 1938, 298—305). Dies ist auch die Ansicht von C. A. Robinson, Alexander's Deification, ATPh., LXIV, 1943, 286—290. Für andere Vermutungen, wie daß Alexander aus einem sehr praktischen Zweck nach Siwah ging, vgl. J. G. Milne, Alexander at the Oasis of Ammon, Miscellanea Gregoriana (1941), 145—149; R. Andreotti, Il problema politico di Alessandro magno (Torino 1933), 79—91.

[40] Tarn, a. a. O. II, 347, Anm. 3.

möchte jedoch die anderen zwei Episoden untersuchen, die Geschehnisse in Baktra und die vermutete Anweisung an die griechischen Staaten vom Jahre 324 v. Chr.

III. Baktra und die Proskynese (Frühjahr 327 v. Chr.)

Da unser Text von Diodor XVII, wo die Ereignisse in Baktra berichtet waren, eine Lücke hat und drei kurze Absätze bei Justin (XII, 7, 1—3) für uns wertlos sind, bleiben Q. Curtius, Plutarch und Arrian unsere einzigen Quellen. Ihnen entnehmen wir zwei verschiedene Berichte. Der erste, der großenteils Fiktion ist, berichtet von einer Debatte, die auf Alexanders eigene Anregung hin zwischen Reportern, Philosophen, Dichtern und der allgemeinen gebildeten Schicht, die ihn begleitete (alle waren natürlich Griechen) stattfand. Es war eine Diskussion, die die Männer der Tat, makedonische Offiziere, und auch einige Perser mit anhörten, aber an der sie sich nicht beteiligten, denn sie wären vielleicht etwas ratlos gewesen. Sie erhob sich aus der Frage, ob man Proskynese unter den Griechen und Makedonen des gesamten Hofpersonals einführen sollte, befaßte sich ausgiebig mit der Beziehung zwischen Menschlichem und Göttlichem und endete mit starkem Applaus der Makedonen für Kallisthenes, der sich dem Proskynese-Vorschlag widersetzte. Am Ende gab Alexander, als er von dem Ergebnis benachrichtigt worden war, deutlich zu verstehen, daß er dafür sei, jeglichen Gedanken an Proskynese, wie sie auch immer ein- oder durchgeführt werden sollte, aufzugeben. Daß unsere Quellen schweigen, beweist, daß er zu seinem Wort stand. Unser Bericht davon stammt aus Arrian [41] und Q. Curtius.[42]

Der zweite Bericht, der offensichtlich historisch ist, steht bei Arrian [43] und Plutarch [44]. Er lautet, daß während eines Trink-

[41] Anabasis IV, 10, 5—12, 1.

[42] VIII, 5, 5—21.

[43] IV, 12, 3—5.

[44] Alexander 54, 4—6.

gelages, dem Alexander beiwohnte, eine Anzahl Makedonen und Griechen nach vorheriger Verabredung tatsächlich Proskynese machten und daß Kallisthenes, von dem man offensichtlich erwartete, es auch zu tun, sich nachdrücklich weigerte. Dies war, wie angedeutet wird, ein Grund zur Entzweiung zwischen Alexander und Kallisthenes, und die bedauerliche Folge davon waren Kallisthenes' Verhaftung im Zusammenhang mit der Verschwörung der Pagen und sein späterer Tod.

Ich untersuche den ersten Bericht zuerst.

Dareios war nicht das einzige tragische Opfer von Gaugamela, denn eine Tragödie bahnte sich auch unter den Siegern an. Alexander selbst zeigte sich allmählich beängstigt, denn, mögen der Tod des Philotas und des Parmenion auch entschuldbar gewesen sein (Philotas wurde nämlich nach einem Militärgerichtsprozeß schuldig gesprochen, und der Verdacht einer gefährlichen Verschwörung wurde niemals beseitigt), der Tod des Kleitos war etwas anderes. Es war Mord durch einen Trunkenbold, der alle Selbstbeherrschung verloren hatte, eine typische Tat eines Tyrannen, wie er im Bilderbuch steht [45], und für Alexander war es ein Alptraum, den er nie vergessen sollte. Aber seine Ängste als nüchtern denkender Staatsmann waren nicht weniger beunruhigend. Überall um ihn herum entstand Uneinigkeit, zwischen seinen makedonischen Offizieren und den griechischen Höflingen [46], und unter den Makedonen selbst, zwischen den älteren Offizieren, die im Osten nur ein Betätigungsfeld sahen, um die geringgeschätzten Orientalen durch den makedonischen Übermenschen zu erobern, und den jüngeren Offizieren, die zumindest eine flüchtige Vorstellung von der Welt hatten, die Alexander zu schaffen versuchte.[47] Er wußte den Wert der älteren

[45] ὀργῆς τε καὶ παροινίας Arrian IV, 9, 1.

[46] Dies halte ich für die schlimme Tatsache, die Plutarchs Bericht, 51, 4 und 53, 4—6 (ein vorsätzlicher Versuch Alexanders, zwischen Kallisthenes und die Makedonen einen Keil zu treiben) zugrunde liegt. Vgl. Q. Curtius VIII, 5, 7 und, zu der Entrüstung der Makedonen über das Griechische als Sprache in der Armee, Q. Curtius VI, 9, 34 ff.; 10, 23; 11, 4 mit Plutarch 51, 6.

[47] Plutarch 47, 9 (Krateros und Hephaistion); 54, 3; vgl. Q. Curtius VIII, 1, 27 und 31.

Männer zu schätzen, aber mit dem ihm eigenen merkwürdigen Komplex sah er sie als Offiziere seines Vaters, als Philipps Männer, nicht seine eigenen.[48]

Das Problem, das sie von ihm trennte, die Frage, über die sie sich nicht leicht einig werden konnten, war, daß Eroberer und Eroberte sich in Asien zu einem Reich mit einem einzigen Verwaltungsapparat unter Alexanders alleiniger Führung zusammenschließen sollten, wobei Alexander in Asien, jetzt da der Usurpator Bessos beseitigt war, Großkönig und Nachfolger des Dareios sein sollte. Bei der Frage nach Alexanders eigener Stellung explodierte schließlich der Zündstoff. Jedoch war es nicht so gefährlich, als es soweit war, und verursachte auch wenig Schaden, obgleich es Kallisthenes das Leben kostete.

Das Unwetter hatte sich in der Stille seit seinem Besuch bei Ammon zusammengebraut. Obgleich es sehr wohl wahr sein mag[49], daß Alexander verstand, was die Begrüßung des Priesters bedeutete und daß er sich selbst niemals Sohn Ammons oder Sohn des Zeus nannte, ist es wenig zweifelhaft, daß das Gerücht, das sich unter den Truppen verbreitete — und man braucht Kallisthenes nicht vorzuwerfen, es absichtlich erfunden zu haben[50] —, lautete, daß Alexander durch das Orakel als Sohn Ammons begrüßt worden war. Solche Akklamation, verbunden mit so einem überraschenden militärischen Erfolg vorher und hinterher, kam dem Kreis schmeichlerischer Literaten um Alexander sehr gelegen. Sie waren Griechen, die zwar nicht sehr gewissenhaft, aber unendlich bemüht waren zu gefallen, und es braucht uns nicht zu überraschen, wenn Kallisthenes anschaulich von den Wellen am Berg Klimax schrieb, die vor Alexander eine Verbeugung (Proskynese)[51] machten, oder sich in anderen schwülstigen Übertreibungen erging,

[48] Arrian IV, 8, 6; Q. Curtius VIII, 1, 27 und 30; Justin XII, 5, 2; 6, 1.

[49] Tarn, a. a. O. II, 350 ff.

[50] Wie Tarn es tut, a. a. O. II, 350, 356 ff.

[51] Schol. T. Eust. Hom. Il. N 29 (Jacoby, FGH, II, 124, F. 31). Vgl. Arrian I, 26, 2 zu Alexanders Auffassung, daß die Hand des Gottes in dem günstigen Wechsel des Windes steckte.

die Timaios ihm später vorwarf.[52] Dieses war das literarische Genre, das im Augenblick modern war und in dem jeder angesehene Schriftsteller brillieren wollte. Der Fehler war, daß Kallisthenes anscheinend die Bedeutung dessen, was er für Alexanders Ruf zu tun glaubte, überschätzte,[53] und größere Schwierigkeiten entstanden daraus, daß die makedonischen Offiziere mit ihrer einfachen ungehobelten Art diesen Stil nicht mochten. Sie lehnten sowohl den Gedanken ab, daß Alexander Sohn eines anderen als Philipps sei, als auch, daß er von einer Gottheit abstamme, es sei denn über Herakles in der herkömmlichen Weise des Hauses der Argeaden.[54] Sie mißbilligten besonders stark, daß Alexander sich in wachsendem Maße persische Sitten aneignete und persische Kleidung anlegte.[55] Die Proskynese machte wahrscheinlich das Maß der Unzufriedenheit voll.

Προσκυνεῖν ist in seiner ursprünglichen Bedeutung das griechische Wort für „einen Handkuß zuwerfen“.[56] Die Griechen warfen nämlich gewöhnlich während des Gottesdienstes, da sie sich nicht in physischer Nähe ihrer Götter wußten,[57] dem Gott einen Handkuß zu, indem sie in Andacht Daumen und Zeigefinger gerundet an

[52] Polybios XII, 12 b, 2 f. Diese Übertreibungen lassen sich aus den wenigen erhaltenen Fragmenten des Kallisthenes kaum beweisen.

[53] Arrian IV, 10, 1.

[54] Plutarch 50, 11; Q. Curtius VI, 9, 18; 10, 26 ff.; 11, 22 ff.; VIII, 1, 42; 8, 14 f.

[55] Belege dafür, daß Alexander persische Kleidung anlegte und persische Sitten annahm: Arrian IV, 7, 4; 9, 9; VII, 9, 9; Diodor XVII, 77, 4 f.; Plutarch 45, 1—4 (λυπηρὸν μὲν ἦν τοῖς Μακεδόσι τὸ θέαμα); 51, 5 (Kleitos' Einspruch); Q. Curtius VI, 6, 4. Vgl. G. Radet, REA, XXIX (1927), 22 nach Persepolis « Alexandre s'orientalise chaque jour. Il ‹ persiste › dans son for intime. »

[56] J. Horst, Proskynein (Gütersloh 1932), 10 ff.; 45 f.; vgl. auch zur Bedeutungsentwicklung des Wortes, S. 118—120 aus P. Schnabels Artikel, Die Begründung des hellenistischen Königskultes durch Alexander, in Klio, XIX (N. F. 1), 1924, 113—127.

[57] Vgl. den Paian, der zu Ehren des Demetrios Poliorketes in Athen 290 v. Chr. gesungen wurde (Athenaeus VI, 253 e, der Duris zitiert), ἄλλοι μὲν ἢ μακρὰν γὰρ ἀπέχουσιν θεοί.

den Mund führten.[58] Von daher erhielt das Wort eine zweite Bedeutung „verehren", „Ehre erweisen", „sich vor jemandem verbeugen" und sogar in einem nichtreligiösen Zusammenhang „Hochachtung erweisen", eine Bedeutung, die das Wort in modernem Griechisch beibehält. Bei der Verehrung der Götter fielen die Griechen manchmal auf die Knie, aber sie taten es nicht immer und beugten sich auch nicht so tief herab wie die Perser bei der Proskynese.[59] Der entsprechende Ausdruck für eine solche Verbeugung war προσπίπτων προσκυνεῖν[60], und so konnte das Wort προσκυνεῖν in seiner letzten Bedeutungsentwicklung auch von Aristoteles gebraucht werden, um einen dressierten Elefanten, der in die Knie ging (ganz klar in keinem religiösem Zusammenhang) zu beschreiben.[61]

Im normalen gesellschaftlichen Verkehr verbeugten sich die Griechen natürlich nicht, und im Falle der Perser war es gerade diese gesellschaftliche Umgangsform, die sie am meisten überraschte und störte, denn die Perser machten im gesellschaftlichen Umgang, wie Herodot geschildert hatte[62], vor demjenigen, der gesellschaftlich sehr viel höher stand, einen Fußfall, obgleich sie nicht immer dabei, wie ich glaube, notwendigerweise den Boden küßten. Der Grieche Kallias war nach der Schlacht bei Marathon

[58] Literarische Belege für diese Bedeutung sind zugegebenermaßen spät: Apuleius, Metamorphosen IV, 28 (vgl. Cassius Dio LXIV, 8, φιλήματα διὰ τῶν δακτύλων πέμπειν); Lukian, Demosthenes Encomium, 49 καὶ τὴν χεῖρα τῷ στόματι προσαγάγοντος, οὐδὲν ἀλλ' ἢ προσκυνεῖν ὑπελάμβανον. De Saltatione 17, ἡμεῖς τὴν χεῖρα κύσαντες ἡγούμεθα ἐντελῆ ἡμῶν εἶναι τὴν εὐχήν.

[59] Eine hervorragende Behandlung dieses Themas bei H. Bolkestein, Theophrastos' Charakter der Deisidaimonia (Religionsgeschichtliche Versuche und Vorarbeiten XXI, 2 [1929]), 21—39, „Beim gewöhnlichen Gebet im Kult der Staatsgötter kannte man das Niederknien nicht" (a. a. O. S. 36); J. Horst, a. a. O. S. 23 und G. C. Richards, Proskynesis, CR, XLVIII, 1934, 168—170.

[60] Herodot I, 134, 1; VII, 136, 1; vgl. Theophrast, Charakt. XVI, 5 ἐπὶ γούνατα πεσὼν καὶ προσκυνήσας.

[61] Hist. animal. IX, 46, p. 630 b προσκυνεῖν διδάσκονται τὸν βασιλέα. Aelian, De Natura Animalium XIII, 22, 1.

[62] I, 134, 1.

überrascht, als ein persischer Gefangener sich so vor ihm verhielt.[63] Das Verhalten war für alle Griechen — und wir können sicher sein, auch für alle Makedonen — das typische Zeichen orientalischer Unterwürfigkeit. Je nach ihrer Laune betrachteten sie es als komisch oder erniedrigend.[64] Für die griechischen Einwohner der Städte im westlichen Kleinasien, das Persien nach dem Peloponnesischen Krieg zurückeroberte, war es gewiß eine Erniedrigung, die sie vor den persischen Beamten auf sich zu nehmen gezwungen waren und von der sie Agesilaos im Jahre 396 v. Chr. und danach für eine kurze Zeit befreite.[65]

Je nach dem Rang, den ein Perser innehatte, knieten sich einige Leute vor ihm nieder und andere, seine Gleich- oder nahezu Gleichgestellten, taten es nicht. Nur vor einer Person machte jeder Perser, welchen Ranges auch immer, Proskynese, nämlich vor dem persischen König. Sie drückte zwar die tiefste Ergebenheit des Untertanen aus, aber sie zeigte keineswegs trotz der gegenteiligen Ansichten einiger moderner Gelehrter, daß die Perser glaubten, ihr König sei göttlich.[66] Zugleich ist es ganz sicher, daß die Griechen, die niemals auf den Gedanken gekommen wären, selbst jemandem außer den Göttern solch eine Huldigung zu erweisen, die persische Umgangsform als ein Zeichen dafür ansahen, daß die Perser an die

[63] Plutarch, Aristeides 5, 7.

[64] „Sklavisch, ja lächerlich“, Horst, a. a. O. S. 23.

[65] Xenophon, Agesilaos 1, 22; 1, 34, τοὺς μὲν πρόσθεν προσκυνεῖν Ἕλληνας ἀναγκαζομένους ὁρῶν τιμωμένους ὑφ’ ὧν ὑβριζόντο.

[66] Daß die Perser ihren König als göttlich betrachteten, ist behauptet worden von C. W. McEwan, The Oriental Origin of Hellenistic Kingship (Chicago Studies in Ancient Oriental Civilization Nr. 13, 1934), 17—23 und von L. R. Taylor, The "Proskynesis" and the Hellenistic Ruler Cult, JHS, XLVII (1927), 53—62 und The Divinity of the Roman Emperor (Connecticut 1931), 247—255; auch von G. De Sanctis, Gli ultimi messaggi di Alessandro ai Greci, Riv. di fil., LXVIII (N.S. XVIII) 1940, 1—21. Aber die Nein-Stimmen haben recht. Vgl. als Antwort auf Prof. L. R. Taylors Aufsatz besonders W. W. Tarn, The Hellenistic Ruler Cult and the Daimon, JHS, XLVIII (1928), 206—219; J. Kaerst, Geschichte des Hellenismus (Leipzig-Berlin 1927), I^3, 293 ff.; A. D. Nock, Gnomon, VIII, 513 ff.; E. Meyer, Kleine Schriften (Halle 1924), 304; J. Horst, a. a. O. (Anm. 56), 22.

Göttlichkeit ihres Königs glaubten.[67] Dieses machte den Akt der Verbeugung nach griechischer Vorstellung noch schlimmer — nämlich nicht nur würdelos und komisch, sondern zu einer Gotteslästerung.[68] Und da sie in den Tagen der Unabhängigkeit Persiens für ausländische Diplomaten unerläßlich war, war sie schon für viele griechische Gesandte am persischen Hof eine sehr schwierige und unangenehme Sache gewesen.[69]

Auf diesem Hintergrund ist Alexanders Problem leicht zu verstehen. Wenn Makedonen, Griechen und Perser in den höchsten Verwaltungsposten seines Reiches im Orient mit ihm zusammenarbeiten sollten, mußten sie jedenfalls bei formellen Anlässen einheitlich vor ihn treten. Alle oder keiner mußten Proskynese machen. Einen Vorfall wie den, daß ein gerade von zu Hause kommender makedonischer Offizier am Hof schallend lachte, als er einen persischen Granden sich vor Alexander verbeugen sah [70], oder daß ein

[67] Q. Curtius VIII, 5, 11, *Persae . . . reges suos inter deos colere.* P. Schnabel, Klio, XX (N. F. 2), 410 „Die zwar nicht von den Orientalen, aber von den Griechen und Makedonen als göttliche Ehrung angesehene persische προσκύνησις“; vgl. A. S. F. Gow, Notes on the Persae of Aeschylos, JHS, XLVIII (1928), 134—6; U. Wilcken, Sitzb. Berl. (ph.-hist. Kl.) 1938, 303 [In diesem Band S. 226].

[68] Isokrates, Panegyricus 151, θνητὸν μὲν ἄνδρα προσκυνοῦντες καὶ δαίμονα προσαγορεύοντες τῶν δὲ θεῶν μᾶλλον ἢ τῶν ἀνθρώπων ὀλιγωροῦντες. Den Gegensatz zwischen griechischer und persischer Sitte bringt Xenophon klar zum Ausdruck, Anabasis III 2, 13, οὐδένα γὰρ ἄνθρωπον δεσπότην ἀλλὰ τοὺς θεοὺς προσκυνεῖτε.

[69] Sperchias und Boulis weigerten sich und kamen davon (Herodot VII 136); Themistokles war, typisch für ihn, tolerant und machte keine Umstände (Plutarch, Themistokles 27, 2—28, 1); Konon entging der Schwierigkeit dadurch, daß er dem König einen Brief sandte, anstatt vor ihm persönlich zu erscheinen (Cornelius Nepos, Konon 3, 3 f.), und Ismenias hielt 367 v. Chr. sein Gewissen dadurch rein, daß er einen Ring fallen ließ und sich selbst gegenüber vorgab, ihn nur aufzuheben, als er Proskynese machte. (Plutarch, Artaxerxes 22, 8.) Der persische Hofmeister und Themistokles (Plutarch, Themistokles 27, 4) und Agesilaos und Pharnabazos (Xenophon, Hellenica IV, 1, 35) sprachen von der Sitte als dem Gegenteil der ἐλευθερία.

[70] Kassander in Babylon (Plutarch, Alexander 74, 2); Leonnatos in

anderer sich über einen gehorsamen Perser lustig machte, weil er sich nicht besser hinkniete [71], durfte man nicht zulassen. Wäre das Problem in Makedonien aufgetaucht, wäre die Lösung einfach gewesen: Man würde den Persern, bevor sie sich verbeugten, einfach gesagt haben, daß man so etwas in Makedonien nicht täte. Aber das Problem wurde nicht in Makedonien, sondern zuerst mitten im Perserreich akut und nach der Schlacht bei Gaugamela immer dringender. Nach Bessos' Tod in Baktra glaubte Alexander, daß die Zeit gekommen sei, eine Lösung zu versuchen. Es wäre offensichtlich unmöglich gewesen, im Osten die Proskynese abzuschaffen, denn es war eine tief verwurzelte Sitte der Perser, ein vertrauter Bestandteil ihres gesellschaftlichen Lebens, der in allen gesellschaftlichen Schichten eingehalten wurde. Alexander könnte es einem persischen Granden nicht verboten haben, von seinen Sklaven die Proskynese entgegenzunehmen, und deshalb konnte er es sich auch selbst nicht verbieten, sich von den Persern einschließlich der Granden Proskynese erweisen zu lassen. Es hätte sich dann nämlich das Gerücht, angefangen unter den Dienern, schnell überallhin verbreitet, daß mit Alexander etwas nicht stimmte, daß er kein richtiger König wäre.

Die einzige Alternative war, von Makedonen und Griechen auch Proskynese zu verlangen. Unglücklicherweise haben wir hier, wo wir so notwendig wissen müßten, was Alexander sich dachte, überhaupt keine Information. Die verschwommene Kenntnis, daß er daran dachte, die Proskynese einzuführen, genügt nicht. Seine Pläne müssen viel klarer umrissen gewesen sein. Er wußte besser als wir, was Griechen und Makedonen von der Proskynese hielten, und es ist undenkbar, daß er solch einen Affront gegen ihre Vorstellungen und Gefühle, wie vorzuschlagen, daß alle Makedonen und Griechen bei jeder Gelegenheit, wenn sie sich ihm näherten, auf die Knie fallen sollten, in Erwägung gezogen haben sollte. Er kann anfangs nur vorgeschlagen haben, daß bei formellen Anlässen hohe Makedonen, Griechen und Perser in seiner Gegenwart gemeinsam

Baktra (Arrian IV 12, 2). Tarn a. a. O. II, 299 vertritt die Ansicht, daß wir hier zwei verschiedene Versionen derselben Geschichte haben.

[71] Polyperchon in Baktra (Q. Curtius VIII 5, 22).

der Sitte des Landes folgen sollten. Dazu ist es undenkbar, da das Problem so aktuell und schwierig war, daß Alexander es nicht vorher mit hohen Makedonen besprochen haben sollte.[72] Eine Debatte zwischen griechischen Philosophen und Dichtern (Q. Curtius schmückt den Bericht absurd damit aus, daß Alexander wie Polonius hinter einer Tapete zuhörte[73]) kann nicht die ganze Diskussion über eine Sache von so hoher politischer Bedeutung gewesen sein. Doch die großenteils erfundene Debatte ist alles, was uns in unseren Quellen zur Meinungsbildung über das Verfahren überliefert ist.

Der Philosoph Anaxarchos, der in Arrians Bericht[74], und Kleon von Sizilien, der in Q. Curtius' Bericht[75] für die Proskynese eintrat, brauchen, obwohl sie zweifellos Schmeichler waren, ihre Argumente, die sie vorbrachten, nicht als Schmeichelei erdacht zu haben. Sie könnten das Problem auch mit den Augen Alexanders angesehen haben. Ihre Überlegungen richteten sich in erster Linie an die Makedonen. Da nämlich Makedonen wie Griechen die Proskynese bei sich als Akt der Ehrerbietung vor einem Gott ansahen, plädierten sie dafür, Alexander jetzt schon als Gott im westlichen, nicht im östlichen Sinne, anzusehen. Daß er ein zweiter Herakles war, bezweifelte keiner; daß Herakles nach seinem Tode vergöttlicht wurde, war anerkannter Glaube, und daß Alexander auch nach seinem Tode vergöttlicht werden würde, konnte für sicher angenommen werden. Warum sollten sie es dann nicht vorwegnehmen und ihn jetzt schon als Gott betrachten? Anaxarchos soll sich dabei eine Bitte ausgedacht haben, die besonders geschickt an den Nationalstolz der Makedonen appellierte. Die Verbindung des Alexander mit Dionysos[76] und mit Herakles, der mit dem Haus der

[72] Unsere Quellen sagen darüber nichts; nur, daß Alexander sich vorher mit „Sophisten und führenden Medern und Persern" beriet (Arrian IV 10, 5), was ich unbegreiflich finde.

[73] VIII 5, 21; dort ließ Plutarch ihn während der Folterung des Philotas sitzen (Alexander 49, 11).

[74] IV 10, 6 f.

[75] VIII 5, 7—12.

[76] Vgl. hierzu allgemein A. D. Nock, Notes on Ruler Cult I—IV, JHS, XLVIII, 1928, 21 ff. Falls Nocks Annahme richtig ist, ist die Verbindung

Argeaden, nicht mit dem makedonischen Volk verbunden war, so behauptete er, sei etwas Sekundäres und typisch Griechisches. Alexander sollte als Gott ein spezifisch makedonischer Gott sein.[77]

Solche Raffinessen rührten die robusten makedonischen Offiziere wenig[78], denn sie wußten genau wie Alexander selbst, daß er ein Mensch wie jeder andere war. Sie fürchteten in dem jungen Mann die wachsenden Anzeichen von Megalomanie, und Proskynese — um die es in Wahrheit ging — war etwas, was sie absolut nicht machen wollten. Kallisthenes griff ganz klar die Stimmung auf, denn er wußte, daß das Vorhaben keine Erfolgschance hatte. Von seinem „erstaunlichen Gesinnungswandel“[79] zu sprechen, heißt, eine Schwierigkeit zu schaffen, wo keine ist. Vom „Sohn des Zeus“ zu schreiben — und Kallisthenes stand damit nicht allein[80] — und von der „Huldigung der Wellen“[81], war etwas ganz anderes als für ein in sich anstößiges und gewiß zum Scheitern verurteiltes Verfahren zu plädieren. Sich gegen den Vorschlag auszusprechen, bedeutete zu gewinnen, denn die älteren makedonischen Armeekommandeure bildeten immer noch den Hauptrückhalt der Macht Alexanders. Kallisthenes unterstützte ihre Vorstellung und folgte sicherlich auch zugleich seiner eigenen Neigung. Er mag einige, aber sicherlich nicht alle[82] Überlegungen benutzt haben, die Arrian

von Dionysos und Alexander zu diesem Zeitpunkt nicht historisch: „Die Behauptung, daß Alexander von Dionysos abstammte, scheint das Ergebnis ptolemäischen Genealogisierens zu sein“ (a. a. O. S. 25).

[77] Arrian IV 10, 6 f. Μακεδόνας δὲ ἂν τὸν σφῶν βασιλέα δικαιότερον θείαις τιμαῖς κοσμοῦντας.

[78] Arrian IV 11, 1.

[79] Tarn, a. a. O. II, 287; C. A. Robinson, a. a. O. 292, Anm. 20 drückt sich ähnlich aus. B. L. Ullman, TAPA, LXXIII, 1942, 36, Anm. 62 andererseits erkennt sehr gut, daß es nach griechischen Maßstäben der Zeit gar keinen Widerspruch gab.

[80] Tarn, a. a. O. II, 358.

[81] Vgl. oben Anm. 51.

[82] Arrian IV 11, 2—9 (ταῦτα δὴ καὶ τοιαῦτα). Das Argument in Absatz 5, daß es eine Zumutung für die Götter sei, im Falle eines solchen nouveau dieu den Eintritt in ihren Kreis nicht kontrollieren zu können, ein Argument, das Seneca, ›Apokolokyntosis‹ (z. B. 9, 3) sich voll zunutze

und Q. Curtius ihm in den Mund legen. Zwar hatte er keinen Grund zu der Annahme, daß seine Haltung ihn für immer Alexander entfremden würde, aber er rechnete nicht mit seiner eigenen Unbedachtsamkeit, seinem eigenen Ungestüm.[83] Er sagte offensichtlich Taktlosigkeiten, die Alexander, als sie ihm zwangsläufig hinterbracht wurden, sehr beleidigten. Aber im Augenblick stand er noch bei den Siegern, und der Vorschlag, die Proskynese einzuführen, wurde aufgegeben.

Soviel zum ersten Bericht, der für den Gesamthintergrund von Bedeutung ist, aber nicht als historisch angesehen werden darf. Nun zum zweiten. Hierbei handelt es sich darum, daß die Proskynese eines Abends nach dem Abendessen bei einer Trinkrunde tatsächlich ausprobiert wurde. Nach vorheriger Vereinbarung unter einigen Makedonen, Persern und Kallisthenes selbst stand der erste, der den Becher erhielt, von dem Alexander getrunken und den er weitergereicht hatte, auf, trank davon, machte Proskynese und ging dann auf Alexander zu und küßte ihn. Das Beispiel wurde solange befolgt, bis die Reihe an Kallisthenes kam, der die Absprache nicht einhielt und keine Proskynese machte. Alexander, der mit Hephaistion sprach, bemerkte es nicht und, als man ihn darauf aufmerksam machte, verweigerte er Kallisthenes' Kuß. Das veranlaßte Kallisthenes zu der Bemerkung: „So gehe ich also und bin um einen Kuß ärmer.“

Der Bericht steht bei Arrian und auch bei Plutarch.[84] Arrian stellt

macht, ist sicher viel zu hoch für eine Zeit, in der man erst anfing, von der Einrichtung eines Herrscherkults zu sprechen. Q. Curtius VIII, 5, 14—19.

[83] Arrian IV, 12, 7 ἐπὶ τῇ ἀκαίρῳ τε παρρησίᾳ καὶ ὑπερόγκῳ ἀβελτερίᾳ. Vgl. Diogenes Laertius V, 4 f. und Aristoteles' Urteil über Kallisthenes (Plutarch, Alexander 54, 2, νοῦν δ' οὐχ εἶχεν). Für ein gutes Bild des Mannes vgl. R. Andreotti, Il problema politico di Alessandro magno (Parma 1933), 138 und für eine gute Gesamtdarstellung vgl. H. Berve, Das Alexanderreich auf prosopographischer Grundlage (München 1926), II, 191—199; F. Jacoby, RE, X, 1674—1707 und neuerdings T. S. Brown, Callisthenes and Alexander, AJP, LXX, 1949, 225—248.

[84] Arrian IV, 12, 3—5; Plutarch 54, 4—6. Die Stellen können gut bei Jacoby, FGH, 125, F. 14 zusammen eingesehen werden.

ihn als „Geschichte“ [85] dar, d. h. als etwas, das nicht bei Aristobulos oder Ptolemaios stand. Plutarch verfuhr besser. Er gab als Quelle seines Berichtes Chares von Mytilene, den Zeremonienmeister (εἰσαγγελεύς) am Hofe Alexanders, an. Chares muß dabeigewesen sein, und daher können wir auch annehmen, daß der Bericht historisch ist.

Aber wie lautet die Geschichte genau? Die beiden Berichte unterscheiden sich nämlich sehr, wie Schnabel höchst lobenswert zuerst bemerkte.[86] Nach Plutarch, der Chares wiedergibt, ging der erste Mann, der sich erhob, zur ἑστία und machte *dort* Proskynese, danach ging er zu Alexander und küßte ihn.[87] Arrians Bericht gibt zu verstehen, daß die Ehrerbietung an Alexander selbst gerichtet war.

Was stimmt? Was war die ἑστία, wenn ihr in der Geschichte überhaupt eine Bedeutung zukommt?

Von den Gelehrten, die diese Probleme in Angriff genommen haben, vertritt Berve [88] die radikalste Ansicht. Die ἑστία und infolge-

[85] ἀναγέγραπται δὲ δὴ καὶ τοιόσδε λόγος.

[86] A. a. O.; ferner: Zur Frage der Selbstvergötterung Alexanders, Klio, XX (N. F. 2), 1926, 398—414. Seine Darstellung akzeptiert L. R. Taylor, JHS, XLVII (1927), 58 ff. als richtig, jedoch mit der Abwandlung, daß sie denkt, die Ehrerbietung würde dem (echt persischen) δαίμων Alexanders (Plutarch, Artaxerxes 15, 7 wird zum Vergleich herangezogen) dargebracht, wobei zu gleicher Zeit die reguläre Ehrerbietung an den ἀγαθὸς δαίμων bei einem griechischen Gastmahl anklinge. „Mit ihm (s. c. ἀγαθὸς δαίμων) muß man die Statue Alexanders auf dem Altar, vor dem (πρὸς ἑστίαν) die Proskynese gemacht wurde, identifiziert haben“ (a. a. O. 60).

[87] Plutarch schreibt: Χάρης δὲ ὁ Μιτυληναῖός φησι τὸν Ἀλέξανδρον ἐν τῷ συμποσίῳ πίοντα φιάλην προτεῖναί τινι τῶν φίλων, τὸν δὲ δεξάμενον πρὸς ἑστίαν ἀναστῆναι καὶ πίοντα προσκυνῆσαι πρῶτον, εἶτα φιλῆσαι Ἀλέξανδρον ἐν τῷ συμποσίῳ καὶ κατακλιθῆναι. Meiner Meinung nach bedeutet das: „Er nahm die φιάλη, stand am Herd, trank und machte Proskynese (vor Alexander).“ Jacoby (mit Otto und Schachermeyr, zu diesem s. S. 279) liest aus dem Griechischen die Bedeutung heraus, daß vor der *hestia*, nicht vor Alexander Proskynese gemacht wurde; aber unter den Graezisten in Oxford, die ich befragt habe, habe ich keine Unterstützung für Jacobys Ansicht gefunden.

[88] „Die angebliche Begründung des hellenistischen Königskultes durch Alexander“, Klio, XX (N. F. 2), 1926, 179—186.

dessen auch die Huldigung vor der ἑστία ist, da sie in Arrians Bericht nicht vorkommt, eine spätere Einfügung, behauptet er, ein Stück römischen Kolorits, das jemand interpolierte, der sich mit einer anachronistischen historischen Vorstellung das Gelage in Baktra als ein römisches Gelage vorstellte. Schnabel, dem Berve mit seiner eigenen Ansicht entgegentritt, dachte, daß die ἑστία ein Altar war, der dem θεὸς Ἀλέξανδρος geweiht war und auf dem Alexanders Bild stand und daß die Opferspende und die Huldigung am Altar auf typisch griechische und nicht auf persische Weise vollzogen wurden. Nach dieser Ansicht war die Zeremonie kein Fehlschlag, sondern ein großer Erfolg und hatte einen Präzedenzfall für den Herrscherkult in der späteren hellenistischen Welt geschaffen.[89] Doch solch eine Interpretation, die soviel mehr an einen römischen als einen griechischen oder besser makedonischen Kult erinnert, tut dem Zusammenhang, in dem die Geschichte steht, nämlich der Proskynese vor der Person Alexanders, Gewalt an, und, wie dargelegt,[90] fügt sich die Geschichte selbst nicht zu einem einheitlichen Bericht zusammen, denn, als Demetrios Alexanders Aufmerksamkeit auf Kallisthenes' Versäumnis lenkte, sagte er nach Plutarch οὗτος γάρ σε μόνος οὐ προσεκύνησε.

Otto vertrat die Ansicht, daß die ἑστία eine Feuerschale war, in der das ewige persische Feuer brannte und daß dies ein weiteres Beispiel für Alexanders Zuwendung zu den Sitten des Orients war.[91] Seine Ansicht wurde von Jacoby[91a] akzeptiert und ist neuerdings von Schachermeyr[91b], der darauf hinweist, daß die ἑστία den Schlüssel zum Verständnis für die ganze rätselhafte Episode liefert, in einer übertriebenen Form weiterentwickelt worden. In seinem unersättlichen Verlangen nach Göttlichkeit, denkt er, war Alexander nicht mehr damit zufrieden, der Sohn eines Gottes auf

[89] A. a. O. 113; Baktra habe man zu betrachten nicht als „einen verunglückten Versuch, jenes persische Hofzeremoniell einzuführen, sondern als die erfolgreiche Begründung des hellenistischen Königskultes“.

[90] Z. B. von W. W. Tarn (der Th. Birt folgt), JHS, XLVIII, 1928, 206.

[91] W. F. Otto, Zum Hofzeremoniell des Hellenismus, Ἐπιτύμβιον H. Swoboda dargebracht (Reichenberg 1927), 198 f.

[91a] FGH, II D, S. 435 f.

[91b] F. Schachermeyr, Alexander der Große (Graz 1949), 302—315.

Grund von Ammons Anerkennung zu sein, sondern wollte selbst ein Gott sein. Dazu sollte ihm das persische Königsfeuer dienen, „sein ihm eigenes Herrschafts- und Königsfeuer“, das Feuer, das dem persischen König bei Prozessionen vorangetragen wurde und das bei Audienzen vor ihm brannte, wie die Reliefs von Persepolis zeigen.[91c] Vor diesem Feuer und nicht vor Alexander selbst sollten in Baktra seine makedonischen und griechischen Begleiter Proskynese machen. Diese Hypothese ist ein schweres Gedankengebäude, das nur auf einem einzigen Wort bei Plutarch beruht, und wir müssen annehmen, daß Arrian, da er in seiner Version das so wichtige Wort nicht erwähnte, obgleich er oder seine Quelle wie Plutarch den Bericht des Chares ausschöpfte, den ganzen Vorgang überhaupt nicht verstand und daß sogar Plutarch offensichtlich nichts von seiner Bedeutung erfaßte.[91d] Das konnte, wie man zugeben muß, bei einem Schriftsteller ziemlich leicht vorkommen, der keinen sehr detaillierten Bericht von dem, was nach Schachermeyr Alexanders Absicht war, vor sich hatte. Es war nämlich keine persische Sitte, vor dem Königsfeuer Proskynese zu machen, sondern nach Schachermeyrs Ansicht Alexanders eigene Erfindung. Das Feuer und die Proskynese, beides war persisch, aber der Gedanke, persische Proskynese vor persischem Feuer zu machen, stammte von Alexander selbst, wie auch der, daß solch eine Zeremonie — ein höchst unpersischer Gedanke — die Anerkennung der Göttlichkeit des Königs bedeuten würde. Es

[91c] Die spärlichen Hinweise in unseren literarischen Quellen auf das persische heilige Feuer deuten nichts von einem Königsfeuer an, wie Schachermeyr es sich vorstellt; vgl. Xenophon, Kyropaidia VIII 3, 12; Diodor XVII 114, 4; Q. Curtius III 3, 9; IV 14, 24; V 1, 20. Noch tut es ein Relief wie das des persischen Königs beim Opfer an einem Hochaltar vor dem Ahramazda-Symbol, abgebildet in E. Sarre, Die Kunst des alten Persien (Berlin, 1923), 14 f. und Tfl. 33 f. Die einzig mögliche Parallele zu dem, was Schachermeyr sich vorstellt, wäre das Relief des Dareios im Südteil des Empfangshofes in Persepolis (E. F. Schmidt, The treasury of Persepolis [Chicago, 1939], 22 ff., mit Abbildung), aber die zwei Behälter zu beiden Seiten des Thrones auf dem Relief sind meines Wissens nie als Schalen, in denen das heilige Feuer brannte, angesehen worden; sie sind Weihrauchschwenker (Schmidt, a. a. O., 24).

[91d] Vgl. oben: οὗτος γὰρ σε μόνος οὐ προσεκύνησε.

war, wie Schachermeyr selbst vermutet, eine *interpretatio Graeca* oder vielleicht besser eine *interpretatio Alexandri*. Das Ganze ist, um es zu wiederholen, eine Hypothese, die für jede Feuerschale zu schwer ist. Außerdem mag die persische Feuerschale selbst gar nicht existieren, sondern eine rein hypothetische Schale sein. Das griechische Wort ist ἑστία, und es ist zweifelhaft, ob ἑστία im Griechischen „Feuerschale" bedeuten kann. Zudem gehörte, wie Farnell gezeigt hat,[92] dessen warnende Hinweise aber weder Jacoby noch Schachermeyr beherzigt haben, der Altar der Hestia zum Mobiliar eines griechischen Trinkgelages. 'Αφ' Ἑστίας ἄρχεσθαι: der Ausdruck erinnert an die Tatsache.

Nicht nur die Proskynese, sondern auch der Kuß war eine persische Sitte, denn Berves neueste Interpretation der Zeremonie ist ungemein ansprechend.[93] Perser küßten, wie Herodot uns erzählt,[94] ihre Gleichgestellten und huldigten ihren Vorgesetzten. Alexanders Kuß war demnach eine äußerst höfliche Erwiderung auf die empfangene Proskynese. Den Mann, der ihn als seinen Vorgesetzten anerkannt hatte, erkannte er seinerseits als einen Gleichgestellten an. Dies macht den Umstand, daß er sich weigerte, Kallisthenes zu küssen, ungeheuer bedeutend: keine Proskynese und deshalb auch kein Kuß. Als der Versuch trotz allen erdenklichen Takts, den Alexander dabei aufbrachte, mißlang, beschränkte er den Begrüßungskuß so lange auf seine engsten persischen Mitarbeiter, die συγγενεῖς 'Αλεξάνδρου — bis er es am Ende seines Lebens 324 v. Chr. bereute und auf Kallines' Antrag die Makedonen, die es wünschten, in den Kreis der συγγενεῖς, den Kreis derer, von denen er geküßt wurde, aufnahm.[95]

Man würde nur Vermutungen anstellen, wenn man versuchte, diese beiläufige Geschichte in den Gesamtzusammenhang der Gründe für und gegen Alexanders Vergöttlichung zu Lebzeiten und für und gegen die Einführung der Proskynese einzureihen, die

[92] L. R. Farnell, JHS, XLIX, 1929, 79—81.

[93] H. Berve, a. a. O. I, 340.

[94] I, 134, 1.

[95] Arrian VII 11, 6 f. Μακεδόνων δὲ οὔπω τις γέγευται ταύτης τῆς τιμῆς.

Q. Curtius und Arrian (an einer früheren Stelle) uns nur, ob richtig oder falsch, in der Form einer einzigen öffentlichen Debatte gegeben haben. Wenn aber Kallisthenes der einzige Gast des Trinkgelages war, der sich weigerte, Proskynese zu machen, war es offensichtlich eine erlesene Gesellschaft, wie unsere Quellen berichten.[96] Vielleicht war es ein Versuch; vielleicht aber auch waren die Makedonen mit Rücksicht auf die anwesenden Perser nur gebeten worden, so zu tun, als machten sie auch Proskynese, damit es den Gästen nicht peinlich wäre. Aber dies ist Vermutung. Der Ausgang beider Berichte ist historisch: nämlich, daß Alexander es wenigstens bei gewissen zeremoniellen Anlässen oder Gastlichkeiten gerne gesehen hätte, daß seine Makedonen und die Griechen an seinem Hofe sich die Sitte der Perser zu eigen machten und daß die Opposition zu stark war und deshalb das Vorhaben aufgegeben und nie wieder zur Sprache gebracht wurde. Die Annahme, daß der Grund zu dem Vorschlag ein anderer war als der, den ich in grundsätzlicher Übereinstimmung mit Wilcken[97] dargelegt habe, und auch daß Alexander sich im entlegenen Baktra, als er die Expedition nach Indien noch vor sich hatte, mit dem politischen Problem beschäftigte, seine gesamte Herrschaft über Griechen, Makedonen und Perser[98] als eine theokratische Herrschaft zu begründen, scheint mir eine irrige Vorstellung zu sein, die weit über die Grenzen des historischen Beweismaterials hinausgeht.

[96] Arrian IV 12, 3 τούτοις πρὸς οὕστινας ξυνέκειτο αὐτῷ τὰ τῆς προσκυνήσεως.

[97] Alexander der Große (Leipzig 1931), 157—59; Alexander the Great (London 1932), 168 f. Vgl. D. G. Hogarth, EHR, II (1887), 319: „Daß mit der Proskynese in Baktra nichts anderes beabsichtigt war als nur die Umgangsformen zweier Völker vor ihrem König in Einklang zu bringen, wird ein kurzer Überblick über das vorliegende Beweismaterial hinreichend beweisen."

[98] Tarn, a. a. O. I, 79: „Alexander ... beabsichtigte, ein Gott zu werden; und da Griechen, Makedonen und Perser daran beteiligt waren, kann es nur bedeuten, daß er beabsichtigte, offiziell der Gott seines Reiches zu werden. Er tat mehr als nur seinen Weg vortasten. Seine Gründe waren rein politisch; die Sache war für ihn nur ein Vorwand, die vielleicht zu einem nützlichen Mittel seiner Staatskunst werden könnte ..."

Es mag gewiß sein, daß moderne Historiker die Bedeutung des Ganzen zu sehr übertrieben haben. Ihre hervorragende Stellung in der Überlieferung mag sich großenteils dadurch erklären, daß die Geschichte eine Art von ἀριστεία des Helden Kallisthenes ist. Ob Aristobulos oder Ptolemaios sie erwähnten, läßt sich nicht beweisen, aber einer von ihnen betrachtete Kallisthenes offensichtlich als einen Mann von so zweitrangiger Bedeutung, daß er sich nicht einmal Gedanken machte, die Wahrheit über seinen Tod in Erfahrung zu bringen.[99]

IV. 324/23 v. Chr.

In der antiken Welt waren Ansprüche auf Göttlichkeit immer ein sehr willkommener Stoff für ein geistreiches Epigramm. Agesilaos hatte es schon deutlich gemacht[100] und fast jedem Griechen, der Epigramme schreiben konnte, wurde anscheinend eins über Alexander zugeschrieben. Der Spartaner Damis sagte mit entwaffnender Ironie: „Da Alexander ein Gott sein möchte, so laßt ihn doch."[101] In Athen gab es eine ganze Anzahl von Epigrammatikern. Diogenes, der wahrscheinlich zu der Zeit nicht mehr lebte[102], soll gesagt haben: „Wenn die Athener Alexander zum Dionysos machten, tätet ihr besser daran, mich zum Sarapis zu machen."[103] Pytheas, der sich als junger Mann dagegen ausgesprochen hatte, Alexander zu ehren und der für diese Vermessenheit zurechtgewiesen wurde, sagte: „Aber ich bin älter als der Mann, den ihr zum Gott macht"[104]; älter gewiß als die Ewigkeit. Lykurgos sagte: „Was für ein Gott mag das sein, wenn das erste, was man nach

[99] Arrian IV, 14, 3.

[100] [Plutarch], Mor. 210 D (Apophthegmata Laconica [Agesilaus, 25]).

[101] [Plutarch], Mor. 219 E (Apophthegmata Laconica [Damis]); Aelian, Varia Historia II, 19 (ohne Damis' Namen zu erwähnen): Λακεδαιμόνιοι δὲ ἐκεῖνα· ἐπειδὴ Ἀλέξανδρος βούλεται θεὸς εἶναι, ἔστω θεός.

[102] So A. D. Nock, JHS, XLVIII (1928), 21.

[103] Diogenes Laertius VI 63: ψηφισαμένων Ἀθηναίων Ἀλέξανδρον Διόνυσον, κἀμέ, ἔφη, Σάραπιν ποιήσατε.

[104] Plutarch, Mor. 804 B (Praecepta gerendae r. p. 8): ἐμοῦ νεώτερός ἐστιν ὅν ψηφίζεσθε θεὸν εἶναι; vgl. Demosthenes, ep. III 29.

dem Verlassen seines Tempels tun müßte, ist, sich zu reinigen." [105] Demades, der den Vorschlag machte, Alexander als 13. Gott [106] anzunehmen, soll, nach Valerius Maximus' lateinischer Übersetzung, zu seinen Gegnern gesagt haben: *Videte ne, dum caelum custoditis, terram amittatis.*[107] Demosthenes, der sich der Bewilligung göttlicher Ehren für Alexander prinzipiell widersetzte [108], sprach zumindest einmal in einem anderen Ton, als er sagte: „Erkennt ihn doch als Sohn des Zeus an. Erkennt ihn auch als Sohn des Poseidon an, wenn er es wünscht" [109], obgleich man in dieser höchst satirischen Bemerkung schwerlich eine ehrliche Unterstützung für den Vorschlag sehen kann.

Unsere Kenntnis dieser geistreichen Bemerkungen stützt sich auf sehr verschiedene Quellen, die, mit Ausnahme von Deinarch [110] und Hypereides [111], alle spät und sekundär sind. Da Kallisthenes seinen Bericht über Alexander zwischen 330 und 328 v. Chr. abschloß [112], und da die Griechen und Makedonen um Alexander seit seinem Besuch bei Ammon 332 v. Chr. wahrscheinlich von ihm, wenn es auch ironisch gemeint war, als „Sohn des Zeus" gesprochen hatten, mag man annehmen, daß diese verschiedenen Epigramme auf dem

[105] Plutarch, Mor. 842 D (Vita X Oratorum: Lycurgus, VII): καὶ ποδαπὸς ἂν εἴη, εἶπεν, ὁ θεὸς οὗ τὸ ἱερὸν ἐξιόντας δεήσει περιρραίνεσθαι.

[106] Aelian, Varia Historia, V, 12. Er mußte 100 Talente Geldstrafe bezahlen (nach Athenaios VI 58 zehn Talente). Vgl. Diodor XVI 92, 5 (Philipps Statue wurde mit der der zwölf Götter in der Prozession bei der Hochzeit zu Aigai getragen — obgleich die Geschichte nicht wahr sein mag: siehe N. G. L. Hammond, CQ, XXXI, 91, Anm. 3).

[107] Valerius Maximus, VII, 2, ext. 13: Gnomol. Vatic. 236, ed. Sternbach (Wien. Stud., X, 221).

[108] Timaios, von Polybios XII 12 b, 3 zitiert; vgl. Deinarch, c. Demosthenem, 94.

[109] Hyperides, c. Demosthenem 31, 15 ff., S. 19, Blass: ἐν τῷ δήμῳ συγχωρῶν Ἀλεξάνδρῳ καὶ τοῦ Διός καὶ τοῦ Ποσειδῶνος εἶναι, εἰ βούλοιτο. Tarn, a. a. O. (Anm. 2) II, 363 zweifelt an der historischen Wahrheit der Bemerkung.

[110] Siehe oben, Anm. 108.

[111] Siehe oben, Anm. 109.

[112] Tarn, a. a. O., II 356.

griechischen Festland über eine lange Zeitspanne, in den letzten 8 oder 9 Lebensjahren Alexanders geschrieben wurden. Nur eines steht in einem historischen Zusammenhang, obgleich auch dieses nicht genau datierbar ist. Sowohl Plutarch in den ›Moralia‹ als auch Aelian, die zweifellos eine gemeinsame Quelle benutzen, behaupten, daß das Epigramm des Spartaners Damis auf eine von Alexander selbst ausgehende Forderung der Anerkennung seiner Göttlichkeit antwortete [113]. Die Historiker haben daher übereinstimmend alle Epigramme mit Ausnahme des als nicht historisch geltenden des Diogenes [114] einem einzigen Anlaß zugeschrieben. Den Anlaß haben sie darin gesehen, daß der Bund von Korinth 324 v. Chr. ein Gesuch von Alexander aus Susa, zur gleichen Zeit, als er anordnete, die politischen Verbannten in die griechischen Mitgliedstaaten des Bundes von Korinth zurückzuführen, erhalten habe.

Für diese letzte Anordnung, die durch Nikanor gesandt und den Griechen auf einer Versammlung in Olympia vorgelesen wurde, gibt es hinreichend literarisches und epigraphisches Beweismaterial [115]. Aber für das Gesuch um göttliche Ehren gibt es, abgesehen von der gemeinsamen Quelle für die schon genannten Stellen in Plutarchs ›Moralia‹ und bei Aelian, überhaupt kein Beweismaterial. Arrian schweigt, aber sein Schweigen besagt nichts, denn sein Text hat eine Lücke, und er erwähnt auch das Verbanntendekret nicht. Plutarch schweigt darüber auch in seiner Biographie Alexanders, aber ebenso auch über die Rückführung der Verbannten. Schwerwiegender jedoch ist, daß Diodor und Q. Curtius beide zwar das

[113] [Plutarch] (siehe oben Anm. 101): πρὸς τὰ ἐπισταλέντα παρὰ τοῦ Ἀλεξάνδρου θεὸν εἶναι ψηφίσασθαι. Aelian (siehe oben, Anm. 101): Ἀλέξανδρος ἐπέστειλε τοῖς Ἕλλησι θεὸν αὐτὸν ψηφίσασθαι.

[114] E. Meyer, a. a. O. 330, Anm. 2: „Keinen Wert hat ...“ [in diesem Band S. 215]; A. D. Nock, a. a. O. (Anm. 102).

[115] Diodor XVIII 8, 2 ff. (vgl. XVII 109, 1); Q. Curtius X 2, 4; Justin XIII 5, 2; Deinarch, c. Demosthenem, 82; Hyperides, c. Demosthenem, 18; OGIS, 2 (Tod, GHI II, 201, aber für Verweise siehe Tod, II, S. 294 — diese Inschrift mag in das Jahr 332 v. Chr. gehören); SIG³, 306 (Tod, GHI, II, 202, von Tegea); SIG³, 312 (von Samos, nach 321/0 v. Chr.). Siehe E. Bikerman, La lettre d'Alexandre le grand aux bannis grecs, REA, XLII (1940), 25—35.

Verbanntendekret erwähnen, aber überhaupt nichts von einer Forderung der Vergöttlichung.

Es gibt jedoch zwei Beweisstücke, die relevant sein könnten. Das erste ist das Verhalten des Demosthenes in Athen[116]. Um ihn von seiner prinzipiellen Opposition gegen göttliche Ehren für Alexander[117] abzubringen, bedurfte es eines großen Druckes, wie man ihn nur, wie angedeutet wird, in einer Forderung Alexanders selbst finden würde[118]. Wie beweiskräftig ist jedoch diese Annahme? Timaios stellte Demosthenes dem Kallisthenes als Opponenten gegen übertriebene Ehren für Alexander gegenüber. Deinarch beschuldigte ihn, inkonsequent zu sein, da er manchmal so, manchmal anders spräche, und Demosthenes' tatsächliche Äußerung, wie Hypereides sie wiedergibt, war ironisch und schmeichelhaft zugleich.[119]

Ein zweites Stück indirekten Beweismaterials hat man bei Arrian gefunden. Arrian erwähnte, daß Alexander 324 v. Chr. Gesandte aus Griechenland empfing,[120] und für das Jahr 323 v. Chr. erwähnte er wieder Gesandte, die goldene Kronen von den griechischen Städten überbrachten.[121] Diese Behauptung wird durch epigraphisches Material gestützt, das zeigt, daß die Kronen nach und wegen des Erhalts des Verbanntendekrets gestiftet worden waren.[122] Die Gesandten kamen 323 v. Chr., sagt Arrian, und krönten Alexander ὡς ϑεωροὶ δῆϑεν ἐς τιμὴν ϑεοῦ ἀφιγμένοι. Das Angebot einer goldenen Krone bedeutet aber keineswegs Anerkennung von Göttlichkeit[123]; und ὡς ϑεωροὶ δῆϑεν ist nicht dasselbe wie eine Behauptung,

[116] Siehe oben, Anm. 109.

[117] Siehe oben, Anm. 108.

[118] E. Meyer, a. a. O. 330, Anm. 2. [In diesem Band S. 215.]

[119] Theseus war der Sohn des Poseidon (Isokrates, X, 23): Demetrios Poliorketes wurde in Athen 290 v. Chr. als Sohn des Poseidon und der Aphrodite begrüßt (Athenaios, VI, 62 f. 253 c und e). Aulus Gellius sagt (XV, 21): *Praestantissimos virtute, prudentia, viribus Iovis filios poetae appellaverunt ... ferocissimos et immanes et alienos ab omni humanitate, tamquam e mari genitos, Neptuni filios dixerunt.*

[120] Arrian VII 14, 6 (vgl. 19, 1).

[121] Arrian VII 23, 2.

[122] SIG³, 312, 14 f.: διὰ ταῦτα αὐτὸν τῶν Ἑλλήνων στεφανωσάντων.

[123] Siehe zum Beispiel den Index bei Tod, GHI, II, s. v. (χρυσοῦς) στέφανος.

daß sie in Wirklichkeit mehr ὡς θεωροὶ denn als πρέσβεις kamen.[124] Zudem sollte man die Bedeutung der Stelle im ganzen nicht zu sehr forcieren, denn sie hat, was bei Arrian sehr selten vorkommt, literarische Qualitäten. Die Gesandten verhielten sich, sagt er, „als ob sie in heiliger Mission gekommen waren, einen Gott zu ehren", und fährt fort τῷ δὲ οὐ πόρρω ἄρα ἡ τελευτὴ ἦν.

Selbst wenn man die Stelle besonders betont, gibt sie nicht her, daß die Initiative von Alexander persönlich ausgegangen war.

Dieses ist das ganze Beweismaterial. D. G. Hogarth behauptete 1887,[125] daß es nicht zu der Annahme genügte, daß Alexander 324 v. Chr. eine Anweisung oder Bitte um Anerkennung seiner Göttlichkeit an die Staaten des griechischen Festlandes sandte. Viele Gelehrte akzeptierten Hogarths Ergebnis;[126] andere glaubten,[127] daß Eduard Meyer[128] es erfolgreich widerlegt hat. Meyer aber behauptete nur, daß Demosthenes sich nur unter starkem Druck so verhalten haben konnte, und das genügt nicht, um Hogarth zu widerlegen. Hogarth könnte nur widerlegt werden, wenn man nachweisen könnte, daß gewisse historische Fakten der Jahre 324/23 v. Chr. nur auf der Hypothese solch einer Forderung Alexanders im Jahre 324 v. Chr. verständlich sind. Und das möchte Tarn, wie ich meine, behaupten.

Tarn[129] denkt, daß Alexander mit dem Verbanntendekret an die

[124] Wie zum Beispiel später in Athen (τὸ δ' ὑπερφυέστατον ἐνθύμημα) im Falle des Antigonos Monophthalmos und Demetrios Poliorketes beantragt wurde, daß Gesandte an sie ἀντὶ πρεσβευτῶν θεωροὶ λέγοιντο (Plutarch, Demetrios, 11, 1).

[125] A. a. O. (Anm. 97), 322 ff.

[126] Z. B. B. Niese, Gesch. der griech. und maked. Staaten (Gotha 1893), I, 178, Anm. 3; E. Kornemann, Zur Geschichte der antiken Herrscherkulte, Klio, I (1901), 56, Anm. 3; R. Andreotti, Il problema politico di Alessandro magno (Torino, 1933), 158, Anm. 27; A. Heuss, Klio, Beiheft XXXIX (N. F. XXVI), 1937, 191, Anm. 1. Es wird abgelehnt von G. De Sanctis, Gli ultimi messagi di Alessandro ai Greci, Riv. di fil., LXVIII (N. S. XVIII), 1940, 5.

[127] Z. B. U. Wilcken, Zur Entstehung des hellenistischen Königskultes, Sitzb. Berl. (ph.-hist. Kl.), 1938, 302. [In diesem Band S. 225.]

[128] A. a. O. 330, Anm. 2. [In diesem Band S. 215.]

[129] A. a. O. II, 370 f.

griechischen Städte seine rechtliche Kompetenz als ἡγεμών des Bundes von Korinth überschritt, da er als ἡγεμών nicht das Recht hatte, sich in die internen Angelegenheiten einzelner Städte einzuschalten. Er forderte daher für sich eine höhere rechtliche Stellung im Bund als die, die er schon besaß, d. h. in Wirklichkeit eine alles überragende Stellung, die er mit der Anerkennung als Gott erhalten würde.

Gegen diese Ansicht gibt es einige starke Einwände.

Erstens haben wir mindestens zwei Inschriften, von denen die eine auf die Heimkehr der Verbannten nach Tegea, die andere auf die der Verbannten nach Samos hinweist.[130] Die erste scheint auf Alexander einfach als βασιλεὺς 'Αλέξανδρος zu verweisen, die zweite verweist auf ihn als 'Αλέξανδρος. Ein göttlicher Titel ist überhaupt nicht angedeutet.

Zweitens wurde nach Tarns Hypothese die Forderung nach Vergöttlichung mit der Absicht erhoben, keine Zweifel an der Verfassungsrechtlichkeit des Verbanntendekrets aufkommen zu lassen. Tarn schreibt an einer Stelle:[131] „Das Verbanntendekret an die Städte des Bundes erfolgte deshalb zusammen mit einem Gesuch um Vergöttlichung oder diese ging ihm möglicherweise sogar voraus", und an einer anderen:[132] „Ein Erlaß . . . an die Städte des Bundes, ihre Verbannten wieder aufzunehmen und auch ein Gesuch um seine Vergöttlichung (die wahrscheinlich vorausging)". Warum „möglicherweise" und „wahrscheinlich"? Sie muß doch nach Tarns Hypothese ganz sicher vorausgegangen sein.

Drittens muß man vor dem Bild, das sich der Verfasser anscheinend vorstellt, wirklich stutzen. Es war ein „Gesuch", das erforderlich war, einen „Erlaß" zu sanktionieren. Doch der Erlaß war schon ergangen, bevor man wissen konnte, ob das Gesuch bewilligt worden war. Was für ein Gesuch war es überhaupt? „Ihn einen Gott zu nennen", bedeutete noch nicht, „daß sie ihn auch kultisch verehren wollten", behauptet Tarn.[133] Gar nicht? Nicht einmal mit

[130] Belege oben in Anm. 115.

[131] A. a. O. I, 113.

[132] A. a. O. II, 370.

[133] A. a. O. II, 371.

„Heroenehren"? Was sollte er denn erhalten? Eine Reihe von Titeln, in jeder Stadt einen anderen? In Athen „Sohn des Zeus, Sohn des Poseidon, 13. Gott"? Würde eine solche Anhäufung von Titeln ihn zu einem Gott des Korinthischen Bundes machen, wo allein er nach Tarns Hypothese ein Gott sein mußte? „Sein Gesuch um Vergöttlichung war eine politische Maßnahme, die nur auf einen rein politischen Zweck beschränkt war" [134], aber „gewiß verstanden die Städte es nicht als eine *politische* Taktik." [135] Es sieht wirklich nach einer List aus.[136] Wenn die Griechen sagten: „Du hast ja gar kein Recht, die Heimkehr der Verbannten zu befehlen", wäre er berechtigt zu sagen: „Oh, das solltet ihr euch, bevor ihr mich zum Gott machtet, überlegt haben." Ist das etwa eine Verhaltensweise, die mit dem Bild, das sich Tarn oder überhaupt ein Historiker von Alexander macht, vereinbar ist?

Nein, wir brauchen nicht anzunehmen, daß Alexander sich auf dem Rückweg von Indien in Susa Gedanken über spitzfindige Verfassungsfragen im Bund von Korinth machte. Für die Verbannten hätte seine Anweisung genügt, und sie tat es auch. Bevor er sie nach Griechenland schickte [137], verlas er sie zunächst vor der Versammlung seiner eigenen Truppen, aber das bedeutet nicht, daß er es besonders genau nahm. In jeder Stadt Griechenlands hatte er seine Anhänger, und die Zahl würde sich mit der Heimkehr der Verbannten erheblich vergrößern. Die Bewohner der Städte waren ebenso in Pro- und Antimakedonen gespalten, wie die Bewohner der griechischen Städte des frühen 2. Jahrhunderts v. Chr. in Pro- und Antirömer. Solange Alexander im fernen Osten weilte, konnten seine Gegenspieler in Griechenland Hoffnung schöpfen, denn er

[134] A. a. O. II, 371.

[135] A. a. O. II, 373.

[136] Tarn, a. a. O. II, 370: „Uns mag dies als Spitzfindigkeit erscheinen, aber niemand kann behaupten, daß es das auch für ihn war", ist milde ausgedrückt. Dazu bin ich darauf hingewiesen worden, daß Alexander, selbst als Gott, sich in den griechischen Städten weiterhin einer Opposition ausgesetzt hätte; die Forderung nach solch einer Anerkennung wäre demnach töricht gewesen, und Torheit war gewiß nicht eine seiner Eigenschaften.

[137] SIG³, 312, 12.

konnte immer noch ums Leben kommen.[138] Jetzt aber marschierte er wieder westwärts. In diesem Augenblick taten seine Anhänger alles, um sich selbst bei ihm in Gunst zu setzen und ihre Gegenspieler zu gefährden. Die Frage nach göttlichen Ehren eignete sich hervorragend dazu, die Entscheidung zu erzwingen. Bei solch spärlichem Beweismaterial für die Hypothese ist kein Grund zu der Annahme vorhanden, daß Alexander dabei selbst die Hand ungeschickt im Spiel gehabt habe.[139]

[138] Vgl. E. Bikerman, a. a. O. (Anm. 115) 35: „Da die Demagogen der griechischen Städte überzeugt sind, daß die Unterwerfung eine schmerzliche Notwendigkeit ist, warten sie nur darauf, daß sich das Glück gegen Alexander wende. Die Einmischungen des Antipatros in die Angelegenheiten der Städte erklären sich nur aus der Tatsache, daß die 'Clubs' und nationalistischen 'Faktionen' fast überall an der Macht bleiben. Während Alexander ins ferne Asien vordringt, kann der Vorwuf, ein 'Schmeichler der Makedonen' zu sein, einem Angeklagten vor dem Tribunal in Athen noch sehr schaden (Hypereides, pro Euxen., c. 20; 29).“

[139] Ich habe mich in diesem Aufsatz nicht mit Wilckens Ansicht (a. a. O. [Anm. 127] 302—305; Alexander der Große, 196—201; Alexander the Great, 209—215) auseinandergesetzt. Seine Ansicht, daß Alexander in den griechischen Städten Vergöttlichung aus religiösen, nicht aus politischen Gründen forderte, ist von Tarn, a. a. O. II, 372 f. kritisiert worden. Wilcken (viele seiner Überlegungen berühren sich mit meinen eigenen) begnügt sich damit, daß das Beweismaterial Tarns Ansicht, daß Alexander aus politischen Gründen um Göttlichkeit ersuchte, nicht stützt. Tarn begnügt sich damit, daß Wilckens Ansicht unhaltbar ist. Falls Hogarth (dessen Ansicht ich wiederholt habe) recht hatte, dann haben beide Gelehrte mit ihren Ablehnungen recht.

Aus: Martin P. Nilsson, Geschichte der griechischen Religion Band II, München: Beck'sche Verlagsbuchhandlung 1961[2], S. 177—182. Erste Auflage 1950.

DIE BEDEUTUNG DES HERRSCHERKULTES

Von MARTIN P. NILSSON

Rom und die Römer

Nur in Ägypten schließt das Kaisertum unmittelbar an die hellenistische Monarchie an, sonst trat eine Zwischenzeit der Herrschaft des republikanischen Roms ein, die in Kleinasien und Griechenland über ein Jahrhundert dauerte. Die Griechen ließen es sich nicht nehmen, ihre Unterwürfigkeit den neuen Herren in der gewohnten Weise zu bezeugen; da Herrscherkult ausgeschlossen war, weil Rom damals keinen ständigen Machthaber hatte, kam die Personifikation des Staates so recht gelegen, die viel älter war, aber gerade in dieser Zeit auch einen Kult erzeugte (S. 144 f.)*. Dieser Kult hat denselben Sinn und Zweck wie der Herrscherkult, nur ist er nicht einem bestimmten Individuum, sondern dem römischen Volk oder der Göttin Roma gewidmet.[1]

Die Smyrnäer rühmten sich, den ersten Tempel der Stadt Rom im Konsulat des M. Porcius errichtet zu haben:[2] im Jahr 170 bekundeten Gesandte von Alabanda, daß sie der dea Roma einen Tempel erbaut und Spiele gestiftet hätten.[3] In dem sog. Etat der Ausgaben

[Durch * gekennzeichnete Seitenangaben beziehen sich auf hier nicht abgedruckte Partien der Vorlage.]

[1] Vollständige Aufzählung der inschriftlichen Belege für den Kult der Roma dea und des Kaisers in Lydien bei J. Keil, Die Kulte Lydiens, Anatolian Studies to W. M. Ramsay, 1923, S. 245 ff. H. Hommel, Domina Roma, Die Antike XVIII, 1942, S. 127 ff., handelt hauptsächlich von den Bildtypen und Attributen: Roma ist nichts anderes als eine hellenistische Stadtgöttin; das Setzen des Fußes auf den orbis terrarum ist orientalisch, die Mauerkrone kleinasiatisch. Latte, RRG S. 312 f.

[2] Tac., Hist. IV 56.

[3] Liv. XLIII 6.

für Opfertiere aus Erythrai in der ersten Hälfte des 2. Jahrhunderts erscheint auch ein Opfer an Rom.[4] In Elaia oder wohl wahrscheinlicher in Pergamon wurde bei Abschluß eines Vertrages mit Rom im Jahr 129 neben anderen Göttern der Roma geopfert.[5] Die Rhodier errichteten im Jahr 163 im Heiligtum der Athena eine Kolossalstatue des römischen Volkes.[6] Die Poseidoniasten aus Berytos stellten auf Delos eine Statue der Ῥώμη θεὰ εὐεργέτις auf.[7] Im Jahr 98 war der Priester der Rome in Sardes eponym.[8] In Milet wurde der Kult dem römischen Volke und der Rome dargebracht (S. 78)*. Im 2. Jahrhundert stifteten mehr als ein Dutzend Städte in Griechenland und Kleinasien Romaia benannte Spiele.[9] Der Kult des Senates,

[4] Siehe S. 76* A. 1, Z. 69 der Inschrift.

[5] SIG.[3] 694 Z. 52.

[6] Polyb. XXXI 4 Büttner-Wobst.

[7] Inscriptions de Délos 1778 = OGI. 591.

[8] OGI. 437 Z. 90 f.

[9] Aufgezählt von Tarn, Hell. Civ. S. 105 A. 8; PW. s. v. Ῥωμαῖα. Hepding fügt folgende Notizen hinzu, die z. T. der Kaiserzeit angehören: In Lagina, Ῥώμη θεὰ Εὐεργέτις, Spiele, Brief des Sulla um das Jahr 81 v. Chr. Erythrai, J. Keil, Österr. Jahresh. XIII, 1910, Beiblatt S. 41, nach 191 v. Chr. Penteterische Panegyris des lykischen Bundes Ῥωμῃ θεᾷ ἐπιφανεῖ. Inschrift aus Araxa, JHS LXVIII, 1948, S. 48 Z. 70 f., Beginn des 2. Jh.s v. Chr. (?) Das erste Zeugnis für den Kult der Roma in Tripolis, MAMA. VI 53, in Sardes, Amer. J. Arch. XVII, 1913, S. 44 f. Über den Priester der Roma als zweiten Eponym in kleinasiatischen Inschriften, L. Robert, Rev. ét. gr. XLVI, 1933, S. 441 Anm. Geburtstag der Roma in Gortyn gefeiert, unten S. 545 A. 4*. Tempel des Augustus und der Roma in Pergamon, B. Pick, Die Neokorietempel von Pergamon, Festschrift W. Judeich, 1929, S. 28 ff. Rundtempel des Augustus und der Roma auf Thasos, BCH XLV, 1921, S. 105 f. Ein βωμὸς θεᾶς Ῥώμης καὶ αὐτοκράτορος Καίσαρος auf der kaiserlichen Domäne Χωριανῶν κατοικία, Rostovtzeff, Studien zur Geschichte des römischen Kolonats, Arch. f. Pap., Beiheft I, 1910, S. 288 f. Heberdey, Die Priestertümer der Roma und des kaiserlichen Hauses in Termessos, Denkschriften Akad. Wien, LXIX: 3, 1929, S. 28 ff. H. H. Schmitt, Rom und Rhodos, Münchener Beiträge 40, 1957, S. 175 A. 1. Kyrene, Ζηνὶ Σωτῆρι καὶ Ῥώμῃ καὶ Σεβ[αστῷ, Rendiconti Accad. Lincei 1925 S. 413. Samos, Θεᾶι Ῥώμηι καὶ Αὐτοκράτορι Καίσαρι, θεοῦ υἱῶι, θεῶι Σεβαστῶι, IGRom. IV 975, vgl. 977.

des θεὸς σύγκλητος, scheint dagegen erst der Kaiserzeit anzugehören.[10]

Von ihrer Gewohnheit, den Machthabern persönlich göttliche Ehren entgegenzubringen, konnten die Griechen jedoch nicht ablassen.[11] Die Einwohner von Chalkis hatten besonderen Grund, T. Flamininus, der unter allgemeinem Enthusiasmus als Befreier der griechischen Städte begrüßt wurde, zu ehren, weil er die Stadt geschützt hatte; sie weihten ihr Gymnasium dem Titos und Herakles und das Delphinion dem Titos und Apollon, ernannten auch einen Priester des Titos, opferten ihm und sangen bei den Spenden einen Päan auf ihn, ein Kult, der noch zu Plutarchs Zeit bestand.[12] Auch in Lakonien besaß Titos einen Kult.[13] M'. Aquilius, der das perga-

Attaleia, Priesterin Ἰου[λίας] Σεβαστῆς καὶ θε[ᾶς] ἀρχηγέτιδος Ῥώμ[ης, Annuario della scuola archeol. di Atene III, 1921, S. 11. F. Münzer, Römische Adelsparteien, 1920, S. 357 Anm.: „Die Inschrift, Ath. Mitt., XXXII, 1907, S. 254, aus Ephesos ist der von Hirschfeld, Kleine Schriften, S. 475 A. 2, vermißte urkundliche Beleg für die aus Cicero, ad Quintum fr. I 1, 26, erschlossene Verbindung des Kultes der Roma mit dem des republikanischen Statthalters." Dazu kann man den von Plutarch, Titos 16, überlieferten Paian auf Flamininus und die von Robert, Ét. anat. S. 448 A. 3 richtig hergestellten Inschriften aus Thessalonike, ἱερεὺς Ῥώμης καὶ Ῥωμαίων εὐεργετῶν, stellen.

[10] OGI. 479 A. 5; RL. III S. 2141. Statue in Hierokaisareia, J. et. L. Robert, Inscriptions de Lydie, Hellenica VI, 1948, S. 50 ff. G. Forni, Ἱερά e θεός σύγκλητος, Mem. accad. Lincei, Ser. VIII, V: 1, 1953, S. 491 ff.; Sammlung der Münzen, der Kult wird durch Rückschlüsse auf spätrepublikanische Zeit zurückgeführt; gegen ihn, Robert, Bull. épigr., 1954 Nr. 54; ebd. 1950, Nr. 183 d, über Feste für die Göttin Roma des lykischen Bundes.

[11] L. R. Taylor, The Divinity of the Roman Emperor, 1931, S. 35 ff.; vollständiger H. Seyrig, Rev. arch., 1929, S. 95 A. 4, auch mit einigen Beispielen aus der frühen Kaiserzeit. Vgl. J. Tondriau, Romains de la république assimilés à des divinités, Symb. Osl. XXVII, 1949, S. 128 ff.

[12] Plut., Titos 16; IG. XII: 9, 931 Z. 12 f., Weihung der Gymnasiarchen.

[13] Dies ist daraus zu schließen, daß nach der Inschrift aus Gytheion über den Kaiserkult zur Zeit des Tiberius (Zeitschrift Ἑλληνικά I, 1928, S. 17 f.) Z. 11 der sechste Tag des Festes ihm gewidmet war. Die Inschrift auch bei E. Kornemann, Neue Dokumente zum lakonischen Kaiserkult,

menische Reich als römische Provinz einrichtete, hatte einen Priester in Pergamon.[14] Die Einwohner der Stadt Lete in Makedonien beschlossen dem Quästor M. Annius einen jährlichen Pferdeagon im Monat Daisios, in dem anderen Wohltätern Agone gefeiert wurden.[15] Einer, der solche Ehren mehr als andere verdiente, war Q. Mucius Scaevola, der Prokonsul des Jahres 98, dem die Provinz Asia aufrichtigen Dank für seine gerechte Verwaltung zollte und einen Σωτήρια καὶ Μουκίεια benannten Agon feierte;[16] ähnlich wurde Lucullus mit Spielen geehrt,[17] Servilius Isauricus, Prokonsul von Asien 46—44 und Feind der Publikanen, mit einem Kulte, dessen Priester noch in der Kaiserzeit existierten.[18] Cicero wies den Tempel zurück, den die Städte der Provinz Asia ihm und dem Prokonsul, seinem Bruder Quintus, weihen wollten, und nahm dieselbe Haltung als Prokonsul von Kilikien ein.[19] L. Munatius Plancus, Prokonsul im Jahr 41, hatte einen Priester in Mylasa.[20] Der Herrscherkult scheint damals in Asien ziemlich allgemein auf die Prokonsuln übertragen worden zu sein.[21] Dem Ap. Claudius Pulcher, Prokonsul von Kilikien, wurde ein Monument, vielleicht ein Tempel, erbaut;[22] die dem Paullus Fabius Maximus, Prokonsul der Provinz Asia, zwischen 9 und 4 v. Chr. gefeierten Sminthia Paulleia werden noch

Abhandlungen der Schlesischen Gesellschaft für vaterländische Cultur I, 1929, H. Seyrig, Rev. archéol. 1929, I, S. 84 ff. und L. Wenger, Griechische Inschriften zum Kaiserkult, Zeitschrift der Savigny-Stiftung, Romanistische Abteilung, XLIX, 1929, S. 308 ff.

[14] Athen. Mitt. XXXII, 1907, S. 247 Z. 40 u. S. 202 Z. 24 = IGRom. IV 292 u. 293.

[15] SIG.[3] 700 Z. 39, aus dem Jahr 117 v. Chr.

[16] OGI. 438 u. 439; vgl. Inschriften von Pergamon, 268; Cic., Verr. II 51.

[17] Plut., Luk. 23.

[18] Ephesos III S. 149 Nr. 66; Österr. Jahresh. XVIII, 1915, Beiblatt S. 281 f.; über seine Wirksamkeit F. Münzer, Römische Adelsparteien, 1920, S. 358 f.

[19] Cic., ad. Q. fr. I 1, 26; ad Att. V 21, 7.

[20] BCH XII, 1888, S. 15 Nr. 4.

[21] Suet., Aug. 52.

[22] Cic., ad fam. III 7, 2; 9, 1.

im 2. oder 3. Jahrhundert n. Chr. erwähnt.[23] Eine Privatweihung Καλουείνῳ θεῷ zu Zela in Pontus ist wohl dem Legaten Caesars gesetzt;[24] in Chalkis gab es einen Priester des M. Junius Silanus, Proprätor des Antonius.[25]

Die Machthaber der Revolutionszeit konnten, je mächtiger ihre Stellung war, um so mehr sich solcher Ehren erfreuen. Dem Sulla wurde ein Fest mit Opfer gefeiert;[26] Pompejus erhielt in Mitylene die Epitheta Soter, Euergetes, Ktistes,[27] auch wurde ein Monat nach ihm benannt.[28] Eine ironische Zeile Hadrians bedauert, daß dem Pompejus, der so viele Tempel erhalten habe, kein Grab übrig-

[23] IGRom. IV 244.

[24] IGRom. III 108.

[25] IG. XII: 9, 916. Hepding weist hin auf den Ausspruch von V. Chapot, Province d'Asie S. 492: « Et pourtant ils ne sont pas dieux; nulle part on ne les donne expressément pour tels; et ils ont leurs temples et leurs prêtres. » Er führt weiter an: C. Marcius Censorinus, CIG. 2698 b, σωτήρ und εὐεργέτης von Mylasa, wo ihm noch nach seinem Tod Κενσορίνηα gefeiert wurden; τιμαὶ ἰσόθεοι des Prokurators Geminus in Megalopolis, IG. V: 2, 435. Man könnte hier doch auch die Ehrung des L. Vaccius Labeo in Kyme, IGRom. IV 1302, anschließen, wenn er auch τὸν ὑπερβάρεα καὶ θεοῖσι καὶ τοῖς ἰσσοθέοις ἁρμόζουσαν . . . τειμάν abgelehnt hat. „Ich sehe in diesem Zusammenhang noch die Ehren und Agone der κοινοὶ εὐεργέται Ῥωμαῖοι, Ῥωμαῖοι οἱ κοινοὶ τῶν Ἑλλήνων εὐεργέται (z. B. bei Robert, Ét. anat. S. 448 A. 3), in Athen οἱ εὐεργέται τοῦ δήμου Ῥωμαῖοι in den Ephebenurkunden, bei den isthmischen Techniten θυσίαι καὶ σπονδαὶ τῶι τε Διονύσωι καὶ τοῖς ἄλλοις θεοῖς καὶ τοῖς κοινοῖς εὐεργέταις Ῥωμαίοις usw. Ich habe für diese Verehrung der Römer in meinem Vortrag darauf hingewiesen, daß sie vielfach von den Griechenstädten zum πάτρων καὶ κτίστης ernannt wurden; die römische Clientela opfert ja dem Genius des lebenden Patrons. Dieses Patronatsverhältnis mag die überschwenglichen Ehren der εὐεργέται Ῥωμαῖοι verständlicher machen."

[26] IG. II^2 1039 Z. 57; Κορνήλεια in Athen noch in römischer Zeit, Hesperia XVII, 1948, S. 44 Nr. 35 j. Nach Raubitschek, Sylleia, Festschr. f. Johnson (ed. by P. R. Coleman-Norton, 1951), sind sie eingerichtet nach dem Muster der Theseen, wenn nicht identisch mit diesen; eine neue Inschrift eines Siegers im Fackellauf wird veröffentlicht.

[27] IG. XII 2, 141—50, 165.

[28] Ebd. 59 Z. 18 ergänzt, Πομ . . .

geblieben sei.[29] Antonius gefiel sich in der Rolle des neuen Dionysos, und als solchem wurden ihm panathenäische Antonieen in Athen gefeiert;[30] in Prusias findet sich eine φυλὴ Ἀντωνιανή;[31] ein Schmeichler in Alexandrien nannte ihn τὸν ἑαυτοῦ θεόν.[32] Caesar[33] wurde auf Lesbos geradezu Gott genannt,[34] um von den Beinamen Euergetes, Soter und Ktistes zu schweigen; die Städte der Provinz Asia ehrten ihn als τὸν ἀπὸ Ἄρεως καὶ Ἀφροδίτης θεὸν ἐπιφανῆ καὶ κοινὸν τοῦ ἀνθρωπίνου βίου σωτῆρα.[35] Antonius und Octavia wurden in Athen als θεοὶ εὐεργέται verehrt.[36] Das ist reiner Herrscherkult. So geht der hellenistische Herrscherkult ohne Unterbrechung auf die Kaiser über; das Eingreifen des Augustus bestand nur in der Regelung einer längst eingebürgerten Sitte, bedeutete aber zugleich ein Einlenken in ruhigere Bahnen, da man jetzt wußte, an wen man sich zu wenden hatte, und es in Wirklichkeit nur noch *einen* Herrscher gab.

Bedeutung des Herrscherkultes

Der Herrscherkult ist verschieden beurteilt und bewertet worden, sowohl von religiöser wie von staatsrechtlicher Seite. Was die letztere betrifft, scheint man manchmal so zu sprechen, als ob der Königskult bewußt geschaffen worden sei, um der absoluten Monarchie ihre rechtliche Grundlage zu verleihen. Das heißt m. E. die Sache auf den Kopf stellen. Jedenfalls ging die tatsächliche Macht

[29] Anthol. Pal. IX 402.

[30] IG. II² 1043 Z. 22; Plut., Ant. 24, u. a.

[31] Perrot, Guillaume, Delbet, Exploration archéologique de la Galatie, 1862—72, S. 38 f.

[32] OGI. 195 = IGRom. I 1504.

[33] Verzeichnis bei Taylor a. a. O., S. 267 f.

[34] IG. XII²: 165 b; 166; 35 b, γράμματα Καίσαρος θεοῦ.

[35] SIG.³ 760.

[36] A. E. Raubitschek, Octavia's Deification at Athens, Transact. of the American Philolog. Association LXXVII, 1946, S. 146 ff., der mit Berufung auf Seneca, Suasoriae I, 6 f. annimmt, daß Octavia als Athena vergöttlicht wurde.

voran: Männern wie Lysandros, der rechtlich gar nicht ein Herrscher war, und den Diadochen — auch Alexander rechne ich hierher — sind Göttlichkeit implizierende göttliche Ehren von den griechischen Städten freiwillig erwiesen worden auf Grund der Machtstellung, die sie einnahmen. Die Göttlichkeit entsprach dem Machtgefühl und dem gesteigerten Selbstbewußtsein einer großen, vom Glück begünstigten Herrscherpersönlichkeit wie Alexanders des Großen; die Diadochen haben sich passiv verhalten, das Gebotene entgegengenommen, aber nicht gefordert. Es ist die Periode der Anfänge, in welcher Göttlichkeit und göttliche Ehren die Bereitwilligkeit der Städte anzeigen, die tatsächliche Machtstellung der Herrscher anzuerkennen. Freilich brachte dies mit sich, daß, wie Tarn sagt, dem Herrscher eine legitime Stellung in einem demokratischen Staatswesen eingeräumt wurde, ohne daß jedoch dadurch ein Rechtsanspruch begründet worden wäre.

Die allgemeine Einräumung einer solchen Stellung war die notwendige Voraussetzung für die Systematisierung des Herrscherkultes zum Königskult, die von oben durch den Willen des Königs selbst erfolgen mußte, da kein anderer für ein großes Reich geltende, allgemeine Maßregeln treffen konnte. Der Kult und damit die Anerkennung der Göttlichkeit des Monarchen wird als Pflicht auferlegt und durch die überall gebrauchten offiziellen Datierungsformeln eingeschärft. Die Vergöttlichung betraf sowohl den regierenden Monarchen wie seine dahingeschiedenen Vorgänger und die Königinnen und ward auch auf andere Mitglieder des Königshauses ausgedehnt. Die Göttlichkeit wurde dadurch zu einer Institution und zum Charakteristikum der absoluten Monarchie, und erst jetzt, da sie dies war, konnte sie als Rechtsgrund für die absolute Macht des Königs erscheinen. Aber auch jetzt und mehr noch früher war die Göttlichkeit ein Symptom, nicht wirklicher Rechtsgrund der königlichen Macht. Was hier angedeutet worden ist, bestätigt den Unterschied, den Wilcken macht, wenn er von dem Herrscherkult der Diadochen und der Früheren spricht und den regelrechten Königskult erst bei den Epigonen anfangen läßt. Daß Ägypten vorangegangen ist, ist kein Zufall, sondern beruht auf zwei Umständen, der straffen Zentralisierung der Herrschaft über das Land und dem Vorbild des ägyptischen Pharaonenkultes. Denn vergeblich ist es zu leugnen, daß Philadelphos diesen gekannt hat und von seiner Kenntnis beeinflußt worden ist. Die Seleukiden sind gefolgt, aber ohne allzu großes Ergebnis, weil sie nur ihre unmittelbaren Untertanen, nicht die griechischen Städte, die selbst für den Königskult sorgten, damit treffen konnten.

Der Königskult wurde von den römischen Kaisern übernommen. Zu bemerken ist, daß in Griechenland, aber nicht in Ägypten, eine Zwischenzeit eintrat, in welcher der Kult teils dem personifizierten römischen Staat, teils den wechselnden hohen Beamten gewidmet wurde. Der Unterschied bestand darin, daß der Königskult ganz persönlich war, da der hellenistische Staat nur durch die Person des Königs, der römische Staat dagegen an sich und vor den Kaisern, welche die Spitze und das krönende Symbol darstellten, existierte;[37] der Kaiserkult erhielt so einen von den wechselnden Kaisern unabhängigen symbolischen Wert als Ausdruck des Glaubens an die Einheit und den Bestand des Staates und des Reiches, was dadurch noch unterstrichen wird, daß der Kaiserkult die Religion des römischen Heeres wurde, wozu es in den hellenistischen Staaten nichts Entsprechendes gab, denn deren Soldaten waren Söldner im Dienste des Königs, nicht ein Heer des Staates.

Was die religiöse Seite betrifft, so hat man den Herrscherkult als einen Glauben an das Göttliche im Menschen angesprochen. Dieses Göttliche war aber weder die Inspiration, die einen Menschen zur Behausung des Gottes machte, noch die innewohnende göttliche Kraft, aus der nach Frazer ein Gottkönig bei gewissen Völkern geschaffen wurde; wenn dieser Glaube jemals bei den Griechen existiert hat, war er jetzt längst geschwunden (Bd. I, S. 38, ²54) und ganz andere Anschauungen hatten das Feld behauptet. Was die Griechen verehrten, war die bloße Macht und Größe eines von ungewöhnlicher Kraft und außerordentlichem Glück getragenen Menschen, der Gegenpol gleichsam zur Vorstellung von Hybris und Nemesis, die von jener entgegengesetzten Vorstellung abgelöst wurde, seitdem man durch Kritik und Erfahrung an der Macht der

[37] „Die Verehrung des Kaisers hatte eine markante Unpersönlichkeit", Nock, Deification and Julian, JRS LVII, 1957, S. 121; schon dargelegt von Boissier, La religion romaine, etc., I, 1874, p. 173 f.

Götter irre geworden war. Um zu verstehen, wie dieser Umschlag möglich war, sind zwei parallele Erscheinungen derselben Zeit heranzuziehen, erstens der Glaube an die Tyche im eigentlichen Sinn, die unberechenbare, zwangsläufige, Bitten und Wünschen unzugängliche Macht, die das Menschenschicksal lenkt. Man wußte und erfuhr, daß der Gewalthaber, der Herrscher, das Schicksal eines Menschen und eines Gemeinwesens ebenso entschied wie die Tyche, doch war er Bitten und Wünschen nicht unzugänglich. Das haben die Athener in dem Ithyphallikos an Demetrios Poliorketes geradezu ausgesprochen. Die zweite Erscheinung ist der Euhemerismus, der älter war als der Mann, der ihm den Namen gegeben hat. Euhemerismus und Herrscherkult begegneten einander. Jener zog das Göttliche ins Menschliche hinab, dieser erhob die Menschen zu Göttern. Wenn die Götter in Wirklichkeit alte Herrscher gewesen waren, warum sollten die jetzigen Herrscher nicht wirklich Götter sein? Es ist aber wohl zu beachten, daß weder der Herrscherkult eine Folgeerscheinung des Euhemerismus noch dieser eine Folgeerscheinung jenes ist, sondern beide aus derselben Geistesrichtung hervorgegangene Parallelerscheinungen darstellen.

Wenn man dem religiösen Gehalt des Herrscherkultes nachgehen will, sollte man nicht sosehr von modernen religionswissenschaftlichen Fragestellungen ausgehen, sondern untersuchen, was die Menschen damals von ihm hielten. Abgesehen von der Opposition gegen den Kult des Demetrios Poliorketes in Athen, die sich teils aus Anhänglichkeit an den alten Glauben, teils aus politischen Motiven herleitete und von der Plutarch viel zu berichten weiß (unten S. 186 f.)*, ist deutlich genug, daß man des Unterschiedes zwischen den alten ewigen Göttern und den neuen zeitlich bedingten sich wohl bewußt war. Diese mußten meistens das Prädikat ϑεός erhalten,[38] damit man ihre Göttlichkeit wisse. Schubart hat bemerkt, daß man zu diesen Göttern nicht betete,[39] Nock, daß ihnen keine Weihge-

[38] Daß in dem Königskult von Ptolemais die divinisierten Ptolemäer nach der Neuordnung durch Philometor unter ihrem Namen ohne den Zusatz von ϑεός erscheinen, wird wohl dem Vorbild des Alexanderkultes verdankt. Otto, Priester I S. 195; Plaumann, Ptolemais in Oberägypten, Diss. Leipzig 1910, S. 53.

[39] W. Schubart, Die religiöse Haltung des frühen Hellenismus. Der

schenke gewidmet wurden, worin die Frömmigkeit der Alten sich besonders äußerte.[40] Dagegen finden sich Weihungen an die Götter für die Wohlfahrt des Königs häufig mit der Formel: ὑπὲρ τοῦ βασιλέως τοῦ δεῖνα τῷ Διί; man halte dagegen die Unmöglichkeit einer Weihung wie z. B.: ὑπὲρ τοῦ Ἀπόλλωνος τῷ Διί. Darin kommt der Unterschied zwischen den alten und den neugeschaffenen Göttern deutlich zum Ausdruck, und daß die Griechen ihn empfanden und sich seiner bewußt waren, zeigen die Worte, mit denen die Ephesier den Wunsch Alexanders ablehnten, den Tempel der Artemis weihen zu dürfen: ὡς οὐ πρέποι θεῷ θεοῖς ἀναθήματα κατασκευάζειν.[41] Es bleibt dabei, daß der Herrscherkult eine Verfallserscheinung der griechischen Religion ist, der es an wirklich religiösem Gehalt mangelt.

Alte Orient XXXV: 2, 1937, S. 18; O. Weinreich, Θεοὶ ἐπήκοοι, Athen. Mitt. XXXVII, 1912, S. 1 ff.

[40] Nock in Cambridge Ancient History X S. 481. Das ist buchstäblich genommen nicht ganz richtig; sie treten mit anderen Göttern vereint auf, z. B. OGI. 62; 63; 82 u. ö.; es gibt Weihungen Ἀρσινόῃ Φιλαδέλφῳ SBÄU. 3661, und Ἀφροδίτηι Ἀκραίαι Ἀρσινόηι Φιλοκράτης, ebd. 7786 = SEG. VIII 361, die nicht anders als solche aufgefaßt werden können. Zu bemerken ist dabei, daß Arsinoe den stärksten Eindruck gemacht hat und daß sie der Aphrodite gleichgestellt wurde, was die Sache erleichterte. Im großen und ganzen ist aber meines Wissens die Bemerkung richtig. Es ist bezeichnend, daß Rehm in betreff der Inschrift Milet. I: 7 S. 348 Nr. 7 βασιλεῖ ἐπηκόῳ εὐχήν, nicht daran denkt, daß ein König gemeint sein kann, sondern nur diskutiert, welcher Gott sich hinter βασιλεύς verbirgt; vgl. Inschr. von Priene, 186. Vgl. βασιλεὺς ὁ θεός in Kaunos, JHS, LXXIV, 1954, S. 95 f. Siehe jetzt den erschöpfenden Aufsatz Nocks, Deification and Julian, JRS LVII, 1957, S. 115 ff.

[41] Strab. XIV p. 641.

Aus: Christian Habicht, Gottmenschentum und griechische Städte = Zetemata Heft 14 (1956), S. 222—242. 2. Auflage 1970.

DIE BEDEUTUNG DES STÄDTISCHEN KULTES

Von Christian Habicht

a) Der Kult im Urteil der modernen Forschung

In ihrem Bemühen, den Kult des lebenden Menschen zu begreifen, geht die moderne wissenschaftliche Literatur durchweg von den im Kult verehrten Personen aus, von ihrer Stellung, ihrer Macht, ihrer Persönlichkeit. Das mag berechtigt sein für den offiziellen dynastischen Kult des Königs und seiner Familie, der eine Schöpfung der Könige ist und für das ganze Reichsgebiet obligatorisch war. Voraussetzung ist aber, daß vom dynastischen Kult des Staates die städtischen Kulte scharf getrennt werden, die mit ihm wenig gemein haben; daß die Forschung diese Scheidung nicht konsequent durchgeführt hat, hat zu weitreichenden Mißverständnissen und Unklarheiten geführt. Das Verständnis des städtischen Kultes kann jedenfalls nicht gewonnen werden, indem man von der Person der im Kult verehrten Menschen ausgeht, sie sind ja Gegenstand der Verehrung. Die Beurteilung muß vielmehr bei den Städten ansetzen, die die Kulte schaffen. Äußerungen der Städte über den Kult liegen vor allem in den Stiftungsurkunden der Kulte vor, die oben (S. 160 ff.)* untersucht worden sind. Die Zuverlässigkeit der modernen Beurteilungen des städtischen Kultes hängt in erster Linie davon ab, wie sie sich mit den eigenen Aussagen der Städte vertragen.

Allen Versuchen, den städtischen Kult von der Person der Kultempfänger aus zu begreifen, steht von vornherein der diesen Zeugnissen zu entnehmende Umstand entgegen, daß stets ein bestimmtes Geschehen den Anstoß zur Stiftung eines Kultes gibt und niemals

[Durch * gekennzeichnete Verweise beziehen sich auf hier nicht abgedruckte Partien.]

eine an der Person jenes Menschen haftende Gegebenheit; nirgends wird der Kult mit der Bedeutung seiner Persönlichkeit, mit ungewöhnlichem Format oder mit besonderen Eigenschaften wie ἀρετή, δικαιοσύνη, φιλανθρωπία, σοφία motiviert, sondern immer nur mit ganz bestimmten Leistungen zum Wohle einer Stadt.[1] Begebenheiten aus dem Leben des im Kult zu verehrenden Mannes, z. B. militärische Siege oder diplomatische Erfolge, werden nur dann zum Anlaß für die Stiftung eines Kultes genommen, wenn ihre Wirkungen die Stadt unmittelbar angehen, wie etwa der Sieg des Demetrios bei Salamis die Insel Samos (Nr. 22 b)* oder der 311 von Antigonos mit seinen Gegnern geschlossene Friede die Stadt Skepsis (Nr. 19)*. Der Kult gilt nicht seiner Person, sondern ruht auf seinem Verhalten gegenüber der Stadt. Daher kann die namentlich von Kaerst vertretene Auffassung, daß die Kulte unter dem gewaltigen Eindruck, der von den Persönlichkeiten Alexanders und der Diadochen ausging, entstanden seien,[2] nicht richtig sein und ebensowenig die besondere Ausprägung, die A. D. Nock (bei Nilsson, Gr. Rel. II 129) ihr gegeben hat, daß der Kult auf den Tugenden und Vorzügen der Person des Herrschers beruhe. Das wahre Verhältnis ist vielmehr umgekehrt: erst die konkreten Leistungen des Betreffenden gelten als Beweis schätzenswerter Eigenschaften, und als tugendhaft wird angesehen, wer der Stadt nützt.[3] Die von Kaerst verfochtene

[1] Man könnte daher mit M. P. Charlesworth (Harv. Theol. Rev. 28, 1935, 8) [in diesem Band S. 163] vom „Wohltäterkult" (Benefactor-cult) sprechen, doch kommt in dieser Bezeichnung nicht zum Ausdruck, daß es sich in jedem Falle um eine Wohltat ganz spezieller Art handelt, nämlich um eine Tat, die der Sicherung der städtischen Existenz unmittelbar dient (S. 170 f.)*. Andererseits ist die von G. Dimitrakos (Demetrios Poliorketes und Athen, Diss. Hamburg 1937, 48 f.) vorgeschlagene Bezeichnung „Soterkult" zu eng.

[2] Vgl. z. B. Kaerst II 1926, 174: „Die Apotheose des königlichen, durch seine Tugend und Kraft inkommensurablen Individuums ist die Folge der veränderten Lebensrichtungen." Ähnlich I² 1917, 482, Anm. 1; vgl. 476 ff. Nilsson, Gr. Rel. II 128. 142. Vgl. auch Wilamowitz, Der Glaube der Hellenen II 1932, 267.

[3] Vgl. die beiden oben S. 208, Anm. 56* zitierten Zeugnisse, die das unverhüllt aussprechen. Daß Lysimachos Kolophon und Lebedos ver-

Ansicht gründet sich auf die Tatsache, daß die Empfänger von Kultehren zumeist Persönlichkeiten außergewöhnlichen Formats waren, doch findet die Art, wie diese Tatsache ausgelegt wird, keinen Anhalt in den Quellen. Für die Auffassung, daß der Kult der Stadt dem Orenda oder Daimon des über andere hervorragenden Individuums gegolten habe,[4] gibt es vollends keinen Anhaltspunkt. Es ist auch nicht, wie in der modernen Literatur gelegentlich gesagt wird,[5] die übergroße persönliche Macht des Einzelnen, die einen Kult hervorruft — sie ist nur die Voraussetzung für die Ausführung der erforderlichen Leistung —, sondern der Gebrauch, den er davon zum Nutzen einer einzelnen Stadt macht. Man hat oft behauptet, daß die Epiphanievorstellung von bestimmendem Einfluß auf die

nichtet hatte (Nr. 32)*, hielt die Schwesterstadt Priene, die wie diese beiden Gemeinden dem Ionischen Bund angehörte, nicht ab, dem König göttliche Ehren zu erweisen, als seine Hilfe sie gerettet hatte (Nr. 15)*. Aber die Sympathien für den König verflogen, als er in einem Streit zugunsten von Samos und gegen Priene entschied; Priene begrüßte daraufhin ein Jahr später Seleukos I., den Überwinder des Lysimachos, mit göttlichen Ehren (S. 187 f.)*.

[4] So F. Pfister, RE Kultus (1921) 2126; ders. Bursian 229, 1930, 245: „So ist also der antike Herrscherkult der Kult, den man dem Orenda (δαίμων) der bedeutenden Person bereits zu Lebzeiten darbringt.“ Diese Auffassung steht der von P. Schnabel und Lily Roß Taylor auf Grund der antiken Berichte über die Proskynese vor Alexander entwickelten Theorien nahe, die mit Recht wenig Anhänger gefunden hat; vgl. die Literatur bei Bengtson, Gr. Gesch. 332, Anm. 4 und Nilsson, Gr. Rel. II 171.

[5] Vgl. A. D. Nock, JHS 48, 1928, 37 über den göttlichen König: “Powerful as the gods, sprung from them, he is the effective present power ... This aspect of the ruler is central in homage paid to him in his life.” Nilsson (Gr. Rel. II 170) meint, daß Lysander, Alexander und die Diadochen die göttlichen Ehren auf Grund der Machtstellung, die sie einnahmen, erhalten hätten. „Es ist die Periode der Anfänge, in welcher Göttlichkeit und göttliche Ehren die Bereitwilligkeit der Städte anzeigen, die tatsächliche Machtstellung der Herrscher anzuerkennen.“ Ebenda 172: „Was die Griechen verehrten, war die bloße Macht und Größe eines von ungewöhnlicher Kraft und außergewöhnlichem Glück getragenen Menschen.“ Ähnlich A. Alföldi, Röm. Mitt. 49, 1934, 30, wo weitere Literatur genannt ist.

Entstehung städtischer Kulte gewesen sei, d. h. der Glaube, daß sich das Göttliche zuweilen in irdischen Menschen offenbare.[6] Daran ist soviel richtig, daß die Stadt die den Kult begründende Leistung als Manifestation einer menschliches Vermögen überragenden göttlichen Kraft ansah (S. 171 f.)*. Von entscheidender Bedeutung ist aber, daß es zu einer derartigen Erkenntnis nur kommen kann, wenn eine entsprechende Leistung vorausgeht.

Nach einer anderen Auffassung ist der Kult des lebenden Menschen nur eine Erscheinung des sittlichen Verfalls und nichts anderes als ein Ausdruck unwürdiger Schmeichelei und Servilität.[7] Diese Ansicht stützt sich auf mehrere, meist späte Zeugnisse, die den Kult als Äußerung der κολακεία bezeichnen. Die Wertlosigkeit dieser Tradition ist aber bereits in mehreren Fällen dargetan worden (S. 213 ff., S. 57, Anm. 8)*. Wo sich die einer Kultstiftung zugrundeliegenden Vorgänge ermitteln lassen, widerlegen sie diesen Vorwurf ohne weiteres. Wenn der Scholiast zu Thukydides (5, 11) die Amphipoliten als κόλακες der Spartaner bezeichnet, weil sie Brasidas als Heros verehrten, so vergißt er, daß sie allen Grund zu echter Dankbarkeit hatten, da Brasidas ihre Stadt vor der völligen Vernichtung durch Kleon gerettet hatte (S. 169 f.)*. Athenaios nennt die Lemnier κόλακες, weil sie Seleukos I. im Kult verehrten, und widerspricht damit der ausdrücklichen Angabe seiner Quelle Phylarchos, daß dieser Kult den Dank der Insel für die Befreiung von der Herrschaft des Lysimachos darstellte, unter der die Lemnier sehr hatten leiden müssen (S. 135 f.)*. Grundsätzlich ist zu sagen, daß die Feststellung einer besonderen Voraussetzung für den Empfang göttlicher Ehren (S. 173)* die antike wie die moderne Auffassung vom Kult als einem Ausdruck devoter Schmeichelei zwingend widerlegt, denn aus ihr ergibt sich, daß ein Kult nicht willkürlich geschaffen werden konnte. Für übelwollende Gegner und

[6] So z. B. P. Wendland, Die hellenist.-röm. Kultur² 1912, 126. F. Pfister, „Epiphanie", RE-Suppl. 4, 1924, 308 ff. V. Ehrenberg, Antike 7, 1931, 292. W. Schubart, Antike, 13, 1937, 285. M. P. Nilsson, Gr. Rel. II 174. Dagegen Kaerst I² 482, Anm. 1.

[7] Vgl. z. B. K. Scott, AJPh 49, 1928, 147. Ferguson, Hesp. 17, 1948, 113 (anders aber CAH 7, 1928, 15). Diese Auffassung durchzieht auch Nilssons Darstellung (Gr. Rel. II 125 ff.).

moralisierende Pharisäer war es ein leichtes, die wirklichen Motive zu verzerren.[8] Aber verbindlich sind ihre Aussagen nicht. Jene Auffassung wird schließlich durch eine Reihe positiver Indizien widerlegt, die unverkennbar zeigen, daß der Stiftung des Kultes in den meisten Fällen ein echtes Erlebnis und echte Dankbarkeit zugrunde lag (unten S. 231 f.)*.

Eine eingehendere Behandlung erfordert die These von der staatsrechtlichen Bedeutung des Kultes. Zunächst war es die bloße Tatsache, daß die Empfänger kultischer Ehren meist, wenn auch nicht immer, Herrscher gewesen sind, die die Ansicht entstehen ließ, daß der Kult ein Ausdruck der zwischen dem Einzelnen und der Stadt bestehenden Herrschaftsbeziehung sei; sie hat den Begriff des „Herrscherkultes" (ruler-cult) geprägt. Erst sekundär hat Eduard Meyer dieser Auffassung das wissenschaftliche Fundament gegeben,[9] indem er ausführte, daß die göttliche Verehrung des lebenden Herrschers eine bewußte Schöpfung Alexanders des Großen sei. Dieser habe in der Göttlichkeit des Königs das einzige Mittel gesehen, die Selbständigkeit der griechischen Stadtgemeinde mit der absoluten monarchischen Gewalt auszusöhnen. Aus diesem Grunde habe er 324 an die Griechen die Forderung gerichtet, ihn als Gott zu verehren. Ihre Erfüllung habe bedeutet, daß Alexander auf einmal die Fesseln abstreifte, die ihm das makedonische Stammeskönigtum, die griechischen Stadtverfassungen und die von ihm beschworenen Satzungen des Hellenenbundes auferlegten. Seine Befehle hätten für die griechischen Republiken dadurch Gesetzeskraft erhalten, daß er selbst zum Gott wurde. Die neugewonnene Position habe Alexander sofort mit der Verkündung des Verbanntendekrets genutzt, die unter anderen Umständen ein Bruch der Bundessatzung gewesen wäre. Als Schöpfer der absoluten Monarchie im Abendland habe der König ihr auch die rechtliche Basis gegeben, indem er für die Apotheose des Königs sorgte. Diese finde sich daher überall, wo eine absolute Monarchie sich erhebt, im Rom

[8] Vgl. Wendland, Die hellenist.-röm. Kultur[2] 1912, 126. Wilamowitz, Aristoteles und Athen I 1893, 337, Anm. 38. Ad. Bauer, Vom Griechentum zum Christentum[2] 1923, 56.

[9] Alexander der Große und die Begründung der absoluten Monarchie, Kl. Schr. I 1910, 283 ff. (= [2]1924, 265 ff.). [In diesem Band S. 203 ff.]

Caesars und im napoleonischen Frankreich. „In der Tat ist die Erhebung des absoluten Monarchen zum Gott nichts anderes als die Verleihung der gesetzgebenden Gewalt in einer Form, die sich mit den bestehenden rechtlichen Anschauungen verträgt“ (a. a. O. 312).

Diese Theorie hat sich in der modernen Wissenschaft lange Zeit einer kanonischen Geltung erfreut.[10] Erst in neuerer Zeit ist von verschiedenen Seiten Widerspruch erhoben worden.[11] Soweit die an der Person Alexanders entwickelte These für die Diadochen und die späteren Machthaber Gültigkeit beansprucht, scheint sie mir durch die Ausführungen von Wilcken, Heuß und Bikerman widerlegt zu sein. Zu den von diesen Gelehrten vorgebrachten Argumenten sollen daher nur einige Ergänzungen gegeben werden. Eingehender wird dagegen über Alexander selbst zu sprechen sein, da W. W. Tarn kürzlich wieder für die Richtigkeit der Auffassung von Ed. Meyer eingetreten ist, soweit sie Alexander betrifft.[12]

Daß die Stiftungsurkunden den Kult nicht mit der Tatsache der Herrschaft motivieren und in ihnen jegliche Andeutung eines Herrschaftsverhältnisses fehlt, besagt vielleicht nicht allzuviel. Von ent-

[10] Vgl. z. B. Kaerst I² 1917, 476 ff. 479, Anm. 4, der unabhängig von Ed. Meyer zu ähnlichen Resultaten gelangt ist. W. S. Ferguson, Hell. Athens 1911, 11. 109 und Greek Imperialism 1913, 36. 146 f. Ad. Bauer, Vom Griechentum zum Christentum² 1923, 54. W. W. Tarn, CAH 7, 1928, 418 f. und Hellenistic civilisation 1927, 45 ff. Wilamowitz, Der Glaube der Hellenen II 1932, 264. U. Kahrstedt, DLZ 47, 1926, 22 f. und GGA 195, 1933, 201 ff. H. E. Stier, Die Welt als Geschichte 5, 1939, 391 ff. G. de Sanctis, Riv. fil. 68, 1940, 1 ff.

[11] Zuerst wohl von U. Wilcken, Alexander der Große, 1931, 198 ff. Ferner V. Ehrenberg, Der griechische und der hellenistische Staat 1932, 76 (Einleitung in die Altertumswissenschaft III 3; vgl. C. B. Welles, RC p. 108, Anm. 8). A. Heuß, Stadt und Herrscher 1937, 188 ff. (zustimmend H. Volkmann, Würzb. Jb. 3, 1948, 59). J. Balsdon, Historia 1, 1950, 383 ff. [in diesem Band S. 254 ff.], und für die Seleukiden E. Bikerman, Institutions des Séleucides, 1938, 256 f. Vermittelnd M. P. Nilsson, Gr. Rel. II 141 f. und Bengtson, Gr. Gesch. 332. 333, Anm. 1.

[12] Alexander the Great I 1948, 111 ff. II 1950, 370 ff. Tarn hatte seinerzeit den Ausführungen von Heuß für die Diadochen und die späteren Machthaber zugestimmt, Alexander jedoch ausnehmen wollen (Cl. Rev. 52, 1938, 82), ähnlich de Sanctis a. a. O. 17.

scheidender Bedeutung ist aber, daß selbst die politischen Gegner des Herrschers die Verantwortlichkeit für seinen Kult allein der Stadt zuschreiben, die ihn geschaffen hat, niemals ihm selbst (S. 214)*; von einer eigenen Initiative der Machthaber bei der Entstehung der Kulte kann danach keine Rede sein, die Stadt handelt darin völlig frei. Das allein genügt, um die Auffassung zu widerlegen, daß die Einsetzung eines Kultes rechtliche Folgen für das Verhältnis der Stadt zu dem im Kult verehrten Machthaber gehabt habe. Daß dem Kultbeschluß jedes konstitutive Element fehlt, ist oben auseinandergesetzt worden (S. 171 ff.)*, er ist die Folge einer Leistung, nicht die Ursache eines Wandels in den juristischen Beziehungen. Der Zweck, den die Kultstiftung verfolgt, ist der einer Danksagung (S. 163 ff.)*: damit steht die kultische Verehrung des Machthabers von Staats wegen auf der gleichen Ebene wie die für ihn von Privaten,[13] Phylen,[14] Truppenkörpern[15] usw. geschaffenen Kulte, von denen keiner jene Wirkung hat. Sie steht aber auch den städtischen Kulten für Angehörige[16] und Untergebene[17] des Machthabers nahe, sowie denen für Private.[18] Niemand

[13] Vgl. z. B. APF 5, 1913, 156 Nr. 1: Βασιλέα Πτολεμαῖον καὶ βασίλισσαν Βερενίκην θεοὺς Σωτῆρας Ἡλιόδωρος, Θυμώιδης, Ἑρμογένης σωθέντες εὐχήν und Wilcken ebda. 202. Anm. 1. OGI 239 (dazu M. Holleaux, Et. épigr. III 159 ff.). Über den Kult der sikyonischen Verbannten für Arat s. S. 4, Anm. 3*.

[14] Kult der Phyle Akamantis für Demetrios: Hesp. 17, 1948, 112 ff. Nr. 68; vgl. J. und L. Robert, Bull. épigr. 1949, 51. E. Cavaignac, REG 1949, 233. G. Daux, REG 1950, 253 f.

[15] Vgl. den Kult der athenischen Freiwilligen für Demetrios Poliorketes: Ad. Wilhelm, Wien. Jahresh. 35, 1943, 157 ff., dazu Ferguson, Hesp. 17, 1948, 116 Anm. 7. J. und L. Robert, Bull. épigr. 1948, 47. Ferner JHS 65, 1945, 109 (vgl. Bull. épigr. 1948, 260): für die Theoi Adelphoi und die Theoi Euergetai τὰ ἀγάλματα καὶ τὸν ναὸν καὶ τὰ ἄλλα ἐντὸς τοῦ τεμένους καὶ τὴν στοὰν οἱ τασσόμενοι ἐν τῶι Ἑρμοπολίτηι νόμωι κάτοικοι ἱππεῖς εὐεργεσίας ἕνεκεν τῆς εἰς αὐτούς.

[16] Kult der Phila in Samos (Nr. 22 b)*.

[17] Kulte für Adeimantos, Oxythemis und Burichos in Athen (Nr. 21)*.

[18] Kult des Diodoros Pasparos in Pergamon (um 125 v. Chr.): IGR IV 292—294. L. Robert, Et. anat. 1937, 45 ff. und sonst. Kult eines pergamenischen Priesters: Inschr. Pergam. 256.

wird diesen Kulten die staatsrechtliche Bedeutung zusprechen, die der Kult des Herrschers haben soll.

Wenn sich die These Eduard Meyers auf die Nachfolger Alexanders nicht anwenden läßt und wenn sie natürlich für die früheren Fälle göttlicher Verehrung, z. B. für Lysander (Nr. 1)* und Dion (Nr. 4)* nicht gültig sein kann, so ist zu fragen, ob sie für Alexander selbst zutrifft. Sie ruht auf der Voraussetzung, daß Alexander die göttliche Verehrung seiner Person von den Griechen gefordert habe. Diese Voraussetzung ist oben (Nr. 12)* aus den Quellen als irrig erwiesen worden. Es handelte sich nicht um eine Forderung Alexanders, sondern der König gab den griechischen Staaten nur seinen eigenen Wunsch nach göttlichen Ehren zu verstehen, indem er ihnen die kultische Verehrung des Hephaistion empfahl. Er erkannte damit an, daß er die Göttlichkeit nur mit Hilfe der griechischen Staaten erreichen konnte und auf entsprechende Beschlüsse der einzelnen Gemeinden angewiesen war, wenn er Gott werden wollte. Der König war sich dessen bewußt, sich nicht selbst für göttlich erklären zu können; alle Kulte seiner Person, die damals entstanden sind, ruhen auf formal freien Beschlüssen der einzelnen Gemeinden. Das beweist namentlich der Umstand, daß Demades später durch eine Asebieklage wegen „Einführung neuer Götter" zur Rechenschaft gezogen werden konnte (S. 219 ff.)*. Mit der Auffassung einer von Alexander ergangenen Forderung verträgt es sich ebensowenig, daß man in den Städten auch über die Formen des Kultes diskutiert hat (Hypereid. 1, col. 31. Aelian, var. hist. 2, 19). Schließlich hat sich ergeben, daß Alexander die göttlichen Ehren wünschte, um eine angemessene Anerkennung seiner Taten zu finden (S. 35 f.)*. Dieses Motiv läßt sich mit einem materiellen juristischen Zweck nicht vereinbaren.

Im besonderen ist noch die Ansicht zu erörtern, daß die Anerkennung Alexanders als Gott den Erlaß des Verbanntendekrets habe ermöglichen und aus einer Maßnahme despotischer Willkür zu einem rechtlichen Akt habe machen sollen.[19] Sie scheitert jedoch an der Chronologie, denn die Verlesung der Verbanntenorder durch

[19] Ed. Meyer, a. a. O. 331. Tarn, CAH 7, 1928, 418 f. und Alexander the Great II 1950, 370. H. E. Stier, Die Welt als Geschichte 5, 1939, 391 ff.

Nikanor an den Olympien erfolgte wahrscheinlich noch bevor Alexander den Wunsch nach göttlichen Ehren äußerte,[20] jedenfalls aber, bevor die griechischen Staaten Beschlüsse über die Göttlichkeit Alexanders gefaßt hatten.[21] Ferner handelte es sich nicht um eine eigentliche Order, sondern um eine königliche Proklamation (Diagramma), die Gesetzeskraft erst durch entsprechende Beschlüsse der einzelnen Städte erhielt.[22] Athen hat sich bis zum Tode Alexanders so hartnäckig geweigert, einen solchen Beschluß zu fassen, daß man sowohl in der Stadt wie am Hofe Alexanders mit der Möglichkeit eines Krieges rechnete.[23] Man sieht in dem Entgegenkommen der Athener in der Frage der Göttlichkeit Alexanders wohl mit Recht den Versuch, den König dadurch zum Einlenken in der Verbanntenfrage zu bewegen:[24] dann kann aber die Göttlichkeit nimmermehr die juristische Grundlage des Erlasses über die Verbannten gebildet und die Anerkennung der Göttlichkeit nicht dessen Legalisierung bedeutet haben. Alle diese Momente zeigen, daß zwischen Alexan-

(s. Anm. 25) und ders. „Alexander“ im Reallexikon für Antike und Christentum 1942, 268.

[20] So C. A. Robinson jr., AJPh 70, 1949, 200. Die Olympien fanden wohl noch im September statt (Berve, Alexanderreich II, p. 78 Anm. 2; vgl. G. Thomson, JHS 63, 1943, 59 ff.), den Wunsch nach göttlichen Ehren aber hat Alexander erst nach dem im Oktober erfolgten Tod des Hephaistion geäußert (S. 33 f.)*. Erst damals und nicht schon während des Aufenthaltes in Susa im Frühjahr 324 wurde das Verbanntendekret auch im Heerlager verlesen (Syll. 312. A. Körte, NJb 53, 1924, 220, Anm. 2. F. Jacoby zu Ephippos, FGrHist 126, F 5).

[21] So J. Balsdon, Historia 1, 1950, 387 [oben S. 289]. In Athen kam es zur Einrichtung des Alexanderkultes nicht vor dem Beginn des Jahres 323 (S. 33 f.)*.

[22] E. Bikerman, REA 42, 1940 (Mélanges Radet) 31 ff. Derartige Beschlüsse liegen vor aus Mytilene (Tod II 201) und aus Tegea (Tod II 202); sie berufen sich nicht auf den Gott Alexander, sondern sprechen vom „König“ (Balsdon a. a. O. 386).

[23] Hypereides 1, col. 35. Ephippos 126, F 5 mit Jacobys Kommentar. A. Körte, NJb 53, 1924, 220.

[24] So z. B. Berve, Alexanderreich II p. 138. H. E. Stier, Die Welt als Geschichte 5, 1939, 393. Tarn, Alexander the Great II 371. I 113.

ders Wunsch nach göttlichen Ehren und der Proklamation über die Verbannten kein unmittelbarer Kausalzusammenhang besteht.[25]

Die im Jahr 324/23 in Griechenland entstandenen Alexanderkulte unterscheiden sich von den übrigen Kulten insofern, als sie nicht einem spontanen Entschluß der Gemeinden entsprungen sind, sondern Alexander selbst den Anstoß zu ihrer Entstehung gegeben hat. Eine derartige Initiative fehlt sonst durchaus, aber auch Alexander mußte es den Städten überlassen, ob und in welcher Form sie seinen Wunsch realisierten. Daß damals Kulte Alexanders geschaffen worden sind, steht fest, aber mit der Tatsache oder mit der rechtlichen Form seiner „Herrschaft" über die griechischen Staaten hat die Göttlichkeit seiner Person nichts zu tun, sowenig wie einer der späteren Kulte durch ein Herrschaftsverhältnis bedingt ist. Soweit es sich um die göttliche Verehrung eines Menschen seitens der griechischen Städte handelt, hat es den „Herrscherkult" nicht gegeben.

b) Die spezifische Bedeutung des Kultes

Es ist oben (S. 165 ff.)* ausgeführt worden, daß der städtische Kult des lebenden Menschen immer einer einmaligen Leistung entspringt, die von unmittelbarer Bedeutung für die Existenz oder für die Freiheit der Stadt ist. Weil ein Einzelner seine persönliche

[25] So neuerdings auch C. A. Robinson jr., AJPh 64, 1943, 287. 300, der im übrigen der Ansicht Ed. Meyers nahesteht, und Nilsson, Gr. Rel. II 142. H. E. Stier (Die Welt als Geschichte 5, 1939, 391 ff.) hat einen sehr künstlichen Versuch unternommen, einen Zusammenhang beider Ereignisse aus einer Notiz des Pausanias (5, 25, 1) zu erweisen. Die Grundlage seiner Ausführungen bricht aber damit zusammen, daß Pausanias dort, wie immer angenommen worden war und aus einer anderen Stelle (2, 2, 1) unzweideutig hervorgeht, unter dem „König" nicht Alexander, sondern Caesar versteht. Das hat Stier selbst inzwischen aus Paus. 5, 1, 1 erkannt (Grundlagen und Sinn der griechischen Geschichte, 1945, 481, Anm. 304; dort ist auf Paus. 2, 2, 1 nicht verwiesen), glaubt aber, seine Folgerungen mit Hilfe der Annahme aufrechterhalten zu können, daß die Weihinschrift, von der Pausanias seine Kenntnis habe, zwar Alexander bezeichnet habe, von Pausanias jedoch irrig auf Caesar gedeutet worden sei. Stier hat aber

Macht zugunsten der Stadt in einer für sie kritischen Situation einsetzt, erhält er von ihr göttliche Ehren zuerkannt. Er ist damit zu ihrem Anwalt geworden, der über ihre Sicherheit und ihre Freiheit wacht. In den Stiftungsurkunden der Kulte wird dieser Rolle immer wieder gedacht, und mit der oft erwähnten „Fürsorge" (ἐπιμέλεια) des Machthabers ist in erster Linie die Gewährung von Schutz und Hilfe gemeint. Die Anwesenheit einer Besatzung, unter anderen Umständen das verhaßte Symptom der Unfreiheit, wird von der Stadt im Interesse ihrer Sicherheit vom König bisweilen geradezu erbeten.[26] Die Könige selbst sind sich ihrer Aufgabe als Schützer der Städte bewußt und sprechen in ihren Briefen an die Gemeinden[27] und an Untergebene[28] immer wieder davon. Sie sind die Hüter des Staates und seiner Ordnung,[29] und die Städte datieren

nichts vorbringen können, was diese Annahme wahrscheinlich machen könnte, und ein derartiges Mißverständnis erscheint gerade dann als ausgeschlossen, wenn der Autor tatsächlich noch die Weihinschrift vor Augen gehabt hat. Es ist vielmehr kein Zweifel, daß die Statue nicht vor dem Jahr 44 v. Chr. aufgestellt worden ist; vgl. Lenschau, Korinthos, RE Suppl. 4, 1924, 1033.

[26] So legte Demetrios im Jahre 303 auf Bitten der Korinther eine Garnison zum Schutz der Stadt vor Kassander auf die Burg (Diod. 20, 103, 3: βουλομένων τῶν πολιτῶν διὰ τοῦ βασιλέως τηρεῖσθαι τὴν πόλιν, μέχρι ἂν ὁ πρὸς Κάσσανδρον καταλυθῇ πόλεμος). Athen erbat im Jahre 294 von Demetrios, Kyzikos im Jahre 278/77 von Philetairos eine Besatzung (Plut. Demetr. 34. OGI 748, 13 f., dazu oben S. 124)*. Die Bevölkerung von Priene scheint unter Antiochos I. den Kommandanten der seleukidischen Garnison gewählt zu haben (Inschr. Priene 22. Niese II 135, Anm. 10). Im ganzen vgl. A. Heuß, Stadt und Herrscher 1937, 230.

[27] So Ptolemaios II. an Milet (Welles, RC 14 = Inschr. Milet 139, 13 f.): ἵνα καὶ ἡμεῖς τοιούτων ὑμῶν ὄντων ἐπὶ πλέον τὴν ἐπιμέλειαν τῆς πόλεως ποιώμεθα, was die Stadt in ihrem Beschluß wiederholt (Inschr. Milet 139, 37 f.), Antiochos I. an Erythrai (Welles, RC 15, 26. Nr. 38), Antigonos I. an Skepsis (Welles, RC 1, 1 f. 66 ff. Nr. 19), Seleukos I. an Milet (Welles, RC 5, 10 f.), Lysimachos an Priene (Welles, RC 6, 16 f. Nr. 15).

[28] Welles, RC 9, 5 f. in der gemeinsamen Herstellung von Ad. Wilhelm und C. B. Welles.

[29] Wenn die Athener im Jahre 307 die Bilder des Antigonos und des

eine neue Epoche von dem Augenblick, in dem sie diese Funktion übernommen hatten. Vom Erscheinen Alexanders rechneten die kleinasiatischen Griechenstädte eine neue Zeit (Belege für Milet, Priene und Kolophon s. S. 23 f.)*; als Milet im Jahr 313 durch Antigonos von der Herrschaft des Asandros frei wurde, begann die Stadt nicht nur eine neue Stephanephorenliste, sondern sie fügte dem Namen des Jahresbeamten die Bemerkung hinzu ἐπὶ τούτου ἡ πόλις ἐλευθέρα καὶ αὐτόνομος ἐγένετο ὑπὸ Ἀντιγόνου καὶ ἡ δημοκρατία ἀπεδόθη s. S. 115, Anm. 5)*, während sonst jeder Zusatz zur Liste fehlt. Wieder eine neue Liste begann sie im Jahr 259, als Antiochos II. den Tyrannen Timarchos beseitigt und dafür von den Milesiern göttliche Ehren erhalten hatte, vielleicht mit einem ähnlichen Zusatz.[30]

Indem er eine fremde Herrschaft beseitigt oder eine akute Gefahr

Demetrios neben denen der Tyrannenmörder aufstellten, so hat das seinen besonderen Sinn (oben S. 46 f.)*. Die athenischen Soldaten des Demetrios placierten eine Reiterstatue des Königs auf dem Markt neben dem Standbild der Demokratie (Wien. Jahresh. 35, 1943, 160, Z. 13 f.). Deren Bild stand nicht weit von den Statuen des Harmodios und des Aristogeiton in der Stoa des Zeus Eleutherios (Judeich, Topogr. von Athen² 1931, 339 f.), zusammen mit Statuen des Demos und des Theseus (Paus. 1, 3, 3, vgl. IG II² 1011, 62. Ein Altar der Demokratie IG II² 4992, Opfer für sie Syll. 1029, 67. Vgl. Nilsson, Gr. Rel. I 694, Anm. 4). Theseus war dorthin geweiht worden, weil er nach Aussage der von Pausanias kopierten Weihinschrift die Volksherrschaft in Athen begründet hatte. Als Begründer der Demokratie ist Theseus schon dem 5. Jh. bekannt (Eurip. Hik. 399 ff.; ferner Isokr. 10, 35. 12, 139. Ps.-Demosth. 59, 75. 60, 28. Plut. Thes. 25. Diese Vorstellung liegt vielleicht der 475 von Kimon vollzogenen Überführung seiner Gebeine von Skyros nach Athen bereits zugrunde, an die sich die Einrichtung des Theseuskultes und der Bau des Theseions schloß, vgl. Ed. Meyer, G. d. A. III 493 f. 503.) In dieser Rolle ist er sinnfällig von den Bildern des Demos und der Demokratie flankiert. Wenn Demetrios ihnen zugesellt wurde, so soll er als Erneuerer der Demokratie neben ihrem Urheber Theseus stehen.

[30] Rehm, Inschr. Milet p. 264. Eine vollständig erhaltene Liste endet mit dem Jahre 260/59. Die folgende ist oben gebrochen, der erhaltene Text beginnt erst mit dem Jahre 232/31. Zum Kult des Antiochos II. s. S. 103 ff.*

abwehrt, bekundet der Machthaber, daß der Schutz der Stadt und ihrer Freiheit hinfort sein persönliches Anliegen sein werde. Die Stadt empfindet dieses Ereignis als Beginn eines neuen Abschnitts ihrer Geschichte und dankt ihm dafür mit der Stiftung eines Kultes. Es ist überaus lehrreich zu sehen, daß in den Fällen, wo derartiges sich ohne Mitwirkung eines Machthabers zutrug, die Gemeinden in ähnlicher Weise ihren Dank den Göttern abstatteten, vor allem durch Stiftung neuer Feste. Nach dem Abzug der Gallier sind in Delphi die Soterien zu Ehren des Zeus Soter und des pythischen Apollon geschaffen worden als ein ὑπόμνημα des Sieges über die Barbaren.[31] Eretria stiftete 308 beim Abzug der Besatzung des Ptolemaios allen Bürgern Kränze für eine Pompe zu Ehren des Dionysos aus Anlaß der Wiedergewinnung von Freiheit und Demokratie als ὑπόμνημα dieses Freudentages.[32] Argos beschloß 303 anläßlich der Vertreibung des Pleistarchos ein Fest und monatliche Opfer für Leto.[33] Priene stiftete um 298 ein Fest der Soteria zu Ehren der „rettenden Götter" Zeus und Athena Nike, die die Stadt vom Tyrannen Hieron befreit und ihr die ererbte Verfassung zurückgegeben hatten, als ὑπόμνημα der Befreiung.[34] Athen endlich beschloß einen zusätzlichen Agon für Demeter und Kore, als sich die Stadt im Jahr 289/88 aus eigener Kraft des Demetrios entledigt hatte, als ὑπόμνημα τῆς [ἐλευθερίας].[35] Der Hilfe des Herakles, des Apollon und des Hermes schrieb die Stadt Themisonion ihre Rettung vor den Galatern zu; zum Dank stiftete sie neue Kultbilder

[31] Syll. 408, 8 f. Vgl. 402, 5 f.: ὑπόμνημα . . . τῆς νίκης τῆς γενομένης πρὸς τοὺς βαρβάρους. Zur religiösen Wirkung des Galliereinfalles und ihres Abzuges s. K. Latte, Antike 1, 1925, 148.

[32] Syll. 323 mit dem Kommentar von M. Holleaux, Et. épigr. I 41 ff. (= REG 1897, 157 ff.). Vgl. Syll. 328 und Beloch IV 2, 428.

[33] Hiller von Gaertringen, Hist. griech. Epigr. 85. Die Weihung geschieht auf göttliches Geheiß, d. h. auf Grund eines Orakels des Apollon (R. Herzog, Philol. 71, 1912, 11).

[34] Inschr. Priene 11, 16 ff.: ὅπως ἂν το[ῦ] τε γενομέν[ου ἡμῖν ὑπὲρ τῆς αὐτονομίας καὶ] ἐλευθερίας ἀγῶνος . . . ὑπάρχηι κατ' ἐνιαυτὸν . . . ὑπόμνημα. Vgl. den Kommentar und die zahlreichen Verbesserungen zum Text der Inschrift von L. Robert, Rev. phil. 70, 1944, 5 ff.

[35] Syll. 374, 43 ff. (oben S. 188) *.

dieser Götter.[36] Die karischen Städte Bargylia und Stratonikeia schrieben ihre Rettung aus den Gefahren des Aristonikoskrieges Epiphanien der Göttinnen Artemis und Hekate zu, denen sie infolgedessen mit neuen Ehren dankten (L. Robert, Et. anat. 459 ff. nr. 3. 462 ff.).

In allen diesen Fällen werden die Götter als die berufenen Hüter des Staates geehrt; das ist das natürliche und ursprüngliche Verfahren. Wenn aber in anderen Fällen ein Mensch in ähnlicher Weise zum Segen der Stadt wirkt und von ihr daraufhin mit den Ehren der Götter bedacht wird, so offenbart sich darin die Vorstellung, daß die Fürsorge der Götter mangelhaft sei, daß aber ein Mensch ihren Platz eingenommen habe. Indem dieser die von den Göttern vernachlässigten Funktionen übernimmt, verdient er sich die entsprechenden Ehren und den ursprünglich den Göttern vorbehaltenen Namen des „Retters" (Σωτήϱ, S. 156 f.)*. Die Zeitgenossen haben es gelegentlich offen ausgesprochen, daß ein Machthaber deshalb göttliche Ehren erhielt, weil er der Stadt wirksamere Hilfe gewährte als die Götter. Ein fundamentales Zeugnis ist der im Jahr 291 oder 290 in Athen auf Demetrios gesungene Ithyphallikos.[37] Aus ihm spricht tiefe Resignation, unverhüllt sagt der Autor, daß das Vertrauen zu den Göttern geschwunden ist und man von ihnen nichts mehr erwartet: wenn sie überhaupt existieren, so sind sie doch weit entfernt, sie haben kein Ohr für menschliche Klagen und kümmern sich um die Menschen nicht.[38] Der Herrscher aber ist leib-

[36] Paus. 10, 32, 4 f.; vgl. Magie 731, Anm. 11.

[37] Athen. 6, 253 B ff. gibt ihn im Wortlaut nach Duris (FGrHist 76, F 13) und in der damit übereinstimmenden Paraphrase des Demochares (75, F 2). Vgl. K. Latte, Antike 1, 1925, 150. V. Ehrenberg, Antike 7, 1931, 279 ff. (in etwas erweiterter Form abgedruckt in Ehrenberg, Aspects of the ancient world 1946, 179 ff.). O. Weinreich, NJb 1926, 647 ff. [in diesem Band S. 73 ff.]. K. Scott, AJPh 49, 1928, 232 ff. O. Immisch, Erbe der Alten 20, 1931, 6 ff. [in diesem Band S. 125 ff.]. W. Schubart, Der alte Orient 35, Heft 1 (1937) 18 f. E. R. Dodds, The Greeks and the irrational (Sather Class. Lect. 25, 1951) 241 f.

[38] Z. 15 ff.: ἄλλοι μὲν ἢ μακρὰν γὰϱ ἀπέχουσιν θεοὶ ἢ οὐκ ἔχουσιν ὦτα ἢ οὐκ εἰσὶν ἢ οὐ πϱοσέχουσιν ἡμῖν οὐδὲ ἕν. Diesen Worten stehen die Klagen des wenig späteren Kynikers Kerkidas sehr nahe (fr. 1, 14 f.

haftig gegenwärtig, an ihn ergeht deshalb die Bitte, sich der Stadt anzunehmen, ihre Feinde zu vertreiben und Frieden zu stiften, denn er habe die nötige Macht.[39] Ein anderes sinnfälliges Zeugnis spricht ähnliche Gedanken aus, zwar in milderer Form und ohne die heftige Kritik an den Göttern, aber gleichwohl deutlich genug. Die Hilfe des Ptolemaios I. hatte Rhodos vor Demetrios gerettet, und die Rhodier hatten dem König als ihrem Retter mit göttlichen Ehren gedankt (Nr. 43) *. Als fromme Leute holten sie die Zustimmung des Ammoniums zu diesem Kult ein. Ihre Pietät und der Umstand, daß sie letztlich Erfolg im Kampf gehabt hatten, verbot ihnen das offene Eingeständnis, daß die Götter keine wirksame Hilfe geleistet hatten, aber es war zu offenkundig, daß sie ihre Rettung Ptolemaios und nicht der Stadtgöttin verdankten. Sie verfielen in diesem Gewissenskonflikt auf einen sinnreichen Ausweg: ihre Stadtgöttin, die Athena von Lindos, war es gewesen, die Ptolemaios zum Eingreifen veranlaßt hatte! In der lindischen Tempelchronik[40] steht die wundersame Geschichte von der Epiphanie der Athena, die während der Belagerung ihrem rhodischen Priester im Traum erschien und ihm befahl, den Prytanen Anaxipolis anzuweisen, Ptolemaios in ihrem Namen um Hilfe für die Stadt anzugehen.[41] Der König erscheint so nur als Werkzeug der Göttin, in deren Auftrag er handelte. Man enthielt ihm die verdienten Ehren nicht vor, denen auch das Orakel zustimmte. Aber die Götter hatten gleichfalls teil am Siege, und der Vorwurf, sie seien blind und taub, konnte

Diehl): πῶς ἔτι δαίμονες οὖν τοὶ μήτ' ἀκουὰν μήτ' ὀπὰν πεπαμένοι; vgl. K. Latte, Antike 1, 1925, 150.

[39] Z. 18 ff.: σὲ δὲ παρόνθ' ὁρῶμεν, οὐ ξύλινον οὐδὲ λίθινον, ἀλλ' ἀληθινόν. εὐχόμεσθα δή σοι· πρῶτον μὲν εἰρήνην ποίησον, φίλτατε· κύριος γὰρ εἶ σύ. τὴν δ' οὐχὶ Θηβῶν, ἀλλ' ὅλης τῆς Ἑλλάδος Σφίγγα περικρατοῦσαν, Αἴτωλος ὅστις ἐπὶ πέτρας καθήμενος ὥσπερ ἡ παλαιά, τὰ σώμαθ' ἡμῶν πάντ' ἀναρπάσας φέρει κοὐκ ἔχω μάχεσθαι . . . σχόλασον αὐτός.

[40] Lindos II 1, Nr. 2 D 95 ff. Unglücklicherweise bricht der Text nach der Erzählung ab. Die Vermutung liegt nahe, daß danach von der Stiftung des Kultes für Ptolemaios I. die Rede war.

[41] Zum Wesen solcher Traumerscheinungen mit einem Befehl der Gottheit s. K. Latte, GGA 197, 1935, 114.

nicht gegen sie erhoben werden. Die Erzählung ist nichts anderes als eine Theodizee, von Priestern der Göttin erfunden, aber wohl von keinem Rhodier wirklich geglaubt. Die Rhodier wählten damit ein Kompromiß zwischen der hergebrachten Frömmigkeit und den realen Verhältnissen der neuen Zeit. Als Ausdruck der von ihnen festgehaltenen Pietät steht die Erzählung auf einer Stufe mit der Anfrage beim Ammonsorakel; grundsätzlich, wenn auch in schonender Form, sagt sie jedoch das gleiche aus wie der Ithyphallikos auf Demetrios. Der Herrscher hat als Schützer der Stadt den Platz der Stadtgottheit eingenommen, da er leistet, was man von den Göttern vergeblich erwartete. Wenn die samischen Oligarchen im Jahr 404 das Fest ihrer Stadtgöttin Hera durch ein Fest Lysanders ersetzten (Nr. 1), so geschah das deshalb, weil Hera es zugelassen hatte, daß der Demos sie nach blutigen Kämpfen aus ihrer Heimat verjagt, Lysander sie aber zurückgeführt, ihnen Besitz und Herrschaft zurückgegeben und ihre Widersacher vertrieben hatte. So schien er die Ehren viel eher zu verdienen als Hera (vgl. S. 186, Anm. 1)*.

Tritt ein Mensch in der Rolle des Schutzpatrons der Stadt an die Stelle der Götter, so nimmt es nicht wunder, daß er bei seinem Einzug in die Stadt wie ein Gott empfangen wird. So geschah es dem Dion zweimal in Syrakus (s. S. 8 f.)* und dem Demetrios, als er im Jahre 307 in Athen landete (die Zeugnisse s. S. 44, Anm. 1)*. Im Jahr 294 beschlossen die Athener, den Demetrios wie Dionysos zu einem Theoxenion zu laden, sooft er nach Athen komme (Plut. Demetr. 12, 1), und im Jahr 291 empfingen sie ihn bei seiner Rückkehr von Kerkyra οὐ μόνον θυμιῶντες καὶ στεφανοῦντες καὶ οἰνοχοοῦντες, ἀλλὰ καὶ προσοδιακοὶ χοροὶ καὶ ἰθύφαλλοι μετ᾽ ὀρχήσεως καὶ ᾠδῆς ἀπήντων αὐτῷ (Demochares 75, F 2). Auch später sind Fälle dieser Art sehr häufig;[42] zugrunde liegt einem solchen feierlichen Empfang stets ein förmlicher „Empfangsbeschluß" (ψήφισμα ὑπαντήσεως) der Stadt.[43] In diesem Zusammenhang ist ferner an die Tätigkeit der

[42] Vgl. den Einzug des Ptolemaios III. in Seleukeia und Antiocheia (P. Gurob II 23 ff. III 19 ff., dazu Holleaux, Et. épigr. III 309), den des Attalos I. in Athen (Polyb. 16, 25, 6 ff., Liv. 31, 14, 12) und den des Attalos III. in Pergamon (OGI 332, 26 ff. 33 ff.). Mehr bei N. Svensson, BCH 50, 1926, 534 f.

[43] Syll. 798, 17; vgl. Polyb. 16, 25, 3: ὁ δὲ τῶν Ἀθηναίων δῆμος ...

ionischen Orakel zu erinnern, die Alexander bei seinem siegreichen Erscheinen in Kleinasien als Sohn des Zeus (s. S. 23, Anm. 26)*, Seleukos I. später als Sohn des Apollon (s. S. 86)* feierten.

In diesem Eintreten eines Menschen in die Funktionen und die Ehren der Götter, die bislang den Bestand der Städte garantiert und über ihre Sicherheit gewacht hatten, liegt die spezifische Bedeutung des städtischen Kultes für einen Menschen zu seinen Lebzeiten. Die Städte schufen sich damit ein Surrogat für die Verehrung der Götter, weil diese ihrer Aufgabe nicht mehr genügten. Zwar blieb man sich der Tatsache durchaus bewußt, daß die neuen Hüter des Staates ungeachtet der göttlichen Ehren, die sie empfingen, Menschen waren (s. S. 195 ff.)*, aber gerade dieser Umstand zeigt, welche Säkularisation des Glaubens sich vollzogen hatte. Dazu aber hat die göttliche Verehrung des Menschen nicht beigetragen, sie ist vielmehr selbst schon eine Folgeerscheinung dieser Entwicklung. Die Gründe für den Verfall der Religiosität sind anderer Natur, und unter ihnen kommt den politischen Veränderungen des 4. Jh.s eine besondere Rolle zu. Vollends die stürmische Zeit der Diadochen mit ihrem so wechselvollen Geschehen ist eine Zeit der religiösen Krisis gewesen, in der Skepsis und Aberglaube eng beieinander wohnten.[44] Die Kritik an den Göttern, die im Ithyphallikos auf Demetrios so kraß hervortritt, ist weitgehend eine Folge der politischen Unsicherheit; sie ist oft nichts anderes als eine Umschreibung der Tatsache, daß die Städte aus eigener Kraft sich nicht mehr behaupten können, daß sie zur Erhaltung ihrer Existenz auf fremde Hilfe angewiesen sind. Sie finden sie bei den Mächtigen der Zeit, die allein über die erforderlichen Mittel verfügen.[45] Auf diesem Schutzbedürfnis der Stadt ruht der von Staats

ἐψηφίσατο περὶ τῆς ἀπαντήσεως καὶ τῆς ὅλης ἀποδοχῆς τοῦ βασιλέως. Svensson a. a. O. 535, Anm. 2.

[44] Vgl. K. Latte, Antike 1, 1925, 146 ff. E. R. Dodds, The Greeks and the irrational (Sather Class. Lect. 25, 1951) 241 f.

[45] Da es nur dem Mächtigen möglich ist, als Schutzpatron einer Stadt aufzutreten, erklärt sich auf natürliche Weise der Umstand, daß es meist Machthaber oder „Herrscher“ sind, die im Kult der Städte verehrt werden. Aus dem gleichen Grund sind es stets außerhalb der Stadt stehende Per-

wegen geschaffene Kult. Während es aber einem Individuum von jeher möglich gewesen war, einen anderen Menschen mit göttlichen Ehren zu bedenken, etwa denjenigen, dem er seine Rettung verdankte,[46] so ist der staatliche Kult erst in einer Zeit entstanden, in der auch die Städte sich ihrer Abhängigkeit von fremder Hilfe bewußt wurden. Diese Gegenüberstellung lehrt, daß der städtische Kult des lebenden Menschen nicht sosehr Symptom eines Wandels der religiösen Anschauungen als vielmehr der politischen Verhältnisse ist. Er ist daher primär ein allgemein historisches und nur sekundär ein religionsgeschichtliches Phänomen.

c) Der Kult als historisches Phänomen

Wenn die eigentliche Bedeutung des Kultes darin liegt, daß ein Mensch an die Stelle der Götter tritt, indem er den Schutz einer Stadt als seine Aufgabe übernimmt (s. S. 310 ff.), so läßt sich die von A. D. Nock (Harv. Stud. 41, 1930, 61 f.) aufgeworfene Frage, weshalb es in der klassischen Zeit städtische Kulte des lebenden Menschen nicht gegeben hat, dahingehend beantworten, daß in jener Zeit die Städte sich aus eigener Kraft erhielten und der Hilfe von außen zur Erhaltung ihrer Existenz und Freiheit nicht bedurften, daß es ferner damals niemanden gab, der die zur Ausübung einer solchen Schutzfunktion nötige persönliche Macht besessen hätte. Die Bürgergemeinde des 5. Jh.s ist sich ihrer Kraft bewußt und weiß sich in der Obhut der Götter sicher. Sie sind die unbestrittenen und kompetenten Hüter der Stadt, heißen sie doch geradezu θεοὶ οἱ ἔχοντες τὴν πόλιν oder θεοὶ πολιοῦχοι.[47] Hatte

sonen, niemals Bürger, die Kultehren erhalten: einem einzelnen aus der Mitte der Stadt stand die erforderliche persönliche Macht nicht zu Gebote.

[46] Ein schönes und wertvolles Beispiel findet sich in den ›Hiketiden‹ des Aischylos (980 ff.): ὦ παῖδες, Ἀργείοισιν εὔχεσθαι χρεών, θύειν τε λείβειν θ', ὡς θεοῖς Ὀλυμπίοις, σπονδάς, ἐπεὶ σωτῆρες οὐ διχορρόπως, der gleiche Gedanke auch schon Odyssee 8, 461 ff. Vgl. ferner A. D. Nock, JHS 48, 1928, 31.

[47] θεοὶ οἱ ἔχοντες τὴν πόλιν: Plato, de leg. 4, 717 A. Demosth. 18, 184. Syll. 704, E. 29. So dürfte auch in Inschr. Pergam. 162, 4 zu lesen sein:

Solon von Athena gesagt, daß sie die Hände schirmend über die Stadt halte und Athen daher niemals untergehen werde (fr. 3, 1 ff. Diehl), so mehren sich Äußerungen dieser Art nach den Perserkriegen; es ist die allgemeine Überzeugung, daß die Götter Athen und die Griechen allesamt in der großen Auseinandersetzung gerettet haben.[48] Auf der anderen Seite vollzieht sich das politische Wirken des Einzelnen innerhalb der fest geschlossenen Bürgergemeinde, die ihm keine Möglichkeit zur Bildung einer persönlichen Machtstellung läßt; Miltiades, Themistokles, Kleomenes und Pausanias sind auf diesem Wege gescheitert. Individuelle Leistungen des Einzelnen fallen auf die gesamte Bürgerschaft zurück, und wenn etwa der siegreiche Feldherr Anspruch auf persönlichen Ruhm erhebt, wird er zurechtgewiesen, wie Themistokles, der sich in Athen sagen lassen mußte ὡς διὰ τὰς Ἀθήνας ἔχοι τὰ γέρεα τὰ παρὰ Λακεδαιμονίων, ἀλλ' οὐ δι' ἑωυτόν.[49] Unter diesen Umständen konnte ein staatlicher Kult für einen Einzelnen nicht entstehen, wohl aber sind damals kollektive Heroenkulte entstanden, in denen die in der Schlacht gefallenen Angehörigen einer Stadt gemeinsam verehrt wurden.[50]

[... τῶν θεῶν τῶν τὴ]ν πόλιν ἐχομένω[ν]. — θεοὶ πολιοῦχοι: Pind. Ol. 5, 22. Aischyl. Sept. 109. 312. Arist. Equ. 581. Nub. 602. Av. 827 u. o.

[48] Aischyl. Pers. 347: θεοὶ πόλιν σῴζουσιν Παλλάδος θεᾶς. Herod. 7, 139, 5: νῦν δὲ Ἀθηναίους ἄν τις λέγων σωτῆρας γενέσθαι τῆς Ἑλλάδος οὐκ ἂν ἁμαρτάνοι τἀληθέος· ... αὐτοὶ οὗτοι ἦσαν οἱ ... βασιλέα μετά γε θεοὺς ἀνωσάμενοι. Nach Herod. 8, 39 sind es die einheimischen Heroen gewesen, die Delphi vor der Plünderung bewahrt haben.

[49] Herod. 8, 125, l. Plato, rep. 1, 329. Pausanias hatte seinen Namen auf den Siegesstein in Delphi gesetzt; die Ephoren ließen ihn tilgen und durch die Namen der verbündeten Städte ersetzen (Thuk. 1, 132, 2 f.; vgl. 3, 57, 2). In den ›Persern‹ des Aischylos ist kein einziger Grieche namentlich genannt, nicht einmal Themistokles, obwohl ausführlich von ihm berichtet wird (v. 355 ff.).

[50] Kulte für die Gefallenen von Marathon: IG II² 1006, 26 f., Salamis: Paus. 1, 43, 3. Simonides fr. 107 Bergk.⁴ Hiller v. Gaertringen, Hist. griech. Epigr. 30. IG II² 1006, 30 ff. u. o., Thermopylen: Paus. 1, 32, 3 f.; 29, 4 und von Platää: Thuk. 3, 58, 4. Plut. Aristid. 21; mor. 373 B. Paus. 9, 2, 5 f.; Strab. 9, 412 und die zu Ehren der Kämpfer gefeierten, aus zahlreichen agonistischen Inschriften bekannten Eleutheria.

In den letzten Jahren des 5. Jh.s ist der erste Kult eines Lebenden entstanden, der Lysanderkult in Samos (Nr. 1)*. In diesem Ereignis manifestiert sich die politische Umwälzung, die sich seit den Perserkriegen und besonders im Peloponnesischen Krieg vollzogen hatte. Die beiden Großmächte Athen und Sparta waren so übermächtig geworden, daß kleinere Staaten ihre Unabhängigkeit nicht oder nur dann behaupten konnten, wenn sie sich der Führung und dem Schutz einer dieser beiden Mächte anvertrauten. Wie Versuche ausgingen, sich der Abhängigkeit zu entziehen, lehrt das Schicksal von Melos; Thukydides selbst fühlt den Anachronismus, wenn er die Melier sagen läßt, daß das Vertrauen auf die Hilfe der Götter ihnen erlaube, die Forderungen der Athener zu verwerfen (5, 104. 112, 2). Nur wenige gab es, die noch auf die hilfreiche Macht der Götter bauten, und das leidenschaftliche Echo, das die gegen Sokrates erhobene Anklage fand, er leugne die Existenz der Götter, zeigt, wie sehr sich der Staat bemühen mußte, den erschütterten Kredit der Götter nach dem Kriege wieder zu festigen.[51] Die samischen Oligarchen dachten realistischer als die Melier, sie wußten, daß sie nicht Hera, sondern den spartanischen Waffen ihre Rückkehr zu danken hatten. Aber sie gingen noch weiter, indem sie nicht Sparta ihren Dank zuwandten, sondern der Person Lysanders. Sie legten damit als sein persönliches Verdienst aus, was er als Vertreter seines Staates und unter Einsatz staatlicher Mittel bewirkt hatte. Darin offenbart sich ein weiterer Wandel gegenüber der vergangenen Epoche: die Lösung des bedeutenden Individuums aus dem festgefügten staatlichen Verband. Die geistigen Grundlagen für diesen Prozeß hatte die Sophistik gelegt, der Peloponnesische Krieg aber hat ihn ungemein befördert, was sich besonders klar am Schicksal der Athener Alkibiades und Demosthenes und an der Laufbahn der Spartaner Brasidas und Lysander zeigt.[52] Indem die militärischen Erfordernisse dazu zwangen, große Macht in die Hände

[51] Vgl. B. Snell, Die Entdeckung des Geistes 1946, 41 f.

[52] Von einer näheren Ausführung muß hier abgesehen werden; sehr aufschlußreich ist das Buch von H. Strohm, Demos und Monarch 1922. Vgl. ferner H. Schaefer, Alkibiades und Lysander in Ionien, Würzb. Jb. 4, 1949—50, 303 ff.

des Feldherrn zu legen, deren Gebrauch der Staat oft nicht mehr kontrollieren konnte, ward dieser in den Stand gesetzt, mit kleineren Staaten nach seinem Ermessen zu verfahren, wie es Brasidas auf der Chalkidike, Lysander in Ionien taten. Bei einem solchen Mann suchten die Städte Schutz und Hilfe, nicht bei dem Staat, den er vertrat. Thukydides formuliert das Ergebnis dieser Entwicklung einmal so (4, 81, 2 f.), daß nicht dem spartanischen Staat das Vertrauen der Bündner galt, sondern der Person des Brasidas, dessen Verhalten erst Vertrauen für Sparta geworben habe. Im samischen Kult Lysanders findet auch diese Entwicklung ihren sinnfälligen Ausdruck, wo freilich doch die Tatsache nicht völlig verdeckt ist, daß die Macht, mit deren Hilfe Lysander die Restitution der Samier vorgenommen hatte, letzten Endes aus staatlichen Quellen floß; die überlieferten Anfangsverse des Paians nennen Lysanders Namen nicht, sondern feiern ihn als den Feldherrn Spartas.[53]

Die übermäßige Konzentration staatlicher Macht in der Hand eines Einzelnen, die unter den Ausnahmebedingungen des Krieges nötig gewesen war, vermied man nach seinem Ende durchaus; überhaupt setzte damals eine rückläufige Bewegung ein, die den Ansprüchen des Staates wieder stärkere Geltung verschaffte. Lysander ward sehr bald gestürzt, und die neue Epoche repräsentiert etwa eine Figur wie Agesilaos, der bei aller Bedeutung seiner Persönlichkeit doch ganz im Dienste des Staates steht. Es ist deshalb nirgends mehr zur Schaffung eines Kultes für einen aus der Mitte einer Stadt hervorgegangenen Menschen gekommen, und es mußte vollends ein Ausnahmefall sein, wenn ein Einzelner ohne Amt und ohne staatliche Unterstützung die nötigen Mittel aufbrachte, um eine göttliche Ehren rechtfertigende Leistung zu vollbringen; nur Dion ist das gelungen (Nr. 4)*. In der Regel aber kamen hinfort nur noch die Inhaber großer persönlicher Macht zu städtischen Kultehren, die Könige und Dynasten. Die nächsten Kulte, von denen wir Näheres wissen, sind in Kleinasien entstanden, wo Philipp (Nr. 7)* und namentlich Alexander (Nr. 10)* in zahlreichen griechischen Städten göttliche Ehren empfingen. Sie erhielten sie als

[53] Duris 76, F 71; die Beobachtung hat F. Taeger (Hermes 72, 1937, 358 Anm. 4) gemacht.

Befreier von der persischen Herrschaft und dem Regiment der den Persern hörigen Tyrannen und Oligarchen. Daß aber die festländischen Griechen ihnen keine Kulte einsetzten, hat seinen Grund darin, daß die Könige dort nicht als Befreier kamen, sondern selbst als Fremdherrscher angesehen wurden. Die Rollen waren dort geradezu vertauscht: in Kleinasien zogen Philipp und Alexander für die Freiheit der griechischen Staaten gegen den Perserkönig zu Felde, im Mutterland dagegen erscheint der Großkönig als Vorkämpfer der griechischen Freiheit gegen die makedonischen Könige: während der Belagerung durch Alexander im Jahr 335 forderten die Thebaner die übrigen Griechen auf, mit ihnen und dem Großkönig den makedonischen „Tyrannen" zu stürzen und Griechenland zu befreien.[54] Nach dem Tode Philipps, während des Alexanderzuges und nach dem Tode Alexanders kam es in Griechenland zu Erhebungen gegen Makedonien, die alle unter der Parole der Freiheit geführt wurden.[55] Unter diesen Umständen mußte Alexanders Wunsch, die festländischen Griechen möchten ihm wegen seiner Taten gegen die Perser göttliche Ehren zuerkennen, wie es die

[54] Diod. 17, 9, 5: οἱ δὲ Θηβαῖοι διαφιλοτιμηθέντες ἀντεκήρυξαν ... τὸν βουλόμενον μετὰ τοῦ μεγάλου βασιλέως καὶ Θηβαίων ἐλευθεροῦν τοὺς Ἕλληνας καὶ καταλύειν τὸν τῆς Ἑλλάδος τύραννον παριέναι πρὸς αὐτούς. Persisches Geld rollt vor dem Ausbruch des Krieges und während des asiatischen Feldzugs in Griechenland, und auch Schiffe sendet Dareios (Arrian, Anab. 2, 14, 4; 14, 6. Diod. 17, 4, 8; 29, 4; vgl. 31, 3. Plut. mor. 327 D. Plut. Demosth. 20. Aeschin. 3, 239 f.; 3, 156. Deinarch 1, 10; 18). Die Erhebung des Agis war mit persischem Geld finanziert worden (Arrian, Anab. 2, 13, 4. Diod. 17, 48, 1 f.; 62, 2 f.), und griechische Gesandtschaften gingen in Susa aus und ein (Arrian, Anab. 2, 15, 2. 3, 24, 2. Vgl. Curt. 3, 13, 5, der beide Gesandtschaften zusammenwirft). Das war zu Philipps Zeiten nicht anders gewesen: Demosthenes hatte sich in den Jahren um 340 lange um ein Bündnis mit Persien bemüht, der Großkönig 341 dem von Philipp belagerten Perinth Hilfe geschickt (Arrian, Anab. 2, 14, 5. Diod. 16, 75, 1 f.).

[55] Diod. 17, 3, 2: Ἀθηναῖοι ... πολλὰς τῶν πόλεων προετρέποντο τῆς ἐλευθερίας ἀντέχεσθαι; vgl. 3, 5 (a. 335). Arrian, Anab. 1, 7, 2. Plut. Alex. 11. Diod. 17, 9, 1; 9, 5; 12, 1; 13, 4 (335). Diod. 17, 62, 1; 62, 6. Curt. 6, 1, 8. Just. 12, 1, 6 (331). Syll. 327, 6 ff.; Hypereides 6, 10 und passim. Diod. 18, 9, 1; 9, 5; 10, 2 f.; 12, 3. Just. 13, 5, 5 (323).

kleinasiatischen Griechen spontan getan hatten, auf Ablehnung und Spott stoßen. Es ist nicht der besondere Stammescharakter der Ionier gewesen, der dazu geführt hat, daß die göttliche Verehrung des Lebenden in Kleinasien früher begegnet als im Mutterland,[56] sondern ihr besonderes Schicksal als Untertanen des Perserkönigs. Die Einstellung der festländischen Griechen zu Alexander änderte sich erst lange nach seinem Tode, als nämlich in Rom ein nationaler Feind des Griechentums auftrat; da hieß es dann, daß Alexander die Römer schon in die Schranken verwiesen hätte, wenn er nur länger gelebt hätte.[57]

Bald nach Alexanders Tod wurde auch das griechische Festland in die große Auseinandersetzung der Machthaber hineingezogen, in der Freiheit und Existenz der Städte täglich auf dem Spiel standen. Seit dieser Zeit finden sich auch dort Kulte zu Ehren dessen, der einer Stadt seine Hilfe geliehen hat. In der ganzen griechischen Welt entstanden Kulte besonders da, wo es einem Machthaber gelungen war, in der Rolle des Befreiers aufzutreten und die Parole von der Autonomie der Städte, die alle Machthaber nach dem Vorbild des Antigonos als ihr Prinzip verkündet hatten, gegen einen Rivalen auszuspielen.[58] Alle Kulte des Seleukos I., die bekannt sind, beruhen auf dem Gegensatz der Gemeinden zu Lysimachos und seiner Herrschaftsform, wie die kleinasiatischen Kulte Alexanders alle dem Gegensatz der Städte zur persischen Herrschaft entspringen. Beiden Königen war in Kleinasien die Rolle des Befreiers von

[56] So Kornemann, Klio 1, 1901, 54 f.; v. Prott, Ath. Mitt. 27, 1902, 186. F. Taeger, Das Altertum I 1939, 432 f. Vgl. H. E. Stier, Grundlagen und Sinn der Griechischen Geschichte 1945, 480.

[57] Livius 9, 17—19; dazu H. Fuchs, Der geistige Widerstand gegen Rom in der antiken Welt (1938) 13 ff. 40 ff.; W. W. Tarn, Alexander the Great II 1950, 396 f. (= JHS 59, 1939, 133 f.). A. Heuß, Antike und Abendland 4, 1954, 77 f.; R. Merkelbach, Die Quellen des griechischen Alexanderromans (Zetemata 9, 1954) 182 ff. Vgl. ferner Plut. Pyrrh. 19; mor. 326 A ff.; Oros. 3, 15, 10. Amm. Marc. 30, 8, 5. Ps. Kallisth. 1, 26, 5 f. (p. 26, 17 ff. Kroll), dazu Merkelbach a. a. O. 7 f. 24 f.

[58] Vgl. A. Heuß, Hermes 73, 1938, 133 ff. und dens., Stadt und Herrscher 1937, 216 ff. (Der hellenistische Herrscher und der griechische Freiheitsbegriff).

vornherein zugewiesen, die sie nur aufzugreifen brauchten. Es wird auch kaum dem Zufall der Überlieferung allein zuzuschreiben sein, daß zahlreiche Kulte des Antigonos und des Demetrios bekannt sind, aber keiner des Kassander, wenn man von dem Gründerkult des Königs in Kassandreia (Nr. 14)* absieht. Das von der Überlieferung gebotene Bild dürfte vielmehr den realen Verhältnissen etwa entsprechen und die Verschiedenheit aus der verschiedenen Behandlung der Städte seitens der Könige resultieren. Man kann sich auch fragen, ob nicht der Grund für das fast völlige Fehlen beglaubigter Nachrichten über Kulte des Antigonos Gonatas darin zu suchen ist, daß der König allenthalben zu dem Mittel griff, die Städte Griechenlands durch ihm ergebene Tyrannen zu beherrschen,[59] einem Mittel, das sich mit dem Freiheitsbegriff und der Autonomie der Gemeinden schlechterdings nicht vertrug.[60] Von einer näheren Erörterung dieser Fragen soll hier jedoch abgesehen werden, zumal alle Antworten hypothetischen Charakter tragen müßten.

Als eine Folge der Stabilisierung der politischen Verhältnisse und der Konsolidierung der hellenistischen Monarchie läßt sich, etwa seit der Mitte des 3. Jh.s, beobachten, daß mancherorts Kulte entstehen, die nicht mehr die Voraussetzung eines individuellen politischen Verdienstes erfüllen. Es konnte geschehen, daß eine Stadt einem König göttliche Ehren zuerkannte, ohne daß dieser konkrete Leistungen für sie aufzuweisen hatte, sondern einfach deshalb, weil seine Regierung die Aufrechterhaltung des friedlichen und freien Lebens der Gemeinde verbürgte, das seine Vorfahren bewirkt hatten. Im Kultbeschluß von Itanos für Ptolemaios Euergetes vom Jahr 246 (Nr. 47)* treten die charakteristischen Züge

[59] Polyb. 2, 41, 10. Euseb. 1, 238 Schoene. Trogus, Prol. 26. Vgl. Tarn, Antigonos Gonatas 1913, 281 ff.; Beloch IV 1, 579. W. Fellmann, Antigonos Gonatas (Diss. Würzburg 1930) 47 ff. 57 ff. Die Erhebungen gegen Antigonos Gonatas wurden unter der Parole der Freiheit geführt (Syll. 434, 10 ff.; Polyb. 38, 5, 4, dazu Niese II 248. Polyb. 2, 43, 8).

[60] In Ios (Nr. 22 d)* liegen die Verhältnisse insofern anders, als die Ägäis längst nicht mehr makedonisches, sondern ägyptisches Herrschaftsgebiet gewesen war; dort konnte Antigonos tatsächlich als Befreier von der ptolemäischen Herrschaft auftreten.

dieser Entwicklung zum ersten Male hervor. Der Kult wird zwar noch mit der Fürsorge des Königs für die Stadt motiviert (s. S. 122, Anm. 2)*, aber im Gegensatz zu den anderen Stiftungsurkunden fehlt es an bestimmten Aussagen darüber, worin sie sich äußert. Statt dessen wird auf die Übernahme der Regierung durch den König angespielt und lobend hervorgehoben, daß der neue König an dem bestehenden Zustand der Autonomie nichts geändert habe. Es liegt auf der Hand, daß der eigentliche Anlaß des Beschlusses eben der Thronwechsel ist, und für die Zuerkennung der göttlichen Ehren genügt hier allein der Umstand, daß der neue Herrscher im Einklang mit der Politik seiner Vorfahren die bestehenden Verhältnisse zu respektieren und zu schützen bereit ist. Das aber ist eine Maxime seiner Politik überhaupt, deren Wirkung nicht auf Itanos beschränkt ist,[61] d. h. der Anlaß des Kultes ist nicht mehr die Herstellung einer unmittelbaren und persönlichen Beziehung des Königs zur einzelnen Stadt, sondern allgemein seine Haltung gegenüber den Städten seines Herrschaftsbereichs. Der König erhält die Kultehren zwar noch in seiner Eigenschaft als Hüter der Stadt, aber in diese Rolle ist er nicht durch eine bestimmte Leistung versetzt worden, sondern allein schon durch die Übernahme des Thrones. Indem er so die Ehren bereits bei seinem Regierungsantritt erhält, handelt es sich eher um eine Huldigung[62] als um eine Danksagung; nicht in Anerkennung, sondern in Erwartung seiner Verdienste werden sie ihm zuerkannt. Dabei ist die Stadt freilich bemüht, diesen Tatbestand dadurch zu verhüllen, daß sie den Beschluß in die übliche Form einer Danksagung kleidet und die Motivierung, wie es natürlich ist, auf die eigene Stadt allein abstellt. Sie gibt damit ihrer Hoffnung Ausdruck, daß das künftige Verhalten des Monarchen die Erwartungen erfüllen möchte, die sie in ihn setzt.

Der Kult verliert damit seine aktuelle Bedeutung und wird zu

[61] Es ist nicht ausgeschlossen, daß diese Grundsätze in einer Proklamation beim Regierungsantritt verkündet worden sind, vgl. R. Merkelbach, Zetemata 9, 1954, 36 ff.

[62] Bezeichnend dafür ist auch die Aufnahme der Königin (hier der Berenike) in den Kult des Königs.

einem konventionellen Akt, freilich nur dort, wo die Herrschaft einer Dynastie von Bestand ist und vererbt wird, während anderwärts, in den Gebieten, wo die Kräfte verschiedener Mächte sich kreuzten, noch zahllose Kulte aus Anlaß eines konkreten politischen Verdienstes entstanden sind, die durchaus den ursprünglichen Charakter einer Danksagung bewahrt haben. In diesen Rahmen gehört auch die Mehrzahl der im 2. und 1. Jh. geschaffenen Kulte griechischer Gemeinden für römische Feldherrn und Beamte, als nämlich mit Rom eine neue politische Macht auf den Plan trat und die griechischen Städte in den Bereich römischer Politik gerieten.

III. CAESAR

Aus: Alfred von Domaszewski, Abhandlungen zur römischen Religion, Leipzig und Berlin: B. G. Teubner 1909, S. 193—196. Vorher abgedruckt in Philologus 67 (1908), S. 1—4.

DIE GÖTTLICHEN EHREN CAESARS

Von ALFRED VON DOMASZEWSKI

Die göttlichen Ehren, welche Caesar am Anfange des Jahres 44 vom Senate verliehen wurden, erwuchsen aus einer doppelten Wurzel. Die eine, die zur Gleichstellung mit Iuppiter sich entwickelte, entstand bereits nach der Schlacht bei Thapsus. Dio berichtet 43, 14, 6 ἅρμα τέ τι αὐτοῦ ἐν τῷ Καπιτωλίῳ, ἀντιπρόσωπον τῷ Διὶ ἱδρυθῆναι, καὶ ἐπὶ εἰκόνα αὐτὸν τῆς οἰκουμένης χαλκοῦν ἐπιβιβασθῆναι, γραφὴν ἔχοντα ὅτι ἡμίθεός ἐστι. Caesar befahl selbst später die Tilgung der Inschrift.[1] Diese Ehre ist eine getreue Nachbildung jenes bekannten Beschlusses der Pergamener[2] zu Ehren Attalos III., Dittenberger Inscr. Orient. I n. 332, 7: καθιερῶσαι δὲ αὐτοῦ καὶ ἄγαλμα πεντάπηχυ[3] τεθωρακισμένον καὶ βεβηκὸς ἐπὶ σκύλων ἐν τῶι ναῶι τοῦ Σωτῆρος Ἀσκληπιοῦ, ἵνα ἦ[ι] σύνναος τῶι θεῶι. Nur tritt anstelle der σκῦλα der bezwungene Erdkreis.

Die zweite Gleichstellung mit dem ἀρχηγέτης der Römer Quirinus[4] wurde beschlossen nach der Schlacht bei Munda, Dio 43, 45, 3 ἄλλην τέ τινα εἰκόνα εἰς τὸν τοῦ Κυρίνου ναὸν θεῷ ἀνικήτῳ ἐπιγράψαντες. Den Sinn der Ehre bezeichnet Cicero wie die pergamenische Inschrift ad Att. 12, 45 *eum* σύνναον *Quirini malo*

[1] Dio 43, 21 ὕστερον δὲ τὸ τοῦ ἡμιθέου ὄνομα ἀπ' αὐτοῦ ἀπήλειψεν.

[2] Die Inschrift bezieht sich, wie der Inhalt jeden unbefangenen Leser lehrt, auf Pergamum. Πέργαμον (Zeile 14) ist nicht bloß die Stadt, sondern zunächst der Königssitz der Attaliden, so daß εἰς τὴν πόλιν ἡμῶν (Zeile 27) keinen Gegensatz bildet. Daß die Worte παρὰ τὸν τοῦ Διὸς τοῦ Σωτῆρος βωμόν (Zeile 11) nur auf den Zeusaltar in Pergamum sich beziehen können, hat Conze erkannt. Stammt die Inschrift wirklich aus Elaea, was durch den Fundort keineswegs feststeht, so ist sie ein Duplikat des im Asklepiostempel zu Pergamum aufgestellten Originals.

[3] D. h. in der Größe des Tempelbildes. Tacit., ann. XIII 8.

[4] Vgl. Archiv für Religionswissenschaft 10, 340.

quam Salutis.[5] Die Bedeutung beider Beschlüsse, zur vollen Göttlichkeit überzuleiten, zeigt die gleichzeitig getroffene Bestimmung Dio 43, 45, 2 ἀνδριάντα αὐτοῦ ἐλεφάντινον, ὕστερον δὲ καὶ ἅρμα ὅλον ἐν ταῖς ἱπποδρομίαις μετὰ τῶν θεῶν ἀγαλμάτων πέμπεσθαι.[6] Die Mißstimmung der öffentlichen Meinung kam daher mit Recht schon bei der ersten Schaustellung des Bildes zum Ausdruck. Cicero, ad Att. 13, 44 *etsi acerba pompa — populum vero praeclarum, quod propter malum vicinum*[7] *ne Victoriae quidem ploditur.* Das Bild der *Victoria Caesaris* dagegen konnte kein Ärgernis erregen, da diese die Siegeskraft des Feldherrn darstellende Eigenschaftsgöttin römischer Denkweise entsprach.[8]

Völlig verließ Caesar den Boden der römischen Religion durch eine Reihe von Beschlüssen, die im Jahre 44 vom Senate gefaßt wurden und auf Antrag des Konsuls Antonius vom Volke zum Gesetze erhoben wurden.[9] Cicero hat an den Beschlüssen des Senates teilgenommen, und er konnte sich ihnen gar nicht entziehen, ohne den Übermächtigen zu beleidigen, da er als *augur* bei diesen Beschlüssen, die eine ganz neue Religion[10] einführten, eine entscheidende Stimme hatte. Caesar wurde selbst erhöht zur Geltung der beiden Götter Iuppiter und Quirinus, deren σύνναος er seit langem war. Demnach tritt für den Kult des neuen Quirinus die Sodalität der *Luperci Iuliani* ein[11], und als Iuppiter erhält er einen *flamen.* Dio 44, 6, 2 ἱεροποιούς τε ἐς τὰς τοῦ Πανὸς γυμνοπαιδίας, τρίτην τινὰ ἑταιρίαν 'Ιουλίαν ὠνόμασαν — ἱερέα — τὸν 'Αντώνιον ὥσπερ τινὰ Διάλιον προχειρισάμενοι. Diese Angaben bestätigt Cicero, Philipp. 2, 110 *quem is honorem maiorem consecutus erat, quam ut haberet pulvinar, simulacrum, fastigium*[12], *flaminem? Est ergo*

[5] Huelsen, Röm. Typographie 1, 3, 406.

[6] Die Wahl des Materials ist natürlich auch nur ein Ausdruck der Göttlichkeit.

[7] Caesar war also als Quirinus dargestellt.

[8] Religion des römischen Heeres S. 37.

[9] Cicero, Philipp. 2, 110. Es ist dasselbe Gesetz, welches die Umnennung des Quintilius beschloß, Drumann 3, 664.

[10] Mommsen, Staatsr. 3, 1049 f.

[11] Vgl. Archiv für Religionswissenschaft 10, 340.

[12] Florus II 13, 91. Sueton, Caes. 76 *simulacra iuxta deos, pulvinar,*

flamen, ut Iovi, ut Marti, ut Quirino, sic divo Iulio M. Antonius ... quaero deinceps, num hodiernus dies qui sit ignores? Nescis heri quartum in circo diem ludorum Romanorum fuisse? te autem ipsum ad populum tulisse ut quintus praeterea dies Caesari tribueretur?[13] *Cur non sumus praetextati? cur honorem Caesaris tua lege datum deseri patimur?* Die Spiele der *ludi Romani* galten dem *Epulum Iovis* vom 15. September. An diesem Tage vereinigte sich der Gott mit seinem Volke in dem festlichen Mahle.[14] Der Caesartag ist der 5. Tag der *Circenses,* der 19. September.[15] Es unterliegt daher keinem Zweifel, daß Dio die Wahrheit berichtet, wenn er sagte 44, 6, 4 καὶ τέλος Δία τε αὐτὸν ἄντικρυς 'Ιούλιον προσηγόρευσαν.

Beides, die *Luperci Iuliani* des *Quirinus Iulius,* und der *flamen* des *Iuppiter Iulius,* sind in den Formen der römischen Religion geschaffene Nachbildungen des hellenistischen Herrscherkultes. Es entsprechen ihnen in Pergamon die 'Ατταλισταί des Διόνυσος Καθηγεμών[16] und der ἱερεὺς βασιλέως.

Der gewaltige Geist des Diktators, der in seinen Entwürfen Zeit und Raum überflog, erlag nicht der kriechenden Schmeichelei des Senates. Es war sein eigenster Wille, der neuen Monarchie das Ge-

flaminem, lupercos, appellationem mensis e suo nomine. 81 *fastigium.* Vgl. Plutarch, Caes. 63.

[13] Ganz verschieden davon ist der von Antonius am 1. September veranlaßte Beschluß, daß bei Supplikationen ein Tag zu Ehren Caesars hinzugefügt werden solle. Philipp. 1, 12 f. 2, 110 *an supplicationes addendo diem contaminari passus es, pulvinaria contaminari noluisti?* Vgl. Halm Einleitung S. 35. Bei Mommsen, Staatsr. 3, 1052 ist dieser Beschluß von den *Circenses* der *ludi Romani* und der Feier der *Victoriae Caesaris* nicht klar geschieden.

[14] Dieterich, Mithrasliturgie. Daher auch der aus der Verbannung heimkehrende Bürger, der von neuem in den Verband der Bürgerschaft eintritt, ein Opfer an *Iuppiter dapalis* darbringt, ein Zeichen seiner Wiedervereinigung mit dem Gotte. Horaz II 7, 17 *ergo obligatam redde Iovi dapem.* Es ist die religiöse Seite des Postliminium.

[15] Mommsens Interpretation C. I. L. I² S. 329, der den 4. September zum Caesartage macht, widerspricht dem klaren Wortlaut Ciceros.

[16] Vgl. darüber die ausgezeichnete Untersuchung Protts, Athen. Mitt. 27, 161 ff.

präge des hellenistischen Königtumes zu geben. So wahnwitzig die Tat der Befreier den politisch Denkenden erscheinen mußte, ihr Mordstahl hat doch ein römisches Empfinden aufs tiefste verletzendes Streben für immer durchschnitten. Erst als das Römertum unter den Füßen orientalischer Herrscher[17] gebrochen am Boden lag, hielt der *dominus et deus* des Orients seinen Einzug in die *urbs aeterna.*

[17] Vgl. Religion des röm. Heeres S. 78.

Transactions and Proceedings of the American Philological Association 58 (1927), pp. XV f. Aus dem Englischen übersetzt von Ellen Karge.

DIVUS JULIUS[1]

Von Lily Ross Taylor

Es wird gewöhnlich angenommen, daß Caesar den Titel Divus Julius nach dem Erscheinen des Kometen während der Spiele, die Octavian im Juli 44 v. Chr. veranstaltete, zum ersten Male erhielt. Cicero jedoch scheint den Titel in der Belegstelle Phil. 2, 110 mit der Gesetzgebung des Senats aus der Zeit vor Caesars Tod in Zusammenhang zu bringen. Der Beschluß, durch den der Titel verliehen wurde, ist wahrscheinlich mit dem von Dio (44, 6) erwähnten identisch. Dieser übertrug dem Diktator einen Titel, der nach Dios Bezeichnung Διὰ Ἰούλιον lautet. Dios Worte werden gewöhnlich als Juppiter Julius übersetzt. Divus steht mit Juppiter in engem ursprünglichen Zusammenhang, den Horaz in Ode III 5, 1—3 zum Ausdruck bringt.

Wenn der Titel Divus Julius vor dem Tod Caesars verliehen wurde, ist es wahrscheinlich, daß die in den Inschriften erwähnte *Lex Rufrena* (Dessau, Inscr. Sel. 73, 73 a) auch vor Caesars Tod verabschiedet wurde. Das Gesetz ist vielleicht die Zustimmung des Volkes zu dem von Dio (44, 4, 5) erwähnten Beschluß.

Die Apotheose Caesars, die die Triumvirn Anfang 42 v. Chr. in Kraft setzten, war nicht, wie gewöhnlich behauptet wird, eine neue Art der Ehrung des Diktators. Es war nur eine Bestätigung der Ehren im Staatskult, die mit dem Titel Divus Julius vor Caesars Tod bewilligt worden waren.

[1] Dieser Beitrag wird als Teil des im Erscheinen begriffenen Buches der Verfasserin, The Divinity of the Roman Emperor, veröffentlicht werden.

Auszüge aus: Matthias Gelzer, Caesar, der Politiker und Staatsmann, Wiesbaden: Franz Steiner Verlag 1960[6], S. 284—285; 290; 292—294. Erste Auflage 1921.

EHRENBESCHLÜSSE FÜR CAESAR (IM JAHRE 45)

Von Matthias Gelzer

[. . .]

Nachdem am 20. April[1] die Nachricht von der Schlacht bei Munda in Rom angekommen war, wandten Senat und Volk alle Erfindungsgabe auf, um dem Sieger neue Ehren zu bieten. Der 21. April sollte von jetzt ab jährlich durch Wettrennen im Zirkus gefeiert und fünfzig Tage lang sollte den Göttern gedankt werden. Der Imperatortitel wurde ihm [Caesar] als vererblicher Name beigelegt, bei allen öffentlichen Anlässen sollte er im Triumphalgewand auftreten, immer zum Tragen des Lorbeerkranzes befugt sein. Wegen des Sieges über die Pompeianer erhielt er den Beinamen des „Befreiers". Der Bau eines Freiheitstempels wurde beschlossen, ferner eines Palastes für Caesar auf dem Quirinal aus öffentlichen Mitteln. Die bisherigen Siegestage sollten durch jährliche Opfer gefeiert werden. Die Dankfeste und Dankopfer für jeden künftigen Sieg wurden zum voraus geregelt, auch ohne daß er persönlich beteiligt sein sollte, eine Folgerung, die sich aus dem Beschluß, der ihm allein das ganze Heer- und Finanzwesen unterstellte, ohne weiteres ergab. Der zehnjährigen Dictatur wurde ein zehnjähriges Consulat beigesellt[2].

[1] Cass. Dio 43, 42, 3.

[2] Cass. Dio 43, 42, 2—3. 43, 1. 44, 1—45, 2. Suet. 45, 2. Appian. 2, 440—443 summarisch. Suet. 76, 1 *praenomen Imperatoris.* Dio 44, 2—5 denkt an das spätere kaiserliche Praenomen. Caesar führte aber nie das Praenomen (Wickert RE 22, 2279). Erst im Februar 44 erscheinen Münzen mit *Caesar imperator* (A. Alföldi, Stud. üb. Caesars Mon. 29—34. 86 und Tafeln 6—9. Sydenham CRR S. 176—178. Nr. 1055. 1056. 1060. 1070. Konrad Kraft, Der goldene Kranz Caesars 66. Anders als Syme, Historia 7 (1958), 179 schließe ich mit Alföldi, daß Caesar damit von dem ihm verliehenen Recht Gebrauch machte und mit dem Titel seine dauernde Befehlsgewalt bezeichnete. Caesars Palast vermute ich auf dem Quirinal nach Cic.

Im Mai wurde weiter beschlossen, die Elfenbeinstatue bei der Zirkusprozession auf ihrer besonderen Bahre samt dem Wagen für die Attribute in der Reihe der übrigen Götterbilder mitzuführen. Eine Statue mit der Inschrift „Dem unbesiegten Gotte" sollte im Quirinustempel, eine andere auf dem Capitol im Kreise der Könige und des Lucius Brutus aufgestellt werden. Damit war der Herrscherkult in Rom offiziell durch Senats- und Volksbeschluß eingeführt. Cicero entfuhr darüber die Bemerkung: „Ich mag ihn lieber als Tempelgenossen des Quirinus denn als den der Salus." Zum Verständnis des Sinnes muß man sich erinnern, daß Quirinus als der vergötterte Romulus betrachtet wurde, diesen aber der Sage nach wegen seiner Entartung zum Tyrannen die Senatoren zerrissen[3]. [...]

Seine [Caesars] Versöhnungsbemühungen waren sicherlich aufrichtig gemeint, und darum empfand er den Bruch mit seinen Standesgenossen als tragisch. Gewiß hätte er sich aus der Nobilität lieber andere Helfer gewählt als Antonius, Lepidus und Dolabella und wird doch manchmal gespürt haben, daß bei den edelsten seiner Gegner der Eifer für die *res publica* mehr war als nur ein Deckmantel selbstsüchtiger Ziele. Und dieser tragische Zug wurde immer stärker, weil er nun erst recht in die Bahn gedrängt wurde, die von den römischen Überlieferungen abführte. Am augenfälligsten tritt das in Erscheinung am Herrscherkult. Daß solche Beschlüsse überhaupt möglich waren, beweist allerdings das Vorhandensein einer entsprechenden religiösen Bereitschaft bei den neuen Senatoren wie beim Volk. Kein Wunder, wo seit einem Jahrhundert der Hellenismus durch zahllose Kanäle in alle Schichten der römisch-italischen Gesellschaft eindrang. Abgesehen von allen geistigen Einflüssen schwoll in der stadtrömischen Bevölkerung die Zahl der Menschen

Att. 12, 45, 2. Caesar wurde dadurch *vicinus* des Atticus, dessen Haus nach 12, 48 wegen der vornehmen Nachbarschaft im Wert stieg. Es scheint nicht nur auf die Statue im Quirinustempel (Cass. Dio 43, 45, 3) zu gehen, wie Wissowa RuKR 155, 7 annimmt.

[3] Cass. Dio 43, 45, 2—4. Cic. Att. 12, 45, 2 danach zu datieren. L. R. Taylor, Divinity of the Rom. Emp. 65. Appian. b. c. 2, 476. F. Taeger, Charisma II, 50 ff.

östlicher Herkunft mächtig an. Davon besaßen die Freigelassenen und ihre Nachkommen das römische Bürgerrecht und bestimmten weithin den Charakter der *plebs urbana*. Diese Menschenart konnte ihr Verhältnis zu einem Herrscher und nun gar zu Caesar, dem der „Erdkreis" zu Füßen lag, gar nicht anders ausdrücken als in den Formen kultischer Verehrung, während sie die Subtilitäten des römischen Staatsrechts gar nicht verstand [4]. Hier wuchs ihm also eine Untertanenloyalität entgegen, die nicht nach der rechtlichen Begründung seiner Herrschaft fragte, sondern sie gläubig als Walten der Gottheit hinnahm. Man begreift, wie willkommen ihm diese mächtige Strömung war, nachdem er sich mit den Optimaten nicht verständigen konnte. Sicherlich würde sie mit der Zeit die auch im Volk noch vorhandene Opposition hinwegschwemmen! Zudem entsprach sie durchaus seinen übernationalen politischen Tendenzen [5]. In den Augen seiner Gegner wurde er aber dadurch immer unrömischer und unerträglicher. [. . .]

Überhaupt begleitete der Senat alle diese durch ihn zu bestätigenden Mitteilungen des Dictators andauernd mit neuen Ehrenbeschlüssen. Da Caesar es abgelehnt hatte, bei den Schauspielen auf dem curulischen Sessel zu sitzen, sondern es vorzog, bei dieser Gelegenheit auf der Volkstribunenbank Platz zu nehmen, wurde ihm freigestellt, stets und überall von Triumphalgewand und curulischem Stuhl Gebrauch zu machen; dem *Juppiter Feretrius* sollte er *spolia opima* weihen dürfen, als ob er mit eigener Hand einen feindlichen Feldherrn erlegt hätte, die Rutenbündel seiner Lictoren sollten stets mit Lorbeer umwunden sein. Nach dem Opfer auf dem Albanerberg sollte er zu Pferde in der Form der *ovatio* (des kleinen Triumphs) in die Stadt zurückkehren. Der Titel *pater patriae* wurde ihm verliehen, sein Geburtstag zum staatlichen Feiertag erklärt, in allen Tempeln Roms und in den Municipien sollten Statuen von ihm aufgestellt werden, außerdem auf der Rednerbühne des Forums zwei, eine mit der Bürger-, die andere mit der Entsatzkrone. Der Bau eines neuen Concordiatempels und ein

[4] Über die Zusammensetzung der stadtrömischen Bevölkerung L. Friedländer, Sittengesch. [9] I 233 ff. Kritische Durchmusterung der neueren Forschung von F. G. Maier, Historia 2 (1954), 328 ff. bes. 336 ff., 344 ff.

[5] Darüber Vittinghoff, [Röm. Kol.] 91 ff.

Jahresfest dieser Gottheit wurden beschlossen, weiter ein Tempel der Felicitas am Platz der alten Curie, als deren Ersatz eine Curia Julia gebaut werden sollte. Sein Geburtsmonat, der *Quinctilis*, erhielt den Namen *Julius*, auch eine Tribus sollte seinen Namen tragen. Seine Dictatur und seine censorische Vollmacht *(praefectura morum)* wurden auf Lebenszeit verlängert. Zu den tribunicischen Ehrenrechten wurde ihm ausdrücklich die Unverletzlichkeit *(sacrosanctitas)* verliehen. Sein Sohn oder Adoptivsohn sollte zum *pontifex maximus* designiert werden, eine verhüllte Anerkennung der Erbmonarchie wie beim Imperatornamen[6].

Bei anderer Gelegenheit wurde ihm an Stelle des gewöhnlichen curulischen Stuhls für Senats- und Gerichtssitzungen der Gebrauch eines vergoldeten, als Kleidung das Ganzpurpurgewand der altrömischen Könige ersonnen. Zu seinem Schutz sollte eine Leibwache aus Senatoren und Rittern gebildet werden. Die Senatoren leisteten sämtlich den Eid, sein Leben schützen zu wollen. Die neu antretenden Beamten wurden zum Eid auf seine Regierungsakte verpflichtet, seine künftigen Regierungshandlungen im voraus für gültig erklärt. Alle vier Jahre sollten ihm zu Ehren wie einem Heros Festspiele gegeben, ferner jährlich von Staats wegen für ihn Gelübde dargebracht werden. Der Eid bei seinem *genius* wurde eingeführt, in der altertümlichen Priesterschaft der *Luperci* („Wolfsabwehrer") eine neue Genossenschaft der *Luperci Julii* neben den

[6] Cass. Dio 44, 4, 2—5. 5, 2—3. Suet. 76, 1. Appian. b. c. 2, 440—443. Liv. per. 116. Die von Dio 4, 4 erwähnten Münzen mit *parens patriae* nach A. Alföldi, Stud. über C. s. Mon. 20. 44. 86. Taf. 14. 15. Sydenham CRR Nr. 1069 erst im April 44. Über die damals von der Plebs errichtete Säule mit der Inschrift *parenti patriae* (Suet. 85) Alföldi 70. Die Echtheit der verschollenen Inschrift ILS 71 *C. Iulio Caesari pont. max. patri patriae* ist zweifelhaft. Die *sacrosanctitas* bei Dio 44, 5, 3 bedeutete nicht, daß Caesar die *tribunicia potestas* der späteren Kaiser besessen hätte. Darin stimme ich E. Hohl, Klio 32 (1939), 71 zu. Aber anders als er (72) denke ich, daß Caesar aus Bequemlichkeit bei Schauspielen lieber ohne Triumphalornat auf der Tribunenbank Platz nahm. Hohl erinnert an die sehr interessante Stelle Suet. Aug. 45, 1, wonach Caesar zum Ärger des Publikums dabei Akten erledigte: *Augustus patrem Caesarem vulgo reprehensum commemorabat, quod inter spectandum epistulis libellisque legendis aut rescribendis vacaret.*

zwei alten der *Fabiani* und *Quinctiales* geschaffen. Bei allen Gladiatorenspielen in Rom und Italien sollte ein Tag Caesar geweiht sein [7].

Ein letztes Bündel solcher Ehren wurde an ein und demselben Tage, Ende 45, in Abwesenheit des Dictators [8] — wodurch die Unabhängigkeit des Senats bekundet werden sollte — beschlossen: nämlich für die Schauspiele ein goldener Sessel und ein mit Edelsteinen verzierter Goldkranz. Das Götterbildnis mit seinen

[7] Cass. Dio 44, 6, 1—4. L. R. Taylor, Divin. of the Rom. Emp. 67. Was Dios Ausdruck „wie einem Heros" wiedergibt, ist unklar, vielleicht Divus. L. R. Taylor bemerkt (69), daß Cic. Phil. 2, 110 den Antonius als *flamen Divi Iuli* bezeichnet. Ebenso hat H. Dessau, Gesch. d. röm. Kaiserz. I 354, 2 daraus geschlossen, daß Caesar zu seinen Lebzeiten so genannt wurde. L. R. Taylor 268 ff. gibt den Wortlaut der Inschriften ILS 73. 73 a. 72. 6343 als Zeugnisse, die vielleicht auf die Beschlüsse vor Caesars Ermordung Bezug nehmen. Broughton MRR II 360 hält den Urheber der 73. 73 a erwähnten *lex Rufrena* für einen Volkstribunen des Jahres 42. 6343 ist gesetzt *decurioni [be]neficio dei Caesaris* in Nola. Carm. epigr. 964, 2 nennt sich ein Freigelassener von Caesars Gattin Calpurnia: *magnifici coniunx Caesaris illa dei.* Über Lupercalia und Luperci Marbach RE 13, 1816 ff. 1834 ff. Über die vergoldete *sella curulis* (Suet. 76, 1 *sedem auream.* Cic. Phil. 2, 85 *in sella aurea.* Att. 15, 3, 2 *de sella Caesaris*) Alföldi, C. s. Mon. 22. Die Darstellung der Münze R. M. 50 Taf. 14, 10. Zum Ornat der altrömischen Könige Dio 6, 1 gehörte auch der Goldkranz, den einst die etruskischen Könige trugen und mit dem Caesar auf den Münzen des Jahres 44 dargestellt ist. Dies ist die glänzende Entdeckung von K. Kraft, Der goldene Kranz Caesars und der Kampf um die Entlarvung des „Tyrannen" (Jahrb. f. Numism. der Bayer. Numism. Ges. 1953), 20. 35. 73. Am besten zu erkennen auf den vergrößerten Münzbildern bei A. Alföldi, The portrait of Caesar, Centennial vol. of the Am. Numism. Society (1958) Taf. 1—6. Sydenham CRR Nr. 1057. 1063. 1089. 1129 A. Es ist nicht der Lorbeerkranz, von dem Dio 43, 43, 1. Suet. 45, 2 sprechen (Kraft 13 ff.). Dagegen ist hinzunehmen, was Dio 43, 43, 2 berichtet. Caesar habe nach dem Triumph des Jahres 45 (nicht schon 46, wie U. Wilcken, Z. Entwicklung d. röm. Dictatur, Abh. Berlin 1940, 20) gelegentlich die hochschäftigen roten Schuhe der albanischen Könige getragen, mit der Begründung, sie kämen ihm zu als Nachkommen des Aeneassohns Iulus.

[8] Cass. Dio 44, 8, 2.

Zügen, das in der Zirkusprozession mitgeführt wurde, sollte eine heilige Ruhestatt *(pulvinar)* bekommen wie andere Gottheiten, auf sein Haus sollte ein Giebel gesetzt werden, wie ihn die Tempel trugen. Als *divus* (gleichbedeutend mit *deus*) Julius sollte der neue Gott gemeinsam mit der Clementia in einem eigenen Tempel verehrt werden. Als sein Priester *(flamen)* wurde Antonius bezeichnet. Im Gegensatz zu allen anderen Sterblichen sollte Caesar dermaleinst innerhalb der Stadt beigesetzt werden [9].

Diese Vergottungsbeschlüsse ließ der Senat mit goldenen Buchstaben auf silberne Tafeln eingraben, um sie zu Füßen des capitolinischen Juppiters aufzustellen. Nur Cassius und einige Gesinnungsgenossen wagten gegen diese Anträge zu stimmen [10]. Nach ihrer Annahme begaben sich sämtliche Magistrate, an ihrer Spitze die Consuln [11], und ihnen folgend der ganze Senat zu Caesar, der sich eben auf seinem neuangelegten Forum aufhielt. Sie fanden ihn vor dem Tempel der *Venus Genetrix* sitzend, und so, ohne sich zu erheben, empfing er die vornehmste Körperschaft Roms, die zu feierlicher Mitteilung vor ihm erschien. Vielleicht versuchte er damit seine Herrschergewalt, die ihm allmählich bis zur vollen Anerkennung der in ihm sich manifestierenden Gottheit war übertragen worden, gegenüber allen Untertanen, wes Standes sie sein mochten, zum Ausdruck zu bringen. [. . .]

[9] Cass. Dio 44, 6, 3—7, 1. Nikol. Dam. F 130, 78 verschob das Datum mit bewußt tendenziöser Absicht nach den 15. Februar 44. E. Hohl, Klio 34 (1941), 113. Nach Cass. Dio 45, 6, 5. Appian. b. c. 3, 105. Nikol. Dam. F 130, 108 bedeutete der Beschluß über die vergoldete *sella* und den Goldkranz, daß dieser Stuhl auch aufzustellen war, wenn Caesar nicht persönlich zugegen war. Alföldi, C. s. Mon. 76. L. R. Taylor, Div. 87. Kraft a. a. O. 32. Warum Alföldi und Kraft diesen Beschluß erst nach dem 15. Februar ansetzen, sehe ich nicht ein. Auch ist das *pulvinar* (Cic. Phil. 2, 110. Suet. 76, 1) nicht mit der *sella* gleichzusetzen. Der Ausdruck *sellisternium* wird nur für Göttinnen gebraucht (Klotz RE 2 A, 1322). Münzen des Jahres 44 (nach Caesars Tod) mit dem Tempel der Clementia Alföldi 46. Taf. 15, 5—6. L. R. Taylor 69. Sydenham CRR Nr. 1076.

[10] Cass. Dio 44, 7, 1. 8, 1.

[11] Plut. 60, 4. Appian. b. c. 2, 445, was in das Jahr 45 weist. Dagegen ersetzt Nikol. F 130, 78 die Consuln durch Antonius. Andererseits nennen die beiden vorgenannten statt des Forum Julium die Rostra.

Studies presented to David Moore Robinson on his seventieth birthday, edited by G. E. Mylonas, St. Louis, Missouri, Washington University, vol. II (1953), pp. 1138 bis 1146.

ZUM HERRSCHERKULT BEI JULIUS CAESAR

Von Joseph Vogt

Die geniale Persönlichkeit ist immer von Geheimnissen umgeben, die eine verschiedenartige Deutung zulassen. Es ist daher verständlich, daß Julius Caesar in der neueren Geschichtsschreibung bald diese, bald jene Gestalt erhalten hat. Diese Vieldeutigkeit würde auch bestehen, wenn das Werk Caesars so abgeschlossen vor uns läge wie das des Augustus und wenn wir über sein Wirken so viele Nachrichten besäßen wie über Napoleon.

Erstaunlich aber ist, daß auch die einzelnen Maßnahmen und Entscheidungen des Diktators, die von den antiken Autoren klar und deutlich erzählt werden, von den modernen Gelehrten ganz verschieden beurteilt werden. Es scheint, als ob jeder Forscher mit einem fertigen Gesamtbild Caesars an die Quellenberichte heranträte und dadurch die Fähigkeit verlöre, die Zeugnisse selbst unbefangen zu prüfen. Wie sollte man es anders erklären, daß in der Frage der Vergottung und des Herrscherkults, in der die antiken Autoren einig sind, die modernen Historiker so sehr voneinander abweichen?

Einige Namen mögen genügen, diese moderne Verwirrung zu beleuchten. E. Meyer[1] hat die Auffassung vertreten, Caesar habe das Gottkönigtum der hellenistischen Weltmonarchie in Rom verwirklichen wollen, er habe die Erhebung seiner Person zu voller Göttlichkeit angestrebt und die Einführung des Herrscherkults verlangt. Ganz in den Bahnen dieses großen Historikers hat L. Ross Taylor[2] mit gewohnter Entschiedenheit die Monarchie Caesars als

[1] Caesars Monarchie und das Principat des Pompeius, Stuttgart u. Berlin 2. Aufl. 1919, S. 509 ff.

[2] The Divinity of the Roman Emperor (Philol. Monographs publ. by the Am. Philol. Assoc. 1), Middletown 1931, S. 58 ff.

das erbliche Gottkönigtum nach östlichem, besonders nach ägyptischem Muster angesprochen. Doch diese Theorie Meyer-Taylor ist von bedeutenden englischen Gelehrten mit nüchterner Kritik angefochten worden. F. E. Adcock [3] hat die Vermutung ausgesprochen, daß unsere Überlieferung durch die Ereignisse nach Caesars Tod getrübt worden sei. Damals habe Octavian die Vergöttlichung des Adoptivvaters betrieben, und in dieser Lage habe man wohl verwechselt, was vor und was nach dem Tod des Diktators geschehen sei. Die einzelnen Ehrungen, die für Caesar beschlossen wurden, seien zwar als eine ganz außerordentliche Anerkennung seiner Person zu betrachten, aber es gebe keinen Beweis für seine offizielle Aufnahme unter die Götter des römischen Staats. Alles in allem müsse man Caesar als einen römischen Imperator von derselben Art wie andere vor ihm verstehen. Ganz ähnlich ist das Bild, das R. Syme [4] entwirft. Er meint, auf Grund der Briefe Ciceros könne man schwerlich eine Synthese von Erbmonarchie und Herrscherkult behaupten, gibt aber im Vorbeigehen zu: „Phil. 2, 110, however, is a difficult passage."

Die Überlieferung über die kultischen Ehren, die für Caesar beschlossen wurden, ist kurz vor dem Erscheinen von Symes Buch in zwei deutschen Veröffentlichungen kritisch durchforscht worden. H. A. Andersen [5] hat die von Cassius Dio mitgeteilten Senatsbeschlüsse zu Ehren des Diktators auf ihren Ursprung hin untersucht und ist zu dem Ergebnis gelangt, daß die Listen dieser Beschlüsse einer amtlichen Quelle, wohl den *acta senatus*, entnommen seien, abgesehen von der für das Jahr 44 bezeugten letzten Liste (Dio XLIV 4—7), die aus der erzählenden Vorlage des Dio stamme. Für das Verhalten des Senats, so meint Andersen, stellen diese Beschlußlisten ein gutes Zeugnis dar; aber wir können aus Dio nicht ermitteln, ob die Beschlüsse auch verwirklicht, ob die Ehrungen von Caesar angenommen wurden; für diese Frage müßten wir uns nach anderen Überlieferungen umsehen. P. L. Strack [6] hat, auf

[3] The Cambridge Ancient History, 9, 1932, S. 718 ff.

[4] The Roman Revolution, Oxford 1939, S. 54.

[5] Cassius Dio und die Begründung des Principates, Berlin 1938, S. 9 ff.

[6] In der Sammelschrift: Probleme der augusteischen Erneuerung, Frankfurt 1938, S. 21 ff.

der Arbeit seines Schülers Andersen weiterbauend, die für Caesar beschlossenen Ehrungen im einzelnen geprüft und hat geglaubt, zeigen zu können, daß ein größerer Teil der Ehrungen in ganz ähnlicher Weise auch für Augustus bezeugt sei; da wir bei diesem nicht von Gottkönigtum sprechen, so dürften wir es auch bei Caesar nicht. Bei einem andern Teil der überlieferten Ehrungen hat Strack zu beweisen gesucht, daß Caesar sie nicht angenommen oder doch abgewandelt habe, daß er also durchweg eine betonte *moderatio* an den Tag gelegt habe. „Der Senat hat zwar seine Vergöttlichung beschlossen und das Volk ihm das *regnum* angeboten, aber Caesar hat beides abgelehnt" (S. 27). Wir dürfen annehmen, daß Strack seine Polemik gegen das herrschende Caesarbild noch tiefer begründet hätte, wenn er nicht vom Krieg hinweggerafft worden wäre.

Man kann nicht leugnen, daß Adcocks Skepsis berechtigt und Stracks Argumentation scharfsinnig ist. Und doch haben sie die Vergöttlichung und die kultische Verehrung Caesars nicht aus der Welt geschafft.[7] Es will nicht viel besagen, wenn einige der für Caesar beschlossenen Ehrungen bei Augustus wiederkehren und von dessen Zeitgenossen nicht als Akte der Vergöttlichung verstanden worden sind. Caesar war der Bahnbrecher; was bei ihm umwälzend wirkte, mochte zehn Jahre später schon als geläufig erscheinen, so rasch hatte sich die Auffassung von den einem Sterblichen zukommenden Ehren in der römischen Welt gewandelt. Was die Anhänger Caesars betrifft, so reden die zahlreichen Beschlüsse zu seinen Gunsten eine deutliche Sprache. Von Jahr zu Jahr hält das Drängen nach gottgleicher Verehrung des Diktators an, ja es steigert sich fort und fort. Weist diese aufsteigende Linie in den Beschlüssen des Senats nicht darauf hin, daß Caesar seine Erhebung zum Gott gewollt hat? Vielleicht läßt sich bei einigen Beschlüssen zeigen, daß

[7] Auf der Gegenseite stehen Forscher wie J. Carcopino, César (Histoire romaine 2, 1936) S. 997 ff. (vgl. J. Gagé, « Où en est le problème des origines du principat? » Rev. Hist. 177 [1936] S. 3 ff.) und A. Alföldi, Röm. Mitt. 49 (1934) S. 1 ff., 50 (1935) S. 1 ff., aber auch M. Gelzer, Caesar, der Politiker und Staatsmann, München 3. Aufl. 1940, S. 323 ff. [Vgl. in diesem Band S. 334 ff.] — Gute Orientierung bei L. Wickert, Caesars Monarchie und der Prinzipat des Augustus, Neue Jahrbücher f. Antike u. deutsche Bildung 4 (1941) S. 12 ff.

sie nicht verwirklicht worden sind; aber das wäre noch kein Beweis für die Mäßigung des Diktators. Könnte er nicht die eine oder andere Ehrung aufgeschoben haben in kluger Berechnung der ungünstigen Wirkung oder auch deshalb, weil seine Ansprüche noch höher gingen?

Ich will hier nur einige Ehrungen besprechen, die in klarer Weise mit dem Kult zusammenhängen. Sueton, Div. Iul. 76, 1 faßt sie mit den Worten zusammen: *sed et ampliora etiam humano fastigio decerni sibi passus est: sedem auream in curia et pro tribunali, tensam et ferculum circensi pompa, templa, aras, simulacra iuxta deos, pulvinar, flaminem, lupercos, appellationem mensis e suo nomine.* Es ist kein Zweifel, daß Sueton und seine Quelle in diesen Beschlüssen die offizielle Einführung des Herrscherkults erkannt haben. Man stelle nur die Nachricht desselben Sueton, Tib. 26, 1 daneben: *templa, flamines, sacerdotes decerni sibi prohibuit, etiam statuas et imagines nisi permittente se poni; permisitque ea sola condicione, ne inter simulacra deorum, sed inter ornamenta aedium ponerentur.* Wir sind aber in der glücklichen Lage, für die entscheidenden Maßnahmen außer Dio und Sueton den Zeitgenossen Cicero als Zeugen zu haben und machen uns gern die methodische Forderung von Andersen und Strack zu eigen, keinen Beschluß als verwirklicht zu betrachten, bei dem dies nicht durch andere Zeugnisse bestätigt werden kann. Cicero, Phil. 2, 110, nach dem Urteil von Syme "a difficult passage," sei vorweg genannt: *et tu in Caesaris memoria diligens? tu illum amas mortuum? quem is honorem maiorem consecutus erat, quam ut haberet pulvinar, simulacrum, fastigium, flaminem?* Nehmen wir noch Ciceros Briefe hinzu, so können wir neben der Tatsache der kultischen Ehrungen auch noch ihre Wirkung auf die Zeitgenossen ersehen.

Wir beginnen mit der Kultstatue, die Cicero als *simulacrum* bezeichnet. Dio XLIII 45, 3 berichtet für die Zeit nach dem 20. April 45 den Beschluß der Statuensetzung: ἄλλην τέ τινα εἰκόνα εἰς τὸν τοῦ Κυρίνου ναὸν Θεῷ ἀνικήτῳ ἐπιγράψαντες . . . ἀνέθεσαν. Grundsätzlich kann eine im Tempel aufgestellte Statue als Weihgeschenk wie auch als Kultbild (ἄγαλμα) gedacht sein.[8] In unserem

[8] A. D. Nock, Σύνναος Θεός, Harv. Stud. in Class. Philol. 41 (1930) S. 3.

Fall ist die zweite Form schon durch den Zusammenhang nahegelegt, denn Dio erwähnt unmittelbar vorher den Beschluß, die Statue Caesars bei der *pompa circensis* unter den Götterbildern (μετὰ τῶν θείων ἀγαλμάτων) zu führen. Ausschlaggebend aber ist, daß Cicero die Statuensetzung im Tempel des Quirinus in seiner Korrespondenz zweimal erwähnt und keinen Zweifel darüber läßt, daß es sich um eine Kultstatue handelt. Am 17. Mai schreibt er mit verstecktem Hinweis darauf, daß der zum Tyrannen gewordene Romulus von den Senatoren zerrissen worden sein soll: *eum* σύνναον *Quirini malo quam Salutis.*[9] Aus der Mitführung der Statue in der *pompa circensis* und aus der Erhebung Caesars zum Tempelgenossen des Quirinus folgert Cicero, wie der Brief Att. 13, 28, 3 vom 26. Mai zeigt, daß er mit seinen Ratschlägen dem Diktator nicht mehr nahekommen kann. Er hatte eine Denkschrift an ihn vorbereitet, mußte nun aber einsehen, daß dies ein hoffnungsloses Unternehmen war: Alexander war zuerst ein fähiger, williger Schüler des Aristoteles, aber nach seiner Ausrufung zum König wurde er stolz, grausam und maßlos: *quid? tu hunc de pompa, Quirini contubernalem, his nostris moderatis litteris laetaturum putas?* Dieser Gedankengang ist eindeutig. Caesar war jetzt eine Figur aus der Götterschar, ein Hausgenosse des Quirinus, er war als Gott unerreichbar geworden. So hat denn Cicero sein Vorhaben endgültig aufgegeben.[10] Es ist abwegig, wenn Strack auch aus diesem Zeugnis Ciceros noch einen Beweis für die Mäßigung Caesars gewinnen will. Aus dem Umstand, daß Cicero die von Dio mitgeteilte Aufschrift von Statue (Θεῷ ἀνικήτῳ = *deo invicto*) nicht erwähnt, glaubt er schließen zu können, daß die Inschrift nur *invicto* gelautet habe oder daß Caesar zwar die Statue angenommen, die Inschrift aber abgelehnt habe (S. 22 f. unter Hinweis auf Dio XLIII 14, 6 und 21, 2). Der Gedankengang Ciceros läßt an der Vergottung Caesars nicht den geringsten Zweifel, auch für den Fall, daß die Inschrift unterblieben sein sollte. Wir lassen hier den Beschluß des Jahres 44, Caesars Statue in allen Tempeln Roms und in den Städten aufzustellen (Dio XLIV 4, 4), beiseite, da er durch Cicero nicht bestätigt werden

[9] Att. 12, 45, 3; vgl. E. Meyer a. a. O. S. 449.
[10] M. Gelzer, RE 7 A 1, 1024 f.

kann. Die Erhebung Caesars zum σύνναος des Quirinus, zum zweiten Gründergott, reicht vollkommen hin, um die Tatsache der Einführung des Herrscherkults in Rom zu beweisen.[11] Es ist bemerkenswert, daß in der Gestalt des Quirinus, die auch in andern Beschlüssen zu Ehren Caesars begegnet, eine römisch-italische Vorstellung dem hellenistischen Gedanken der Apotheose gegenübertritt.

Der Aufzug von Caesars Statue in der *pompa circensis,* der im Zusammenhang mit der Statue im Tempel des Quirinus bereits erwähnt wurde, verdient noch eine genauere Betrachtung. Auch hier handelt es sich um kultische Ehrung, und auch hier bezeugt Cicero die Verwirklichung des Beschlusses. Wie Dio XLIII 45, 2 sagt, wurde im Jahr 45 — nach Munda — beschlossen, die Elfenbeinstatue Caesars bei den Circusspielen zusammen mit den Götterstatuen aufzuführen auf einer Bahre *(ferculum),* wie das üblich war; später (ὕστερον) ging man noch weiter und beschloß zu Ehren Caesars einen Wagen, der die Attribute Caesars zu fahren hatte, wie man die *exuviae* der Götter auf Wagen *(tensae)* zur Schau stellte. *Tensam ac ferculum circensi pompa,* heißt es in aller Kürze bei Sueton 76, 1. Die Aufführung der Statue Caesars bei den *ludi Victoriae Caesaris,* die vom 20. bis 30. Juli 45 gefeiert wurden, erwähnt Cicero Att. 13, 44, 1. Er stellt bei dieser Gelegenheit mit Genugtuung das Mißfallen des Volkes fest, das der Statue Caesars keinen Beifall spendete, ja aus Verärgerung nicht einmal die sich im Zug anschließende oder vorausgehende Statue der Victoria beklatschte. Für sich selbst zieht er aus dem Aufzug eine ähnliche Folgerung wie aus der Erhebung Caesars zum Tempelgenossen des Quirinus. Er hatte die Absicht gehabt, einen Dialog über die Staatsform zu schreiben und sich auf diesem literarischen Weg an Caesar zu wenden, gab nun aber diesen Plan auf: *pompa deterret.*[12] Der Aufzug der Caesarstatue in der *pompa circensis* ist — daran kann kein Zweifel sein — als eine neue Form der Erhebung des Diktators zu den Göttern verstanden worden. Diese Tatsache gibt Strack zu,

[11] So auch W. Ensslin, Gottkaiser und Kaiser von Gottes Gnaden, S. B. Bayer. Ak. 1943, 6 S. 20.

[12] Vgl. M. Gelzer, RE 7 A 1, 1025.

doch glaubt er auch hier, Caesars persönliche Zurückhaltung nachweisen zu können. Er gewinnt (S. 24) aus der erwähnten Äußerung Ciceros den Eindruck, daß die Elfenbeinstatue des Diktators bei den *ludi Victoriae Caesaris* zum ersten Mal erschienen sei und kann sich dabei auf die Auffassung von E. Meyer berufen. Dann aber könne der Beschluß nicht so allgemein gelautet haben, wie Dio angibt; denn sonst hätte die Statue schon bei den *ludi Apollinares* vom 7.—15. Juli aufziehen müssen. Dazu fügt er noch folgende Erwägung: im Jahr 44 wurde nach Dio XLIV 6, 3 beschlossen, den goldenen Thron und den edelsteinverzierten Goldkranz des Diktators wie die Attribute der Götter in die Theater zu bringen und bei den Circusspielen im Wagen mitzuführen. Strack glaubt, daß dieser späte Beschluß sich mit dem früheren weitgehend decke und folgert daraus, „daß der Beschluß von 45 nach seiner ersten Verwirklichung in Abwesenheit Caesars bei den *ludi Victoriae Caesaris* hinfällig geworden, d. h. von Caesar abgelehnt worden war und eben deshalb jetzt wiederholt und gleichzeitig erweitert wurde" (S. 25). Aber diese Argumentation ist ein Exzeß von Scharfsinn. Aus Cicero Att. 13, 44, 1 ergibt sich keineswegs, daß damals (im Juli 45) die Statue Caesars zum ersten Mal in der *pompa* gezeigt wurde. Da Cicero schon in seinem Brief vom 26. Mai (Att. 13, 28, 3) die Wendung *hunc de pompa* bringt, ist anzunehmen, daß die erste *traductio in pompa* damals schon erfolgt war, etwa an den *ludi Florales*,[13] die in Caesars Zeit vom 28. April bis 3. Mai gefeiert wurden und mit Circusspielen endeten. Der Beschluß des Jahres 44 aber, der sich auf Thron und Kranz bezieht, ist keine Wiederholung des Dekrets von 45, er führt vielmehr die Adoration des leeren Throns in Rom ein[14] und bedeutet eine wesentliche Steigerung der zuvor bewilligten Ehren.

Die Aufnahme des Elfenbeinbilds Caesars unter die Prozessionsstatuen der *pompa circensis* ist wiederum eine römische Form der Vergöttlichung; denn in Rom ist die *pompa* — Prozession der Jugend, der Spielteilnehmer, der Satyrn und Tänzer, der Götter und ihrer Symbole — als eine Nachbildung des Triumphzugs eine

[13] J. Klass, Cicero und Caesar, Berlin 1939, S. 205.

[14] A. Alföldi, Röm. Mitt. 50 (1935) S. 134 ff.

stehende Einrichtung, während uns Vergleichbares in der hellenistischen Welt selten begegnet. O. Weinreich hat vermutet, daß Caesar in der Prozession des Circus als dreizehnter Gott zu den zwölf großen Göttern hinzugekommen sei, ähnlich wie Philipp von Makedonien anläßlich der Hochzeit seiner Tochter sein eigenes Bild zusammen mit den Bildern der zwölf Götter in feierlichem Zug in das Theater tragen ließ.[15] Sicher scheint mir bei Caesar diese Deutung nicht, da die Zahl der Götter und Halbgötter in der römischen *pompa circensis* weit über zwölf hinausging und wir durch Cicero hören, daß neben dem Bild Caesars das der Victoria einhergeführt wurde. Ovid, Am. III 2, 45 gibt eine Beschreibung der *pompa,* in der Victoria die Spitze bildet. Es ist durchaus möglich, daß im Juli 45 bei den *ludi Victoriae Caesaris* eine ähnliche Anordnung gegolten hat. In jedem Fall bedeutete der Beschluß, soweit er von Cicero als verwirklicht erwähnt ist, den in voller Öffentlichkeit vollzogenen Eintritt Caesars unter die Götter.

Dasselbe gilt von der Bewilligung des *pulvinar* und des *fastigium.* Cicero, Phil. 2, 110 berichtet hier nur den Vollzug der Ehrung, ohne genauere Angaben zu machen. Wir müssen also annehmen, daß das Bild Caesars das Polster für das Göttermahl erhalten und daß ihm an bestimmten Tagen ein *lectisternium* bereitet wurde. An die Spiele ist dabei nicht zu denken, da sie unseres Wissens nicht mit einem *lectisternium* verbunden waren, eher an besondere Festtage zu Ehren Caesars oder an den Stiftungstag des Tempels, in dem das Kultbild Caesars aufbewahrt wurde. Polster und Bewirtung konnten dem Bild Caesars nur zuteil werden, wenn dieser unter die Götter des Staates aufgenommen war. In die gleiche Richtung weist das von Cicero genannte *fastigium.* Im Jahr 45 hatte man Caesar eine *domus publica* genehmigt (Dio XLIII 44, 6), die auf dem Quirinal liegen sollte (zu erschließen aus Cicero, Att. 12, 47, 3 und 12, 45, 3). Diese neue Wohnung wird sonst nirgends mehr erwähnt; es scheint, daß sie nicht bezogen worden ist. So müssen wir daran denken, daß die Regia als der Palast des *Pontifex maximus* Caesar einen Giebel nach Art der Göttertempel

[15] Diodor XVI 92, 5; Art. Zwölfgötter, Roschers Lexikon der griechischen und römischen Mythologie, 6, 806 f., dazu 787.

erhielt und daß die Nachricht von dem Traum der Calpurnia, die den Giebel einstürzen sah,[16] auf das alte Königshaus zu beziehen ist. Auch wenn für Augustus ein ähnlicher Beschluß gefaßt worden sein sollte, wie Strack (S. 24) meint, so bedeutete diese Ehrung für Caesar nichts Geringeres als die Vergottung. Der Zusammenbruch des Giebels im Traum der Calpurnia wurde von den Alten als Ankündigung des Sturzes des Gottes Caesar verstanden.

Wir kommen zu der letzten von Cicero bezeugten kultischen Ehrung, der Einsetzung eines *flamen* für Caesar. Dio XLIV 6, 4 berichtet, man habe Caesar schließlich geradezu Juppiter Julius genannt, ihm und seiner Clementia einen Tempel beschlossen, während Plutarch, Caes. 57, 4 nur von einem Tempel der Clementia spricht. Strack (S. 26) ist der Meinung, daß der Senatsbeschluß, entsprechend dem Bericht des Dio auf die Errichtung eines Tempels für Caesar und seine Clementia gelautet, daß Caesar aber in seiner *moderatio* den Beschluß im Sinn der plutarchischen Angabe abgewandelt habe. Er beruft sich dabei auf Münzen des Jahres 44, die den fraglichen Tempel zeigen und dabei die Aufschrift führen: *Clementiae Caesaris.*[17] Aber diese Prägungen des Münzmeisters Sepullius Macer stammen wohl erst aus der Zeit nach Caesars Tod, sie widerlegen keineswegs die Angabe, daß der Tempel ursprünglich *Caesari et Clementiae* zugedacht war. Zum *flamen* dieser Gottheiten war Antonius bestimmt. Aus der Polemik Ciceros gegen Antonius Phil. 2, 110 und 13, 41 folgert Strack, daß Antonius sein Priestertum nicht übernommen habe; das ist in der Tat unbestreitbar, was immer auch die Gründe für diese Unterlassung gewesen sein mögen. Aber Strack geht noch weiter und behauptet, daß der Beschluß, einen *flamen* für Caesar einzusetzen, von diesem abgelehnt oder stillschweigend fallengelassen wurde (S. 26). Diese Be-

[16] Plutarch, Caes. 63, 9; Sueton 81, 3; Obsequens 67. — Ich möchte hier meines Schülers P. Hundeck gedenken, der kurz vor dem Ende des Krieges seine Dissertation „Caesar als Pontifex maximus" der Philosophischen Fakultät der Universität Freiburg i. Br. eingereicht hat, danach aber verschollen ist.

[17] H. A. Grueber, Coins of the Roman Republic, I Nr. 4176 f.; vgl. E. Babelon, Les monnaies de la république romaine, II S. 29.

hauptung jedoch läßt sich aus den Worten Ciceros widerlegen. Immer wieder stellt Cicero fest, daß Antonius *flamen* ist, auch wenn er sein Amt nicht angetreten hat: *est ergo flamen, ut Jovi, ut Marti, ut Quirino, sic divo Julio M. Antonius . . . o detestabilem hominem, sive quod tyranni sacerdos es sive quod mortui* (Phil. 2, 110). Cicero kennzeichnet das Verhalten des Antonius als Undankbarkeit gegen den Toten (so auch Phil. 13, 41: *cuius, homo ingratissime, flaminium cur reliquisti?*) und als Verletzung der Religion (so auch Phil. 13, 47: *cuius patris flamen est*). Diese Vorwürfe haben nur dann einen Sinn, wenn die Einsetzung des Antonius zum *flamen* noch zu Lebzeiten des Diktators erfolgt ist. Das Flaminat wird von Cicero ebenso wie das Götterpolster und der Tempelgiebel ausdrücklich zu den *acta Caesaris* gerechnet: *quaeris placeatne mihi pulvinar esse, fastigium, flaminem. mihi vero nihil istorum placet. sed tu, qui acta Caesaris defendis, quid potes dicere, cur alia defendas, alia non cures?* (Phil. 2, 111) Es kann also kein Zweifel bestehen, daß Caesar die Einsetzung eines *flamen* zu seinem Kult angenommen hat. Ich möchte mit L. Ross Taylor [18] glauben, daß der Kultname Caesars sich aus Ciceros Worten (Phil. 2, 110) ergibt, daß er *divus Julius* lautete, nicht *Juppiter Julius*, wie Dio sagt. Die Formel *divus Julius* kennzeichnete aber nach dem Sprachgebrauch der Zeit den lebenden Herrscher schlechthin als Gott.

Wir kommen zum Schluß und können feststellen, daß sich allein aus Cicero die Vergöttlichung Caesars und die offizielle Einrichtung seines Kults ergibt. Die historische Erklärung dieser Tatsache würde ein Eingehen auf die geistige Verfassung dieses Zeitalters und auf die Persönlichkeit Caesars erfordern, sie würde auch die Heranziehung aller übrigen kultischen Ehrungen, die für Caesar beschlossen worden sind, notwendig machen. Da dies hier nicht geschehen kann, muß ich mich mit wenigen Hinweisen begnügen. Die Erhebung eines genialen Menschen in übermenschliche Sphären war den Zeitgenossen Caesars, auch den Menschen in Italien und in Rom, durchaus geläufig. Die Umsetzung dieses Gedankens in die Wirklichkeit, d. h. in unserem Falle die Einrichtung des Herrscher-

[18] A. a. O. S. 68 ff., ebenso jetzt in dem Buch: Party Politics in the Age of Caesar, Univ. of California Press 1949 S. 175.

kults für Caesar, erregte gelegentlich das Mißfallen des Volkes und die Ablehnung von Männern wie Cicero, aber sie fand nicht entfernt denselben Widerstand wie das Streben nach dem Königtum. Caesar selbst war, wie uns neuerdings C. Koch gezeigt hat,[19] von einem wahrhaft königlichen Bewußtsein erfüllt, er trug einen Dignitätsanspruch höherer Ordnung in sich und nahm die kultischen Leistungen, die ihm beschlossen wurden, als Ausdruck der Verehrung entgegen, die ihm auf Grund seiner Abstammung von Göttern und Königen und gemäß seiner schöpferischen Überlegenheit zukam. In seinem politischen Schaffen mußte es ihm willkommen sein, daß die religiöse Weihe, die ihm zuteil wurde, seine Machtstellung sicherte und die Menschen im Westen und im Osten an seine Person band. Hellenistische und römische Motive flossen im Kult des *divus Julius* zusammen und trugen dazu bei, die Einheit der antiken Welt im Reich Caesars zu befestigen.

[19] In dem Sammelwerk: Das neue Bild der Antike, hrsg. von H. Berve, II S. 146 ff.

Gnomon 39 (1967), S. 150—156. Aus dem Englischen übersetzt von Hans Jürgen Tschiedel.

REZENSION VON: GERHARD DOBESCH: CAESARS APOTHEOSE ZU LEBZEITEN UND SEIN RINGEN UM DEN KÖNIGSTITEL*

Von J. P. V. D. Balsdon

Dieses geistvolle, wenn auch von geringfügigen Wiederholungen nicht immer freie Buch [1] ist aus Begeisterung entstanden und mit einer endlosen Reihe von Ausrufezeichen versehen. In ihm wird eine Anschauung dargelegt, die — im ganzen oder zum Teil — schon jetzt die angesehensten Namen unter den Althistorikern zu ihren Vertretern zählen kann: Alföldi, Ehrenberg, Gelzer, L. R. Taylor — die Anschauung nämlich, daß sich Julius Caesar zwischen 46 und 44 v. Chr. in zielstrebiger Weise und wohlüberlegt selbst zu Roms Gott und König gemacht habe. Weiter als jene anderen Gelehrten, deren Werke er benützt und häufig zitiert, geht Dobesch darin, daß er mit solch eindeutiger Genauigkeit die aufeinanderfolgenden Phasen von Caesars (vermeintlich) methodisch-planvollem Vorgehen aufdeckt und vor Augen führt — denn Caesar selbst, so sollen wir glauben, leitete, wobei er „einen klaren, zäh verfolgten, politisch hochwichtigen Plan" (D. 53) ausführte, jede einzelne Maßnahme ein, obgleich es seine sorgfältig beobachtete Gewohnheit war, nicht an Senatssitzungen teilzunehmen, wenn die Beschlußfassung über ihm zugedachte Ehren auf der Tagesordnung stand: Dio 44, 8, 2 (44 v. Chr.), ἀπόντος γὰρ αὐτοῦ τὰ τοιαῦτα . . . ἐχρημάτιζον („Beachte das Imperfektum!", D. 29, Anm. 45).

Die auf die Nachricht von Thapsus hin beschlossenen Ehren

* Untersuchungen über Caesars Alleinherrschaft. Wien: Österr. Archäolog. Institut, im Selbstverlag 1966. 153 S. 2 Taf.

[1] Es werden die folgenden Abkürzungen verwendet: Suet(onius, Divus Iulius), Plut(arch, Julius Caesar), App(ian, BC II), Nicolaus (von Damascus, ΒΙΟΣ ΚΑΙΣΑΡΟΣ, FGH 90, F. 130).

stellen die Phase 1 dar (Dio 43, 14, 3—7; D. 66). Zu ihnen gehörten die Aufnahme von Caesars Namen als Ersatz für den des Catulus in die Weihinschrift des Juppitertempels auf dem Kapitol (die in Wirklichkeit nie vorgenommen wurde, Tac., Hist. III 72, 3) und das Aufstellen seines Triumphwagens auf dem Kapitol gegenüber der Juppiterstatue, wo er von einem Bronzestandbild Caesars überragt wurde, das diesen stehend auf einer Erdkugel mit der Aufschrift ὅτι ἡμίθεός ἐστι zeigte. Daß die Inschrift griechisch war (wie man vermutet hat), ist äußerst unwahrscheinlich, und wie sie auf lateinisch gelautet haben mag, können wir nicht mit Sicherheit rekonstruieren. Einige Zeit nach seinem Triumph in Rom (Dio 43, 21, 2) ordnete Caesar die Entfernung der Inschrift an. Das war nicht, wie viele gemeint haben, ein Anzeichen von Bescheidenheit; es war ein Ausdruck von Anmaßung (D. 42). Er wollte nicht Halbgott genannt sein, wenn er tatsächlich ein ganzer Gott war (so schon L. R. Taylor, Divinity of the Roman Emperor, 65).

Durch „ein so faszinierendes crescendo“ wurde die Weiterentwicklung zur Phase 2 eingeleitet, die ihrerseits in zwei aufeinanderfolgenden Stufen erreicht wurde.

In der „ersten Apotheose“ hatte Caesar seinen Blick auf Rom gerichtet. Die für ihn zwischen Munda (20. April 45) und seiner Rückkehr nach Rom im Oktober (Dio 43, 42—8; D. 66 f.) beschlossenen Ehren umfaßten einen Tempel für Libertas (Dio 43, 44, 1), eine Elfenbeinstatue (Dio 43, 45, 2), ein Standbild im Tempel des Quirinus mit der Inschrift *deo invicto* und ein weiteres auf dem Kapitol neben den Statuen der Könige und des L. Iunius Brutus, des Begründers der Republik. Darüber hinaus sollte sein Triumphwagen (vermutlich zusammen mit dem Standbild und der zu seinen Füßen liegenden Erdkugel) an der Prozession von Götterstatuen in der *pompa circensis* teilnehmen (Dio 43, 45, 2 ff.).

Mit dem Standbild im Tempel des Quirinus auf dem Quirinal (im Jahre 49 durch Feuer schwer in Mitleidenschaft gezogen — Dio 41, 14, 3 — und nun augenscheinlich restauriert) sowie mit dem Beschluß, die Statue Caesars in der *pompa* mitzuführen, befinden wir uns auf absolut festem Boden. Diese Ehren müssen unmittelbar auf die Kunde von Munda hin beschlossen worden sein, denn am 17. Mai schrieb Cicero an Atticus mit beißendem

Witz: *Eum σύνναον Quirino malo quam Saluti* (denn Caesar könnte so, wie er es dann ja wirklich tat, das Schicksal des Romulus teilen), und am 26. Mai schrieb er: *Quid? tu hunc de pompa, Quirini contubernalem, his nostris moderatis epistulis laetaturum putas* (Ad Att. 12, 45, 2; 13, 28, 3). Weder σύνναος noch *contubernalis* bringen Licht in das Dunkel um die Frage, ob es sich bei dem Standbild um eine Kultstatue handelte oder nicht. Noch weniger sicher ist die Bedeutung der Inschrift. Mit Recht weist D. den Gedanken zurück, sie könne im Rahmen einer Widmung an Caesar Anspielungen auf Mithras enthalten haben (13, Anm. 13); er glaubt, daß es sich dabei um eine Reminiszenz an eine frühe Vorstellung von Quirinus als einem Kriegsgott gehandelt habe. Sie könnte auch Gedanken Alexanders aufs neue belebt haben (vgl. W. W. Tarn, Alexander the Great, Appendix 21). Die mit ihr verfolgte Absicht dürfte, wie D. vermutet, sehr wohl die gewesen sein, Caesar als einen „Zweiten Gründer" Roms zu ehren.

Während die „erste Apotheose", die Caesar zu einem zweiten Romulus machte, vor allem für die Römer bestimmt war, galt die „zweite Apotheose" der Oikumene (D. 52). Sie nun war Gegenstand eines einzelnen Dekrets, das im Senat verabschiedet wurde und die „volle uneingeschränkte Vergöttlichung als *divus Iulius*" sowie zusätzlich die Diktatur auf Lebenszeit und den Titel *Pater Patriae* einschloß.

Daß dies ein einziges allumfassendes Dekret war, steht für D. auf Grund der Aussage Suetons (84, 2) fest, die sich eng mit der Appians BC 2, 601, berührt, wonach Antonius, anstatt eine Grabrede über Caesars Leichnam zu halten, später *per praeconem pronuntiavit senatus consultum* (sic) *quo omnia simul ei divina atque humana decreverat* (obwohl dies bedauerlicherweise im Widerspruch steht zu den *plurimis honorificentissimisque decretis* bei Suet. 78, 1); gestützt wird das durch Dio 44, 8, 1: ἐν μιᾷ ποτε ἡμέρᾳ τά τε πλείω καὶ τὰ μείζω σφῶν ψηφισάμενοι (obgleich Dio in der Tat feststellt, daß die lebenslängliche Diktatur bei einer späteren Gelegenheit als die göttlichen Ehren beschlossen wurde, 44, 8, 4; aber Dio „ordnet" sein Material, D. 62—9) und sogar durch Livius, Per. 116: *Cum plurimi maximique honores ei a senatu decreti essent.*

Worauf erstreckte sich also nun dieses Sammel-Dekret — das in einer Sitzung verabschiedet wurde, der Caesar absichtlich fernblieb? Da waren einmal die Diktatur auf Lebenszeit und der Titel *Pater Patriae* (später *Parens Patriae* auf Caesar-Münzen); da waren weiter seine Anerkennung als *divus Iulius* und die faktische Identifikation mit Juppiter. Ihm und seiner *Clementia* sollte ein Tempel errichtet werden, als dessen *flamen* („wie ein *flamen Dialis*" Dio 44, 6, 4) Antonius vorgesehen war. Seine Begräbnisstätte sollte innerhalb des *pomerium* liegen. Dies waren die bedeutendsten aus einer ganzen Reihe von Ehren und Auszeichnungen. Die mit eingelegten goldenen Lettern auf einer Silbertafel verzeichneten Tagesereignisse sollten zu Füßen Juppiters auf dem Kapitol ihren Platz finden. Für all dies existieren Belege bei Dio, bes. 44, 6, 4; Appian 443 (in einem neuen Tempel aufzustellende Statuen von *Iulius* und *Clementia,* die einander an den Händen halten) und Plut. 57, 4.

Wann wurde dieser Beschluß gefaßt? Nicht im Jahre 44, wie es Dio unmißverständlich behauptet und sogar Plutarch (60, 4 ff., nach der Rückkehr vom Latinerfest im Januar 44) sowie Nicolaus von Damascus 78 f., sondern vor dem Latinerfest (wie das Suet. 79, 1 — vgl. 76, 1 — erkennen läßt), nämlich gegen Ende Dezember 45.

Cicero, Phil. 2, 87, — also nach Caesars Tod — sprach (ob zutreffend oder nicht) von Caesar mit Bezug auf die Zeit des Lupercalienfestes (am 15. Februar 44) als *dictator perpetuus.* Das ist für D. der *terminus ante quem.* Plut. 60, 4 und Appian 445 erwähnen, daß die Consuln (sic) den Zug der Senatoren zu Caesar anführten, nachdem der Beschluß gefaßt worden war. Der einzige Zeitraum nach Munda, in dem es zwei Consuln gab, ohne daß einer von ihnen Caesar gewesen wäre, war der von Oktober bis Dezember 45. Obwohl sich Cicero am 19. Dezember in einem Brief (Ad Att. 13, 52) unfreundlich über Caesar äußerte, erwähnt er diesen außergewöhnlichen Beschluß mit keinem Wort, wie er es eigentlich getan haben müßte, wenn er schon gefaßt gewesen wäre. Deshalb ist er zwischen den 19. Dezember 45 und das Ende desselben Monats zu datieren.

Dennoch bleiben Schwierigkeiten. Alles, was wir von Dio (und zwar nur von ihm) erfahren, ist, daß die Senatoren „Caesar als *Iuppiter Iulius* begrüßten" (44, 6, 4). Von daher, von Dios Vergleich des *flamen* des Iulius mit dem *flamen Dialis* (dessen Priesteramt seit 87 verwaist gewesen war) und von der Tatsache her, daß die in Gold und Silber gehaltene Inschrift zu Füßen Juppiters ihren Platz finden sollte (ebenso wie — auf Caesars Weisung hin — das Diadem, welches er an den Lupercalien zurückwies), läßt sich keinerlei von Caesar vorgenommene Identifikation seiner eigenen Person mit Juppiter nachweisen. Und für seine Anerkennung als *Divus Iulius* gibt es überhaupt kein Zeugnis; das ἐξεϑείαζον bei Appian 601 darf man nicht überbewerten. Darüber hinaus zeigt die Münze mit der Darstellung des Tempels der Clementia (BMC, R. Rep. I, 4176 f.; III, pl. 54, 22) keine Statuen, obwohl sie im Giebelfeld eine Erdkugel enthält, wenn man überhaupt schon daraus Schlüsse ziehen darf, da der Tempel durchaus nach Caesars Tode errichtet worden sein kann. (Die Darbietung der Erdkugel an Caesar durch eine kniende Roma kann sehr gut Gegenstand der auf der Via Cassia entdeckten Reliefs sein, die H. Fuhrmann in ›Zwei Reliefbilder aus der Geschichte Roms‹, Mitt. deutsch. Arch. Inst. 2, 1949, 23—45, beschrieben hat, und die Erdkugel kennzeichnet Caesars späte Münzen, z. B. BMC, R. Rep. I, 4137 usw.)

Auch D.s Datierung ist alles andere als sicher. Außer von einer Sitzung am 20. Dezember 44 wissen wir von keiner Senatsversammlung, die später als an den Iden des Dezember stattgefunden hätte. Der Dezember war ein Monat, in dem es sogar vor den Saturnalia nicht leicht war, bei einer Senatsversammlung die geschlossene Anwesenheit sicherzustellen (Ad Q. fr. 2, 1, 1,); und wenn dieser aufsehenerregende Beschluß zu Ehren Caesars auf einen späteren Zeitpunkt im Dezember als auf den 19. zu datieren ist, weil ihn Cicero in Ad Att. 13, 52 nicht erwähnte, wie hat man dann den Umstand zu bewerten, daß davon auch nicht im Briefe Ad Fam. 7, 30 die Rede ist, der im Januar 44 geschrieben wurde? Das eintägige Consulat des Caninius erschiene als ein zu nebensächliches Ereignis, als daß es sich lohnte, darüber Tränen zu vergießen, wenn der Senat tatsächlich wenige Tage zuvor Caesar zu Lebzeiten vergöttlicht und ihm für immer die Diktatur zuerkannt hätte.

D.s Datierung (der späte Dezember 45) läßt sich nicht durch die Aussage Suetons 79, 1 rechtfertigen (die ohnehin alles andere als eine sichere chronologische Angabe darstellt). Anstatt beinahe jedes Wort des Nicolaus als aus einer verdächtigen Quelle stammend zu verwerfen, sollten wir seine klare Aussage (78) gelten lassen, daß der Zug der Senatoren von *einem* Consul angeführt wurde, vom Kollegen Caesars, d. h. von Antonius. Der Termin liegt daher im Januar oder frühen Februar 44 — falls Cicero mit Recht Caesar zur Zeit des Lupercalienfestes *dictator perpetuus* genannt hat.

Der Beschluß (sic), eine so groteske Anhäufung von Ehren, daß sich Cassius und andere seiner Verabschiedung widersetzt hatten (Dio 44, 8, 1; D. 33, Anm. 58), ein Beschluß, der in Caesars Abwesenheit gefaßt, aber zuvor von ihm sorgfältig in die Wege geleitet worden war (D. 54 und Anm. 102), dieser Beschluß wurde dann vom gesamten Senat in feierlichem Zuge Caesar überbracht, der sich auf dem Forum Iulium im Tempel der Venus Genetrix aufhielt und gerade mit Geschäftsleuten verhandelte. Unsere Quellen stimmen in der Feststellung überein, daß Caesar die Abordnung in außergewöhnlich lässiger Manier empfing und viel Anstoß dadurch errregte, daß er sich bei ihrer Ankunft nicht erhob. Sueton 78, 1 schiebt die Verantwortung dafür dem Cornelius Balbus zu; Dio 44, 8, 3 und Plutarch 60, 6 erklären, daß Caesar als Entschuldigung für sein Benehmen verbreiten ließ, er hätte sich nicht wohl gefühlt.

In Wirklichkeit, so versichert uns D., sei die Szene ganz anders zu interpretieren. Der feierliche Zug war von Caesar ebenso sorgfältig im voraus arrangiert wie der Beschluß selbst. Auch sein Empfang des Zuges war wohlüberlegt: damit wollte er bekunden, daß er tatsächlich der Gott und Herrscher war, zu dem ihn der Senat durch Beschluß erklärt hatte. Götter erhoben sich nun einmal nicht, um Senatoren zu begrüßen. Es war noch mehr als das, es war offensichtlich ein Hinweis darauf, daß er nach mehr, daß er nach dem Königstitel für sich begehrte (D. 99, aus App. 446). Es ist bedauerlich, daß es, wie D. (33 f.) zugibt, für seine Version der Geschichte überhaupt keinen antiken Beleg gibt. Das erklärt er mit der Hypothese, daß es später im Interesse eines jeden gelegen habe, den wahren Sachverhalt zu verbergen: im Interesse der Senatoren nämlich, die Kompromittierung ihrer kriecherischen Unterwürfigkeit zu verbergen, im Interesse der Anhänger Caesars, dessen berechnete göttliche Autokratie zu verheimlichen.

D.s Rekonstruktion dürfte bei einem Teil, vielleicht bei der Mehrzahl der gegenwärtig angesehensten Historiker, die sich mit der Geschichte der späten Republik befassen, Anerkennung finden. Auf der anderen Seite aber gibt es eine Schule, von deren Existenz D. zwar Notiz nimmt (71, Anm. 107), deren Argumente er aber nicht ausreichend würdigt, wie seine überaus oberflächliche Auseinandersetzung mit Adcock (9, Anm. 2) erweist. Es mag daher zweckdienlich sein, ihre höchst unterschiedliche Auffassung von der gesamten Problematik kurz zusammenzufassen:

(1) Nicht zu bestreiten sind die Angaben Ciceros — nämlich daß Caesars Standbild im Tempel des Quirinus aufgestellt worden sei und sein Triumphwagen und das Standbild mit zur *pompa* gehört hätten, dazu (Phil. 2, 110), daß im Senat Beschlüsse gefaßt worden seien, wonach Caesars Statue, wie die anderer Götter, beim *lectisternium* auf einem *pulvinar* gezeigt werden sollte, daß sein Haus einen Giebel (das Kennzeichen eines Tempels) erhalten und Antonius sein *flamen* sein sollte — ob *flamen* der *Luperci Iulii*, des Tempels der Clementia oder in irgendeiner anderen Funktion, können wir nicht sagen.

(2) Die Ehren für Caesar lassen sich nicht aus dem geschichtlichen Zusammenhang herauslösen. Niemand in Rom wußte im voraus, daß es ihm beschieden sein würde, bei Thapsus oder bei Munda einen Sieg zu erringen. Solange der Ausgang noch in der Schwebe war, blieb der kluge Senator vorsichtig abwartend; er konnte ja nicht wissen, welchen der Widersacher er bald als Sieger umschmeicheln würde. Freilich konnte er hoffen, wie das Cassius tat, daß Caesar bei Munda gewinnen würde (Ad Fam. 15, 19, 4), oder er konnte hoffen, daß er unterliegen würde. War erst einmal die Siegesnachricht eingetroffen, so schloß man sich selbstverständlich der siegreichen Partei an, und jeder Senator war dann ängstlich darauf bedacht, den anderen im Übermaß seiner Anträge zu übertreffen. Dies war nach Thapsus der Fall. Nach Munda kam es dann zu noch größeren Übersteigerungen (denn bei Schmeicheleien muß stets ein *crescendo* sein, nie kann es ein *diminuendo* geben). Die dritte Vorstellung ging zu Beginn des Jahres 44, vor Caesars

erwartetem Aufbruch nach dem Osten, über die Bühne, und zwar zum Teil als eine Vorausversicherung im Hinblick auf die Zukunft, um nämlich Caesar die Art von Geleit zu geben, die weder Sulla noch Pompeius zuteil geworden war, als sie nach dem Osten aufbrachen, zum Teil vielleicht auch als ein von Caesars Feinden in der Hoffnung eingefädeltes Unternehmen, ihn damit zu einer Unklugheit zu bewegen. In dieser Hinsicht war es mehr als erfolgreich.

(3) Späte Historiker, besonders Dio, welche das im späteren Kaiserreiche übliche äußerste Maß an kriecherischer Unterwürfigkeit gewöhnt waren, sind nicht die besten Quellen. Doch selbst Dio macht in seinem Verzeichnis der für Caesar beschlossenen Ehren deutlich, daß seine Aufstellung Auszeichnungen einschloß, die Caesar zwar zugesprochen, aber von ihm nicht angenommen wurden (43, 14, 7; 43, 46, 1 f. — εἰ καὶ τὰ μάλιστά τινα αὐτῶν παρῄκατο — und 44, 4, 1). Darüber hinaus läßt sich stark vermuten, daß die ursprüngliche Quelle für das Verzeichnis der Ehren die *acta senatus* waren, die nicht verabschiedete Anträge ebenso aufführten, wie solche, die durch Beschluß bestätigt wurden. Die *acta senatus* des Jahres 65 zum Beispiel verzeichneten den unannehmbaren Antrag, daß ein Tempel für *Divus Nero* (sic) zu dessen Lebzeiten errichtet werden sollte (Tac., Ann. 15, 74).

(4) Daß Caesars Zukunftsplanung nicht aus jedem verabschiedeten Antrag abgelesen werden kann, wird selbst von D. dort anerkannt, wo es um die Entscheidung zur Abhaltung jährlicher Spiele an den Parilia geht, die mit der Begründung erfolgte, daß es am Abend der Parilia war, als die Nachricht von Munda nach Rom gelangte (Dio 43, 42, 3). Das ist ein Termin, bei dem man kaum annehmen kann, daß Caesar ihn vorausbestimmt hätte.

(5) Da Entschlossenheit eine hervorstechende Eigenschaft Caesars ist, warum bemühte er sich nicht, den Ehren auch Geltung zu verschaffen, wenn sie von ihm selbst ersonnen worden waren? Warum wurde CATVLVS nie ausgemeißelt? Warum wurde Antonius nie in sein Amt eingesetzt? Und vor allem, warum gibt es in der Münzprägung von Ende 45 und Anfang 44 keinerlei Anzeichen für göttliche oder monarchische Ansprüche? Wenn ein solches Zeugnis zum Vorschein käme, so könnte ihm aus gutem Grunde Beweiskraft zukommen; aber trotz Alföldis Gründlichkeit hat sich dieses

Zeugnis nicht finden lassen. Siehe R. A. G. Carson, Gnomon 28, 1956, 181—6 und ›Caesar and the Monarchy‹, Greece and Rome 1957, 46—53. Insbesondere ist, wie D. bei Carson bemerkt haben könnte (vgl. 32, Anm. 52 — wozu der Text unter der Photographie, Abb. 2, in gewissem Widerspruch steht), das vermeintliche Diadem auf dem *denarius* des M. Mattius in Wirklichkeit wahrscheinlich ein im Zusammenhang mit einem Prägefehler äußerst verunstalteter *lituus*. Siehe auch C. M. Kraay, ›Caesar's Quattuorviri of 44 B. C.‹, Num. Chron. 1954, 18—31, bes. 20 f. und H. Volkmann ›Caesars letzte Pläne im Spiegel der Münzen‹, Gymnasium 1957, 299—309, jetzt in ›Das Staatsdenken der Römer‹, Wege der Forschung Bd. XLVI, hrsg. v. R. Klein, Darmstadt 1966, 581—96. Aus einem goldenen Kranze (vgl. Carson, a. a. O. 1956, 184, was sich trotz D. 104, Anm. 166 halten läßt) und einem Paar roter Schuhe (Dio 43, 43, 2) kann man keinen König machen.

(6) Daran daß Caesars Regentschaft in Rom während der letzten Monate seines Lebens anmaßend, unbedacht und selbstherrlich war, zweifelt niemand. Obgleich er das Diadem und den Königstitel zurückwies, ließe sich in bezug auf seine Amtsführung das Verbum *regnare* zu Recht in seinem üblichen umfassenden Sinne (vgl. Ad Att. 8, 11, 2, *uterque regnare vult*) gebrauchen, so wie das Cicero tat. (Cicero war selbst als *rex* angeprangert worden Pro Sulla 22; Ad Att. 1, 16, 10.) Caesars autokratische Amtsführung war es und sein Versäumnis, überhaupt irgendein Interesse an einer, wenn auch noch so partiellen, Wiederherstellung republikanischer Regierungsformen zu bekunden, welche ihm das Leben kosteten. Was bestritten wird, ist die Behauptung, daß Caesar selbst etwa eine solch vorbedachte Politik betrieben hätte, wie D. meint. Die auf uns gekommenen zeitgenössischen Zeugnisse lassen darauf nicht schließen. Das gilt in der Tat auch für jeden der späteren Autoren, aus denen D. die Notizen herausgesucht hat, die zur Stützung seiner These vorgebracht werden können, während er die dafür nicht tauglichen verwarf (z. B. den Bericht Plutarchs in 60, 4, daß Caesar, als er im Tempel der Venus Genetrix die Nachricht von dem Beschluß erhielt, gesagt habe, die Liste der Ehren würde besser sein, wenn sie ein gut Teil kürzer wäre; die Aussagen Appians [444] und

Dios [44, 9, 2], wonach Caesar den Titel *Rex* nicht annehmen wollte, usw.).

In Wahrheit steht es so, daß bei dieser scharfen Trennung der Meinungen die Gelehrten auf beiden Seiten tauben Ohren predigen. Aus oben Gesagtem geht deutlich hervor, auf welcher Seite der Rezensent steht. Doch der Umstand, daß er D.s Beweisführung nicht akzeptieren kann, hindert ihn nicht daran, sie als sehr gescheite, gut dokumentierte Darstellung anzuerkennen, die — welche persönliche Ansicht auch immer der Kritiker vertreten mag — historisch durchaus zutreffend und wahr sein könnte. Selbst wenn sie es nicht ist, bleibt es ein nützliches Buch, das die Gelehrten gern zu Rate ziehen werden, ob sie nun damit übereinstimmen oder nicht.

Anzeiger für die Altertumswissenschaft 22 (1969), S. 46—47.

REZENSION VON: GERHARD DOBESCH, CAESARS APOTHEOSE ZU LEBZEITEN UND SEIN RINGEN UM DEN KÖNIGSTITEL*

Von Hans Volkmann

Zwei in der Forschung sehr umstrittene Probleme packt Dobesch gründlich und mit Erfolg an. Er weist die Vergottung Caesars zu Lebzeiten und sein Streben nach Diadem und Königstitel nach. Beide Ergebnisse sind nicht neu, werden aber sorgfältig gegen bisher erhobene Einwände gesichert. Neu ist dagegen der Versuch, für beide Fälle einen wohldurchdachten Plan Caesars aufzudecken. Methodisch verbindet die Untersuchung geschickt die umfassende Quelleninterpretation mit bedachtsamen Schlüssen aus der inneren Wahrscheinlichkeit des geschichtlichen Ablaufes.

Aus der Fülle der kultischen Ehren Caesars (Cass. Dio 43, 14. 42—44) hebt D. zwei Gruppen hervor, die er als erste und zweite Apotheose Caesars unterscheidet, Beschlüsse, die Caesar, den ϑεὸς ἀνίκητος (43, 45, 3), mit Quirinus-Romulus verbinden, und Anordnungen, die Caesar mit Iuppiter gleichsetzen (44, 6, 4). Während die erste Apotheose gut bezeugt ist, widersprechen sich die Quellen in der Form der zweiten. Nach Cass. Dio 44, 6, 4 begrüßten die Römer Caesar als Ζεὺς Ἰούλιος, dagegen spricht Cic. Phil. 2, 110 von dem *divus Iulius*, dessen *flamen* Antonius wurde. Wie D. im Kapitel „Der Iuppiter Iulius" ausführt, sei Caesar zum *divus Iulius* durch Senatsbeschluß erhoben und bei dessen Verkündigung als *Iuppiter Iulius* begrüßt worden. „Die Anrede als *Iuppiter Iulius* bedeutet gegenüber dem *divus Iulius* . . . nur gesteigerte Eindeutigkeit ohne sachlichen Unterschied" (S. 28). Für seine Hypothese zieht D. u. a. Nachrichten heran, die Caesar mit Iuppiter verbinden, das

* Untersuchungen über Caesars Alleinherrschaft. Wien, Im Selbstverlag des Österreichischen Archäologischen Instituts. 1966.

Aufstellen seines Triumphwagens im Iuppitertempel dem Gott gegenüber (43, 14, 6), seiner Statue ebendort auf einem Bild der Oikumene und der Ehrenbeschlüsse zu Füßen des kapitolinischen Iuppiter (44, 7, 1) sowie den Plan, den Toten in der *cella* des Tempels zu verbrennen (Suet., Caesar 84, 3). Mit der Doppelform des Herrscherkultes stützt Caesar seinen Anspruch auf die absolute Herrschaft über Rom und die Oikumene. Die neue Epoche kündigt der Kult der Concordia durch ihren auffälligen Beinamen *nova* an.

Nicht alle Einzelheiten des faszinierenden Bildes, das D. zeichnet, überzeugen. Die Benennung Caesars als *Iuppiter Iulius* ist nur einmal, dazu spät, also ungenügend bezeugt. Cicero hätte sie in seiner Gehässigkeit kaum verschwiegen. Ob der Terminus *divus Iulius* für den lebenden Caesar verwandt wurde, ist fraglich (F. Bömer, Bonn. Jahrb. 154, 1954, 189). Die übrigen Zeugnisse beweisen nur ein für den Herrscher verständliches Naheverhältnis zu Iuppiter, nicht aber seine Gleichsetzung mit ihm. Gegen sie spricht Caesars Wort, König der Römer sei Iuppiter allein (Cass. Dio 44, 11, 3), das D. 132 f. freilich in seinem Sinne umdeutet. Diese Abstriche treffen wesentlich den von D. vermuteten Plan Caesars, nicht aber dessen Apotheose. Warum nach ihr 42 nochmals eine Apotheose, diesmal des Toten, erfolgte, bleibt trotz G. Wissowa, Religion und Kultus der Römer 343 rätselhaft.

Im zweiten Teil widerlegt D. die sogar von M. Gelzer, Caesar [6]1960, 295, 218 [vgl. diesen Band S. 338] übernommene These K. Krafts (Jb. f. Numism. u. Geldgesch. 3/4, 1952/53, 45), daß „ein Griff nach Diadem und Rextitel von Caesars Seite heller politischer Wahnsinn gewesen wäre“. Kraft sieht in den bekannten Ereignissen, besonders in dem Diademangebot, das Werk der Feinde Caesars, die ihn als Tyrannen bloßstellen wollten. D. zählt demgegenüber die erdrückende Fülle der Caesar bewilligten Rechte, Gewalten und Ehren auf. Im Licht dieser offenen Herrschaft und Brüskierung des Senates und Volkes sind Diadem und Rex-Titel folgerichtig Krönung der faktischen Monarchie. Ein Verzicht auf sie hätte über Caesars Alleinherrschaft nicht hinweggetäuscht, war also für ihn wertlos. Daher suchte er, wie D. meint, als geschickter Taktiker bei wohlüberlegten Anlässen die Zustimmung des Volkes zu diesen höchsten Würden zu erhalten. Die von D. mitunter überspitzte

Interpretation seiner Schritte kann hier wegen ihrer verwickelten und zwielichtigen Formen nicht gegeben werden, ist aber unumgänglich für jeden, der Caesars Verhalten ergründen will.

Nachtrag 1974

Zu ermitteln, ob Caesar, wie D. behauptet, bereits zu Lebzeiten als Gott, nämlich als *Juppiter Julius*, verehrt wurde oder zunächst nur zahlreiche Ehren in kultischen Formen erhielt und erst nach dem Tode offiziell als *Divus Julius* zum Gott erhoben wurde, ist wichtig. Ein klares Ergebnis würde die differenzierte Entwicklung des Kaiserkultes in Rom und den Provinzen durch Caesars Nachfolger Augustus erklären, der erst nach seinem Tode 14 n. Chr. als Gott gefeiert wurde. Den Fragenkomplex behandelt eingehend St. Weinstock, Divus Julius (1971). Er verneint (S. 305) die auch von mir bezweifelte Beweiskraft von Cass. Dio 44, 6, 4. Er deutet die dort erwähnte Begrüßung Caesars als *Juppiter Julius* vor dem Partherfeldzug nach Horaz, carm. III 5, 1 ff. Wie Juppiter im Himmel wird Augustus als Gott über die ganze Erde walten, wenn er die Briten und Parther dem Reiche einfügt. In beiden Fällen wird Juppiter als Metapher herangezogen, um die Bedeutung der Herrscher hervorzuheben, mit ihrer Vergottung hat das nichts zu tun. Da auch die übrigen Zeugnisse den lebenden Caesar nur in die Nähe der Götter rücken, wird man beim heutigen Stand der Forschung besser nur von *einer* Apotheose Caesars, nämlich der posthumen 44 v. Chr., sprechen.

Classical Review 1970, pp. 62—64. Aus dem Englischen übersetzt von Hans Jürgen Tschiedel.

REZENSION VON: HELGA GESCHE, DIE VERGOTTUNG CAESARS *

Von J. P. V. D. Balsdon

Dieses fesselnde Buch über das Thema der Vergottung Julius Caesars ist weitgehend auch ein Buch über die Gemeinheit des Antonius.

Zu Beginn unterzieht die Autorin Stück für Stück jene Zeugnisse einer kritischen Prüfung, auf deren schwachen Fundamenten viele Gelehrte die Vorstellung von einer Vergottung des lebenden Julius aufbauen; dabei weist sie nach, daß es überhaupt kein Zeugnis für die Vergottung gibt. Dieser Teil ihres Buches sollte in Zukunft jedem zur Pflichtlektüre gemacht werden, der über Caesars Göttlichkeit zu reden oder zu schreiben gedenkt. Zur Vergottung, so betont sie, gehören ein Tempel, ein Kultbild (ἄγαλμα) und ein Priester.

Die anschließende Prüfung des Materials auf Hieb- und Stichfestigkeit überstehen nur zwei Stellen unbeschadet. Die erste ist Dios Aussage (44, 6, 4), wonach mit der letzten übertriebenen Häufung von Ehren, die früh im Jahre 44 beschlossen und zur Hinterlegung im Tempel (mit außergewöhnlicher Schnelligkeit) in goldenen Lettern auf Silber graviert wurden, Caesar als Δία Ἰούλιον proklamiert — was entweder *Iuppiter Iulius* oder *Divus Iulius* meinen konnte —, ihm und seiner Clementia ein Tempel gelobt und Antonius zum Flamen gemacht wurde. Die zweite ist Ciceros im September 44 getroffene Feststellung in der zweiten Philippica (2, 110) — ohne Zweifel das wichtigste Zeugnis von allen —, nämlich daß Caesar ein *pulvinar* und ein *simulacrum* hatte (was auf eine Kultstatue hinzudeuten scheint), ein *fastigium* (einen Tempel; doch ist das gemeint?) und einen *flamen*, nämlich Antonius,

* (Frankfurter Althistorische Studien 1) 112 S. Kallmünz 1968.

der nie in sein Amt eingesetzt worden war. *Est ergo flamen ut Iovi, ut Marti, ut Quirino, sic divo Iulio M. Antonius.*

Sofort verlangen zwei Fragen nach Antwort. Wenn Dios Behauptung für bare Münze zu nehmen ist und Caesar zu Lebzeiten zum Gott erhoben wurde, warum schildert dann Dio (und auch andere antike Schriftsteller) seine posthume Divinisierung ohne irgendeinen Rückverweis und offensichtlich unter Ignorierung des Umstandes, daß der neue Gott schon Gott war und das schon zu seinen Lebzeiten gewesen war?

Zum zweiten, warum wurde Antonius nicht inauguriert? Zeit wäre dafür gewesen, bevor Caesar am 18. März 44 nach dem Osten abreiste (seine Ermordung ist in diesem Zusammenhang nicht von Belang). Caesar hätte Freude daran gehabt. (Hätte er das wirklich?)

Das Dilemma liegt auf der Hand. Zu seiner Lösung wird eine sehr hübsche Hypothese offeriert, die auf der weitgehenden Übereinstimmung von Dios und Ciceros Formulierungen beruht. Mehr als eine der übersteigerten Ehren, die für Caesar zu seinen Lebzeiten beschlossen wurden, war an die Voraussetzung gebunden, daß er zunächst einmal tot war, zum Beispiel die, daß er innerhalb des *pomerium* bestattet werden sollte. Auch die Vergottung muß an seinen Tod gebunden gewesen sein; es war dies ein Beschluß, daß er, sobald er tot sein würde, als *Divus Iulius* zum Gott erhoben werden (so bereitet die Deutung der Aussage Dios nicht länger Schwierigkeiten) und Antonius (bei dem man natürlich, da er jünger war, ein längeres Leben voraussetzte) sein *flamen* sein sollte. Das alles war in goldenen Lettern verzeichnet und zu Füßen Juppiters auf dem Kapitol hinterlegt, weil es in Juppiters Verantwortung liegen würde, dafür zu sorgen, daß — war Caesar erst einmal tot — der Beschluß auch zur Ausführung gelangte. Und es war eine verstohlene Mahnung an Caesar, zwischen den Anfängen des Jahres 44 und seinem Tode, wann immer er eintreten mochte, nicht davon abzulassen, [der aus dem Beschluß erwachsenden Verpflichtung] [1] gerecht zu werden.

Bei der Sitzung am 17. März im Tempel der Tellus wurden

[1] [ ] Ergänzung des Übersetzers.

Caesars Acta in ihrer Gültigkeit bestätigt und diese Bestätigung schloß Caesars Vergottung mit ein und sollte diese mit einschließen. Jetzt war der Augenblick dafür gekommen. Dies — leider — ist der Punkt, an dem, wie man bedauerlicherweise befürchten muß, Gesches Hypothese in sich zusammenbricht. Denn auf der einen Seite gab es die Acta Caesars, auf der anderen die Acta des Senats, die davon grundverschieden waren.

Das ist schade, weil die Rekonstruktion der Geschehnisse von diesem Moment an immer faszinierender (und durchaus einleuchtend) wird. Im Brennpunkt des Interesses steht jetzt Antonius.

Von dem Augenblicke an, da Caesar tot war, spielte Antonius sein eigenes, sehr raffiniertes Spiel. Die Abschaffung der Diktatur, so wird behauptet, war seine Idee. Er wollte dem Senat damit die Gewißheit geben, daß er nicht die Absicht hegte, in Caesars Fußstapfen zu treten. Die Annahme der Inauguration und die mit diesem Akt verbundene Bestätigung der Divinisierung Caesars hätten Octavian in der Gestalt eines göttlichen Vaters eine Trumpfkarte in die Hand gegeben. Infolgedessen nutzte Antonius seine eigenen Chancen sehr sorgsam und kam dabei dem populären Verlangen, Caesar zu ehren, soweit wie möglich dadurch entgegen, daß er solch harmlosen Neuerungen wie der Änderung des Monatsnamens *Quinctilis* zustimmte, aber keinen Schritt darüber hinaus ging. Und selbst nach der Bildung des Triumvirats und der offiziellen Apotheose Caesars am 1. Januar 42 war er immer noch nicht in sein Amt eingesetzt. Überdies lag der offiziellen Apotheose im Jahre 42 faktisch kein neuer Beschluß zugrunde, denn — so will man uns glauben machen — in Wirklichkeit gab es im Jahre 42 überhaupt keine *Lex Rufrena,* und Rufrenus war 42 nicht Tribun. Alles, was sich da abspielte, sollte nur dem im Jahre 44 zu Caesars Lebzeiten verabschiedeten Senatsbeschluß endlich Gültigkeit verschaffen. Warum war Octavian bis 39 nicht *Divi filius*? Weil erst dann, erst nach Brundisium, die lange hinausgeschobene Inauguration des Antonius als Caesars *flamen* stattfand.

Das Buch bietet von der ersten bis zur letzten Seite fesselnde Lektüre; es stellt ein Beispiel wirklich weiterführender Arbeit dar. Der Punkt, an dem die Hypothese in sich zusammenzubrechen scheint, ist schon bezeichnet worden; auch berücksichtigt sie im ganzen gesehen nur unzureichend das *sidus Iulium* und die Bedeutung des Kometen als ein *prodigium* für den *ritus consecrationis*, woran es seit Bickermanns erhellender Abhandlung [in diesem Band S. 82 ff.] überhaupt keinen Zweifel mehr geben kann.

Originalbeitrag 1974.

DIE VERGOTTUNG CAESARS*

Von Helga Gesche

Im Rahmen der Diskussion über die Absichten und Zielsetzungen Caesars hinsichtlich der Ausgestaltung seiner monarchischen Stellung in Rom soll die Tragfähigkeit der These untersucht werden, wonach Caesar ein Gottkönigtum hellenistisch-orientalischer Prägung angestrebt habe und ihm bereits zu Lebzeiten kultische Verehrung als Gott zuteil geworden sei. Bewahrheitete sich diese Annahme in den Aussagen der Quellen, müßte zugleich die Behauptung, Caesar habe, alle Maßstäbe politischer Vernunft verlierend und unter Mißachtung römischer Gegebenheiten das in Rom verhaßte Diadem und den nicht minder verhaßten *Rex*-Titel zu erlangen gesucht, an historischer Wahrscheinlichkeit und Glaubwürdigkeit gewinnen. Dementsprechend muß ein Versuch, in dem skizzierten Fragenkomplex eine Klärung zu erreichen, zunächst und vor allem diejenigen Ehrungen einer erneuten Überprüfung unterziehen, aus denen man glaubt, auf eine bereits zu Lebzeiten vollzogene „Vergöttlichung" Caesars schließen zu müssen (S. 7—8).

Unter dem Begriff „Vergöttlichung" sind in der Forschung seit jeher Vorgänge und Erscheinungen sehr verschiedenen Inhalts und ganz unterschiedlicher Gewichtigkeit subsumiert worden; er bezeichnet sowohl Ehrungen, die in den — aus staats- und sakralrechtlicher Sicht — belanglosen Komplex der „höfischen Schmeiche-

* Der nachstehende Text ist eine knappe Zusammenfassung der 1968 in: Frankfurter Althistorische Studien (FAS), Heft 1 (Kallmünz, Verlag M. Laßleben) unter gleichem Titel erschienenen Untersuchung. Die Thesen und Ergebnisse sind in Kurzform — gelegentlich wörtlich — so wiedergegeben, wie sie seinerzeit in der Dissertation niedergelegt wurden; auch im Aufbau orientiert sich das Résumé an der Originalpublikation. Die in Klammern angegebenen Seitenzahlen beziehen sich auf die Druckfassung von 1968.

lei" gehören, als auch solche, die in der Tat als bindende religiös-kultische Basis einer politischen Herrschaftsstellung zu gelten haben. Solange in diesem Bereich keine terminologische und — daraus resultierend — inhaltliche Differenzierung erfolgt, sind falsche bzw. den wahren Sachverhalt verzerrende Schlußfolgerungen und Deutungen unausweichlich (S. 9).

Als differenzierende Termini bieten sich die Begriffe „Vergöttlichung" und „Vergottung" an. Unter „Vergöttlichung" wird die Zuerkennung und Ausführung von Ehrungen verstanden, wie sie zwar ähnlich für Götter üblich waren, durch die aber der Geehrte nicht sakralrechtlich unter die Staatsgötter erhoben wird, sondern nur eine gewisse Rangerhöhung im menschlich-politischen Bereich erfährt (S. 9—10). „Vergottung" meint hingegen die offizielle, von Staats wegen erfolgende und durch das Sakralrecht des Staates sanktionierte Aufnahme eines Menschen unter die Staatsgötter. Um von Vergottung sprechen zu können, müssen jene Kriterien erfüllt sein, die auch bei den übrigen Staatsgöttern gegeben sind. Diese sind das Vorhandensein eines Kultnamens, einer Kultstätte und eines funktionierenden Kultes, d. h. das Amtieren eines staatlichen Priesters (S. 10). Nur diese Kriterien können für die Frage, ob Caesar „vergöttlicht" (nach unserer Terminologie: vergottet) wurde, bzw. ein hellenistisches Gottkönigtum in Rom anstrebte oder gar bereits innehatte, relevant und ausschlaggebend sein. Nicht zu berücksichtigen sind alle jene kultischen oder göttlichen Ehren, die Caesar beispielsweise durch Städte bzw. provinziale Gemeinwesen insbesondere des griechischen Ostens zuteil wurden, da sie keine sakralrechtliche Wirkung in Rom selbst besaßen. Auch private kultische Ehrungen für Caesar müssen aus dem Beweisgang ausgeschieden werden, weil auch sie keine Rückschlüsse auf seine offizielle Stellung erlauben (S. 11—15).

Als zum Komplex vergöttlichender — nicht vergottender — Ehrenbeschlüsse gehörig sind aus der weiteren Betrachtung auszuklammern: Das Recht Caesars, sein Bildnis auf Münzen setzen zu dürfen; die Umbenennung des Monats *Quinctilis* in *Iulius*; die Benennung einer Tribus nach Caesar; die *Vota* für Caesar; die Feier von *Supplicationes* zu Caesars Ehren; die Abhaltung von Spielen für Caesar (S. 16—19). Ferner sind auch jene Inschriften über Vergottungsmaßnahmen für Caesar nicht beweisträchtig — obwohl es sich dabei um offizielle Zeugnisse handelt —, die selbst keine exakte Datierung gestatten und die somit ihrerseits erst aus einer auf andere Weise gewonnenen Bestimmung des Zeitpunktes der Vergottung/Divinisierung Caesars zeitlich fixiert werden können (ILS 72. 73. 73a; S. 15—16).

Bei der Überprüfung und Durchsicht aller einschlägigen Quellenstellen nach Zeugnissen für die Existenz einer Kultstätte, eines Kultes, eines Priesters und eines Kultnamens für Caesar zu seinen Lebzeiten ergibt sich folgendes: Caesar muß zwar noch vor seinem Tode ein *Simulacrum,* ein *Pulvinar* und eine Kultstätte zuerkannt worden sein; denn auf derartige Ehrungen nimmt Cicero im Herbst 44 in seiner 2. philippischen Rede (§ 110) Bezug, und es ist undenkbar, daß ein Beschluß dieses Inhalts in den ersten Monaten nach Caesars Ermordung zustande kam. Andererseits ist aber sicher nachzuweisen, daß diese Kultstätte zum Zeitpunkt der Ermordung Caesars noch nicht vorhanden war (S. 19—25). Ebensowenig kann zwingend bewiesen werden, daß Caesar noch zu Lebzeiten ein Kultbild im strengen und eigentlichen Wortsinn besessen hat (S. 26—29). Auch ein Priester bzw. Priesterkollegium, dem die Durchführung eines offiziellen Caesar-Kultes hätte obliegen müssen, amtierte bzw. existierte vor Caesars Tod nicht. Das nach Caesar benannte Priesterkollegium der *Luperci Iulii* kommt für eine derartige Zweckbestimmung nicht in Frage, und der *Flamen,* der zur Wahrnehmung des Kultes für den vergotteten Caesar vorgesehen war und der zweifelsfrei auch noch vor Caesars Tod bestimmt (designiert) worden war, nämlich Marc Anton, hatte selbst im Herbst 44 (Cicero, Phil. 2, 110) dieses Amt noch nicht angetreten. Was den Kultnamen anlangt, kann die Bezeichnung *deus invictus* (ϑεῷ ἀνικήτῳ, Dio 43, 45, 3) kaum als solcher gewertet worden sein, und die Angabe von Dio 44, 6, 4, Caesar habe die Titulierung *Iuppiter Iulius* erhalten (Δία Ἰούλιον), hält einer kritischen Überprüfung nicht stand. Vielmehr ist aufgrund der weitgehenden Übereinstimmung der Berichte Ciceros (Phil. 2, 110) und Dios (44, 6, 4) anzunehmen, daß auch Dio den bei Cicero sicher überlieferten Titel *Divus Iulius* als Kultnamen Caesars gemeint hat. Die Bezeichnung *Divus Iulius* muß, da sie bereits von Cicero im Herbst

44 erwähnt wird, Caesar vor den Iden des März als offizieller Kultname zuerkannt worden sein; dies ist aber ein Titel, der auch zur damaligen Zeit nur postum, also bezogen auf einen bereits Verstorbenen, Verwendung finden konnte (S. 31—39).

Abgesehen von diesen Beobachtungen, lassen auch die Tatsache, daß die Ermordung Caesars niemals mit dem Hinweis auf seine „unrömische", Maßlosigkeit verratende Vergottung zu Lebzeiten gerechtfertigt wird, die Vorgänge vor dem Venustempel, sowie schließlich auch einige Überlegungen zu Beschlüssen des Jahres 42, eine Erhebung des lebenden Caesar unter die Staatsgötter als ausgeschlossen erscheinen. Eine exakte Analyse der Aussagen Dios läßt zudem keinen Zweifel daran, daß selbst Dio seinen in 44, 6, 4 gegebenen zusammenfassenden Bericht über die Vergottungsbeschlüsse für Caesar nicht im Sinne einer zu Lebzeiten vollzogenen Apotheose verstanden haben kann (S. 40—46).

Insgesamt gesehen ergibt sich damit der auf den ersten Blick vielleicht merkwürdig erscheinende Befund, daß ein Vergottungsbeschluß für Caesar noch vor seinem Tode verabschiedet worden sein muß, daß aber mit dessen Ausführung offensichtlich nicht zu Caesars Lebzeiten begonnen wurde; beides findet seine Bestätigung in Cicero (S. 46—47). Da einerseits die sofortige Ausführung des Vergottungsbeschlusses — zumindest teilweise — keinerlei Schwierigkeiten bereitet hätte (zumal die Einsetzung des *Flamen* und damit des Kultes wäre leicht möglich gewesen), und Caesar andererseits am 17. 3. 44 Rom für mehrere Jahre verlassen wollte, also eine Ausführung der Vergottung, wenn sie für den Lebenden gewollt und beabsichtigt gewesen wäre, hätte geboten erscheinen müssen, diese aber dann dennoch nicht erfolgte, muß man zu dem Schluß kommen, daß die Vergottung Caesars nicht nur aus irgendwelchen Gründen nicht ausgeführt wurde, sondern daß sie von vorneherein erst für den toten Caesar vorgesehen war.

Der Beschluß, Caesar als Gott zu verehren, muß demnach, wie bemerkenswerterweise auch einige andere Ehrenbeschlüsse für ihn (*Supplicationes* bei zukünftigen Siegen; Gültigkeitserklärung seiner Handlungen im voraus; Vererbbarkeit des *Imperator*-Titels; Übernahme des *Pontifex-Maximus*-Amtes durch Caesars Sohn; S. 48 bis 50), für die Zukunft, genauer für die Zeit nach dem Tode, gefaßt worden sein. Es ist bezeichnend und aufschlußreich, daß der die Vergottung Caesars bewirkende Ehrenkomplex (Dio 44, 6, 4; Cicero, Phil. 2, 110) zusammen mit einem eindeutig in die Zukunft, auf den Tod Caesars weisenden Beschluß (Dio 44, 7, 1), nämlich ihn im *Pomerium* begraben zu wollen, auf silbernen Tafeln eingraviert im Kapitol aufgestellt wurde (S. 50—53).

Da es nach der Ermordung Caesars nicht zu einer Ächtung seiner Person und einer Nichtigkeitserklärung seiner *Acta* kam, diese vielmehr garantiert wurden, blieben auch die einmal für ihn beschlossenen Ehrungen, einschließlich des Vergottungsbeschlusses, als Teile der *Acta Caesaris* gültig (S. 56—63) [1].

Die neuerliche Bestätigung des seinerzeit im Vorgriff auf Caesars Tod verabschiedeten Divinisierungsbeschlusses war aber noch nicht gleichbedeutend mit dem tatsächlichen Inkrafttreten des Caesar- bzw. *Divus-Iulius*-Kultes. Dazu mußte vor allem Antonius erst sein Amt als *Flamen Divo Iulio* in sakralrechtlich verbindlicher Weise übernommen haben (S. 63), was noch einige Jahre auf sich warten ließ.

So tragen die — z. T. von Octavian, als dem präsumptiven Hauptnutznießer einer Divinisierung Caesars, gesteuerten und initiierten — Vorgänge in Rom im Jahre 44, die auf eine kultische Verehrung des toten Caesar hinauslaufen (Altäre; Säule mit der Aufschrift *Parenti Patriae*; der Versuch, Caesars *Sella* in der Theaterpompa mitzuführen; die Ausdeutung des sog. *Sidus Iulium*), zunächst rein inoffiziellen Charakter; die Consuln sind mehrfach gegen sie eingeschritten (S. 64—70). Die reservierte, ja ablehnende Haltung des Antonius in dieser Zeit gegenüber dem Caesar-Kult und seine Weigerung, das *Flamen*amt anzutreten, ist wahrscheinlich von seiner kompromißbereiten Haltung gegenüber dem Senat mitbestimmt gewesen, vor allem aber wohl durch die Konkurrenz zu Octavian bedingt (S. 70—79, bes. 70—72).

[1] Trotz der von Balsdon (s. seine Rezension, in diesem Bd. S. 366) geäußerten Bedenken halte ich ohne Einschränkung an der von mir (S. 59—61) dargelegten Argumentation fest; m. E. geht aus den dort angeführten Quellenstellen eindeutig hervor, daß auch Ehrungen für Caesar als Teile seiner — durch den Senat in ihrer Gültigkeit neuerlich garantierten — Acta angesehen und behandelt wurden.

Octavian seinerseits hatte seit seiner Ankunft nach Caesars Ermordung in Rom keinen Zweifel daran gelassen, daß er unter allen Umständen auf eine Inkraftsetzung der für seinen Adoptivvater bereits zu Lebzeiten beschlossenen göttlichen Ehren dringen werde. In diesem Sinne (Durchsetzung der Ehren für Caesar), und nicht etwa als Ausdruck des Strebens Octavians, dieselben Ehren wie Caesar erlangen zu wollen, ist auch die auf dem Forum gehaltene Rede Octavians zu interpretieren (Cicero, ad Att. 16, 15, 3: *iurat, ita sibi parentis honores consequi liceat;* S. 79—82). Letztlich konnte jedoch auch Octavian die offizielle Erhebung Caesars unter die Staatsgötter nur erreichen, wenn der für den *Divus-Iulius*-Kult vorgesehene *Flamen* Antonius sein Amt antrat. Damit war aber nur zu rechnen, wenn zuvor eine Einigung mit Octavian erzielt worden war.

Tatsächlich fallen in die Zeit bald nach Abschluß des Triumvirates zwischen Octavian, Antonius und Lepidus die ersten neuerlichen Versuche, Caesars Divinisierung praktisch zu verwirklichen. Bei den für das Jahr 42 erwähnten Ehrenbeschlüssen handelt es sich lediglich um eine teilweise Reaktivierung des Vergottungsdekretes von 44. Auch zu diesem Zeitpunkt erfolgte jedoch noch nicht die endgültige Divinisierung Caesars, da auch jetzt Antonius noch nicht den entscheidenden Schritt tat, sich als *Flamen* für den *Divus Iulius* inaugurieren zu lassen (S. 82—87).

Erst im Jahre 40/39, als Antonius hoffen konnte, sich mit Octavian soweit ausgesöhnt zu haben, daß dieser die ihm nach einer Divinisierung Caesars zustehende Bezeichnung *Divi Filius* nicht gegen ihn propagandistisch ausnützen würde, hat sich Antonius zur Übernahme des Flaminats bereit erklärt. Damit war Caesars Divinisierung wirklich vollzogen, und bezeichnenderweise führt auch Octavian erst auf Münzen des Jahres 39/38 den Titel *Divi Filius* (S. 89—91). Wahrscheinlich wurde auch jetzt erst, im Jahre 39, die *Lex Rufrena* verabschiedet, die im Zusammenhang mit Ehrungen für den *divus* (bzw. *deivus*) *Iulius* steht (ILS 73. 73a; S. 87—89).

Die These eines für den toten Caesar bereits zu Lebzeiten zustande gekommenen Divinisierungsbeschlusses ist nicht nur mit den Quellenberichten in Einklang zu bringen und aufgrund historischer Erwägungen wahrscheinlich, sondern läßt sich auch in die der Zeit geläufigen Vorstellungen einordnen und findet ihre Parallelen und Voraussetzungen in den damals herrschenden Ideen über die postume Vergottung eines um den Staat verdienten Mannes. Das philosophische Denken der Zeit — am besten repräsentiert durch Cicero — sieht unter dem Einfluß griechischen Gedankengutes die Apotheose eines Menschen als denkbar an, wenn dieser sich durch besondere Leistungen für den Staat ausgezeichnet hat. Die Erhebung Caesars zum *Dictator Perpetuus* sowie auch die Garantie aller seiner zukünftigen *Acta* im voraus, impliziert die (zumindest vorgegebene) Erwartung, daß Caesar bis an sein Lebensende nur staatsdienliche, gute Taten vollbringen werde. Die Bezeichnung Caesars als *Parens Patriae* — nicht zuletzt resultierend aus seiner *Clementia* — weist in eine ähnliche Richtung und erhebt ihn gewissermaßen zum σωτήρ seiner Mitbürger. Auf dieser Ebene kann auch die Angleichung Caesars an Romulus/Quirinus, den Stadtgründer und das Urbild einer postumen Vergottung in Rom, erfolgen und den Gedanken an eine Divinisierung (nach dem Tode) nahelegen. Divinisierung manifestiert sich auf diesem gedanklichen Hintergrund, wie der Heroenkult, als postume Belohnung für erbrachte staatsdienliche Leistungen und Taten, um die man Caesar noch zu Lebzeiten wissen lassen wollte und die Caesar — so verstanden — auch nicht hätte im Vorgriff ablehnen können. Den nachhaltigsten Niederschlag haben diese Vorstellungen später in den römischen Kaiserkonsekrationen gefunden. Ein grundsätzlicher Unterschied zwischen der Vergottung Caesars und der Divinisierung/Konsekration der späteren römischen Kaiser besteht nicht; gerade auch ein Vergleich der Apotheose Caesars mit derjenigen des Augustus macht Ähnlichkeiten und Parallelen offenkundig (92—96).

Der Nachweis, daß eine Vergottung des lebenden Caesar nicht nur nicht zustande kam, sondern auch nicht beabsichtigt war, läßt es unzulässig erscheinen, weiterhin, unter der Prämisse persönlicher Maßlosigkeit und politischer Unvernunft Caesars, sein Streben nach *Rex*-Titel und Diadem als gegeben und erwiesen betrachten zu wollen.

IV. AUGUSTUS

A. D. Nock, The Institution of Ruler-Worship. Cambridge Ancient History X (1934), pp. 481—489. Aus dem Englischen übersetzt von Karl Nicolai.

DIE EINRICHTUNG DES HERRSCHERKULTES

Von A. D. Nock

Wie es dazu kam, daß hellenistische Könige die einer Gottheit gebührenden Ehren erhielten, ist in einem der früheren Bände (Cambridge Ancient History VII, S. 13 ff.) dargestellt. Solche Ehrungen waren ein Ausdruck der Dankbarkeit; sie hatten keinerlei theologische Bedeutung. Das mag paradox klingen. Die Griechen trennten nicht streng zwischen Mensch und Gott, sondern ließen häufig das eine in das andere übergehen; zusätzlich zu dieser allgemeinen Denkweise müssen wir zwei weitverbreitete Vorstellungen berücksichtigen: 1. daß es sich bei den Göttern der Volksreligion um Menschen handle, die von der dankbaren Menschheit zu Göttern erhoben worden seien, 2. daß die Seele eines Menschen — zumindest die Seele eines außergewöhnlichen Menschen — in gewissem Sinne göttlich sei. Trotzdem bleibt ein Unterschied bestehen, denn die alten Kulte galten als fester Bestandteil des Lebens, und Hypothesen oder Zusätze, denen die Weihe eines Orakelspruches oder einer anderen Offenbarung fehlte, konnten nicht auf das gleiche Ansehen hoffen. Obwohl es zahllose Weihungen und Akte der Verehrung für vergöttlichte Herrscher gibt, ist deutlich, daß sie alle denselben Charakter haben: es sind Akte der Huldigung, nicht der kultischen Verehrung im vollen Sinne des Wortes, denn zur kultischen Verehrung gehört die Erwartung eines auf übernatürliche Weise vermittelten Segens. Das Kriterium der antiken Frömmigkeit ist das Aufstellen von Weihgeschenken zum Dank dafür, daß Menschen vermeintlich auf irgendeine übernatürliche Weise aus Krankheit oder anderer Gefahr gerettet worden sind. Solche Geschenke finden wir weder für tote noch für lebende Herrscher.

Da der Herrscherkult Ausdruck der Dankbarkeit oder Anerkennung der Macht war, lag die Initiative normalerweise bei den

Untertanen, nicht beim Herrscher. Es gibt Ausnahmen (zum Beispiel die Forderung Alexanders des Großen an die griechischen Städte), aber dort geht es um eine Frage des Status, nicht der religiösen Verehrung. Im allgemeinen hatte ein Herrscher kein Interesse an dem Kult seiner eigenen Person; dieser war für ihn lediglich ein Faktor, der den organisatorischen Zusammenhalt seines Staates förderte, oder ein Element seines eigenen Ansehens im Verhältnis zu einer abhängigen Stadt oder im Wettbewerb mit anderen Dynastien. Zwischen ihm und seinen Untertanen ging es um eine Frage der Loyalität: er wollte dieser Loyalität sicher sein, wollte empfangen, was bald die normale Form der Huldigung wurde, und sie wollten ihre Loyalität ausdrücken. Daher war auf ihrer Seite auch nur wenig Gefühl mit im Spiel, außer gegenüber Persönlichkeiten, die eine tiefe Dankbarkeit hervorriefen, und diese Dankbarkeit wurde dann manchmal jahrhundertelang bewahrt. Das geschah vor allem bei jenen, die — wie die alten Gründer von Kolonien — eine Stadt gegründet oder neugegründet hatten. Diese Einstellung kann man mit derjenigen vergleichen, wie sie gegenüber den Heroen üblich war.

Eine solche Entwicklung stellte ursprünglich für Rom etwas Fremdartiges dar. Rom besaß keinen bodenständigen Heroenkult, und die römische Vorstellung von den Göttern war bei weitem nicht so anthropomorph wie die griechische, so daß ein entsprechendes Verschwinden des Unterschieds zwischen dem Menschlichen und dem Göttlichen unwahrscheinlich war. Trotzdem hatte Rom bis zur Zeit des Augustus sich dieser Vorstellungswelt sehr stark angenähert. Die Idee der Heroisierung oder Vergöttlichung aufgrund von Verdiensten war von Ennius eingeführt worden; viele Römer hatten im Osten göttliche Ehren empfangen, die ihnen wegen ihrer Ungewöhnlichkeit vielleicht mehr bedeuteten als den hellenistischen Herrschern, deren Stelle sie eingenommen hatten[1]; und die Mischbevölkerung der Hauptstadt umfaßte nun viele, für die solche Formen der Ehrenbezeigung etwas Natürliches und beinahe Instinktives waren.

[1] Man beachte, welche Gefühle Cicero anläßlich der Bezeichnung des Verres als *soter* äußert (II Verr. 2, 154), obgleich eine solche Titulierung nichts Außergewöhnliches war.

Wie immer man auch Julius Caesar zu Lebzeiten behandelt und beurteilt hatte, nach seinem Tod war er *Divus Iulius*, und seit spätestens 40 v. Chr. war Octavian *Divi filius* — ein Titel, der an sich für einen Römer einzigartig war und der Konsequenzen haben mußte. Im Jahr 36 v. Chr. hatte ihm die Dankbarkeit der italischen Municipien einen Platz in ihren Tempeln gewährt. Nach der Schlacht von Actium erforderte es die Stellung Octavians, daß man ihn auf diese und andere Weise anerkannte. So begann man im Jahr 30 seinen Geburtstag als öffentlichen Feiertag zu begehen, dessen Feierlichkeit ständig zunahm, und bei offiziellen wie privaten Gastmählern wurde es üblich, ihm zu Ehren Trankopfer auszugießen; im Jahr 29 beschloß man, seinen Namen in Hymnen zusammen mit den Namen der Götter zu nennen und den Tag seines Einzugs in die Hauptstadt mit Opfern zu begehen und für immer heiligzuhalten [2]. Im Jahr 28 führte man den Brauch ein, alle fünf Jahre feierliche Gelübde für sein Wohlergehen abzulegen. Im Jahr 27 erhielt er den Titel *Augustus.* Diese Bezeichnung war früher auf Mysterien und auf Dinge aus der göttlichen Sphäre angewandt worden, und sie klang glückverheißend, denn man glaubte, sie hänge mit *augere* und *augurium* zusammen [3], und das letztere war für einen Römer das charakteristische Attribut der *auctoritas.* Der Titel *Augustus* stellte einen ähnlichen Kompromiß zwischen Mensch und Gott dar wie der Titel *princeps* zwischen Bürger und König. Wie angemessen er in den Augen der Römer war, erkennen wir daran, daß man ihn auf den Monat *Sextilis* übertrug [4] und daß alle Nachfolger des Augustus ihn verwendeten.

Dieser Kompromiß spiegelt die offizielle Politik wider. Eine scheinbare Ausnahme verlangt unsere Aufmerksamkeit. Die Politik

[2] Zu den Präzedenzfällen in der Zeit des Hellenismus siehe E. Peterson, Zeitschrift für systematische Theologie 7 (1929/30), S. 682 ff.

[3] Der *lituus* der Auguren als Attribut des Augustus ist in der zeitgenössischen Kunst weitverbreitet.

[4] Seeck-Fitzler, RE X (1919) s. v. Julius (Augustus), Sp. 361 ff. und K. Scott, Yale Classical Studies 2 (1931), S. 224 ff. behaupten, diese Übertragung sei im Jahre 27 erfolgt; sie geben jedoch zu, daß die Anerkennung durch den *princeps* mit seiner Regelung der Schalttage im Jahre 8 v. Chr. zusammenhängt.

des Augustus war sehr stark darauf abgestellt, für jede Gesellschaftsschicht eine spezielle Aufgabe zu finden [5]. Eine Gruppe innerhalb des Staates stand in einem eigentümlichen Verhältnis zum *princeps*: das Heer. War Augustus für die Zivilbevölkerung der *princeps*, so war er für die Soldaten der *imperator*, und er hatte auf ihre Loyalität einen Anspruch, der andersartig und mit einem besonderen Gefühl beladen war; das drückte sich in dem direkten und persönlichen Treueid aus, den sie ihm wie den Feldherren in der Zeit der Republik leisteten. Das Heer nahm im Gefüge der römischen Religion eine Sonderstellung ein; im Grunde war es das römische Volk in Waffen, keine Organisation innerhalb des Staates. Sein Oberbefehlshaber hatte das Recht und die Pflicht, die Götter zu befragen, indem er vor der Schlacht Auspicien veranstaltete; das war ein Umstand, der untrennbar mit dem *imperium* verbunden war. Das römische Heer war jedoch nicht wie ein katholisches oder mohammedanisches Heer damit beschäftigt, ein regelmäßiges Schema religiöser Feiern einzuhalten; es beging die Feiertage des bürgerlichen Kalenders nicht [6]. Dies war Sache der entsprechenden Institutionen in Rom. Aber jede römische Armee oder Heereseinheit verstand sich — zumindest seit dem Anfang des zweiten Jahrhunderts v. Chr. — in hohem Maße als ein fortdauerndes Wesen. Bei der gegenseitigen Durchdringung des weltlichen und des religiösen Lebensbereichs in der Antike und bei der Neigung jeder Gesellschaftsgruppe in der Antike, einen religiösen Mittelpunkt zu finden, ist es natürlich, daß auch Heereseinheiten einen derartigen Brennpunkt entwickelten [7]. Für sie konnten das nur die Feldzeichen sein, und der Platz, an dem man sie aufbewahrte, wurde allmählich zu einem kleinen Heiligtum *(sacellum)* [8]. Zu diesen Feldzeichen

[5] Vgl. A. D. Nock, Mélanges Bidez II, S. 636.

[6] Plin. n. h. XIII 23 spricht von dem Salben der Feldzeichen *festis diebus*; das ist wahrscheinlich ein Hinweis auf den *natalis aquilae* und auf kaiserliche Feiertage.

[7] Die *cohors XX Palmyrenorum* in Dura hatte einen ἱερεὺς λεγιωνάριος (Fr. Cumont, Fouilles de Doura-Europos, S. 375 Nr. 14; vgl. S. 113).

[8] Vgl. A. Schulten, Zeitschrift des deutschen Palästina-Vereins 56 (1933), S. 117 ff., zu dem in der Festung Masada gefundenen *sacellum* aus

kam jetzt eine Darstellung des regierenden *princeps*; sein Bild wurde zusammen mit den Feldzeichen der Legion und auch anderer Einheiten getragen und diente offenbar als Feldzeichen von Legionskohorten. So erhielt es die Huldigung der Truppen und wurde auch unterwürfigen Barbarenfürsten zur Verehrung präsentiert. Eine militärische Einheit verehrte auch eine Reihe von Kriegsgöttern, obgleich wir zugeben müssen, daß nicht ganz klar ist, in welcher Form diese Verehrung sich vollzog.

Wir dürfen die Bedeutung von alledem nicht zu stark betonen. Die Prätorianergarde und die Flotteneinheiten waren die einzigen Soldaten, die normalerweise in Italien stationiert waren, und außerhalb Italiens hatte man gegen eine Teilnahme von Bürgern am Kaiserkult nichts einzuwenden. Ferner verlieh die Verbindung dieser *imagines* mit den Legionsadlern ihnen eine Sonderstellung; der Zivilist verehrte weder die einen noch die anderen. Der Soldat bezeigte beiden seine Verehrung, aber er erwartete von beiden keine übernatürliche Hilfe, und viele militärische Weihungen (sowohl von einzelnen als auch von Truppenteilen) wenden sich unmittelbar an den Kaiser als Menschen, um ihn zu ehren, ohne die Formel *Genio* oder *Numini* zu verwenden [9].

Wir müssen jetzt den weiteren Verzweigungen der oben beschriebenen offiziellen Politik nachgehen. In Rom war nicht viel davon zu bemerken. Es war vielleicht im Jahr 12 v. Chr., als man den Genius des Augustus zwischen *Iuppiter Optimus Maximus* und den Penaten in die offizielle Eidesformel aufnahm, und nach der Neuorganisation des Kultes der *Lares publici* verehrte man denselben Genius zusammen mit diesen in deren öffentlichen Schreinen [10]. Das bedeutete keine Vergöttlichung, denn der Genius eines Privatmannes erhielt, da er der Lebensgeist seiner Familie war, an dessen Geburtstag ein Opfer. Der Kult war deshalb grundsätzlich nichts Neues und hob das Individuum nicht hervor. Im Jahr 7 v. Chr. gelobte Tiberius der *Concordia Augusta* — dem vergöttlichten

der Zeit Vespasians, mit Plätzen wahrscheinlich für das Feldzeichen der Einheit und für die Feldzeichen zweier Manipel.

[9] Vgl. A. von Domaszewski, Westdeutsche Zeitschrift 14 (1895), S. 1 ff.; R. Cagnat, L'armée romaine d'Afrique [2], S. 342 ff.

[10] L. R. Taylor, The Divinity of the Roman Emperor, S. 191 Anm. 20.

Attribut der neuen Ordnung — einen Tempel; dieser wurde 10 oder 13 n. Chr. geweiht, und in dem letzteren Jahr weihte Tiberius wahrscheinlich — ebenfalls in Rom — einen Altar *Numini Augusti*, an dem die vier großen Priesterkollegien jährlich ein Opfer darbringen sollten. Das sieht sehr nach Vergöttlichung aus, ist es aber nicht, denn als Augustus starb, mußte man für ihn noch *caelestes honores* beschließen. Cicero hatte sowohl dem Senat als auch dem römischen Volk ein *Numen* zugeschrieben[11]: es ist die überdurchschnittliche Willenskraft, die man bei Augustus wahrnahm. In Italien außerhalb Roms gibt es eine Einrichtung, die in diesem Zusammenhang zu erwähnen ist, da sie ihren Ursprung wahrscheinlich offizieller Inspiration verdankt: die verschiedenen mit der Verehrung des Augustus beschäftigten Positionen, die Freigelassenen offenstanden. Es gibt verschiedene Titel: *magistri Augustales, seviri, seviri Augustales* und *Augustales*. Der erste dieser Titel taucht 13/12 v. Chr. auf, als man den *princeps* mit dem Larenkult in Verbindung brachte; er gab auch Bürgern, die nicht der herrschenden Klasse angehörten, eine Aufgabe. Es ist deshalb wahrscheinlich, daß die Anfänge dieses Kults in einer Maßnahme der Zentralregierung zu suchen sind; die Mannigfaltigkeit seiner Formen deutet allerdings darauf hin, daß er sich im einzelnen frei und unkontrolliert entwickelte[12].

In Rom und Italien mußte man sorgfältig darauf achten, nichts einzurichten oder zu fördern, was irgendwie nach Monarchie roch. In den Provinzen dagegen benötigte man aus Gründen der Staatsräson irgendeine Art von kultischer Organisation. In den Provinzen des Ostens gab es ein hochentwickeltes städtisches Leben und manchmal *Koina*, d. h. Städtebünde, die Abgeordnete zu gemeinsamen Versammlungen entsandten; hier war es üblich, die Herrscher zu verehren. Ein Bruch mit dieser Tradition hätte nichts eingebracht. Im Jahr 29 v. Chr. erlaubte man den Römern in den Provinzen Asien und Bithynien, in Ephesus und Nicaea der *Roma* und dem *Divus Iulius* gemeinsam einen Tempel zu bauen; die gleiche Erlaubnis erhielten die Griechen in Pergamon und Nicome-

[11] Phil. 3, 32; or. post red. ad Quirites 18.

[12] Siehe Nock, Mélanges Bidez II, S. 628 ff.

dia für *Roma* und *Augustus*. Die Göttin Roma war von Nichtrömern seit dem Jahr 195, manchmal zusammen mit lokalen Gottheiten, verehrt worden. Diese Verbindung des *princeps* mit ihr konnte keine Gefühle verletzen. Die übrigen Provinzen des Ostens folgten dem erwähnten Beispiel. *Roma* wurde nicht immer eingeschlossen: auf Cypern und in Pontus gewiß nicht [13]. Der auf diese Weise begründete Provinzialkult unterstand im allgemeinen dem *Koinon*; der amtierende Hohepriester hatte die höchste Würde inne, die für einen Einheimischen in der lokalen Gesellschaft erreichbar war [14]. Ägypten bildete in diesem Punkt (wie in so vielen anderen) eine Ausnahme. Es gab einen Herrscherkult in Alexandria und in verschiedenen lokalen Tempeln, und dem Kaiser wurde im ganzen Land eine gewisse Verehrung zuteil, aber es gab keinen Provinzialkult. Ägypten durfte nämlich kein nationales Selbstbewußtsein entwickeln, und außerdem gab es dort keine Begeisterung, die man regulieren mußte. Asien war aus Knechtschaft befreit worden; Ägypten war jedoch lediglich in die Hände von Gutsbesitzern übergegangen, die in der Ferne lebten und strenge Verwalter einsetzten.

Die Funktion Roms hinsichtlich des Herrscherkults im Osten bestand darin, ihn zu gestatten und zu regulieren. Im Westen schuf Rom diese Einrichtung *de novo* als Instrument zur Ausbreitung seiner Kultur. Im Jahr 12 v. Chr. weihte Drusus in Lugdunum den Altar der *Roma* und des *Augustus*, der von sechzig Stämmen der drei Gallien errichtet worden war [15]. Der Kult unterstand dem *concilium Galliarum*, d. h. Gesandten, die jährlich von den Stäm-

[13] A. von Domaszewski, Abhandlungen zur römischen Religion, S. 234 ff.; Fr. Cumont, Studia Pontica III, S. 75 ff., Nr. 66 (= Orientis Graeci Inscriptiones Selectae Nr. 532).

[14] Die Bezeichnung Asiarch scheint auf jene Hohepriester angewandt worden zu sein, denen die Aufgabe zufiel, die alle fünf Jahre stattfindenden Spiele zu feiern (A. Schulten, Jahreshefte 9 [1906], S. 66; J. Keil, Forschungen in Ephesos III, S. 146 f.); aber diese Frage ist noch nicht endgültig geklärt (vgl. L. R. Taylor in: Foakes Jackson and Kirsopp Lake, The Beginnings of Christianity V, S. 256 ff.).

[15] Hirschfeld, CIL XIII, S. 227 ff. Manche Quellen deuten auf das Jahr 10 v. Chr.: Vielleicht war es so, daß Drusus die Versammlung der

men geschickt wurden, um den *sacerdos* zu wählen. Es verdient Beachtung, daß es hier keine Unterscheidung zwischen Bürgern und Nichtbürgern gibt. Ein ähnlicher Altar wurde zwischen 9 v. Chr. und 4 n. Chr. in *Oppidum Ubiorum* für die angestrebte Provinz Germanien errichtet. In Gallien und in dem von Rom anvisierten Germanien ergriff die Zentralregierung die Initiative. In anderen Gebieten des Westens erfolgte die Entwicklung allmählich und spontan. So ging in Hispania Tarraconensis der Herrscherkult durch lokale *conventus* oder Städtebünde dem Provinzialkult voraus. Die eigentliche Entwicklung begann, nachdem Tiberius im Jahr 23 n. Chr. dieser Provinz erlaubt hatte, dem *Divus Augustus* einen Tempel zu errichten. Zwischen diesem Zeitpunkt und dem Jahr 64 wurde der Provinzialkult in Lusitania und wahrscheinlich Baetica, in den Alpes Cottiae, den Alpes Maritimae, Mauretania Caesariensis und Tingitana und vielleicht in Sardinien eingeführt; unter den Flavischen Kaisern wahrscheinlich in Gallia Narbonensis. Africa, Dacia und die Donauprovinzen folgten später[16].

Was in Rom oder in den als Einheiten auftretenden Provinzen geschah, bedurfte der offiziellen Sanktionierung. Dagegen war eine solche Sanktionierung nicht erforderlich, wenn Herrscherkulte von Municipien begründet wurden — es sei denn, ein Herrscher war persönlich stark engagiert, aber selbst dann folgte man nicht immer seiner Auffassung. Solche städtischen Kulte kamen im Osten auf — etwa um das Jahr 27 v. Chr. in Mytilene[17] — und verbreiteten sich von dort über das ganze Reich. Ihr Gegenstand war bald Augustus allein, bald Augustus und Roma. Die Verbindung mit Roma findet sich bei den Namen späterer Kaiser nicht mehr, und nur ein paar von ihnen haben *flamines*, die namentlich für sie bestimmt sind. *Flamen Aug.* weist im allgemeinen auf die Verehrung des jeweiligen Herrschers hin, wie immer er auch heißen

Stammeshäuptlinge im Jahre 12 einberief und daß die Weihe im Jahre 10 stattfand (L. R. Taylor, The Divinity of the Roman Emperor, S. 209).

[16] E. Kornemann, Klio 1 (1901), S. 117 ff. Die Einführung des Herrscherkults in Gallia Narbonensis fand vielleicht schon unter Tiberius statt; vgl. A. L. Abaecherli, Trans. Am. Phil. Assoc. 63 (1932), S. 256 ff.

[17] Orientis Graeci Inscriptiones Selectae Nr. 456.

mochte. Es verdient Beachtung, daß die Entwicklung solcher Kulte in Italien vor allem seit dem Jahr 2 v. Chr. einsetzt. Sie ist nicht das Ergebnis einer allgemeinen Gefühlswelle nach der Schlacht bei Actium. Ihr Einsetzen zu diesem Zeitpunkt läßt sich aus der Weihe des Tempels des *Mars Ultor* und des Augustusforums erklären, vor allem aber vielleicht aus der Tatsache, daß das Heranwachsen der Augustusenkel Gaius und Lucius die Dynastie zu sichern schien. Auch Livia und andere Mitglieder des kaiserlichen Hauses waren Gegenstand des städtischen Herrscherkults, obwohl Augustus diejenigen seiner Verwandten, die vor ihm starben, ohne besondere Ehren bestatten ließ. Es gab auch andere Mittel und Wege, durch die eine Stadt ihre Ergebenheit beweisen konnte. Sie nahm manchmal den Namen *Caesarea* oder *Sebaste* an, oder sie änderte die Namen ihrer Monate, um Augustus zu ehren. Dagegen ist die Vermutung, im Herrscherkult Kleinasiens sei der Kaiser gewöhnlich mit lokalen Gottheiten verbunden oder gleichgesetzt worden, nicht gerechtfertigt; es gibt dafür nur ein paar außergewöhnliche Beispiele [18].

Wenn es einer Stadtgemeinde freistand, ihre Loyalität in Formen auszudrücken, die bei größeren politischen Einheiten nicht immer sanktioniert wurden, so gilt das natürlich auch für Einzelpersonen. Jeder konnte auf seinem Grund und Boden nach Belieben Schreine errichten, wie es Cicero für seine verstorbene Tochter tat. Wir kennen entsprechende Tempel in Pompeii und Benevent und einen weiteren für die *gens Augusta* in Karthago [19]. Ferner gab es in Alexandria eine Kultgesellschaft mit der Bezeichnung „Augusteische Synode des göttlichen Imperator Caesar", die über einen Priester und weitere Angestellte verfügte [20].

Es gab umfassende Möglichkeiten der religiösen Verehrung. Es gab noch umfassendere Möglichkeiten für die Sprache der Literatur und der Kunst. In diesen beiden Bereichen war der Vergleich oder die Gleichsetzung verehrter Menschen mit besonderen Gottheiten alt und natürlich, denn die Gottheiten lieferten die traditionellen

[18] A. D. Nock, Harv. Stud. 41 (1930), S. 37 ff.

[19] CAH, Volume of Plates IV, 134.

[20] Fr. Blumenthal, Archiv für Papyrusforschung 5 (1913), S. 331 f.

Archetypen der Schönheit, der Macht und des Wohlwollens. Gelegentlich glaubte man, der Herrscher sei ein auf der Erde erschienener Gott; so deutet Horaz an, Augustus könnte Merkur sein. Die anderen Dichter der Zeit sind voll von Redewendungen, die uns übertrieben und gekünstelt vorkommen. Wir müssen jedoch bedenken, daß in vielen Herzen ein tiefes und echtes Gefühl herrschte, eine enthusiastische Dankbarkeit, die auf die wärmste Weise Ausdruck finden mußte. Das offenbart sich uns in dem Glorienschein der Legende, mit dem man Augustus noch während seines Lebens und bald nach seinem Tod umgab [21], ferner in dem impulsiven Akt der Verehrung, den ihm einige Seeleute 14 n. Chr. bei Puteoli zuteil werden ließen.

Demonstrationen der Loyalität beschränkten sich nicht auf diejenigen, die Bürger oder Untertanen Roms waren. Die Klientelfürsten bewiesen ihre Loyalität ebenfalls in religiösen Formen: Herodes gab der Stadt Samaria den Namen *Sebaste* und errichtete auf ihrem höchsten Punkt einen Augustustempel; er erbaute die Stadt Caesarea und errichtete darin einen Tempel für Roma und Augustus mit Spielen, die alle fünf Jahre gefeiert wurden; Juba weihte Augustus in seinem neuen Caesarea einen Hain mit einem Altar und einem Tempel [22]. Wir erfahren auch, daß die Klientelkönige gemeinsam darüber berieten, das Olympieion in Athen zu vollenden und es Augustus zu weihen.

Als Augustus starb, war sein Begräbnis — gemäß seinen Anweisungen — genau wie jenes, das er für Agrippa angeordnet hatte. Die einzige Neuerung ist der Adler, der aus dem Scheiterhaufen emporstieg und — wie man glaubte — die Seele des Augustus in den Himmel trug: dieses Symbol der Apotheose ist wahrscheinlich aus Syrien entlehnt und vielleicht babylonischen Ursprungs, aber in der griechisch-römischen Welt nicht unbekannt [23]. Außerdem schwor Numerius Atticus, er habe den Augustus zum Himmel emporfahren sehen, so wie einst Proculus den Romulus

[21] A. Deonna, Revue de l'histoire des religions 83 (1921), S. 32 ff., 163 ff.; 84 (1922), S. 77 ff.

[22] CAH, Volume of Plates IV, 202 a, b.

[23] Fr. Cumont, Études Syriennes, S. 35 ff.

gesehen hatte. Genau wie das *sidus Iulium* anzeigte, daß das wahre Selbst Caesars sich bei den Göttern befand, war dies der handgreifliche Beweis für Augustus. Er entspricht den Wundern, die die Kanonisierung eines Heiligen rechtfertigen. Aber während die sterblichen Reste eines Heiligen (wie die Reliquien eines griechischen Halbgottes) in seinem Schrein verehrt werden, blieb die Asche des Kaisers in seinem Mausoleum und wurde nicht in seinen Tempel gebracht [24].

Am 17. September 14 n. Chr. beschloß der Senat, Augustus als *Divus Augustus* unter die Staatsgötter aufzunehmen. Seine vergoldete Statue wurde auf einem Liegebett im Marstempel aufgestellt und empfing die Ehren, die später seinem Kultbild zuteil wurden. Das Haus in Nola, in dem er gestorben war, wurde ihm geweiht; die Feier seines Geburtstags wurde den Consuln übertragen; das Kollegium der *Sodales Augustales* wurde gegründet; und Livia wurde oberste Priesterin, Germanicus ein *flamen* [25]. Auf diese Weise schuf man einen Präzedenzfall dafür, daß weitere gute Kaiser nach ihrem Tod unter die Staatsgötter aufgenommen wurden. Diese Aufnahme war der Höhepunkt einer Reihe von Ehrungen, die ihnen für geleistete Dienste zuteil wurden. Dieser Höhepunkt kam nicht automatisch. Er wurde durch ein Wunder bestätigt und durch diejenige Institution gutgeheißen, die für jede Erweiterung des offiziellen religiösen Bereichs zuständig war. Außerdem hing die Apotheose von den Eigenschaften ab, die der Mann bewiesen hatte, nicht von der Tatsache, daß er die höchste Stellung innegehabt hatte. Göttlichkeit umgab einen *princeps*, aber sie gehörte nicht von Natur zu ihm, auch wenn es Provinzbewohnern und sogar einzelnen Bürgern so scheinen mochte. Vom Standpunkt der Verfassung aus stand er zwischen der Masse der Bürger und den Göttern: auf der den Göttern zugewandten Seite, aber ohne daß das seine Menschlichkeit oder seine entscheidende Verantwortung vor der öffentlichen Meinung geschmälert hätte. Die

[24] E. Bickermann, Archiv für Religionswissenschaft 27 (1929), S. 1 ff. [In diesem Band S. 82 ff.] Vgl. dagegen die Verehrung des Leichnams Alexanders des Großen in Alexandria.

[25] Vgl. die neuen Münztypen in CAH, Volume of Plates IV, 202 c, d.

Feiern seines Geburtstags und seiner Thronbesteigung, die man zu seinen Lebzeiten veranstaltete, gehörten zu den wichtigsten Bestandteilen des öffentlichen Lebens [26], und bei jeder denkbaren Gelegenheit machte man weltliche und religiöse Stiftungen ihm zu Ehren oder für sein Wohlergehen; es steht jedoch fest, daß diese Dinge den Menschen der Antike nicht jene Verlegenheit bereiteten, wie das oft bei modernen Forschern der Fall ist, und daß Augustus verwundert gelächelt hätte, wenn man ihm gesagt hätte, er habe in Rom das Gottkönigtum der Pharaonen eingeführt [27].

[26] Vgl. das Aboda Zara, wie es von W. A. L. Elmslie herausgegeben wurde (J. Armitage Robinson, Texts and Studies VIII, 2, S. 5 ff.). Die Juden feierten diese Anlässe auf besondere Weise (J. Juster, Les juifs I, S. 345).

[27] Man sollte beachten, daß Plutarch die Selbstvergöttlichung hellenistischer Könige ausdrücklich kritisiert, ohne daß er dabei das Gefühl hat, seine Worte könnten als stillschweigende Kritik an der römischen Praxis aufgefaßt werden.

Aus: G. W. Bowersock: Augustus and the Greek World © 1965 Oxford University Press, pp. 112—121. 150 f. Clarendon Press, Oxford. Aus dem Englischen übersetzt von Heinz Pagacz.

AUGUSTUS UND DER KAISERKULT IM OSTEN

Von G. W. Bowersock

Im Osten hatte man sich längst an die Verehrung von Männern und Frauen gewöhnt. Hellenistischen Monarchen und reichen Wohltätern waren Kulte als Zeichen der Dankbarkeit und der politischen Gefolgschaft bewilligt worden. Es gab zahlreiche Ehrentitel und Formen der Ehrung, und nicht alle davon bedeuteten, daß man dem Geehrten Göttlichkeit zuschrieb: ein Retter oder ein Gründer war bedeutender als ein einfacher Wohltäter, aber es konnte trotzdem sein, daß er keinen Kult hatte. Die höchste Auszeichnung war die kultische Verehrung, was wenig über das religiöse Leben der hellenistischen Völker verrät, doch viel über ihre diplomatischen Methoden. Durch geeignete Zeichen der Wertschätzung konnte ein Wohltäter dazu ermuntert werden, weitere Wohltaten folgen zu lassen; auf die gleiche Weise konnte man sich einen künftigen Wohltäter sichern. Es war kaum ein Zufall, daß in der griechischen Welt Wohltäter und *Proxenoi* oftmals ein und dieselbe Person waren, und es sollte auch nicht überraschen, daß dort römische Wohltäter als Patrone in Erscheinung treten. Gegenseitiges Interesse stützte das System der Ehrungen und lag daher der Verehrung von Wohltätern, Beamten und Königen zugrunde [1].

Die Kulte im Osten waren vielgestaltig. Einige waren rein lokal, Schöpfungen einzelner Städte; andere wurden von einem regierenden Monarchen eingeführt oder ergaben sich aus dem Zusammenwirken der Städte einer Provinz [2]. Kulte örtlicher Wohltäter blüh-

[Durch * gekennzeichnete Seitenangaben beziehen sich auf hier nicht abgedruckte Partien der Vorlage.]

[1] Zu alldem s. oben S. 12—13*.

[2] Vgl. Wilcken: Sitzungsberichte d. preuß. Akad. (Ph.-Hist. Kl.) 1938, 298 ff.; Habicht: Gottmenschentum und Griechische Städte, 2. Auflage (1970); Bikerman: Institutions des Séleucides (1938) 236 ff. Zu dem von

ten neben denen herrschender Dynastien; man verehrte Lebende wie auch Tote. Jemandem, der zu seinen Lebzeiten einen Kult erhalten hatte, konnten noch Generationen hindurch Ehrungen erwiesen werden, vorausgesetzt, spätere Könige oder Patrone nahmen keinen Anstoß daran. Titus Flamininus verehrte man noch drei Jahrhunderte nach seinem Tod, der Kult Sullas in Athen dagegen hielt sich nur einige Jahre [3]. Die Verehrung eines Gottes konnte man ohne weiteres mit der Ehrung eines Menschen verbinden; dies bedeutete keine Unehrerbietigkeit gegenüber einem von beiden. Es war immer möglich gewesen, mehr als einen Wohltäter gleichzeitig zu feiern: man nahm ihn lediglich in das Verzeichnis derer auf, deren Gedächtnis man bewahrte; nichts hinderte daran, einen Wohltäter und einen Gott, oder — wie es sich ergab — einen Wohltäter und eine Stadt gemeinsam zu verehren [4]. Denn es war ebenso leicht und politisch ebenso wünschenswert, Kulte einer einflußreichen Stadt wie einer einflußreichen Person einzuführen. So entstand 195 v. Chr. in Smyrna ein der Göttin Roma gewidmeter Tempel [5].

In den Anfangsstadien mag die Verehrung von Menschen ein spontaner Ausdruck von Dankbarkeit gewesen sein, wie es viel-

Antiochus III. eingeführten Kult ist Welles: Royal Correspondence of the Hellenistic Period (1934) Nr. 36 heranzuziehen; vgl. L. Robert: Hellenica 7 (1949) 5 ff. Über Kulte, die kooperativ von den Provinzstädten in der republikanischen Zeit gegründet wurden, vgl. oben S. 98 Anm. 3 *.

[3] Plut., Flam. 16 (Flamininus). IG II^2. 1039; SEG 13. 279 (Sulla); dazu vgl. Raubitschek: Studies in Honour of A. C. Johnson (1951) 29 ff.

[4] Man beachte οἱ ἄλ[λο]ι ἱερεῖς τῶν εὐεργετῶν in den Vorschriften für einen Priester des Diodoros Pasparos in Pergamon (IGR 4. 292 Zeile 38—39); ebenso die Tatsache, daß in Lete (Makedonien) Spiele zu Ehren von M. Annius stattfanden; sie waren abzuhalten ὅταν καὶ τοῖς ἄλλοις εὐεργέταις οἱ ἀγῶνες ἐπιτελῶνται (SIG^3 700). Εὐεργέσια werden in IGR 4. 291 erwähnt. Der Kult des Mucius Scaevola war mit Σωτήρια verbunden: OGIS 439; IGR 4. 188. Die kultische Verehrung des Servilius Isauricus war vereinigt mit der der Roma; die des Paullus Fabius Maximus mit der des Apollo: s. Anhang I (unten S. 402).

[5] Tac., Ann. 4. 56. Andere Kulte der Roma sind bei Magie: RRAM [= Roman Rule in Asia Minor 1950] II. 1613 verzeichnet.

leicht der Kult Demetrios' des Belagerers in Athen war[6]. Doch das Motiv der politischen Gefolgschaft, das zweifellos von Anfang an vorhanden war, wurde immer deutlicher. Abgesehen von der kultischen Verehrung, die durch herrschende Dynastien eingeführt wurde, wird die Initiative dazu von den politisch aktiven Gruppen einer Stadt- oder Provinzgemeinde und zwangsläufig von denjenigen ausgegangen sein, die es sich leisten konnten, die Kosten für Spiele und Priester zu tragen. Unter der römischen Schutzherrschaft schlossen sich diese Gruppen der Gesellschaft zusammen. Mit der allmählichen Wandlung der demokratischen Verfassung der griechischen Städte zur Oligarchie nahmen die Kulte von Römern stark zu[7]. Die Geschichte des römischen Einflusses im Osten bildet eine feste Einheit; Roms Parteigänger gewannen größere und beständigere Macht und waren dadurch imstande, das griechische System der Ehrungen im Interesse von erwiesenen oder künftigen Patronen zu manipulieren. Nach der Plünderung Athens durch Sulla im Jahre 86 v. Chr. wurde die romfreundliche Aristokratie, gegen die der Pöbel sich aufgelehnt hatte, wieder eingesetzt; es überrascht nicht, daß dort plötzlich ein Sulla-Kult aufkam[8]. Als später, 48 v. Chr., dem Julius Caesar im ganzen Osten Ehrungen göttlicher wie weltlicher Art bewilligt wurden, konnte man die Bemühungen des Theopompos, eines Freundes aus Knidos, dabei erkennen[9]. Ehrungen wurden, obwohl sie häufig vorkamen, nicht ohne die Initiative einer bedeutenden Persönlichkeit oder eines Kreises von Bürgern beschlossen; zumindest *ein* berühmter Römer, der Redner Cicero, wurde in seinem Wunsch nach einer schmeichelhaften griechischen Ehrung enttäuscht[10]. Und es ist lehrreich, sich daran zu erinnern, daß — während gegen den jüngeren Flaccus von feindlich gesinnten Abgesandten der niedrigeren Stände Asias eine Anklage vorgebracht wurde — die Städte eben dieser Provinz

[6] Vgl. den ungewöhnlichen Hymnos auf Demetrios bei Athenaios 6, 253.

[7] Zu den Veränderungen der Verfassung s. oben S. 87—88*. Ein erweitertes Verzeichnis der Kulte römischer Magistrate enthält Anhang I (unten S. 401 f.).

[8] S. o. S. 390 Anm. 3.

[9] Raubitschek: JRS 44 (1954) 65 ff.; vgl. oben S. 9*.

[10] Plut., Cic. 24. 7; vgl. oben S. 12*.

früher Gelder für einen Kult zu Ehren seines Vaters zusammengebracht hatten [11]. Die Freunde des älteren Flaccus waren vermutlich diejenigen, die Cicero bei dem Prozeß anführte, nämlich der gebildete Adel des Ostens, der Rom mit seinem Einfluß und Vermögen unterstützte [12]. Denn Kulte waren eine kostspielige Angelegenheit, und es waren eben die Parteigänger Roms, die sowohl Ehrungen erhalten als auch deren Kosten übernehmen konnten.

Es lohnt sich, M. Tullius Cratippus aus Pergamon zu erwähnen, dessen Vater der philosophische Gesinnungsfreund Ciceros und der Lehrer seines Sohnes gewesen sein muß [13]. Der ältere Cratippus erhielt das römische Bürgerrecht von Caesar, obwohl er Gentilnamen und Tribus von Cicero selbst übernahm [14]. Cratippus stand auf vertrautem Fuße mit anderen bedeutenden Römern, bemerkenswerterweise mit Pompeius, dem verbannten Marcellus und Brutus [15]. Eine Inschrift zeigt, daß sein Sohn, der das Gentilnomen Ciceros trug, irgendwann einmal vor 29 v. Chr. ein Priester des Roma- und Salus-Kultes in Pergamon war [16]. Aus dem heiligen Amt, das er bekleidete und dessen finanzielle Belastungen niemals gering waren, kann man wohl auf Reichtum in der Familie schließen, und seine Verbindungen zu Rom deuten ebenfalls auf Wohlstand hin.

[11] Cic., pro Flacc. 55 *(pecunia ... a civitatibus)*; vgl. 56 *(pecunia a tota Asia ad honores L. Flacci)*; vgl. Hermes 32 (1897) 512 ff. und oben S. 98 Anm. 3*. Man beachte, daß nach Cicero die besten Männer Asias bei der Verhandlung nicht anwesend waren: *Sed sunt in illo numero multi boni, docti, pudentes, qui ad hoc iudicium deducti non sunt, multi impudentes, illiterati, leves, quos variis de causis video concitatos* (pro Flacc. 9).

[12] Ebd. 52: *Ubi erant illi Pythodori, Archidemi, Epigoni, ceteri homines apud nos noti, inter suos nobiles, ubi illa magnifica et gloriosa ostentatio civitatis?* Mit Bezug auf Tralles gesagt.

[13] Cic., Brutus 250; de off. 1. 1; ad fam. 12. 16; 16. 2; 21. 3. Siehe O'Brien-Moore: Yale Classical Studies 8 (1942) 25 ff. Vgl. dazu jüngst Habicht: Die Inschriften des Asklepieions (1969) S. 164—165.

[14] Plut., Cic. 24; vgl. CIL 3. 399.

[15] Plut., Pomp. 75 (Pompeius); Cic., Brut. 250 (Marcellus); Plut., Brut. 24 (Brutus).

[16] CIL 3. 399.

Die Kulte der späten Republik waren somit ganz an die diplomatischen Beziehungen zwischen Rom und dem Osten gebunden. Sie waren ein weiteres Zeichen des Systems der gegenseitigen persönlichen Unterstützung, durch die die römische Herrschaft und die Aristokratie des Ostens gleichzeitig Stabilität gewannen. Der Erbe dieses vielgestaltigen Systems war Augustus, und er gab sich Mühe, es zu erhalten. Er brauchte keine neue Ostpolitik einzuleiten. Actium war ein hinreichendes Signal für die Freunde Roms, Octavian als ihren neuen Wohltäter, Retter und Schirmherrn auszurufen [17]. Sie erwiesen ihm nicht deswegen kultische Verehrung, weil sie innerlich empfindungslos waren, sondern vielmehr, weil sie jene diplomatischen Bande, die sich in der Republik so gut bewährt hatten, festigen wollten. Dies alles mußte der erste Prinzeps einfach bemerken; dort, wo es um den Kult ging, entsprach das Geschehen zweifellos seinen Wünschen, aber um es überhaupt in Gang zu setzen, brauchte er nichts zu tun, außer Antonius zu besiegen.

Der Kaiser war nicht gezwungen, in den Provinzen neue Organisationen für die Durchführung seines Kultes aufzubauen. Die Gründung von *koina* war das Werk der griechischen Gemeinden: schon vor Augustus gab es mehrere *koina*, und natürlich entstanden im Laufe der Zeit mehr [18]. Sie wurden aus verschiedenen Nützlichkeits-

[17] Siehe die Verzeichnisse bei L. R. Taylor: The Divinity of the Roman Emperor (1931) 270 ff. Vgl. auch K. Latte: Römische Religionsgeschichte (1960) 312 ff., der richtig erkennt, daß die Ursprünge des Kaiserkultes im Osten in der kultischen Verehrung liegen, die man während der Republik den römischen Magistraten und der Dea Roma entgegenbrachte.

[18] Kornemann: RE Suppl. 4. 930—5; vgl. oben S. 91—99*. Vor Augustus gab es zumindest in Griechenland, Asia, Lykien und Zypern *koina*. Über diesen Gegenstand vgl. auch Sherwin-White: The Roman Citizenship (1939) S. 236—41. Es ist aufschlußreich, sich an die alte Behauptung Hardys zu erinnern (Studies in Roman History [1910] S. 248): „Das System der Körperschaften in den Provinzen wurde durch Augustus eingeführt und von ihm in den östlichen und westlichen Teilen des Reiches angewendet.“ Dies trifft nicht einmal für den Westen zu, wo die drei Gallien als das einzige treffende Beispiel erscheinen würden; die *concilia* in der Narbonensis, in Baetica und Africa sind jetzt alle als vespasianischen Ursprungs bekannt (vgl. jetzt D. Fishwick: Historia 21 [1972] 698 ff.).

erwägungen und aus Gründen der Wirtschaftlichkeit gebildet. Die *koina* im alten Griechenland waren rein weltlich und blieben es auch unter Augustus [19]. Dies bedeutete nicht, daß sich die Städte einer Provinz nicht manchmal zusammentaten und daß ihre Rührigkeit nicht bisweilen auch in Provinzialkulten ihren Ausdruck fand; das war während der Republik geschehen. Die kultische Verehrung des rechtschaffenen Q. Mucius Scaevola und des älteren Flaccus in Asia war offensichtlich eher eine Angelegenheit der Provinz als eines einzelnen Ortes, vermutlich Sache des *koinon*, das für Asia in spätrepublikanischer Zeit ganz klar bezeugt ist [20]. Zur Zeit des Claudius feierten sogar die *koina* in Griechenland die Göttlichkeit des Kaisers [21]. Man bildete die *koina* jedoch nicht aus kultischen Gründen, und ebensowenig kann man Augustus als den Urheber ihrer Gründung ansehen. Vielmehr erkannten die Griechen, daß sich jene Organisationen bequem der Pflege von Kulten anpassen ließen. Als im Jahre 29 v. Chr. die einheimischen Bewohner Asias und Bithyniens, die Octavian gerne „Hellenen" nannte, um Erlaubnis baten, ihm geheiligte Bezirke in Nikomedeia und Pergamon weihen zu dürfen, brauchte er nur zuzustimmen [22].

Er wird sicherlich freudig zugestimmt haben, obwohl die Begeisterung der Griechen gemäßigt werden mußte, da ja eine formelle Anerkennung übermäßiger Schmeichelei aus dem Osten bei den Römern verdächtig erscheinen konnte. Der Kaiser machte zur Bedingung, daß sein Kult mit dem der Göttin Roma verbunden werden mußte [23]; ein gemeinsamer Kult schien maßvoller und brachte keine Schwierigkeiten für die Hellenen mit sich. Roma war inzwischen eine alte Gottheit im Osten und hatte ihre kultische Ver-

[19] S. oben S. 91 Anm. 3*.

[20] Siehe Th. Drew-Bear, BCH 96 (1972) S. 443—471.

[21] Corinth VIII. 2. Nr. 68; IG II². 3538.

[22] Dio 51. 20. 7. Das Wort, das Dio verwendet, ist ἐπέτρεψε; vgl. an der gleichen Stelle προσέταξε hinsichtlich der für Römer getroffenen Anordnungen.

[23] Suet., Aug. 52. Vgl. Tac., Ann. 4. 37: *Cum divus Augustus sibi atque urbi Romae templum apud Pergamum sisti non prohibuisset* ... Zur augusteischen Formel für die höfliche Ablehnung s. Charlesworth: PBSR 15 (1939) 1 ff.

ehrung schon vorher mit anderen geteilt [24]. Mit Kulten in Munizipien nahm es der Kaiser nicht so genau, und Kulte, die nur ihm galten, blühten uneingeschränkt in bestimmten Städten des Ostens [25].

Von ortsansässigen Römern in den zivilisierten Gebieten Kleinasiens konnte man nicht erwarten, daß sie gemeinsam mit den Hellenen einen Kult des Prinzeps und seiner Stadt begingen, und am Anfang taten sie es auch nicht. Dies geht deutlich aus einem Befehl an die ortsansässigen Römer von Ephesos und Nikaia hervor, Roma und den göttlichen Julius in besonderen Bezirken, die für diesen Zweck zugestanden worden waren, zu verehren [26]. Aber während des Jahres 3 v. Chr., als Paphlagonien der römischen *provincia* einverleibt wurde, verlangte man von den an jenen Außenposten des Reiches ansässigen Römern, einen Eid am Altar des Augustus zu leisten [27]. Der Kaiser machte sich keine Illusionen über die Romanisierung des Ostens; und wenn es den Römern möglich war, seinen Vater durch einen Kult zu verehren, konnten diejenigen, die unter Griechen lebten, sich genausogut ihren Nachbarn in der kultischen Verehrung seiner eigenen Person anschließen.

Wie die Kulte der spätrepublikanischen Zeit spiegelte der Kaiserkult den Einfluß der romfreundlichen Aristokratien des Ostens wider. Die wohlhabenden Freunde Roms legten noch einmal ihre Treue an den Tag. Aus ihren Fonds bezahlten sie die großartig ausgerichteten Spiele zu Ehren des Kaisers, und ihre Namen

[24] S. das Verzeichnis bei Magie: RRAM II. 1613. Sie hatte ihre kultische Verehrung mit Servilius Isauricus (unten Anhang I, S. 402) geteilt. Vgl. Cic., ad Quint. frat. 1. 1. 26.

[25] Magie: RRAM II. 1294 Anm. 52 und das Verzeichnis II. 1614.

[26] Dio 51. 20. 6. Diese Römer waren hauptsächlich Geschäftsleute (sicherlich nicht Einheimische im Besitz des Bürgerrechts): beachte Dios Worte: τοῖς Ῥωμαίοις τοῖς παρ' αὐτοῖς ἐποικοῦσι. Ephesos und Nikaia waren die Hauptsitze der Händler; vgl. Hatzfeld: Trafiquants italiens (1919) S. 101—103 und 160 (Ephesos), 134 und 172 (Nikaia).

[27] ILS 8781 = E—J² [Ehrenberg und Jones: Documents illustrating the Reigns of Augustus and Tiberius 1955²] 315 (Phazimon-Neapolis). Wiederum römische Geschäftsleute: οἱ πραγματευόμενοι παρ' αὐτοῖς Ῥωμαῖοι. Vgl. P. Herrmann: Der römische Kaisereid (1968) S. 96—98.

schmückten die Listen der Hohenpriester. Ihr Dienst im Kult verlieh ihnen erhöhtes Ansehen; die *koina* verschafften ihnen die Möglichkeit, ebensogut in der Provinz wie auch lediglich in einem Ort einflußreiche Persönlichkeiten zu werden. Ein derartiges Zeugnis, wie es hier vorliegt, legte die Annahme nahe, daß in den Hohenpriestern des *koinon* von Asia die führenden Männer, die man „Asiarchen" nannte, zu erkennen seien [28]. Die Gleichsetzung ist deshalb wertvoll, weil Strabo bei den Asiarchen in Tralles beobachtete, daß sie die führenden Männer der Provinz und sehr reich waren [29]. Der heilige Paulus traf einige in Ephesos [30]. Es war ganz natürlich, daß diese Leute, auf die sich Rom in seiner Ostdiplomatie verließ, zufällig auch diejenigen Männer waren, die die Leitung des Kaiserkults unter sich hatten. Roms Parteigänger im Osten waren leicht zu erkennen — wohlhabend, kultiviert und oft im Besitz des römischen Bürgerrechts; viele waren Rhetoren. Die Hohenpriester waren genau die Männer, auf die diese Beschreibung zutrifft.

Die uns bekannten Namen von Hohenpriestern aus der Zeit des Augustus sprechen für sich: M. Antonius Lepidus, C. Julius Lepidus, C. Julius Xenon, C. Julius M[. . .] [31]. Das römische Bürgerrecht wurde von Caesar, Antonius oder Augustus vergeben. Und wenn man das Verzeichnis der Priester, die unter späteren Kaisern ihr Amt ausübten, durchgeht, kann man noch viel mehr daraus ersehen: wiederholt tauchen Beispiele von Rhetoren und reichen

[28] Larsen: Representative Government in Greek and Roman History (1955) S. 118—119 und 222 Anm. 33 macht triftige Einwände gegen Magie: RRAM II. 1298—1301 geltend. Nahezu den Ausschlag geben die Dig. 27. 1. 6. 14: ἔθνους ἱεραρχία, οἷον Ἀσιαρχία, Βιθυναρχία, Καππαδοκαρχία, παρέχει ἀλειτουργησίαν ἀπὸ ἐπιτροπῶν, τοῦτ' ἔστιν ἕως ἂν ἄρχῃ. Über die Asiarchen Sherwin-White: Roman Society and Roman Law in the New Testament (1963) S. 89—90; Deininger: Die Provinziallandtage der römischen Kaiserzeit (1965) S. 41—50.

[29] Strabo 649.

[30] Acta 19. 31.

[31] Sardis VII. 8. Nr. 10 (Antonius Lepidus); E—J² 353 (Julius Lepidus); Keil/von Premerstein: Denkschr. Wien 54, II (1911) 41 f. (Xenon); E—J² 98 a (Julius M [— — —]).

Leuten auf. Da sind zum Beispiel der Sophist Scopelian und — drei Generationen hindurch — Vertreter der großen Geschlechter des Ti. Claudius Polemo und Antonius Apollodorus[32]. Es sind Männer wie diese, deren Familien letzten Endes Ritter und Senatoren hervorbringen[33]. Der Kult, mit seinen Wurzeln fest in der Republik verhaftet, war ein weiteres Mittel, wodurch die Günstlinge Roms es zu Ansehen und Macht bringen und schließlich in den Senat der Hauptstadt eindringen konnten.

Während der Kaiser eine natürliche und wünschenswerte zunehmende Entfaltung des Kultes im Osten zulassen konnte, mußte er nichtsdestoweniger eines besonderen Umstandes wegen wachsam sein: das Entstehen des Kaiserkultes hatte das Wiedererscheinen eines dynastischen Kultes bedeutet. Die kultische Verehrung eines Herrscherhauses war dem hellenistischen Osten in keiner Weise fremd und hatte mit der kultischen Verehrung einzelner Wohltäter in den Munizipien oder Provinzen gleichzeitig bestanden. Aber der Kult des Augustus, der seine Ursprünge in den nichtdynastischen Kulten römischer Magistrate und der kultischen Verehrung der Göttin Roma hatte, wurde nun in eine kultische Verehrung des Hauses des Augustus umgewandelt, kurz, in den Kult eines Herrscherhauses. Zwangsläufig erhielten Mitglieder der Familie des Augustus, die hohe Stellungen einnahmen, bei einer Reise im Osten die üblichen Ehrenbezeigungen, einige göttlicher Art[34]; sogar der junge Tiberius hatte einen Kult erlangt, bevor er

[32] Die Zeugnisse sind in bewundernswerter Weise zusammengestellt von A. Stein: Zur sozialen Stellung der provinzialen Oberpriester, in: Epitymbion H. Swoboda dargebracht (1927) S. 303—304.

[33] Ebd. S. 305—311. Vgl. Q. Licinius Silvanus Granianus von Tarraco (ILS 2714), Priester der Roma und des Augustus und *Procurator Augusti* im diesseitigen Spanien. Sein Sohn war 106 n. Chr. Konsul.

[34] S. das Verzeichnis der Ehrungen für z. B. Agrippa, Julia, Gaius und Lucius bei Taylor: The Divinity of the Roman Emperor (1931) 270 ff. Ferner ist die Tatsache zu beachten, daß in Sparta zu Ehren von Agrippa Vereine gebildet wurden, die *Agrippiastae* (IG V. 1. 374), und in einer Stadt Asias (Smyrna?) οἱ φιλαγρίππαι συμβιωταί (SEG 18. 518). In Hist. 7 (1958) 474—476 hat Oliver in einleuchtender Weise die Meinung vertreten, Agrippa habe die argivische *gerousia* (E—J² 308 = Sherk: Roman

sich nach Rhodos zurückzog[35]. Das war zu erwarten, da diese Leute den Zugang zu dem großen Gönner selbst, dem Prinzeps, darstellten. Aber ein dynastischer Kult, der sich aus einer Tradition der kultischen Verehrung von Beamten entwickelte, befand sich in der ernsthaften Gefahr, durch neue Beamtenkulte von außerhalb des Kaiserhauses her in den Schatten gestellt zu werden. Und hier mußte Augustus intervenieren, damit die kultische Verehrung des Herrscherhauses nicht schon zu Beginn erstickt wurde.

Im Jahre 11 n. Chr. untersagte Augustus Ehrenbezeigungen gegenüber den Statthaltern in den Provinzen, und zwar sowohl während ihrer Amtszeit wie auch für eine Zeit von 60 Tagen danach; als Grund dafür wurde angegeben, daß das Aushandeln von Zeichen der Anerkennung und von Ehrungen zu Korruption verleitet[36]. Dies war ein guter Grund für die Maßnahme des Augustus, aber er kann nicht der einzige gewesen sein. Dem Wettkampf mit dem Kaiserhaus im Empfang von Ehrenbezeigungen mußte Einhalt geboten werden. Im Osten war man gewöhnt, Statthaltern Kulte zu bewilligen, und man behielt diese Gewohnheit einige Zeit, sogar unter Augustus, bei[37]. Kulte sind für M. Vinicius (Konsul 19 v. Chr.), Paullus Fabius Maximus (Konsul 11 v. Chr.) und C. Marcius Censorinus (Konsul 8 v. Chr.) bezeugt, aber nach Censorinus gibt es für den Kult eines römischen Statthalters in seiner

Documents from the Greek East, Nr. 63) angeregt und wahrscheinlich auch diejenige von Ephesos, um sie in den Dienst des Kaiserkultes und der Stärkung der Loyalität zu stellen.

Über Livias Weihung eines goldenen Epsilon in Delphi (Plut., De E Delphico 385 F) wüßte man gerne mehr.

[35] SIG³ 781 Zeile 7—8: 1 v. Chr. Priester in Nysa. Der Kult muß eingeführt worden sein, als Tiberius noch beliebter war, es sei denn, die Bewohner Nysas waren ungewöhnlich schlecht über die Ereignisse am Hof unterrichtet. Solch ein Fauxpas ist nicht unmöglich: vgl. AE 1959, 24: eine aus Amisos stammende Inschrift zu Ehren von Nero, Poppaea und Britannicus! Poppaea wird *Augusta* genannt, ein Titel, den sie im Jahre 63 n. Chr. erhielt (Tac., Ann. 15. 23).

[36] Dio 56. 25. 6.

[37] Vgl. Tac., Ann. 3. 55: *Nam etiam tum plebem socios regna colere et coli licitum.*

eigenen Provinz kein Zeugnis mehr[38]. Und Zügel wurden auch den Ehrenbezeigungen weltlicher Natur angelegt, die aus dem Rahmen des Üblichen fielen und die bedeutenden Römern zu verleihen man in der hellenischen Welt geneigt gewesen war. Unter Augustus verschwinden die Worte „Retter“ und „Gründer“ von den Ehreninschriften für die von Rom entsandten Beamten, und sie erscheinen selten wieder[39]. Der Titel „Wohltäter“ wurde erlaubt; er war hinlänglich bescheiden und traf oft buchstäblich zu, aber mit wenigen Ausnahmen waren die einzigen Römer, für die die anderen Epitheta als angemessen erachtet wurden, der Kaiser und seine Familie.

Die Unterdrückung übertriebener Ehrungen fand jedoch keine Anwendung bei Menschen im Osten selbst, und dies weist stark darauf hin, daß die Unterdrückung eine geplante Politik war, wo es die Römer betraf. In Gytheion erhielt der Spartaner C. Julius Eurycles im letzten Abschnitt des augusteischen Prinzipats einen Kult, und in Thyateira hatte der Hohepriester C. Julius Xenon einen eigenen Kult[40]. Im Gegensatz dazu beschloß unter Augustus die Stadt Kymai bestimmte Ehrungen einschließlich der Titel εὐεργέτης und κτίστης für einen privaten römischen Wohltäter, L. Vaccius Labeo, der κτίστης als übertrieben ablehnte, wohingegen er es zuließ, daß man ihn εὐεργέτης nannte[41].

Besonders interessant sind die Ehrungen, die Griechen im römischen Zivildienst bewilligt wurden; sie waren diejenigen Ortsbewohner, auf die eine Stadt überaus stolz war. Zu Anfang des

[38] S. Anhang I (unten S. 401 f.). Der Verfasser des neuen RE-Artikels über den Konsul des Jahres 19 (IX A [1961] 116) weist den Vinicius-Kult dem Konsul des Jahres 30 n. Chr. zu. Dies ist höchst unwahrscheinlich: Roberts Zuschreibung sollte beibehalten werden (Rev. Arch. [1935] II. 156—8).

[39] Die letzten Beispiele scheinen Sex. Appuleius (ILS 8783), Q. Lepidus (AE 1950, 250) und C. Censorinus (SEG 2. 549) zu sein.

[40] AE 1929, 99 Zeile 19—20 (Eurycles). Zu Xenon s. oben Anm. 31.

[41] IGR 4. 1302; vgl. Germanicus' Ablehnung von ἐπίφθονοι καὶ ἰσόθεοι ἐκφωνήσεις in E—J² 320 (b). Diese eingeschränkten Ablehnungen haben ihren Ursprung wahrscheinlich in den Antworten von Augustus selbst; vgl. dazu Charlesworth, a. a. O. S. 3—6 und Habicht: Le culte des souverains, Entretiens Hardt (1973) S. 76—85.

Prinzipats, aber nach Augustus, wurde ein Kult zu Ehren eines Präfekten von Ägypten gegründet, der von der Priesterschaft und dem Amt eines Prokurators von Asia zu seiner hohen Stellung aufgestiegen war: dieser Mann war Cn. Vergilius Capito, ein Einwohner von Milet [42]. Doch sogar die kultische Verehrung eines Römers im Osten gefährdete den Kaiserkult, denn der Kult des Vergilius Capito ist der letzte, der für einen römischen Beamten irgendeines Ranges außer einem Kaiser bezeugt ist.

Aber in Weihungen an bedeutende Persönlichkeiten des Ostens durften die mehr ehrenden Epitheta weiterbestehen. Aspurgos, der König des bosporanischen Reiches unter Augustus und Tiberius, war „Retter" und „Wohltäter" [43]. Etwas später jubelte man jenen großen Senatoren im Osten, Celsus Polemaeanus und Julius Quadratus, in ihren Heimatprovinzen als „Rettern" zu [44]. Wenn diese Männer auch keinen Kult erhielten, so genossen sie doch umfangreichere Ehrenbezeigungen als praktisch jeder wirkliche Römer außerhalb des Herrscherhauses [45].

[42] Didyma II. 192 Nr. 278; vgl. L. Robert: Hellenica 7 (1949) 206—9.

[43] IGR I. 879.

[44] Sardis VII. 1. Nr. 45 (Celsus). IGR 3. 520 und 4. 383 (Quadratus). Diese und spätere Beispiele von römischen Beamten der Kaiserzeit als σωτῆρες sind bei Nock: The Joy of Study. Papers pres. to Grant (New York 1951) S. 142—143 gesammelt (= Nock, Essays on Religion and the Ancient World, ed. Z. Stewart [1972] II. S. 732—733). Nock übersah L. Calpurnius Proculus (IGR 3. 180; Ankyra), wahrscheinlich aus dem pisidischen Antiochia (JRS 2 [1912] 99): man beachte, daß eine Nachfahrin von L. Servenius Cornutus (aus Akmoneia in Phrygien, ILS 8817) mit einem Senator aus dem 2. Jh. namens P. Calpurnius Proculus verheiratet ist (PIR², C 305).

[45] Ausnahmen von der Regel der eingeschränkten Ehrungen sind sehr selten: zwei aus Lykien für die dortigen Statthalter: Baebius Italicus, κτίστης unter Domitian (ILS 8818) und Mettius Modestus, σωτήρ unter Traian (IGR 3. 523); keiner von beiden kann aus dem Osten gewesen sein. Zwei weitere Beispiele begegnen viel später im 2. Jh.: MAMA 6. 103 (dort falsch datiert) aus Herakleia Salbacensis und ILS 8830 aus Ephesos. Diesen offensichtlichen Abweichungen von der Regel mag die Einheirat in Familien aus dem Osten zugrunde liegen. T. Licinius Mucianus, ungefähr 177 n. Chr. σωτήρ in Galatien (SEG 6. 14; vgl. Magie: RRAM II.

So traf man Vorkehrungen, um zu verhindern, daß der Kaiserkult von einer Überfülle an Ehrungen einzelner Personen zurückgedrängt wurde. Gerade diese Vorsicht unterstrich die Tatsache, daß der Kult im Grunde eine Erweiterung eines diplomatischen Systems war, das sich während der Republik entwickelt hatte. Das dynastische Element war in den Beziehungen zwischen Rom und dem Osten neu, aber den Griechen natürlich keineswegs fremd. Der Kaiserkult gehört jener natürlichen Entwicklung an, die Augustus in den griechisch-römischen Angelegenheiten förderte. Initiative war von Rom aus nicht erforderlich, nur Einschränkung und Regulierung.

Anhang I

Kulte der römischen Magistrate im Osten

Seyrigs Verzeichnis in der Rev. Arch. 29 (1929) 95 Anm. 4 bedurfte seit langem der Revision und Ergänzung. Noch K. Latte: Römische Religionsgeschichte (1960) 313 Anm. 2 und C. J. Classen: Gymnasium 70 (1963), 337 bauen darauf auf. Was das Kaiserreich betrifft, enthält das unten zusammengestellte Verzeichnis nur Magistrate, die nicht in direkter Linie mit dem Kaiserhaus blutsverwandt sind.

M. Claudius Marcellus
Cic., Verr. 2. 2. 51
T. Quinctius Flamininus
Plut., Tit. Flam. 16. AE 1929. 99. BCH 88 (1964) 570. Vgl. Polyb. 18. 46. 12; SIG³ 592
M.' Aquillius
IGR 4. 292, 1. 39; 293, 1. 24
M. Annius
SIG³ 700
Q. Mucius Scaevola
IGR 4. 188; 291. OGIS 439. Cic., Verr. 2. 2. 51; Ps.-Ascon. S. 262 Stangl.
L. Valerius Flaccus
Cic., pro Flacc. 55
L. Cornelius Sulla
IG II². 1039, 1. 57. SEG 13. 279
L. Licinius Lucullus
Plut., Luc. 23; App. Mith. 330. Vgl. Bull. épig. 1970, 441.
C. Verres
Cic., Verr. 2. 2. 52, 114, 154; 4. 24

1597), kam zweifellos aus Lykien und führte seinen Namen auf Vespasians Stellvertreter zurück, der einst Statthalter der Provinz Lykien-Pamphylien war (ILS 8816 mit AE 1915, 48).

Cn. Pompeius Magnus
BCH 8 (1884) 148; 34 (1910) 401. Dio 69. 11. 1. Anth. Pal. IX. 402
Ap. Claudius Pulcher
Cic., ad Fam. 3. 7. 2; 9. 1
Q. Tullius Cicero
Cic., ad Quint. Frat. 1. 1. 26 (abgelehnt)
M. Tullius Cicero
Cic., ad Att. 5. 21. 7 (abgelehnt)
P. Servilius Isauricus
Ephesus I 49 Anm. 3; III 149. Ath. Mitt. 32 (1907) 254. Jahreshefte Österr. Inst. 18 (1915) 282
C. Julius Caesar
IGR 4. 28
M. Junius Silanus
IG XII. 9. 916. Vgl. SIG³ 767. Vgl. auch J. Hatzfeld: Les Trafiquants italiens (Paris, 1919) 71 Anm. 1
Cn. Domitius Calvinus
IGR 3. 108
M. Vipsanius Agrippa
SIG³ 1065. Dio 54. 24. 7
Paullus Fabius Maximus
IGR 4. 244
L. Munatius Plancus
BCH 12 (1888) 15 Anm. 4
M. Vinicius
Rev. Arch. (1935) II. 156—8
C. Marcius Censorinus
SEG 2. 549
Cn. Vergilius Capito
Hellenica 7 (1949) 209
Didyma II S. 192 Anm. 278

Originalbeitrag 1973.

DIE ZWEI LORBEERBÄUME DES AUGUSTUS*

Von Andreas Alföldi

Es ist Ihnen allen bekannt, daß Augustus selbst die Stellung, die er als Oberhaupt des Römerreiches einnahm, und die sichtbaren Zeichen, welche diese seine Alleinherrschaft optisch faßbar machten, im 34. Kapitel seiner ›res gestae‹ folgenderweise charakterisiert bzw. beschrieben hat:

„Während meines sechsten und siebenten Konsulates, nachdem ich die Bürgerkriege ausgelöscht hatte, im Besitze der gesamten Machtbefugnisse, die mir aufgrund des Einverständnisses der Gesamtbürgerschaft zuerkannt worden sind, habe ich die Staatslenkung aus meiner Hand dem freien Entschluß des Senates und des römischen Volkes zur Verfügung gestellt. Für dieses mein Verdienst wurde ich durch einen Senatsbeschluß *Augustus* genannt; an meinen Türpfosten wurden von Staats wegen zwei Lorbeerbäume angebracht; über meinem Eingangstor wurde der Kranz der Bürgerrettung aufgehängt. Und in der *curia Iulia* wurde ein goldener Ehrenschild aufgestellt, den nach dem Zeugnis seiner Inschrift der Senat und das Römervolk als Lohn meiner Kriegstugend, Milde, Gerechtigkeit und Pietät anerboten haben."

Dieses berühmte Meisterstück der Diplomatensprache ist in dieser Art und Weise gestaltet worden, um die monarchische Stellung des Augustus an der Spitze des Staates zu verhüllen. Nicht nur die republikanisch klingenden Ausdrucksformen dieser Sätze, sondern

* Vgl. das unter gleichem Titel erschienene Buch des Verfassers in: Antiquitas Reihe 3, Bd. 14 (Bonn, R. Habelt Verlag, 1973; 65 Seiten mit 32 Tafeln). Darin sind die zu nachstehendem Text ursprünglich vorgesehenen Abbildungen sowie Belegstellen und Literaturverweise enthalten.

auch die unköniglich anmutenden Ehrenzeichen und Ehrenbezeichnungen, die da aufgezählt werden, haben sich als dafür geeignet erwiesen, sogar durch den republikanisch gesinnten Hochadel geschluckt zu werden, der die kleine Stadt am Tiber durch unerhörte Anstrengungen und Leistungen zur Herrin der Mittelmeerwelt erhoben hatte, aber dann allmählich aus einer führenden Schicht zu einer bedrückenden Koterie entartet war.

Was die einzelnen Züge dieser wohltemperierten und damals total neuen Herrscherdefinition anbetrifft, hat zunächst der *Augustus*-Name den Hauch einer religiösen Erhöhung, ohne daß es bis zu einer direkten Vergottung reichte. Die Inschrift des goldenen Ehrenschildes enthält ein offizielles Zeugnis des Staatsrates für den Princeps darüber, daß er sowohl die moralische Befähigung wie die kämpferische Kraft für die Staatsführung besitze. Der Eichenkranz, ursprünglich die Auszeichnung eines Kriegers für die Rettung eines Kameraden, nunmehr beschränkt auf die Person des Staatslenkers als des Retters der Gesamtbürgerschaft, verlieh dem Walten des Augustus einen väterlich-fürsorglichen Anstrich ohne Herrschaftsbezeichnung. Aber was besagten die Lorbeerbäume? Was haben sie mit der souveränen Herrschermacht zu tun?

Wenn wir an die Szenerie und die Inventarstücke der monarchischen Repräsentation denken, fällt uns nichts anderes ein als Gold, Edelstein und Objekte aus anderen hochwertigen und unverderblichen Materialien, die die kaiserliche Allmacht von der übrigen Menschheit unterscheiden und abriegeln. So müssen wir erneut fragen, wie zwei hundsgewöhnliche frische Lorbeerbäume eine so einzigartig prominente politische Funktion erlangen konnten. Dies ist ein Problem von nicht geringer Wichtigkeit. Wenn es bisher nicht eingehend untersucht worden ist, so muß man den Grund dafür darin suchen, daß man für seine Aufhellung mehrere Forschungsgebiete durchkämmen muß, und dies tut man nicht immer gerne.

Ich möchte die Ergebnisse meiner Untersuchung vorausschicken, bevor wir in die Einzelheiten gehen. Die geheiligte Rolle jenes Baumpaares ist in dem Halbdunkel der Vorzeit aufgekommen, veranlaßt durch Vorstellungen der Magie und des Aberglaubens. Es haftet an ihnen noch das *adorandum et tremendum* der okkulten

Kräfte, die die Häuptlinge der Vorzeit über ihre Untertanen erhoben hatten. Am Palasteingang des Augustus wurde das Baumpaar statt der prähistorischen Zaubervorstellung von der unheimlichen Macht des Mannes, von dem das Schicksal von Millionen Menschen abhing, neu potenziert. So sind sie aus einem Machtsymbol zu Kultobjekten geworden, sowohl in Rom selbst als auch in den Provinzen. Aber mit ihren sekundären Verwendungen begann auch schnell ihre Entwertung. Kaiserpriester in den Reichsländern benutzten die *Palatinae laurus* als Kennzeichen ihrer eigenen Würde. Die Popularität des Augustus machte aus ihnen ein beliebtes Motiv der Kleinkunst. Und sie glitten noch weiter herunter in die Grabkunst, die sie spielerisch eingeflochten hat in ihr Motivinventar, bis von dem hehren Symbol nur die leere Hülle blieb, ohne Inhalt. Aber am Palatin wahrte das Baumpaar bis zum Ende des Kaisertums seine ursprüngliche Rolle als das Wahrzeichen der kaiserlichen Majestät.

Wir kommen jetzt zu den Einzelheiten. Es ist bekannt, daß solche Lorbeerbäume in Rom seit undenklichen Zeiten am Eingang von gewissen Gebäuden sakralen Charakters aufgepflanzt und stets am alten Neujahr durch frische ausgewechselt worden sind, und zwar an den Türpfosten der *regia,* die am Anfang das Kult- und Amtslokal des *rex sacrificulus,* dann des *pontifex maximus* gewesen ist; ferner am Eingang der Amtshäuser der *flamines maiores,* am Vestatempel und am Eingang der *curiae veteres.*

Der Umstand, daß all diese sakral geschützten Bauten in dem Palatin-Bezirk lagen, ist sehr zu betonen. Denn Rom war vor der Etruskerherrschaft eine Doppelorganisation und eine Doppelsiedlung, bestehend aus der Palatinstadt und der Quirinalstadt. Diese doppelte Siedlung war nichts anderes als das den Ethnologen wohlbekannte exogame Zweiklassensystem. Diese urtümliche Doppelstruktur ist bei den Primitiven durch eine ganze Reihe von aufeinander abgestimmten komplementären Einzelzügen charakterisiert. So hatte z. B. eine jede der beiden Hälften der Gesellschaftsorganisation einen anderen heiligen Baum. So auch in Rom: in der Quirinalstadt standen vor dem Tempel des Quirinus nicht zufällig zwei Myrtusbäume, nicht Lorbeerbäume wie am Palatin. Wir müssen dazu wissen, daß die Myrte in der archaischen Zeit nicht mit

Venus verknüpft gewesen ist, sondern mit Quirinus. Der Verlust der Eigenständigkeit der Quirinalstadt durch die etruskische Vereinheitlichung hat zwar ihre Kennzeichen zurückgedrängt, so daß der Myrtenkranz bei dem Triumph zum Zeichen des zweitrangigen Triumphes, also der *ovatio* geworden ist; aber noch Masurius Sabinus wußte, daß die *curru triumphantes* vordem sowohl einen Lorbeer- wie einen Myrtenkranz trugen [Plin. n. h. 15, 29, 126]. Die Voraussetzungen dazu waren uralt: auch die attischen Krieger trugen Myrtenkränze im Aufzug der Panathenäen, und das persische Opferritual verwendete sowohl Myrten- wie Lorbeerzweige. Die Vestalinnen mußten am alten Neujahr noch das heilige Feuer durch Feuerdrillen erzeugen bzw. erneuern; die *felix materia,* die sie gebrauchten, war sicher nichts anderes als Lorbeer oder Myrte. Ich möchte auch annehmen, daß die *regia* des *rex sacrificulus* am Forum ihre Lorbeerbäume vom Haus des echten Königs auf der Burg geerbt hat.

Die nächste Frage ist, warum man die Lorbeerbäume gerade an die Türpfosten gesetzt hat. Die Antwort ist schon gegeben worden: Die Vorstellung der Vorzeit, als die Sitte entstand, ist es gewesen, daß die geheimen Potenzen sich gerade am Eingang sammelten; so wollte man ihnen daselbst entgegenwirken. Noch in historischer Zeit hielt der *Pontifex* bei der Dedikation eines Tempels den Türpfosten. Dieser Akt, *postem tenere,* war damals der Ausdruck einer rechtlichen Bindung. Aber ursprünglich ist es die Übertragung eines mysteriösen Fluidums auf den Hauseingang gewesen. Und wie stark noch in der Zeit des Augustus die Römer die andachterregende Furcht jener Zaubervorstellung empfunden haben mußten, kann man am besten mit der Anekdote über den Besuch einer Seeräuberbande bei dem älteren Africanus in Liternum illustrieren: sie haben *postes ianuae tamquam aliquam religiosissimam aram sanctumque templum venerati,* sie haben den Türpfosten jenes Übermenschen wie einem anbetungsgebietenden Altar, wie einem geheiligten Tempel im Kulte gehuldigt. *Quid hoc fructu maiestatis excelsius?* fragt Valerius Maximus [II 10, 2].

Eine andere alte, abergläubische Sitte der Römer hat bei der Verwendung des Lorbeers am Palasttor eine zwar sekundäre, aber starke Wirkung ausgeübt. Bei gewissen freudigen Anlässen hat man in Rom in jedem Hause den Türrahmen mit Lorbeerzweigen und Girlanden geschmückt. So am Neujahrstag und bei einer jeden Hochzeit; aber auch bei freudigen Ereignissen, die das ganze Römervolk betrafen, vor allem beim Eintreffen von Siegesnachrichten und bei Siegesfesten. In der Spätrepublik, als die herannahende Monarchie Rom zu überschatten begann, konzentrierte sich diese Art der Bekundung allgemeiner Freude auf die Erfolge und Person der führenden Männer im Staate. Und dann, unter Augustus, ist die bishin spontane Freudendemonstration, das *laureis ornare postes*, für die freudigen Lebensereignisse des Princeps das vorgeschriebene *gaudium publicum*, die verpflichtende Freudendemonstration geworden, die wir aus der eigenen Lebenserfahrung unter modernen Diktaturen gut kennen.

Andererseits war bei den Römern der Lorbeerzweig und der Lorbeerkranz mit dem Siegesfest seit altersher eng verknüpft, und so ist es leicht verständlich, daß die *Palatinae laurus* sehr bald mit dem Siegesgedanken verbunden worden sind. Augustus selbst hat diese Interpretation gern gesehen, und die Hofdichter konnten seine Lorbeerbäume als Sinnbilder immerwährender Sieghaftigkeit feiern. Dennoch war es ein Irrtum, wenn man seit Mommsen den Festschmuck der Haustüren mit Lorbeerzweigen für einen Tag mit dem permanenten Symbol der zwei Bäume verquickt hat: diese letzteren waren die Hoheitszeichen der alten Könige, vererbt auf ihre priesterlichen Ersatz-Vertreter seit der Republik, wie wir schon gesehen haben.

Nebst der Verbindung dieser zwei Bäume mit dem Begriff des Allsieges hat Augustus auch ihre Sakralisierung samt dem Eichenkranz der Bürgerrettung, der zwischen ihnen über dem Palasteingang aufgehängt war, gefördert. Ein authentisches Zeugnis darüber gibt uns der *aureus*, der in demselben Jahr, 27 v. Chr., geprägt worden ist, in dem jene Ehrenzeichen vom Senat dem Augustus zuerkannt worden sind. Um Octavians Kopf erscheint die schriftliche Begründung seiner Ehrungen: CIVIBUS SERVATEIS. Die Rückseite zeigt die beiden Lorbeerbäume und den Bürgerkranz in ihrer Mitte, Sinnbilder, die durch die Legende AUGUSTUS erklärt werden. Aber auf dem Eichenkranz sitzt Juppiters Vogel, der Adler, so daß auch der Kranz aus Zweigen vom Baum des höchsten Gottes zugleich als juppiterhaft gekennzeichnet ist. Und das Motiv des Eichenkranzes mit dem Adler wurde auch später — anscheinend oft — wiederholt, die doppelte Beziehung auf den Landesvater und auf den Göttervater erneut bezeugend.

Dieser hochoffiziellen Darstellung der Erhöhung jener augusteischen Ehrenzeichen bis zum Himmelsthron des Höchsten Gottes entspricht genau die dichterische Schilderung derselben Sache bei Ovid. Der verbannte Dichter, fern von der Welthauptstadt, macht im Traume einen Besuch in Rom. Er wandelt herum — so schildert er —, und jemand zeigt ihm die wichtigsten Sehenswürdigkeiten im Herzen der Stadt. Dann schreibt er:

inde petens dextram „porta est" ait „ista Palati,
hic Stator, hoc primum condita loco Roma est".
Singula cum miror, video fulgentibus armis
conspicuos postes tectaque digna deo.
et „Iovis haec" dixi, „domus est"? quod ut esse putarem,
augurium menti querna corona dabat.
cuius ut accepi dominum, „non fallimur", inquam,
„et magni verum est hanc Iovis esse domum".
[Trist. III 1, 31 ff.]

Von da nach rechts sich wendend, erklärte er, „das ist der Eingang des Palastes, da ist das Heiligtum von Juppiter Stator, und das ist der Platz, wo Rom zuerst gegründet wurde". Als ich alles einzeln bewundere, erblicke ich Torbalken, die durch glänzende Waffen auffallen, und mit ihnen sehe ich eine Wohnstätte, die eines Gottes würdig ist. Ich sagte „Ist dies Juppiters Domizil?" Zu dieser Vermutung hat mir der Eichenkranz die Veranlassung gegeben. Und als ich hörte, wer da der Hausherr sei, beteuerte ich: „Nicht habe ich mich getäuscht, es gehört dieses Haus in der Tat dem großen Juppiter!"

Auch in seinen Fasti erklärt Ovid auf dieselbe Weise den Ehrennamen Augustus:

sed tamen humanis celebrantur honoribus omnes,
hic socium summo cum Iove nomen habet.
[Fast. I 607 f.]

Das heißt: die großen Helden der alten Zeit hatten nur menschlich-irdische Ehrennamen; Augustus' Prädikat allein ist mit dem

Höchsten Gotte gemeinsam. Diese genaue Entsprechung der bildlichen Darstellung der Juppiterhaftigkeit des Augustus auf dem *aureus* des Jahres 27 v. Chr. und der dichterischen Beschreibung Ovids ist sehr wesentlich. Natürlich gebraucht der Dichter nicht die trocken-exakte Terminologie der juridischen Amtssprache, sondern erstrebt mit seinen spielerisch-musikalisch gestalteten Versen eine Wirkung wie der freie Tanz des flatternden Schmetterlings mit seinem kaleidoskopisch wechselnden Farbenspiel in der Sonne. Dennoch drückt Ovid genau dieselbe verpflichtende Haltung gegenüber dem Herrscher aus wie die starre, hochoffizielle Goldprägung.

Wir wenden uns jetzt einigen legalistisch-politischen Aspekten unserer eigenartigen Hoheitszeichen zu. Wie Augustus selbst in dem zitierten 34. Kapitel seines Rechenschaftsberichtes festgelegt hat, hat er seine überhöhte Vorrangstellung im Staate nicht nur durch Häufung und Monopolisierung republikanischer Machtbefugnisse und Aufträge umschreiben lassen, sondern er hat auch als sichtbare Zeichen seiner *statio* lauter unschuldig anmutende Sachen gewählt. Kein Königskleid, kein Thron, kein Diadem, kein Szepter waren diese, sondern nur ein inschriftliches Zeugnis des Staatsrates über seine Eignung und Leistung — wenn auch auf einem goldenen Ehrenschild zur Schau gestellt —, dann zwei grüne Bäume und ein Laubkranz. Mommsen meinte, daß der Eichenkranz in einem Dreieckgiebel über seinem Palasteingang hing, doch dies ist nicht der Fall gewesen. Seit der perikleischen Zeit wurde so ein Giebel über der Haustür eines Sterblichen als Zeichen tyrannischer Überheblichkeit betrachtet. Die Bühne der klassischen Tragödie ist damals als ein Gotteshaus gestaltet worden, wie der Palast des persischen Großkönigs, nur statt des Himmelsdomes des Thronsaales der Perser durch einen griechischen Tempelgiebel als solches gekennzeichnet. Der tragische König saß unter einer Giebelnische wie ein Gott, um durch diese Inszenierung den Götterzorn gegen ihn zu begründen und durch den μηδισμός den Haß der Athener gegen die Monarchie zu schüren. Aber diese Bühnenwand der Apotheose, die als Blasphemie für den Tyrannen ersonnen war, wurde in den Thronhallen der hellenistischen Könige für deren Verklärung als Gottherrscher aufgegriffen. Dann wurde das *fastigium regium* mit der Traumwelt der hellenistischen Wandmalerei nach Italien herübergeschmuggelt, in die Villenpaläste der Oligarchie, die seit der Überwindung von Karthago sich die Lebensform der Diadochen angeeignet hat. Und als Anfang 44 Caesar an der Schwelle des Königtums stand, hat man ihm das *fastigium* über dem Eingang seines Hauses zuerkannt. Aber sein Adoptivsohn, obwohl sich *divi filius*, Gottessohn, nennend, hat diesen Tempelgiebel, Wahrzeichen der Tyrannei für die Republikaner, abgelehnt, wie es der *aureus* des Münzmeisters L. Caninius Gallus und die Darstellung seines Palasteingangs auf der Reliefbasis in Sorrent bezeugen. Tiberius folgte in dieser Hinsicht seinem Vorgänger, aber seit Caligula hat sich ein solcher Giebel über der Hauptpassage zum Palatin eingebürgert und blieb dort bis zum Ende des Heidentums.

Der goldene Schild, der Bürgerkranz und die zwei Bäume überschwemmen seit 27 v. Chr. die staatliche Münzprägung. Aus Platzmangel auf den zumeist winzigen Münzflächen bildet man einmal die zwei Bäume ab, dann dieselben mit dem Retterkranz kombiniert, oder aber mit dem Ehrenschild, dann wieder den Kranz allein, oder aber den *clipeus aureus* ohne die anderen Ehrenzeichen, durch die Siegesgöttin herangebracht, oder allein. Die Wichtigkeit dieser Münzzeugnisse für unser Problem liegt auch darin, daß sie diese augusteischen Hoheitszeichen zumeist für sich, ohne ihre tatsächliche Ortsgebundenheit darstellen. So sind sie abstrakte Symbolbilder des Principates. Aber die Münzen stehen damit nicht allein. Eine ganze Reihe von Denkmälern, angefangen von großartigen Monumenten der Hauptstadt hinunter bis zu ungeschlachten provinziellen Machwerken und industriellen Massenprodukten, weist diese neuartigen Bildzeichen einer zivilisierten Souveränität auf.

Was man in diesem Falle betonen muß, ist, daß diese Symbole nicht nur als bildliche Definition einer juristisch festgelegten politischen Position erscheinen, sondern auch als Objekte kultischer Verehrung. Daß dabei die Lorbeerbäume den Augustustitel vertreten, lehren die Münzlegenden.

Die erste Denkmälergruppe, die wir für diese kultische Rolle der Lorbeerbäume anführen, ist die der Altäre der *vicomagistri* der neuen Bezirkseinteilung des Augustus. Diese Altäre wurden auf den 265 Wegkreuzungen der 14 Regionen aufgestellt, und am Kompitalfest um das Neujahr erlangten sie eine besonders betonte Rolle. Das Kreuzwegfest gehörte nämlich der untersten Volksschicht an, die an den Kompitalien die einzige Gelegenheit und Freiheit hatte, sich ungehemmt zu versammeln. So konnten die *collegia compitalicia,* die für dieses Fest organisiert werden durften, in den mittleren Jahrzehnten des letzten Jahrhunderts der Republik zu einem staatsgefährlichen Instrument der unterdrückten oder benachteiligten Sozialgruppen gegen das Oligarchenregime werden. Wenn Sueton [Div. Aug. 31, 4] schreibt, daß das Kompitalfest zu den *nonnulla . . . ex antiquis caerimoniis paulatim abolita* gehört hätte, so ist dies einfach nicht wahr. Die Kompitalvereine waren mehr als lebendig in jener Zeit, aber es ist dem Augustus gelungen, ihren Ausschreitungen und Gefährlichkeiten dadurch ein Ende zu bereiten, daß er ihren Anführern eine konstruktive Rolle in der eigenen lokalen Umgebung gewährte. Sie waren mit der Aufrechterhaltung der öffentlichen Ordnung, mit dem Feuerlöschen und der Marktaufsicht in ihren Kleinbezirken betraut und durften als Vorsitzende der Festspiele an den Kompitalien in der *toga praetexta* der Vornehmsten mit zwei Amtsdienern stolzieren.

Die *fasti* dieser örtlich gewählten *vicomagistri* wurden, ebenso wie die Konsulnliste seit Octavians Anfängen, auf die Marmorplatten des Augustusbogens geschrieben — eine unerhörte Ehrung für freigelassene Sklaven. Die Kapellen an den Kreuzwegen, wo diese Männer ihre kultischen Pflichten verrichteten, waren den *Lares compitales* gewidmet. Dies war der einzige Kult der römischen Religion, der den Armen und Bedrängten gehörte. Nunmehr wurde an den Kreuzungen die Larenreligion mit dem Kult des *Genius Augusti* verbunden.

Wir wissen, daß, zumindest von der Gracchenzeit an, die kleinen Leute die religiöse Ehrung ihrer toten und lebenden Protagonisten gerade an den Kreuzwegkapellen gepflegt hatten. Die Volkstümlichkeit des Augustus konnte leicht dazu geführt haben, daß manche einfache Menschen seinem Genius von sich aus Trankopfer spendeten. Aber bald nach dem Sieg bei Actium, 30 v. Chr., wurde diese *libatio* an den Genius des Princeps einem jeden Familienvater bei einem jeden Abendessen zusammen mit der Spende an die *Lares* verpflichtend vorgeschrieben. Zugleich hat der Hof, entgegen dem alten Brauch, die freie Zusammenkunft und die freie Vereinigung auf ein Minimum zu reduzieren, die Vereine der Haushaltssklaven als *cultores Larum et imaginum Augusti* weitgehend gefördert. Eine direkte, emotionelle Verbindung zwischen dem Herrscher und den Versklavten war dadurch geschaffen. Die Loyalität der Unterschicht wurde dadurch weitgehend gesichert, jedoch zugleich der Denunziation der Besitzenden wegen *crimen laesae maiestatis* die Tür geöffnet.

Die fragmentarische literarische Evidenz hat die Spuren eines weiteren direkten Anschlusses zwischen dem Herrscher und der Klasse der Benachteiligten verwischt, aber wir sind imstande, ihn an Hand der Darstellungen von großen historischen Reliefs nachzuweisen. Es handelt sich um den Einsatz von jungen julisch-claudischen Prinzen für diesen Zweck, die das Mannesalter noch nicht erreicht haben und so unter Tiberius noch nicht zu Augustuspriestern gemacht werden konnten. Man ließ sie aber in Staatsprozessionen die Bronzestatuetten der beiden tanzenden Laren und des *Genius Augusti* tragen.

Der erste Beweis dafür wird uns durch ein historisches Relieffragment in der Villa Medici an die Hand gegeben, auf dem der Aufzug der Vornehmsten in dem Herzen Roms dargestellt ist und nicht der Kompitalkult der Armen; dennoch trägt ein junger Prinz darauf eine Lar-Statuette, die dem Kompital- und Hauskult gehört.

Ein anderes Relieffragment derselben Epoche im Lateran-Museum hat die Darstellung von zwei solchen Jünglingen erhalten; in der Hand des einen ist die Lar-Statuette noch klar erkennbar. Aber dasselbe Museum beherbergt ein drittes, tiberisches Relief mit diesen Prinzlein, das ganz erhalten ist; man nennt es wegen der Statuettenträger fälschlich das Relief der *vicomagistri.* An der Spitze der Prozession sieht man zwei Würdenträger mit den patrizischen Schuhen, die nur der führenden Gesellschaftsschicht zugestanden waren; es folgt ihnen das Opferpersonal mit den Opferstieren, und dann erscheinen zwischen zwei Gruppen von Männern senatorischen Ranges vier Knaben barfuß als *camilli.* Ein jeder von diesen Jünglingen trug eine Statuette. Der erste muß die des *divus Augustus* gehalten haben; die folgenden zwei tragen je einen Lar, und der letzte einen Genius, der dem Tiberius gehören muß. Einer der beiden mittleren ist zweifellos Caligula mit seinen abstehenden Ohren, der andere ein Bruder von ihm. Der monumentale Altar, zu dem dieses Prozessionsrelief gehört hat, entstand folglich um 20 n. Chr.

Der Grund, weswegen wir bei dem Kompitalkult länger verweilt haben, ist, daß in dem Motivinventar der 265 Kompitalaltäre der augusteischen Kulteinrichtung die beiden Lorbeerbäume eine große Rolle spielten. Wir zählen die markantesten Beispiele dafür auf. Das erste ist der berühmte Altar im Belvedere des Vatikans. Ich nehme an, daß er in der Zeit entstanden ist, als Julia mit ihren beiden Söhnen im Vordergrund der dynastischen Politik des Augustus stand; die Szene mit der Himmelfahrt Caesars war dann umgearbeitet worden, als Julia in Ungnade fiel. Die zweite Breitseite zeigt die Siegesgöttin herabfliegend, um den *clipeus virtutum* an einer Säule zu befestigen; beiderseits stehen die beiden Lorbeerbäume wie auf den Münzen. Die Kurzseiten zeigen die Schenkung der Kult-Statuetten durch Augustus selbst, also den Akt der Kultgründung, in welcher auch unsere Bäume eine Rolle spielen; endlich das Wunder der latinischen Wildsau bei der Ankunft des Aeneas, was zusammen mit der Apotheose Caesars den Anspruch des Augustus auf Vergottung illustriert.

Unser nächstes Dokument ist der Altar in der Sala delle Muse des Vatikans, aus dem ersten Jahre des augusteischen Kompitalkultes, 7 v. Chr. Die Frontseite stellt den Genius des Augustus mit den beiden tanzenden Laren und die zwei Lorbeerbäume dar, die sichtlich zum Kult gehören und keine Staffage sind; die Nebenseiten sind durch die Szenen des Opfers der Vicomagistri besetzt.

Der Altar des *vicus Sandaliarius* in den Uffizien stammt aus dem Jahr 2 v. Chr. Die Hauptseite zeigt den Princeps mit Julia oder Livia und einem seiner beiden Enkel, den Ritus des *augurium ex tripudiis* verrichtend. Die hintere Hauptseite weist die zwei Bäume mit dem Bürgerkranz auf; die Opferkanne und Opferschale dabei betonen zweifellos ihre Zugehörigkeit zur Sphäre des Kultes. Der goldene Schild, durch Victoria auf einem Tropaion festgemacht, und die *Lares ludentes* ergänzen dieses Bildprogramm auf den Nebenseiten.

Der Altar des neuen Museums des Palazzo Conservatori ist auf das Amtsjahr der Vicomagistri datiert, das vom 1. August 2 n. Chr. bis zum 31. Juli 3 n. Chr. lief, aber die Inschrift liegt in einem vertieften Streifen, an der Stelle, wo ursprünglich die des Gründungsjahres stand. Wir erwähnen nur kurz die Opferszene der Vicus-Vorsteher der Hauptseite und den Bürgerkranz dem gegenüber; uns interessieren diesmal die Kurzseiten mit den beiden antithetischen Laren. Die Lorbeerzweige, die sie halten, spielen auf unsere Bäume an; auch diesmal sieht man, wie sie in den Kult hineinbezogen werden.

Der sogenannte Altar des C. Manlius im Lateran-Museum ist im Theaterbezirk von Caere gefunden worden. Seine Inschrift kann nicht die ursprüngliche sein: es ist eine Dedikation an einen lokalen *censor perpetuus* durch seine Klienten, während die Reliefs klar zum Augustuskult gehören: so das Stieropfer an den *Genius Augusti, Pax* auf der Rückseite und die tanzenden Laren auf den Nebenseiten. Nur handelt es sich diesmal nicht um den Kompitalkult: nur *ein* Priester opfert. Man sieht also, daß die Einbeziehung der Lorbeerbäume in den Augustuskult nicht auf die Kreuzweg-Altäre beschränkt gewesen ist. Noch ein Beispiel dafür: der Altar im Park des Fürsten Chigi in Soriano — nicht so fein ausgeführt wie die bisherigen, aber auch nicht weit von der augusteischen Zeit — hat auch nur einen Opfernden.

Wir sahen, daß 7 v. Chr. oder unmittelbar danach 265 Kreuzweg-Altäre errichtet worden sind. Es ist klar, daß diese Unmenge von Reliefskulpturen in dieser hohen künstlerischen Qualität durch die einfachen Umwohner der Wegkreuzungen gar nicht bezahlt worden sein konnten. So wie die Statuetten vom Princeps geschenkt worden sind, hat auch in der Herstellung der prunkvollen Altäre sicherlich der Hof selbst seinen Anteil gehabt. Ihr Bildprogramm ist im Grunde einheitlich; ihre Entsprechung zu den Münzbildern beweist ihre Herkunft von der Hofpropaganda. Einen weiteren Beweis dafür liefern die Altäre der *ministri*, die als Helfer bei der Kultverrichtung der *vicomagistri* diesen beigeordnet waren. Diese sind Sklaven gewesen. Ihre Sonderaltäre sind viel einfacher als die der *magistri,* aber doch von einer hohen künstlerischen Qualität. Der Eichenkranz und die Lorbeerbäume sind zu Girlanden und Ästen reduziert, aber ihre Ausführung spiegelt die hohe Kunst der augusteischen Zeit. Dabei ist die Differenz zwischen dem reichen Bilderschatz der Altäre der Vicomagistri, die Freigelassene waren, und der einfach-sparsamen Dekoration der Ministri-Altäre zugleich eine bewußte soziale Differenzierung.

Wir verfolgen noch etwas weiter, wie die Lorbeerbäume sich mit dem Augustuskult verbreiteten — nicht nur als Wahrzeichen des Kultes, sondern auch als solches seiner Priester. Der loyale Vasallenkönig von Mauretanien, Juba II., hat z. B. für diesen Kult einen heiligen Bezirk geschaffen. Dieser *lucus Augusti* erscheint auf seinen Münzen durch einen großen Altar und die zwei Lorbeerbäume gekennzeichnet.

Für den munizipalen Kaiserkult ist der Vespasianaltar in Pompeii ein schönes Beispiel. Er trägt das Stieropfer an der Frontseite und hinten den *clipeus,* worauf der Eichenkranz gelegt ist, und beiderseits davon die Lorbeerbäume.

Der monumentale Altar der *tres Galliae* in Lyon hatte eine prachtvoll-feine Reliefverzierung, wie die Fragmente zeigen. Seine ungelenke Reproduktion auf den Bronzemünzen ist aber auch lehrreich. Audin und Quoniam haben den Eichenkranz und die Lorbeerbäume auf ihnen erkannt, aber man sah es noch nicht, daß rechts und links von ihnen die primitiven Gebilde nichts anderes sind als die beiden tanzenden Laren. Was die Fragmente anbelangt, bitte ich den bacchischen Thyrsos-Stab in der Eichengirlande in Erinnerung zu halten, da wir auf sie kurz zurückkommen möchten.

Wir müssen davon absehen, weitere Beispiele aufzuzählen. Nur eine kurze Erwähnung ist noch angebracht über einen Altar von Bourges, der dem *numen Augusti* gewidmet ist und die Lorbeerbäume mit dem Bürgerkranz darstellt. Dieselben Symbole zierten den Hauseingang eines *Augustalis* in Pompeii und das Grab eines *flamen* des göttlichen Augustus in Tunis.

Das späteste Vorkommen dieser augusteischen Symbole, das ich kenne, ist eine grobe Reliefdarstellung des Prozessionswagens des *divus Augustus* im Kapitolinischen Museum: man hat die *civica* und die *Palatinae laurus* darauf bisher übersehen. Solche *tensae* mit Dreieckgiebel waren für Götterbilder oder Göttersymbole in der *pompa circensis* bestimmt. Eine der Veranlassungen zu Caesars Ermordung ist es gewesen, daß ihm so ein Götterwagen für die Spielprozession zugebilligt worden ist. Sein Nachfolger konnte jedoch diese Ehre ruhig annehmen und auf seinen Münzen als Anerkennung seiner Verdienste propagieren. Nichts könnte den plötzlichen Umbruch von der Republik zur Monarchie besser illustrieren, als dieser Unterschied in so kurzer Zeit, fast noch in derselben Generation.

Wir haben bisher gesehen, daß die augusteischen Symbole der neuen, gemäßigten Monokratie durch die konsequente, andauernde Strahlung durch die Hofpropaganda im allgemeinen Bewußtsein der Zeit Wurzeln fassen mußten. Wir sahen auch, daß sie zwar ebenso natürlich-einfach und unschuldig anmuteten, wie durch eine ungemein feinfühlig-geschickte Manipulation zur Darstellung eines andacht-erweckenden, übermenschlich-religiösen Symbols umgeprägt worden sind. Diese Feststellung der Rolle und der Eigenart der Lorbeerbäume erlaubt uns, einerseits ein berühmtes Kunstwerk der augusteischen Zeit zu deuten, und andererseits das Datum des Monumentalaltars des *numen Augusti* auf den Tag zu bestimmen.

Beide Probleme betreffen die Interpretation zweier Fragmente einer großen historischen Reliefdarstellung. Beide Teilstücke davon sind im Louvre. Die linke Hälfte ist ganz erhalten. Man sieht darauf die hochfeierliche Vollziehung eines Opferaktes der römischen Staatsreligion, der *suovetaurilia.* Rechts verrichtet schon der Vertreter des Römerstaates das Voropfer, während der Opferzug der führenden Römer und die Opferdiener mit dem Stier, Widder und Schwein eben ankommen. Aber das zweite, viel kleinere Fragment beweist, wie man schon konstatiert hat, daß die rechte Hälfte des Reliefstreifens ein Spiegelbild der linken war, mit einem zweiten Opfernden gegenüber dem ersten, und dem Opferzug hinter ihm. Zwischen den zwei Anbietern des Opfers und den beiden Prozessionen hinter ihnen standen zwei Altäre und genau in der Mitte die zwei numinosen Objekte, denen das Opfer galt, die zwei Lorbeerbäume.

In der republikanischen Zeit waren die Suovetaurilien ausschließlich dem Kriegsgott Mars anerboten. So glaubte bisher die Forschung, daß dieses großartige Reliefbild den Akt der *lustratio* nach dem *census* darstellt. Aber in den letzten Jahren ist es klargeworden, daß in der Epoche, die uns angeht, dieses dreifache Opfer eine neue Bedeutung erlangt hat: man hat es seither vielfach vorgenommen für die Einweihung oder Wiederherstellung eines Kultbaues oder Kultaltares. Nur ein einziges Detail sei dazu angeführt: die *lex arae* des *numen Augusti* in Narbo Martius aus dem Jahre 11 n. Chr., die das hauptstädtische Sakralgesetz wie das Kultdenkmal selbst zum Vorbild hat, schreibt eine Doppelung des Dreitieropfers ebenso vor, wie sie das Pariser Relief uns vor Augen führt.

Nun wissen wir durch den inschriftlich erhaltenen frühkaiserzeitlichen Festkalender von Praeneste, daß die *ara numinis Augusti* in Rom am 17. Januar eines Jahres der Regierung des Augustus durch Tiberius als Thronerbe dediziert worden ist. Degrassi hat festgestellt, daß der Grundtext der *fasti Praenestini*, zu dem die betreffende Eintragung gehört, zwischen 6 und 9 n. Chr. eingemeißelt worden ist. In dieser Zeitspanne war Tiberius nur im Jahre 6 in Rom. Zu jenem Zeitpunkt konnte der zweite Opfernde kein anderer als Germanicus sein. Und da die zwei Lorbeerbäume als Kultobjekte am Pariser Relief allein das *numen Augusti* als Kultgottheit repräsentieren können, haben wir es in diesem Kunstwerk mit der *ara numinis Augusti* bzw. mit der Darstellung ihrer Konsekration am 17. Januar 6 n. Chr. zu tun.

Aber nicht nur die Münzbilder, nicht nur die 265 Altäre der Wegkreuzungen und nicht nur die majestätische Doppelprozession des Altars der göttlichen Majestät des Augustus haben die zwei Lorbeerbäume des Princeps der Römerwelt optisch eingeprägt, sondern auch unzählige Bilddarstellungen der Volkskunst und der Dekoration von Gebrauchsgegenständen. Einige Beispiele müssen diesmal zur Illustration dieser Tatsache genügen.

Ein grobschlächtiger kleiner *cippus* im Lokalmuseum von Isernia soll zuerst angeführt werden. H. Fuhrmann meinte, es sei eine Widmung an Nemesis-Fortuna, als Festgabe für den Sieg des M. Nonius Gallus über die Treviri 29 v. Chr. Aber dieser verdiente Gelehrte hat die zwei Lorbeerbäume, die sich dem Altar des mittleren Streifens anschmiegen — zwar verkümmert, aber genau so, wie wir sie auf Industrieprodukten stets angedeutet erblicken können —, nicht beachtet. Die Suovetaurilia des Opfernden gehören in diesem Falle nicht einer Siegesfeier, sondern dem Gründungsritual der Religion des *numen Augusti* für arme Menschen an. Ja, für Leute des niedrigsten sozialen Status; denn der Opfernde hat keine Bürgertoga an, mit deren Bausch er sein Haupt zur Opferverrichtung verhüllen könnte, nur eine *tunica,* ein Hemd, und ein Tuch, *ricinium,* mit dem er sein Haupt bedeckt. Nemesis ist in der Tat dargestellt, aber die Symbole der Weltherrschaft daneben sind nicht ihr eigen: sie gehören dem Herrscher, der auf den Nebenseiten als siegreicher Feldherr dargestellt ist. Er ist nicht Augustus, sondern Tiberius: die Figur des betont muskulösen Kriegsgefangenen, der in Fesseln neben ihm kniet, entspricht ganz dem Germanen der getriebenen Bronzebleche des tiberischen Lagers von Vindonissa. Die Inschrift ATTALVS NONI M. S(ervus) ist nicht die ursprüngliche.

Das Gefühl der Loyalität ist eine individuelle Bindung, ein unsichtbarer Faden, der sich von jedem einzelnen Untertanen zum Herrscher zieht. Augustus benötigte diese emotionelle Bindung mit einer jeden Person in seinem Reich, um Ordnung und Stabilität wahren zu können. Aber eine jede soziale Gruppe im *imperium Romanum* erhielt einen angemessenen verschiedenen Zugang der emotionell-religiösen Hinwendung zum Princeps. So war auch die Verwendung der augusteischen Symbole angemessen differenziert.

Der Kult der *Lares Augusti* z. B. hatte seine Rolle im Leben eines jeden Bürgers; denn seit 30 v. Chr. ist eine jede Familie verpflichtet gewesen, beim Abendmahl ein Spendenopfer für das Wohl des Kaisers zu machen. Nicht nur bei dem ›Gastmahl von Trimalchio‹ bei Petronius erschienen im Speisesaal die Jünglinge mit den Statuetten der *Lares Augusti* und des *Genius Augusti.* Aber die tanzenden Laren erschienen niemals auf den Münzprägungen: die Larenreligion war ganz speziell für die unterste Gesellschaftsschicht mit dem Kult des *Genius Augusti* verbunden bzw. in den Vordergrund geschoben. Um so häufiger kehren die Laren auf den Terrakottalampen des Alltagslebens wieder, was historisch wichtig ist.

Wichtig, weil dies nicht auf staatlichen Druck geschah, nicht wegen einer zwingenden Vorschrift, sondern spontane Sympathie für den Herrscher und dessen aufrichtige Volkstümlichkeit spiegelt. Diese Öllämpchen zeigen den Ehrenschild mit der Inschrift OB C.S., mit dem Eichenkranz darauf; er wird von zwei Victorien getragen, die über einem Altar schweben. Und an den Altar geschmiegt sieht man die zwei Lorbeerbäume, klein und zusammengeschrumpft, wie auf dem *cippus* von Isernia.

Wesentlich ist auch die Bezeugung durch einen Lampentypus, der im tiberischen Legionslager von Vindonissa zahlreich zutage gefördert worden ist. Sie zeigen die Kultehren des *numen Augusti* in einer ganz vereinfachten Form: nur die Lorbeerbäume und ein Altar zwischen ihnen ist auf diesen Lämpchen grobschlächtig abgebildet. Aber die Aufrichtigkeit der Devotion für den Imperator wird durch die Gängigkeit dieser Dutzendware besser bezeugt als bei den hochkünstlerischen, feierlichen Monumentalaltären, wo politische Berechnung und Druck von oben am Werke waren. Eine wohlerhaltene Lampe im Kapitolinischen Museum mit den typisch geschrumpften Lorbeerbäumen veranschaulicht die Kontinuität der Fabrikation dieser Lampen bis in die Zeit Hadrians.

Wir dürfen auch den Motivschatz der Ringsteine und deren Imitationen in Glas nicht außer acht lassen. Besonders die Bildmotive der Ringe aus den Militärlagern interessieren uns, die zuerst die Porträts der führenden Generäle bringen, umgeben von Symbolen der Macht und der Glückbringung, bis diese künstlerische Praxis mit Caesar und Augustus in die Monarchie mündet. Eine verwandte Bildergruppe der Ringsteine zeigt einen Altar mit vier Widderköpfen an den oberen Ecken, wie z. B. am bekannten Altar von Ostia mit der Verherrlichung der *gens Julia*. Zwischen den glückverheißenden und Macht betonenden Symbolen, die diese Altäre auf den Ringsteinen umgeben, sind auch die beiden Lorbeerbäume oder ihre Andeutung durch Zweige vertreten. Der Altar bedeutet Kult, und der Kult gilt dem Augustus.

Auf den Altärchen dieser Ringstein-Gruppe sitzt gewöhnlich ein Rabe, der Vogel des Apollo, nicht der Adler, wie man meinte. Die Ambition des Augustus, an Apollo angeglichen zu werden, ist uns durch die literarische Evidenz wohl bekannt. Diese Miniaturbilder zeugen von deren Volkstümlichkeit. Wichtig dazu ist auch eine sorgfältig geplante doppelte Reihe von Denarprägungen. Der eine Typus davon zeigt den idealisierten Kopf des jugendlichen Apollo mit seinem Lorbeerkranz und mit dem Neugründer Roms, Octavian, auf der Rückseite. Der andere, parallelisierte Typus weist das Porträt Octavians mit demselben apollinischen Lorbeerkranz ohne Schleife auf. Eine andere, entsprechende intentionelle Konfrontierung des Gottes mit seinem irdischen Abbild zeigen die Denare mit dem *capricornus*, dem Nativitätsstern Octavians, einmal mit dem Kopf des Apollo, einmal mit dem des Princeps gepaart.

Auch in der großen Kunst fehlte dieses Spiel mit Augustus-Apollo nicht. Apollo nimmt z. B. in dem Reliefschmuck der *ara gentis Augustae* einen prominenten Platz ein. Auf einem schönen Apollo-Relief in Arles ist der Lorbeerbaum des Gottes verdoppelt, um an die beiden Bäume des Augustus zu erinnern. Die doppelte Sinngebung ist dieselbe wie bei den augusteischen Dichtern. Diese absichtliche Zweideutigkeit ist eine Art Vorsichtsmaßregel, um die Apotheose nicht unverhüllt bloßzustellen. Die blutigen Dolche von Brutus und C. Cassius gaben Octavian diese Lektion. So war auch die Statue des Princeps *habitu ac statu Apollinis* nicht im neuen Apollotempel am Palatin selbst aufgestellt, sondern in der dem Tempel angeschlossenen Bibliothek. Da war sie jedenfalls.

Nicht so zurückhaltend-vorsichtig war Augustus mit seiner eigenen 'Apollinisation' bei den offiziösen Kreuzweg-Kulten der kleinen Leute. Einer der Kompitalaltäre aus dem Jahre 45/46 n. Chr. ist dem *Apollo Augustus* gewidmet; die Inschrift weist mit ihrer Jahrzählung in das Jahr 7 v. Chr. zurück, also in das Gründungsjahr des erneuerten Kompitalkultes. Eine Inschrift aus der Umgegend von Bologna (Dess. 3218), die einer entsprechenden Vereinigung gehört hat, lautet: *Apollini Genioque Augusti Caesaris sacrum. L. Apusulenus L.l. Eros magister puteum, puteal, laurus d.p.s.* Wie ein solcher Apollobrunnen mit zierlichem Gehäuse ausgesehen hat, zeigen uns zwei Tripodenbasen, deren gemeinsame Vorlage schon längst erkannt worden ist. Die eine im Louvre ist ganz erhalten, die andere im Museo Capitolino fragmentarisch. Die eine der drei Reliefflächen dieser Basen zeigt den Dreifuß des Apollo, den Raben auf ihm sitzend, wie auf dem Altar der Ringsteine, die wir sahen. Beiderseits vom Tripus zwei Lorbeerbäume. Die zweite Fläche stellt einen Opfernden an einem Altar dar, mit den zwei augusteischen Bäumen an beiden Seiten von ihm. Der Mann hat nicht die Toga, nur ein Hemd an: er ist ein Sklave. Wieder ein Denkmal für den Kult der Ärmsten, ausgeführt in der höchsten Qualität der augusteischen Kunst. Auch diesmal kann man sich dies ohne die Mitwirkung des Hofes nicht vorstellen.

Wir haben schon ein Wort gesagt über die künstlerischen Anspielungen auf die *Palatinae laurus* und auf die *corona civica* in der Form von Lorbeerzweigen und Girlanden. Wir haben auch angedeutet, daß in die Eichengirlande der Altarschranken von Lyon ein Thyrsos eingefügt ist, so wie auch in die Lorbeergirlande von Chieti. Die Münzprägung macht diese bacchischen Anspielungen der Hofkunst verständlich. Die reiche Typenserie, die die Rückgabe der von Crassus erbeuteten römischen Feldzeichen durch die Parther feiert, weist die Köpfe des *Honos* mit denen von *Sol oriens,* Hercules und Bacchus auf, die mythischen Eroberer des Ostens mit Augustus vergleichend, wie Horaz.

Wir dürfen diese kurze Orientierungsskizze nicht ungebührlich ausdehnen, und so wollen wir nur erwähnen, daß die Lararien-Fresken von Pompeii das Motiv der beiden Lorbeerbäume variieren. Dann muß auch das Eindringen der augusteischen Motive in die Grabkunst wenigstens angeführt werden. Der elegant dekorierte Caffarelli-Sarkophag in Berlin zeigt mit den Lorbeerbäumen auf beiden Nebenseiten ein Thymiaterion. G. Rodenwaldt, der darüber eine bedeutende Untersuchung verfaßt hat, hat es sich nicht vergegenwärtigt, daß auch dieses Räuchergestell zum Augustuskult gehört, bei dem man nicht nur Wein spenden, sondern auch Räucherwerk verbrennen mußte. Dasselbe Thymiaterion in einem Kranz von Eichengirlanden ist auch auf Gold- und Silberstücken des Augustus zur Schau gestellt. Der Sarkophag könnte die Ruhestätte eines *sodalis Augustalis* gewesen sein. Vom kunsthistorischen Standpunkt muß man auch betonen, daß diese Motive nicht aus der Grabkunst in die Staatskunst gelangten, sondern umgekehrt: die Staatskunst hat die Priorität in ihrer Verbreitung.

Die schillernde Vielfältigkeit, das Helldunkel der getarnten Apotheose, das wir zu umreißen trachteten, ist für die ganze augusteische Politik charakteristisch. Nicht umsonst verspottete Julian Apostata den ersten Princeps als ein Chamäleon. Diese Tarnung hat aber den unumgänglichen Übergang von der Adelsrepublik zum gottgleichen Herrschertum allein sichern können.

V. NACHAUGUSTEISCHE ZEIT

Rheinisches Museum für Philologie 103 (1960), S. 43—56.

ZUM KAISERKULT IN DER GRIECHISCHEN DICHTUNG

Von Ilona Opelt

Der Anteil der römischen Dichter an der Gestaltung der Ideologie des römischen Prinzipats und an der Begründung des Kaiserkultes ist eine allgemein bekannte Tatsache [1]. In einer stetig wachsenden Reihe von Spezialuntersuchungen ist die Entwicklung der Topik des hymnischen Kaiserlobes, das Vergil geschaffen hat, gezeigt worden [2]. Das Kaiserlob erscheint im Epos nur mitunter als Einlage (Verg. Georg. III, 16/36). Meist erweitern die Dichter die zur topischen Struktur des Eposproömiums gehörige Widmung oder lassen den Anruf des Kaisers neben den Anruf der Musen treten bzw. diesen ersetzen: der Kaiser wird zum musischen Inspirator [3].

[1] L. Cerfaux — J. Tondriau, Le culte des souverains dans la civilisation Gréco-romaine, Bruges 1957; F. Taeger, Charisma, Studien zur Geschichte des antiken Herrscherkultes 1, Stuttgart 1957, 371/96; 2, 1960, 407/416. — Dieser Aufsatz wartete seit 1958 auf seine Drucklegung, so daß die Ergebnisse, welche Taeger im 2. Bande vorlegt, nicht mehr im einzelnen mitverwertet werden konnten. Die Zeugnisse der griechischen Dichtung, insbesondere die Proömien Oppians und Pseudooppians, hat Taeger nicht beachtet.

[2] A. Fincke, De appellationibus Caesarum honorificis et adulatoriis usque ad Hadriani aetatem apud scriptores Romanos obviis, Diss. Königsberg 1867; K. Scott, Emperor Worship in Ovid: Transactions and Proceedings of the American Philological Association 66 (1930) 43/69; ders., The imperial Cult under the Flavians, Stuttgart Berlin 1936; L. Berlinger, Beiträge zur inoffiziellen Titulatur der römischen Kaiser, Diss. Breslau 1935; vgl. die Bibliographie von J. Tondriau in: Bulletin de l'Association Guillaume Budé, N. S. 5 (1948) 106/25.

[3] G. Engel, De antiquorum epicorum historicorum . . . prooemiis, Diss. Marburg 1910, 7 zählt sieben loci principales des Proömiums auf: indicatio

Diese enge Verbundenheit der römischen Dichter mit den römischen Kaisern mag wie bei Vergil teils auf ehrlicher Bewunderung, teils wie bei Ovid und Martial auf sehr höfischen Bestrebungen beruhen. Ein Interesse des Kaisers an der Literatur begünstigt die Entfaltung des Kaiserlobes. Nach den Darlegungen Bardons[4] nehmen dabei Augustus, Nero und Hadrian ganz verschiedene Standpunkte gegenüber der römischen Dichtung ein. Hadrian vollzieht die Abwendung von der Kultur Roms und wird zum Schirmherrn des Griechentums, das seit der Regierung Neros wiederum Bedeutung erlangt hatte.

Besteht zwischen Dichter und Herrscher eine im Herrscherlob, im Herrscherpamphlet, in der Belohnung des Dichters oder in der Zensur sich äußernde, veränderliche Wechselbeziehung, so ist angesichts der sich wandelnden Bewertung der griechischen Kultur durch die römischen Kaiser und angesichts der ideologischen Tragweite einer etwaigen griechischen Sonderform des Kaiserkultes die Ausprägung des Kaiserlobes in der griechischen Dichtung von großer Bedeutung. Soweit zu sehen, ist die Frage danach bis jetzt noch nicht gestellt worden. Jedoch sind die Lobrede des Aelius Aristides auf Rom sowie die panegyrischen Reden des Euseb und Themistios bereits gewürdigt worden[5]. Eine Gesamtdarstellung des griechischen Panegyrikos auf den römischen Kaiser[6], welche u. a. die Festrede

des Themas, dispositio, recordatio causae, dedicatio, commendatio, scriptor de se ipso loquens, invocatio numinum; E. R. Curtius, Europäische Literatur und lateinisches Mittelalter, Bern ^{2}1954, 239; F. Knickenberg, De deorum invocationibus quas in componendis carminibus poetae Romani frequentant, Diss. Marburg 1889, 43/6.

[4] H. Bardon, Les empereurs et les lettres latines d'Auguste à Hadrien, Paris 1940.

[5] J. H. Oliver, The ruling Power. A Study of the Roman Empire in the second Century after Christ through the Roman Oration of Aelius Aristides: Transactions of the American Philosophical Society, N. S. 43, 4 (1953) 871/1003; J. Straub, Vom Herrscherideal in der Spätantike = Forschungen zur Kirchen- und Geistesgeschichte 18, Stuttgart 1939, interpretiert 113/29 die Laudes Constantini des Euseb und 146/174 die 13. und die 15. Rede des Themistius.

[6] Hinweis auf diesen Mangel bei Cerfaux-Tondriau a. O. 435_1; K.

auf den Kaiser Hadrian auf einem Gießener Papyrus[7] und das Lob des Julian (?) auf einem Papyrus der Sammlung des Erzherzogs Rainer[8] berücksichtigen müßte, fehlt noch.

Einzeluntersuchungen haben dargetan, daß die Lobrede auf den Kaiser der Tradition des griechischen Panegyrikos folgt. Im Gegensatz dazu bieten sich für die formale Herleitung des griechischen hymnischen Kaiserlobes von vornherein zwei Möglichkeiten an: Es könnte durch die römische Dichtung bestimmt worden sein oder an das hellenistische Herrscherlob anknüpfen[9], wie es durch Theokrit und Kallimachos gestaltet worden ist.

Die Herkunftsfrage läßt sich an der Verwendung der sog. „inoffiziellen Titulatur“[10] entscheiden, jener in der römischen Dichtung immer wiederkehrenden ehrenden Beinamen des Kaisers wie *numen praesens, magnus, pacator orbis*; während die hellenistische Dichtung hierin anders verfahren ist. Strukturelle Analogien römischer und griechischer kaiserzeitlicher Lobgedichte[11] auf den Herrscher sind jedoch ein unspezifisches und deshalb unbeachtliches Kriterium.

Bevor wir die verhältnismäßig spärlichen griechischen Kaiserproömien unter den erwähnten Gesichtspunkten betrachten, sei an die Resultate Wifstrands[12] für die Wiedergabe des Kaisertitels im

Ziegler, Art. Panegyrikos: PW 18, 3, 559/81 behandelt nur die späten lateinischen Panegyriker, nicht auch die griechischen.

[7] Pap. Gießen 3; vgl. P. J. Alexander, Letters and Speeches of the Emperor Hadrian: Harvard Studies in Classical Philology 49 (1938) 143 f.

[8] Mitteilungen der Papyrussammlung der Nationalbibliothek in Wien 1 (1932), nr. XIV mit Gerstingers Zusammenfassung 122 f.

[9] F. Taeger, Charisma 1, Stuttgart 1957, 371/96; W. Schubart, Königsbild des Hellenismus, Antike 13 (1937) 272/88; W. Nauhardt, Das Bild des Herrschers in der griechischen Dichtung = Neue Deutsche Forschungen, Abt. Klassische Philologie 11, Berlin 1940, 90/4.

[10] Vgl. L. Berlinger oben Anm. 2.

[11] J. Straub a. O. 154/6 zur Struktur der Panegyrici.

[12] A. Wifstrand, Autokrator, Kaisar, Basileus: ΔΡΑΓΜΑ Nilsson, Lund 1939, 529/39. — Vgl. L. Bréhier, L'origine des titres impériaux à Byzance: Byzantinische Zeitschrift 15 (1906) 161/78; A. Aymard, Le pro-

Griechischen erinnert: Die Griechen nehmen eine freie Umdeutung staatsrechtlicher Begriffe vor, ohne speziell römische Gedankeninhalte zu rezipieren oder rezipieren zu wollen. Dies erklärt die Wiedergabe des Titels *Imperator* mit βασιλεύς oder κύριος, später δεσπότης, während im Lateinischen *rex* und zunächst auch *dominus* verpönt blieb.

Der, wie es scheint, älteste uns erhaltene Lobpreis eines römischen Kaisers in einem griechischen Gedicht tritt auf in dem aus dem 1. nachchristlichen Jahrhundert stammenden Epigramm auf die Statue des Apoll von Aktium [13], welche wahrscheinlich in augusteischer Zeit in Alexandrien errichtet wurde. Dieses Denkmal (μνῆμα) feiert die Taten des Augustus, seinen kriegerischen Ruhm und seinen Charakter als Friedensbringer Ägyptens. Er ist Träger der staatlichen Ordnung, die hier mit dem homerisch-solonischen Ausdruck εὐνομία bezeichnet wird, und Spender des Wohlstandes. So gleicht er dem Ζεὺς ἐλευθέριος [14]. Der Adventus dieses göttergleichen Herrschers, der mit dem schon bei Homer belegten Namen ἄναξ [14a] (Il. 9, 96. 163 ἄναξ ἀνδρῶν Anrede Agamemnons) heißt, ruft ein segensreiches Ansteigen der Nilflut hervor, das im Bilde zu einer Empfangsgebärde des Nilgottes erhöht wird. In der an homerische Hymnen erinnernden Grußformel an Apoll [15], der ein bloßer Träger der Siege des Augustus wird, erhält Augustus selbst die aus der offiziellen Titulatur bekannten Beinamen: Zeus, Kronos' Sohn [16].

tocole royal grec et son évolution: Revue des Études Anciennes 50 (1948) 232/63; O. Treitinger, Die oströmische Kaiser- und Reichsidee nach ihrer Gestaltung im höfischen Zeremoniell, Darmstadt ²1956, 186; A. Zehetmair, De appellationibus honorificis in papyris Graecis obviis, Diss. Marburg 1912, 9/11.

[13] D. L. Page, Select Literary Papyri 3, 113; R. Keydell, Zwei Stücke griechisch-ägyptischer Poesie: Hermes 69 (1934) 421/5; P. Riewald, De imperatorum Romanorum cum certis dis et comparatione et aequatione, Diss. phil. Halenses 20 (1912) 287.

[14] G. Herzog-Hauser, Art. Kaiserkult: PW Suppl. 4, 821/3.

[14a] Zu ἄναξ in der Anrede vgl. Th. Wendel, Die Gesprächsanrede im griechischen Epos und Drama der Blütezeit, Stuttgart 1929, 87/90.

[15] Hymn. Apoll. 545; Merc. 579; Ven. 292; Bacch. 58 usw.

[16] Riewald a. O. 273/7.

Dieses Monument enthält alle Elemente, die in römischen Kaiserproömien erscheinen: Preis der Taten des Fürsten, Vergleich und Gleichsetzung mit Göttern, Beschreibung eines segenbringenden Advents. Die inoffizielle Titulatur des Kaisers entstammt jedoch der homerischen oder hymnischen Sprache.

Wir besitzen keine Widmung eines griechischen Gedichtes an Augustus, und auch die Prosawidmung des griechischen Kommentars des Apollodor von Nizäa zu den Sillen des Timon, die für Tiberius bestimmt war, ist verloren [17]. Aus der Epoche des Philhellenen Nero stammt die erste poetische Widmung in griechischer Sprache. Andromachos begann sein Gedicht über die Wirkung des Theriak mit einem Anruf Neros [18], der, ganz im Gegensatz zu den „Laudes Neronis" im Epos des römischen Zeitgenossen Lucan [19], noch keinerlei hymnisch-enkomiastische Züge trägt. Nero heißt allein „Spender der Freiheit" (2), ein Beiname, der auf die Proklamation der Freiheit für die Griechen an den Isthmischen Spielen des Jahres 67 nach Christus Bezug nimmt [20]. Das Schlußgebet des Gedichtes an Päan erbittet für Nero, der hier wie Augustus in dem alexandrinischen Epigramm auf den Apoll von Aktium ἄναξ ist, den Theriak, das Allheilmittel, und verspricht Opfergaben des Kaisers an den Gott (172/4).

Ein Epigramm des Leonidas von Alexandrien feiert die Rettung Neros [21] aus der Pisonischen Verschwörung. Zum Wesen des Herrschers als Kosmokrator gehört es, daß sich Nil und Tiber an den Freudenopfern beteiligen wollen. Hundert Stiere beugen an den

[17] Bardon a. O. 171. Vgl. ferner R. Graefenhain, De more libros dedicandi apud scriptores Graecos et Romanos obvio, Diss. Marburg 1892, 19 zu Widmungen griechischer Schriftsteller an römische Kaiser (Oppian, Vegetius).

[18] R. Wünsch, Art. Hymnos: PW 9, 1, 174 mit Theriaca ex anguibus bei Ideler, Phys. et med. graeci I, 143.

[19] Phars. 1, 33—66.

[20] Zu diesem Titel Neros vgl. die inschriftlichen Parallelen bei Riewald 289 f.

[21] Anthol. Palat. 9, 352; vgl. Bardon a. O. 307; O. Weinreich, Studien zu Martial, Stuttgart 1928, 133/42 behandelt den ganzen Topos der freiwilligen Darbietung des Opfertieres und bespricht 140 f. unser Epigramm.

Altären des Uranischen Zeus ihre Nacken freiwillig zum Opfertode. Diesem Gedanken vom Kaiser als dem Herrn der Tiere wird später namentlich Martial [22] und einmal auch der Halieutiker Oppian [23] neue Pointen abgewinnen. Die Bezeichnung des Kaisers als Ζεὺς οὐράνιος [24] gehört zu der in der inoffiziellen Titulatur häufig erfolgten Gleichsetzung des Kaisers mit Göttern.

Hadrian gab der griechischen Kultur neue Impulse. Eine echte Kaiserdichtung entstand. Greifbar ist davon noch einiges aus dem Werk des Pankrates. Das im Papyrus Oxyr. 1085 erhaltene Fragment schildert Hadrian mit seinem Gefährten Antinous auf der Löwenjagd [25]. Da der Kaiser, Pankrates nennt ihn „Gott" [25a], zugunsten seines Lieblings freiwillig zurücksteht — er verfehlt den Löwen, damit Antinous die Beute bleibt —, ist offenbar nicht Hadrian, sondern Antinous der Mittelpunkt der Dichtung. — Die vielen Reisen des Kaisers und die festlichen Empfänge, die ihm dabei gegeben wurden — sie mögen dem Einzug Vespasians in Alexandrien nicht unähnlich gewesen sein [25b] —, haben wohl auch eine reiche Gelegenheitsdichtung erzeugt; eine Prosarede zu seinen Ehren ist jedenfalls im schon erwähnten Gießener Papyrus erhalten.

Antoninus Pius hinterließ keine Nachwirkungen in der griechischen Dichtung, und es ist fraglich, ob die 35. Rede des Aelius Aristides εἰς βασιλέα ihn, Macrinus, Gallien oder Philippus Arabs als idealen Herrscher und Träger aller Regententugenden feiert [26]. Nikostrat aus Makedonien verfaßte auf Kaiser Marcus eine allerdings verlorene Lobrede [27].

[22] Vgl. F. Sauter, Der römische Kaiserkult bei Martial und Statius = Tübinger Beiträge zur Altertumswissenschaft 21 (1934) 166/70.

[23] Oppian, Hal. 1, 69 f.

[24] Vgl. G. Herzog-Hauser a. O. 835.

[25] D. L. Page, Select Literary Papyri 3, 128.

[25a] Vgl. L. Perret, La titulature impériale d'Hadrien, Paris 1929, 31 1 zu den griechischen Titeln Hadrians.

[25b] Vgl. P. Jouguet, L'arrivée de Vespasien à Alexandrie: Bulletin de l'Institut d'Égypte 24 (1941/42) 21/32 zum Pap. Fuad 8.

[26] Nicht unumstritten; vgl. Schmid-Stählin 2, 2, 701 2. Die Rede 35 K. wurde auf Macrinus, Gallien oder Philippus Arabs bezogen.

[27] K. Gerth, Art. Zweite Sophistik: PW Suppl. 8, 763.

Marcus ist auch der erste römische Kaiser, der einem griechischen Gedicht seine eigentümliche Prägung verliehen hat. Der Halieutiker Oppian [28] bedenkt ihn nicht nur am Rande in der Widmung, sondern die Bitte um das Gehör des Kaisers, an den er das Gedicht richtet, und das Gebet für ihn und seinen Sohn bilden das die einzelnen Bücher des Lehrgedichts gliedernde Gerüst. Die namentliche Anrede ist die schlichteste Form des Kontaktes zwischen dem darlegenden Dichter und dem zuhörenden Widmungsempfänger. So wendet sich schon Hesiod mit ständig erneuerten Anreden an seinen Bruder Perses, um seinen Mahnungen mehr Gewicht zu verleihen [29], oder Lukrez flicht in seine Darlegungen den Namen des Memmius ein und wiederholt durch diese Apostrophe gleichsam die Widmung [30]. — Diese durch das Genos des Lehrgedichtes bedingte Voraussetzung [31] erweitert Oppian durch ornamentale Titulaturen des Kaisers.

Das Proömium gilt dem Thema der Halieutika, also der Lehre vom Fischfang. Die Widmung an den kaiserlichen Adressaten besteht lediglich in der Anrede mit dem Namen und dem titelgleichen Zusatz γαίης ὕπατον κράτος (1, 3), welcher eine schon bei Aischylos [32] nachgewiesene Herrscherbezeichnung fortsetzt. γαῖα als Herrschaftssphäre des Marcus umfaßt den ganzen Erdkreis. Während der homerische κοίρανος, ὄρχαμος, über die Männer oder Völker gebietet [33], so gebietet er bei Oppian (1, 70 ὄρχαμε γαίης; 5, 1 κοίρανε γαίης) über den Erdkreis. Die gleiche Vorstellung waltet in

[28] R. Keydell, Art. Oppianos: PW 18, 1, 698/703; W. Kroll, Art. Lehrgedicht: PW 12, 2, 1853 charakterisiert dies als „die übliche Verbeugung vor dem Kaiser".

[29] Hesiod op. 27; 213; 274; 286; 299. Zur Widmung in der Form der namentlichen Anrede vgl. Graefenhain a. O. 42/4.

[30] Lucr. 1, 26; 42; 2, 143; 182 usw.

[31] W. Kroll a. O. 1844.

[32] Ag. 109. 619 usw.

[33] Zum homerischen Königtum vgl. etwa J. Hasebroek, Griechische Wirtschafts- und Gesellschaftsgeschichte bis zur Perserzeit, Tübingen 1931, 9 f. K. Stegmann von Pritzwald, Zur Geschichte der Herrscherbezeichnungen von Homer bis Plato, Leipzig 1930.

der zum Komplex vom Kaiser als Schirm und Schutz[34] gehörigen Formel Ὀλύμπια τείχεα γαίης vor (5, 45). Der Darstellung der Schwierigkeiten der Jagd ist eine nur auf den Herrscher gerichtete Schilderung des Vergnügens, das die kaiserliche Jagd (1, 57 βασιλήϊος ἄγρη) gewährt, gegenübergestellt. Sie gipfelt in dem aus Martial[35] wohlbekannten Paradoxon, der Zuchtfisch ließe sich vom Kaiser freiwillig (70 οὐκ ἀέκων) angeln. — Gebete an Poseidon und an die Muse um das Gelingen des Gedichtes, das als ein dem Kaiser wohlgefälliges Musengeschenk gilt, beschließen den Passus. Der Kaiser erhielt darin den Titel παμβασιλεύς, den Alkaios von Zeus, die LXX von Gott gebrauchte, und der bereits in einem Epigramm der Balbilla auf den Kaiser Hadrian übertragen wurde[36].

Auch das zweite Buch der ›Halieutika‹ läßt den präambelartigen Katalog der Götter und ihrer ἔργα, der in Neptuns Macht kulminiert, in ein Gebet für den Kaiser und seinen Sohn einmünden (2, 41). In unserem Zusammenhang interessieren die Beinamen des Kaisers μάκαρ σκηπτοῦχε. „Szeptertragend" ist schon bei Homer[37] Beiwort des Königs, doch wird es dort noch nicht substantivisch gebraucht. Bei Semonides[38] und bei Xenophon[39] bezeichnet das Substantiv den Szepterträger des Perserkönigs. Oppian redet den Kaiser in der am stärksten ausgestalteten Widmung, der seines dritten Buches, wiederum so an (3, 1), und auch in dem Abschluß des Gedichtes (5, 675) kehrt μάκαρ in Verbindung mit dem homerischen Fürstenattribut διοτρεφής[40] wieder. Das Szepter ist bei Oppian neben dem Thron (2, 682) das Herrschaftsabzeichen, das höchste Machtfülle ausdrückt: „Das Meer rollt unter deinem Szepter" (3, 4 f.), so umschreibt er den einen Machtbereich des Kaisers; sie möchten dem Szepter Glück bringen, bittet er Zeus und die Götter (2, 683). Die Anrede des Kaisers als μάκαρ knüpft an

[34] Vgl. Fincke a. O. 9; z. B. Hor. carm. 4, 14, 43 *tutela praesens Italiae dominaeque Romae.*

[35] Vgl. Anm. 22.

[36] Alkaios frg. 5, 4; LXX Jesus Sirach 50, 15; Epigr. Gr. Kaibel 990, 3.

[37] Il. 1, 279.

[38] Semon. 7, 69.

[39] Xen. Cyr. 7, 3, 15. usw.

[40] Hom. Il. 9, 607 usw.

seine göttliche Natur an. μάκαρ ist keine Wiedergabe des in Inschriften und Papyri durchgehend mit εὐτυχής übersetzten Kaisertitels *Felix,* sondern es muß im Zusammenhang des sonstigen griechischen Sprachgebrauchs erklärt werden. Aus den Untersuchungen Dirichlets[41] über den Makarismos ergibt sich, daß das Adj. μάκαρ eine zunächst den Göttern zukommende Eigenschaft bezeichnet. In dieser von Homer bis zu Oppian nicht veränderten Bedeutung ist es, meist im Plural, Eigenschaft der Götter (vgl. noch etwa Hal. 2, 12). Von Menschen ausgesagt, ist es ein Synonym anderer Ausdrücke für „glücklich", ohne daß ein Unterschied zwischen diesseitiger und himmlischer Begünstigung des Glücksträgers zu erkennen wäre. In der Form des Makarismos wird ein Mensch wegen seiner besonderen Gaben glücklich gepriesen. Dirichlet führt zahlreiche Beispiele von Makarismoi von Herrschern an[42]. Die Anrede μάκαρ muß an diese Form des Makarismos anschließen, grammatisch gesprochen, ein absoluter Makarismos sein, da der Herrscher kraft seiner Stellung sozusagen a priori μάκαρ ist, ohne daß dies noch zu begründen wäre. Damit schließt sich aber der Kreislauf der Bedeutungsgeschichte des Wortes, und der Kaiser wird in dieser Eigenschaft wiederum gottgleich. Die Anrede kehrt in der schon erwähnten Schilderung der „kaiserlichen Jagdfreuden" (1, 66) wieder.

Das zweite Buch schließt mit einer für die Umsetzung staatsrechtlicher Begriffe hochbedeutsamen Rechtfertigung der römischen Herrschaft über den Erdkreis[43]. Die Weltgeschichte vor dem Zeitpunkt der römischen Herrschaft wird als fried- und rechtloser Zustand gekennzeichnet. Mit einem mythischen Symbol umschrieben, welches seit Hesiod Schlüsselbegriff griechischen Rechts- und Staatsdenkens ist: Dike hatte unter den Irdischen keinen Sitz inne (666). Die Menschen unterschieden sich nicht von den wilden Tieren und erfüllten, wilder als Löwen, profane und sakrale Bauten mit Blut und Rauch (670/3). Erst ein Gnadenakt des Zeus (674 ᾤκτειρε) setzte diesem Zustand ein Ende. Er übertrug den Römern als seinen

[41] G. Dirichlet, De veterum macarismis = Religionsgeschichtliche Versuche und Vorarbeiten 14, 4, Gießen 1914, 5/10.

[42] Dirichlet a. O. 39.

[43] Keydell a. O. 698.

Sachwaltern den Erdkreis. In dieser aus der juristischen Fachsprache bekannten Sonderbedeutung des Wortes ἐπιτρέπειν[44] wird nicht nur der Ursprung, sondern auch die Ausübung der römischen Weltherrschaft sanktioniert. Diese erscheint nicht als vorübergehender Zustand. Die Vorstellung von der *Aeternitas imperii*[45] erzeugt die besondere Qualifikation des Übertragungsaktes des Zeus mit ἀνάψας (675). Eine solche Apotheose der römischen Herrschaft durch einen Griechen, der als Untertan spricht, als Angehöriger eines nicht zur Herrschaft auserwählten Volkes, wird überscharf, wo sie in der Form der Anrede an die zur Macht berufenen „Söhne des Äneas" ausgesprochen wird. Wer möchte darin nicht ein möglicherweise beabsichtigtes Pendant zu dem oft zitierten Vergil-Vers von der Sendung des Römers: *Tu regere imperio populos, Romane, memento* . . . erblicken? — Das Zeitalter der Dike brach jedoch nicht gleich zu Beginn der römischen Herrschaft an, sondern wurde erst unter der gegenwärtigen Regierung erreicht (680). Die zivilisatorischen Wirkungen der Dike kommen in ihrem Epitheton „Nährerin der Städte" (680) zum Ausdruck. Aus dem Gegensatz Ares und Eris—Dike erhellt, daß Dike die mythische Umschreibung des römischen Staatsideals der *Pax et Iustitia*[46] ist. Quelle dieses segenbringenden Zustandes, um einen hier nicht verwendeten, inoffiziellen Titel zu gebrauchen, *pacatores orbis*, εἰρηνοποιοὶ τοῦ κόσμου[47] sind die Regenten. Der Vater wird als „überirdisch", θεσπέσιος, bezeichnet, mit einem Adjektiv, welches bei Homer[48] zunächst von irgendwelchen vernehmbar gewordenen Auswirkun-

[44] ἐπιτρέπειν wird von ermächtigenden Übertragungsakten gesagt: von der Übertragung des Schiedsrichteramtes und insbesondere von der Einsetzung zum Vormunde. Vgl. J. H. Lipsius, Das Attische Recht und Rechtsverfahren 1, Leipzig 1905, 221; 2, Leipzig 1912, 520 1.

[45] M. Vogelstein, Kaiseridee-Romidee: Historische Untersuchungen 7 (1930); Berlinger a. O. 29/31; H. Sasse, Art. Aion: RAC 1, 198/200.

[46] H. Fuchs, Augustin und der antike Friedensgedanke, Berlin 1926 = Neue Philologische Untersuchungen 3, Beilage 3, Der Begriff des Friedens, 167/223.

[47] Berlinger a. O. 42/67.

[48] Il. 2, 600 vom Gesang; 15, 669 von einer Wolke; 9, 68 von einem Wirbelsturm; 9, 2 vom Schrecken; Od. 9, 211 vom Geruch usw.

gen der Götter verwendet wurde, der Sohn heißt „strahlender Sproß“, wobei das Adjektiv an die Anrede homerischer Könige[49] anknüpft oder auch, was weniger wahrscheinlich ist, als Ausfluß der kaiserlichen Lichtsymbolik[50] zu deuten wäre. Die Herrschaft der Kaiser, ἀνακτορίη, wird mit einem Ausdruck bezeichnet, der bereits im homerischen Hymnus auf Apoll (234) die Herrschaft des Gottes benannte. Sie eröffnet dem Dichter einen „süßen Hafen“[51]. — Ein Gebet an Zeus und die anderen Himmlischen für die *Salus* der beiden Kaiser (verbal ausgedrückt ῥύοισθε: 685) und ihre Lenkung (ἰθύνοιτε) zum Lohn für ihre εὐσέβεια (688) mündet in die Denkbahnen des offiziellen Kaiserkultes.

Die Einleitungen der übrigen drei Bücher der ›Halieutika‹ variieren den Anruf des Herrschers als Zuhörers. Hervorgehoben zu werden verdient der im Eingang des dritten Buches ausgedrückte Gedanke, daß die ganze Welt auf den Kaiser bezogen ist, so daß er sozusagen die Weltmitte darstellt: Das Meer gehorcht seinem Szepter, alle Arbeit unter den Menschen wird für ihn verrichtet, und ihm zur Freude wurde der Dichter selbst geboren (3, 4/7). — Das vierte Buch beginnt mit der Bitte um das geneigte Gehör des Kaisers. Er wird diesmal der mächtigste der städteschirmenden Könige genannt. Auch hierin liegt eine Übertragung göttlicher Eigenschaften auf den Herrscher: bei Aischylos[52] war πολισσοῦχος eine Qualifikation der Schirmgötter Thebens, bei Kallimachos des eponymen Stadtheros[53]. Das eigene Gedicht nennt Oppian in Nachfolge Pindars[54] einen süßen, von den Musen stammenden Mischtrank. — Auch das fünfte Buch, dessen Herrschertitulaturen bereits

[49] Il. 9, 434; 21, 160. 583 Anreden Achills; vgl. Wendel 29; θάλος in der Anrede schon Hom. Il. 22, 87; vgl. Wendel 33. θάλος = „Sproß“, konkret vom Lorbeer bei Call. Apollhymn. 1.

[50] F. J. Dölger, Sol Salutis = Liturgiegeschichtliche Forschungen 4, 5, Münster ²1925, 379/410.

[51] Curtius a. O. 138/41; C. Bonner, Desired Haven: Harvard Theological Review 34 (1941) 49/67.

[52] Aesch. Septem 52.

[53] Call. Aet. Oxyr. 2080, 79 (fr. 43, 77 Pf.).

[54] Pindar Isthm. 6, 2: den Musenbecher zum zweiten Male füllen. R. Häußler, Vom Tod der Musen AuA 19, 1973, 120₁₅. 137₇₉.

erörtert worden sind, ist durch die kurze Bitte um wohlwollendes Gehör — dies nicht als spezifische Herrschertugend zu verstehen (5, 1. 45) — und den Wunsch für den Kaiser, sichere Seefahrt, Fischreichtum und Ausbleiben von Erdbeben, abgerundet (5, 675/80).

Es scheint für das Kaiserbild Oppians charakteristisch zu sein, daß er für den Kaiser, aber nicht zum Kaiser betet, und daß dieser zwar Träger göttlicher Eigenschaften ist, μάκαρ, θεσπέσιος, 'Ολύμπιος, aber doch den Göttern unterstellt und untergeordnet bleibt, daß sie ihn lenken und leiten, und daß er sozusagen — wenn diese Ausdehnung des Wortes ἐπιτρέπειν statthaft ist — Statthalter *(Procurator)* des Zeus auf Erden ist.

Eines unserer wichtigsten Zeugnisse für die Einwirkungen des Kaiserkultes auf die griechische Literatur ist das Proömium der ›Kynegetika‹ Oppians [55]. Es ist sowohl literarisch bedeutsam, da der römische Typus des Kaiserproömiums hier in der griechischen Literatur zu seiner vollsten Entfaltung findet, als auch von historischem Interesse, da es uns über die Lage kurz nach dem Regierungsantritt des Caracalla informiert und damit implicite einen festen *Terminus post quem non* der Veröffentlichung des Gesamtwerkes an die Hand gibt [56].

Das Proömium gliedert sich in eine Widmung an Caracalla, die zu einem hymnischen Lob des Kaisers erweitert ist, einen Dialog des Dichters mit Artemis, der die Themenstellung des Gedichtes bringt, und einen Anruf Caracallas mit der Bitte um das Gelingen des Werkes.

Die Widmung an Antoninus umrahmt die Anrede des Kaisers mit einer bei den Vorgängern Pseudooppians noch nicht feststellbaren Häufung preisender, meist pindarischer Prädikationen. Der Kaiser ist μάκαρ, hierin liegt eine Fortführung des vom Halieutiker Oppian erstmals von den Göttern auf den Kaiser übertragenen Sprachgebrauchs, γαίης ἐρικυδὲς ἔρεισμα, so wie der Fürst Theron

[55] Engel a. O. 39 f.; Keydell a. O. 704; O. Falter, Der Dichter und sein Gott bei den Griechen und Römern, Diss. Würzburg 1934, 55/9.

[56] P. von Rohden, Art. Caracalla: PW 2, 2, 2437 mit O. Hirschfeld in Hermes 24 (1895) 158. Zur Datierungsfrage vgl. auch v. Wilamowitz, Sitzungsberichte der Berliner Akademie 1928, 25.

bei Pindar ἔρεισμ' Ἀκράγαντος[57], φέγγος ἐνυαλίων πολυήρατον Αἰνεαδάων, so wie Asklepios der „Lichtstrahl" der Sterblichen[58] oder Homer in einem Gedicht der Anthologie der Liebling der Musen[59]. Der Titel φέγγος hängt nicht etwa mit der kaiserlichen Lichtsymbolik zusammen, bringt also nicht Erlösungshoffnungen der Römer, sondern ihre Zuneigung zum Kaiser zum Ausdruck. Diese Auslegung wird außer durch den voroppianischen Sprachgebrauch auch durch das Attribut πολυήρατον nahegelegt[60]. Es wäre also der Liebessprache im weiteren Sinne zuzuordnen, deren Lichtmetaphorik im Lateinischen den stilistisch einer intimeren Sprachschicht angehörigen Kosenamen *mea lux*[61] erzeugt hat. Die dritte Prädikation des Kaisers führt einen Ausdruck des homerischen Hymnus an Demeter fort[62], auch hier gehört das Adjektiv γλυκερόν der Liebessprache im weiteren Sinne an. Die Bezeichnung des Septimius Severus als Αὐσόνιος Ζεύς nimmt auf die Apotheose Bezug; daß Caracalla selbst θάλος heißt, ein Ausdruck, der im Demeterhymnus die mädchenhafte Persephone und das Kleinkind Demophoon bezeichnet, könnte auf seine große Jugend hinweisen und ein allerdings nur vages Datierungskriterium abgeben. Nach dem Gesetz des hymnischen Lobpreises folgt auf den feiernden Anruf des Kaisers der Preis seiner Abstammung. Dabei liegt hier der Schwerpunkt des Lobes nicht auf dem Vater Septimius Severus, sondern auf der Mutter Iulia Domna, welche auch von den Inschriften und Münzen her bekannte Titulaturen erhält: assyrische Aphrodite, nicht verdunkelter Mond[63]. Der Sohn dieser Mutter ist nicht geringer als die Söhne des Zeus, nicht geringer als Phaëthon und Apollo. Dieser Vergleich schließt sich an die bekannte Gruppe von Titula-

[57] Pindar Ol. 2, 6 mit Nauhardt a. O. 33.

[58] Pindar Nem. 9, 42.

[59] Anthol. Palat. 7, 6, 3.

[60] Hes. frg. 192, 1.

[61] Vgl. Dölger, Sol Salutis 389 5.

[62] Schon in Hymn. Cer. 66; 187; Pindar Ol. 6, 68 usw.

[63] H. Mattingly—E. A. Sydenham, The Roman Imperial Coinage IV, 1, London 1936, aus den Jahren 196/211: nr. 866 Venus felix, 871 Diana Lucifera, 887 Venus felix, 888 Venus Victrix, 373 A Diana Lucifera, 379 Luna Lucifera, 387/9 Veneri Genetrici usw.

turen an, die den Kaiser durch einen Vergleich, der zu seinen Gunsten oder wenigstens nicht zu seinem Nachteil ausfällt, den Göttern ebenbürtig macht[64]. Die Widmung schließt mit einem Preis des Kaisers als Weltherrschers: ihm gilt die Fruchtbarkeit von Land und Meer, für ihn fließen die Ströme vom Ozean fort (der nach antiker Ansicht der Urquell der Flüsse ist)[65], und für ihn zieht die Morgenröte ihre Bahnen. Denselben Gedanken, daß sich alles kosmische Geschehen auf den Kaiser bezieht, sich nur für ihn vollzieht, hatte in der Einleitung seines dritten Buches schon der Halieutiker Oppian geäußert. Wir sahen dort, daß er in der römischen Dichtung zahlreiche Parallelen hat. Von besonderem historischen Interesse ist es, daß Oppian in den Versen 10 f. τῷ ῥα πατὴρ . . . δῶκεν ἔχειν πᾶσαν τραφερήν, πᾶσαν δὲ καὶ ὑγρήν einerseits die Erbmonarchie betont und damit die Herrschaft des Caracalla von hier aus legitimiert, andererseits Geta stillschweigend von der Mitherrschaft ausschließt. Keydell folgert daraus zu Recht, daß die *Damnatio memoriae* des Geta bereits wirksam war, als Oppian das Proömium abfaßte[66].

Nach dem Dialog des Dichters mit Artemis, dessen kallimacheische Züge von O. Falter in seiner zu Unrecht übersehenen Dissertation gut herausgearbeitet worden sind, indessen Keydell an Parallelen im elegischen Lehrgedicht dachte[67], wendet sich der Dichter nochmals an den Kaiser und erbittet von ihm günstige Stimmung sowie, daß er „seine Hand dem Erdkreis, den Städten und der Dichtung gnädig und segenspendend darreichen möge". Dieser erflehte segenspendende Gestus des Kaisers — es ist wohl nicht an die aus dem Hofzeremoniell wohlbekannte hohe Ehre des kaiserlichen Handkusses gedacht, sondern an einen echten Handsegen[68] — hat in der griechischen Literatur nicht ihresgleichen und übersteigert auch die in der römischen Dichtung häufige Darstellung der Auswirkung des Kaisers als *Numen praesens*. Oppian stattet den Kaiser ferner mit Attributen des Zeus aus, den (legendären) Augen-

[64] Vgl. Riewald a. O. 280 f.

[65] A. Lesky, Thalatta, Wien 1947, 80/7.

[66] Falter a. O. 55/9.

[67] Keydell a. O. 704; vgl. Schmid-Stählin 2, 2, 673 zu erschlossenen Epen Oppians.

[68] Treitinger a. O. 92; vgl. Sauter 102/5 zur magna manus Caesaris.

brauen, die er mit einem nur den homerischen Göttern zugedachten Adjektiv „ambrosisch" nennt[69], und die Stimmung des Fürsten wirkt sich auf den ganzen Kosmos aus[70], wie auch Zeus das Wetter machte; dies darf man vielleicht aus der Verbindung εὔδιον ... ὑπ' ὀφρύσι ... γεγηθώς herauslesen. Daß der Kaiser das Gelingen des Gedichtes bestimmen könne, ist jenem in der römischen Dichtung vertrauten Gedankenkomplex vom Kaiser als musischem Inspirator[71] verwandt.

Aus unserer Durchsicht der wichtigsten erhaltenen nichtchristlichen Gedichte in griechischer Sprache, die sich auf den römischen Kaiser beziehen, ergibt sich folgendes: soweit bei dem fragmentarischen Zustand der Überlieferung ein allgemein verbindliches Urteil möglich ist, ist der Reflex des Kaiserkultes in der griechischen Literatur nicht so stark wie in der lateinischen. Dies zeigt sich an der mangelnden Verbreitung des Typus des Kaiserproömiums, das in einer mit den lateinischen Ausprägungen konkurrenzfähigen Form nur bei dem Kynegetiker Oppian nachzuweisen war. Viel mehr als dieses Fehlen einer geprägten Form besagt aber die Besonderheit der hymnischen Herrscherprädikationen. Diese schließen nicht an die uns aus den Inschriften und Papyri wohlbekannten offiziellen und inoffiziellen griechischen Titulaturen des Kaisers an. Auch der von der römischen Dichtung geprägte Formelschatz ehrender Beinamen des Kaisers ist nicht übernommen. Die hellenistischen Namen des Herrschers εὐεργέτης[72], σωτήρ, fehlen. Statt dessen wird der Kaiser in der Sprache Homers, der homerischen Hymnen, der Sprache Pindars mit den Namen angeredet, die dort die Götter oder die Könige tragen: ἄναξ, βασιλεύς, κοίρανος, κράτος, ὄρχαμος, σκηπτοῦχος. Sein göttlicher Charakter kommt vornehmlich darin zum Ausdruck, daß Eigenschaften, die bei Homer nur den Göttern zukommen, auf ihn übertragen werden. Er ist μάκαρ, 'Ολύμπιος, ἀμβρόσιος, θεσπέσιος, πολισσοῦχος. Direkte Gleichsetzung des Kai-

[69] Von Maia, einer Braut des Zeus, Hymn. Merc. 230.

[70] Vgl. Ovid ex Ponto 2, 2, 65 f. und Hom. Il. 1, 528/30 bei Riewald 275, der unsere Stelle noch nicht in diesen Zusammenhang einordnet.

[71] Lucan Phars. 1, 66.

[72] Das Fehlen des Titels εὐεργέτης in hexametrischen Gedichten könnte auch rein metrische Gründe haben.

sers mit Göttern fand sich nur in gräkoägyptischen Epigrammen, während die anderen griechischen Dichter die indirekte Methode der Annäherung des Kaisers an die Götter durch göttliche Eigenschaften zu bevorzugen schienen. Die recht häufig auftretende, letzten Endes offizielle, Vorstellung vom Kaiser als Kosmokrator, Herrn der Elemente oder auch der Tiere, entsprach dem römischen Formelschatz, der das griechische Kaiserlob entscheidender als das hellenistische Königslob des Theokrit und Kallimachos zwar nicht in der Terminologie, aber doch in den Themenkreisen beeinflußt hat.

Madrider Mitteilungen 5 (1964), S. 167—179.

ZUR BEGRÜNDUNG DES PROVINZIALKULTES IN DER BAETICA

Von Jürgen Deininger

I

Eindrucksvoll wurde in den Jahren 22 und 23 n. Chr. die Bedeutung des Landtags der Provinz Asia klar: Zuerst endete nach einem Schuldspruch vor dem Senatsgericht jäh die glänzende Karriere des C. Iunius Silanus, der zuletzt das Amt eines *proconsul Asiae* bekleidet hatte [1], und bereits ein Jahr danach erfolgte das Urteil desselben Gerichts gegen den kaiserlichen Procurator Cn. Lucilius Capito [2]. In beiden Fällen war die Anklage vom asiatischen Koinon ausgegangen, der Vertretung der Provinzialen, die seit 29 v. Chr. auch mit dem provinzialen Herrscherkult beauftragt war. Zum Dank für die Ahndung der Vergehen faßte der Provinziallandtag den Beschluß, einen zweiten Provinzialtempel zu errichten, der Tiberius, seiner Mutter Livia und dem Senat geweiht sein sollte [3].

Hatte der Princeps im Fall seines Procurators mit dem ausdrücklichen Hinweis *audirent socios* [4] ein strenges Urteil gefordert, so stieß er damit nicht zuletzt in *einer* Provinz auf starken Widerhall: Im Jahre 25 traf eine Gesandtschaft aus Hispania Ulterior in Rom

[1] Tac. ann. III, 66—69. Zur Person E. Hohl, RE X 1 (1918), 1087 f., Nr. 159; vgl. auch U. Weidemann, C. Silanus, Appia parente genitus. A Note on Tac. Ann. III, 68, 3, in: Acta Classica 6 (Kapstadt 1964), 138 bis 145.

[2] Tac. ann. IV, 15; vgl. A. Stein, RE XIII 2 (1927), 1642, Nr. 24. — Zu beiden Verfahren kurz J. Bleicken, Senatsgericht und Kaisergericht (Abh. Ak. Gött., III. F., 53, Göttingen 1962), 159 f.

[3] Tac. ann. IV, 15,4.

[4] A. a. O. IV, 15, 3.

ein und bat unter Berufung auf Asia als Präzedenzfall, die Errichtung eines Provinzialtempels für Tiberius und Livia möge auch der Provinz Baetica gestattet werden. Der knappe Bericht des Tacitus läßt keinen Schluß auf die eigentlichen Motive der Bittsteller zu [5]. Nichtsdestoweniger wird man aber davon ausgehen können, daß sie nicht nur von dem Bedürfnis geleitet wurden, ihrer Loyalität und ihrer Verehrung für den Herrscher den auch in den westlichen Reichsteilen rasch selbstverständlich gewordenen kultischen Ausdruck zu verleihen. Nicht unmöglich ist, daß der Gedanke dabei eine Rolle gespielt hat, auf dem Umweg über den provinzialen Kaiserkult auch eine so wirkungsvolle Institution zu erhalten, wie sie Asia in diesem Provinziallandtag besaß. Doch wie dem auch sei: Tiberius lehnte in einer berühmten Grundsatzerklärung im Senat die ihm angetragene Ehrung ab [6], und die *legati* mußten unverrichteter Dinge die Rückreise an den heimischen Guadalquivir antreten.

Es hat nach dem Fehlschlag der Mission des Jahres 25 n. Chr. offensichtlich längere Zeit gedauert, bis Baetica dann doch einen Provinzialkult und damit wohl auch erst einen Provinziallandtag erhielt [7]. Wann dies genau geschah, ist allerdings, da eindeutige

[5] Tac. ann. IV, 37, 1: *Hispania Ulterior missis ad senatum legatis oravit, ut exemplo Asiae delubrum Tiberio matrique eius exstrueret.* — Die Vermutung, daß dies — ähnlich wie in Asia — aus Dankbarkeit für die Verurteilung eines Statthalters geschehen sei, und zwar in diesem Fall des baetischen Proconsuls Vibius Serenus i. J. 23 n. Chr. (Tac. ann. IV, 13, 2; dazu Tac. ann. ed. H. Furneaux I [1896^{2}], 534) ist zwar bestechend, aber durchaus nicht zwingend. Weder weiß man, auf wen die Anklage des Vibius Serenus zurückging, noch sagt Tacitus — anders als im Fall der Provinz Asia — etwas über einen Zusammenhang zwischen diesem Gerichtsverfahren und dem Ersuchen der Provinz. Vgl. außerdem unten Anm. 7.

[6] Tac. ann. IV, 37—38; dazu R. Etienne, Le culte impérial dans la péninsule ibérique d'Auguste à Dioclétien (= Bibl. des Ec. franç. d'Athènes et de Rome, 191; Paris 1958), 421.

[7] Aufgrund der Bemerkung des Tacitus *missis ad senatum legatis* (oben Anm. 5) nimmt Etienne a. a. O. 416 die Existenz eines *concilium* in Baetica bereits vor dem Jahre 25 n. Chr. an, auf die übrigens auch die Augustus von der Provinz Baetica gesetzte stadtrömische Inschrift CIL

literarische oder sonstige Quellen fehlen, eine alte Streitfrage in der Forschung. Man hat schon nahezu alle Herrscher von Augustus bis Trajan mit dieser Maßnahme in Verbindung gebracht[8]. Jüngste Forschungen sowie ein überraschender Inschriftenfund berechtigen aber zu der Hoffnung, daß die Lösung des Problems nunmehr in greifbare Nähe gerückt ist.

Die älteste datierte Inschrift, in der ein *flamen divorum Augustorum provinciae Baeticae* und zugleich das *concilium* der Provinz genannt werden, bezieht sich, wie zuletzt Etienne gezeigt hat,

VI 31267 (= Dessau, ILS 103) deuten könnte. Doch dürfte hier Vorsicht am Platze sein, da es bis heute im Westen des Reiches kein sicheres Zeugnis für einen unabhängig vom provinzialen Kaiserkult bestehenden Provinziallandtag gibt; vgl. dazu bereits E. Kornemann, RE IV 1 (1900), Art. concilium, 804 f. C. H. V. Sutherland, The Romans in Spain (London 1939) — den Etienne a. a. O. 416 zu Unrecht als Kronzeugen für die Existenz des Landtags vor 25 n. Chr. zitiert — denkt (S. 155) an eine "embryonic form of concilium in Baetica", doch bleibt unklar, was man sich darunter konkret vorzustellen hätte; 242 Anm. 6 setzt auch er die Einrichtung eines „regulären" *concilium* in der Baetica erst in die flavische Zeit. Es könnte sich also in beiden genannten Fällen um Aktionen ad hoc gehandelt haben. Vgl. noch oben Anm. 5.

[8] Für Augustus vgl. G. C. Fiske, Harv. Stud. in Class. Philol. 11, 1900, 138; A. d'Ors, Emérita 10, 1942, 207; 213; außerdem Cl. Sánchez-Albornoz, El culto al Emperador y la unificación de España (= Anal. del Inst. de lit. clás. 3, 1946), Buenos Aires 1946, 35 ff.; 61. — Tiberius: E. Kornemann, Klio 1, 1901, 124; A. L. Abaecherli, The Institution of the Imperial Cult in the Western Provinces of the Roman Empire (= Studi e Materiali di Storia delle Religioni 11, Bologna 1935), 167 f.; K. Scott, The Imperial Cult under the Flavians (Stuttgart 1936), 27. — Nero oder Vespasian: E. Thouvenot, Essai sur la province romaine de Bétique (Paris 1940), 297. — Vespasian: M. Krascheninnikoff, Philologus 53 (N. F. 7), 1894, 183; K. McElderry, JRS 8, 1918, 82; B. W. Henderson, Five Roman Emperors (Cambridge 1927), 73; C. H. V. Sutherland: vgl. oben Anm. 7; J. Gagé, REA 54, 1952, 314; Etienne a. a. O. 126 f.; 130; P. A. Brunt, Historia 10, 1961, 212 Anm. 68; D. Fishwick, Hermes 92, 1964, 350 ff. — Für Titus vgl. M. Marchetti, Art. Hispania in Diz. ep. III 2 (1906), 895. — Domitian: H.-G. Pflaum, vgl. unten S. 447. — Trajan: E. Ciccotti, Riv. di filol. ed istruz. class. 19, 1891, 56.

offenbar auf das Jahr 98 n. Chr.[9] und liefert damit einen ersten terminus ante quem für die Einrichtung der Institution. Den entscheidenden nächsten Anhaltspunkt bietet dann eine vieldiskutierte, leider heute verschollene Inschrift aus der Gegend von Castulo, deren Wortlaut nur in den „Antigüedades" von A. de Morales aus dem 16. Jh. überliefert ist[10]. Man liest dort:

FISCI. ET CVRATORI DIVI TI. II. IN BAE-
TICA. PRAE. GALLECIAE, PREF. FISCI
GERMANIAE CAESARVM IMP. TRIBV-
NO LEG. VIII. FLAMINI AVGVSTALI
IN BAETICA PRIMO. / / / / / / / / / / / / /
/ /

E. Hübner hat die Inschrift danach unverändert unter der Nummer 3271 in den Spanien-Band des CIL übernommen. Als einziges Versehen ist dabei das Fehlen des Punktes hinter *primo* festzustellen.

Zum Text muß sodann bemerkt werden, daß, wie schon Hübner und Krascheninnikoff erkannt haben, TI. II. in Z. 1 ganz offenkundig in TITI zu emendieren ist[11]. Die von Ciccotti vorgeschlagene[12], erstaunlicherweise später auch von A. L. Abaecherli[13] und K. Scott[14] wiederaufgenommene Lesung *Tiberii* hat Krascheninnikoff mit Recht als „Curiosität" abgetan[15], denn Tiberius wurde bekanntlich nie unter die *Divi* aufgenommen, und ein *curator divi Tiberii* ist daher ganz undenkbar[16].

Was sodann den Cursus des Unbekannten betrifft, so hat Krascheninnikoff in seiner material- und ergebnisreichen Studie über die

[9] CIL II 2344, dazu Etienne a. a. O. 127 f.; unten S. 452.

[10] A. de Morales, Las antigüedades de las ciudades de España etc., Alcalá 1575, f. 60 v. Für einen Mikrofilm hiervon bin ich der Schönbornschen Schloßbibliothek in Pommersfelden/Ofr. zu Dank verpflichtet.

[11] Vgl. Krascheninnikoff a. a. O. 181.

[12] E. Ciccotti a. a. O. (oben Anm. 8), 27 (der auch zu Unrecht ein munizipales Priesteramt annimmt).

[13] A. L. Abaecherli a. a. O. (oben Anm. 8), 167.

[14] K. Scott a. a. O. 37; ebenso Sánchez-Albornoz a. a. O. 36.

[15] Krascheninnikoff a. a. O. 181 Anm. 152.

[16] Vgl. zuletzt Fishwick a. a. O. (oben Anm. 8), 351.

Einführung des provinzialen Kaiserkultes im römischen Westen [17] die These aufgestellt, daß es sich hier um eine Laufbahn in absteigender Reihenfolge handle [18]: Am Anfang stünde demzufolge die Provinzialpriesterschaft von Baetica *(flamini Augustali in Baetica primo* [19]*)*, auf welche nacheinander der Posten des Militärtribuns, des *praefectus fisci* in Germania und Gallaecia und endlich des *curator divi Titi* wiederum in Baetica folgen würden [20]. Daß die Inschrift selbst der Zeit nach 81 n. Chr. angehört, unterliegt wegen des Ausdrucks *divi Titi* keinem Zweifel. Für die Provinzialpriesterschaft aber ergibt sich aus dem Cursus, die Richtigkeit der Hypothese vorausgesetzt, mit großer Wahrscheinlichkeit ein Jahr der Regierungszeit Vespasians, und da der Unbekannte als *flamen primus* bezeichnet wird, so folgte daraus für Krascheninnikoff sofort die Begründung des Provinzialkultes in der Baetica durch diesen Princeps [21], eine Anschauung, die von vielen Forschern über-

[17] M. Krascheninnikoff, Über die Einführung des provinzialen Kaiserkultus im römischen Westen, Philologus 53 (N. F. 7), 1894, 147—189.

[18] Krascheninnikoff a. a. O. 182 unter Berufung auf O. Hirschfeld, Die kaiserlichen Verwaltungsbeamten bis auf Diocletian, Berlin 1877[1], 247 (vgl. 1905[2], 417—419), wo aber nur allgemein von den *militiae equestres* als Voraussetzung für die Zulassung zu den prokuratorischen Ämtern die Rede ist.

[19] Diese Bezeichnung des Provinzialpriesters als *flamen Augustalis* bringt Etienne 163 in Zusammenhang mit der von Hübner als unecht aufgenommenen Inschrift CIL II 41 * aus Condeixa a Velha (Coimbra): *Divo Augusto L. Papirius L. f. flamen Augustalis pro salute et incolumitate civium*, wofür Krascheninnikoff 178 Anm. 138 *flamen Augustalis pro[v]inciae Lu[s]ita[niae]* konjizierte; vgl. Etienne 125, der die Inschrift ebenfalls für echt hält und allein aufgrund des Priestertitels zusammen mit dem *flamen Augustalis* der hier besprochenen Inschrift in flavische Zeit setzt. Dafür liegt aber keine Notwendigkeit vor. Man wird vielmehr schon wegen der Weihung *divo Augusto* und nicht zuletzt wegen des fehlenden Cognomens die Inschrift von Conimbriga — falls sie überhaupt echt ist — eher in die Zeit des Tiberius zu setzen haben. Im übrigen braucht kaum betont zu werden, daß die Emendation Krascheninnikoffs stark hypothetischen Charakter trägt.

[20] Krascheninnikoff a. a. O. 182 f.

[21] A. a. O. 183.

nommen wurde [22], zumal sie auch das Bild, das die Forschung von der auffallenden Aktivität Vespasians bei der Einrichtung von Provinzialkulten gewonnen hat [23], vortrefflich abzurunden schien.

Dennoch ist diese Deutung nicht ohne Widerspruch geblieben, der sich vor allem an Krascheninnikoffs Auffassung von *flamen* ... *primus* entzündete. Richtig ist, daß die Inschrift hinter *primo* [... abbricht und die genaue Fortsetzung unbekannt bleibt. So hat man immer wieder bezweifelt — Kornemann [24], Alvaro d'Ors [25], auch Aymard [26] wären hier zu nennen —, daß sich *primo* [... auf das vorausgehende *flamini* bezieht, und die Auffassung vertreten, daß es zu einem folgenden, aber nicht erhaltenen Wort gehöre. Dennoch geht Kornemann in seinen gegen Krascheninnikoff gerichteten Ausführungen entschieden zu weit, wenn er die Verbindung von *primo* [... mit *flamini* schlechthin als „ganz willkürlich" bezeichnet [27]. Daß *flamini Augustali in Baetica primo* einen geschlossenen Ausdruck bildet, hat im Gegenteil alle Wahrscheinlichkeit für sich; und nicht das geringste Argument für diese Anschauung ist, daß sich kaum eine überzeugende Alternative finden läßt. Die Ergänzung *primo[pilo]*, welche Krascheninnikoff selbst hypothetisch in Erwägung zog [28], scheidet, wie sich noch zeigen wird, mit Sicherheit aus.

Ist die Beziehung von *primo* zu *flamini* anerkannt, so läßt sich immer noch der andere Einwand denken, daß *primo* hier nicht zeitlich, sondern — eine Möglichkeit, auf die vor allem Fiske [29] und Abaecherli [30] hingewiesen haben — als Kennzeichnung eines Ranges

[22] Vgl. oben Anm. 8.

[23] Vgl. Verf., Die Provinziallandtage der römischen Kaiserzeit von Augustus bis zum Ende des dritten Jahrhunderts n. Chr. (= Vestigia, 6, München 1965), 29 ff.

[24] E. Kornemann, Klio 1, 1901, 123.

[25] A. d'Ors, Emérita 10, 1942, 207.

[26] A. Aymard, REL 50, 1948, 416.

[27] Kornemann a. a. O. Anm. 2.

[28] Krascheninnikoff a. a. O. 181.

[29] Fiske a. a. O. (oben Anm. 8), 138.

[30] A. L. Abaecherli, Transact. of the Americ. Philol. Assoc. 1932, 261 Anm. 16.

zu verstehen sei. In dieser Frage haben jedoch die Untersuchungen von A. Aymard wohl endgültig Klarheit geschaffen [31]: Wie der Vergleich mit anderen Beispielen lehrt, kann *flamen primus* nur zeitlich gemeint sein. Dann aber scheint der Schluß unausweichlich zu sein, daß Vespasian in der Tat der Schöpfer des Provinzialkultes war, eine Auffassung, die denn auch R. Etienne in sein großes Werk über den Kaiserkult auf der Iberischen Halbinsel übernommen hat und die neuerdings auch D. Fishwick mit derselben Begründung wiederholt hat [32].

Nun ist jedoch soeben durch den Scharfsinn H.-G. Pflaums dieser ganzen Beweisführung die Grundlage entzogen worden [33]. Pflaum ist — zum ersten Mal seit Krascheninnikoff — dem Problem der Karriere des Unbekannten kritisch nachgegangen und zu dem Resultat gekommen, daß es sich auf der Inschrift — sofern überhaupt auf den überlieferten Text Verlaß ist — nicht um einen ab-, sondern um einen aufsteigenden Cursus handelt [34]. Am Beginn steht demnach — jedenfalls in dem erhaltenen Text — der Posten eines *praefectus* (?) *fisci,* an den sich nacheinander die Stellungen eines *curator divi Titi in Baetica,* eines *praefectus Gallaeciae,* eines *praefectus fisci Germaniae Caesarum Imperatorum* (wegen der noch einheitlichen Provinz Germania vor 83 n. Chr., daher offenbar Titus und Domitian gemeint) und endlich der Militärtribunat in der VIII. Legion anschließen [35], auf welchen als Krönung der Laufbahn das Amt des Provinzialpriesters in der Baetica folgte [36]. Damit aber gehört diese Provinzialpriesterschaft nicht, wie bisher angenommen, in vespasianische, sondern mit Sicherheit in domitianische Zeit, und Pflaum hat denn auch nicht gezögert, aus dieser zweifelsohne

[31] A. Aymard, vor allem: REL 50, 1948, 414 ff.

[32] Etienne 126 f.; Fishwick (oben Anm. 8) 350 ff.

[33] H.-G. Pflaum, La part prise par les chevaliers romains originaires d'Espagne à l'administration impériale, in: Les empereurs romains d'Espagne. Actes du Colloque International du Centre National de la Recherche scientifique, Madrid — Italica, 31 mars — 6 avril 1964 (1965), 87 ff.

[34] Pflaum a. a. O. 92.

[35] Pflaum 92 ff.

[36] Pflaum 92.

berechtigten Datierung, die einen entscheidenden Fortschritt im Verständnis der Inschrift bedeutet, den Schluß zu ziehen, daß erst Domitian den Provinzialkult in Baetica begründet habe [37].

Gegen dieses überraschende und scheinbar wohlbegründete Ergebnis müssen dennoch erhebliche Einwände vorgebracht werden. Zunächst will die Vorstellung, daß erst Domitian in einer längst bestehenden römischen Provinz wie der Baetica den provinzialen Kaiserkult eingeführt habe, nicht recht in das bisher von der Forschung erarbeitete Bild von der Verbreitung des Provinzialkults passen, wonach diese bereits unter Vespasian, der die Institution u. a. in Gallia Narbonensis und Africa Proconsularis einführte, zum Abschluß gekommen zu sein scheint [38]. Als Schöpfer eines Provinzialkultes in einer bereits bestehenden Provinz ist Domitian bis heute wohl nirgendwo mit Sicherheit nachgewiesen, so wenig wie einer der Kaiser nach ihm, und die Einrichtung von Provinzialkult und -landtag durch Domitian in der Baetica würde eine eigenartige und schwer zu erklärende Ausnahme bilden.

Eine zweite Überlegung allgemeiner Art verstärkt die Bedenken. Wohl kennt man dank einer glücklichen epigraphischen Überlieferung den ersten Provinzialpriester der Narbonensis, Q. Trebellius Rufus aus Tolosa, der unter Vespasian amtiert haben muß [39]. Ist es aber — so muß doch wohl ernsthaft gefragt werden — angesichts der relativ so geringen Zahl auf den Provinzialkult bezüglicher Inschriften überhaupt wahrscheinlich, daß der Zufall die Inschrift eines weiteren *flamen primus* einer Provinz beschert haben sollte? Man wird in Baetica von der Begründung des Provinzialkultes bis zum Ende des dritten Jahrhunderts unbedenklich mit mehr als 200 verschiedenen Jahrespriestern rechnen können, und da dürfte es a priori unwahrscheinlich sein, daß sich unter den 11 bekannten, zufällig überlieferten *flamines* der Provinz Baetica [40] ausgerechnet wiederum, wie bei der Narbonensis, ein *flamen primus*, also der erste Priester der gesamten Reihe, befinden soll. Methodisch ist es angesichts dieser Sachlage jedenfalls geboten, eine solche

[37] Pflaum 100.

[38] Verf. a. a. O. (oben Anm. 23), 32 ff.

[39] Vgl. Fishwick a. a. O. 349 f. mit der weiteren Literatur.

[40] Etienne 126; 130; dazu oben Anm. 19.

Hypothese nur dann aufzustellen, wenn definitiv feststeht, daß *flamen primus* hier allein als „zeitlich erster Provinzialpriester" der Baetica und nicht anders verstanden werden kann.

Eben dies ist nun aber keineswegs der Fall. Eine ganze Gruppe von Inschriften aus Africa Proconsularis dürfte eine viel einfachere Erklärung des umstrittenen *flamini . . . primo* [. . . nahelegen. Gemeint sind die vier Inschriften aus Simitthus, Bulla Regia, Cuicul und Thubursicu Numidarum, auf denen Provinzialpriester genannt werden, welche die Würde der Provinzialpriesterschaft als erste aus ihrem Heimatort bekleidet haben. Dies pflegt dort zwar in der Regel durch einen Relativsatz des Typus *qui primus ex colonia sua hunc honorem gessit*[41] ausgedrückt zu werden, doch ist nicht einzusehen, warum in der hier zur Debatte stehenden Inschrift nicht ebensogut etwa *flamini Augustali in Baetica primo [e municipio suo]* oder ähnlich gestanden haben könnte. Ja, offenbar ist nicht einmal diese Annahme unbedingt notwendig: Wie die von *ordo* und *populus* von Thubursicu Numidarum dem L. Calpurnius Augustalis, *[sacerdoti (flamini?)] pr(ovinciae) Af[ricae pr]imo*, gesetzte Inschrift zu zeigen scheint[42], kann unter Umständen auch bloßes *sacerdos* bzw. *flamen primus* den ersten meinen, der aus einem bestimmten Ort zur Stellung eines Landtagspräsidenten aufgestiegen ist. So hat man diese Inschrift jedenfalls mit Recht stets verstanden[43]. Daß Augustalis nicht der erste *sacerdos* bzw. *flamen* von Africa überhaupt sein kann, steht fest; andererseits kann, wie oben dargelegt wurde, an der zeitlichen Bedeutung von *primus* nicht gezweifelt werden.

[41] CIL VIII 14611 (Simitthus, 109—111 n. Chr.); P. Quoniam, Karthago 11, 1961—1962, 3 (Bulla Regia, 110—112 n. Chr.); AE 1949, Nr. 40.

[42] ILAl I 1295.

[43] St. Gsell z. St.; zuletzt T. Kotula, L'importance des „concilia" africains sous le Haut-Empire (poln. m. frz. Res.), in: Acta Universitatis Vratislavensis 11 (Breslau 1963), 74, Nr. 3. — Vgl. ähnlich in der Frage des πρῶτος Ποντάρχης D. M. Pippidi, BCH 84, 1960, 453. — Ob der von Morales überlieferte, von Hübner jedoch übersehene Punkt hinter *primo* (oben S. 444) eher für diese zweite Annahme spricht, kann hier dahingestellt bleiben, zumal Z. 1 der Inschrift (dazu ebd.) die Unzuverlässigkeit der Angaben von Morales zur Interpunktion zeigt.

Für die hier untersuchte Inschrift ergibt sich damit die sehr viel ungezwungenere und wahrscheinlichere Deutung, daß es sich bei dem Unbekannten lediglich um den ersten Provinzialpriester aus seiner Heimatstadt handelt[43a], was in der Zeit Domitians, wohl nicht allzulange nach der Einführung des Kultes, gewiß nichts Auffälliges darstellt. Das heißt aber, daß sich der Zeitpunkt der Begründung des provinzialen Kaiserkultes in der Baetica aus der Inschrift gar nicht entnehmen läßt und daß diese eine viel geringere Bedeutung für die Geschichte der Provinz besitzt, als man bisher vielfach gemeint hat[44]: Sie liefert lediglich einen etwa um das Jahr 90 n. Chr. liegenden[45], weiteren terminus ante quem für die Einrichtung der Institution.

II

Läßt sich demnach mit Hilfe der vieldiskutierten Inschrift CIL II 3271 bestenfalls eine obere Zeitgrenze gewinnen, so scheint glücklicherweise eine neue Inschrift aus Córdoba, die A. M. Vicent mit dankenswerter Schnelligkeit publiziert hat[46], neues Licht auf die Frage nach dem Alter des Provinzialkultes in der Baetica zu werfen, obwohl der Stein erst dem ausgehenden zweiten Jahrhundert angehört. Diese Inschrift lautet folgendermaßen:

L. Cominio L. f. Gal(eria) Iulian(o)
Ilurconensi, flamini
divorum Augg(ustorum) provinc(iae)
Baetic(ae). Huic consumma-
5 *to honore flamoni*

[43a] Ob diese in dem zur Hispania Citerior gehörigen Castulo zu suchen ist, bleibt fraglich; vgl. jedoch E. Hübner, CIL II, p. 440 f. — Zur Lage von Castulo s. P. Spranger, Historia 7, 1958, 95—112.

[44] Vgl. K. McElderry, JRS 8, 1918, 82: "a most important record"; Fishwick a. a. O. 352: "an extremely important record".

[45] Pflaum a. a. O. 100.

[46] A. M. Vicent, Noticiario Arqueológico Hispanico 6, 1962, 423 ff. (m. Tafel 106). Für den Hinweis auf diese wichtige Inschrift bin ich Herrn Dr. R. Nierhaus, Madrid, — dem Fräulein Vicent freundlicherweise eine Überprüfung der Lesung ermöglicht hat — zu großem Dank verpflichtet.

Aproniano et Maurico 191 n. Chr.
co(n)s(ulibus) consensu concili pr(ovinciae)
Baetic(ae) decret(i) sunt honor(es)
quant(os) quisq(ue) max(imos) consecutus
10 *est cum statua, cuius honor(e)*
accept(o) inpensam remisit.

Es handelt sich, wie man sieht, um eine Ehreninschrift für L. Cominius Iulianus aus Ilurco[47], der 191 n. Chr.[48] das Amt des *flamen divorum Augustorum provinciae Baeticae* bekleidet hatte und dem nach einem Jahr bei seinem Ausscheiden aus dem Amt vom *concilium* der Provinz die üblichen Ehrenrechte[49] und die Aufstellung einer Statue bewilligt wurden. Was jedoch bei einer näheren Untersuchung der Inschrift sofort ins Auge fällt, ist die überraschende Ähnlichkeit des Wortlautes mit dem einer schon bekannten, ebenfalls aus der Provinzhauptstadt Corduba stammenden Inschrift, die sich in das Jahr 216 n. Chr. datieren läßt[50]:

[. Fabio M. f. Gal(eria)[51] *.....]do*
[flam]ini divor(um) Aug(ustorum)
provinc(iae) Baet[icae].
Huic consummato hono[re flam]oni
5 *Cattio Sabino II Cornel(io) Anull[in]o co(n)s(ulibus)*
consensu concili universae prov(inciae) Baet(icae)
decreti sunt honores quantos quisque
maximos plurimosque flamen est
consecutus cum statua.
10 *M. Fabius Basileus Celt(itanus) pater*
honore accept(o) impens(am) remisit.

[47] Zu Ilurco vgl. Plin. n. h. III, 10; CIL II, p. 284 f.; A. Schulten, RE IX 1 (1914), 1093.

[48] A. Degrassi, I fasti consolari dell'Impero romano (Rom 1952), 53.

[49] Vgl. hierzu insbesondere die Bestimmungen der lex Narbonensis *de honoribus eius qui flamen f[uerit]*, CIL XII 6038 (= Dessau, ILS 6964), Z. 9 ff.

[50] CIL II 2221.

[51] Hübners Ergänzung der Tribus (vgl. dazu auch W. Kubitschek, De Romanarum tribuum origine ac propagatione [Wien 1882], 138) beruht auf der Annahme, daß der unbekannte Provinzialpriester, Sohn des M.

Von der neugefundenen Inschrift unterscheidet sich diese offensichtlich nur durch ihre größere Weitschweifigkeit. So sind in der älteren Inschrift lediglich die Cognomina (Z. 6), in der jüngeren dagegen außerdem die Nomina der eponymen Konsuln angegeben (Z. 5). Statt *consensu concili provinciae Baeticae* (Z. 7 f.) heißt es in der späteren Inschrift (Z. 6) *consensu concili universae provinciae Baeticae*, und während in dem älteren Text von den *honores quantos quisque maximos consecutus est cum statua* die Rede ist (Z. 8 ff.), spricht der spätere noch wortreicher von den *honores quantos quisque maximos plurimosque flamen est consecutus cum statua* (Z. 7 ff.). Identisch aber — und darauf kommt es in diesem Zusammenhang an — sind die wesentlichen Elemente beider Inschriften: Name des Geehrten einschließlich des Namens seines Vaters und der Tribus, Heimatort, Priesteramt mit genauer Bezeichnung des Amtsjahres und endlich die Nennung der *honores* und der Statue, während alle näheren Angaben über die sonstige Laufbahn fehlen.

In unmittelbarem Zusammenhang mit diesen beiden Texten steht offenbar auch noch eine dritte, sehr viel ältere Inschrift aus Mellaria (Fuenteovejuna, Prov. Córdoba, etwa 80 km nordwestl. Córdoba), die leider z. T. unzulänglich überliefert ist [52]:

C. Sempronio Sperato,
flamini divorum Augg(ustorum)
provinciae Baeticae
Imp. Nerva Traiano Caes(are) Aug(usto) Germ(anico) † *III* † [53]
5 *[A.?] Vicirio Martiali et L. Maecio Postumo co(n)s(ulibu)s*[54]. 98 n. Chr.
Hic provinciae Baeticae consensu flamini[s]

Fabius Basileus aus Celti, in Corduba zu Hause war, was jedoch nicht sicher ist.

52 CIL II 2344.

53 Das dritte Konsulat Trajans gehört ins Jahr 100 n. Chr. (Degrassi a. a. O. 30); Etienne (S. 128) verbessert daher in II.

54 Vgl. Degrassi a. a. O. z. Jahr 98 n. Chr. Danach ist die überlieferte Lesart † *Vicerio Alariano et L. Marcio Postumo* † (CIL a. a. O.) zu berichtigen. Daß bei dem ersten der Z. 5 genannten Konsuln das Praenomen gefehlt habe, ist wohl kaum anzunehmen; u. U. könnte es auch in dem vorausgehenden † *III* † (vgl. die vorige Anm.) gesteckt haben.

munus est consequutus. Peracto honore
† *flamin. et feciali omn. concil. et consensus* †[55]
statuam decrevit.
10 *Huic ordo Mellariensis decreverunt sepult(uram),*
impens(am) funeris, laud(ationem), statuas equestres duas.
. . . .

Daß diese Formulierung direkt von der offiziellen Ehreninschrift der Provinz in Corduba inspiriert sein muß, hat Etienne mit Recht hervorgehoben[56]. Auch sie weist die bisher festgestellten, wesentlichen Elemente der amtlichen Ehreninschriften auf, insbesondere die Angabe des Priesterjahres und die Verleihung der Statue *peracto honore flamonii.* Als weitere Übereinstimmung ist wiederum das Fehlen des sonstigen Cursus festzustellen. Daß in der Inschrift aus Fuenteovejuna im Gegensatz zu den eigentlichen Ehreninschriften der Provinz der Heimatort weggelassen ist, versteht sich bei der städtischen Ehrung von selbst[57]; ebenso wird man der Tatsache, daß hier auf die Angabe von Filiation und Tribus verzichtet wird, keine besondere Bedeutung beimessen können. Wichtig ist dagegen, daß diese in ihrem Wortlaut bis auf das Jahr 98 n. Chr. zurückgreifende Inschrift einen Beweis dafür darstellt, daß auch die zuerst erörterten Inschriften aus dem Ende des zweiten und dem Anfang des dritten Jahrhunderts in ihrem Formular mindestens auf das Ende des ersten Jahrhunderts, ja vielleicht bis auf die Zeit der Einrichtung des Provinzialkultes zurückgehen.

Die Bedeutung der hier angestellten Beobachtungen liegt darin, daß sich auch in anderen westlichen Provinzen, und zwar in den Drei Gallien und in Hispania Citerior, analoge Formulare in den offiziellen Ehreninschriften der Landtage für die aus dem Amt scheidenden Provinzialpriester nachweisen lassen[58], die sich eben-

[55] In Z. 8 ist der genaue Wortlaut nicht mehr zu rekonstruieren. Hübner-Mommsen (CIL a. a. O.) denken an *flamin(is) et [l]e[g]a[t]i omn(is) concil(ii) e[i] consensus,* wobei jedoch *legati* kaum verständlich erschiene. Jedenfalls war von einem einstimmigen Beschluß des Landtags *peracto honore flamonii* bzw. *flaminis* die Rede.

[56] Etienne 128.

[57] Vgl. Fishwick 357.

[58] Verf. a. a. O. (oben Anm. 23), 101 f.; 122.

falls durch ihre auffällige Einheitlichkeit auszeichnen, sich aber in charakteristischen Einzelheiten deutlich gegenüber den Ehreninschriften der Provinz Baetica absetzen. So enthalten in den drei gallischen Provinzen die Inschriften auf der Basis der vom *concilium Galliarum* verliehenen Statuen als wichtigste Bestandteile den Namen des Geehrten (einschließlich der Filiation, jedoch ohne Angabe der Tribus), seine Herkunft *(civitas)*, seine vorausgegangene Laufbahn und schließlich seine Provinzialpriesterwürde, allerdings ohne Zeitangabe [59]. Dasselbe gilt für das Diesseitige Spanien: Auch hier werden außer dem Namen des Provinzialpriesters (bei dem hier außer der Filiation stets auch die Tribus erscheint) sein bisheriger Cursus und sein Priesteramt — jedoch wiederum ohne zeitliche Festlegung — angegeben [60].

Damit ergibt sich ein klarer Unterschied zwischen den Formularen, die in Baetica einerseits und jenen, die in Gallien und Hispania Citerior andererseits der amtlichen Ehrung der aus ihrem Amt scheidenden Oberpriester zugrunde liegen. Diese Differenz gewinnt dadurch Bedeutung, daß die Richtlinien für solche Formulare durch das bekannte Fragment der *lex Narbonensis* wenigstens für die Gallia Narbonensis überliefert sind [61] und daß die dort niedergelegten Vorschriften den für die Baetica geltenden Normen, die sich aus den drei oben erörterten Inschriften erschließen ließen, aufs genaueste entsprechen. Z. 11 ff. der von Vespasian bei der Einrichtung des narbonensischen Provinzialkultes und -landtags erlassenen *lex* [62] bestimmt nämlich:

... per tabell]as iurati decernant placeatne ei qui flamonio abierit permitti sta[tuam sibi ponere. Cui ita decreverint, / ius esse sta]tuae ponendae nomenque suum patrisque et unde sit et quo anno fla[men fuerit inscribendi; ei / Narbo]ne intra fines eius templi statuae ponendae ius esto ...

In Narbonne selbst hat sich bisher bekanntlich noch keine derartige offizielle Inschrift gefunden [63]. Um so überraschender mutet

[59] A. a. O. 101 f.

[60] A. a. O. 122.

[61] CIL XII 6038 = Dessau, ILS 6964.

[62] Zur Datierung zuletzt Fishwick 349 ff.

[63] A. a. O. 356.

der enge Zusammenhang an, der offenkundig zwischen dieser Regelung und den hier untersuchten Inschriften aus der Baetica besteht, wobei als entscheidend die ausdrückliche Angabe des Amtsjahres und das Fehlen des vorausgegangenen Cursus hervorgehoben werden müssen [64]. Damit aber treten Narbonensis und Baetica in einen ebenso bestimmten wie auffallenden Gegensatz zu den Tres Provinciae Galliae und dem Diesseitigen Spanien, ein Gegensatz, der schwerlich anders zu erklären ist als durch den zeitlichen Unterschied in der Begründung der jeweiligen provinzialen Herrscherkulte. Dies bedeutet, daß einer augusteischen *lex* für die Drei Gallien [65] und einem Gesetz des Tiberius für Hispania Citerior [66] vespasianische *leges* für die Narbonensis bzw. die Baetica gegenüberstehen, für welche die Angabe des Amtsjahres, aber ebenso der Verzicht auf die Angabe des dem Provinzialflaminat vorausgegangenen *cursus honorum* kennzeichnend sind. Diese Annahme gewinnt noch an Wahrscheinlichkeit, wenn man bedenkt, daß in Africa Proconsularis, wo der provinziale Kaiserkult in den Jahren 70—72 n. Chr. ebenfalls durch Vespasian eingeführt wurde [67], eine eigene Ära des Provinzialkultes ins Leben gerufen wurde, mit deren Hilfe ohne Zweifel auf den offiziellen Ehreninschriften der Forderung des Nachweises *quo anno flamen fuerit* Genüge getan wurde. Auch von diesen Ehreninschriften ist zwar bisher keine gefunden worden, doch darf man in der mehrfach überlieferten Verwendung dieser Ära auf munizipalen Ehreninschriften für Provinzialpriester [68] wohl unbedenklich einen Reflex dieser Gewohnheit erblicken. Der Nachdruck, der hier — aus welchen Gründen

[64] Vgl. auch Fishwick 355 ff., der — noch ohne Kenntnis der neuen Inschrift aus Córdoba — lediglich "a ... correspondence which may or may not be significant" (355) konstatiert.

[65] Begründung des gallischen Provinzialkults im Jahre 12 v. Chr.: vgl. Verf. a. a. O. (oben Anm. 23), 22.

[66] Einrichtung des Provinzialkultes von Hispania Citerior unter Tiberius: Etienne 405 ff. Die Annahme J. Gagés (REA 54, 1952, 314), wonach auch Hispania Citerior ihre *lex de flamonio provinciae* erst von Vespasian erhalten hätte, dürfte nach dem Dargelegten hinfällig sein.

[67] Fishwick 342 ff.

[68] CIL VIII 12039. 14611 P. Quoniam, Karthago 11, 1961—1962, 3.

auch immer — auf die zeitliche Festlegung des Priesteramtes gelegt wird, ist offenkundig charakteristisch für die vespasianischen *leges de flamonio provinciae*, ebenso das Fehlen des Cursus. Aus der auffälligen Ähnlichkeit der drei Inschriften aus der Baetica läßt sich also durch den Vergleich mit den Verhältnissen in anderen Provinzen eine der *lex Narbonensis* entsprechende *lex Baetica* ebenfalls aus vespasianischer Zeit erschließen.

Damit ist zumindest wahrscheinlich gemacht, daß auch in der Baetica der Provinzialkult seine Entstehung Vespasian verdankt. Näheres läßt sich nicht ermitteln. Ob insbesondere die Begründung der Institution und des damit verknüpften Landtags in der Narbonensis, der Baetica und Africa auf einen einzigen Akt zurückging (der dann in die Jahre 70—72 n. Chr. zu setzen wäre), bleibt unbekannt. Jedoch tritt auch so die bedeutsame Rolle Vespasians bei der endgültigen Verankerung des Herrscherkults in den Provinzen deutlich hervor. War dieser, wie zuerst Krascheninnikoff erkannt hat, im Westen des Reiches seit der Zeit des Augustus vor allem als ein wirkungsvolles Instrument der Romanisierung in neueroberten Provinzen betrachtet worden, so ging Vespasian einen entscheidenden Schritt weiter, indem er die Institution auch in den alten, senatorischen Provinzen des Westens: der Narbonensis, der Baetica und Africa Proconsularis, einführte.

Die Hintergründe dieser Politik, mit denen sich zuletzt Fishwick beschäftigt hat[69], sind hier nicht zu untersuchen. Daß aber die Provinz nunmehr ein Mittel besaß, mit dem sie gegebenenfalls der Mißwirtschaft römischer Statthalter nicht weniger wirksam begegnen konnte als die eingangs erwähnte Provinz Asia mit ihrem Landtag, beweisen eindringlich die beiden Prozesse der Baetica gegen die Proconsuln Baebius Massa (etwa im Jahre 93[70]) und Caecilius Classicus und seine Genossen im Jahre 98 n. Chr.[71]. Beide

[69] Fishwick 352 ff.; vgl. J. Gagé, REA 54, 1952, 313 ff.

[70] Vgl. J. Bleicken a. a. O. (oben Anm. 2), 162.

[71] Bleicken a. a. O. 164. — Der Prozeß hätte demnach während der Amtszeit des C. Sempronius Speratus aus Mellaria (oben S. 452) stattgefunden. Ob damit die außerordentlichen Ehrungen durch seine Heimatstadt — Ehrenbegräbnis, Laudatio, zwei Reiterstatuen — in Zusammenhang stehen, läßt sich allerdings nicht mit Sicherheit entscheiden.

Male stand der Provinz kein Geringerer als Plinius der Jüngere als Patron und *advocatus* zur Seite, und beide Verfahren endeten mit einem vollen Triumph der Provinzialen. Plinius' Bemerkung: *in Classicum tota provincia incubuit*[72] — womit de facto nur die nach Rom entsandten Vertreter des Landtags der Baetica gemeint sein können — läßt das nicht unerhebliche Prestige ahnen, das von dem Provinziallandtag ausging, und der Selbstmord des Caecilius Classicus vor Beginn des Prozesses beleuchtet grell den seit den Zeiten eines Verres eingetretenen Wandel[73] und die Folgen dessen, was konservative Senatskreise als *nova provincialium superbia* bezeichnen mochten[74], was aber nur sichtbarer Ausdruck eines tieferliegenden sozialen und wirtschaftlichen Prozesses war, der Verschiebung des Gewichts der Provinzen gegenüber Italien. Nichts ist bezeichnender, als daß im gleichen Jahr, in dem Caecilius Classicus (der übrigens selbst aus Africa stammte) unter dem Druck der Anklage des baetischen Provinziallandtags Selbstmord verübte, mit dem ebenfalls in der Baetica geborenen Trajan zum erstenmal ein Provinzialrömer in die Stellung des Princeps einrückte. Als um so notwendiger hatte es sich angesichts dieser unaufhaltsamen Veränderungen in der Struktur des Reiches erwiesen, die Bindung zu verstärken, welche gerade auch der provinziale Herrscherkult für den Zusammenhalt des Imperiums bedeutete. Dafür, daß entsprechende Maßnahmen schon nach der ersten größeren Krise des Prinzipats am Ende der julisch-claudischen Dynastie ergriffen wurden und Vespasian nicht nur in der Gallia Narbonensis und in Africa Proconsularis, sondern auch in der Baetica den Provinzialkult ins Leben rief, hat die neue Inschrift aus Córdoba zusammen mit dem schon bekannten Material einen wichtigen neuen Hinweis erbracht.

[72] Plin. ep. III, 9, 4.

[73] Ebd. III, 9, 5.

[74] Tac. ann. XV, 20, 4 (62 n. Chr.).

Nachtrag 1975

Zu der Inschrift CIL II 3271 (o. S. 444) vgl. jetzt D. Fishwick, The Equestrian Cursus in CIL 2, 3271, in: Historia 19, 1970, 96 bis 112; ders., CIL 2. 3271: Supplementary Note, ebd. 20, 1971, 484—487. F. betrachtet den *cursus* ebenfalls als aufsteigend und Vespasian als Begründer des baetischen Provinzialkultes, identifiziert jedoch die *Caesares imperatores* (gegen Pflaum) mit Vespasian und Titus und schlägt eine Datierung ca. 81—86 n. Chr. vor (a. a. O. 110). Außerdem erwägt er andere Ergänzungsmöglichkeiten hinter *primo* (100—104; 484 f.), von denen allerdings die zweite (*primo* [*omnium patrono* . . . o. ä.) schon aus sprachlichen Gründen (*flamini . . . primo* als geschlossener Ausdruck, o. S. 446) problematisch erscheint. In einer weiteren Arbeit, Flamen Augustorum (in: Harv. Stud. in Class. Philol. 74, 1970, 299—312) vermutet er, daß man auch in der Baetica neben den *Divi* und dem lebenden Herrscher mit *Roma* als Gegenstand des Provinzialkultes zu rechnen hat — die freilich in der Überlieferung nirgends ausdrücklich genannt wird. — G. Alföldy hat die für die Inschrift aus Asturica CIL II 2637 von ihm zunächst vorgelegte Ergänzung *[fl(amini)] urbis Romae [pro]v[in]cia[e B]a[et]ica[e]* (Madr. Mitt. 6, 1965, 107 f. = AE 1966, 187) später mit Recht wieder zurückgenommen, vgl. ders., *Flamines provinciae Hispaniae Citerioris* (Madrid 1973), 82. — Die Inschrift aus Córdoba (o. S. 450) jetzt auch AE 1966, 181. Eine neue Inschrift, ebenfalls aus Córdoba, für den bisher unbekannten Provinzialpriester C. Antonius Seranus aus dem Jahr 152 n. Chr. mit einem wiederum nahezu identischen Formular (AE 1971, 183) dürfte die daraus abgeleiteten Folgerungen weiter bestätigen. Vgl. außerdem (allerdings teilweise unrichtig) C. Castillo García, Städte und Personen der Baetica, in H. Temporini — W. Haase (Hrsg.), Aufstieg und Niedergang der römischen Welt II 3 (Berlin-NewYork 1975), 610—614.

Duncan Fishwick: The Institution of the Provincial Cult in Roman Mauretania. Historia 21 (1972), pp. 698—711. Aus dem Englischen übersetzt von Karl Nicolai.

DIE EINRICHTUNG DES PROVINZIALEN KAISERKULTS IM RÖMISCHEN MAURETANIEN

Von Duncan Fishwick

In den letzten Jahren hat die Zahl der Zeugnisse für die Einrichtung provinzialer κοινά und *concilia* ständig zugenommen. Besonders bemerkenswert ist dabei der Umstand, daß in der Geschichte dieser Entwicklung Vespasian nur von Augustus übertroffen wird. Es ist inzwischen allgemein akzeptiert, daß in den Provinzen Gallia Narbonensis, Africa Proconsularis und Baetica (von dem nordwestlichen *conventus* von Tarraconensis ganz zu schweigen) die Gründung eines mit dem Kaiserkult betrauten *concilium* fast mit Sicherheit das Werk Vespasians war; vermutlich war er für ähnliche Maßnahmen in Lykien und Armenien verantwortlich, und es ist durchaus möglich, daß er in Lusitania und Tarraconensis den bestehenden Provinzialkult reorganisiert hat.[1] Vor diesem Hintergrund ist es vielleicht der Mühe wert, das wenige, was wir über die Einrichtung eines offiziellen Kaiserkults im römischen Mauretanien wissen, von neuem zu untersuchen.

Nach der gegenwärtig herrschenden Theorie gehen die Ursprünge eines Provinziallandtags sowohl in Tingitana als auch in Caesariensis auf die Teilung Mauretaniens in zwei Provinzen zu Beginn der Regierungszeit des Claudius zurück.[2] Diese These beruht gänz-

[1] Die entsprechenden Nachweise finden sich in meinen Aufsätzen: The Equestrian Cursus in CIL II 3271, Historia 19 (1970), 96—112; „Flamen Augustorum", Harvard Studies in Classical Philology 74 (1970), 299 bis 312. Ob die *Arae Flaviae* in den *Agri Decumates* von Vespasian oder Domitian errichtet wurden, ist immer noch umstritten. Die Wahrscheinlichkeit spricht stark für Vespasian.

[2] T. Kotula, Les origines des assemblées provinciales dans l'Afrique romaine, Eos 52 (1962), 148; J. Deininger, Die Provinziallandtage der

lich auf der Annahme, daß ein so wichtiger Schritt zu diesem Zeitpunkt besonders angemessen war. Man hat gemeint, wie der bekannte Tempel in Camulodunum als Kern eines offiziellen Kaiserkults in Britannien gedient habe, so sei Claudius bemüht gewesen, in Volubilis und Caesarea, den Hauptstädten der beiden neuen Provinzen, ähnliche Zentren zu gründen.[3] Eine vernünftige Politik verlangte Maßnahmen, die geeignet waren, die römische Herrschaft in einem Gebiet zu konsolidieren, das zum Aufstand neigte und das Angriffen plündernder Nachbarstämme ausgesetzt war. Außerdem besitzen wir das Zeugnis des Tacitus über die gegen den Procurator L. Vibius Secundus im Jahr 60 n. Chr. vorgebrachte Anklage wegen Erpressung: *Vibius Secundus eques Romanus accusantibus Mauris repetundarum damnatur atque Italia exigitur* (ann. 14, 28). Gewöhnlich sieht man darin das erste uns erhaltene Zeugnis eines kollektiven Vorgehens des *concilium* von Caesariensis; das würde daher einen *terminus ante quem* für seine Existenz gegen Ende der Regierungszeit Neros liefern. Ansonsten gibt es nichts, was klar auf Claudius hinweisen würde: die wenigen uns überlieferten Quellen sind fast mit Sicherheit späteren Datums.

Es wird sofort deutlich werden, daß herzlich wenig vorhanden ist, worauf wir irgendeine Diskussion gründen könnten. Das Argument der administrativen Angemessenheit ist besonders anfechtbar. Zweifellos wäre die Einrichtung einer Provinz eine passende Gelegenheit gewesen, um den Apparat für einen Provinzialkult aufzubauen; doch die Maßnahmen des Claudius anderswo stützen eine solche Argumentation keineswegs. Thrakien hatte wie Mauretanien unter Klientelkönigen gestanden, in diesem Fall unter der einheimischen Odrysendynastie, und obwohl die Umstände seiner Annexion um das Jahr 46 n. Chr. nicht völlig klar sind, glich es offenbar Mauretanien darin, daß es als prokuratorische Provinz

römischen Kaiserzeit (Vestigia: Beiträge zur Alten Geschichte, Band 6, München 1965), 32, 131. Die Theorie geht zurück auf Kornemann, Klio 1 (1901), 127.

[3] Kotula, a. a. O. 149, 151. Zu der Stellung des Tempels von Camulodunum im britischen Provinzialkult siehe jetzt meinen Aufsatz „Templum divo Claudio constitutum", Britannia 3 (1972), 164—181.

organisiert wurde.[4] Hier besitzen wir kein Zeugnis für eine Provinzialversammlung oder für einen provinzialen Kaiserkult vor der Zeit des Antoninus Pius.[5] Ein aufschlußreicheres Beispiel ist Lykien. Als im Jahr 43 n. Chr. Unruhen zu der Annexion des Territoriums und zu seiner Verschmelzung mit Pamphylien führten, reichte eine Tradition der freundschaftlichen Beziehungen zwischen Rom und dem κοινὸν τῶν Λυκίων bereits bis ins Jahr 168 v. Chr. zurück.[6] Schon in der Zeit der Republik hatte der Landtag dem Kult der Roma gedient, und Inschriften bezeugen die Verehrung sowohl des Tiberius als auch der Livia offenbar vor dem Jahr 43 n. Chr.[7] Doch obgleich ältere Ämter des κοινόν nach dem Jahr 43 neuen Posten Platz zu machen scheinen, ist die grundsätzliche Reform des κοινόν, bei der ein *archiereus* als Oberpriester des lykischen Provinzialkults eingesetzt wurde, anscheinend doch nicht sofort auf die Annexion Lykiens gefolgt. Dies wenigstens ist die sehr plausible Schlußfolgerung, die Jürgen Deininger aus der Tatsache zieht, daß auf Inschriften zu Ehren der Iunia Theodora (Regierungszeit des Claudius), die in Solomos bei Korinth zutage traten, der eponyme *archiereus* des lykischen κοινόν nicht erwähnt wird.[8] Da Lykien durch Nero seine Freiheit vorübergehend zurückerhielt, ist es einigermaßen wahrscheinlich, daß erst bei der endgültigen Eingliederung Lykiens in das Römische Reich unter Vespasian dem κοινόν ein offizieller Kaiserkult übertragen wurde.[9]

Ebensowenig überzeugend ist die Annahme, daß *accusantibus Mauris* notwendigerweise die Existenz eines Landtags voraussetze. Zugegeben, Formulierungen des Tacitus wie *accusantibus Bithynis* (ann. 12, 22), *Bithynis interrogantibus* (ann. 14, 46), *a quo Lycii res repetebant* (ann. 13, 33), *Cilices detulerunt* (ann. 13, 33), *Cre-*

[4] Vgl. H. G. Pflaum, Les procurateurs équestres sous le Haut-Empire romain, Paris 1950, 37 mit Anm. 6.

[5] Deininger, Provinziallandtage 96—98 mit Verweisen.

[6] Pflaum, Procurateurs équestres 37 ff.

[7] Deininger, Provinziallandtage 71 mit Verweisen.

[8] Ebd. Larsen hatte einige Vorbehalte, Journal of Roman Studies 56 (1966), 241.

[9] So Deininger, Provinziallandtage 32, 71.

tensibus accusantibus (ann. 13, 30) und ähnliche sind häufig in diesem Sinne aufgefaßt worden.[10] Gewiß verwendet auch Plinius beispielsweise *Baetici* (ep. 3, 9, 6—7) oder *Bithyni* (ep. 5, 20, 1), um das provinziale *concilium* zu bezeichnen. Doch haben wir zumindest ein Beispiel bei Plinius, wo eine solche Interpretation falsch wäre: *Maurius Priscus, accusantibus Afris, . . . omissa defensione iudices petiit* (ep. 2, 11, 2).[11] Was *Afri* an dieser Stelle bedeutet, geht aus ep. 3, 9, 4 hervor: *sed Marium una civitas publice multique privati reum peregerunt, in Classicum tota provincia incubuit* (= das *concilium* von Baetica). Ferner gibt es den Bericht des Tacitus über die Bitte der Provinz Hispania Citerior, dem *(divus)* Augustus im Jahr 15 n. Chr. einen Tempel errichten zu dürfen: *templum ut in colonia Tarraconensi strueretur Augusto petentibus Hispanis permissum* . . . (ann. 1, 78). Damit läßt sich die Bitte der Provinz Baetica vergleichen, dem lebenden Kaiser und seiner Mutter einen Tempel errichten zu dürfen, die Tiberius zehn Jahre später ablehnte: *per idem tempus Hispania Ulterior missis ad senatum legatis oravit, ut exemplo Asiae delubrum Tiberio matrique eius exstrueret* (ann. 4, 37). Beide Episoden ereigneten sich, bevor in Spanien ein Provinziallandtag existierte.[12] Umgekehrt, wenn Tacitus sagen will, daß eine Anklage vom provinzialen κοινόν im Namen der Provinz vorgebracht wurde, kann er Ausdrücke verwenden wie *accusante Asia* (ann. 13, 33) oder *accusante provincia* (ann. 4, 15); vgl. Plinius' *tota provincia* (ep. 3, 9, 4 oben). Brunt hat darauf hingewiesen, wie schwierig es für einen Provinziallandtag gewesen sein muß, Einigkeit oder wenigstens eine Mehrheitsentscheidung zu erreichen, wenn ein römischer Verwaltungs-

[10] Deininger passim; P. A. Brunt, Charges of Provincial Maladministration, Historia 10 (1961), 212 mit einigen Bedenken.

[11] Kornemann, RE IV, 1 (1900), 804 scheint diese Stelle mißverstanden zu haben.

[12] So Deininger, gewiß richtig, unter Hinweis auf CIL VI 31 267 (= ILS 103), Provinziallandtage 28 f. R. Étienne sieht in beiden Stellen eine Bestätigung dafür, daß es bereits einen Provinziallandtag gab: Le culte impérial dans la péninsule ibérique d'Auguste à Dioclétien (Bibliothèque des Écoles françaises d'Athènes et de Rome 191), Paris 1958, 406 und 416.

beamter angeklagt werden sollte;[13] und das spiegelt sich vielleicht teilweise darin, daß besonders Tacitus sich immer Mühe gibt, hervorzuheben, wenn es sich um eine von der *Provinz* vorgebrachte Anklage handelt. Man zögert aber zu behaupten, daß deshalb *Bithyni, Cilices, Lycii, Cretenses* usw. bei Tacitus als Hinweis auf eine Klage von Städten oder von Einzelpersonen — im Gegensatz zum Provinziallandtag — zu verstehen sei:[14] in einigen Fällen mag sehr wohl das κοινόν gemeint sei, häufig ist jedoch eine Entscheidung unmöglich.[15] Aber es ist offenbar gefährlich, automatisch anzunehmen, eine solche Ausdrucksweise deute auf die Klage eines *concilium.* Dies festgestellt zu haben, genügt für unseren Zweck. Wenn Anklagen nicht nur von einem Provinziallandtag, sondern ebensogut von Städten oder Gruppen von Einzelpersonen vorgebracht werden konnten, dann gibt es keine Rechtfertigung für die Annahme, der Ausdruck *accusantibus Mauris* beweise zwingend die Existenz eines *concilium* von Mauretania Caesariensis. Er könnte dies beweisen — oder auch nicht.

Bisher haben wir hauptsächlich negative Kritik geübt; wir sind nunmehr verpflichtet, einen positiveren Beitrag zu liefern. Ein wichtiger Punkt, der nicht vergessen werden darf: Ein so entscheidender Schritt wie die Einrichtung eines Provinzialkults muß in hohem Maße durch die inneren Verhältnisse der jeweiligen Provinz bestimmt gewesen sein. Hier gilt es festzustellen, daß Britannien und die beiden Mauretanien kaum vergleichbar waren. Obwohl zur Zeit seiner Eroberung nicht ohne Spuren der Romanisie-

[13] Brunt, Historia 10 (1961), 212—217.

[14] Eine brauchbare Liste derartiger Stellen (beschränkt auf Anklagen wegen schlechter Verwaltung einer Provinz) bietet Brunt, a. a. O. 224 bis 227, Appendix I; vgl. Deininger 161—169 u. ö.

[15] Vgl. die Liste der Anklagen, die Tacitus, ann. 13, 30—33 überliefert. Obgleich dieser Punkt sich nicht beweisen läßt, ist es bemerkenswert, daß es bei den Klagen gegen P. Celer (ebd. 33) heißt, sie seien *accusante Asia* vorgebracht worden, während Tacitus in anderen Fällen von *Lycii, Cilices, Cretenses* spricht. Könnte dies eine Unterscheidung zwischen dem Fall des P. Celer und den übrigen bedeuten, nämlich daß nur in diesem speziellen Fall die Klagen von der Provinz, das heißt von dem provinzialen κοινόν, vorgebracht wurden?

rung, war Britannien im Grunde ein wildes, unzivilisiertes Gebiet, das nie von einem Klientelkönig beherrscht worden war. Mauretanien dagegen hatte lange vor der Errichtung der Provinzen Tingitana und Caesariensis römischen Einflüssen offengestanden. Selbst wenn es nach dem Tode des Bocchus im Jahr 33 v. Chr. nicht vorübergehend römische Provinz war (Cassius Dio 49, 43, 7), war das Land bereits unter römischer Kontrolle, als Augustus dort etwa ein Dutzend Militärkolonien anlegte. Im gewissen Sinne wurde Mauretanien im Jahr 25 v. Chr. dem Römischen Reich eingegliedert, als Augustus den gelehrten König Juba II. mit seiner Gemahlin Kleopatra Selene als Herrscher über ein Königreich einsetzte, das auch einen Teil des Gebiets der Gätuler umfaßte (Cassius Dio 53, 26, 2).[16] Unter Juba machte Mauretanien große Fortschritte; die königliche Residenz in Iol, die zu Ehren des Augustus in Caesarea umbenannt wurde, entwickelte sich zu einer glänzenden Hauptstadt und zu einem Brückenkopf römischen Einflusses. Wie weit die Romanisierung fortgeschritten war, läßt sich ablesen aus Inschriften wie CIL VIII 8927, 9257, 20 977 und aus dem sehr römischen Stil der Münzen, die Juba II. und besonders Ptolemaeus prägen ließen — allein die Tatsache, daß Augustus und Tiberius ihnen das Münzprägerecht verliehen, ist ein Zeichen für das unbedingte kaiserliche Vertrauen.[17] Inschriften beweisen ferner, daß nicht nur die Könige von Mauretanien, sondern auch ihre Freigelassenen das römische Bürgerrecht erhielten und in die *gens Julia* aufgenommen wurden.[18] Am eindrucksvollsten ist vielleicht der Abfall der punisierten Berbergemeinde Volubilis, eines Zentrums, das höchstwahrscheinlich als zweite königliche Residenz im westlichen Mauretanien gedient hatte.[19] Als Aedemon im Anschluß an die Hinrichtung

[16] Die beste Darstellung gibt Weinstock, RE XIV, 2 (1930), 2371. Zu Juba II. siehe Jacoby, RE IX, 2 (1916), 2384—2395; J. Desanges, Les territoires gétules de Juba II, Revue des études anciennes 66 (1964), 33—47.

[17] Siehe die entsprechenden Nachweise bei M. Hofmann, RE XXIII, 2 (1959), 1773 f.; T. Kotula, Encore sur la mort de Ptolémée, roi de Maurétanie, Archeologia 15 (1964), 82.

[18] Kotula, Archeologia 15 (1964), 83 Anm. 55.

[19] J. Carcopino, Volubilis, résidence de Juba et des gouverneurs

des Ptolemaeus durch Caligula einen Aufstand machte, schlug Volubilis sich auf die Seite Roms und stellte sogar Hilfstruppen unter dem Kommando des örtlichen *sufes* (ILM 116; siehe unten S. 469).

Ein weiterer Faktor, mit dem wir rechnen müssen, ist das religiöse Klima, das vorher in Mauretanien herrschte. Neuere Untersuchungen heben den starken ägyptischen Einfluß am königlichen Hof und das Dominieren griechisch-orientalischer Kulte hervor, besonders in Caesarea, wo archäologische Funde die Aussage des Plinius bestätigt haben (n. h. 5, 51), daß die Stadt sich eines Isisheiligtums rühmte, das vielleicht unter Juba II. erbaut wurde.[20] Hofmann hat die sehr naheliegende Vermutung geäußert, Ptolemaeus habe durch seine Mutter Kleopatra Selene vielleicht das Amt eines Hohenpriesters der Isis geerbt — ein Faktor, der seine Einladung nach Rom, wenn auch kaum seine Hinrichtung erklären könnte.[21] Wo doch das Geschlecht der Ptolemäer göttliche Abstammung für sich beanspruchte, ist man nicht überrascht, festzustellen, daß Königen von Mauretanien nach ihrem Tod göttliche Verehrung zuteil wurde — eine Situation, die völlig anders ist als im keltischen Britannien.[22] Dies lieferte eine gebrauchsfertige Grundlage, auf die man den römischen Herrscherkult übertragen konnte, und Münzen des Königs Juba zeigen, daß es in seiner Hauptstadt Iol einen Hain mit einem dem Augustus geweihten Altar und Tempel gab.[23] Dazu kommt noch das Zeugnis von Inschriften, die nicht

romains, in: Le Maroc Antique, Paris 1943, 167—190; Kotula, Archeologia 15 (1964), 78 f.

[20] Kotula, Archeologia 15 (1964), 79 mit Verweisen.

[21] RE XXIII, 2 (1959), 1779—1782; eine genauere Erörterung liefert Fishwick, The Annexation of Mauretania, Historia 20 (1971), 467—473.

[22] Weinstock, RE XIV, 2 (1930), 2362 f. mit Verweisen; Fishwick, The Imperial Cult in Roman Britain, Phoenix 15 (1961), 172 Anm. 37.

[23] B. V. Head, Historia nummorum. A Manual of Greek Numismatics, 2. Aufl. Oxford 1911, 888; J. Mazard, Corpus nummorum Numidiae Mauretaniaeque, Paris 1955, S. 81, Nr. 157; S. 128, Nr. 398. Einen ähnlichen Hain hat man für das Bundesheiligtum in Lugdunum vermutet: P. Wuilleumier, Lyon, Métropole des Gaules, Paris 1953, 42 unter Hinweis auf Strabon 4, 3, 2 (emendiert); vgl. jedoch Deininger, Provinziallandtage 100 Anm. 1.

nur zugunsten der *salus* des Ptolemaeus (Ann. Epigr. 1938, Nr. 149), sondern sogar seinem *genius* (CIL VIII 9342) geweiht sind, eine Praxis, die vermutlich die des Kaiserkults nachahmte. Die sich daraus ergebende Schlußfolgerung lautet nicht einfach, daß die Verehrung des römischen Kaisers sich leicht nach Mauretanien verpflanzen ließ, sondern daß das Königreich schon mit den Bräuchen des Herrscherkults vertraut war, bevor es unter Claudius formal in zwei Provinzen aufgeteilt wurde.

Insgesamt weisen diese Überlegungen darauf hin, daß das vorrömische Mauretanien — wie Lykien — nicht so sehr Britannien oder den drei Gallien, sondern vielmehr der Narbonensis, Baetica und Africa glich. In allen diesen Provinzen wurde ein provinzialer Kaiserkult zu einem relativ späten Zeitpunkt unter Vespasian organisiert. Denn während man in neueroberten Gebieten einen offiziellen Kult in einem sehr frühen Stadium benötigte, um den Prozeß der Befriedung zu fördern, war in den älteren Provinzen die Romanisierung bereits weit fortgeschritten, und der Herrscherkult war oft spontan sowohl von Privatpersonen als auch von örtlichen Stadtgemeinden übernommen worden.[24] Dies war, wenigstens bis zu einem gewissen Grad, die innere Situation in Mauretanien, wo das Bedürfnis nach einem provinzialen Kaiserkult in Tingitana und Caesariensis offensichtlich nicht so dringend war wie in Britannien, selbst wenn man den Aufstand des Aedemon berücksichtigt. Im Grunde war die Errichtung dieser beiden neuen Provinzen eine Verwaltungsreform, und die Entscheidung, das Land seiner direkten Herrschaft zu unterstellen, war von Caligula getroffen worden, bevor die Unruhen ausbrachen. Das ist eine völlig andere Situation als die in Britannien unmittelbar nach dessen Eroberung.

Soviel zur allgemeinen Wahrscheinlichkeit. Lassen sich nun aus den wenigen eindeutigen Zeugnissen, die uns erhalten sind, plausible Rückschlüsse ziehen? Tingitana hat zwei Provinzpatrone her-

[24] Vgl. das „Gesetz“ von Krascheninnikoff, wonach eine Provinz um so rascher einen Provinzialkult bekam, je weniger romanisiert sie war: M. Krascheninnikoff, Über die Einführung des provinzialen Kaiserkultus im römischen Westen, Philologus 53 (N. F. 7, 1894), 169, 175, 184.

vorgebracht, Caesariensis nicht weniger als sieben, von denen alle entweder nicht datierbar sind oder mit Sicherheit nicht früher als das zweite Jahrhundert.[25] Dasselbe gilt für eine verstümmelte Inschrift aus Caesarea, die den Provinziallandtag von Caesariensis und einen Provinzial-*flamen* bezeugt; [26] eine Reihe von Inschriften für den Kaiser, die von der Provinz (das heißt dem Provinziallandtag) von Caesariensis gesetzt wurden, gehören eindeutig dem dritten Jahrhundert an.[27] Es bleiben uns zwei Ehreninschriften für provinziale *flaminicae* — beide aus Volubilis, das nach der sehr plausiblen Deutung Carcopinos die Hauptstadt von Mauretania Tingitana, das Hauptquartier des Prokurators und der Sitz des Provinziallandtags war.[28] Die erste Inschrift ehrt . . .]*a Ocratiana,* Tochter des Ocratius, und wurde von ihrem Gatten Sassius Pudens gesetzt.[29] Da ein anderer Stein, auf dem Pudens seine Schwester Valeria Myggyne ehrt, epigraphisch dem ersten Jahrhundert zugeschrieben wird, kann man vernünftigerweise annehmen, daß Ocratiana ebenfalls im ersten Jahrhundert als *flaminica* amtierte.[30] Der zweite Text ist eine Grabinschrift für Flavia Germanilla, Tochter des Titus, die im Alter von 72 Jahren und 6 Monaten starb.[31] Wie eine weitere Inschrift zeigt, war sie die Mutter

[25] CIL XIV 2509, 2516 (Tingitana); CIL XIV 2516; VIII 9047 (vgl. 20 736), 9362, 9368, 9699; Ann. Epigr. 1902, Nr. 15 = ILS 6871; Ann. Epigr. 1958, Nr. 134 (Caesariensis).

[26] ILS 6871: ... *decreto concili prov[inciae] Mauretaniae Caesar-[iensis] . . .;* CIL VIII 9409 = 21 066.

[27] CIL VIII 8930, vgl. 9037; VI 1090. Der Landtag von Mauretania Caesariensis wird auch um das Jahr 304 im Zusammenhang mit dem Martyrium des Fabius in Caesarea bezeugt: Deininger, Provinziallandtage 132, Anm. 11 mit Verweisen.

[28] Siehe oben Anm. 19.

[29] ILM 135: ... *Ocratian[a]e Ocrati(i) f(iliae) flaminica[e] provinciae Tingit[anae S]assius Pude[ns ux]ori indulgen[tissimae posuit].*

[30] ILM 141; vgl. L. Chatelaine, Le Maroc des Romains, Paris 1944, 145. Prosopographische Erwägungen scheinen dafür zu sprechen, Ocratiana auf das Ende des ersten Jahrhunderts n. Chr. zu datieren: E. Frézouls, Les Ocratii de Volubilis d'après deux inscriptions inédites, Mélanges Piganiol, Paris 1966, 233—248.

[31] ILAfr. 646 = Ann. Epigr. 1921, Nr. 19: *D. M. S. Fl(avia) T(iti)*

des M. Claudius Germanus, der schon mit acht Jahren starb, und die Gattin des Q. Claudius Saturninus.[32] Offensichtlich amtierte also Flavia als Priesterin in einer Zeit, die auf die flavische Epoche folgte — vermutlich gegen Ende des ersten Jahrhunderts, wenn nicht später. Falls sich aus diesen Texten überhaupt eine Schlußfolgerung ziehen läßt, dann ist es sicher die sehr dürftige, daß bis jetzt noch nichts Eindeutiges zutage gefördert wurde, was möglicherweise auf die Existenz eines Landtags in den Anfangsjahren der neuen Provinzen hindeuten würde. Die Behauptung, eine Gründung des *concilium* von Tingitana durch Claudius gehe daraus hervor, daß keine unserer beiden Priesterinnen als *prima* bezeichnet werde, ist bestenfalls ein zweifelhaftes Argument.[33]

Nach dem Zeugnis von Cassius Dio (60, 9, 5) teilte Claudius Mauretanien 42 n. Chr. in zwei Provinzen auf. Wie ich an anderer Stelle im einzelnen nachgewiesen habe, waren die militärischen Operationen des Jahres 42 vermutlich erst gegen Jahresende abgeschlossen; deshalb sollte man die Teilung Mauretaniens wahrscheinlich in das darauffolgende Jahr verweisen.[34] Wie dem auch sein mag, der (erste?) Prokurator, M. Fadius Celer, trat sein Amt in Volubilis spätestens im Januar 45 an, was wir aufgrund einer Inschrift mit einiger Genauigkeit bestimmen können.[35] In diesem

f(ilia) Germanilla Volub(ilitana) flaminic(a) prov(inciae) vix(it) an. LXXII. mens. VI.

[32] ILAfr. 636.

[33] Kotula, Les origines des assemblées provinciales dans l'Afrique romaine, Eos 52 (1962), 149.

[34] In meinem oben (Anm. 21) genannten Aufsatz.

[35] *Ti(berio) Claud(io) Caes(ari) Aug(usto), divi fil(io) Ger(manico) p(ontifici) m(aximo) trib(unicia) pot(estate quarta) co(n)s(uli tertium) (consuli) desig(nato quartum) imp(eratori octavum) p(atri) p(atriae) munic(ipium) Volub(ilitanorum) impetrata c(ivitate) r(omana) et conubio et oneribus remissis d(ecreto) d(ecurionum) d(edit). M(arcus) Fadius Celer Flavianus Maximus proc(urator) Aug(usti) pro leg(ato) dedicavit (ILM 56).* Das vierte Jahr der *tribunicia potestas* des Claudius dauerte vom 25. Januar 44 bis zum 24. Januar 45 n. Chr.; siehe ferner Chatelaine ad loc. (der Kommentar spricht fälschlicherweise von der vierten Kaiserakklamation).

Zusammenhang läßt sich vielleicht ein vorläufiger negativer Beweis auf die Karriere des M. Valerius Severus stützen, des *praefectus* der Hilfstruppen von Volubilis, der ein paar Jahre vorher auf der Seite der Römer gegen Aedemon kämpfte. Die Einzelheiten sind in einer bekannten Inschrift auf der Basis einer Statue erhalten, die man 1915 in Volubilis entdeckte:

> *M(arco) Val(erio) Bostaris / f(ilio) Gal(eria tribu) Severo / aed(ili) sufeti duumvir(o) / flamini primo / in municipio suo / praef(ecto) auxilior(um) adversus Aedemo / nem oppressum bello. Huic ordo municipii Volub(ilitanorum) ob me/rita erga rem pub(licam) et legatio/nem bene gestam qua ab divo / Claudio civitatem ro/manam et conubium cum pere/grinis mulieribus immunitatem / annor(um) (decem) incolas bona civium bel/lo interfectorum quorum here/des non extabant suis impetra/vit. Fabia Bira Izeltae f(ilia) uxor indulge/ntissimo viro honore usa impensam / remisit / et d(e) s(ua) p(ecunia) d(edit) d(e)dic(avit).* ILM 116

Dieser Text — zusammen mit ILM 56 — hat bereits eine umfangreiche Kontroverse entfesselt, so daß für unsere Zwecke eine ganz knappe Bemerkung genügt.[36] Der Hauptstreit dreht sich um die Verleihung der *civitas*. Die übliche Interpretation ist diejenige, die zuerst von De Sanctis vertreten wurde: nach dieser Interpretation verwandelte die Verleihung der *civitas* Volubilis ipso facto aus einer ausländischen Gemeinde in ein römisches *municipium*. Die restlichen Privilegien, die der Gesandtschaft des Severus gleichzeitig mit dem römischen Bürgerrecht verliehen wurden, bilden also einen Bestandteil der Verfassung, die der neuen Stadtgemeinde gewährt wurde.[37] Da gute Gründe für die Annahme sprechen, daß die Inschrift ILM 56 bald nach der Rückkehr des Severus aufgestellt wurde, sollte man die Gewährung der städtischen Selbstverwaltung an Volubilis daher auf das Jahr 44 n. Chr. datieren.

[36] Zur Bibliographie siehe P. Wuilleumier, Le municipe de Volubilis, REA 28 (1926), 323, Anm. 1; Chatelaine, Le Maroc des Romains 146, Anm. 2—4; M. M. Euzennat, RE IX A (1961), 872 f.

[37] Vgl. A. Momigliano, Claudius, Cambridge 1961, 66.

Eine völlig andere Meinung hat C. Saumagne vorgetragen, der in einem jüngst erschienenen Buch behauptet, entgegen der herrschenden Lehre hätten Provinzgemeinden das römische Bürgerrecht niemals en bloc verliehen bekommen. Da nach seiner Theorie der Status eines römischen Bürgers nur *viritim* oder durch das Verfahren des *ius Latii* erworben werden konnte, ist *municipium* außerhalb Italiens immer als Bezeichnung für eine Gemeinde mit latinischem Recht zu verstehen.[38] Was immer die Mängel seiner Hauptthese

[38] C. Saumagne, Le droit latin et les cités romaines sous l'Empire, Paris 1965. Diese These hat teilweise sehr negative Reaktionen hervorgerufen; vgl. Journal of Roman Studies 58 (1968), 270; Revue d'histoire du droit 35 (1967), 162—165 (Sherwin-White). Zur weiteren Diskussion siehe Rev. Belge Phil. 45 (1967), 1368—1370; Jura 17 (1966), 366—370; Rev. hist. de droit français et étranger 44 (1966), 274—276; Studia et documenta historiae et iuris 21 (1965), 411—423; Revue des études latines 43 (1965), 686—688; Bull. crit. du livre français 20 (1965), 827 f. Allerdings scheinen eindeutige Beweise für die übliche Ansicht überraschend spärlich zu sein, und es ist seltsam, daß Stadtgemeinden es versäumt haben sollten, anzugeben, ob sie das latinische oder das römische Recht hatten, wenn es tatsächlich Statusunterschiede gab. Man nimmt beispielsweise an, Lambaesis sei vom Rang eines *municipium Latini iuris* (*... Lati[o] uno tempore impetrat ......*; CIL VIII 18 218 = ILS 6848) zu dem eines *municipium civium Romanorum* (CIL VIII 2949, 4306, 18 256) erhoben worden, bevor es endgültig eine Kolonie wurde. Ich kann weder in den Inschriften einen Niederschlag dieser Rangerhöhung finden noch kann ich irgendeinen Grund für die Annahme entdecken, daß Lambaesis seinen munizipalen Status veränderte, bevor es den einer Kolonie erlangte. Der Umstand, daß die Inschriften zwischen Städten latinischen Rechts und Städten römischen Rechts nicht unterscheiden, ist gewiß ein Hinweis darauf, daß die meisten den gleichen Status hatten; Sherwin-White gibt selbst zu, daß der latinische Status nach der Zeit der julisch-claudischen Kaiser durchaus die Norm gewesen sein kann: Revue d'histoire du droit 35 (1967), 164. Kornemanns Betrachtungsweise in RE XVI, 1 (1933), 591 ff. ist offenbar die, Stadtgemeinden allgemein als römisch anzusehen, wenn kein ausdrücklicher Beweis für ihren latinischen Status vorliegt. Infolgedessen haben wir die seltsame Situation, daß Vespasian in Noricum und in den Donauprovinzen *römische* Stadtgemeinden gegründet haben soll (ebd. 601 f.). Im romanisierten Spanien — besonders in Baetica, die wie Gallia Narbonensis und Africa Proconsu-

auch sein mögen, Saumagnes eigene Auffassung der Inschrift ILM 116 lautet, daß die Verleihung des Bürgerrechts an Volubilis der Verleihung des Bürgerrechts an einzelne Angehörige der *auxilia* gleichkam und daß Volubilis schon kurz *vor* der Gesandtschaft des Severus zu einer Stadt latinischen Rechts erhoben worden war.[39] In diesem Falle wäre der geeignete Zeitpunkt für diesen Akt die Zeit unmittelbar nach der erfolgreichen Beendigung der Feindseligkeiten in Mauretanien gewesen.[40] Wenn Volubilis die Hauptstadt von Tingitana werden sollte, war es angemessen, ihr den Status eines *municipium* gleichzeitig mit der Errichtung von Tingitana und Caesariensis zu verleihen, das heißt um das Jahr 43 n. Chr. und damit etwa ein Jahr früher, als üblicherweise angenommen wird.

Die Bedeutung all dieser Details für die vorliegende Diskussion liegt in der Ämterlaufbahn des M. Valerius Severus. Die übliche Auffassung hat sicherlich recht, wenn sie das Amt des *duumvir* mit der Erhebung von Volubilis in den Rang eines *municipium* ver-

laris eine kleine Zahl von Provinzbewohnern in den römischen Senat entsenden sollte — schuf Vespasian jedoch Stadtgemeinden von nur latinischem Status (Plin. n. h. 3, 30). Die gesamte Frage rechtfertigt eine weitere Untersuchung, bevor Saumagnes Ketzerei verdammt — oder (teilweise) gerettet — werden kann.

[39] Volubilis, municipe latin, Nouvelle revue historique de droit français (1952), 388—401; vgl. L. A. Constans, Note sur deux inscriptions de Volubilis, Musée Belge 28 (1924), 105. Saumagnes Auffassung von der Verleihung des Bürgerrechts ist tatsächlich mit der von Sherwin-White, The Roman Citizenship, Oxford 1939, 192 verwandt — trotz dessen Polemik in Journal of Roman Studies 58 (1968), 270 und Revue d'histoire du droit 35 (1967), 163. Die Gesandtschaft des Severus könnte daher als ein (erfolgreicher) Versuch interpretiert werden, für Volubilis eine günstigere Behandlung und die Befreiung von einigen Nachteilen zu erreichen, die die *frühere* Verleihung des latinischen Stadtstatus mit sich gebracht hatte. Eine neue Kritik der Auffassung Saumagnes liefert jetzt J. Gascou, Municipia civium Romanorum, Latomus 30 (1971), 136—141.

[40] Saumagnes Darstellung der Reihenfolge der Ereignisse in Mauretanien scheint verworren und widersprüchlich: a. a. O. 400.

knüpft; damals nahm der Sohn Bostars die *tria nomina* an und wurde römischer Bürger, der in die *tribus Galeria* eingeschrieben war. Vorher war er *sufes* gewesen, das heißt bürgerliches Oberhaupt der vorrömischen Gemeinde,[41] und zu einem noch früheren Zeitpunkt Aedil — höchstwahrscheinlich die latinisierte Form eines lokalen Amtes, das niedriger als das des *sufes* war, so wie der Rang eines Aedilen geringer war als der eines *duumvir*.[42] Man sollte

[41] Zu dem Amt des *sufes* siehe W. Ensslin, Der Einfluß Karthagos auf Staatsverwaltung und Wirtschaft der Römer, in: J. Vogt, Rom und Karthago, Leipzig 1943, 274—278. Die Diskussion, die sich großenteils mit dem Titel *sufes* und dem Patronymikon Bostar befaßte, hat sich zu einem beträchtlichen Teil auf die Frage konzentriert, ob die vorrömische Gemeinde in Volubilis aus Berbern oder Puniern bestand; vgl. J. Toutain, La création du Municipium Volubilitanum, Mélanges Grat, Paris 1946, 41—43; Com. Trav. Hist. Scient. (1943), 173 f. mit Verweisen. Der wahre Sachverhalt scheint der zu sein, daß es sich bei Volubilis um eine Berbergemeinde handelt, die punisiert worden war; vgl. Kotula, Archeologia 15 (1964), 88.

[42] Man hat gemeint, Severus habe den Posten eines Ädilen in der neuen Stadtgemeinde innegehabt, *nachdem* er in der punischen Gemeinde *sufes* gewesen war; so Constans, Musée Belge 28 (1924), 107; auch (falls ich ihn nicht mißverstehe) Kornemann, RE XVI, 1 (1933), 598. Dies wäre insofern regelwidrig, als die Ämter eines *cursus honorum* normalerweise in chronologischer Reihenfolge (vorwärts oder rückwärts) aufgezählt werden; statt dessen hätten wir es mit einer ungewöhnlichen Reihenfolge zu tun, die sich nach der relativen Bedeutung der Ämter richten würde; vgl. Wuilleumier, REA 28 (1926), 326. Es würde auch darauf hinauslaufen, daß Severus, nachdem er als *sufes* und *praefectus* der Truppen gegen Aedemon gedient hatte, auf den niedrigeren Posten eines Ädilen gewählt wurde, sei es nun vor oder nach der Gesandtschaft an Claudius. Ähnliche Schwierigkeiten treten auf, wenn man den ganzen *cursus honorum* nach der Erhebung von Volubilis zum *municipium* ansetzt: *sufes* muß dann als Zwischenamt aufgefaßt werden, das rangniedriger war als das eines *duumvir*. Man kann schwerlich annehmen, daß Severus, nachdem er (ohne vorher irgendein bekanntes politisches Amt bekleidet zu haben) die Truppen von Volubilis kommandiert hatte, lediglich Ädil wurde und in dieser Eigenschaft die Delegation an Claudius leitete — oder daß er im Anschluß an seine erfolgreiche Mission zum Ädil gewählt wurde. Was die Hypothese angeht, Severus sei gleichzeitig *sufes* in der Ausländergemeinde und

beachten, daß die Inschrift zu einer Zeit gesetzt wurde, als Volubilis sich schon mindestens ein Jahrzehnt lang an die römischen Formen der Magistrate gewöhnt hatte. Das Duumvirat des Severus datiert also aus der Zeit, als Volubilis zum *municipium* erhoben wurde, das heißt aus dem Jahr 42/43 n. Chr. oder nach der üblichen Auffassung 44 n. Chr. Da das Duumvirat wie alle städtischen Ämter auf ein Jahr beschränkt ist[43] und da man (meines Wissens) nicht gleichzeitig *duumvir* und *flamen* sein konnte, ist das frühestmögliche Datum für das Priesteramt des Severus — vorausgesetzt, daß er es unmittelbar nach dem Duumvirat bekleidete — das Jahr 43/44 oder 45 n. Chr. Die Einführung des städtischen Kults von Volubilis, dem Severus als erster *flamen* diente, erfolgte somit in dem Jahr nach der Errichtung der Provinzen Tingitana und Caesariensis oder später.

Der wichtige Punkt in der Ämterlaufbahn ist hier nicht, was Severus ist, sondern was er nicht ist. Er ist erster städtischer *flamen* von Volubilis; er ist nicht *flamen* der Provinz. Aber warum ist er das nicht? Das Amt des Provinzialpriesters galt als angesehener Gipfelpunkt einer Karriere im öffentlichen Dienst (vgl. Plin. ep. 2, 13, 4), und Severus war berühmt in seiner *patria*, deren Stadtoberhaupt er in ihren kritischsten Jahren gewesen war. Außerdem wurde er zum ersten städtischen *flamen* in einem Zentrum gemacht,

duumvir in dem neuen *municipium* gewesen, so gibt es bis jetzt kein sicheres Zeugnis, das darauf hindeuten würde, daß hier — sei es nun vor oder nach der Verleihung des munizipalen Status — zwei getrennte Gemeinden nebeneinander existierten; siehe ferner Wuilleumier, ebd. 327; Chatelaine, Le Maroc des Romains 146 f. Als Alternative hat Wuilleumier vorgeschlagen, daß Severus in Wirklichkeit Ädil in der punisierten Gemeinde war, da man dort — als Schritt auf dem Weg zur Erwerbung des Titels *municipium* — römische Formen der Magistrate übernommen habe: wie er jedoch selbst eingesteht, gibt es für ein derartiges Verfahren keinerlei Beweise. Angesichts des Datums der Inschrift ILM 116 scheint die beste Lösung die zu sein, Ädil als latinisierte Form eines analogen punischen Amtes aufzufassen. Gewiß findet man in Italien manchmal lateinische Titel als Übersetzungen für lokale Ämter, deren Bezeichnung sonst unbekannt ist; vgl. Sherwin-White, Roman Citizenship 62 f.

[43] Siehe Liebenam, RE V, 2 (1905), 1806.

das zumindest in späteren Zeiten der Sitz des Provinziallandtags gewesen zu sein scheint.[44] Doch offensichtlich war Severus niemals *flamen provinciae*. Chatelaine führte als Grund dafür an, daß Mauretanien damals noch nicht geteilt gewesen sei[45] — eine Erklärung, die möglicherweise durch die These Carcopinos beeinflußt ist, Claudius habe Mauretanien « peut-être à l'année de sa censure en 47—48; probablement après 46, sûrement après 44 » geteilt,[46] und die durch das klare Zeugnis von ILM 56 widerlegt wird.[47] Die wahrscheinlichere Erklärung — so meine ich — lautet, daß im Gegensatz zu der allgemein akzeptierten Theorie Kornemanns in den ersten Jahren der Provinz Tingitana noch kein Provinzialkult eingerichtet worden war.

Die Argumentation läßt sich außerdem noch ein Stück weiter vorantreiben. Der *ordo* von Volubilis weihte das Denkmal für Severus zu einem Zeitpunkt, als Claudius bereits *divus* war (54 n. Chr. †), und die Gattin des Severus, Fabia Bira, übernahm die Kosten. Wenn Severus damals noch lebte, dann dürfte nach der gleichen Argumentation ein Provinzialkult nicht vor dem Tod des Claudius eingeführt worden sein. Wenn die Statue dagegen — was viel wahrscheinlicher ist — *post mortem* errichtet wurde, dann müßte man annehmen, daß Severus kurz vor oder nach Claudius gestorben war, und das Argument würde dann für die Zeit vor dem Tode des Severus (wann immer dieser auch gestorben sein mag) gelten.

Dem könnte man natürlich entgegenhalten, daß die Stadt vielleicht erst nach Ablauf einiger Jahre beschloß, das Andenken des Severus zu ehren und daß man seinen Tod schon bald nach seinem städtischen Priesteramt ansetzen könnte;[48] in diesem Fall muß

[44] Deininger, Provinziallandtage 131, Anm. 8 mit Verweisen.

[45] Le Maroc des Romains 145.

[46] Le Maroc Antique 183.

[47] Siehe ferner meine Erörterung in Historia 20 (1971), 480—484.

[48] Wuilleumier, REA 28 (1926), 326 Anm. 1 folgert aus dem Umstand, daß Severus weder *duumvir quinquennalis* noch *flamen perpetuus* ist, daß er vielleicht schon bald nach dem Jahr 46 starb. Doch wäre eine zweite Amtsperiode als *duumvir* in einer neuen Stadtgemeinde wahrscheinlich, in der es vermutlich einen recht scharfen Wettbewerb um das

nicht nur eine Erklärung dafür gefunden werden, warum die Stadt einen so langen Zwischenraum verstreichen ließ, bevor sie handelte (Mangel an finanziellen Mitteln nach dem Krieg?), sondern auch, warum sie gerade zu diesem Zeitpunkt handelte (der soeben erfolgte Tod des Claudius?). Allerdings ist Fabia Bira im Jahr 54 + noch recht lebendig, und auf sie läßt sich genau das gleiche Argument anwenden. Denn sie war *flaminica prima* in Volubilis gewesen (ILM 129 f., 131), so wie ihr Gatte *flamen primus* gewesen war, aber sie ist niemals *flaminica provinciae* wie Flavia Germanilla oder eine Ocratiana. Wieder muß man fragen: Warum nicht? Da sie die Gattin eines berühmten Mannes, des ersten städtischen *flamen*, und selbst erste *flaminica* von Volubilis war, besaß sie gewiß alle erforderlichen Qualifikationen. Man kann nicht das Argument geltend machen, eine Provinzialpriesterin sei die Gattin eines Provinzialpriesters, denn obwohl das der Fall sein kann, muß es nicht unbedingt der Fall sein: es gibt keinen Hinweis darauf, daß die *flaminica per definitionem* die Gattin des *flamen* war.[49] Das Quellenmaterial aus anderen Provinzen liefert den Beweis dafür, daß Flavia zu Lebzeiten ihres Gatten oder danach Provinzialpriesterin aus eigenem Recht hätte sein können,[50] und wir besitzen zumindest ein Beispiel, wo die Gattin eines städtischen Priesters selbst Provinzialpriesterin ist (CIL II 4246 = ILS 6939: Tarraco; vgl. CIL II 3276: Castulo). Abermals ist man versucht zu folgern,

höchste Amt gab? Die wiederholte Bekleidung des Duumvirats scheint in der späten Geschichte einer Stadt am verbreitetsten zu sein, weniger in ihren Anfängen; vgl. die Listen von Liebenam, RE V, 2 (1905), 1808 f.; die lex Malac. (CIL II 1964 [LIIII] = ILS 6089) legt auf jeden Fall einen zeitlichen Abstand von fünf Jahren als Minimum fest. Ebenso scheint der Ehrentitel *flamen perpetuus* — nach den erhaltenen Inschriften zu urteilen — von dem *ordo* sehr sparsam verliehen worden zu sein, und es ist gewiß unwahrscheinlich, daß man den allerersten munizipalen *flamen* gleich am Anfang des neuen *municipium* zum *perpetuus* machte. Weitere Diskussion bei R. Étienne, Le culte impérial 237; A. Beschaouch, Karthago 13 (1965/1966), 118—224.

[49] Deininger, Provinziallandtage 154.

[50] Siehe Étiennes Bemerkungen zu der spanischen *flaminica*, a. a. O. 169—171.

daß Fabia Bira deshalb nie Provinzialpriesterin war, weil es noch keinen Provinzialkult in Mauretanien gab.

Die oben angeführten Argumente sind nicht bindend: es besteht kein Zwang, daß Severus oder seine Gattin unbedingt zu den provinzialen Priesterämtern gewählt werden mußten, falls es diese tatsächlich schon gab. Trotzdem ist es gewiß eine recht plausible Hypothese.[51] Daß wir zu derartigen Rückschlüssen Zuflucht nehmen müssen, ist ein eindrucksvoller Kommentar zu der Spärlichkeit unserer Quellen. Setzt man jedoch voraus, daß diese Argumentation innerhalb der angegebenen Begrenzungen zu rechtfertigen ist, dann besitzen wir einen neuen *terminus post quem* für die Einrichtung des Provinzialkults von Tingitana (und vermutlich auch von Caesariensis?): etwas später als das Datum von ILM 116, das heißt das Jahr 54 +. Um wieviel später, kann man nicht sagen; aber es verdient festgestellt zu werden, daß die Inschrift ILM 131 von Fabia Bira selbst geweiht ist, die die Kosten übernimmt; dagegen sieht es ganz so aus, als seien die beiden anderen Inschriften, die einfach verzeichnen, daß Fabia Bira *flaminica prima* von Volubilis war (ILM 129/130), *post mortem*. Das genaue Todesjahr der Fabia läßt sich nicht ermitteln.

Eine letzte, vielleicht entscheidende Frage sei im Zusammenhang mit dem Priestertitel *flamen* aufgeworfen. Man weiß heute so viel über die Entwicklung des provinzialen Kaiserkults im lateinischen Westen, daß es möglich ist, aus der Verwendung von *flamen* oder *sacerdos* als Titel für den Oberpriester einer bestimmten Provinz plausible Schlußfolgerungen zu ziehen. Der volle Sinn der Unterscheidung zwischen den beiden Titeln muß noch ermittelt werden,[52] aber es ist offenkundig, daß in neugewonnenen Territorien, wo der Kaiserkult zu einem sehr frühen Zeitpunkt von oben ein-

[51] Provinzialpriester von Africa hatten sehr oft vorher ein städtisches Priesteramt inne; vgl. CIL VIII 7986 f.; ILAfr. 458 + Ann. Epigr. 1964, Nr. 177; CIL VIII 14 731; 25 385; 16 472 + ILTun. 1647; CIL VIII 2343 (= ILS 6840), 4252, Ann. Epigr. 1914, Nr. 41. Es gibt einen nützlichen Kommentar von R. P. Duncan-Jones, The Chronology of the Priesthoods of Africa Proconsularis, Epigraphische Studien 5 (1968), 151—158.

[52] Siehe ferner meinen Aufsatz: The Development of Provincial Ruler-

geführt wurde, der Titel eher *sacerdos* als *flamen* war. Der Archetyp ist hier der Provinzialkult der drei Gallien, wo der Bundeskult in Lugdunum sich ursprünglich auf Roma und den lebenden Herrscher konzentrierte. Dies lieferte sehr wahrscheinlich das Vorbild für den provinzialen Kaiserkult in Britannien, wo Tacitus von *delecti sacerdotes* (ann. 14, 31) spricht — ein Ausdruck, mit dem sehr wohl die Anfänge eines Kultes aufgrund ähnlicher Richtlinien gemeint sein könnte.[53] Dagegen verlief die Entwicklung in romanisierten Gebieten ganz anders. So lag in Tarraconensis, wo die Initiative eher von der Provinzbevölkerung ausging, der Schwerpunkt ursprünglich bei den *divi*: das heißt bei *divus Augustus*, auf den zu gehöriger Zeit *diva Augusta* und (vermutlich) *divus Claudius* folgten. Bedeutsam ist, daß hier der Priestertitel *flamen* verwendet wird.[54] Unter Vespasian gab es eine weitere Veränderung. In Gallia

Worship in the Western Roman Empire, in: Aufstieg und Niedergang der römischen Welt (Festschrift für J. Vogt) Bd. II (im Druck).

[53] Zu den Anfängen und der wahrscheinlichen Entwicklung des Provinzialkults in Britannien siehe jetzt: Britannia 3 (1972), 164—181.

[54] Siehe: Flamen Augustorum, HSCP 74, S. 307—309.

[55] Zum Provinzialkult in Gallia Narbonensis siehe Kornemann, Klio 1 (1901), 124—126 mit Toutain, Dizionario epigrafico 3 (1962), 390 f. (wo ILG 634 hinzuzufügen ist). Ich bezweifle, ob die Inschrift CIL XII 392: *flamen?] templi divi [Aug. quod est Nar]bone* einen Provinzialpriester betrifft, trotz der Ergänzung ...... *uni]versa provin[cia consentienti ad]lectus est.* Könnte mit dem vergöttlichten Augustus nicht Augustus selbst gemeint sein, und könnte der Tempel nicht eher dem munizipalen als dem provinzialen Kult dienen? Und weiter: Hätte ein *Provinzial*priester, nachdem der Tempel niedergebrannt und unter Antoninus Pius restauriert worden war, sich bezeichnet als *flam.] primo [Aug. templi?] novi Narbo[ne]*: CIL XII 4393: 149 n. Chr.? Die Untersuchung von F. Benoit, Revue archéologique 39 (1952), 59 f. übersieht die Tatsache, daß der Provinzialkult von Gallia Narbonensis erst unter Vespasian einsetzte und daß der früheste *flamen provinciae* Q. Trebellius Rufus war; vgl. Deininger, Provinziallandtage 30.

Was den Inhalt des Kults angeht, so ist bemerkenswert, daß die *lex Narbonensis*, CIL XII 6038 (= ILS 6964), Z. 25—27 die Errichtung von Statuen oder Bildnissen des *imperator Caesar* vorsieht; dies könnte auf die Einbeziehung des lebenden Kaisers in den Provinzialkult hinweisen.

Narbonensis, Africa Proconsularis und Baetica, wo Vespasian für die Einrichtung des Provinzialkults verantwortlich war, wird der Priester wiederum als *flamen* bezeichnet, das heißt mit dem Titel, der im städtischen Kult bereits geläufig war. Was der Inhalt des Kults in Gallia Narbonensis [55] und Africa Proconsularis [56] war,

Jedenfalls kann man schwerlich annehmen, daß Vespasian einen offiziellen Kult begründete mit dem alleinigen Zweck, diejenige Dynastie zu ehren, an deren Stelle inzwischen seine eigene getreten war. Umgekehrt ist es unwahrscheinlich, daß die *divi* ausgeschlossen waren in einer so stark romanisierten Provinz, wo der städtische Kult längst den *divus Augustus* einbezogen hatte; vgl. CIL XII, Index S. 928. Eine Verbindung des lebenden Kaisers mit den vergöttlichten toten bleibt bestehen, ob man nun in der *lex Narbonensis* (Z. 21) *flamini Augus[tali]* oder *flamini Augus-[torum]* liest: beide Ausdrücke scheinen in Tarraconensis während der flavischen Zeit und später gleichbedeutend gewesen zu sein; vgl. HSCP 74, S. 306 f. Ebenso bezieht eine severische Inschrift, die einen *flamen Augg.* (CIL XII 4323 = ILS 4120) bezeugt, die lebenden Kaiser mit Sicherheit in den damaligen Kaiserkult ein. Ob Roma darin einen Platz hatte, geht aus den Inschriften nicht hervor; sie war jedoch gewiß schon lange im städtischen Kult verehrt worden. Die Tatsache, daß der Provinzialkult in Tarraco damals die Göttin Roma miteinschloß (CIL II 4225 = ILS 2714), läßt diese Möglichkeit offen. HSCP 74, S. 306 übersah ich, daß in Tarraco geprägte Münzen aus dem Jahr 69/70 die Göttin Roma zeigen, wie sie Vespasian eine Victoria überreicht: Mattingly-Sydenham, The Roman Imperial Coinage II, Nr. 265; vgl. Nr. 385. Ein kombinierter Kult der *divi*, des lebenden Kaisers und der Roma — analog zu dem in den spanischen Provinzen — ist daher für Gallia Narbonensis nicht unmöglich, wobei die Einbeziehung der Roma das unsicherste Element bleibt. Die Rekonstruktion von E. Demougeot, Remarques sur les débuts du culte impérial en Narbonnaise, Provence historique 18 (1968), 64 f. vermag ich nicht zu akzeptieren.

[56] Die Titel der afrikanischen Provinzialpriester geben kaum einen Hinweis auf die Art des Kults. Duncan-Jones, a. a. O., 152 gibt die übliche Auflösung *flamen Aug(usti)*; vgl. ebd. Nr. 2 und 4. Ich würde *flamen Aug[ustorum]* für ebensogut möglich halten, zumal der städtische Kult individueller, vergöttlichter Kaiser im romanisierten Africa eine alte Tradition hatte, lange bevor Vespasian einen provinzialen Herrscherkult einführte. Außerdem: Während Provinzialpriester häufig vorher als städtische *flamines* amtiert hatten, wird zumindest von einem *flamen pro-*

läßt sich aus den erhaltenen Inschriften kaum feststellen, aber in Baetica gibt es Anzeichen dafür, daß der offizielle Kult von Anfang an dem lebenden Kaiser und den *divi* — sehr wahrscheinlich zusammen mit Roma — galt.[57] Diese These beruht auf einer Analogie zu Tarraconensis und Lusitania, wo die neue Einbeziehung der Roma (in Tarraco) und des lebenden Kaisers (in Emerita) in flavischer Zeit sicher bezeugt ist. Im nordwestlichen *conventus* von Tarraconensis hingegen, wo Vespasian den Kult der Roma und des lebenden Kaisers einführte, ist der Priestertitel *sacerdos*.[58]

Was dies alles für Mauretanien bedeutet, ist ziemlich klar. Wenn Mauretanien, wie ich behauptet habe, weniger Britannien als den älteren romanisierten Provinzen glich und wenn der Titel des Provinzialpriesters in Caesariensis (und vermutlich auch in Tingitana) eher *flamen* als *sacerdos* lautete, dann spricht alles dafür, daß der Kaiserkult hier eher dem der spanischen Provinzen als dem der drei Gallien ähnlich war. Dem mag die Tatsache hinzugefügt werden, daß das städtische Priesteramt in der Regel mit *flamen* bezeichnet

vinciae, C. Caecilius Gallus, ausdrücklich gesagt, daß er (städtischer) *flamen divi Iuli* war; vgl. Duncan-Jones, a. a. O., Nr. 1; Deininger, Provinziallandtage 31, Anm. 2. Deshalb spricht auch hier die Analogie zu Spanien dafür, daß sowohl der lebende Kaiser als auch die *divi* im Provinzialkult seit seiner Begründung verehrt wurden. Wie in Gallia Narbonensis finden wir im offiziellen Kult keinen Hinweis auf Roma. Eine ungewöhnliche Formulierung aus Mograwa liefert eine der wenigen epigraphischen Spuren der Göttin: *Romae et imp. Ti. Caesari Augusto sacrum* (CIL VIII 685 = 11 912 = ILS 162); anderswo scheinen städtische Tempel für Roma und Augustus in Lepcis und Mactar errichtet worden zu sein; vgl. S. Aurigemma, Sculture del Foro Vecchio de Leptis Magna, Africa Italiana 8 (1940), 22 ff.; G. Charles-Picard, Civitas Mactaritana, Karthago 8 (1957), 64. Augustus hat bekanntlich Africa nie besucht (Suet. Aug. 47), und die Seltenheit der Roma ist vielleicht als eine Folge davon anzusehen. Falls dem so war, mag Vespasian es für das klügste gehalten haben, Roma in dieser Phase nicht in den neueingerichteten Provinzialkult einzuführen. Es ist jedoch möglich, daß neue Funde das Bild in dieser Beziehung noch ändern werden.

[57] Fishwick, Flamen Augustorum, a. a. O. 310 f.

[58] Étienne, Le culte impériale 184.

wird (vgl. ILM 88, 97, 104, 116) und daß eine Inschrift eine Weihung für *divus Claudius* durch die *Volubilitani civitate Romana ab eo donati* (ILM 57) bezeugt. Die Hauptfrage heißt deshalb: Soll man dem Claudius die Verantwortung für die Einrichtung eines derartigen Provinzialkults aufbürden? Anders ausgedrückt: Ist es wahrscheinlich, daß er mehr oder weniger gleichzeitig in Britannien und in Mauretanien Provinzialkulte begründete, die zwei getrennte und ganz verschiedene Wege einschlugen? Wir können diese Möglichkeit nicht von vornherein verwerfen, aber bis jetzt ist in Mauretanien noch kein positives Zeugnis zutage getreten, das eindeutig auf die Hand des Claudius hinweisen würde; im Gegenteil, das wenige Material, auf das wir uns stützen können, stammt aus flavischer Zeit oder aus noch späteren Epochen. Fügen wir dem die Überlegung hinzu, daß Mauretanien den Herrscherkult schon vor seiner Annexion kannte, daß es unmittelbar an die Provinz Africa grenzte, in der Vespasian mit Sicherheit den Provinzialkult einführte, und daß in beiden Gebieten der Kaiserkult in den Händen eines *flamen* (mit allem, was das in sich schließt) lag, dann spricht alles dafür, daß Vespasian auch in Mauretanien den provinzialen Kaiserkult begründete.

Britannien stellte eine Ausnahmesituation dar, und auf seine Eroberung war Claudius mit Recht stolz; aber ich halte es für möglich, daß selbst hier der von ihm begründete Provinzialkult mit der konservativen, ja sogar zaghaften Einstellung zum Kaiserkult übereinstimmte, die er in seinem bekannten Brief an die Alexandriner darlegte.[59] Das steht in direktem Gegensatz zu Vespasian, der auf die Interessen einer neuen Dynastie bedacht sein mußte — eine dringende Aufgabe, für die sich das Mittel des Kaiserkults hervorragend eignete.

Ein endgültiger Beweis für die in diesem Aufsatz vorgetragene These fehlt und wird so lange fehlen, bis unzweideutige epigraphische Zeugnisse eine klare Entscheidung in der einen oder anderen Richtung ermöglichen. In der Zwischenzeit sollte man — dies ist

[59] E. M. Smallwood, Documents Illustrating the Principates of Gaius, Claudius, and Nero, Cambridge 1967, S. 99, Nr. 370.

mein nachdrücklicher Vorschlag — aufgrund der vorhandenen Zeugnisse Mauretanien den Provinzen Gallia Narbonensis, Africa Proconsularis, Baetica, Tarraconensis, Lusitania, dem *conventus* des nordwestlichen Spanien, Lykien und Armenien hinzufügen als einen weiteren Teil der römischen Welt, in dem Vespasian einen bedeutsamen Beitrag zur Entwicklung des Kaiserkults leistete.

VI. KONSTANTIN UND DAS ENDE DES RÖMISCHEN KAISERKULTES

Historia 5 (1956), S. 341—357.

KONSTANTIN DER GROSSE UND DER KAISERKULT

Von IOANNES KARAYANNOPULOS

1. Vor ungefähr 50 Jahren kamen zwei Gelehrte, die zwei verschiedene Sektoren der Bautätigkeit Konstantins des Gr. untersuchten, zu Schlüssen, die sowohl für die Beurteilung der Person dieses Kaisers wie auch für die Frage nach dem Fortbestehen des Kaiserkultes während der byzantinischen Zeit von besonderer Wichtigkeit sind.

A. Heisenberg nahm bei der Untersuchung zweier von Konstantin d. Gr. erbauter Basiliken, nämlich der Grabeskirche in Jerusalem und der Apostelkirche in Konstantinopel an, sie hätten den gleichen Grundriß und er zog daraus folgenden Schluß: „Wir dürfen nicht daran zweifeln: der erste christliche Kaiser wollte begraben sein wie Christus selber, und an seinem Grabe sollte man beten, wie in der Anastasis am Grabe Christi gebetet wurde.“ [1]

Th. Preger andererseits beschäftigte sich mit der Frage der Konstantinsäule auf dem gleichnamigen Forum in Konstantinopel sowie mit den Einweihungsfesten dieser Stadt und brachte folgende Meinung vor: „So fällt durch die Ceremonien bei dem Einweihungsfest der Stadt nach verschiedenen Seiten ein helles Licht. Der Kaiser, der die welthistorische Bedeutung des Christentums erkannt hat, ist selbst so wenig Christ, daß er fünf Jahre nach dem nicaeischen Concil, dem er präsidirte, sich selbst als Helios darstellen läßt; ... Und viele Christen, darunter christliche Kaiser, schrecken nicht davor zurück, die Statue eines Menschen zu verehren, der sich selbst vergötterte.“ [2]

[1] A. Heisenberg, Grabeskirche und Apostelkirche. Zwei Basiliken Konstantins. Untersuchungen zur Kunst und Literatur des ausgehenden Altertums (Leipzig 1908), S. 115; vgl. A. Kaniuth, Die Beisetzung Konstantins d. Gr. (= Breslauer Histor. Forschungen, Heft 18) (Breslau 1941), S. 18.

[2] Th. Preger, Konstantinos-Helios, Hermes 36 (1901), S. 469.

2. Die obigen Theorien hatten ungleiche Schicksale. Die Theorie A. Heisenbergs, die übrigens Anlaß zur Entfaltung einer regen wissenschaftlichen Beschäftigung mit diesem Thema gab,[3] darf heute als überholt gelten.[4] Aber die Theorie von Th. Preger wurde, was die Richtigkeit ihrer Argumente betrifft, von niemandem angefochten, wenn sie auch nicht von allen Gelehrten bis in jede Einzelheit angenommen wurde.[5]

[3] Vgl. die verwandte Theorie über den „dreizehnten Apostel“ und „dreizehnten Gott“ von O. Weinreich, Triskaidekadische Studien (= Religionsgeschichtliche Versuche und Vorarbeiten, 16) (Gießen 1916/9), Kap. II: Konstantin d. Gr. als Dreizehnter Apostel und die religionsgeschichtliche Tendenz seiner Grabeskirche, S. 3—14; ders., Lykische Zwölfgötter-Reliefs. Untersuchungen zur Geschichte des 13. Gottes (= Sitzungsber. d. Heidelb. Ak. d. Wiss., Phil.-hist. Kl., Abh. 5) (Heidelberg 1913); s. auch die einschlägige Literatur im Kap. ›Konstantins Bestattung‹ bei H. Dörries, Das Selbstzeugnis Kaiser Konstantins, Abhandlungen d. Ak. d. Wiss. i. Göttingen, 3. Folge, Nr. 34 (Göttingen 1954), S. 413—424; s. auch E. Ewig, Das Bild Constantins d. Gr. in den ersten Jahrhunderten des abendländischen Mittelalters, Histor. Jahrbuch 75 (1956), S. 3 f., A. 16.

[4] Vgl. J. Vogt, Constantinus d. Gr. (= Reallexikon f. Antike u. Christentum: III. 306—379), S. 371: „Allerdings ist die These von A. Heisenberg . . ., Constantinus habe begraben sein wollen wie Christus selbst, als unhaltbar erkannt worden“; vgl. H. Dörries, a. a. O., S. 413—424, sowie H. Kraft, Kaiser Konstantins religiöse Entwicklung (= Beiträge zur Historischen Theologie, 20) (Tübingen 1955), S. 154—159. — Schon früher hat J. Vogt die Meinung vertreten, daß der Theorie von A. Heisenberg durch den Beweis, daß der Grundriß der beiden Kirchen (Grabes- und Apostelkirche) nicht identisch sei, der Boden entzogen wurde (= J. Vogt, Constantin d. Gr. und sein Jahrhundert, München 1949, S. 260).

[5] M. W. lehnt nur H. v. Schoenebeck, Beiträge zur Religionspolitik des Maxentius und Konstantins (= Klio, Beiheft 43) (Leipzig 1939), S. 59, A. 1 auf S. 60 diese Theorie von Th. Preger ab. Doch hat seine Meinung, in zwei Wörtern dogmatisch ausgedrückt (= „religionsgeschichtlich verfehlt“) und versteckt in einer Anmerkung, keinen Einfluß auf die Forschung ausgeübt. Übrigens zeigt sich derselbe Gelehrte in einer anderen Anmerkung seines Buches als Anhänger der Pregerschen Theorie (= a. a. O., S. 87, A. 4: „Hatte Constantin sich doch gerade in Constantinopel noch als Apollon-Sol auf einer Bildsäule darstellen lassen“). — Auch A. Piganiol,

So glaubt L. Bréhier, daß Konstantin d. Gr. « . . . se confondait (in der Statue des Forum Constantini) avec le dieu tutélaire de sa dynastie (d. h. den Helios) » und spricht von einer « identification entre l'empereur et le soleil. » [6] Zugleich ordnet er diese Annahme in seine Theorie über den Kaiserkult in Byzanz ein.[7]

Ähnlich verhält sich F. J. Dölger, der seine Überzeugung folgendermaßen darlegt: „Sonnenkult und Kaiserkult haben sich also am Konstantin-Helios-Bild in Konstantinopel zusammengefunden." [8]

F. Stähelin nimmt die Meinungen von Th. Preger auf[9] und ebenso stimmt J. Straub mit ihm in der Identifizierung Konstantins d. Gr. mit Helios — in der erwähnten Statue — überein.[10]

Auch J. Vogt zweifelt noch nicht daran, daß Konstantin d. Gr. in dieser Statue als „Sonnenherrscher" abgebildet worden sei: „An der Tatsache freilich, daß der Kaiser inmitten seiner Stadt als Sonnenherrscher aufgerichtet war, ist nicht zu zweifeln." [11]

L'Empereur Constantin (Paris 1932), S. 162 ist nicht geneigt, eine Identifizierung Konstantins mit Helios anzunehmen. Er führt aber zur Unterstützung seines Standpunktes nur folgendes an: « Mais à cette date, Constantin a cessé de se considérer comme un double du Soleil ».

[6] L. Bréhier, Constantin et la fondation de Constantinople, Revue Historique 119 (1915), S. 263.

[7] L. Bréhier, Les survivances du culte impérial à Byzance (= L. Bréhier-P. Batiffol, Les survivances du culte impérial romain [Paris 1920], S. 35—73), S. 39.

[8] F. J. Dölger, Sol Salutis. Gebet und Gesang im christlichen Altertum² (= Liturgiegeschichtliche Forschungen, Heft 4/5) (Münster i. Westf. 1925), S. 68; vgl. B. Stephanides, Ὁ Μ. Κωνσταντῖνος καὶ ἡ λατρεία τῶν αὐτοκρατόρων, Ἐπετ. Ἑταιρ. Βυζ. Σπουδ. 8 (1931), S. 217; dazu die Besprechung von F. Dölger, Byz. Zeitschr. 32 (1932), S. 441 f.

[9] F. Stähelin, Constantin d. Gr. und das Christentum, Zeitschr. für Schweizerische Geschichte 17 (1937), S. 411.

[10] J. Straub, Vom Herrscherideal in der Spätantike (Stuttgart 1939), S. 130; ders., Konstantins christliches Sendungsbewußtsein, in: Das neue Bild der Antike 2 (1942), S. 386—387.

[11] J. Vogt, Constantinus (RAC), S. 351; vgl. S. 350: „Auf dem Forum Constantini wurde eine hohe Porphyrsäule errichtet, die eine aus Erz gearbeitete vergoldete Kolossalstatue des Constantinus als Helios trug." In einem früheren Werk (Constantin d. Gr., S. 221) warf derselbe Gelehrte in

Aber auch Gelehrte, die sonst die Theorie vom Kaiserkult und von der Identifizierung Konstantins d. Gr. mit Helios völlig ablehnen, sehen sich gezwungen, sich der Pregerschen These über die Konstantinstatue anzuschließen, und sie betrachten diese Tatsache entweder als „einzige Ausnahme“ und „etwas Rätselvolles“,[12] oder sie bemühen sich, sie als Ausdruck des Sieges Konstantins über das Heidentum zu erklären,[13] oder als Versuch dieses Kaisers, sich als „... Abbild der Sonne, der Mittlerin zwischen Gott und der Welt“, zu zeigen.[14]

3. Doch steht die Theorie von Th. Preger, Konstantin wäre um das Jahr 330 bereit gewesen, sich mit Helios identifizieren und vergöttlichen zu lassen, im Gegensatz zur ganzen Entwicklung der Religionspolitik dieses Kaisers. Ich lasse die Frage, ob Konstantin d. Gr. in seiner Religionspolitik aufrichtig war oder nicht, eine Frage, die letzten Endes Konstantin persönlich angeht, beiseite; ich möchte nur auf eine Tatsache aufmerksam machen, die sicher nicht zu widerlegen ist: Vom Anfang der zwanziger Jahre des 4. Jahrhunderts an wird die Religionspolitik Konstantins immer eindeutiger; von Tag zu Tag wird klarer, daß er sich mehr und mehr vom Heidentum entfernt und dem Christentum nähert.

Es gibt vielerlei Zeichen, die diese Wandlung bestätigen, und

bezug auf diesen Punkt folgende Fragen auf: „War eine Erinnerung an den Schutzgott Sol lebendig geworden? Oder sollte das von sieben Strahlen umgebene Haupt des Kaisers an Christus, die Sonne der Gerechtigkeit, gemahnen?“

[12] So A. Kaniuth, a. a. O., S. 48 u. 78.

[13] So H. Dörries, a. a. O., S. 423—424: „Der Sieger diktiert den Frieden nicht in seiner, sondern in der feindlichen Hauptstadt und setzt sich — wie Konstantin die Krone des Sonnengottes — die Insignien des Gegners aufs Haupt.“

[14] So H. Kraft, a. a. O., S. 158; vgl. S. 117, wo ohne weiteres die Meinung von Th. Preger angenommen wird, daß die Statue, die zum Bild Konstantins d. Gr. umgearbeitet wurde, ursprünglich den Gott Helios dargestellt habe. D. Lathoud, La consécration et la dédicace de Constantinople, Échos d'Orient 27 (1924), S. 306, der übrigens von einer Vergöttlichung Konstantins nicht spricht, nimmt an, daß der Kaiser als « Apollon radié » abgebildet wurde.

zwar sowohl solche, die die Haltung des Menschen Konstantin zum Christentum ausdrücken, wie auch solche, die sich aus seinen politischen Maßnahmen ergeben.

Zur ersten Gruppe gehört eine ganze Reihe von Urkunden und Briefen, die der Kaiser in den Jahren nach dem Sieg über Licinius schrieb. Sie zeigen deutlich eine positive Haltung des Menschen Konstantin gegenüber dem Christentum.[15]

Die Zeichen der zweiten Art können wir in zwei Gruppen einteilen: in negative und in positive.

Negativ sind folgende: a) das Adjektiv „invictus", bzeichnend für den Gott Helios, wird in der Titulatur des Kaisers durch das neutrale „victor" ersetzt;[16] b) der Titel „divus" wird von Konstantin dem Großen für seine Person nicht gebraucht;[17] c) unter Konstantin d. Gr. hört jede Weihung an den Genius des Kaisers auf;[18] d) von den Münzen verschwindet schon seit 322 der Sol mit

[15] S. darüber H. Dörries, a. a. O., S. 241—328, 352—396; H. Kraft, a. a. O., S. 74—86; J. Vogt, Constantinus (RAC), S. 338 und 362—364. Die Ausführungen von F. Stähelin, a. a. O., S. 414 in bezug auf diesen Punkt sind wohl zu übertrieben.

[16] A. Kaniuth, a. a. O., S. 50 u. 64 mit den diesbezüglichen Quellenbelegen; J. Vogt, Constantin d. Gr., S. 208; ders., Constantinus (RAC), S. 354; H. Dörries, a. a. O., S. 281 ff., der die Inschriftenbelege untersucht. Die ibid., S. 283 aufgeworfene Frage, ob Julian der Abtrünnige auch den Titel „victor" trägt, oder andererseits, ob spätere christliche Kaiser den Titel „invictus" tragen, ist m. E. für den Einschnitt, der von Konstantin in der geschichtlichen Entwicklung gemacht worden ist, wie auch für die Beurteilung dieses Einschnittes belanglos.

[17] W. Enßlin, Gottkaiser und Kaiser von Gottes Gnaden, Sitzungsber. d. Bayer. Ak. d. Wiss., Phil.-hist. Abt., 1943, Heft 6 (München 1943), S. 71—73; A. Kaniuth, a. a. O., S. 49; J. Vogt, Constantinus (RAC), S. 354. — Dieser Titel taucht freilich unter den Nachfolgern Konstantins d. Gr. wieder auf. Wie sehr er aber seinen religiösen Gehalt verloren hat, zeigt z. B. Gregor von Nyssa, PG 46, 988 B, der von der „θεία ψυχή" seiner Schwester spricht; vgl. F. J. Dölger, „Herrschergewalt hat Gottes Macht", in: Antike und Christentum 3 (1932), S. 130.

[18] P. Batiffol, L'Église et les survivances du culte impérial (= L. Bréhier - P. Batiffol, Les survivances du culte impérial romain [Paris 1920], S. 5—33), S. 21; A. Kaniuth, a. a. O., S. 54 f.

seinen Emblemen und diesbezüglichen Inschriften;[19] e) als unvermeidliche Folge dieser Politik beginnt etwas später, im Jahre 331, eine neue, heftigere Phase des Vorgehens gegen das Heidentum. Die heidnischen Tempel sehen ihr Vermögen beschlagnahmt und manche von ihnen werden geschlossen.[20]

Die positiven Zeichen sind folgende: a) Ein gewisser Einfluß des Christentums auf die Gesetzgebung Konstantins d. Gr. Bezeichnend dafür ist folgende Bemerkung von J. Vogt: „Doch bleibt es bemerkenswert, daß die Gesetze, bei denen christlicher Einfluß sicher oder wahrscheinlich ist, zumeist der Zeit nach 320 angehören, also eben in die Jahre fallen, in denen die Verbundenheit des Kaisers mit dem Christentum auf allen Gebieten offen zutage tritt." [21] b) Seit 324 üben die Christen immer größeren Einfluß auf den Kaiser aus und beginnen allmählich, die Heiden in den höheren Verwaltungsstellen zu ersetzen.[22] In Rom selbst, dem Bollwerk des Heidentums, wo bis 325 kein einziger praefectus urbi Christ war, sind von den 10 praefecti urbi zwischen den Jahren 325 und 337 vier Christen oder mindestens christenfreundlich.[23] c) Die ganze Politik Konstantins gegenüber der christlichen Kirche seit 324 zeigt ihn als einen Kaiser, der an die Macht des Christentums glaubt und der das Bedürfnis empfindet, diese Macht zusammenzuhalten, damit ihr endgültiger Sieg leichter errungen werde. Unabhängig von den Gründen, die

[19] H. Usener, Sol invictus, Rheinisches Museum 60 (1905), S. 479; H. v. Schoenebeck, a. a. O., S. 92—(95—126)—130; J. Vogt, Constantinus (RAC), S. 327.

[20] J. Vogt, Constantinus (RAC), S. 348 mit der einschlägigen Literatur. Vgl. J. Geffcken, Der Ausgang des griechisch-römischen Heidentums, Religionswissenschaftliche Bibliothek, Bd. 6 (Heidelberg 1920), S. 95; A. Piganiol, L'Empereur Constantin, S. 179—186; ders., L'Empire Chretien (325—395) = Histoire romaine IV. 2 der Histoire Générale fondée par G. Glotz (Paris 1947), S. 40; F. Vittinghoff, Euseb als Verfasser der „Vita Constantini", Rheinisches Museum 96 (1953), S. 358 ff.

[21] J. Vogt, Constantinus (RAC), S. 357. Über die ganze Frage der Gesetzgebung Konstantins siehe ibid. S. 356—359 mit der einschlägigen Literatur.

[22] J. Vogt, a. a. O., S. 338—339.

[23] S. H. v. Schoenebeck, a. a. O., S. 78—79.

Konstantin zu dieser Politik brachten, steht die Tatsache fest, daß der Kaiser konsequent an dieser Politik festhält.[24] d) Die Münzen, von denen, wie oben gesagt, schon seit 322 die heidnischen Embleme und Zeichen verschwinden,[25] tragen seit 326 die ersten einwandfrei christlichen Abbildungen,[26] die in den Emissionen der Jahre 330 und 333 wiederholt werden.[27] e) In derselben Zeit tritt ein Ereignis ein, das von besonderer Wichtigkeit für die Beurteilung Konstantins d. Gr. in seinem Verhältnis zum Christentum ist, wie auch für die allgemeinere Betrachtung der Frage, die uns hier beschäftigt. Ich meine den Fall des Tempels in Hispellum.[28]

Konstantin d. Gr. erlaubte die Errichtung eines heidnischen Tempels in dieser Stadt auf den Namen der „gens Flavia", also der kaiserlichen Dynastie, jedoch unter der ausdrücklichen Bedingung,

[24] S. J. Vogt, a. a. O., S. 338—348 mit der einschlägigen Literatur.

[25] H. v. Schoenebeck, a. a. O., S. 58.

[26] H. v. Schoenebeck, a. a. O., S. 60. — Ich lasse andere vorhergegangene „spontane" Erscheinungen von christlichen Abbildungen, wie z. B. den Miliarensis „salus reipublicae" von Wien und Petersburg (s. H. v. Schoenebeck, a. a. O., S. 63 ff.) und das Silbermedaillon von Ticinum in München (darüber neulich K. Kraft, Das Silbermedaillon Constantins d. Gr. mit dem Christusmonogramm auf dem Helm, Jahrbuch f. Numism. u. Geldgeschichte 5/6 [1954/5], S. 151—178) beiseite. Ich übergehe auch das Zeichen „X" am oberen Rande der Brigetiotafel, das W. Seston, Recherches sur la chronologie du règne de Constantin le Grand, Rev. d. Études Anciennes 34 (1937), S. 214 f., als den Anfangsbuchstaben des Christusnamens annimmt. Darüber, wie auch über die Datierung dieses (Zusatz-)Teils der Brigetioinschrift und über die Frage nach dem Urheber dieser Inschrift, s. R. Egger, Aus dem Leben der donauländischen Wehrbauern, Anzeiger d. Österr. Ak. d. Wiss., Phil.-hist. Kl. 86 (1949), S. 7 f.

[27] H. v. Schoenebeck, a. a. O., S. 61.

[28] Die Inschrift von Hispellum datiert zwischen den Jahren 326—337, aller Wahrscheinlichkeit nach zwischen 326—333. Eine genauere Datierung ist bis jetzt nicht möglich geworden; s. Th. Mommsen, Epigraphische Analekten Nr. 9 (= Gesammelte Schriften Bd. 8 [Berlin 1913], S. 24—45), S. 31—32; V. Schultze, Untersuchungen z. Gesch. Konstantin's d. Gr., Zeitschr. f. Kirchengesch. 7 (1885), S. 361. Vgl. jedoch A. Piganiol, Notes épigraphiques. I. L'inscription d'Hispellum, Revue d. Étud. Anciennes 31 (1929), S. 139—141; ders., L'Empire Chrétien, S. 62, A. 81.

daß dieser Tempel nicht durch den Trug irgendeines ansteckenden Aberglaubens befleckt werde.[29]

Diese Beschränkung bedeutet aber nicht, daß darüber „... jeder denken konnte, was er wollte",[30] noch „liegt lediglich eine jener bewußten Zweideutigkeiten vor, durch die Constantin den religiösen Zustand ‚in der Schwebe zu halten' suchte",[31] sondern, wie

[29] „... ea observatione perscripta, ne aedis nostro nomini dedicata cuiusquam contagiosae superstitionis fraudibus polluatur" = CIL XI. 2 Nr. 5265; vgl. Th. Mommsen, Epigraph. Analekten, S. 26; H. Dörries, a. a. O., S. 209 ff.

[30] J. Burckhardt, Die Zeit Constantins d. Gr.³ (Leipzig 1898), S. 382.

[31] F. Stähelin, Constantin d. Gr. und das Christentum, Zeitschr. f. Schweizer. Gesch. 17 (1937), S. 411. — Ich kann mich auch nicht der Meinung A. Alföldis anschließen, nach dem der Fall Hispellum keinesfalls beweist, daß sich Konstantins Einschränkungen gegen den heidnischen Kult richteten (= The Conversion of Constantine and Pagan Rome [Oxford 1948], S. 106: "Hispellum ist) ... a case of changing the name without changing the fact. Temple and priest belong only to divine beings ..."). Die Tatsache, daß der Kult seines wesentlichen Elements, der Darbringung von Opfern, entbehrt, beweist besser als alles andere, daß der Kaiser darin nicht mehr "temple and priest" sehen will, sondern Überbleibsel eines alten Aberglaubens, den der christliche Herrscher zum Verschwinden bringt, aber nicht etwa durch eine gewaltsame Aktion, sondern durch die sichere Methode der Säkularisierung und der „Entreligionisierung". Vgl. O. Hirschfeld, Zur Geschichte des römischen Kaisercultes, Sitzungsber. d. k. Preuss. Akad. d. Wiss. (Berlin 1888), S. 861, der in dem Falle Hispellum von einem „indifferenten Priestertum" spricht. — Die Bezeichnung übrigens des alten Kultes von seiten des Kaisers als „contagiosae superstitionis fraudes" zeigt deutlich die Einstellung Konstantins gegenüber dem alten Glauben und seinem Kult. Wenn nun A. Alföldi, a. a. O., S. 106, trotzdem sagt: "... it is all to no purpose that he (Konstantin) reviles the cults of polytheism as 'deceit of infectious superstition', contagiosae superstitionis fraudes, for he allows a temple to be set up to the gens Flavia ...", so ist es klar, daß ihm die volle Tragweite der Aktion Konstantins und seiner Worte entgeht. Vgl. auch J. Geffcken, a. a. O., S. 93: „... aber wenn der Kaiser in seinen Erlassen von der Haruspizin als seinem Aberglauben, einem Brauche der Vergangenheit redet, so kennzeichnet dies Wort unzweideutig seine Stimmung".

Gegen die Meinung A. Alföldis spricht übrigens auch folgendes:

viele andere Forscher schon angenommen haben, waren damit gemeint entweder die Äußerungen des heidnischen Kultes überhaupt [32] oder des Kaiserkultes insbesondere.[33]

Dieser Punkt ist, wie erwähnt, von besonderer Wichtigkeit, da damit das Kriterium bestimmt wird, auf Grund dessen eine heid-

1. Konstantin d. Gr. hatte die Darbringung von Opfern verboten: C. Th. 16. 10. 1—321; C. Th. 16. 10. 2—341: „Cesset superstitio, sacrificiorum aboleatur insania. Nam quicumque contra legem divi principis *parentis nostri* ...“; vgl. Eusebios, V. Const. IV. 23 (126. 2 f. I. Heikel); Theodoret v. Kyros, Kirchengeschichte², V. 21 (317. 11 ff. L. Parmentier - F. Scheidweiler). 2. Die Söhne Konstantins d. Gr., an deren Haltung dem Christentum gegenüber es keinen Zweifel gibt, erlauben die Erhaltung heidnischer Tempel ausschließlich zur Organisation von Spielen und zur Zerstreuung des Volkes = C. Th. 16. 10. 3—342: „Quamquam omnis superstitio penitus eruenda sit, tamen volumus, ut aedes templorum, quae extra muros sunt positae, intactae incorruptaeque consistant. Nam cum ex nonnullis vel ludorum vel circensium vel agonum origo fuerit exorta, non convenit ea convelli, ex quibus populo Romano praebeatur priscarum sollemnitas voluptatum.“ Diese Absicht der Kaiser wird wiederholt und deutlicher ausgedrückt in einem Gesetz der Kaiser Gratian, Valentinian II. und Theodosios I. = C. Th. 16. 10. 8—382: „... Ut conventu urbis et frequenti coetu videatur, experientia tua omni votorum celebritate servata auctoritate nostri ita patere templum permittat oraculi, ne illic prohibitorum usus sacrificiorum huius occasione aditus permissus esse credatur.“ Wir sehen also eine „Entkultisierung“ der Tempel, die nur dazu da sind, um als Sammelpunkt des Volkes bei den Spielen zu dienen.

[32] Th. Mommsen, Epigr. Analekten, S. 37; vgl. O. Seeck, Geschichte des Untergangs der antiken Welt I² (Berlin 1897), S. 471; J. Geffcken, a. a. O., S. 94; E. Stein, Geschichte des spätrömischen Reiches (Wien 1928), S. 149; H. Dörries, a. a. O., S. 211; vgl. auch J. Vogt, Constantinus (RAC), S. 355.

[33] V. Schultze, Untersuchungen ..., S. 364—365: „Schon seit dem J. 319 (C. Th. 9. 16. 1) wird in kaiserlichen Gesetzen der Ausdruck superstitio für die heidnische Religion und ihre Lebensäußerungen gebraucht. In diesem Falle bestimmte sich der genaue Inhalt des Wortes deutlich durch den Zusammenhang, in dem es genannt, und die Lokalität, auf die es bezogen wird. Die einzige Superstition, zu welcher das in Frage stehende Gebäude Veranlassung geben konnte, war der Kaiserkult in der üblichen Form, in welcher er sich schon seit längerer Zeit fixiert hatte.“

nische Kultäußerung geduldet werden konnte. Dieses Kriterium — und das ist noch wichtiger — kann sich aber nicht auf eine religiös neutrale Staatstheorie gründen — denn ihr müßte jede loyal-religiöse Äußerung recht sein —, sondern nur auf eine christliche Theorie. Darin liegt also die besondere Wichtigkeit der Aktion Konstantins: er geht von christlichen Grundsätzen aus, um zu bestimmen, ob eine heidnische Kultäußerung geduldet werden kann.

Aber außer den bisher erwähnten Zeichen seiner Wandlung, die alle von Konstantin d. Gr. selbst ausgehen, gibt es auch andere, die von den Heiden oder von seiner Umgebung im allgemeinen kommen.

So erklärt Zosimos, worin er aller Wahrscheinlichkeit nach Eunapios folgt, den Übertritt des Kaisers zum Christentum, der nach ihm im Jahre 326 stattgefunden haben soll, so, daß Konstantin, von Gewissensbissen geplagt, für die Verbrechen, die er gegen seinen Sohn Crispus und gegen Fausta begangen hatte, seine Zuflucht zum Christentum nahm, weil diese Religion allein ihm Entsühnung und Erlösung von seinen Sünden geboten habe.[34]

Das Wichtige an dieser Nachricht ist, daß die Heiden der Meinung sind, daß Konstantin mindestens vom Jahre 326 an die heidnische Tradition verworfen und sich dem Christentum zugewandt habe.[35]

Aber wie der Kaiser von seiner Umgebung betrachtet wurde, kann durch eine Bemerkung von H. v. Schoenebeck verdeutlicht werden. Zu dieser gaben ihm einige Gedichte Anlaß, die Optatianus Porfyrius,[36] ein Mitglied der römischen Aristokratie, Konstantin

[34] Zosimos: II. 29 (85. 9 ff. L. Mendelssohn); vgl. J. Burckhardt, a. a. O., S. 381; A. Piganiol, L'Empire Chrétien, S. 37, A. 67; J. Vogt, Constantin d. Gr., S. 256; E. Ewig, Das Bild Constantins d. Gr. in den ersten Jahrhunderten des abendländischen Mittelalters, Histor. Jahrbuch 75 (1956), S. 1—2. — Vgl. auch W. Seston, L'opinion païenne et la conversion de Constantin, Rev. d'Hist. et de Philos. religieuses 16 (1936), S. 258 f.

[35] Ob aufrichtig oder nicht, das interessiert uns bei der vorliegenden Untersuchung nicht.

[36] S. Optatianus Porfyrius carmina, ed. E. Kluge (Leipzig 1926).

d. Gr. anläßlich seiner Vicennalien im Jahre 325 widmete. Diese Gedichte sind Figurengedichte, die das Christogramm enthalten, einmal sogar mit einem christlichen Sinnspruch.[37]

Optatianus war aber, wie aus anderen seiner Gedichte hervorgeht, in seinem christlichen Bekenntnis nicht aufrichtig, und deshalb bemerkt H. v. Schoenebeck dazu: „Das Ganze ist eine der üblichen Liebedienereien und besagt viel für Constantin — wenig für den Autor, der zu den opportunistischen Freunden des Christentums jener Tage gehört. Mit geringen Ausnahmen mag dies in dem nach außen christenfreundlichen hohen römischen Beamtenadel die Regel gewesen sein." [38]

Aber die Tatsache, daß heidnische Aristokraten der Überzeugung sind, daß sie nur, wenn sie sich als Christen ausgeben und dem Kaiser Gedichte mit christlichen Symbolen und Sinnsprüchen widmen, ihm schmeicheln und seine Gunst erfahren können, beweist besser als alles andere, wofür man den Kaiser hielt.

Nach alledem dürfen wir wiederholen, daß Konstantin seit 324 eine Richtung einschlug, die ihn immer mehr vom Heidentum weg- und zum Christentum hinführte.[39] Der Gott Helios liegt nunmehr so fern und ist vom Kaiser so vergessen,[40] Daß Eusebios sich seiner bedienen kann, wenn er später in rhetorischen Vergleichen den Kaiser preisen will,[41] ohne Angst haben zu müssen, daß er im

[37] S. Abbildung einer Seite eines solchen Figurengedichtes bei J. Vogt, Constantin d. Gr., neben S. 257, aus E. Kluge, a. a. O., Abb. XXIV.

[38] H. v. Schoenebeck, a. a. O., S. 75—76.

[39] Ich wiederhole: das Gesagte bezieht sich auf die *Politik* Konstantins gegenüber Heidentum und Christentum. Ob dieser Gang auch eine innere Wandlung bedeutet, interessiert bei der vorliegenden Untersuchung nicht.

[40] Julian der „Apostata" klagt Konstantin an, er habe den Gott-Helios verlassen (= s. J. Vogt, Kaiser Julian über seinen Oheim Constantin d. Gr., Historia 4 [1955], S. 345). Die Bedeutung dieser Worte Julians drückt J. Vogt, a. a. O., S. 345, A. 1, folgendermaßen aus: „Für das in der modernen Forschung umstrittene Verhältnis des Kaisers zu Helios ist die klare Angabe Julians, Constantin habe den Gott (Helios) verlassen, aller Beachtung wert."

[41] Eusebios, Tricenn. III. (201. 7 u. 13 I. Heikel) u. pass.; vgl. auch ders., V. Const. I. 41 (27. 3 I. Heikel), I. 43 (28. 8) u. pass.

Gedächtnis desselben wie auch seiner Umgebung unerfreuliche Erinnerungen auffrischen könnte.[42]

Aus dem Gesagten ergibt sich, daß die Meinung, Konstantin der Große sei im Jahre 328 oder 330 bereit gewesen, sich selbst mit Gott Helios identifizieren zu lassen, wie Th. Preger annimmt, doch ein „Paradoxon" sein dürfte.[43]

[42] Vgl. H. Dörries, a. a. O., S. 347.

[43] Hier aber muß auch von einer anderen Konstantinstatue die Rede sein, die als Einwand gegen das Gesagte erhoben werden könnte. Es handelt sich um die kolossale Konstantinstatue in Rom, deren Fragmente heute im Hof des Konservatorenpalastes aufbewahrt werden. R. Delbrueck, Spätantike Kaiserporträts (= Studien z. spätantiken Kunsgeschichte, 8) (Berlin-Leipzig 1939), S. 121 ff., datiert diese Statue um das Jahr 330 (vgl. H. P. L'Orange, Studien z. Geschichte d. spätantiken Porträts [Leipzig 1933], S. 63, der die Statue in die Jahre nach 325 setzt) und behauptet, daß sie als ein Zeichen einer persönlichen Apotheose Konstantins gelte = a. a. O., S. 128: „über die Art der Apotheose des Colosses läßt sich sagen, daß der Kaiser als seine eigene vergöttlichte Person erschien". — Dieser Standpunkt würde nicht viel für eine angebliche Identifizierung Konstantins mit Helios bedeuten, da die persönliche Apotheose eine Identifizierung mit einem anderen Gott ausschließt. So sagt R. Delbrueck, a. a. O., S. 128: „Wäre er (Konstantin) einem der großen Götter angeglichen, so käme vor allem Helios-Apollo ... in Frage, der einen Strahlenkranz tragen müßte; zu diesem paßt aber die an dem Kopf erhaltene Spur nicht ... Ebenso erscheint auf den verglichenen Medaillons Constantinus nicht als ein bestimmter Gott, sondern in persönlicher Apotheose". — Aber auch diese Annahme ist nach den Arbeiten von H. Kähler, Konstantin 313, Jahrbuch d. Deutsch. Archäol. Inst. 67 (1952), 1—32, bes. 10 ff. widerlegt. H. Kähler leugnet nämlich den Fall einer persönlichen Apotheose, indem er behauptet (a. a. O., S. 29), daß die Statue „... in der erhobenen Rechten das heilbringende Zeichen hielt ...". — Vor allem aber, und das ist das Wichtigste, datiert H. Kähler (a. a. O., S. 23—24, 29) die Statue zwischen 313—315. Vgl. auch den Aufsatz von H. Grégoire, La statue de Constantin et le signe de la croix, L'Antiquité classique 1 (1932), S. 135—143, der wohl leugnet, daß die Statue ein Kreuz hielt, sie aber in die Jahre gleich nach dem Sieg an der Milvischen Brücke datiert (a. a. O., S. 138). — Es ist offensichtlich, daß eine so früh datierte Statue nichts mit der vorliegenden Arbeit zu tun hat.

Wenn nun auch andere Gelehrte dieses Paradoxon annehmen, so geschieht es, weil sie sich der Meinung Pregers anschließen, ohne dieselbe zu prüfen, und zugleich bereit sind, Anachronismen zu machen.

So ist es bei den oben erwähnten Gelehrten und auch bei L'Orange, der nach der Erforschung von Münzen der Jahre 309—322 durch einen zeitlichen Sprung in seiner Beweisführung zur Beurteilung der Konstantinstatue gelangt und die diesbezügliche Meinung von Th. Preger ungeprüft und ohne Bedenken zu äußern übernimmt.[44]

So äußert sich auch J. Vogt: „... bemerkenswert ist, daß Constantinus, der den Namen Invictus abgelegt hat, im Kaiserbild der offiziellen Kunst doch wiederholt den Zusammenhang mit dem Sonnengott zugelassen hat", indem er zugleich Beispiele dafür aus den Jahren 310 und 315 anführt.[45] Gerade deshalb aber sieht er sich gleich nachher gezwungen, Konzessionen zu machen, die freilich seine frühere Behauptung widerlegen, denn die Frage ist nicht, ob Konstantin im Jahre 310 oder 315 ein Anbeter des Helios war, sondern ob er noch im Jahre 328 oder 330 ein solcher gewesen ist: „Eine unlösbare Bindung an diesen Gott (Sonne) darf man allerdings für die späteren Jahre daraus nicht erschließen, *zumal in den zahlreichen Äußerungen des Kaisers aus dieser Zeit nichts in diese Richtung weist.*" [46]

Unter solchen Umständen wird aber eine neue Untersuchung und kritische Betrachtung der Quellen, auf denen die Theorie von Th. Preger beruht, ein unumgängliches Bedürfnis, dem nach Möglichkeit stattgegeben werden soll.

4. Die Theorie von Th. Preger umfaßt zwei Teilfragen: einerseits die Frage nach der Identifizierung Konstantins d. Gr. mit Gott Helios in der Statue des Forum Constantini und andererseits die Frage nach der kultischen Verehrung, die die christlichen Untertanen des Kaisers dem „Gott" Konstantin-Helios dargebracht haben und die er auch angenommen haben soll.

[44] H. P. L'Orange, Sol Invictus Imperator, in: Symbolae Osloenses 14 (1935), S. 113—114.

[45] J. Vogt, Constantinus (RAC), S. 355.

[46] J. Vogt, Constantinus (RAC), S. 355.

Beim Versuch, die erste Frage zu beantworten, zeigt sich alsbald, daß die Annahme von Th. Preger, Konstantin habe eine Statue, die ursprünglich den Helios darstellte, auf seinen Namen umgetauft, keine direkte Bestätigung in den Quellen findet. In diesen ist die Rede entweder von einer Statue des Kaisers ohne nähere Bestimmung,[47] oder von einer Statue Apollons, die der Kaiser in eine Statue seiner selbst umarbeiten ließ.[48] Auf Grund folgender Belege: a) einer Nachricht des Hesychios Illustrios (1. Viertel des 6. Jahrhunderts): „ἐφ' οὗπερ (Säule) ἱδρῦσθαι Κων/νον ὁρῶμεν δίκην Ἡλίου προλάμποντα τοῖς πολίταις"; [49] b) einer Mitteilung von Joh. Malalas (6. Jahrhundert): „... καὶ ἐπάνω τοῦ αὐτοῦ κίονος ἑαυτῷ ἔστησεν ἀνδριάντα, ἔχοντα ἐν τῇ κεφαλῇ αὐτοῦ ἀκτῖνας ἑπτά"; [50] c) der Auskunft schließlich, die zuerst von Theophanes (9. Jahrhundert) gegeben wird, daß die Statue eine Kugel in der Hand hielt,[51] kam Th. Preger zu dem Schluß, daß die Konstantinstatue ursprünglich eine Statue des Helios gewesen sein müsse: „Weltkugel und Strahlenkranz charakterisieren die Figur deutlich genug: es ist Helios." [52]

Nun, was das erste Zeugnis betrifft, ist es klar, daß der Satz „... ὁρῶμεν δίκην ἡλίου προλάμποντα ..." auf keinen Fall bestätigt, daß hier eine Identifizierung Konstantins mit Helios vorliegt, zu-

[47] Theodoret v. Kyros, Kirchengeschichte²: I. 34 (90. 10 L. Parmentier-F. Scheidweiler); Philostorgios, Kirchengeschichte: II. 17 (28. 4 J. Bidez); Sokrates, I. 17 (PG 67, 120); Hesychios Illustrios, 41 (SOC. 17. 10 Th. Preger); Joh. Malalas, 312. 9 BC.; Chron. Paschal., 528. 9, 573. 9 BC.; Theophanes, 28. 25 C. de Boor; Georgios Monachos, II. 500. 5 C. de Boor; Patria Kon/leos, I. 45 (SOC. 138. 10 Th. Preger); Leon Grammatikos, 87. 13 BC.; Georgios Kedrenos, I. 518. 1, 564. 22 BC.; Anon. Bruxel. a (18. 18 F. Cumont); Theodoros Skutariotes, 187. 1 (= Synops. Satha = Mesaionike Bibliotheke VII. 1—556); Michael Glykas, 464. 9 BC.; Nikeph. Kall. Xanthopulos, 7. 49 (PG 145, 1325).

[48] Patria Kon/leos, 45 (SOC. 174. 1 Th. Preger); Georg. Kedrenos, II. 742. 16 BC.; Anna Komnene, XII. 4. 5 (III. 66. 17 B. Leib); Zonaras, III. 18. 2 BC.

[49] 41 (SOC. 17. 10 Th. Preger).

[50] 312. 12 BC.

[51] 126. 2 C. de Boor.

[52] Konstantinos, S. 459.

mal diese Statue nach der Überlieferung[53] vergoldet war und, auf hoher Säule nach Osten gerichtet, freilich das erste Sonnenlicht widerstrahlen mußte.[54] Es handelt sich um eine rhetorische Wiedergabe des Eindrucks, den die leuchtende Statue auf die Zuschauer machte.[55]

Diesen schwachen Punkt seines Argumentes nimmt auch Th. Preger selbst wahr und führt, um seine Theorie zu stützen, ein Zeugnis von Leon Grammatikos (Anfang des 11. Jahrhunderts) an, der berichtet, daß die Statue folgende Inschrift trug: „Κωνσταντίνῳ λάμποντι ἡλίου δίκην".[56]

Er behauptet nun, daß Hesychios Illustrios mit seinen Worten den Sinn eben dieser Inschrift wiedergebe.[57]

Aber dieses Argument ist nicht unanfechtbar. Zeugnisse über eine Inschrift der Statue überliefern uns auch Konst. Rhodios (10. Jahrhundert), wie auch die späteren Georgios Kedrenos und Nikephoros Kallistos Xanthopulos. Die von ihnen überlieferten Inschriften haben einen christlichen Text.[58]

Th. Preger behauptet nun, daß diese Inschriften unecht seien.[59] Ich gebe zu, daß dies möglich ist. Aber warum sollen denn alle

[53] S. z. B. Konstantinos Rhodios, v. 69 (= E. Legrand-Th. Reinach, Description des œuvres d'art et de l'église des St. Apôtres de Constantinople, poème en vers iambiques par Constantin le Rhodien [Paris 1896], S. 7; s. auch S. 41). Eine neue Ausgabe des Konstantinos Rhodios bereitet G. Downey vor; s. G. Downey, Constantine the Rhodian: His Life and Writings, Late Classical and Mediaeval Studies in Honor of A. M. Friend, Jr. (Princeton 1955), S. 212—221.

[54] Anna Komnene, XII. 4. 5 (III. 66. 17 B. Leib).

[55] Zu diesem Zeugnis des Hesychios vgl. auch die Bedenken J. Straubs, der im übrigen Anhänger der Pregerschen Meinung ist (Herrscherideal, S. 247, A. 249).

[56] Leon Grammatikos, 87. 17 BC., Theodosios Melitinos, 69 (F. Tafel).

[57] Th. Preger, Konstantinos, S. 460 und 462.

[58] Konstantinos Rhodios, v. 67 ff. (S. 7 E. Legrand-Th. Reinach); Nikeph. Kall. Xanthopulos, 7. 49 (PG 145, 1325). — Georgios Kedrenos speziell, wenn er aus Konstantinos Rhodios schöpft (I. 564. 22 ff. BC.), erwähnt einen christlichen Inschriftentext; wenn er aber aus Leon oder aus einer mit ihm gemeinsamen Quelle schöpft, erwähnt er eine Inschrift, die der bei Leon erwähnten ähnlich ist (I. 518. 1 ff. BC.).

[59] Th. Preger, Konstantinos, S. 463.

anderen Inschriften falsch und nur die von Leon überlieferte echt sein?

Zunächst weicht nämlich der Wortlaut der von ihm überlieferten Inschrift von dem Schema der griechischen Weihinschriften ab; darüber hinaus aber ist das Vorhandensein einer Inschrift in griechischer Sprache auf einem öffentlichen Platz in der Zeit Konstantins d. Gr. höchst unwahrscheinlich.[60] Diese Überlegung ist der Haupteinwand gegen das Bestehen der Inschrift, den zuzugestehen sich auch Th. Preger gezwungen sieht.[61]

Wir gehen jetzt über zur Frage der „Strahlen", die die Statue am Haupt gehabt haben soll. Sie sind zuerst bei Joh. Malalas erwähnt.[62] Dazu ist gleich zu bemerken, daß in keiner anderen früheren oder mit Joh. Malalas zeitgenössischen Quelle von „Strahlen" die Rede ist. Nach Joh. Malalas erwähnen das ›Chronicon Paschale‹ und Georgios Monachos (aus dem 7. bzw. 9. Jahrhundert) ausdrücklich „Strahlen".[63] Es ist aber bekannt, daß diese Quellen aus Joh. Malalas schöpfen.[64] Auch Leon Grammatikos erwähnt „Strahlen", aber in einer nicht sehr klaren Weise.[65]

Die „Patria" aus dem 10./11. Jahrhundert berichten, die Konstantinstatue hätte „... ἐν τῇ κεφαλῇ ἥλους ἐκ τῶν τοῦ Χριστοῦ δίκην ἀκτίνων ..."[66] Diese Nachricht wiederholt Joh. Zonaras aus der Mitte des 12. Jahrhunderts, und zwar noch konkreter: „... τῇ κεφαλῇ τούτου τινὰς τῶν ἥλων ἐναρμοσάμενος, οἳ τὸ σῶμα τοῦ Κυρίου προσεπαττάλευσαν τῷ σωτηρίῳ σταυρῷ ..".[67]

[60] Vgl. J. Vogt, Constantinus (RAC), S. 351: „Doch ist diese Formulierung (der Inschrift) unglaubwürdig, da ihr Wortlaut aus dem Schema der griechischen Weihinschriften herausfällt, und überdies in der Stadt Constantinus' an einem so offiziellen Bauwerk eine lateinische Inschrift zu erwarten wäre." — Die Arbeit von A. Frolow, Rev. Hist. Relig. 127 (1944), S. 65 ff. ist mir nicht zugänglich gewesen.

[61] Konstantinos, S. 462—3.

[62] 312. 12 BC.: „... ἔχοντα ἐν τῇ κεφαλῇ αὐτοῦ ἀκτῖνας ἑπτὰ ...".

[63] Chron. Paschal. 528. 12 BC. — Georgios Monachos, II. 505. 5 ff. C. de Boor.

[64] S. z. B. G. Moravcsik, Byzantinoturcica, I. (Budapest 1942), S. 122, 146.

[65] 87. 13 f. BC.

[66] II. 45 (SOC. 174. 10 Th. Preger).

[67] III. 18. 2. BC.

Anna Komnena, welche die Statue gut gekannt haben muß, da sie schon 23 Jahre alt war, als diese infolge eines heftigen Gewitters stürzte und zerbrach, und die Statue in allen Einzelheiten beschreibt,[68] erwähnt keine „Strahlen". Offensichtlich gab es solche in ihrer Zeit nicht. Aber auch keine der früheren Quellen, die ja allerlei erwähnen, wie z. B. den Sturz der Lanze, den Sturz der Kugel, den Sturz eines Teiles der Säule, erwähnt etwas von einem Sturz der „Strahlen".

Mit den oben erwähnten Nachrichten der „Patria" und des Zonaras über die Nägel des Heiligen Kreuzes, die im Kopf der Statue gesteckt hätten, dürfen wir vielleicht andere Auskünfte früherer Quellen zusammenbringen.

So berichtet der heilige Ambrosius, in den Juwelenkranz, den Konstantin d. Gr. von seiner Mutter geschickt bekommen habe, seien die Nägel vom Kreuze Christi eingefügt gewesen: „Misit (Helena) itaque filio suo Constantino diadema gemmis insignitum, quas pretiosior ferro innexas crucis redemptionis divinae gemma connecteret." [69] Dem hl. Ambrosius folgen Sokrates und andere spätere Quellen.[70]

Unabhängig von den Schwierigkeiten, die das Problem der Kreuzauffindung aufgibt,[71] könnte man nach den obigen Nachrichten vermuten, daß die angeblichen „Strahlen" der Statue in Wirklichkeit nichts anderes gewesen seien als Metallplatten, vielleicht vergoldete, die zur Bildung des neuartigen Juwelenkranzes des Kaisers dienten.[72]

[68] XII. 4. 5 (III. 66. 17 B. Leib). — Vgl. D. Lathoud, La consécration . . ., S. 307.

[69] De obit. Theod. 47 (PL 16, 1465); vgl. ibid. 47 (PL 16, 1464): „Quaesivit clavos, quibus crucifixus est Dominus, et invenit . . . de altero diadema intexuit".

[70] Sokrates, I. 17 (PG 67, 120); Theophanes, 26. 23 C. de Boor; Michael der Syrer, VII. 2 (I. 246 J.-B. Chabot).

[71] Darüber zuletzt J. Vogt, Constantinus (RAC), S. 372—374 mit der einschlägigen Literatur.

[72] Vgl. A. Alföldi, Insignien und Tracht der römischen Kaiser, Mitteilungen d. Deutsch. Archäol. Inst., Römische Abteil. 50 (1935), S. 40: „Aber als die Reformen des Constantinus diese herkömmlichen Formen

Damit völlig klar wird, was ich meine, wollen wir uns an den Kopf Konstantins d. Gr. aus Niš erinnern, der einen Juwelenkranz trägt, welcher einem Strahlenkranz erstaunlich ähnlich sieht.[73]

Die Frage nach den Strahlen auf dem Kopf der Statue läßt eine zweite auftauchen, nämlich die, ob die Statue unverändert aufgestellt oder ihr Kopf durch den Konstantins ersetzt wurde.

Th. Preger vertritt, seiner Annahme von der Identifizierung Konstantins mit Helios in dieser Statue gemäß, die Meinung, daß dieselbe so aufgestellt worden sei, wie sie ursprünglich war.[74] J. Burckhardt nimmt genau das Gegenteil an und benützt dabei die Gelegenheit, eine spöttische Bemerkung über Konstantin zu machen.[75]

M. E. darf man annehmen, daß die Statue sowohl unverändert aufgestellt, wie auch, daß ihr Kopf durch den des Kaisers ersetzt werden konnte. Aber aller Wahrscheinlichkeit nach wurden manche Änderungen vorgenommen, die in der Aufsetzung eines neuen Kopfes oder eines Juwelenkranzes und in der Beifügung einer Lanze und einer Kugel bestanden haben.

Diese zweite Annahme hat folgendes für sich: a) Die Tatsache, daß Konstantin auch an anderen Statuen Änderungen vornehmen ließ.[76] Er war also einer solchen „Pietätlosigkeit" fähig. b) Das

beiseite geschoben, ergibt sich die überraschende Tatsache, daß die häufigste und wichtigste Form des neuen Diadems nichts anderes als ein in den Juwelenstil übertragener Kranz ist". — Vgl. die Bemerkung R. Delbruecks, Spätantike Kaiserporträts, S. 60, daß das Juwelenkranzdiadem auf den Münzen erst seit 328 erscheint.

[73] Siehe darüber R. Delbrueck, a. a. O., S. 119—121.

[74] Konstantinos, S. 460, A. 1.

[75] Die Zeit Constantins d. Gr., S. 445: „... wie denn Constantin einem Apollscoloß seinen eigenen rundlichen Porträtkopf aufsetzte, damit er auf der ... großen Porphyrsäule prange". — H. Leclercq, Colonnes historiques (F. Cabrol-H. Leclercq, Dictionnaire d'archéologie chrétienne et de liturgie, III., S. 2338—2339), S. 2339, nimmt an, daß die Statue auch von Julian und von Theodosios I. umgearbeitet wurde; er führt jedoch keine Belege dafür an.

[76] S. Zosimos, II. 31 (88. 21 ff.); vgl. B. Stephanidis, Ὁ Μ. Κωνσταν-

Zeugnis von Joh. Tzetzes, nach dem der Kopf der Statue zu seiner Zeit im Kaiserpalast aufbewahrt wurde.[77]

Th. Preger glaubt, daß der Kopf, von dem Joh. Tzetzes spricht, eben der ursprüngliche Kopf der Statue war, der nach deren Sturz intakt geblieben sein soll.[78] Es fragt sich aber, ob es möglich ist, daß der Kopf nach einem Sturz von einer Höhe von über 40 Meter, der die ganze Statue zerstörte, nicht gelitten hat.[79]

Das Gesagte bildet aber nicht die einzige Schwierigkeit für die Annahme der Pregerschen Theorie. Joh. Malalas erwähnt außer den „Strahlen" noch etwas anderes, was Th. Preger zwar bemerkt,[80] woraus er aber nicht die entsprechenden Schlüsse gezogen hat. Bei der Aufzählung der Schäden, die das Erdbeben von 554 in Konstantinopel verursachte, sagte Joh. Malalas nämlich unter anderem: „. . . ἐν αὐτῷ δὲ τῷ φόβῳ ἔπεσεν ἡ λόγχη, ἣν ἐκράτει τὸ ἄγαλμα τὸ ἐν τῷ φόρῳ Κωνσταντίνου . . ." [81]

Helios aber wird nie mit einer Lanze abgebildet.[82] Folglich müssen wir annehmen, daß entweder die Statue ursprünglich nicht den Helios darstellte, oder daß sie Ergänzungen und Änderungen erfuhr. Sowohl aber die eine wie auch die andere Möglichkeit sprechen nicht für eine Neigung von seiten des Kaisers, sich mit Helios identifizieren zu lassen, sondern vielmehr für sein Bemühen, gerade die entgegengesetzte Richtung einzuschlagen.[83]

τῖνος καὶ ἡ λατρεία τῶν αὐτοκρατόρων, Ἐπετ. Ἑταιρ. Βυζ. Σπουδ. 8 (1931), S. 219.

[77] Joh. Tzetzes, Chil. VIII. 192 v. 338 ff. (295 T. Kiessling): „Ἡ κεφαλὴ δ' Ἀπόλλωνος αὐτῷ τῷ Παλατίῳ . . ." Vgl. Th. Preger, Konstantinos, S. 459—60.

[78] Konstantinos, S. 460.

[79] R. Delbrueck, Antike Porphyrwerke (= Studien z. spätantiken Kunstgeschichte, 6) (Berlin-Leipzig 1932), S. 142, berechnet die Höhe der Säule allein auf 36 Meter.

[80] Konstantinos, S. 458.

[81] Joh. Malalas, 487. 2 BC.; vgl. Theophanes, 222. 28 C. de Boor.

[82] S. O. Gruppe, Griech. Mythologie und Religionsgeschichte 2 (München 1906), S. 1765, s. v. Helios, Z(eichen). Vgl. auch die Arbeit von K. Schauenburg, Helios. Archäologisch-mythologische Studien über den antiken Sonnengott (Berlin 1955).

[83] Nach dem Wegfall der Lanze scheint ein Szepter in die Hand der

Aber auch das andere Argument Th. Pregers, das sich auf die Kugel stützt, die die Statue trug, ist nicht sicher.

Die Kugel erwähnt, wie schon gesagt, zuerst Theophanes,[84] der zeitlich etwa 5 Jahrhunderte von der Zeit der Errichtung der Statue enfernt ist. Alle früheren Quellen wissen nichts von ihr.

In der Zeit nach Theophanes erwähnt Anna Komnena die Kugel, doch so, als ob sie nachträglich der Statue beigefügt worden wäre: „Περὶ τὰ μέσα τοῦ Κωνσταντίνου φόρου, χαλκοῦς τις ἀνδριὰς ἵστατο καὶ πρὸς ἀνατολὰς ἀπέστραπτο ἐπὶ πορφυροῦ κίονος περιόπτου, σκῆπτρον μὲν κατέχων τῇ δεξιᾷ (nicht mehr Lanze!!), τῇ δὲ λαιᾷ σφαῖραν ἀπὸ χαλκοῦ κατασκευασθεῖσαν".[85]

Der spätere Nikephoros Kallistos Xanthopulos sagt, daß die Kugel aus Gold gemacht worden war und daß sie ein Kreuz trug, das Konstantin daraufgesetzt habe.[86]

Th. Preger umgeht diese Schwierigkeit,[87] indem er ganz einfach sagt, daß das Kreuz, wenn es überhaupt ein solches gab, ein nachträglicher Zusatz sein müsse.[88] Das ist richtig. Aber warum könnte dann eigentlich nicht auch die ganze Kugel ein nachträglicher Zusatz sein, zumal sie erst 500 Jahre nach der Errichtung der Statue zum erstenmal erwähnt wird? Und wo wären in einem solchen Fall die Embleme, an denen Th. Preger so sicher den Gott Helios erkannte?

Aus den bisherigen Ausführungen wurde klar, daß die Argumente Th. Pregers, was den von ihm verteidigten Standpunkt der Identifizierung Konstantins mit dem Helios betrifft, weder unanfechtbar noch über alle Kritik erhaben sind.

In Anbetracht dieser Tatsache ist man berechtigt einzuwenden, daß es wenig angängig sei, allein auf solche anfechtbare Zeichen

Statue gefügt worden zu sein = Anna Komnene XII. 4. 5 (III. 66. 17 B. Leib); vgl. Th. Preger, a. a. O., S. 458.

[84] 126. 2 C. de Boor.

[85] XII. 4. 5 (III. 66. 17 B. Leib).

[86] 7. 49 (PG 145, 1325).

[87] Konstantin = Gott-Helios mit Kreuz!!

[88] Th. Preger, a. a. O., S. 458.

und Argumente eine so folgenreiche Theorie aufzubauen, zumal diese, wie wir sahen, dem Verlauf der Ereignisse widerspricht.

5. Aber wollen wir uns auch mit dem zweiten Teil der Pregerschen Theorie beschäftigen, nach dem Konstantin das Objekt einer kultischen Verehrung von seiten seiner christlichen Untertanen geworden sein soll.

Die Belege, die Th. Preger zur Unterstützung seiner Meinung anführt, sind folgende: a) zunächst eine Nachricht aus den ›Parastaseis syntomoi chronikai‹, aus dem 8./9. Jahrh.: „Ἡ στήλη ἡ ἐν τῷ φόρῳ πολλὰς ὑμνῳδίας ἐδέξατο. Ἐν αὐτῇ τὸ πολίτευμα καὶ Ὀλβιανὸς ἔπαρχος καὶ οἱ σπαθάριοι, οἱ κουβικουλάριοι καὶ μόνον καὶ σιλεντιάριοι μετὰ κηρῶν λευκῶν ὀψικεύσαντες, λευκὰς στολὰς ἀμφότεροι περιβεβλημένοι, ἀπὸ τὸ καλούμενον ἀρτίως Φιλαδέλφιν, τότε δὲ προτείχισμα καλούμενον ..., ἀνήνεγκαν ἐποχουμένην εἰς καρούχαν· ὡς δὲ ὁ Διακρινόμενός φησιν, ὅτι ἐκ τῆς καλουμένης Μαγναύρας. Ἐν οἷς ἐν τῷ φόρῳ τεθεῖσα καὶ πολλάς, ὡς προείρηται, ὑμνῳδίας δεξαμένη εἰς τύχην τῆς πόλεως προσεκυνήθη παρὰ πάντων, ἐν οἷς καὶ τὰ ἐξέρκετα· ἔσχατον πάντων τότε ὑψοῦτο ἐν τῷ κίονι, τοῦ ἱερέως μετὰ τῆς λιτῆς παρεστηκότος καὶ τὸ „Κύριε ἐλέησον" πάντων βοώντων ἐν ρ' μέτροις ... τότε εὐφημίσθη ἡ πόλις κληθεῖσα Κωνσταντινούπολις, τῶν ἱερέων βοώντων· „εἰς ἀπείρους αἰῶνας εὐόδωσον ταύτην Κύριε ..."; [89] b) ein Zeugnis des Theodoret von Kyros: „... καὶ μαθεῖν ὅπως τῶν ὅλων ὁ πρύτανις γεραίρει τοὺς εὔνους θεράποντας. Εἰ δέ τις ἐκείνοις διαπιστεῖ, τὰ νῦν περὶ τὴν ἐκείνου θήκην καὶ τὸν ἀνδριάντα γινόμενα βλέπων πιστευσάτω τοῖς γεγραμμένοις ..." [90]; c) schließlich eine Auskunft des Photios, der berichtet, daß Philostorgios die Christen anklagt: „... τὴν Κωνσταντίνου εἰκόνα, τὴν ἐπὶ τοῦ πορφυροῦ κίονος ἱσταμένην, θυσίαις τε ἱλάσκεσθαι καὶ λυχνοκαΐαις καὶ θυμιάμασι τιμᾶν καὶ εὐχὰς προσάγειν ὡς θεῷ καὶ ἀποτροπαίους ἱκετηρίας τῶν δεινῶν ἐπιτελεῖν. ..." [91].

Zu diesen Belegen ist folgendes zu bemerken: Zunächst sind die Nachrichten der ›Parastaseis‹ so verworren, daß überhaupt nicht

[89] 56 (SOC. 56. 7 Th. Preger); vgl. Patria Kon/leos II. 49 (SOC. 177. 13 Th. Preger).

[90] Kirchengeschichte²: I. 34 (90. 9 f. L. Parmentier-F. Scheidweiler).

[91] Kirchengeschichte: II. 17 (28. 4 f. J. Bidez).

sicher ist, ob die „στήλη ἡ ἐν τῷ φόρῳ“, die von allen als die Tyche der Stadt verehrt und die aus dem Philadelpheion oder aus der Magnaura ins Forum transportiert wurde, wirklich so einfach und so ohne weiteres mit der Konstantinstatue identifiziert werden kann.[92]

Zweitens, sollte die Nachricht der ›Parastaseis‹ wirklich die Konstantinstatue betreffen, so bleibt doch immer gewiß, daß die erwähnte Stelle nicht von einer kultischen Verehrung der Statue spricht, sondern von einer einfachen adoratio und in der Folge von einem Einweihungsfest, wie solche bis heute in der Ostkirche üblich sind.

Was die beiden anderen Zeugnisse anbelangt, so ist die Nachricht von Theodoret sehr vage und jedenfalls erwähnt auch er keine kultische Verehrung; die Auskunft des Photios dagegen enthält wahrscheinlich manche Übertreibungen, die entweder auf Philostorgios zurückzuführen sind,[93] oder vielmehr auf Photios selbst, der diese dem „θεομάχος“ Philostorgios vorwirft, um ihn noch mehr zu belasten. Auf jeden Fall ist der Originaltext der betreffenden Stelle des Philostorgios nicht erhalten, und es wäre nicht vernünftig, der Aussage des Photios eine besondere apodeiktische Bedeutung beizumessen.

Aber unabhängig davon ist zu diesem Punkt noch auf eine schwerwiegende Tatsache zu verweisen, die der Aufmerksamkeit von Th. Preger entgangen ist. Diese Tatsache besteht darin, daß sowohl Theodoret wie auch Philostorgios zeitgenössische Zustände darlegen, d. h. Zustände frühestens des ersten Viertels des 5. Jahrhunderts und nicht Zustände der Zeit Konstantins. Dies hat schon J. Vogt bemerkt.[94]

Nun ist diese Erwägung für uns von besonderer Bedeutung, da Konstantin bekanntlich sehr früh, schon im 4. Jahrhundert, von den

[92] Zwei verschiedene Statuen z. B. nehmen Banduri und J. Strzygowski an (zitiert nach Th. Preger, Konstantinos, S. 465, A. 1); vgl. J. Vogt, Constantinus (RAC), S. 352; A. Frolow, Rev. Hist. Rel. 127 (1944), S. 79—80 (= mir nicht zugänglich; zitiert nach J. Vogt, a. a. O., S. 352).

[93] So z. B. L. Bréhier, Les survivances . . ., S. 39—40; vgl. J. Geffcken, a. a. O., S. 279, A. 27 zu S. 94.

[94] Constantinus (RAC), S. 351.

Ostchristen als Heiliger anerkannt wurde,[95] und folglich seine Verehrung als Heiliger solche Äußerungen erlaubte [96].

Diese Äußerungen erhielten sich natürlich auch in späteren Zeiten, wie Konstantinos Porphyrogennetos bezeugt, der erwähnt, daß im Sockel der Konstantinsäule sogar eine Kirche auf den Namen des hl. Konstantin errichtet worden sei.[97]

6. Aus den bisherigen Ausführungen ist vielleicht klargeworden, daß die Theorie Th. Pregers auf keinen zureichenden Gründen beruht. Auf Grund der von Th. Preger angeführten Argumente kann weder die Identifizierung Konstantins mit Gott Helios angenommen werden, noch ist die Behauptung, Konstantin hätte sich als Gott verehren lassen, haltbar.

Es ist im Gegenteil sehr bezeichnend, daß sich Konstantin vor allem bemühte, die heidnischen Institutionen von religiös-kultischen Elementen zu reinigen,[98] und es ist ebenso bezeichnend, daß er ungefähr in der gleichen Zeit, in der ihm vorgeworfen wird, er hätte sich selbst mit Gott Helios identifizieren lassen, den Tempel dieses Gottes in Heliopolis in Phoinike schließen ließ,[99] wie daß er etwas früher schon die Einkünfte eines anderen Tempels des Helios in Konstantinopel beschlagnahmte.[100]

Diese seine Bemühungen lassen noch ein anderes Moment erkennen, das gewöhnlich von den Gelehrten nicht gebührend betont wird: Konstantin bestimmt damit das Kriterium, auf Grund dessen

[95] F. Cabrol-H. Leclercq, Dictionnaire III, S. 2688.

[96] J. Vogt, a. a. O., S. 351; B. Stephanidis, Ὁ Μ. Κωνσταντῖνος . . ., S. 225.

[97] Konst. Porph., De caer. I (23. 31 A. Vogt/30. 1 f. I. Reiske); II. 6 532. 5 f. I. Reiske); vgl. D. Lathoud, La consécration et la dédicace de Constantinople, Échos d'Orient 23 (1924), S. 308; H. Dörries, Das Selbstzeugnis . . ., S. 418, A. 1; s. auch H. Fichtenau, Byzanz und die Pfalz zu Aachen, Mitteilungen d. Inst. f. Österr. Gesch. 59 (1951), S. 32.

[98] Vgl. den Fall des Hispellum-Tempels, oben S. 491 ff.

[99] F. Cabrol-H. Leclercq, Dictionnaire III, S. 2633.

[100] Joh. Malalas, 324. 1 ff. BC.; J. Geffcken, a. a. O., S. 95; vgl. A. Piganiol, L'Empire Chrétien, S. 49, A. 7; dagegen H. v. Schoenebeck, a. a. O., S. 87, der die Auskunft Malalas' leugnen möchte.

eine Äußerung als kultisch beurteilt werden kann: Die Darbringung von Opfern, der Vollzug der religiösen Mysterien, das allein gibt einer religiösen Handlung den kultischen Charakter.[101]

Wenn wir dieses Kriterium auf die christlichen Verhältnisse anwenden,[102] dann müssen wir zu dem Schluß kommen, daß allein die Messe, das Sakrament an „Gott-Konstantin" und entsprechend an jeden einzelnen seiner Nachfolger der Beweis der Vergöttlichung des Kaisers in Byzanz wäre.

An ein solches Verlangen dachte aber kein Kaiser in Byzanz und am allerwenigsten der „Diener Gottes" Konstantin, wie andererseits auch keiner seiner Untertanen ihm etwas Derartiges anzubieten dachte.[103]

[101] J. Vogt, Constantinus (RAC), S. 355: „Für eine letzte Beurteilung aller Formen der Kaiserverehrung unter Constantinus bleibt es doch wichtig, daß er das wesentliche Element des Kaiserkults, die Darbringung der Opfer, beseitigt hat." Vgl. zur Bedeutung der Opfer jetzt auch die Bemerkungen J. Straubs, Konstantins Verzicht auf den Gang zum Kapitol, Historia 4 (1955), S. 306.

[102] Und wir müssen es tun, da Th. Preger behauptet, *Christen* hätten Konstantin göttliche Verehrung dargebracht.

[103] Die von Th. Preger, Konstantinos, S. 466 ff. erwähnten anderen Fälle einer angeblichen Identifizierung Konstantins mit Helios und einer Verehrung des Kaisers in den Festlichkeiten, mit denen unter Konstantin selbst und später die Einweihung Konstantinopels gefeiert wurde, entbehren nach den vorhergegangenen Ausführungen jeden Grundes. Th. Preger selbst sagt (a. a. O., S. 468): „Es scheint da eine Confusion vorzuliegen, die ich nicht zu lösen vermag." Wenn er aber trotzdem auf der Identifizierung und Vergöttlichung Konstantins auf Grund dieser Belege besteht, so tut er das, indem er für einwandfrei bewiesen hält, daß die Konstantinsäule eine Identifizierung des Kaisers mit Helios darstellte (a. a. O., S. 468): „... ist leicht zu erklären, wenn wir an die Statue auf der Porphyrsäule denken: der Kaiser war eben wieder als Helios dargestellt". — Wie oben gezeigt, ist aber gerade die Identifizierung Konstantins mit Helios in der Konstantinstatue so unsicher und anfechtbar, daß sie als zureichender Grund zur Aufstellung einer neuen Annahme überhaupt nicht in Frage kommen kann.

Jahrbuch für Antike und Christentum 1 (1958), S. 94—104.

DIE KONSEKRATIONSMÜNZEN KAISER KONSTANTINS UND IHRE RELIGIONSPOLITISCHE BEDEUTUNG

Von Leo Koep

Eusebius von Kaisareia, Hofbischof, Historiograph und Vertrauter Konstantins des Großen, hat uns ein ausführliches Bild von den Feierlichkeiten übermittelt, die durch den Tod und das Begräbnis des ersten christlichen Kaisers zu Nikomedien im Jahr 337 veranlaßt waren[1]. Gegen Ende dieses Berichtes findet sich nun folgende Beschreibung einer aus jenem Anlaß geprägten Münze: „Alsbald wurden auch auf Münzen Bildnisse geprägt: auf der Vorderseite stellten sie den Seligen mit verhülltem Haupte, auf der Rückseite nach Art eines Wagenlenkers auf einem Viergespann dar, wie er von einer Hand, die sich ihm von oben entgegenstreckt, aufgenommen wird.“ [2]

Die von Eusebius also beschriebene Münze ist in zahlreichen Exemplaren auf uns gekommen. Sowohl aus der Legende der Vorderseite, die dem Kaisernamen die *Divus*-Titulatur zufügt[3], wie aus der Thematik ihrer Rückseite ergibt sich eindeutig, daß es sich dabei um eine sogenannte Konsekrationsmünze handelt, eine Münze also, die in den vorkonstantinischen Jahrhunderten aus Anlaß der *consecratio*, der Apotheose des römischen Kaisers[4], geschlagen zu werden pflegte.

Man muß sich vor Augen halten, daß beim Tode Konstantins,

[1] Euseb. v. Const. 4, 65/75 (GCS Eus. 1, 144/8 Heikel).

[2] Ebd. 4, 73 (147 f.): ἤδη δὲ καὶ νομίσμασιν ἐνεχαράττοντο τύποι, πρόσθεν μὲν ἐκτυποῦντες τὸν μακάριον ἐγκεκαλυμμένου τὴν κεφαλὴν σχήματι, θατέρου δὲ μέρους ἐφ' ἅρματι τεθρίππῳ ἡνιόχου τρόπον, ὑπὸ δεξιᾶς ἄνωθεν ἐκτεινομένης αὐτῷ χειρὸς ἀναλαμβανόμενον.

[3] Zum *Divus*-Titel vgl. L. Koep, Divus: RAC 3, 1251/7.

[4] Vgl. L. Koep, Consecratio II (Kaiserapotheose): RAC 3, 284/94.

des ersten christlichen Kaisers also, der kurz zuvor durch den Empfang der Taufe seine Zugehörigkeit zur christlichen Religion noch einmal öffentlich dokumentiert hatte[5], erstmals das Dilemma zwischen dem altüberkommenen Brauch der Divinisierung des toten Kaisers einerseits und der christlichen Ablehnung jeglicher Apotheose anderseits gegeben war[6]. Es soll nun untersucht werden, ob die Konsekrationsmünzen des Kaisers über dieses Dilemma und den Versuch seiner Bewältigung Auskunft geben[7]. Dazu wird es erforderlich sein, zunächst einen kurzen Überblick über die Formen der heidnischen Kaiserkonsekration, namentlich über die damit verbundene Münzprägung, zu bieten.

I

Der Tod der römischen Kaiser und ihrer Familienangehörigen war seit Cäsars Tod im Jahr 44 v. Chr. verbunden mit einem feierlichen Staatsakt, der den Toten offiziell unter die Staatsgötter, und zwar in die hierfür eigens geschaffene Klasse der *Divi* einreihte. Mit diesem Ritus der Apotheose des Herrschers hatte Rom die seit dem Tode Alexanders d. Gr. vom Osten her sich aufdrängenden Formen orientalischer Herrscherehrung übernommen, nicht ohne sie gleichzeitig auf typisch römische Weise einzuschränken: die *consecratio* wurde grundsätzlich nur dem toten Herrscher, nicht schon dem Lebenden zuteil; ferner war sie an einen Senatsbeschluß gebunden, der damit ein Urteil über das Vorleben des Kaisers abgab und die *consecratio* auch verweigern konnte[8]. Seit der Konsekra-

[5] Euseb. v. Const. 4, 62 (143). Zur Gestalt Konstantins d. Gr. vgl. J. Vogt, Constantinus d. Gr.: RAC 3, 306/79 mit reichen Literaturangaben. Neuerdings bringt L. Voelkl, Der Kaiser Konstantin (1957) 246/51 eine chronologisch geordnete Bibliographie der Konstantin-Literatur.

[6] Vgl. L. Koep, Consecratio I (allgemein): RAC 3, 276/8.

[7] Öfters kurz erwähnt, sind die konstantinischen Konsekrationsmünzen bisher nur untersucht worden von P. Bruun, The Consecration Coins of Constantine the Great: Commentationes in hon. E. Linkomies = Arctos, Acta Philos. Fennica NS 1 (1954) 19/31.

[8] Vgl. Tert. apol. 5, 1 (CC 1, 94): *vetus erat decretum ne qui deus ab imperatore consecraretur nisi a senatu probatus;* Koep a. a. O. 285.

tion des Augustus im Jahr 14 n. Chr. hatte sich für diesen Staatsakt ein mehr oder weniger festes Ritual herausgebildet. So war es Brauch, den toten Kaiser in feierlichem Zug zum Marsfeld zu geleiten und dort auf einem hohen Scheiterhaufen *(rogus)* zu verbrennen [9]. Dabei ließ man in Erinnerung an den Mythos des sich aus der Asche emporschwingenden Phönix [10] einen Adler, im Falle der kaiserlichen Damen einen Pfau [11], den Vogel der Juno, zum Himmel fliegen, um so die Auffahrt der neuen Gottheit in den Himmel sichtbar zu machen. Dem neuen *Divus* wurden Altäre errichtet und Opfer dargebracht.

Diesen Vorgängen entsprachen die bildlichen Darstellungen auf den Denkmälern [12], nicht zuletzt auf den aus Anlaß der Konsekration geprägten Konsekrationsmünzen. Hier werden etwa abgebildet der in mehreren Stockwerken aufgerichtete Scheiterhaufen; der den Toten zum Himmel tragende Genius oder Adler bzw. Pfau; die Auffahrt des Toten in einer von Pferden oder Elefanten gezogenen Biga oder Quadriga; ferner Altar und Tempel, Himmelsglobus, Palme, Kranz, Göttersessel, Diadem und ähnliches mehr. Auf den Münzen sind solche Rückseitenbilder oft mit der Legende CONSECRATIO umschriftet [13], während die Vorderseite den Kopf des Herrschers mit *Divus*-Titulatur und Namensumschrift zeigt.

Bis zum Regierungsantritt Konstantins waren derartige Bräuche immer wieder durchgeführt worden, wenn auch auf Grund des häufigen Herrscherwechsels und im Zuge einer immer stärker werdenden Skepsis dem Staatskult gegenüber von einem tieferen Glauben an die Vergottung des Herrschers weithin nicht mehr die Rede sein konnte. Es ist nun lehrreich, mit diesem mehr oder weniger

[9] Vgl. außer Koep a. a. O. vor allem E. Bickermann, Die römische Kaiserapotheose: ARW 27 (1929) 1/31. [In diesem Band S. 82 ff.]

[10] Vgl. J. Hubaux-M. Leroy, Le mythe du Phénix (Liège-Paris 1939) 214/52.

[11] Vgl. H. Stern, Le Calendrier de 354 (Paris 1953) 185 f.

[12] Vgl. Koep, Consecratio II: RAC 3, 288 f.

[13] Die Legende CONSECRATIO findet sich erstmals auf den Konsekrationsmünzen Trajans, zuletzt auf den für Constantius Chlorus geschlagenen Münzen.

feststehenden Ritual der Kaiserkonsekration die Feierlichkeiten beim Tode Kaiser Konstantins zu vergleichen, von denen Eusebius berichtet. Hier sollen nur die wichtigsten Ergebnisse dieses Vergleichs herausgestellt werden [14]: Fortgelassen wurde vor allem die Feuerbestattung, ferner die Apotheose im eigentlichen Sinne als Einreihung des Toten unter die Götter mit Opfer und Kulthandlungen. An ihre Stelle treten jetzt die Sarkophagbestattung im Mausoleum der Apostelkirche zu Konstantinopel, das der Kaiser sich selbst für sein Begräbnis hatte errichten lassen [15], und der christliche Totengottesdienst mit seinen Fürbitten für den verstorbenen Kaiser, die ihn, bei aller Ehrung und Erhebung, eindeutig gegenüber der Gottheit als Mensch kennzeichnen [16]. Beibehalten wurde in kluger Überlegung all das, was den Heiden lieb und gewohnt, den Christen aber zumutbar und verständlich sein konnte, so die Feierlichkeiten der Aufbahrung, der Totenklage, des Leichenzugs [17], ferner die Gewährung der *Divus*-Titulatur, die seit dem 3. Jh. ihren ausgeprägt heidnisch-religiösen Charakter verloren hatte und zum Ehrenprädikat geworden war [18]. Beibehalten wurde, diesmal noch — und damit kommen wir zum entscheidenden Teil dieser Untersuchung —, die Prägung von Konsekrationsmünzen. Zunächst sei die Beschreibung der erhaltenen Typen geboten.

II

Die von Eusebius beschriebene, in zahlreichen Exemplaren erhaltene Münze ist im Format eine Spur kleiner als unser Pfennig, also

[14] Die Begräbnisriten und ihre Problematik behandelt ausführlich A. Kaniuth, Die Beisetzung Konstantins d. Gr. (1941).

[15] Euseb. v. Const. 4, 60 (142).

[16] Ebd. 4, 71 (147).

[17] Zur Religionsgeschichte der Pompa vgl. L. Koep-E. Stommel-J. Kollwitz, Bestattung: RAC 2, 204/6. 212/15.

[18] Vgl. L. Koep, Divus: RAC 3, 1255 f. Kaniuth a. a. O. 49.66 f. hat auf CIL 6 Nr. 1151 hingewiesen, wo *divus* durch das „ursprünglich weit schwächere venerabilis" erläutert werde: *Divo ac venerabili principi Constantino.*

keineswegs ein sehr repräsentatives Stück, besonders wenn man sie mit den wesentlich größeren Konsekrationsmünzen des 1. und 2. Jh. vergleicht [19]. Dieses für eine Gedenkmünze unansehnliche Format erklärt sich vielleicht aus der allgemeinen Geldentwertung in den dreißiger Jahren des 4. Jh., die nicht zuletzt durch den kostspieligen Bau der im Jahr 330 eingeweihten neuen Reichshauptstadt Konstantinopel verursacht sein mochte. Die Vorderseite der konstantinischen Konsekrationsmünzen zeigt, auf allen Prägungen gleich, das nach rechts gewandte Kopfbild des Kaisers von einem über der Scheitelhöhe aufliegenden, zur Schulter herabfallenden Schleier verhüllt (Taf. 6a) [20]. Die Münzlegende der Vorderseite lautet: DV CONSTANTINVS PT AVGG. Während die *Divus*-Titulatur früher ausgeschrieben wurde, ist sie jetzt in den Münzstätten des Ostens zu DV gekürzt; die westlichen Münzstätten zu Lyon, Arles und Trier schreiben DIVO [21]. Unter den Motiven der Rückseite dieser für Konstantin geprägten Konsekrationsmünzen herrscht zahlenmäßig das von Eusebius beschriebene Motiv der Himmelfahrt des Kaisers vor (Taf. 6b) [22]. So gut es bei dem winzigen Format ging, hat der Künstler, mehr andeutend als im Detail ausführend, den Kaiser auf der von vier Rossen gezogenen Quadriga stehend dargestellt; auf dem Haupte den Helm tragend, zügelt er mit der Linken die Rosse und erhebt die Rechte zum Himmel, der Hand entgegen, die sich ihm von oben darbietet. Eine Beischrift fehlt.

Außerdem wurden noch drei weitere Motive für die Rückseite

[19] Sammlung und Beschreibung der klassischen Konsekrationsmünzen bei M. Bernhart, Handbuch zur Münzkunde der röm. Kaiserzeit (1926) 72/4. 265/7 u. Taf. 51/5.

[20] Taf. 6a nach J. Maurice, Numismatique Constantinienne 3 (Paris 1908/12) Pl. 3, 26 (Fund aus Nikomedien). [In diesem Band nicht abgedruckt.]

[21] Vgl. etwa ebd. 1, 497 f. (Trier), 2, 136 (Lyon) 2, 195 (Arles). — Zur Kürzung des *Divus*-Titels vgl. A. Alföldi, The Conversion of Constantine and pagan Rome (Oxford 1948) 117. Auf Trierer Münzen finden wir auch die Kürzung DIV, vgl. Maurice a. a. O. 1, 497 f.

[22] Taf. 6b nach Maurice a. a. O. 3 Pl. 3, 26 (Fund aus Nikomedien). [In diesem Band Taf. I b.]

dieser Münzen gewählt. Hiervon gehören zwei insofern zusammen, als auf ihnen eine weibliche Figur durch Beischriften interpretiert wird, die an das „Gedächtnis“ des verewigten Kaisers, an seine *memoria*, gemahnen. Das eine Mal steht in der Münzmitte eine verschleierte Frau mit verhüllten Händen aufrecht zwischen den beiden Buchstabengruppen VN und MR, die als VENERANDA MEMORIA zu lesen sind (Taf. 6c)[23]; das andere Mal hält die Frau in ihrer ausgestreckten Rechten eine Waage, die ihre Deutung findet in der im Halbkreis umgeschriebenen Buchstabengruppe IVST VEN MEM, zu lesen als IVSTA VENERANDA MEMORIA (Taf. 6d)[24]. Auf Exemplaren aus der Münzstätte Alexandrien sind übrigens dieser weiblichen Figur, deren Linke hier ein Szepter hält, Flügel appliziert (Taf. 6e)[25].

Der vierte und letzte Typ der konstantinischen Konsekrationsmünzen stellt das Rückseitenbild unter das Motto der als Umschrift geprägten Legende AETERNA PIETAS, ohne daß etwa diese Pietas selbst nun figürlich abgebildet wäre; vielmehr rahmt die Münzlegende ein Standbild des Kaisers ein, der, in der Gewandung eines Kriegsheros, mit der Rechten eine Lanze, in der Linken eine Kugel hält. Auf diesen Münzen ist bisweilen an unterschiedlichen Stellen als Beizeichen ein gleichschäftiges Schenkelkreuz aufgeprägt (Taf. 6f)[26].

Nachdem die vier verschiedenen Typen vorgeführt sind, soll nun versucht werden, die auf ihnen vorkommenden Motive religionsgeschichtlich einzuordnen und zu deuten.

[23] Taf. 6c nach ebd. 2 Pl. 16, 17 (Fund aus Kpel). [In diesem Band nicht abgedruckt.]

[24] Taf. 6d nach einem Gipsabdruck aus der Wiener Sammlung Voetter nr. 62349 (Fund aus Kpel), vgl. Maurice a. a. O. 2, 548. [In diesem Band nicht abgedruckt.]

[25] Taf. 6e nach einem Gipsabdruck aus der Wiener Sammlung Voetter nr. 56492 (Fund aus Alexandrien), vgl. Maurice a. a. O. 3, 281. [In diesem Band nicht abgedruckt.]

[26] Taf. 6f nach ebd. 2 Pl. 6, 27 (Fund aus Arles). [In diesem Band nicht abgedruckt.]

III

Bei Betrachtung der bei allen Typen gleichen Vorderseite stellt sich sofort die Frage nach der Bedeutung des den kaiserlichen Kopf verhüllenden Schleiers. Die Verschleierung des Hauptes begegnet auf den Konsekrationsmünzen der weiblichen Konsekrierten, der *Divae*, schon früh, wenn auch keineswegs regelmäßig; erstmals bei Vibia Sabina, der im Jahr 136 verstorbenen Gattin Hadrians[27]. Gibt der Schleier auf dem Haupte einer Frau, ihrer typischen Tracht zugehörig, kein Rätsel auf, so ist jedoch nach seiner Bedeutung zu fragen, wenn er den Kopf eines Mannes verhüllt, eines Mannes, der zu Lebzeiten auf den Münzen gewöhnlich mit dem Lorbeerkranz[28] oder, bis zu seiner Bekehrung, mit der Strahlenkrone abgebildet wurde[29]. Den Schleier um das Haupt eines männlichen *Divus* finden wir auf Konsekrationsmünzen freilich schon vor Konstantin: bereits sein Vater Constantius Chlorus, der im Jahr 306 starb und konsekriert wurde[30], wie auch der 310 verstorbene Maximianus wurden so dargestellt[31]. Die Bedeutung dieses den männlichen Kopf verhüllenden Schleiers ist bis heute nicht eindeutig geklärt[32]. P. Bruun möchte ihn aus der Opferpraxis römischer Kulte erklären, die dem Pontifex vorschrieb, das Haupt beim Opfer zu bedecken[33].

[27] Vgl. Bernhart, Handb. Taf. 51, 3 f. 9; 53, 5. Zum Schleier der *Divae* vgl. M. Wegner, Datierung römischer Haartrachten: JbInst 53 (1938) 292. 301. 315 f.

[28] Vgl. z. B. H. Cohen, Description des monnaies frappées sous l'Empire Romain 7² (Paris-London 1888) 318 nr. 759.

[29] Vgl. z. B. Maurice a. a. O. 1 Pl. 17, 16 u. ö. (Lorbeerkranz); die Strahlenkrone erscheint wohl letztmals auf einer Prägung vom Jahre 324, Maurice a. a. O. 1 Pl. 9, 3; dazu A. Alföldi, Insignien und Tracht der römischen Kaiser: RömMitt 50 (1935) 139/45, besonders 143.

[30] Vgl. Cohen a. a. O. 73 nr. 169; 74 f. nr. 185/9. Nach F. v. Schröter, Wörterbuch der Münzkunde (1930) 111, ohne Angabe von Funden, erscheint der Schleier auf Konsekrationsmünzen bereits seit dem 3. Jh.

[31] Vgl. Maurice a. a. O. 1 Pl. 17, 11 (Fund aus Rom); 19, 9 (Fund aus Ostia).

[32] Zur religionsgeschichtlichen Deutung des Schleiers vgl. H. Graillot, Velamen, Velamentum: DS 5, 670 f.; A. Oepke, κάλυμμα: ThWb 3, 560/2.

[33] Bruun a. a. O. 27. Zur Formel *capite velato* im römischen Kult vgl.

Hierfür wäre neuerdings etwa auf die bei Ausgrabungen in den Vatikanischen Grotten gefundene männliche, verschleierte Figur in einer Stucknische des Valeriergrabes hinzuweisen[34]. Diese Figur stellt jedoch den lebenden Pontifex beim Opfer dar, nicht aber den toten. Das Velum ist zwar ein Sinnbild der Apotheose, wenn es, wie oft auf antiken Sarkophagen, hinter dem Porträt des Toten ausgespannt erscheint, nicht aber damit schon auch in der Form des Kopfschleiers[35]. Wenn Bruun die von Paulus im 1. Korintherbrief gegebene[36] und später von Tertullian wiederholte[37] Vorschrift, der christliche Mann bete unverhüllten Hauptes, hier heranzieht, um die eindeutig pagane Herkunft dieses Schleiers darzutun, so ist dazu zu bemerken, daß es sich bei unserem Münzporträt nicht um die Darstellung des betenden Kaisers handelt, wie sie auf Münzen zu Lebzeiten Konstantins vorkommt[38]. Es ist ja doch das Porträt des verewigten Herrschers, und vielleicht hat man den Schleier als einen

etwa Cic. nat. deor. 2, 10: *ut quidam imperatores etiam se ipsos dis immortalibus capite velato ... devoverent;* ferner Act. Fr. Arval.: 5036 Dessau; Liv. 23, 19, 18; Sueton. Vitell. 2, 5; Curt. hist. Alex. 4, 13, 15.

[34] J. Toynbee-J. W. Perkins, The Shrine of St. Peter and the Vatican Excavations (London 1956) 84 f. u. Pl. 15.

[35] Vgl. F. De Ruyt, Études de Symbolisme funéraire: BullInstHistBelge Rome 17 (1936) 160/3; Toynbee-Perkins a. a. O. 57; Wilpert, Sarc. Tav. 170, 4; 174, 10; 179, 1 f. u. ö.

[36] 1 Cor. 11, 6 f. Dazu G. Delling, Paulus' Stellung zu Frau und Ehe (1931) 96/109; über die jüdischen Vorschriften vgl. Strack-Billerbeck 3, 424/6.

[37] Tert. apol. 30, 4 (CC 1, 141): *illuc sursum suspicientes Christiani manibus expansis, quia innocuis, capite nudato, quia non erubescimus ...;* Bruun beruft sich auf F. J. Dölger, Vorbeter und Zeremoniar: ACh 2 (1930) 241/51, der sich aber nur zum folgenden *sine monitore* äußert.

[38] Vgl. Euseb. v. Const. 4, 15 (1, 123); die Münzen sind abgebildet bei Maurice 3 Pl. 3, 3. 10 f. 23 f. u. ö. Man vgl. zur Gebetshaltung mit emporgerichtetem Blick auch das Relief der Sabina im Konservatorenpalast zu Rom, abgebildet bei H. Schrade, Zur Ikonographie der Himmelfahrt Christi: Vortr. Bibl. Warburg 1928/29 (1930) 102 f. Abb. 5. Zum Ganzen vgl. Dölger, Sol sal.[2] 301/20; H. P. L'Orange, Apotheosis in ancient portraiture (Oslo 1947) 19/27, wo der Himmelsblick schon auf Alexanderbildnissen nachgewiesen wird.

Hinweis auf das Jenseits zu verstehen, der sowohl Heiden wie Christen verständlich sein konnte [39]. Aus dem Bereich christlicher Vorstellungen darf daran erinnert werden, daß schon nach alttestamentlicher Ansicht die Begegnung des Menschen mit Gott jenen das Haupt zu verhüllen zwingt. Hierfür sei auf die Stelle im 1. Buch der Könige verwiesen, an der der Prophet Elias sich den Mantel über das Haupt zieht, als er dem Herrn begegnet [40], oder auch auf jene „Hülle", die Moses seit seiner Begegnung mit Gott über dem Haupte trug [41]. Jedenfalls ergibt sich für diesen Schleier keine eindeutige Erklärung, er erscheint vielmehr auf verschiedene Weise interpretierbar zu sein, und es lohnt sich, dies als Ergebnis festzuhalten.

Bei Betrachtung der Rückseiten der Konsekrationsmünzen Konstantins ist für den Quadriga-Typ zunächst festzustellen, daß die Fahrt in einer galoppierenden Quadriga mit dem Kaiser als Wagenlenker zwar ein beliebtes Motiv auf römischen Konsekrationsmünzen ist [42], auf denen es erstmals bei der Konsekration Kaiser Hadrians erscheint [43]. Aber es handelt sich deshalb keineswegs um ein Motiv, das nur auf Konsekrationsdenkmälern vorkommt; gerade auch Konstantin hat dieses Motiv schon zu seinen Lebzeiten auf

[39] Bei den Griechen ist die Verhüllung des Hauptes Zeichen der Trauer, vgl. schon Soph. Aiax 246; dazu Oepke a. a. O. 563 f.

[40] 1 Reg. 19, 13; dazu Gregor. M. hom. in Ez. 2, 1, 17 (PL 76, 948 A): Elias verhüllt sein Haupt, *quia animam carnis cura non possidet, sed stat in ostio, quia mortalitatis angustias exire meditatur.*

[41] Ex. 34, 33/5; 2 Cor. 3, 7/18.

[42] Eine Vorform dieser Himmelfahrtsdarstellung ist die Wagenfahrt des *Divus* auf dem von Pferden oder Elefanten gezogenen Wagen (der *Diva* auf dem *carpentum*) zur Konsekration auf dem Marsfeld, vgl. Bernhart a. a. O. Taf. 53, 7/13; 54, 1/9. Die Himmelfahrt des Divus wird auf anderen Münzen vor allem durch den Adler- oder Pfauenflug symbolisiert, vgl. ebd. Taf. 52, 1/6. 8/12, letztmals für Valerianus. Die emporschwebende Biga findet sich Taf. 54, 11 f., die auffahrende Quadriga ebd. 13; vgl. Maurice a. a. O. 1 Pl. 22, 8 (Konsekrationsmünze für Constantius Chlorus), auf der Quadriga der Sonnengott mit den Zügen des Kaisers; dazu V. Schultze, Die christlichen Münzprägungen unter den Konstantinen: ZKG 44 (1925) 333.

[43] Vgl. Bickermann a. a. O. 10.

Münzen prägen lassen [44], wobei ihn vermutlich die Vorliebe für den Sonnengott und seinen Wagen leitete [45]. In unserem Falle ist nun aber das Motiv eindeutig auf den toten Kaiser bezogen, nicht nur durch die *Divus*-Titulatur auf der Vorderseite der Münze, sondern durch die aus den Wolken herabreichende Hand, die den kaiserlichen Wagenlenker in den Himmel aufnehmen will. Dieses Münzbild ist also als eine ausgesprochene Himmelfahrtsdarstellung des Kaisers zu verstehen.

Diese Himmelfahrtssymbolik erklärt sich einerseits, wie oben kurz angedeutet, aus den heidnischen Konsekrationsvorstellungen. Anderseits war eine solche Darstellung den Christen in einem eigentlich christlichen Sinne verständlich; lasen sie doch in den Königsbüchern von jener geheimnisvollen Entrückung des Propheten Elias, der beliebtesten unter den alttestamentlichen Prophetengestalten, der ebenfalls in einem von feurigen Rossen gezogenen Wagen gen Himmel gefahren war [46]. Zur Illustration dieser biblischen Szene sei etwa auf ein ungefähr in die gleiche Zeit gehörendes Sarkophagfragment aus dem Lateranmuseum verwiesen, das die

[44] Vgl. Cohen a. a. O. 7, 318 nr. 757. 759.

[45] Vgl. die Darstellung des Sol in der galoppierenden Quadriga auf der östlichen Seite des Konstantinbogens: H. P. L'Orange-A. v. Gerkan, Der spätantike Bildschmuck des Konstantinbogens = Stud. z. spätantiken Kunstgesch. 10 (1939) 162/4 u. Taf. 38a; dazu H. P. L'Orange, Studies on the iconography of cosmic kingship in the ancient world (Oslo 1953) 148/53; Dölger, Sol sal. 374/6. Vgl. auch das Deckenmosaik in der Juliergruft unter St. Peter; O. Perler, Die Mosaiken der Juliergruft im Vatican (Freiburg Schw. 1953).

[46] 2 Reg. 2, 1/13; vgl. Sir. 48, 9. 12. Zur Nachwirkung der Gestalt des Propheten Elias vgl. Strack-Billerbeck 4, 2, 764/98; H. Leclercq, Elie, Elisée: DACL 4, 2, 2670/4. — Wie leicht jede Quadriga die Christen an Elias erinnern konnte, zeigt Tertullian. Der Wagenlenker im Zirkus ist vom Teufel als Gegenspieler des Propheten herausgeputzt: *quem curru rapiendum diabolus adversus Eliam exornavit* (spect. 23 [CSEL 20, 23]). Mit welchem Recht H. v. Schoenebeck, Die christliche Sarkophagplastik unter Konstantin: RömMitt 51 (1936) 277 im alttestamentlichen Eliasbericht „Reminiszenzen der heidnischen Apotheose" nachklingen hört, ist nicht einzusehen. Zum Elias-Wagen vgl. neuestens J. Daniélou, Le symbole baptismal du véhicule: Sciences Ecclésiastiques 10 (1958) 135/7.

Auffahrt des Elias zum Thema hat (Taf. 6g)[47]. Fördernd mußte für den Vergleich der heidnischen Deutung der zum Himmel fahrenden Quadriga mit der biblisch-christlichen auch die sprachliche Ähnlichkeit des Namens Elias mit der Bezeichnung des Sonnengottes, Helios, wirken, eine Ähnlichkeit, die Sedulius zu entsprechenden Versen reizte[48].

Über die auch vor Konstantin gebräuchlichen Darstellungen der Quadrigafahrt des *Divus* hinaus findet sich nun auf den Konsekrationsmünzen des Kaisers jene aus den Wolken herabreichende Hand, die den Kaiser bei seiner Auffahrt aufnehmen will. Man kann zur Erklärung dieser göttlichen Hand auf heidnische Vorstellungen, namentlich aus dem syrischen Kultraum des Gottes Sabazios, hinweisen[49]. In dem zu Ehren seines Vaters Constantius Chlorus vor Konstantin gehaltenen Panegyricus vom Jahre 313 wird ausdrücklich gesagt, der tote Kaiser sei *Iove ipso dexteram porrigente* in den Himmel aufgenommen worden[50]. Dem Christen bieten sich aber auch für die Erklärung der Hand Gottes genug Stellen aus der Hl. Schrift an, die von der „starken Hand Gottes" sprechen[51], in der „die Seelen der Gerechten geborgen sind"[52]. Daß

[47] Wilpert, Sarc. Tav. 190, 3 (Fragm. 149 aus dem Museum Lateranense); vgl. ebd. Tav. 190, 6. [In diesem Band nicht abgedruckt; doch vgl. Taf. II d.]

[48] Sedul. pasch. carm. 1, 179/87 (CSEL 10, 29); besonders 184/7: *quam bene fulminei praelucens semita caeli / conuenit Heliae! meritoque et nomine fulgens / hac ope dignus erat; nam si sermonis Achiui / una per accentum mutetur littera, sol est.* Vgl. dazu F. J. Dölger, Das Sonnengleichnis in einer Weihnachtspredigt des Bischofs Zeno von Verona ...: ACh 6 (1950) 51/6.

[49] Vgl. Bruun a. a. O. 28 f.; F. J. Dölger, Ichthys 2, 276₃.

[50] XII Paneg. lat. 165 (113 Baehrens); vgl. Schrade a. a. O. 109/15.

[51] Ex. 13, 3. 14 u. ö.; vgl. 1 Reg. 18, 46: „des Herren Hand über Elias"; ferner Aristob.: Euseb. praep. ev. 8, 10, 8 (2, 293 Gaisford): ὥστε αἱ χεῖρες ἐπὶ δυνάμεως νοοῦνται θεοῦ. — Auf dem Exodusbild in der Synagoge von Dura-Europos ist die Hand Gottes in den Wolken zu sehen; C. H. Kraeling, The Synagogue = The Excavations at Dura-Europos Final Report 8, 1 (New Haven 1956) Pl. 53. Damit ist klar, daß die jüdische Diasporakunst die Hand Gottes als Symbol seines allmächtigen Eingreifens zu verwenden gewohnt war. In einem anderen Zusammenhang erscheint die Hand der Gottheit, den lebenden Kaiser bekränzend, auf dem

solche Metaphern schon den frühchristlichen Vätern geläufig waren, zeigt ein Text bei Irenaeus, der bezeichnenderweise an der Stelle, wo er von der Entrückung des Henoch und Elias spricht, den Gedanken hinzufügt: „Denn von jenen Händen (Gottes), durch die sie ursprünglich gebildet waren, wurden sie nun auch entrückt und aufgenommen.“ [53] Das entspricht genau der Darstellung von Konstantins Himmelfahrt auf seiner Konsekrationsmünze [54].

Die Betrachtung der Rückseitenbilder der drei anderen Münztypen zeigte, daß in allen Fällen eine für die Deutung von Bild und Intention wichtige Münzlegende beigegeben ist. Dabei zielte die Erwähnung der *Memoria* ebenso wie die der *Pietas* auf die Bewahrung des lebendigen Gedächtnisses an den toten Kaiser durch die die Münzen prägenden Söhne. Als Münzlegende erscheint das Wort MEMORIA schon auf den Gedenkmünzen, die Konstantin für seinen Vater Constantius Chlorus im Jahre 306 prägen ließ [55]; dort fehlt freilich eine allegorische Personifikation des Begriffes, wie wir sie auf Konstantins Konsekrationsmünzen finden.

bekannten Goldmedaillon v. J. 330/33, vgl. Alföldi, Insignien 55 f.; W. Ensslin, Das Gottesgnadentum des autokratischen Kaisertums der frühbyzantinischen Zeit: Studi Byzantini e Neoellenici 5 (1939) 157. Zum Ganzen vgl. L'Orange, Studies 153/65; H. Leclercq, Main: DACL 10, 1, 1206/9.

[52] Sap. 3, 1.

[53] Iren. adv. haeres. 5, 1, 5 (2, 330 Harvey): δι' ὧν γὰρ χειρῶν ἐπλάσθησαν τὴν ἀρχὴν, διὰ τούτων τὴν μετάθεσιν καὶ ἀνάληψιν ἐλάμβανον.

[54] Vgl. auch die nun auf den Himmelfahrtsbildern Christi oft erscheinende Hand Gottes, schon auf dem Münchener Elfenbein aus dem 4./5. Jh., bei Schrade a. a. O. 89/96; ferner den auf die Himmelfahrt bezogenen Text des apokryphen 12-Apostel-Evangeliums: nous vîmes le Seigneur Jésus, qui étendit sa main, la fit monter sur le char de lumière qui le portait (PO 2 [Paris 1907] 181 Revillout). Auch die Aufnahme Adams in den Himmel wird nun unter der Handreichung Gottes geschildert, vgl. Ev. Nicod. A 8, 2: *extendens dominus dexteram Adae ascendit ab inferis* (403 Tischendorf).

[55] Maurice a. a. O. 1, 382 Pl. 22, 7; vgl. ferner Prägungen für Maxentius (ebd. 1 Pl. 19, 1 f. 9), Maximianus (ebd. 3 Pl. 4, 9) u. a.: dazu Bruun a. a. O. 21.

Hier muß angemerkt werden, daß schon seit dem Ende des 3. Jh. auf den Münzbildern allegorische Figuren um so beliebter sind, als sie an religiösem Inhalt verloren haben; es sei z. B. an Münzen mit der Darstellung der *Gloria, Salus, Virtus, Victoria* u. ä. erinnert [56]. Inzwischen aber waren diese Personifikationen längst zu allegorischen Metaphern verblaßt, so daß die alexandrinische Münzstätte der *Memoria* ohne Schwierigkeit die Flügel der *Victoria* zufügen konnte [57]. Von der altrömischen Vorstellung einer Göttin *Pietas*, die als weibliche Gestalt gerne mit einem Knäblein und einem Storch auch auf Münzen dargestellt wurde und das innige Vertrauen zwischen Eltern und Kindern versinnbilden sollte [58], aber durch die Gebetshaltung zugleich die Frömmigkeit gegenüber den Göttern symbolisiert, ist auf unserer *Pietas*-Münze nichts zu finden; es sollte wohl lediglich der Gedanke der Sohnes- und Gefolgschaftstreue der Konstantinssöhne zum Ausdruck gebracht werden. Die Pflege der *memoria* gegenüber den Toten ist aber ebenso wie der Begriff der kindlichen Ehrfurchtshaltung gegenüber den Eltern heidnischem wie christlichem Ethos gleich selbstverständlich.

Immerhin muß aber vermerkt werden, daß gerade der die Legende PIETAS aufweisende Münztyp mit dem Standbild Konstantins Münzmeistern der Münzstätten Lyon und Arles, die dem christlichen Glauben anhingen, Anlaß bot, zur Herosfigur des Kaisers ein Kreuz als christliches Beizeichen hinzuzufügen [59]. Es han-

[56] Vgl. K. Regling, Münzwesen: PW 16, 1, 486; L. Deubner, Personifikationen: Roscher, Lex. 3, 2, 2082. 2154. 2161. 2163 f. — Die Anwendung der Formel *augustae ac venerandae memoriae* auf Konstantin wohl noch zu seinen Lebzeiten findet sich bei Firm. Mat. math. 1, 10, 13 (1, 37 f. Kroll-Skutsch): *Constantinus scilicet maximus divi Constantini filius augustae ac venerandae memoriae princeps ... Romanum orbem ... sustentat.*

[57] Vgl. Kaniuth a. a. O. 67 f.; K. Prümm, Religionsgeschichtliches Handbuch für den Raum der altchristl. Umwelt (1943) 647₇.

[58] Vgl. C. Koch, Pietas: PW 20, 1, 1221/32 (die Konsekrationsmünze Konstantins ist nicht erwähnt); Wissowa, Rel. 331 f.; Prümm a. a. O. 88. Zur Münzlegende PIETAS vgl. Bernhart a. a. O. 1, 81/3.

[59] Vgl. unsere Taf. 6f, ferner Maurice a. a. O. 2 Pl. 4, 25. Unsere Münze erscheint mit und ohne Kreuzchen in der 4. und 5. Emissionsserie.

delt sich bei solchen Beizeichen noch nicht um eine Erweiterung der bildlichen Thematik im christlichen Sinne, und es wäre falsch, solche vereinzelt auftauchenden Münzen mit dem Kreuz als Beizeichen schon deshalb als eigentlich „christliche" Prägungen anzusehen. Davon könnte man nur dann sprechen, wenn sich die Beifügung des Zeichens im offiziellen, staatlichen Auftrag erweisen ließe[60]. Daß die meisten Münzen kein solches Zeichen aufweisen, wie auch die Tatsache, daß andere Beizeichen (Buchstaben, kleine Sterne, Palmzweige u. ä.) ohne eindeutig christlichen Sinn vorkommen, verbietet eine solche Annahme[61]. Vielleicht aber wollten die christlichen Münzmeister damit eine heidnische Interpretation der Kaiserdarstellung durch die Christen abfangen.

Es bleibt nun noch zu fragen, welche Auskunft der dargelegte Befund über die Religionspolitik des Kaisers und seiner Söhne zu geben vermag[62].

IV

Vergleicht man die Konsekrationsmünzen für Konstantin den Großen mit den für seine heidnischen Vorgänger geprägten Stükken, so ist zunächst festzustellen, daß von den vielen mit der Konsekration gegebenen Symbolen nur wenig beibehalten wurde. Gerade die beliebtesten, auf den Vorgang der heidnischen *consecratio* hinweisenden Motive sind verschwunden. So fehlen vor allem der

[60] In der römischen Kaiserzeit liegt das Münzrecht allein beim Kaiser, vgl. Regling a. a. O. 483. Es bleibt staatliches Monopol, vgl. H. Kraft, Kaiser Konstantins religiöse Entwicklung = BeitrHistTheol 20 (1955) 25.

[61] Zur Bedeutung der Emissionszeichen vgl. G. Bruck, Die Verwendung christlicher Symbole auf Münzen von Constantin I bis Magnentius: Numism. Zeitschrift 76 (1955) 26/30; Kraft a. a. O. 17. Auch auf unseren VENERANDA-MEMORIA-Münzen kommen bisweilen ähnliche Zeichen vor, vgl. Maurice a. a. O. 2 Pl. 6, 17 (Sternchen). Zu Astralzeichen auf Münzen vgl. noch F. Cumont, Recherches sur le Symbolisme funéraire (Paris 1942) 241; A. Grabar, L'empereur dans l'art byzantin (Paris 1936) 227.

[62] Die Bedeutung der Münzen für die Erforschung der Religionspolitik Konstantins betont Kraft a. a. O. 7.

Scheiterhaufen und der Adler-Flug, zwei Symbole, die beide die Verbrennung des Toten voraussetzen [63]; diese aber war, wie Eusebius berichtet, auf ausdrückliche Anordnung des Kaisers selbst durch die Sarkophagbestattung im Mausoleum der Apostelkirche zu Konstantinopel abgelöst worden [64]. Ferner sind Tempel und Altar, die an den Kult des neuen *Divus* erinnern sollten, von den Münzen verschwunden: der christliche Kaiser empfängt nach seinem Tode keinerlei kultische Verehrung als Gott; vielmehr ist er durch seinen Tod unmittelbar nach Empfang der Taufe in die Schar der christlichen Seligen eingereiht und hat, wie Eusebius sagt, Anteil an den Fürbitten der Kirche [65]. Das Fehlen der genannten eindeutig heidnischen Symbole ist um so gewichtiger, als sie noch auf den von Konstantin für seinen verstorbenen Vater geschlagenen Münzen vorkamen [66].

Anderseits konnten wir für die beibehaltene Symbolik der Himmelfahrt feststellen, daß sie sowohl heidnischer wie christlicher Vorstellung entsprach. Ein so stolzer Vergleich des toten Kaisers wie der mit dem Propheten Elias paßt gut zu den Bezeichnungen wie „neuer Moses", „der Apostelgleiche", die die Nachfahren schon bald für Konstantin in Umlauf brachten [67]. Aber auch die übrigen Münztypen enthielten in Bild und Text nichts mehr, was christlichem Empfinden hätte zuwider sein können. So ist festzustellen, daß der Befund der konstantinischen Konsekrationsmünzen das

[63] Voelkl a. a. O. 240 f. hat in seiner Interpretation des Eusebiustextes, der vom Phönixgleichnis handelt, das οὐκ übersehen und daher falsch gedeutet: Euseb. v. Const. 4,72 (147) hebt hervor, daß nicht das auf die Verbrennung der Leiche deutende Phönixsymbol auf Konstantin anzuwenden war, sondern die die Erdbestattung versinnbildende Symbolik des Weizenkorns, das in die Erde gesenkt wird, um wieder aufzuerstehen.

[64] Vgl. Anm. 15.

[65] Euseb. v. Const. 4,71 (147).

[66] Vgl. z. B. eine für Constantius geprägte goldene Konsekrationsmünze aus Trier bei Maurice a. a. O. 1 Pl. 22, 8, die auf der Rückseite den Scheiterhaufen *(rogus)* zeigt.

[67] Vgl. Vogt a. a. O. 371; E. Ewig, Das Bild Constantins d. Gr. in den ersten Jahrhunderten des abendländischen Mittelalters: HistJb 75 (1956) 1/46.

gleiche Bild kaiserlicher Religionspolitik für die Vorgänge beim Begräbnis überhaupt vermittelt wie die Vita des Eusebius, deren Zuverlässigkeit damit erneut bestätigt wird [68]. Konstantin ist, wie Eusebius vermuten läßt, für die Anordnungen, die nach seinem Tode zu treffen waren, selbst verantwortlich gewesen [69]. Er hat alles vermieden, was einerseits heidnisches, andererseits christliches Empfinden hätte verletzen können. In der entscheidenden Frage nach der Bestattungsart — und hier dürfte der schwerwiegendste Eingriff in das alte Ritual gelegen haben — hat er eindeutig als Christ entschieden. Damit sind aber noch nicht alle Auskünfte zur Religionspolitik beim Tode Konstantins, die uns die Konsekrationsmünzen geben können, erschöpft.

Die Durchmusterung des an Münzen aus der spätrömischen Antike besonders reichen Wiener Münzkabinetts [70] führte hinsichtlich der Emissionsstätten zu einer interessanten Beobachtung, die vielleicht auf die nach Konstantins Tod gegebene Situation neues Licht zu werfen vermag. Hier zeigte sich nämlich, daß der erstgenannte Typ, der den Kaiser auf der Quadriga gen Himmel fahrend darstellt, im Osten des Reiches in Alexandrien, Antiochien, Konstantinopel, Kyzikos, Herakleia und Nikomedien, im Westen in Trier und Lyon geprägt wurde. In diesen Münzstätten sind auch die anderen Typen herausgegeben worden, jedoch derart, daß sich die beiden *Memoria*-Typen in den genannten östlichen, der *Pietas*-Typ dagegen nur in den westlichen Münzstätten, außer Trier und Lyon auch in Arles, nachweisen lassen.

Da dieses Ergebnis seine Bestätigung in der Durchmusterung von J. Maurice wie auch im Bestand der ebenfalls reichen Münchener Staatssammlung [71] und in anderen Kabinetten [72] findet, wird daraus

[68] Zum Quellenwert der Vita vgl. Vogt a. a. O. 308 f.

[69] Vgl. etwa Euseb. v. Const. 4, 60 (142); 4, 63 (144): πάνϑ᾽ ὅσα φίλα ἦν αὐτῷ διατυπωσάμενος.

[70] An dieser Stelle sei dem Kustos des Wiener Münzkabinetts, Herrn Dr. G. Bruck, für bereitwilligste Hilfe und für manchen wertvollen Hinweis gedankt.

[71] Freundliche Mitteilung von Herrn Kustos Dr. K. Kraft vom 12. 12. 1956.

[72] Die Sammlung des Bonner Landesmuseums konnte mit freundlicher

vielleicht gefolgert werden dürfen, daß der von Eusebius allein beschriebene Quadriga-Typ in der Tat der für das Reich offizielle gewesen ist; daß darüber hinaus aber der östliche wie der westliche Reichsteil noch je einen zusätzlichen Typ prägen durften. Hier knüpft eine weitere Beobachtung an. Die genannten östlichen und westlichen Münzstätten ergeben in ihrer Gesamtheit noch nicht die Summe der damals arbeitenden reichsrömischen Emissionsorte. Es fehlen auffallenderweise Aquileia, Siscia und vor allem Rom [73].

Vergegenwärtigen wir uns, daß nach dem Willen des Kaisers das Reich beim Tode Konstantins auf seine Söhne übergehen sollte [74]. Diese wurden denn auch nach einer kritischen Zwischenzeit, die das Blutbad über die kaiserlichen Neffen Dalmatius und Hannibalianus und weitere Verwandte gebracht hatte, am 9. Sept. 337 zu Augusti ausgerufen. Bei der im darauffolgenden Jahre vollzogenen Reichsteilung kamen die östlichen Provinzen Pontus, Asia, Oriens und Aegyptus unter die Herrschaft des dritten Sohnes Konstantins, Constantius. Der im gleichen Jahre wie dieser — 317 — geborene zweite Sohn Constantinus II. erhielt die nordwestlichen Provinzen Spanien, Gallien und Britannien als Herrschaftsbereich. Italien, Afrika und Griechenland wurden dem jüngsten der Söhne, Constans, unterstellt, der damals erst etwa 15 Jahre alt war; er erhielt also jene Provinzen, in denen sich Konsekrationsmünzen für Konstantin nicht nachweisen lassen.

Wie mag sich das Fehlen dieser Münzen im Bereich des jüngsten Kaisersohnes erklären? Weshalb fehlt vor allem Rom, die alte

Hilfe von Landesmuseumsrätin Dr. W. Hagen verglichen werden; vgl. noch W. Hagen, Münzschatz von Metternich aus der Zeit des Kaisers Magnentius: BonnJb 145 (1940) 80/125.

[73] Die Angabe bei Maurice a. a. O. 1, 262 zu Pl. 18, 19 ist falsch; es handelt sich nicht um eine Münze aus Rom, sondern aus Trier in der Pariser Sammlung. Es stimmt daher nicht, wenn Schultze a. a. O. 333 sagt, die Konsekrationsmünzen fänden sich „im ganzen Reich"; ähnlich auch Alföldi, Conversion 117: "struck by all mints of the Empire"; Bruun a. a. O. 31: "in all winds of the empire".

[74] Zur Situation vgl. H. Lietzmann, Geschichte der alten Kirche 3[2] (1953) 174 ff.

Reichshauptstadt, in der Reihe der Emissionsstätten? Das Fehlen der Münzen kann nicht zufällig sein, sosehr man auch das *argumentum e silentio* mit Vorsicht anzuwenden hat; die Übereinstimmung der verschiedenen Funde und Museumsbestände ist zu deutlich. Die Fragen, die sich hier aufdrängen, werden sich freilich nur durch Vermutungen beantworten lassen.

Wir wissen von Eusebius, daß der römische Senat ausdrücklich um die Überführung der Leiche des Kaisers nach Rom zur Bestattung, das heißt also: zur feierlichen Konsekration, gebeten hatte [75]. Dieser Bitte war — auf Grund der persönlichen Anordnung des Kaisers für sein Begräbnis in Konstantinopel [76] — nicht entsprochen worden. Rom, vor allem der römische Senat, war aber immer noch ein lebendiges Bollwerk des alten Heidentums [77]; man kann sich vorstellen, daß der Senat sich durch diese Ablehnung der Konsekration des toten Kaisers in Rom verletzt fühlen mochte, zumal die *consecratio* immer sein ausdrückliches Privileg gewesen war [78]. Ob wir folgern dürfen, daß das auffallende Fehlen der Konsekrationsmünzen in Rom auf die naheliegende Verärgerung des Senates zurückzuführen ist? Anderseits ist daran zu erinnern, daß das Münzrecht nicht dem Senat, sondern den kaiserlichen Söhnen zukam [79]. Ob sich der junge Constans gegen solche Strömungen im heidnischen Rom nicht hat durchsetzen können? Oder ob er, der sich schon sehr bald gegen seinen älteren Bruder Constantinus erhob und ihn 340 in der Schlacht bei Aquileia zu Fall brachte, sich nicht um die seinem Vater geschuldete *Pietas* gekümmert hat, ein Zug,

[75] Euseb. v. Const. 4, 69 (146).

[76] Vgl. Anm. 69.

[77] Alföldi a. a. O. 117 f. sieht die unverändert heidnische Konsekrationsvorstellung des römischen Senats vor allem bewiesen in der von Eusebius a. a. O. berichteten bildlichen Darstellung des als *Divus* im Aether thronenden Kaisers. Alföldi zitiert dazu Optat. Porfyr. carm. 8, 19/22: *et res Constanti nunc exerit inclita fama, / aucta stirpe pia, voto accumulata perenni, / sancte, tuas sedes ad mentis gaudia migrat / aetherio residens felix in cardine mundi* (so nach der Ausgabe von Müller 11).

[78] Vgl. Anm. 8.

[79] Vgl. Anm. 60.

der zu seinem wenig erbaulichen Lebenswandel passen würde?[80] Oder ob er, dem man seltsamerweise am entschiedensten christliche, d. h. antiheidnische Einstellung nachsagt[81], auch im Falle der Konsekrationsmünzen seine den Vater übertreffende Rigorosität hat beweisen wollen? Vermutlich hat sich eine Reihe von Beweggründen zusammengefunden, die das völlige Fehlen dieser Münzen im Herrschaftsbereich des jüngsten Kaisersohnes bewirkt haben mögen.

Konstantin der Große ist der letzte Kaiser, für den Konsekrationsmünzen geschlagen worden sind, wenn auch nicht der letzte, der als *Divus* im Andenken der Nachfahren weiterlebte[82]. Das Ergebnis unserer Untersuchung dieser letzten Exemplare einer Münzgattung, die in einer ausgesprochen heidnischen Vorstellung wurzelte, entspricht dem Bild, das die zeitgenössische Forschung auf Grund der Quellen erarbeitet hat: Konstantin stand vor dem Dilemma, die aus persönlicher Überzeugung erfolgte Hinwendung zum neuen Glauben zu verbinden mit religiösen Formen, die auch dem Empfinden der großenteils noch am Heidentum festhaltenden Reichsbewohner entsprechen konnten[83]. Wir dürfen feststellen, daß dem Kaiser für die Anordnungen zu seinem Begräbnis, insbesondere für die damit verbundene Münzprägung, die Auflösung dieses Dilemmas, aufs Ganze gesehen, gelungen ist. Mit ihm hat der Kerngedanke des römischen Kaiserkultes, die Apotheose des Herrschers nach seinem Tode, sein Ende gefunden[84].

[80] Vgl. O. Seeck, Constans: PW 4, 1, 948/52.

[81] Vgl. ebd. 950.

[82] Als letzter römischer Kaiser wurde Theodosius konsekriert; vgl. Koep, Consecratio II: 292; dazu noch Claudian. cons. Honor. 3, 172/184, der Theodosius als Sternbild an den Himmel versetzt: *novum sidus ... sodalis ... stellis ...*

[83] Unter Kaiser Julian können heidnische Historiographen von der Konsekration Konstantins in heidnischem Sinne sprechen, vgl. Eutrop. brev. hist. Roman. 10, 8, 2: *inter divos meruit referri;* Victor Caesar. 41, 5: *pro conditore seu deo habitus.*

[84] Für wertvolle Hinweise habe ich, außer den schon Genannten, Th. Klauser und A. Hermann zu danken.

Aus: Johannes Straub, Regeneratio imperii. Aufsätze über Roms Kaisertum und Reich im Spiegel der heidnischen und christlichen Publizistik, Darmstadt, Wissenschaftliche Buchgesellschaft 1972, S. 159—177. Vorher veröffentlicht in: Gymnasium 69 (1962), S. 310 bis 326.

DIE HIMMELFAHRT DES IULIANUS APOSTATA

Von JOHANNES STRAUB

Als Galerius im Jahr 311 sein Toleranzedikt[1] verkündete, *ut denuo sint Christiani et conventicula sua componant*, gab er den Christen zugleich zu verstehen, daß sie zu ihrem Gott für des Kaisers, des Reiches und ihr eigenes Heil beten sollten: *debebunt deum suum orare pro salute nostra et rei publicae ac sua, ut undique versum res publica praestetur incolumis et securi vivere in sedibus suis possint*. Konstantin hatte dieses Edikt bestätigt;[2] da er jedoch dem Christengott den Schutz des Reiches anvertraut und den heidnischen Göttern die schuldigen Opfer versagt hatte,[3] ist er zum Kaiser der Wende geworden, sehen die heidnischen Historiker der späteren Kaiserzeit in seinem Abfall die Ursache des Niedergangs und drohenden Zerfalls.[4] Denn die Sicherheit des Reiches schien allein durch die richtige und gewissenhafte Verehrung der Gottheit gewährleistet zu sein, und darum blieb in den Augen der Heiden sowohl wie der Christen das religiöse Bekenntnis ein politisches Bekenntnis. Religion und Politik waren in unaufgebbarer Wechselbeziehung miteinander verbunden. Im Widerstreit der polytheistischen mit der monotheistischen Religion offenbarte sich bald, daß der Christengott ein eifersüchtiger Gott war, der keine anderen Götter neben sich duldete, daß also die christlichen Herrscher —

[1] Lactant. mort. pers. (ed. G. Brandt, CSEL 27; J. Moreau, Sources Chrétiennes, No. 39) 34, 4—5.

[2] Vgl. J. Vogt, Constantin der Große und sein Jahrhundert (1960)², 168 u. 288; H. Nesselhauf, Das Toleranzgesetz des Licinius, Hist. Jb. 74, 1955, 44 ff.

[3] Vgl. Straub, Konstantins Verzicht auf den Gang zum Kapitol, Historia IV (1955) 297 ff.

[4] Zosimus (ed. Mendelssohn, 1887) II 7, 2; vgl. Straub, Studien zur Historia Augusta, Diss. Bernenses ser. I fasc 4 (1952) 138.

um der Sicherheit des Reiches willen — bedingungslosen Gehorsam gegenüber Christus und der von der orthodoxen Kirche verehrten dreieinigen Gottheit forderten, während die Heiden es nunmehr mit ihrer religiösen Überzeugung vereinbaren zu können glaubten, wenn sie wie Galerius die Existenz des Christengottes und sogar die staatliche Förderung seines Kultes respektierten. Ihre Opposition war gegen die zunehmend spürbare Intoleranz der christlichen Kaiser gerichtet; ihre — so oft schon, vor allem von Alföldi in eindringlichen Studien [5] charakterisierte — Reaktion forderte, wiederum um der Sicherung und Erhaltung des Reiches willen, Toleranz: denn den Unterpfändern der Weltherrschaft durfte der schuldige Respekt nicht sträflich versagt werden. Die Götter, die bisher das Reich beschützt und seinen universalen Friedensauftrag gefördert hatten, mußten ihm ihre Gunst entziehen, sobald ihnen nicht mehr geopfert wurde. Darum waren die Heiden, waren vor allem die römischen Senatoren bereit, dem nunmehr in christlicher Verantwortung regierten Staat gegenüber ihre Loyalität in gleicher Weise zu bekunden, wie es Galerius einst von den Christen erwartet hatte — sofern ihnen das Recht zugestanden und die von ihnen freiwillig übernommene Verpflichtung anerkannt wurde, daß sie die Pflege der altgeheiligten Kulte in ihre eigene Obhut nahmen: *ut undique versum res publica praestetur incolumis*.

Wir wissen, daß der entscheidende Konflikt im Streit um die *Ara Victoriae* ausbrach [6], daß jedoch der rigorose Eifer des Theodosius erst die endgültige Vernichtung der Tempel, das rücksichtslos überwachte Verbot der Götterkulte verfügte.[7] Wenn dann aber in der letzten Erhebung des Heidentums der Sieg am Frigidus (Wippach, 394) als ein Sieg Christi, dessen Zeichen den Truppen des Theodosius vorangetragen wurde, über Jupiter und Hercules, deren

[5] A. Alföldi, Die Kontorniaten, ein verkanntes Propagandamittel der stadtrömischen heidnischen Aristokratie in ihrem Kampf gegen das christliche Kaisertum (1943); A Festival of Isis in Rome under the Christian emperors of the IVth century, Diss. Pannon., ser. II 7 (1932).

[6] Jella Wytzes, Der Streit um den Altar der Viktoria, Diss. Amsterdam 1936.

[7] W. Ensslin, Die Religionspolitik des Kaisers Theodosius d. Gr., SB München 1955, H. 2.

vergoldete Standbilder in den Kampfreihen des Eugenius und Arbogastes aufgestellt waren, gefeiert worden ist,[8] so wiederholte sich nur das Gottesurteil, das schon Konstantin im Kampf gegen Maxentius 312 und gegen Licinius 324 angerufen und das auch Iulianus Apostata herausgefordert hatte.

Es ist zwar erst ein byzantinischer Kirchenhistoriker, Sozomenus, der uns berichtet,[9] Julian habe in Caesarea Philippi eine Christus-Statue durch sein eigenes Bild ersetzen lassen, aber man kann sich der eindringlichen Symbolkraft dieses legendären Zeugnisses nicht entziehen. Der Kaiser hatte — in den Augen der Christen — dem Gottessohn die Adoration verweigert, die ihm selbst nach den Regeln des zeremoniellen Protokolls zu erweisen war;[10] der *divus Iulianus* war sogar nach der Auffassung seiner Anhänger schon zu seinen Lebzeiten mit den Wesenszügen göttlicher Natur ausgestattet, die nur Christus allein von seiner Kirche zuerkannt wurden.

Julian gebärdete sich gewiß nicht wie die θεοὶ ἐπιφανεῖς der vergangenen Zeiten,[11] aber er war von seiner göttlichen Berufung überzeugt und daher entschlossen, auf die Herausforderung des Constantius II.[12], der wie sein Vater Konstantin als *vicarius Christi* regieren wollte, die konsequente Antwort zu geben und den seit alters überlieferten Sendungsauftrag Roms im Dienste der polytheistischen Weltordnung zu erfüllen. Das letzte Wort, das ihm die christliche Legende später zudenken sollte, trifft daher genau den Charakter der Entscheidung, die er nicht nur in der erfolgreichen Usurpation gegen Constantius, sondern in dem ungestüm unter-

[8] Augustinus, civ. V 26; Orosius, hist. VII 12 ff.; Rufinus, hist. XI 33. Vgl. Straub, Augustins Sorge um die Regeneratio Imperii (Hist. Jb. 73 [1953/4], 36 ff.).

[9] Sozomenus, hist. eccl. V 21, 1 (ed. Bidez-Hansen, GCS 50, 1960).

[10] Trotz der an ihm mit Recht gerühmten *civilitas* hat er das Adorationszeremoniell nicht aufgehoben (vgl. Amm. 22, 9, 16).

[11] Jos. Bidez, Julian der Abtrünnige (übers. v. H. Rinn, München [5]1947); Joh. Geffcken, Kaiser Julianus (Das Erbe der Alten, H. 8, 1914); vgl. jedoch das — spätere — Zeugnis Eunaps [unten S. 539].

[12] Vgl. zuletzt J. Moreau, Constantinus II. (Jahrb. f. Antike u. Christentum, Jahrg. 2, 1959) 158 ff. bes. 177/78; Straub, Vom Herrscherideal in der Spätantike (1939), 135 ff.

nommenen Feldzug gegen die Perser zu erzwingen erhofft hatte. *Galilaee, vicisti* — Du hast gesiegt, Galiläer, soll er, von der tödlichen Lanze getroffen, ausgerufen haben. Die *ultima vox* ist von Theodoret[13] erst erfunden und über die ›Historia Tripertita‹ von Cassiodor[14] in die westliche, lateinische Literatur übernommen worden. In einem syrischen Roman, der vermutlich in der Nähe von Edessa in der ersten Hälfte des 6. Jahrhunderts geschrieben wurde, ist der Sinn dieses Spruches noch eindringlicher verdeutlicht[15]: der sterbende Kaiser schleuderte das mit seinen Händen aus der Wunde aufgefangene Blut gegen den Himmel und rief: „Sättige Dich, Jesus, sättige Dich von jetzt an und habe genug, denn nun ist Dir mit der Gottheit ja auch die Königsherrschaft gegeben." Bei Philostorgius[16], der hundert Jahre früher, um 425/30, seine ›Kirchengeschichte‹ verfaßte, war es noch Helios gewesen, dem der Verzweifelte haßerfüllt sein Κορέσθητι zugerufen hatte. Helios, *Sol Invictus*, hatte also, da er nach der Lehre der Astrologen und im Glauben Julians ἔφορος τῆς αὐτοῦ γενέσεως war,[17] dem 'Galiläer', der als *Sol Iustitiae* verehrt wurde, die Königsherrschaft überlassen müssen. Die byzantinischen Historiker scheuten nicht einmal davor zurück, das Gottesurteil durch ein unmittelbares Eingreifen Christi vollstrecken zu lassen. So beschreibt Malalas im 6. Jahrhundert eine Vision des Kirchenvaters Basilius[18]: In der Nacht, in welcher Julian starb, sah der Bischof von Caesarea in Kappadokien in einem Gesicht den Himmel offen. Christus saß auf dem Thron und rief mit lauter Stimme: „Merkur, geh' und töte den Kaiser Julian, den Feind der Christen!" Da verschwand der heilige Merkur, welcher gerüstet vor dem Herrn stand. Und wieder erschien Merkur vor Jesus und rief: „Julian ist getötet, wie Du befohlen, Herr."

[13] Theodoret. hist. eccl. (ed. F. Scheidweiler, GCS 44, ²1954) III 25, 7.

[14] Cassiod. hist. (ed. Jacob-Hanslik, CSEL 71) 6, 47, 3.

[15] Nöldeke, Über den syrischen Roman von Kaiser Julian, Ztschr. d. dtsch. morgenld. Gesellsch. XXVIII (1874) 278. Bickel, Die Gedichte des hl. Ephraim gegen Julian den Apostaten, Ztschr. f. Kath. Theologie 1878, 335 ff.

[16] Philostorgius, hist. eccl. VII 15; Sozom. hist. eccl. VI 2.

[17] Sozom. hist. eccl. VI 2, 11; vgl. Eunap. fr. 24; 25.

[18] Malalas XIII (Bonner Corpus, 1831), p. 333, 18 ff.

Die Zeugnisse, die sich noch vermehren ließen,[19] sind längst bekannt; sie verdienen um so aufmerksamere Beachtung, je eindringlicher wir uns eine Vorstellung von der Bedeutung des „Kampfes der Weltanschauungen" zu bilden versuchen,[20] der mit dem Scheitern der julianischen Restauration noch lange nicht beendet war. Die publizistische Kontroverse, die mit leidenschaftlicher Anteilnahme geführt wurde, läßt keinen Zweifel daran aufkommen, daß die jeweils verfochtene „Ideologie" einem existentiellen Selbstbehauptungswillen entsprang und daher im religiösen wie im politischen Leben die bestätigende Geltung verlangte. Wenn wir uns aber fragen, warum die Christen trotz der ausschließlich ihrer Kirche zugebilligten staatlichen Förderung nicht davon abließen, sich mit den heidnischen Auffassungen auseinanderzusetzen, so ist die Antwort nicht nur in der Tatsache beschlossen, daß der politische Einfluß der heidnischen Reaktion bis zur Schlacht am Frigidus noch durchaus ernst zu nehmen war. Man wird vielmehr und vor allem daran denken müssen, daß die — teilweise in „exzessiver Weise" — unternommenen Versuche, „die innere Verbindung zwischen dem christlichen Monotheismus und dem Imperium Romanum aufzuzeigen" [21], die Entwicklung einer politischen Theologie gefördert haben, deren Überzeugungskraft fragwürdig erscheinen mußte, sobald an Vorstellungen appelliert wurde, die in der politischen Theologie der Heiden beheimatet waren und von diesen um so nachdrücklicher verteidigt wurden, je wirksamer mit ihrer Hilfe die übereinstimmenden Züge einer durch Bildung und Tradition verfestigten, gemeinsamen Weltanschauung nachgewiesen werden konnten. In den verschiedenen Versionen, die auf heidnischer und christlicher Seite über den Tod Julians verbreitet wurden, bekundete sich bereits in eindringlicher Weise, daß den Christen die Versuchung, der sie durch die apologetischen Bemühungen

[19] Theodor Büttner-Wobst, Der Tod des Kaisers Julian, Philol. 51 (1892) 561 ff.; vgl. Bidez u. Geffcken a. a. O.

[20] Die heidnische Reaktion im Osten müßte noch gründlicher untersucht werden: von ihrer nachhaltigen Wirkung zeugt etwa die Polemik, die noch Socrates (III 23) und Sozomenus (VI 1; 2) gegen Libanius führen.

[21] Vgl. Erik Peterson, Der Monotheismus als politisches Problem (Leipzig 1935); Theol. Traktate (München 1951) 45 ff.; 105.

der heidnischen Publizisten ausgesetzt waren, bewußt zu werden begann und daß sie deshalb darauf bedacht sein mußten, die christliche Verkündigung zur Rechtfertigung einer politischen Situation weder selbst zu mißbrauchen noch von ihren Gegnern mißbrauchen zu lassen.

Gregor von Nazianz, der kurze Zeit nach dem Tode Julians seine beiden στηλιτευτικοὶ λόγοι veröffentlichte,[22] um in scharfer Polemik mit den — vereitelten — Plänen des Apostaten, die auf eine Eliminierung des christlichen Einflusses hinzielten, abzurechnen, erwähnt kurz die widersprüchlichen Berichte, die über das Ende des Kaisers umliefen[23]: Julian war bei einem überraschenden Überfall im unübersichtlichen Kampfgetümmel von einer Lanze getroffen worden. Ob es ein Perser oder ein Mann aus den eigenen Reihen war, der absichtlich oder aus Versehen durch den Lanzenwurf zum Mörder seines Kaisers und Heerführers geworden war, ließ sich nicht mehr ermitteln; der Verdacht fiel auf einen Sarazenen, auf einen barbarischen *scurra* aus dem engeren Gefolge, auf einen Soldaten, der sich über eine angeblich sträflich leichtfertige Bemerkung Julians empört hatte. Daß es ein Christ gewesen sei, wird von Libanius zum erstenmal behauptet.[24] Die Klärung der Schuldfrage war dem Kirchenvater in dem Augenblick, in dem er die Befreiung von dem Tyrannen, dem κοινὸς ἁπάντων ἐχθρὸς καὶ πολέμιος (or. IV 1), begrüßte, weniger dringlich; viel wichtiger erschien es ihm, die Welt vor einer anderen Gefahr zu warnen, die sich noch in der Sterbestunde des Kaisers anzukündigen schien. Julian lag, so erzählt Gregor, auf den Tod verwundet am Ufer des Flusses (Tigris); da erinnerte er sich der Beispiele vieler, die es durch bestimmte Machen-

[22] Gregor. Naz. Or. IV u. V (PG 35); Asmus, Die Invektiven des Gregorius von Nazianz im Lichte der Werke des Kaisers Julian, ZKG 31 (1910) 325 ff.

[23] Or. V (PG 35, 681); vgl. Büttner-Wobst, Philol. 51 (1892) 561 ff. Mit Geffcken (a. a. O. 120 u. 168) darf man wohl annehmen, daß Julian von der Lanze eines persischen Reiters getroffen wurde (Amm. 25, 3, 6; Eutr. 10, 16, 3).

[24] Or. XVIII 273 f. (Foerster); Theodoret. hist. eccl. III 25; vgl. Socrates, hist. eccl. III 21; P. de Labriolle, La réaction païenne (Paris 1942) 429 ff.; Sievers, Das Leben des Libanios (1868) 28 ff.

schaften bewerkstelligt hatten, den Augen der Menschen entrückt und dadurch vergöttlicht zu werden: πολλοὺς δὲ εἰδὼς τῶν πρὸ αὐτοῦ δόξης ἠξιωμένων, ὡς ἂν ὑπὲρ ἄνθρωπον νομισθεῖεν, τέχναις τισὶν ἐξ ἀνθρώπων ἀφανισθέντας, καὶ διὰ τοῦτο θεοὺς νομισθέντας κτλ. (or. V 14). Ihn habe der Ehrgeiz nach dem gleichen Ruhm erfaßt, der die Schmach seines durch die eigene Unbedachtsamkeit verschuldeten Endes überschatten sollte; er versuchte sich in den Fluß zu stürzen und versicherte sich der Hilfe einiger seiner getreuesten Gefährten. „Wenn nun aber nicht einer seiner Eunuchen den Plan bemerkt, aus Abscheu gegenüber dem üblen Unterfangen andere verständigt und die Absicht vereitelt hätte, dann wäre in der Tat aus dem Unglück noch in den Augen der Törichten ein neuer Gott erstanden": κἂν ἐφάνη τις ἄλλος τοῖς ἀνοήτοις θεὸς νέος ἐξ ἀτυχήματος.

Die Geschichte ist erfunden. So war Romulus einst, *cum ad Caprae paludem exercitum lustraret,* entschwunden;[25] und nachdem Proculus beschworen hatte, *Romulum a se in colle Quirinali visum augustiore forma, cum ad deos abiret,* wurde dem Gott Quirinus ein Tempel errichtet. Vor ihm war schon Aeneas auf ähnlich wunderbare Weise entrückt worden[26]: *traditur autem, non proviso, quod propinquus flumini esset, ripa depulsus forte in fluvium decidisse, atque ita proelium diremptum; dein post apertis fugatisque nubibus cum serena facies effulsisset, creditum est vivum eum caelo assumptum. Idemque tamen post ab Ascanio et quibusdam aliis visus affirmatur super Numici ripam eo habitu armisque, quibus in proelium processerat. Quae res immortalitatis eius famam confirmavit. Itaque illi eo loco templum consecratum appellarique placuit Patrem Indigetem.*[27]

Neben diesen beiden Legenden von der Apotheose der Ahnherren des römischen Volkes, denen sich zahlreiche andere Ent-

[25] Vir. ill. 2, 13; vgl. RE I A, 1097 ff. (Rosenberg): Liv. I 16; Plut. Rom. 27; Cic. rep. I 25; II 17; Ovid. fast. II 475 ff.; HA, C 2, 2. Vgl. Bömer, Ahnenkult (s. Anm. 27), 68 ff.

[26] Origo gentis Romanae (ed. Fr. Pichlmayr, 1911) 14, 3 f.; Serv. Aen. (rec. Thilo-Hagen, 1961) I 259.

[27] Fr. Bömer, Ahnenkult und Ahnenglaube im alten Rom (Beih. z. Archiv f. Relig. Wiss. H. 1, 1943), 64 ff.

rückungserscheinungen aus der antiken Mythen- und Legendenliteratur zugesellen,[28] verdient aber vor allem noch ein Bericht, der im Alexanderroman des Pseudo-Callisthenes[29] und von Arrian[30] aufgeführt ist, unsere besondere Beachtung: Der Makedonenkönig hieß, als es Nacht wurde, alle an seinem Sterbelager Versammelten sich entfernen. Um Mitternacht erhob er sich von seinem Lager, löschte das Licht aus und schlich auf allen vieren durch die Tür, von der die üblichen Wachtposten abgezogen waren, zum Euphrat, der mitten durch Babylon fließt. Als er schon ganz nahe am Ufer war, erblickte er Roxane; sie hatte geahnt, daß er etwas im Sinne hatte, was ihr als ἄξιον τῆς (ἑαυτοῦ) τόλμης erschien, und war ihm in der Finsternis heimlich gefolgt, um ihn an seinem Vorhaben zu hindern und ihn zur Umkehr zu zwingen: sie hatte ihm den Ruhm der Apotheose — die ihm dann doch noch auf anderem Wege zuteil wurde — vorenthalten wollen.

Wir brauchen uns kaum zu wundern, daß Gregor gerade diese Szene aus der Alexandergeschichte in seine eigene Darstellung vom Ende Julians transponierte: denn Julian selbst, dem das Vorbild des großen Makedonen auf dem Perserfeldzug gegenwärtig war, soll, wie man unter seinen Anhängern erfahren konnte, davon überzeugt gewesen sein, daß in ihm die Seele Alexanders wiedergeboren war.[31] Wir dürfen uns nicht mit der Feststellung begnügen, daß wir es eben mit einem in der Kaisergeschichte öfter erlebten Vergleich zu tun haben, daß um der polemischen Absicht willen einem typischen Anspruch die Rechtfertigung durch einen frag-

[28] Vgl. Art. „Entrückung" im RAC V 461 ff.; C. Hönn, Studien zur Gesch. der Himmelfahrt im klass. Altertum, Gymn. Programm Mannheim 1909/10 (1910). Auf andere Beispiele aus dem ägyptisch-hellenistischen Bereich geht A. Hermann im RAC VI 370 ff., Art. „Ertrinken", ein; vgl. etwa F. Ll. Griffith, Apotheosis by drowning, Ztschr. Äg. Sprache u. Altertumskde. 46 (1909) 132 ff.

[29] Pseudo-Callisthenes, Historia Alexandri Magni Vol. I (ed. Kroll, Berlin 1926), 32, 4 sq. (p. 136, 7 sq.).

[30] Arrian. Anabasis VII 27, 3.

[31] Socr. hist. eccl. III 21 (PG 67, 432): καὶ ἐνόμιζε κατὰ τὴν Πυθαγόρου καὶ Πλάτωνος δόξαν, ἐκ μετενσωματώσεως τὴν Ἀλεξάνδρου ἔχειν ψυχήν· μᾶλλον δὲ αὐτὸς εἶναι Ἀλέξανδρος ἐν ἑτέρῳ σώματι.

würdigen Topos entzogen werden sollte. Die rhetorische Invention des Kirchenvaters ist vielmehr auf eine durchaus ernst zu nehmende Gefahr gerichtet: wenn wir uns vergegenwärtigen, daß sogar Kyrill von Alexandrien sich noch veranlaßt sah, eine umfangreiche Schrift gegen Julian zu verfassen [32] — wenn wir uns daran erinnern, daß in der byzantinischen Literatur das Andenken des Apostaten mit unversöhnlichem Haß verfolgt wurde,[33] ist doch wohl zu vermuten, daß dem scheinbar so rasch erledigten Versuch einer heidnischen Restauration eine nachhaltige Wirkung beschieden war. Die literarische Fehde um die Apotheose Julians vermittelt uns daher einen aufschlußreichen Eindruck von der heidnischen Oppositionsbewegung, mit der sich in Ost und West der universale Geltungsanspruch der christlichen Staatskirche auseinanderzusetzen hatte; während die Forschung sich bisher nahezu ausschließlich um die heidnische Reaktion im Westen gekümmert hatte, tun wir gut daran, endlich auch den östlichen Stimmungen unsere Aufmerksamkeit zuzuwenden.

Etwa gleichzeitig mit Gregor hatte sich auch Libanius, der berühmte Rhetor aus Antiochia und Freund Julians, mit zwei Reden [34] an die Öffentlichkeit gewagt, um dem toten Helden, der sich aufgemacht hatte, einem Alexander gleich die Perser zu besiegen, die ganze Welt der römischen Herrschaft unterzuordnen und sie der Obhut der Götter anzuempfehlen, die rühmende Ehre zu erweisen: ὢ τῆς ὀρφανίας, ἣ κατείληφε τὴν γῆν — die Welt ist verwaist, klagt er;[35] wie ein guter Arzt habe Julian das ermattete Reich wiederaufgerichtet. Nun ist es wieder den Fieberanfällen, den krisenhaften Beschwerden ausgeliefert; die Barbaren sind vom Joch befreit, das ihnen auferlegt war — von den Göttern aber, die durch die Tat des christlichen Mörders erzürnt sind, ist kaum mehr Hilfe zu erwarten, da ihr Kult durch die christlichen Kaiser vernachlässigt, ja sogar gesetzlich verboten ist. Wieder ist es die Sorge um

[32] PG 76, 509 ff. (Bd. IX der Ausg. Aubert).

[33] Vgl. Bidez a. a. O. 350 ff.; Geffcken a. a. O. 121 ff.

[34] Or. XVII (Μονῳδία ἐπὶ Ἰουλιανῷ, vol. II 206 ff.) u. Or. XVIII (Ἐπιτάφιος ἐπὶ Ἰουλιανῷ, vol. II 236 ff.); vgl. Or. XXIV (Περὶ τῆς τιμωρίας Ἰουλιανοῦ, vol. II 514 ff.).

[35] Or. XVII 36.

das Reich — das sollte man nicht verkennen —, die angesichts der offiziellen Abkehr von den alten Kulten Trost und Ermunterung darin findet, daß, wie Libanius erfahren durfte, in vielen Städten das Bild Julians in Tempeln aufgestellt,[36] daß ihm göttliche Ehren erwiesen wurden, daß man zu ihm betete und erhört wurde: οὕτως ἀτεχνῶς παρ' ἐκείνους τε ἀναβέβηκε καὶ τῆς τῶν κρειττόνων δυνάμεως παρ' αὐτῶν ἐκείνων μετείληφε (c. 304).

Julian ist zum Himmel aufgestiegen, er ist von den Göttern, den κρείττονες, der Teilnahme an ihrer Macht gewürdigt worden: ὦ δαιμόνων μὲν τρόφιμε, δαιμόνων δὲ μαθητά, δαιμόνων δὲ πάρεδρε... ὦ μεγάλα μὲν δράσας, μείζω δὲ μέλλων, ὦ θεῶν μὲν ἐπίκουρε, θεῶν δὲ ὁμιλητά (308). Die Epiklese fordert noch den Zorn des Kirchenhistorikers Sokrates heraus[37]: τὸν Ἰουλιανὸν ἀπεθέωσε. Wir müssen uns fragen, und wir werden uns gleich noch näher damit zu befassen haben, ob die von Libanius erwähnten städtischen Kulte, ob das von ihm selbst abgelegte Zeugnis für die Apotheose nur an bestimmte Akte spontanen Bekenntnisses erinnern wollen oder ob nicht doch sogar ein offizieller Konsekrationsbeschluß des Senats ergangen war. Eutrop, der am Feldzug wie Ammian teilgenommen hatte, versichert uns durchaus glaubwürdig: *inter divos relatus est.*[38] Und Gregor von Nazianz würde wohl kaum von einem τέμενος ἄτιμον, einem ναὸς ἀπόπτυστος sprechen,[39] wenn in Tarsus nicht tatsächlich das Grabdenkmal als Tempel, als Kultstätte eingerichtet worden wäre. Da Libanius sich nicht mehr darauf beruft, liegt der Schluß nahe, daß in der noch ungeklärten Situation des Jahres 363 die offizielle Konsekration vom römischen Senat gewagt wurde,[40] daß

[36] ἐπεὶ δὲ εἰκόνων ἐμνήσθην, πολλαὶ πόλεις ἐκεῖνον τοῖς τῶν θεῶν παραστήσαντες ἕδεσιν ὡς τοὺς θεοὺς τιμῶσι, καί τις ἤδη καὶ καρ' ἐκείνου δι' εὐχῆς ᾔτησέ τι τῶν ἀγαθῶν καὶ οὐκ ἠτύχησεν (Or. XVIII 304).

[37] Socr. hist. eccl. III 23 (PG 67, 445).

[38] Eutrop, Breviarium ab urbe condita (ed. Fr. Ruehl, Berlin 1919) 10, 16, 2.

[39] Or. V 18 (col. 688).

[40] E. Beurlier, Essai sur le culte rendu aux empereurs Romains (Paris 1890) 287; 330. Man wird mit B. annehmen müssen: Les rites anciens de l'apothéose ... furent certainement remplacés par un rite que nous ne connaissons pas, mais qui devait être de nature à ne pas choquer les

aber im Zuge der Verschärfung des christlichen Kurses die Pflege der üblichen Kulthandlungen untersagt wurde, daß allenfalls noch das private Bekenntnis zur Apotheose, und auch dieses nur in einer Form, wie sie in der Rede des Libanius gewählt ist, zugelassen war. An diesem Bekenntnis hielten freilich die heidnischen Anhänger Julians mit beharrlicher Hingabe fest.[41]

Der im lydischen Sardes geborene Eunapius[42], ein Schüler des Chrysanthius, den Julian als ἀρχιερεὺς Λυδίας eingesetzt hatte, war von Oribasius, der zu den engsten Vertrauten Julians gehörte,

chrétiens; aber man darf wenigstens fragen, ob der Senat im Fall Julians nicht die Gelegenheit wahrnahm, den Konsekrationsakt in seiner alten Form zu vertreten und ihm seine alte, heidnische Bedeutung anzuvertrauen. Dann wäre das Londoner Elfenbein-Diptychon (s. u. S. 545 f.) in der Tat dazu bestimmt, die Erinnerung an diesen — seit Konstantin einmaligen — Akt zu beschwören. — Vgl. L. Koep-A. Hermann, RAC III (1957) 269 ff. s. v. „Consecratio".

[41] Deshalb ist es wohl kein Zufall, daß Eutrop, dessen Geschichtsabriß mit Jovian schließt, noch unter Valens und Valentinian geflissentlich jede (vom Senat vollzogene) Konsekration vermerkt. Auch die Historia Augusta, die bekanntlich der heidnischen Geschichtsapologetik verpflichtet ist, hebt jeweils die Konsekration der „guten" Kaiser besonders hervor und berichtet von den entsprechenden Ehrenbeschlüssen (vgl. H 27, 2—4; AP 13, 3—4; MA 18, 5—8, wo übrigens der Hinweis auf *omnia quae de sacratis decrevit antiquitas* wiederum an eine Abfassungszeit denken läßt, in der das alte Konsekrationszeremoniell nicht mehr Brauch war; P 14, 10—15, 5; AS 63, 3—4; wichtig in dieser Hinsicht vor allem Pr. 23, 5, wo gegen diejenigen polemisiert wird, *qui divinitatem Probo derogent*). — Ammianus Marcellinus (25, 4, 1) legt den Gedanken an die Konsekration Julians *(vir profecto heroicis connumerandus ingeniis)* nahe, aber es sieht fast so aus, als wolle er, da er ja zur Zeit des Theodosius schreibt, nur andeuten, Julian habe in der Tat *(profecto)* die Konsekration verdient, die ihm jedoch offiziell nicht zuerkannt wurde bzw. nicht mehr nachgerühmt werden durfte. — An einen offiziellen Konsekrationsakt (in der von Beurlier — Anm. 40 — vermerkten Form) erinnert die Inschrift aus Rom (De Rossi, Inscr. Christ. urbis R. I p. 338): *Martia Theudosium Dominorum Roma parentem Aetherio divum venerans sacravit in orbe.*

[42] Vgl. FHG (ed. C. Müller, Paris 1851), IV 7 ff. (dort auch — S. 9 — das Testimonium aus Photius, biblioth. cod. 77); RE VI, 1121 ff. (W. Schmid).

aufgefordert worden, eine Geschichte des Römischen Reiches — ἡ μετὰ Δέξιππον ἱστορία χρονική — im Sinne der heidnischen Reaktion zu schreiben. Photius bezeichnet Eunap als δυσσεβὴς τὴν θρησκείαν, der die historische Wahrheit entstellt, von den christlichen Herrschern Konstantin am meisten geschmäht, von den heidnischen aber Julian in ein besonders günstiges Licht gerückt, ja geradezu ein Enkomion auf ihn verfaßt habe, das durch eine einzige Bemerkung bereits hinreichend charakterisiert ist: ὃς ἐβασίλευε μὲν ἐφ' ἡμῶν, τὸ δὲ ἀνθρώπινον αὐτὸν ὥσπερ τινὰ θεὸν προσεκύνουν ἅπαντες (fr. 1). Als θεὸς ἐπιφανής sei Julian schon zu seinen Lebzeiten verehrt worden, und das zu Recht, denn selbst als er noch auf Erden weilte, sah er den Himmel offen: οὐρανόν τε εἶδε καὶ ἐπέγνω τὰ ἐν αὐτῷ καλά, τοῖς ἀσωμάτοις ὁμιλήσας σῶμα ἔχων ἔτι (fr. 23). „Wie konnte denn", so fragt der Autor der ›Excerpta de sententiis‹, „wie konnte denn jemand, der dem Glauben der Hellenen anhing, die Weihe empfangen haben, um von dieser Erde entrückt zu werden und die himmlischen Mysterien zu schauen oder in den Verkehr mit den körperlosen Geistern zu gelangen? Wer sind denn diese körperlosen Geister? Sind es nicht Ganymed und sein Liebhaber Zeus? Das ist nichts anderes als Nachäffung des christlichen Mysteriums[43] von der geistigen Bruderschaft in der *communio sanctorum.*"

Diese Frage hatte in ähnlichem Zusammenhang schon vor dem Erscheinen von Eunaps Enkomion Johannes Chrysostomus gestellt, als er über die Entrückung des Paulus (2. Cor. 12, 2—4) eine Homilie schrieb[44] (καὶ οἶδα ὅτι ἡρπάγη εἰς τὸν παράδεισον [ἕως τρίτου οὐρανοῦ], εἴτε ἐν σώματι, οὐκ οἶδα· εἶτε ἐκτὸς τοῦ σώματος, οὐκ οἶδα, καὶ ἤκουσεν ἄῤῥητα ῥήματα, ἃ οὐκ ἐξὸν ἀνθρώπῳ λαλῆσαι, PG 61, 575): Paulus rühmt das an ihm bewirkte Wunder Gottes, er selbst rechnet es sich nicht zum Ruhme an, *ne magnitudo revelationum extollat me* (2. Cor. 12, 7). In der Apostelgeschichte[45]

[43] ἀλλὰ τὰ μὲν κλέψας ἔχεις τῶν Χριστιανικῶν ὀργίων, τὰς ἀσωμάτους φημὶ φρατριάς.

[44] 26. Hom. zum 2. Kor. Brief (PG 61, 580 ff.); vgl. Art. „Entrückung", RAC V 464 ff. (G. Strecker).

[45] Gemeint ist act. 14, 11.

heißt es: καὶ θεοὺς αὐτοὺς ἐνόμισαν διὰ τὸ μέγεθος τῶν σημείων (PG 61, 577), aber Paulus und Barnabas wußten darum, daß sie wie Elias und Moses als θαυμαστοὶ καὶ ἀσθενεῖς zugleich erscheinen sollten, damit sie die Menschen nicht dazu verführten, μείζονα περὶ αὐτῶν ὑποπτεύειν τῆς ἀληθείας (577) — ὥστε μὴ μείζονα τῆς ἀξίας περὶ αὐτῶν δόξαν ἔχειν (580) —, deshalb verschone Gott auch seine Heiligen nicht vor Heimsuchungen und Prüfungen, um sie für den Weg zur Glückseligkeit zu läutern. Die heidnische Welt aber hatte den Zugang zur Erkenntnis der allein wahren Gottesmacht verfehlt, τῶν ἀνθρώπων ὑπὲρ τὴν ἀξίαν θαυμαζομένων (580) — als sie menschlicher Leistung und Schöpferkraft ungebührliche Bewunderung zollte und, wie der Euhemerismus schon nachgewiesen hatte, Menschen zu Göttern erhob.

Wir kennen die Kritik an der heidnischen Apotheose aus den frühen Schriften der Apologeten [46], aber auch ihre gelegentlich verfänglichen Akkommodationsbemühungen um Verständnis für ihren Glauben an den Auferstandenen [47], der zum Himmel aufgefahren war und, zur Rechten Gottes sitzend, die Königsherrschaft über Himmel und Erde ausübte. Nun begannen die Heiden um Verständnis für ihre Verehrung der *divi, qui caelo recepti erant*,[48] zu

[46] Vgl. Clemens Alex. Protr. V 6; XII 6; X 96, 4; Origen. c. Celsum III 3; 36; Tatian. adv. Graecos 10 (PG 6, 828); Iustin. Apol. I 29; Athenag. 30; Arnob. I 36; Lact. inst. I 9, 1 f. u. a.

[47] Dazu rechne ich den in Anm. 51 zitierten Bericht Tertullians und der späteren Kirchenschriftsteller (bis zu Orosius und dem Chronicon Paschale) über die Absicht des Tiberius, Christus durch den Senat konsekrieren zu lassen. Vgl. etwa auch Iustin. Apol. I 21: τῷ δὲ καὶ τὸν λόγον, ὅ ἐστι πρῶτον γέννημα τοῦ θεοῦ, ἄνευ ἐπιμιξίας φάσκειν ἡμᾶς γεγεννῆσθαι, Ἰησοῦν Χριστὸν τὸν διδάσκαλον ἡμῶν, καὶ τοῦτον σταυρωθέντα καὶ ἀποθανόντα καὶ ἀναστάντα ἀνεληλυθέναι εἰς τὸν οὐρανόν, οὐ παρὰ τοὺς παρ' ὑμῖν λεγομένους υἱοὺς τῷ Διὶ καινόν τι φέρομεν. πόσους γὰρ υἱοὺς φάσκουσι τοῦ Διὸς οἱ παρ' ὑμῖν τιμώμενοι συγγραφεῖς, ἐπίστασθε. Justin weist im gleichen Zusammenhang auf die Kaiser-Konsekration hin: καὶ τί γὰρ ἀποθνήσκοντας παρ' ὑμῖν αὐτοκράτορας, οὓς ἀεὶ ἀπαθανατίζεσθαι ἀξιοῦντες καὶ ὀμνύντα τινὰ προάγετε ἑωρακέναι ἐκ τῆς πυρᾶς ἀνερχόμενον εἰς τὸν οὐρανὸν τὸν κατακαέντα Καίσαρα; vgl. hierzu Koep, RAC III 291.

[48] Tac. ann. I 43, 3: *dive Auguste, caelo recepta mens.* Sueton. Iul. 88;

werben, und die Predigt des Johannes Chrysostomus läßt uns ahnen, wie wichtig ihm die Belehrung erschien, die er im ausführlichen Vergleich von Christus und Alexander seiner Gemeinde erteilte: πόθεν θεὸς Ἀλέξανδρος; (PG 61, 581) so fragt er, und er nennt die Antwort, die man zu geben pflegte: er hat zu Lebzeiten Bewundernswertes geleistet, hat viele Städte und Völker unterworfen, viele Kriege geführt und Schlachten geschlagen und Siege errungen. Also, so müssen wir schließen, hat sich in seiner ἀρετή die göttliche Macht, die in ihm wirkte, offenbart. Libanius hatte damit Julians Apotheose begründet. Der christliche Katechet aber erklärt: τὸ μὲν γὰρ ζῶντα κατορθοῦν πολέμους καὶ νίκας βασιλέα ὄντα, καὶ στρατόπεδα ἔχοντα, θαυμαστὸν οὐδὲν, οὐδὲ παράδοξον καὶ καινόν· τὸ δὲ μετὰ σταυρὸν καὶ τάφον τοσαῦτα ἐργάσασθαι πανταχοῦ γῆς καὶ θαλάττης, τοῦτό ἐστι τὸ μάλιστα πολλῆς ἐκπλήξεως γέμον, καὶ τὴν θείαν καὶ ἀπόῤῥητον ἀνακηρῦττον δύναμιν. Nach Alexanders Tod wurde sein Reich aufgeteilt, es ist später ganz verschwunden, und der Tote hat es nicht wieder aufzurichten vermocht;[49] als aber Christus starb, hatte er sein Reich aufs sicherste begründet.

Wir haben keinen Anlaß, die Überzeugungskraft der einzelnen Argumente zu prüfen; die Tatsache allein, daß der östliche Patriarch um die Wende vom 4. zum 5. Jahrhundert gegen die Apotheose Alexanders polemisiert, besagt schon viel. Er beruft sich dabei — irrtümlich — auf einen Konsekrationsbeschluß des Senats, der ihn zum Dreizehnten Gott erklärt habe;[50] er versäumt aber nicht,

paneg. 6 (7), 7, 3: *receptus est* (sc. Constantius Chlorus) *consessu caelitum Iove ipso dexteram porrigente.*

[49] Vgl. hierzu schon Euseb. vita Const. I 7: ἄτεκνον ἄρριζον ἀνέστιον ἐπ' ἀλλοδαπῆς καὶ πολεμίας αὐτόν, ὡς ἂν μὴ εἰς μακρὸν λυμαίνοιτο τὸ θνητὸν γένος, ἠφάνιζεν; vgl. Orac. Sibyll. 5, 6.

[50] H. Usener, Divus Alexander (Rh. M. 57 [1902] 171 ff.) hat in scharfsinniger Argumentation nachzuweisen versucht, daß nur Severus Alexander gemeint sein könne; seine Meinung ist bis heute in der Forschung allgemein anerkannt, auch von O. Weinreich (Art. „Zwölfgötter" in Roschers Lexikon Bd. VI 764 ff.; 800 ff.) und A. von Domaszewski (Die Personennamen bei den Script. Hist. Aug., Heidelb. S. B. 1918, 13. Abh., 143 f.), obwohl schon Casaubonus und Salmasius (im Kommentar zur Hist. Aug., Lugd. Batav. I, 1671, 1033 ff.) gesehen haben, daß Joh.

zugleich eine andere Legende zu bemühen, die uns seit Tertullian in der christlichen Überlieferung bekannt ist[51]: Tiberius habe auf Grund der Berichte, die ihm Pilatus geschickt hatte, dem Senat die Konsekration Christi empfohlen. Der Senat aber habe seinen Antrag abgelehnt, weil er konstatiert habe, daß die aufstrahlende Macht des Gekreuzigten bereits die ganze Oikumene in den Bannkreis seines Kultes gezogen habe, bevor der Senat überhaupt zu einem Beschluß gekommen war. Und so sei es auch von der göttlichen Vorsehung eingerichtet worden, ὥστε μὴ ἐξ ἀνθρωπίνης ψήφου τὴν θεότητα ἀνακηρυχθῆναι τοῦ Χριστοῦ, μηδὲ ἕνα τῶν πολλῶν αὐτὸν εἶναι νομισθῆναι τῶν ὑπ' ἐκείνων χειροτονηθέντων (PG 61, 581)[52]. Die Begründung ist so alt wie die Legende, die seinerzeit wohl kaum aufgekommen wäre, wenn den Christen nicht daran gelegen gewesen wäre, daß man sie von dem Vorwurf, sie seien ἄθεοι, befreit hätte. Nun hatte sich das Verhältnis geändert; nun blieb zwar das Zeugnis des Tiberius nach wie vor relevant, aber

Chrys. an Alex. d. Gr. denkt, aber irrtümlich die von Demades in Athen beantragte Erhebung zum „Dreizehnten Gott" (Aelian. Var. Hist. V 12) dem röm. Senat zuweist. Stählin hat in einer Anm. zu Clemens Alex. Protr. X 96, 4 (ἀνθρώπους ἀποθεοῦν τετολμήκασι, τρισκαιδέκατον Ἀλέξανδρον τὸν Μακεδόνα ἀναγράφοντες θεόν) mit Recht auf Joh. Chrys. verwiesen, der aus Versehen („mangelnder Geschichtskenntnis") den röm. Senat ins Spiel brachte und sogar den großen Meister Usener um der „Ehrenrettung" willen dazu verführte, den Kontext außer acht zu lassen; vgl. Lucian. dial. mort. 13, 2.

[51] Tert. apol. 5, 2: *Tiberius ergo, cuius tempore nomen Christianum in saeculum intravit, annuntiata sibi ex Syria Palaestina, quae illic veritatem istius divinitatis revelaverant, detulit ad senatum cum praerogativa suffragii sui. Senatus, quia non ipse probaverat, respuit; Caesar in sententia mansit, comminatus periculum accusatoribus Christianorum.* Vgl. 21, 18 ff. u. 24; Euseb. HE II 2, 1 ff.; Rufinus hist. II 2, 1 ff.; Oros. hist. VII 4, 5; Pilatus hatte *de passione et resurrectione Christi consequentibusque virtutibus* berichtet, *et de eo, quod certatim crescente plurimorum fide deus crederetur. Tiberius cum suffragio magni favoris rettulit ad senatum, ut Christus deus haberetur.* Der Senat hat dem Antrag nicht entsprochen, aus dem bekannten Grund (s. Tertullian).

[52] Ähnlich Euseb. HE II 2, 2: ὅτι μηδὲ τῆς ἐξ ἀνθρώπων ἐπικρίσεώς τε καὶ συστάσεως ἡ σωτήριος τοῦ θείου κηρύγματος ἐδεῖτο διδασκαλία.

der Kirchenvater mußte seine Gläubigen vor einer Versuchung bewahren, die ihnen drohte, sobald sich die Heiden darauf beriefen, daß ja wohl die Christen grundsätzlich damit einverstanden gewesen wären, wenn der Senat dem Antrag des Tiberius entsprochen hätte: im polytheistischen Glauben wäre die Anerkennung der Gottheit Christi vollziehbar gewesen,[53] wenn — der Christengott selbst sich nicht jedem Vergleich mit den *divi,* mit den andern Göttern überhaupt entzogen hätte. Darum muß der christliche Katechet dem einzig wahren Gottmenschen das θαυμαστόν, παράδοξον, die δόξα allein vorbehalten, die von den Heiden in ihrer Verblendung so vielen Apotheosierten, selbst einem Buhlknaben Antinous und dem Faustkämpfer Kleomedes zuerkannt worden waren[54]: *caelo demissus, caelo receptus* — vom Himmel herabgesandt und zum Himmel wieder aufgestiegen war ja allein Christus,[55] dem auch Julian einst in blasphemischer Kritik den Glauben verweigert hatte,

[53] Das beweisen die oft zitierten Zeugnisse der HA. So wird etwa von Severus Alexander behauptet (AS 43, 6): *Christo templum facere voluit eumque inter deos recipere.* Die Nachricht ist ebenso wie die anschließende Bemerkung, Hadrian habe dieselbe Absicht gehabt, erfunden; der Plan ist ja auch nicht verwirklicht worden, weil Orakelsprüche verkündet hatten: *omnes Christianos futuros, si id fecisset, et templa reliqua deserenda.* In diesen Zusammenhang gehört die andere bekannte Nachricht, Severus Alexander habe in seinem Lararium neben den *maiores,* den *divi principes* auch den *animae sanctiores,* unter ihnen Apollonius v. Tyana, Christus, Abraham und Orpheus, kultische Verehrung erwiesen (AS 29, 2).

[54] Dieser Vorwurf ist seit der Zeit der frühen Apologeten bekannt und wurde immer wieder erhoben, vgl. Tatian. adv. Graec. 10; Iustin. apol. I 21 u. a.; Socrates, hist. eccl. III 23 (PG 67, 448 f.); Cyrill. Alex. contra Iulian. (PG 76, 809 ff.).

[55] Auf diese Glaubenstatsache mußte von früh an hingewiesen werden: οὐδεὶς ἀναβέβηκεν εἰς τὸν οὐρανὸν εἰ μὴ ὁ ἐκ τοῦ οὐρανοῦ καταβάς, Evang. Joh. 3, 13; vgl. O. Weinreich, De dis ignotis quaestiones selectae, ARW 18 (1915) 1 ff.: nonne haec verba videntur contra paganos dicta esse, qui tot in caelum ascendere viderunt? — Manil. IV 57: *caelo genitus caeloque receptus* (scil. *divus Iulius*); Liv. IV 15, 7: *Romuli conditoris, ab dis orti, recepti ad deos;* vgl. hierzu Fr. Bömer, Vergil und Augustus (Gymnasium 58, 1951), 26 ff.; 49 Anm. 30.

er sei θεός, θεοῦ παῖς[56]. Demselben Julian aber ist dann — wie Alexander — die gleiche δόξα zuteil geworden. Chrysostomus erwähnt ihn nicht, aber er ist ihm im Bild Alexanders gegenwärtig; und wenn wir bedenken, daß die Homilie zum Entrückungsbericht des Korintherbriefs an die Kirchengemeinde gerichtet war, so geraten wir nicht in die Versuchung, in der Katechese nicht mehr als einen literarischen Disput unter Gebildeten zu sehen, in dem die heidnische und die christliche Auffassung über den Weg zur Unsterblichkeit zum Wettstreit aufgerufen sind. Wir sind ja über die Erregung unterrichtet, von der die Menschen ergriffen waren, als auf den Konzilien die Lehre von den zwei Naturen Christi definiert wurde. Wenn die Marktfrauen mit leidenschaftlicher Anteilnahme die theologischen Auseinandersetzungen ihrer Bischöfe verfolgten, konnten auch die Bischöfe die Bemühungen um die Bewahrung des Bildes von dem *divus Iulianus* nicht verharmlosen; sie mußten sie um so wachsamer beobachten, als man sich in der christlichen Gemeinde mit der Übernahme des antiken Bildungsgutes in den Bereich traditioneller Vorstellungen eingewöhnt hatte.

Eunap hatte am Schluß seiner Julian-Darstellung den Orakelspruch[57] erwähnt, der dem Kaiser angeblich vor seinem Marsch gegen die Perser zuteil geworden war[58]:

> Ἀλλ' ὁπότε σκήπτροισι τεοῖς Περσήϊον αἷμα
> ἄχρι Σελευκείης κλονέων ξιφέεσσι δαμάσσῃς,
> δὴ τότε σὲ πρὸς Ὄλυμπον ἄγει πυριλαμπὲς ὄχημα
> ἀμφὶ θυελλείῃσι κυκώμενον ἐν στροφάλιγξι,
> λυσάμενον βροτέων ῥεθέων πολύτλητον ἀνίην.
> Ἥξεις δ' αἰθερίου φάεος πατρώιον αὐλήν,
> ἔνθεν ἀποπλαγχθεὶς μεροπήιον ἐς δέμας ἦλθες.

Wenn dieses Orakel bereits in den Tagen von Julians Tod bekanntgeworden war,[59] so begreifen wir um so besser, warum Gre-

[56] Socr. hist. eccl. III 23.

[57] fr. 26.

[58] Vgl. den Gießener Papyrus no. 3 (Griech. Pap. zu Gießen I [1910] 15 ff.; Kornemann, Klio 7 [1907] 278 ff.; Wilcken, Grundzüge u. Chrestomathie der Pap. Kde. I 1, 420; I 2, 571 no. 491): ἅρματι λευκοπώλωι ἄρτι Τραιανῶι συνανατείλας ἥκω (sc. Apollon).

[59] Es ist natürlich erst nach Julians Tod verfaßt worden, aber der An-

gor von Nazianz sich dazu hinreißen ließ, die Sterbestunde des Kaisers mit der Legende von dem schmählichen Täuschungsversuch zu belasten: er wollte den von den heidnischen Anhängern Julians verbreiteten Mythos von der Himmelfahrt des Apostaten entlarven.

Dem Senat war es unter dem christlichen Nachfolger Julians nicht mehr erlaubt, auf Münzen oder Denkmälern des Konsekrationsaktes und der durch ihn beglaubigten Himmelfahrt des heidnischen Kaisers zu gedenken. Aber ein Angehöriger des Senatoren-Adels sollte es später doch noch wagen, die Erinnerung an jene Zeit zu beschwören, da der Senat das Recht hatte, einen Herrscher, der seinem göttlichen Auftrag gerecht geworden war, zum *divus* zu erklären und seine Apotheose im Zeremoniell des *funus publicum* symbolisch zu veranschaulichen. Auf einem Elfenbein-Diptychon [60] sind die verschiedenen Szenen, die nur jeweils vereinzelt auf Münzen oder öffentlichen Denkmälern dargestellt sind oder gar nur in literarischen Zeugnissen erwähnt werden, in einem Bild vereinigt.[61] In der Mitte sieht man den in drei Stufen aufgebauten

nahme, daß es von seinen Anhängern (Oreibasius) früh verbreitet wurde, steht nichts im Wege. — Das Einholen von Orakelsprüchen usw. war übrigens von Constantius II. (Cod. Theod. IX 16, 4) verboten worden; dieses Verbot trat nach Julians Tod wieder in Kraft; vgl. K. Latte, RE XVIII (1939), 865 f. s. v. „Orakel“; M. P. Nilsson, Gesch. d. Griech. Religion II (1950) 442 ff.; H. W. Parke u. D. E. H. Wormell, The Delphic Oracle (Oxford 1956) vol. I 289 f.

[60] Das Londoner (Brit. Mus.) Elfenbein-Diptychon (Taf. I a) ist z. B. abgebildet und kurz besprochen von R. Delbrueck, Die Consulardiptychen und verwandte Denkmäler (Studien zur spätantiken Kunstgeschichte, Bd. 2, 1929), Text 227 ff., Tafel 59; vgl. H. Graeven, Röm. Mitt. 28 (1913) 271 ff.; K. Wessel, Eine Gruppe oberitalischer Elfenbeinarbeiten, Jahrb. Arch. Inst. 63/64 (1948/49) 141; F. Weigand, Ein bisher verkanntes Diptychon Symmachorum, Jahrb. Arch. Inst. 52 (1937); W. F. Volbach, Elfenbeinarbeiten der Spätantike und des frühen Mittelalters ([2]1952) 39 f., Tafel 14 Nr. 56; E. Kitzinger, Early medieval art in the British Museum London ([2]1955) 13, Tafel 6; zuletzt A. Rumpf, Röm. histor. Reliefs, Bonner Jb. 155/56 (1955/56) 127 ff.

[61] Darauf ist bisher nicht besonders geachtet worden; auf den sonst bekannten Darstellungen wird gewöhnlich nur durch ein einziges Motiv der Akt der Consecratio bzw. einer der mit ihm verbundenen Vorstellun-

Scheiterhaufen *(rogus)*; auf der obersten Stufe steht die Quadriga, mit der eine Gestalt in göttlicher Nacktheit *(velificatus)* die Himmelfahrt antritt, die zwei auffliegende Adler begleiten. Beide Symbole sind für das Konsekrationszeremoniell, das von Cassius Dio und Herodian ausführlich beschrieben wird,[62] längst bezeugt. Während bei der Bestattungsfeier tatsächlich ein Adler vom Scheiterhaufen aufflog, um die Seele des Verstorbenen zum Himmel zu tragen,[63] sind es auf dem Diptychon zwei geflügelte Dämonen, die den — diesmal mit der Toga bekleideten — *divus* emportragen;[64] fünf *caelicolae*[65], hinter einer Wolkenbank sitzend, erwarten ihn, der grüßend die Hand hebt. Unter einem Bogen, mit den Bildern des (halben) Tierkreises ist Helios zu sehen, der seinen Blick der Szene zuwendet. Den unteren Teil und die rechte Seite des Bildes bis zum Tierkreisbogen hin nimmt die Elefanten-Quadriga[66] ein,

gen berücksichtigt (*rogus*, Adler, Himmelfahrt, *tensa* usw.). Zur Consecratio vgl. Wissowa, Religion und Kultus², 342 ff.; Beurlier a. a. O. 55 ff.; L. Koep-A. Hermann, RAC III (1957), 269 ff. s. v. „Consecratio", bes. 284 ff. (Kaiserapotheose); M. Bernhart, Consecratio, Festschr. Hommel 2 (1918) 155 ff.; E. Bickermann, Die röm. Kaiserapotheose, ARW 27 (1929) 1 ff. [oben S. 82 ff.]; E. Strong, Apotheosis and After Life (London 1915); L. R. Taylor, The divinity of the Roman emperor (Middletown 1931).

[62] Cassius Dio 75, 4, 1—5, 5 (Pertinax); vgl. 56, 42, 3 (Augustus). Herodian (ed. Stavenhagen 1922), IV 2, 1 ff.; ἔθος γάρ ἐστι Ῥωμαίοις ἐκθειάζειν κτλ. (Sept. Severus). Vgl. Taf. I c, d; Taf. II a, b (hier anstelle des Adlers ein Pfau). Vittinghoff, Der Staatsfeind in der röm. Kaiserzeit (1936), 107 macht mit Recht geltend, daß beim Begräbnis des Augustus der Adler noch nicht benötigt wurde, da Livia auf den Zeugenschwur Wert legte.

[63] Herodian IV 2, 11: ἀετὸς ἀφίεται σὺν τῷ πυρὶ ἀνελευσόμενος ἐς τὸν αἰθέρα, ὃς φέρειν ἀπὸ γῆς ἐς οὐρανὸν τὴν τοῦ βασιλέως ψυχὴν πιστεύεται ὑπὸ Ῥωμαίων. Vgl. Fr. Cumont, L'aigle funéraire d'Hiérapolis et l'Apothéose des empereurs, Études Syriennes, Paris 1917, 35 ff.

[64] Von ähnlichen Darstellungen vgl. z. B. Taf. II c (Antoninus Pius).

[65] Vgl. CIL VI 537 (Bücheler, Carm. epigr. 1530 B, p. 727): *Ibis in optatas sedes: nam Iuppiter aethram / pandit, Feste, tibi, candidus ut venias. / Iamque venis, tendit dextras chorus inde deorum / et toto tibi iam plauditur ecce polo.*

[66] Fr. Matz, Der Gott auf dem Elephantenwagen, Abh. der Mainzer Akad. d. Wiss. 1952, Nr. 10; unten Taf. I e.

auf der, in einer *aedicula* thronend, in der Rechten einen Lorbeerzweig, in der Linken ein langes Zepter haltend, der zum Gott erklärte *optimus princeps* dargestellt ist.

Das Diptychon ist häufig beschrieben worden; trotz mehrerer gewichtiger Deutungsversuche wäre noch manches in eingehender Untersuchung zu klären. Es scheint, als ob das krönende Monogramm auf einen Angehörigen der Symmachus-Familie hinwiese,[67] die sich bekanntlich mit besonderem Eifer in den Dienst der „heidnisch-senatorischen Reaktion" gestellt hatte. Eine genaue Datierung ist vorläufig nicht möglich, da die „retrospektiven Bilder" einer Stilanalyse schwer zugänglich sind, „zumal in einer Zeit, die so vielfältig mit Kopien und Reminiszenzen belastet ist", wie die Spätantike;[68] man wird aber an die Wende vom vierten zum fünften Jahrhundert denken dürfen, an die Jahre, in denen auch mit Hilfe literarischer „Reminiszenzen" die Erinnerung der christlich gewordenen *cives Romani* an die heidnische Vergangenheit wachgehalten werden sollte. — Dem bärtigen *divus* gleicht keines der uns bekannten Kaiserporträts;[69] im allgemeinen wird er mit Antoninus Pius gleichgesetzt;[70] nach Alföldis[71] Auffassung ist Julian gemeint. Wir wissen nicht, was auf der andern Seite dargestellt war — vielleicht, wie man im Hinblick auf die beiden Adler vermutet hat, die Konsekration einer *diva (Augusta)*; dann käme Faustina in Betracht, die Gemahlin des Antoninus Pius, dem auch die christliche Kirche ein dankbares Andenken bewahrt hatte:

[67] E. Weigand, JdI 52 (1937), 121 ff.; Alföldi, Kontorn. 63: „Es ist entweder für die Hochzeit der Tochter des Q. Aurelius Symmachus mit dem Sohn des anderen großen heidnischen Parteiführers Virius Nicomachus Flavianus zwischen 392—94 n. Chr. verfertigt worden, oder für die Heiratsfeier des Sohnes des Symmachus mit der Tochter des jüngeren Nicomachus Flavianus." Delbrueck hatte sich für Hormisdas entschieden, H. Graeven für Constantius Chlorus.

[68] Rumpf 134/5.

[69] Vgl. Wessel, a. a. O. 142 ff.

[70] Rumpf 132; Hartke, Kinderkaiser (1951), 138.

[71] Alföldi, Kontorniaten 63. Vgl. Herzog, Trierer Ztschr. XIII (1938) 79 ff., 113 ff. (Exkurs über das selige Leben im Himmel nach dem alten und neuen Glauben).

Antonino imperante pax ecclesiis fuit, hielt noch Sulpicius Severus in seiner Chronik fest (2, 32, 1).

Die heidnische Apologetik war, wie etwa die Historia Augusta mit der Idealisierung des Severus Alexander beweist, daran interessiert, am Beispiel ihrer guten Kaiser nachzuweisen, wie verträglich sich im Zeichen der Toleranz die verschiedenen religiösen (und politischen) Auffassungen aufeinander abstimmen ließen. Eine apologetisch-propagandistische Absicht war auf jeden Fall auch dem Diptychon anvertraut. Die Christen aber mußten das Bild, selbst wenn sie nicht unmittelbar zum Gedenken an Julians Himmelfahrt aufgefordert waren, als eine Provokation erachten. Sie blieben zwar der Tradition insofern noch verhaftet, als sie auch ihren Kaisern nach dem Tode den Divus-Titel zuerkannten; aber sie wagten es nicht einmal mehr, deren Aufnahme in den Himmel nach dem Vorbild Konstantins darzustellen: er war noch in der Quadriga aufgefahren, und aus den Himmelswolken wurde ihm die Hand Gottes zum Empfang dargereicht.[72] Obwohl sie sich sogar daran gewöhnt hatten, Christus als *princeps principum* und als *imperator imperatorum* im Bild des römischen Kaisers zu sehen,[73] verzichteten sie auch bei der bildlichen Darstellung der Himmelfahrt Christi auf die Rezeption der überkommenen Motive — sie scheinen auch das Bild des Christus-Helios (in der Juliergruft der Vatikanischen Grotten) nicht mehr wiederholt zu haben[74]: der Auferstandene schritt aus eigener Kraft zu seinem himmlischen Reich.[75] Er konnte

[72] Vgl. Taf. I b.

[73] E. Peterson, Christus als Imperator (Theol. Traktate, 151 ff., hier 152); Ernst E. Kantorowicz, Gods in uniform (Proceed. Americ. Philos. Society vol. 105, 4), 368 ff. — Vgl. Taf. IV b.

[74] Taf. IV a; vgl. jedoch die Himmelfahrt des Elias, Taf. II d.

[75] H. Schrade, Zur Ikonographie der Himmelfahrt Christi (Warburg-Vorträge 1928—1929 [1930], 66 ff.), 116 u. 118: „Aber nirgend fand sich das Aufschreiten zum Himmel aus eigener Mächtigkeit, das für die christliche Darstellung so charakteristisch war ... Schon das frühe Mittelalter, wahrscheinlich aber auch schon die ältere Zeit unterscheidet deshalb die Himmelfahrt Christi von der des Elias: dieser sei von fremder Kraft zum Himmel getragen worden, Christus habe aus eigener Machtvollkommenheit den Himmel erreicht" — z. B. Gregor Magnus, PL 76, 1216 ff.; unten Taf. III a und b.

von geflügelten Engeln geleitet werden;[76] von diesem Motiv mochte eine Verbindung zurück zu den heidnischen Bildern, auch zum Londoner Diptychon, herstellen, wer sich nicht damit zufriedengeben wollte, daß zum mindesten die Existenz der Engel und ihre dienende Funktion auch in der Bibel bezeugt waren.[77]

Gegen Ende des vierten Jahrhunderts ist die Einrichtung eines besonderen Festes zum Gedächtnis an Christi Himmelfahrt zum erstenmal bezeugt.[78] Man darf sich wohl mit Recht fragen, ob darin nicht eine Antwort der Kirche auf die heidnischen Bemühungen um die Rechtfertigung der Apotheose erblickt werden muß, wie sie auch und zur gleichen Zeit in den Reden eines Gregor von Nazianz, in der Homilie eines Johannes Chrysostomus gegeben worden war. Denn die erregte Polemik der Kirchenväter ist nur dann in ihrer letzten Absicht voll verständlich, wenn es sich nicht nur darum handelte, daß die von den Heiden hartnäckig verteidigten Anschauungen als unhaltbar erwiesen wurden, sondern wenn gleichzeitig die eigenen Glaubensgenossen vor der Gefahr bewahrt werden sollten, im Blick auf die Julian und anderen *divi* zugedachte Himmelfahrt die Singularität der wunderbaren Auferstehung und Himmelfahrt Christi zu bezweifeln und sich dadurch in ihrer Glaubensgewißheit erschüttern zu lassen. In dieser Glaubensgewißheit war aber damals der absolute Geltungsanspruch ihrer „politischen Theologie" begründet, die anstelle des heidnischen Imperiums das Imperium Christi zu errichten gedachte.

[76] Vgl. Schrade a. a. O. Taf. IX Abb. 18; A. Suhle, Der Einfluß der Antike auf die Münzbilder des Mittelalters (Wissensch. Abhandl. d. deutschen Numismatikertages in Göttingen 1951, ersch. 1959), 59 ff.; 70 und Taf. XX; XXIV (Auserwählte werden von Engeln zum Himmel getragen). — Chr. Ihm, Die Programme der christl. Apsismalerei vom 4. Jahrhundert bis zur Mitte des 8. Jahrhunderts (Forschungen zur Kunstgesch. und christl. Archäologie, Bd. 4, 1960), 95 ff.

[77] Vgl. Michl-Klauser, s. v. Engel, RAC V 53 ff., 258 ff.

[78] Vgl. Ernest T. Dewald, The iconography of the Ascension, American Journ. of Archeol. 19 (1915) 277 ff.; B. Fischer, Artikel „Himmelfahrt" im Lexik. f. Theol. u. Kirche, Bd. 5 (1960)^2 Sp. 362 f., wo als frühester Beleg „ca. 370" (Apostol. Constit. 8, 33, 4) angegeben ist. Daß dieses, hier nur angedeutete, Thema „noch lange nicht ausgeschöpft" ist, bemerkt mit Recht G. Kretschmar, Himmelfahrt und Pfingsten, ZKG 66 (1954/5) 209.

Abbildungsnachweise:

I a: Elfenbeindiptychon (London, Brit. Museum). Aus: R. Delbrueck, Die Consulardiptychen und verwandte Denkmäler, Tafelbd. (1929) 59.

b: Konsekrationsmünze Konstantins. Aus: J. Maurice, Numismatique Constantinienne III (1912) Taf. 3, 26. Die Abb. stellte freundlicherweise L. Koep (Bonn) zur Verfügung; vgl. ders., Die Konsekrationsmünzen Kaiser Konstantins und ihre religionspolitische Bedeutung, Jahrb. f. Antike u. Christentum 1 (1958) 94 ff. und Taf. 6 b. [In diesem Band S. 509 ff. ohne Tafel.]

c: Konsekrationsmünze des Antoninus Pius. Aus: M. Bernhart, Handbuch zur Münzkunde der römischen Kaiserzeit, Tafelbd. (1925) Taf. 52, 5.

d: Konsekrationsmünze des Antoninus Pius. Aus: Bernhart, a. a. O., Taf. 55, 8.

e: Konsekrationsmünze Mark Aurels. Aus: Bernhart, a. a. O., Taf. 54, 8.

II a: Konsekrationsmünze der Faustina. Aus: Bernhart, a. a. O., Taf. 55, 3.

b: Konsekrationsmünze der Julia Domna. Aus: Bernhart, a. a. O., Taf. 52, 6.

c: Relief der Antoninussäule. Orig.-Aufnahme, die freundlicherweise vom Museo del Vaticano zur Verfügung gestellt wurde.

d: Sarkophagrelief (Schmalseite), Mailand, Sant'Ambrogio. Aus: W. F. Volbach, Frühchristliche Kunst (1958) Taf. 46.

III a: Elfenbein, München, Bayer. Nationalmuseum. Aus: Vorträge Bibl. Warburg 1928/29, Taf. I 2.

b: Missale aus St. Gereon, Paris, Bibl. nationale, Ms. lat. 817. Aus: Vorträge Bibl. Warburg 1928/29, Taf. VIII 16.

IV a: Deckenmosaik, Rom. Juliergruft unter St. Peter. Aus: L. Voelkl, Der Kaiser Konstantin (1957) Abb. 52.

b: Gewölbemosaik, Ravenna, Erzbischöfl. Kapelle. Aus: F. W. Deichmann, Frühchristliche Bauten und Mosaiken von Ravenna (1958) Abb. 217.

a) Consecratio eines Divus

b) Konsekrationsmünze Konstantins d. Gr.

c) Konsekrationsmünze d. Antoninus Pius

d) Rogus mit Quadriga

e) Divus auf Elefantenwagen

a)

b)

a) Rogus

b) Konsekrationsmünze der Julia Domna

c) Himmelfahrt des Antoninus Pius und der Faustina

d) Himmelfahrt des Elias

a)

b)

Christi Himmelfahrt

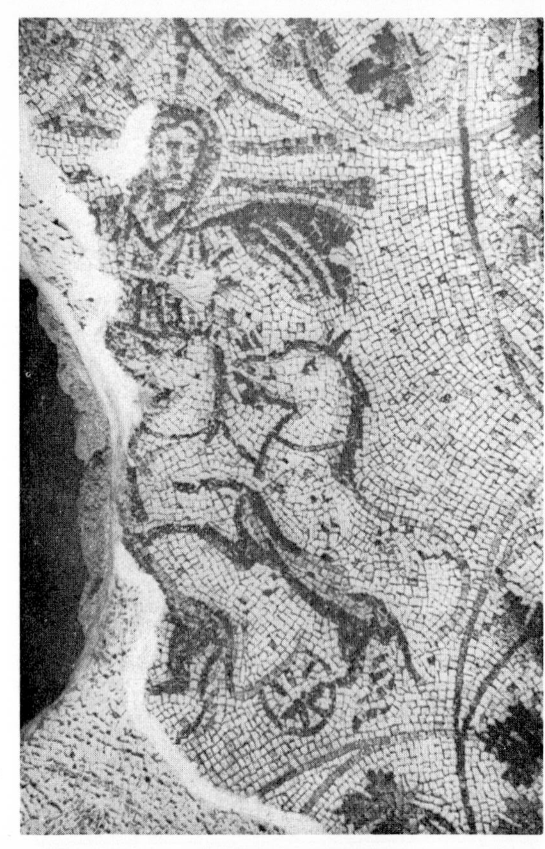

a) Christus Helios

b) Christus Imperator

BIBLIOGRAPHIE

Eine ausführliche, bis etwa 1955 reichende Bibliographie zum antiken Herrscherkult enthält Nr. 23 (Cerfaux/Tondriau). Als Fortsetzung (bis 1975) gedacht, wenn auch auf den römischen Kaiserkult eingeschränkt, ist eine demnächst in ANRW II 16 erscheinende Bibliographie von Peter Herz. Die wichtigste Literatur zu den Kulten hellenistischer Könige ist bei Habicht (Nr. 48) verzeichnet. Über die Forschung zu Alexander (seit 1877) berichtet J. Seibert (Nr. 83), über die zu Caesar H. Gesche (Nr. 42). Die numismatischen Arbeiten zum Kaiserkult hat Mannsperger (Nr. 65) zusammengestellt; über die epigraphische Forschung im griechischen Bereich informieren L. und J. Robert im Bulletin épigraphique (im Rahmen der REG). Literatur zu Konstantin dem Großen sowie der spätantiken und byzantinischen Herrscherauffassung kann den Bibliographien der von H. Kraft bzw. H. Hunger herausgegebenen WdF-Bände (131, 1974 und 341, 1975) entnommen werden.

Die folgende Zusammenstellung ist im wesentlichen auf die in der Einführung erwähnten Arbeiten beschränkt. Nur zu einigen Bereichen und Problemkreisen, die gar nicht oder nur flüchtig berührt werden konnten, sind einzelne, zumeist neuere Untersuchungen aufgeführt.

Sammelwerke:

1. Le culte des souverains dans l'empire Romain: Entretiens sur l'antiquité classique 19, hrsg. von W. den Boer, Fond. Hardt, Vandœuvres 1973
2. Studies in the History of Religions 4: The Sacral Kingship: Numen Suppl. IV, Leiden 1959

Einzeluntersuchungen

3. T. Adam, Clementia principis. Der Einfluß hellenistischer Fürstenspiegel auf den Versuch einer rechtlichen Fundierung des Prinzipats durch Seneca, Stuttgart 1970

4. K. Aland, Der Abbau des Herrscherkultes im Zeitalter Konstantins, in: Nr. 2 S. 493—512
5. A. Alföldi, Studien über Caesars Monarchie, Lund 1953
6. A. Alföldi, Der Vater des Vaterlandes im römischen Denken, Darmstadt 1971 (Nachdruck der Aufsatzreihe „Die Geburt der kaiserlichen Bildsymbolik" aus MH 7, 1950—11, 1954)
7. A. Alföldi, Die monarchische Repräsentation im römischen Kaiserreiche, Darmstadt 1970 (Nachdr. von RM 1934, 3—118 u. 1935, 3—158)
8. A. Alföldi, Die zwei Lorbeerbäume des Augustus, Bonn 1973 (Antiquitas III, 14)
9. A. Alföldi, La divinisation de César dans la politique d'Antoine et d'Octavien entre 44 et 40 av. J.-C.: RN 1973, 99—128
10. A. Alföldi, Die Denarprägung des Jahres 44 v. Chr. als Quelle für die Geschichte Caesars (Antiquitas III, 13), 1974
11. A. Alföldi, Caesar in 44 v. Chr., Bd. I: Caesar und das Königtum (Antiquitas III, 16, angekündigt); Bd. II: Das Zeugnis der Münzen (Antiquitas III, 17), 1974
12. G. Alföldy, Flamines Provinciae Hispaniae Citerioris, Madrid 1973
13. H. A. Andersen, Cassius Dio und die Begründung des Principates, Berlin 1938.
14. J. Beaujeu, Les apologètes et le culte du souverain, in: Nr. 1 S. 101 bis 142
15. A. Benjamin, A. E. Raubitschek, Arae Augusti: Hesperia 28, 1959, 65—85
16. E. Bickerman, Sur un passage d'Hypéride (Epitaphios col. VIII): Athenaeum 41, 1963, 70—85
17. E. Bickerman, Consecratio, in: Nr. 1 S. 1—37
18. F. Blumenthal, Der ägyptische Kaiserkult: APF 5, 1913, 317—345
19. F. Boemer, Über die Himmelserscheinung nach dem Tode Caesars: BJ 152, 1952, 27—40
20. G. W. Bowersock, Greek intellectuals and the imperial cult in the second century A. D., in: Nr. 1 S. 177—212
21. W. Burkert, Caesar und Romulus-Quirinus: Historia 11, 1962, 356 bis 376
22. S. Calderone, Teologia politica, successione dinastica e consecratio in età constantiniana, in: Nr. 1 S. 213—269
23. L. Cerfaux, J. Tondriau, Le culte des souverains dans la civilisation gréco-romaine, Paris 1957
24. M. P. Charlesworth, The refusal of divine honours: Papers of the British School at Rome 15, 1939, 1—10

25. C. J. Classen, Romulus in der römischen Republik: Philologus 106, 1962, 174—204
26. C. J. Classen, Gottmenschentum in der römischen Republik: Gymnasium 70, 1963, 312—338.
27. J. Deininger, Die Provinziallandtage der römischen Kaiserzeit von Augustus bis zum Ende des dritten Jahrhunderts n. Chr., München 1965 (Vestigia 6)
28. G. Dobesch, Caesars Apotheose zu Lebzeiten und sein Ringen um den Königstitel, Wien 1966
28a. G. Dobesch, Wurde Caesar zu Lebzeiten in Rom als Staatsgott anerkannt? [Auseinandersetzung mit H. Gesche Nr. 41.] Nochmals zur Datierung des großen Senatskonsultes [zu Balsdon, Gnom. 39, 1967, 153, in diesem Band S. 354]: JOEAI, Beih. II (1971), 20—49 und 50—60.
29. C. M. Edsman, Zum sakralen Königtum in der Forschung der letzten hundert Jahre, in: Nr. 2 S. 3—17
30. V. Ehrenberg, Caesar's final aims: HSCPh 68, 1964, 149—161
31. W. Ensslin, Der Kaiser in der Spätantike: HZ 177, 1954, 449—468
31a. W. Ensslin, Gottkaiser und Kaiser von Gottes Gnaden: Sb. München 1943, 6
32. R. Étienne, Le culte impérial dans la péninsule ibérique d'Auguste à Dioclétien, Paris 1958
33. D. Fishwick, The imperial cult in Roman Britain: Phoenix 15, 1961, 159—173; 213—229
34. D. Fishwick, The institution of the imperial cult in Afrika Proconsularis: Hermes 92, 1964, 342—362
35. D. Fishwick, Genius and numen: HThR 62, 1969, 356—367
36. D. Fishwick, Numina Augustorum: ClQu 20, 1970, 191—197
37. D. Fishwick, Flamen Augustorum: HSCPh 74, 1970, 299—312
38. D. Fishwick, The development of provincial ruler-worship in the Western Roman Empire, in: ANRW II 16, hrsg. von W. Haase, Berlin-New York 1978 (im Druck)
39. J. Gagé, Psychologie du culte imperial romain: Diogène 34, 1961, 47—68
40. M. Gelzer, Caesar, der Politiker und Staatsmann, Stuttgart/Berlin 1921 (6. Aufl. Wiesbaden 1960)
41. H. Gesche, Die Vergottung Caesars, Frankfurter Althistorische Studien 1, 1968
42. H. Gesche, Caesar, Darmstadt 1976 (Erträge der Forschung 51)
43. U. Geyer, Der Adlerflug im römischen Konsekrationszeremoniell, Diss. Bonn 1967

44. V. von Gonzenbach, Genius Augusti — Theos Sebastos: Stockholm Studies in Class. Arch. 5, 1968, 81—117 (Festschr. C. Kerényi)
45. E. R. Goodenough, The political philosophy of Hellenistic kingship: YCS 1, 1928, 55—102
46. M. Grant, From imperium to auctoritas. A historical study of aes coinage in the Roman Empire 49 B.C.—A.D. 14, Cambridge 1946
47. W. Haase, Voraussetzungen und Motive des Herrscherkultes von Kommagene: Antike Welt 6, 1975, Sondernr. Kommagene, 17—21. 86 f.
48. Chr. Habicht, Gottmenschentum und griechische Städte, München 1956. [2]1970 (Zetemata 14)
49. Chr. Habicht, Die augusteische Zeit und das 1. Jh. n. Chr., in: Nr. 1 S. 39—99
50. H. Heinen, Zur Begründung des römischen Kaiserkultes: Klio 11, 1911, 129—177
51. P. Herrmann, Der Kaisereid. Untersuchungen zu seiner Herkunft und Entwicklung, Göttingen 1968 (Hypomnemata 20)
52. P. Herz, Untersuchungen zum Festkalender der römischen Kaiserzeit nach datierten Weih- und Ehreninschriften, Diss. Mainz 1975
53. G. Herzog-Hauser, Kaiserkult, in: RE Suppl. 4, 1924, 806—853
54. H. U. Instinsky, Kaiser und Ewigkeit: Hermes 77, 1942, 313 bis 355
55. U. Knoche, Die augusteische Ausprägung der Dea Roma: Gymnasium 59, 1952, 324—349
56. L. Koep, Antikes Kaisertum und Christusbekenntnis im Widerspruch: JbAC 4, 1961, 58—76
57. E. Kornemann, Zur Geschichte der antiken Herrscherkulte: Klio 1, 1901, 51—146
58. T. Kotula, Les origines des assemblées provinciales dans l'Afrique Romaine: Eos 52, 1962, 147—167
59. K. Kraft, Der goldene Kranz Caesars und der Kampf um die Entlarvung des „Tyrannen": JNG 3/4, 1952/53, 7—97 (Reihe Libelli, Darmstadt 1969)
60. M. Krascheninnikoff, Ueber die Einführung des provinzialen Kaisercultus im römischen Westen: Philologus 53, 1894, 147—189
61. P. Lambrechts, La politique apollinienne d'Auguste et le culte impérial: La Nouvelle Clio 5, 1953, 65—82
62. K. Latte, Römische Religionsgeschichte, München 1960 (HdA V, 4), 312—326
63. H. Lietzmann, Der Weltheiland (1909), in: Kleine Schriften I, Berlin 1958, 25—62

64. D. Mannsperger, Apollon gegen Dionysos. Numismatische Beiträge zu Oktavians Rolle als Vindex Libertatis: Gymnasium 80, 1973, 381—404
65. D. Mannsperger, ROM. ET AUG. Die Selbstdarstellung des Kaisertums in der römischen Reichsprägung, in: ANRW II 1, 1974, 919 bis 996
66. R. Mellor, ΘΕΑ ΡΩΜΗ. The worship of the goddess Roma in the Greek world, Göttingen 1975 (Hypomnemata 42)
67. Ed. Meyer, Caesars Monarchie und das Principat des Pompejus, Stuttgart 1918 (Nachdruck d. 3. Aufl. v. 1922: Darmstadt 1963)
68. D. Michel, Alexander als Vorbild für Pompeius, Caesar und Marcus Antonius. Archäologische Untersuchungen, Brüssel 1967 (Coll. Latomus 94)
69. F. Millar, The imperial cult and the persecutions, in: Nr. 1 S. 143 bis 175
70. G. Niebling, Laribus Augustis magistri primi. Der Beginn des Compitalkultes der Lares und des Genius Augusti: Historia 5, 1956, 303 bis 331
71. M. P. Nilsson, Geschichte der griechischen Religion. II, München ([1]1950) [2]1961 (HdA V, 2.2), 132—185
72. A. D. Nock, Notes on ruler-cult: JHS 48, 1928, 21—43
73. A. D. Nock, Σύνναος θεός: HSCPh 41, 1930, 1—62
74. D. M. Pippidi, La date de l'Ara Numinis Augusti de Rome: REL 11, 1933, 435—456
75. H. W. Pleket, An aspect of the emperor cult: Imperial mysteries: HThR 58, 1965, 331—347
76. A. E. Raubitschek, Epigraphical notes on Julius Caesar: JRS 44, 1954, 65—75
77. A. E. Raubitschek, Octavia's deification at Athens: TAPA 77, 1946, 146—150
78. J. C. Richard, Incinération et inhumation aux funerailles impériales. Histoire du rituel de l'apothéose pendant le haut-empire: Latomus 25, 1966, 784—804
79. W. Schmidt, Geburtstag im Altertum, Gießen 1908 (RGVV VII 1)
80. W. Schubart, Das hellenistische Königsideal nach Inschriften und Papyri: APF 12, 1936, 1—26
81. K. Scott, The sidus Iulium and the apotheosis of Caesar: CPh 36, 1941, 257—272
82. K. Scott, The imperial cult under the Flavians, Stuttgart/Berlin 1936
83. J. Seibert, Alexander der Große, Darmstadt 1972 (Erträge der Forschung 10)

84. W. F. Snyder, Public anniversaries in the Roman Empire: The epigraphical evidence for their observance during the first three centuries: YCS 7, 1940, 223—317
85. P. L. Strack, Zum Gottkönigtum Caesars, in: Probleme der augusteischen Erneuerung, Auf dem Wege zum nationalpolit. Gymnasium 6, Frankfurt 1938, 21—27
86. J. A. Straub, Vom Herrscherideal in der Spätantike, Stuttgart 1939 (Stuttgart-Darmstadt ²1964)
87. F. Taeger, Alexander der Große und die Anfänge des hellenistischen Herrscherkultes: HZ 172, 1951, 225—244
88. F. Taeger, Charisma. Studien zur Geschichte des antiken Herrscherkultes I, Stuttgart 1957, II 1960
89. F. Taeger, Alexanders Gottkönigsgedanke und die Bewußtseinslage der Griechen und Makedonen, in: Nr. 2 S. 394—406
90. L. R. Taylor, The worship of Augustus in Italy during his lifetime: TAPA 51, 1920, 116—133
91. L. R. Taylor, The divinity of the Roman emperor, Middletown 1931
92. L. R. Taylor, Tiberius' ovatio and the Ara Numinis Augusti: AJPh 58, 1937, 185—195
93. K. Thraede, Die Poesie und der Kaiserkult, in: Nr. 1 S. 271—308
94. P. Veyne, « Tenir un buste ». Une intaille avec le Génie de Carthage, et le sardonyx de Livie à Vienne: CahByrsa 8, 1958/59, 61—78
95. P. Veyne, Ordo et Populus, Génies et Chefs de File: MEFR 73, 1961, 229 ff.
96. H. Volkmann, Caesars letzte Pläne im Spiegel der Münzen: Gymn. 64, 1957, 299—309
97. St. Weinstock, Divus Julius, Oxford 1971
98. O. Weippert, Alexander-Imitatio und römische Politik in republikanischer Zeit, Diss. Würzburg 1972
99. K. W. Welwei, Das Angebot des Diadems an Caesar und das Lupercalienproblem: Historia 16, 1967, 44—69
100. E. Will, Autour du culte des souverains. A propos de deux livres récents: RPh 34, 1960, 76—85